U0906038

Yilin Classics

ὍΜΗΡΟΣ

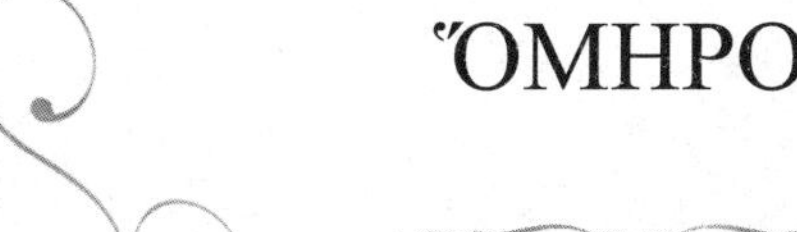

经/典/译/林

Ὀδύσσεια

奥德赛

[古希腊] 荷马 著

陈中梅 译注

译林出版社

图书在版编目（CIP）数据

奥德赛 /（古希腊）荷马著；陈中梅译注. —南京：译林出版社，2022.11

（经典译林）

ISBN 978-7-5447-9436-7

Ⅰ.①奥… Ⅱ.①荷… ②陈… Ⅲ.①史诗-古希腊 Ⅳ.①I545.22

中国版本图书馆CIP数据核字（2022）第170046号

奥德赛 ［古希腊］荷马／著 陈中梅／译注

责任编辑 鲍迎迎 施梓云 李浩瑜
装帧设计 陈天岷
校　　对 孙玉兰
责任印制 董　虎

出版发行 译林出版社
地　　址 南京市湖南路1号A楼
邮　　箱 yilin@yilin.com
网　　址 www.yilin.com
市场热线 025-86633278
排　　版 南京展望文化发展有限公司
印　　刷 南京新世纪联盟印务有限公司
开　　本 880毫米×1240毫米 1/32
印　　张 26.5
插　　页 4页
版　　次 2022年11月第1版
印　　次 2022年11月第1次印刷
书　　号 ISBN 978-7-5447-9436-7
定　　价 92.00元

CONTENTS・目录

序 言

他站立在西方文学长河的源头上。他是诗人、哲学家、神学家、语言学家、社会学家、历史学家、地理学家、农林学家、工艺家、战争学家、杂家——用美国古典学者哈夫洛克(E. A. Havelock)的话来说,是古代的百科全书。在古希腊,熟悉他的诗歌是有知识的表现。至迟在公元前五世纪,他已是公认的希腊民族的老师;在亚里士多德去世后的希腊化时期,只要提及"诗人"(ho poiētēs),人们就知道指的是他。此人的作品是文艺复兴时期最畅销的书籍之一。弥尔顿酷爱他的作品,拉辛曾熟读他的诗篇。歌德承认,此人的诗作使他每天受到教益;雪莱认为,在表现真理、和谐、持续的宏伟形象和令人满意的完整性方面,此人的功力甚至超过莎士比亚。这位历史真实性已很难准确稽考的古人,据说是两部传世名著,即史诗《伊利亚特》和《奥德赛》的作者,出生在位于小亚细亚近海的基俄斯岛,大约生活在公元前八世纪,他的名字叫荷马(Homēros)。

在荷马史诗问世之前,经由吟游诗人们的演唱,一些有关特洛伊战争的故事片段和别的英雄传奇,已经以较短的叙事诗形式在各地的希腊宫廷和民间流传。《伊利亚特》和《奥德赛》与此类故事属于同一种文学门类,但在质和量两个方面均远远胜出,绝非后者可以同日而语。《伊利亚特》讲述发生在历时十年的特洛伊战争最后一年里的故事,而《奥德赛》则以战后英雄奥德修斯于归航途中所遭受的各种磨难，以及回家后击杀求婚人一事作为情节的主干。随着时间的推移，两部史诗以其鲜明的希腊风格、宏大的规模、跌宕起伏的情节和极高的艺术品位，逐渐具备了跨城邦的全希腊(pan-Hellenic)影响力，广为传播，妇孺皆知，成为全体希腊人珍爱与共享的精神财富。荷马史诗从一开始就并非只是诗歌。对于公元前七世纪以降的希腊人，《伊利亚特》和《奥德赛》既是诗，也是史，而且还兼具教化功能，其作用远超一般意义上的文学。作为希腊历史的讲述者和民族精神的塑造者，荷马用这两部长诗为散居在辽阔地域内的希腊人打造了族群的文化共同体意识，给了他们一种能够大致确定其民族身份的标志，使其初步然而却是明确具备了长期以来渴望具备的自我意识。荷马史诗唤醒并优化了希腊人的民族认同感，是“希腊主义”(Hellenism)的最初表达。希腊人从荷马那里接纳的不只是古老的遗产，不只是“爱国主义的历史传奇或迷人的童话故事”，比这些更为重要的是，诚如《希腊人》一书的作者基托(H. D. F. Kitto)所指出的，他们还接纳了每一个希腊男孩在小学里必读的“那些内含使希腊文明具备其自身面貌的全部质素的诗篇”。荷马史诗凝聚并升华了希腊人的民族自豪感，使他们具备了自己的宗教观、生存理念、政治判断力和价值取向，拥有了自己的观念形态。凭借荷马史诗提供的价值引领，也受益于接受这种引领的社会实践，希腊文明第一次真正具备了自己的形观。作为“第一位”和“最伟大的”诗人，荷马和他的史诗为后续时代的希腊人“绘制了他们即将进入其中的世界图景”(J. D. 伯纳尔语)。

荷马塑造了希腊。《伊利亚特》是希腊民族第一次清晰的话语表述，描绘了希腊生活最古老的画面。荷马史诗奠定了希腊文化的基础，把希腊人引向对美、公正、知识和自由的热爱，使他们养成了一种注重事物的普遍性和共性展示的认知习惯。正是荷马史诗所帮助培育的这种希腊性(the Greekness),使得古希腊文明即使在表层乃至中层出现断裂之后,依然可以在深层次里保持传统与现实之间的通连。公元前六世纪,随着自然哲学的兴起,荷马史诗所宣扬的世界由奥林波斯神族掌控的神话宇宙观受到了前所未有的强劲挑战。然而,荷马依据某种整体意识或曰整全感解释世界和人生的认知取向却依然有效,他对中允和无偏见叙事原则的青睐,事实上也许还以一种潜移默化的方式,无形中为泰勒斯等自然哲学家们的探索提供了助力。对于普通希腊人,荷马史诗所描绘的生存图景从未整体地失去感召力。荷马史诗依然是主导希腊人民族认同感最主要的精神力量;作为指导行为的规范和准则,史诗的道德与文化影响力在哲学兴起之后的几百年里依旧长盛不衰。

荷马史诗是希腊的,也是西方的。从这个意义上来说,荷马塑造了希腊,也就意味着一定程度上直接和间接地塑造了西方。按照一些西方学者的观点,荷马史诗“是文化的代表,价值的符号,文学与文化之变动不居关系的里程碑”。不能因为《伊利亚特》和《奥德赛》的古老而简单地将其归结为“原始”,也不宜因为其中神话氛围的浓厚而不分青红皂白地一概斥之为“不真实”。事实上,两部史诗的信息含量巨大,情感、史料与思想积淀丰厚,“代表了西方文化的根基”,在一些重要方面影响了西方文明的进程。“两千七百年来,《伊利亚特》从未失去它的典范地位”;“和《圣经》一起,《伊利亚特》代表西方文学、思想和精神的根基,从最广泛的意义上来说,代表了它的文化”。荷马史诗乃“欧洲文明的基础文本”,展示了鲜明的“欧洲性格”,《伊利亚特》是“西方文明的源头”。荷马史诗在西方文化的开源处烙下了涂抹不掉的印记。

“荷马是希腊文化,欧洲文化和西方文化真正的先驱,”比利时裔美国科学史家乔治·萨顿(George Sardon)评价道,“这位先驱的身形如此高大,以至于我们今天仍然处在他的投影之中。”

荷马史诗对西方文学的影响尤其显著,对荷马以及荷马史诗的颂扬构成了文学评论中的一个组成部分,经常见诸西方学者和文人的笔端。荷马乃但丁心目中的“诗王”(poeta sovrano),是雨果崇敬的“太阳”(相比之下,维吉尔只是“月亮”)。这位盲诗人虽然以口诵从业,却是“欧洲文学的奠基英雄”。对希腊人来说,荷马从来就是“那个特指的诗人”,在西方文学传统中,“他从未失去这一身份”。纵观源远流长的欧洲文学史,荷马史诗是形成最早且受赞誉度最高的文学作品,以这两部诗作为代表的希腊文学和直接继承其衣钵的拉丁文学,“模塑了(has moulded)西欧和美国的文学生态”。荷马史诗对后世文人的榜样和激励作用怎么估计都不会过分,脍炙人口的故事和通过它们所精湛表述的人文思想一样,或明澈或隐晦地进入西方文学的主流渠道,“滋养我们的想象力达两千五百年之久”。无论是受到赞誉,还是受到批评乃至一些宗教人士的憎恨,它们都是整部欧洲文学史的核心。荷马史诗“被认为是我们最伟大的诗篇”,是西方世界“最古老的文学作品”,对西方的文学传统产生了“渗透面最广的影响”,“这三点事实”使得它们当之无愧、实至名归地“成为整座西方文学大厦的基石”。

荷马参与了对西方文明的塑造,但即便用最夸张的方式来描述,我们也绝对不会说,荷马或《伊利亚特》和《奥德赛》的作者单枪匹马地造就了西方。参与模塑西方文明的要素除了荷马史诗,还有希腊哲学、基督教、罗马法、十一世纪的格里高利改革、十七世纪的科学革命以及随之而来的社会变革。即便对于希腊文明,本身亦在一些方面受惠于东方文学的荷马史诗也不是全部。希腊哲学的作用不可小觑,近当代西方学者对一百多年来受到广泛讨论的“希腊奇迹”(the Greek miracle)的褒奖性评估中,哲学、逻辑和科学的因素占据很大的比重。荷马和赫西俄德初步完成了对希腊文化的史诗形塑,而泰勒斯等米利都自然哲学家以及他们的那些生活在南意大利的后继者,则为希腊文明推开了抽象思维的大门,使其拥有了重视思辨和学术的科学气质。希腊本土是遍布小亚细亚和南意大利的许多拓殖点的“祖国”。公元前六世纪末,这些吸收了东方和希腊文明之精华的“孩子们”,开始反过来把哲学和科学输回“祖国”(主要是雅典),从而给本土人民带去了一次智识上的启蒙,有力地推动了雅典的社会改革和民主化进程。同样,希腊民族养育了荷马,而荷马又反过来用他的史诗滋养希腊民族,淬炼它的个性,凸显它的族群特征,帮助塑造了一个初步具备真正希腊性的希腊。有必要说明的是,希腊性或希腊国民性的形成是一个复杂的文化现象,其中亦有外来思想和观念的滋养。所以,无论是“荷马塑造了希腊”还是“参与了对西方文明的塑造”都是一种笼统的提法,不宜作排他性或过分拘泥于字面的理解。此外,荷马的价值观在一些方面带有明显的普世性质,这就决定了它某种程度上具备世界属性,使得它不仅能够参与模塑西方,而且同时也能够用来针对西方,其中的一些成分可以作为具有启迪意义的参照项,对当今欧美国家的某些偏离客观和公允原则的不当作法进行审察。

光阴荏苒,感觉中仿佛不久前刚刚到来的二十一世纪实际上已经过去了将近四分之一。面对当前复杂多变的世界局势,我们有必要保持清醒的头脑,对事态可能的发展前景做出展望。但是,展望不能代替回顾,而需要我们认真回顾的显然也不只是满载着辉煌成就和惨痛教训的二十世纪（以及刚刚过去的二十多年）。了解西方有大篇幅文字记载的人文史应该从哪里开始？是从荷马用结合现实主义、理想主义和浪漫主义方法所精彩描述的史诗社会，还是从后来的古典时期，希腊化时期，中世纪，或是文艺复兴以后——我想答案是现成的。我们有理由为自己对近当代西方比较充分的了解感到自豪，但却不想，也不应该了无终期地为自己对它的古代，尤其是源头文化的所知不多惊讶不已。如果把目光眺出西方以外，我们同样需要知道荷马及其史诗里的人物对一些带有永恒属性的"命题"的理解：对人与神（和环境）、对生与死、对爱与恨、对美与丑、对朋友与敌人、对荣誉与耻辱、对和平与战争、对公正与邪恶、对自由与奴顺、对道德原则的终端、对伦理观念的知识背景、对生活中出于必然和偶然以及有时会显得捉摸不定的变幻。毕竟，我们今天仍在苦苦思索当年荷马思考过的某些问题，尽管我们有时能够凭借更为广阔的历史视野侥幸和看似更为稳妥地提出新的见解。不能精到地了解过去，就难以不失偏颇地展望未来。在人们热衷于谈论面临新时代挑战的今天，谁会想到回顾过去并切实留意是否能够从中受到启迪有时也是一种挑战？和我们一样，荷马远非总是对的。置身于古希腊历史上的一个重大变革时期，他的认知图谱中新旧观念杂陈。然而，和我们不一样的是，他是西方文学乃至人文史上第一位有完整和大篇幅作品传世的史诗诗人。所以，即便是他的过失也带有令人羡慕的历史积淀，能够帮助我们少走弯路，找到求知和探索的新起点。让我们了解荷马的成功，受益于他的失败。在觉得回顾或许比展望更有或同样有意义的时候，让我们走进荷马的世界，贴近他的诗篇。

陈中梅

第一卷

告诉我，缪斯[①]，那位精明能干者[②] 的经历，
在攻破神圣的特洛伊高堡后，飘零浪迹。
他见过众多种族的城国，晓领他们的心计，
心忍了许多痛苦，挣扎在浩渺的洋域，
为了保住自己的性命，也为朋伴返回乡里。
但即便如此，他却救不了伙伴，尽管已经
尽力：他们遭毁于自己的愚蛮、粗劣，这帮
蠢货，居然把赫利俄斯·徐佩里昂[③] 的牧牛吞咽，

---

① Mousa，缪斯姑娘(Mousai)一共九位(见第二十四卷第60行)，乃宙斯和记忆女神的女儿(本卷第10行，第八卷第488行；详阅赫西俄德《神谱》第53—57行)。缪斯通古博今，“知晓每一件事由”，而凡人只能满足于道听途说的传闻[kleos，细读《伊利亚特》(陈中梅译注，译林出版社，2023年)第二卷第485—486行]。在《奥德赛》里，奥德修斯称歌手德摩道科斯得益于缪斯或阿波罗的指教(第八卷第488—489行)，能逼真讲述阿开亚人的经历，仿佛曾“身临其境”，或亲耳听过“当事人的说讲”(同上第489—491行)。参考《伊利亚特》第一卷第1行注和第二卷第484行注。荷马显然在此沿用了前辈诗人的叙事程式，体现了当时通行的职业规范。

＊除上文有明确标示者外，本书注释中直书“第×卷”即指本书第×卷，直书“第×行”即指其所在卷第×行，不另说明。

② 指奥德修斯(参见第48—52行)。参考第89行注。

③ 指日神。二名在此连用，但亦可单独出现(参考第24行和《伊利亚特》第十九卷第398行等处)。奥德修斯的伙伴们不知神导的命运，杀食赫利俄斯的牧牛(详见本书第十二卷第352—365行)，招致神明的惩罚(该卷第385—419行和本卷第9行；参考并比较第十一卷第110—114行)。尽管在荷马看来，人间的争斗和重大事件的进展无不受到宙斯和命运的掌控(参考第十一卷第294—297行及相关注释和第十二卷第370—373行等处)，奥德修斯的伙伴们仍然难辞其咎，必须和理应为自己的过错承担应该由他们承担的(那部分)责任。参看宙斯的抱怨(本卷第32—34行)。另参考第二十三卷第222行注和第二十四卷第97行注等处。

被日神夺走了还家的天日时机[1]。
讲述这些，女神，宙斯的女儿，随你从何处对我们开启。

那时，所有其他壮勇，只要躲过灭顶的灾虐，
都已回抵家园，从战争和大海里捡得性命，
唯独此君一人，揣怀思妻和还乡的念头，
被高贵的海仙拘禁，被卡鲁普索[2]，女神中的姣杰，
在那深旷的岩洞，意欲招为夫婿。
随着季节的逝移，转来了让他还乡的
岁月，神明纺织的时节[3]，让他回返
伊萨卡故地——其时，他仍将遭受磨难，
即使置身朋亲。神祇全都对他怜悯，
只有波塞冬例外，仍然盛怒不息，
对神样的奥德修斯恨怨[4]，直到他回返故里。

但现在，波塞冬已去造访埃塞俄比亚族民，
埃塞俄比亚人，凡生中居家最为远僻，分作两部，

① 严格说来，是宙斯砸碎海船，使他们葬身大海（第十二卷第387—388及415—419行）。但赫利俄斯以不再光照人间要挟（同上第382—383行），直接导致了宙斯做出掷甩霹雳的决断。

② 详阅第五卷第76行以下。

③ 按照荷马的显然是有失偏颇的观点，人从出生的那一刻起便受到神明纺织的命运罗网（这一比喻显然取自对生活中妇女纺线的观察）的定向和制约（参考第七卷第196—198行和《伊利亚特》第十卷第70—71行等处）。神的“纺织”限定着凡人在特定的时候进入特定的生存阶段（或时节）。

④ 参阅第68—75行。

一部栖居徐佩里昂[①]下落之地，另一部伴随他的升起，
前往接受众多雄牛和公羊的献祭，
坐着，享领盛宴的愉嬉。与此同时，
其他众神汇聚在奥林波斯宙斯的宫邸；
神和人的父亲首先发话，在他们中说及，
心里想着雍贵的埃吉索斯[②]，
被阿伽门农声名远扬的儿子奥瑞斯忒斯杀击。
心想着此人，他对长生者们发话，说起：
“此事可耻，不宜，凡人太会怪罪神明，
说是错恶来自我们，实则应该归咎自己，
是他们的愚蛮招致悲伤，超越命运的限定[③]，
一如不久前埃吉索斯的作为，僭越命运，奸娶
阿特柔斯之子的妻子，杀他在归返之际，
尽管他知晓此事会招致败毁暴戾——我们已先行告明，

---

① 参考第 8 行注。在赫西俄德的《神谱》里，徐佩里昂是赫利俄斯的父亲（第 374 行）。细品第十二卷第 175—176 行。在荷马史诗里，太阳神不是阿波罗。对于埃塞俄比亚人及其居地，荷马并没有形成清晰和定型的“看法”（参考《伊利亚特》第一卷第 423—424 行），此处把他们分作东、西两部（希罗多德沿用了这一分法，参看《历史》第七卷 69—70），不知所用的是何样的区分“标准”。第五卷第 283 行提到了“索鲁摩伊人的山脊”，后者被斯特拉堡（活动年代约在公元前一世纪）“定位”在今天的土耳其境内。据此推断，波塞冬造访的是居住在东部（或东方）的埃塞俄比亚人。

② “雍贵的”原文为 amumonos，或作“无瑕的”“英俊的”解。诗人显然在此沿用了既有的饰词。埃吉索斯当然不会是“无瑕的”（参考第 46—47 行），但作为王家的后裔，此君（请允许我们按照荷马的英雄观推断）必有常人所不可企及的雍贵。诗人显然无意否定他出身高贵和由此而必定所具备的高豪气质的一面。“心里”原文作 kata thumon（另见第四卷第 187 行）。参考第二十卷第 10 行注。thumos 的含义比较广泛，有时可作“心魂”、“魂气”或“命息”解。细读第七卷第 42 行注和第十一卷第 26 行注等处。参考本卷第 48 行注。thumos 位于胸腔之内，是《奥德赛》里用于表示“心”的最常见的词（参考第十五卷第 27 行注）。

③ 比较《伊利亚特》第六卷第 487—488 行。参考第七卷第 197 行注。

派遣赫耳墨斯,眼睛雪亮的阿耳吉丰忒斯[①]
要他莫杀此人,也不要追娶他的发妻,
因为奥瑞斯忒斯会来复仇,为阿特柔斯之子,
一经长大成人,思盼回返故里。
赫耳墨斯如此告诫于他,但此番深切的愿望善好,
却不能使埃吉索斯回心。他已足付代价,如今。”

其时,灰眼睛女神雅典娜[②] 对他答接:
“克罗诺斯之子,王者之最,我们的父亲,
埃吉索斯的确祸咎自取,死得理应,
让任何重蹈覆辙的人像他一样死去。
但我的心灵撕裂[③],为聪颖的奥德修斯,
不幸的人,仍然远离亲朋,遭受愁凄,
陷身水浪冲刷的海岛,大洋的中心,
一个林木葱茏的岛屿,一位女神在那里居栖,

---

① 即神使赫耳墨斯(源词 herma 含“分界”“界定”之意),宙斯和迈娅之子,一说为奥德修斯的祖先之一,能用魔杖开闭人的眼睛(第五卷第 47—48 行)。阿耳吉丰忒斯(Argeiphontes)为一古老的名称[如“阿特鲁托奈”(指雅典娜)等一样],词源不详。参考《伊利亚特》第二卷第 103 行注。参看该史诗第一卷第 412 行注解关于注释中出现的外文词一般不用长音及其他符号的说明。

② 宙斯之女,奥德修斯的助神。glaukopis 为一古老的饰词,源出 glaux(猫头鹰),得名与远古时人们对动物的崇拜有关。比较“牛眼睛天后赫拉”(《伊利亚特》第一卷第 551 行)。glaukopis 亦可能源出 glaukos,故亦可作“眼睛闪亮的”解。和奥德修斯一样,雅典娜智勇双全,既是战争女神(参考《伊利亚特》第五卷第 426—430 行),战力远胜阿瑞斯,又是女神中最具智慧的一员,精擅女红(参考《奥德赛》第二卷第 116—118 行和第七卷第 110—111 行)。本卷第 44—45 行同第 80—81 行。参考第 81 行注。

③ “心灵”原文作 etor(即 ētor),另见第 114 行和《伊利亚特》第一卷第 188—189 行。《奥德赛》里可作“心”、“心灵”和“心智”解的词汇众多。参考并比较第 29、66 和 89 行注。

歹毒的阿特拉斯[①] 的女儿，此君知晓大海的
每一处深底，独自撑顶巍耸的长柱，
隔悬大地天空，将它们连在一起。
正是他的女儿，滞留了那个悲苦、不幸的人丁，
总用甜润、赞褒的言词蛊惑，
要他把伊萨卡忘记。但是，奥德修斯
渴望重见炊烟，从故乡的地面升起，
盼望死去。然而你，奥林波斯神主，
却不把他放在心里。难道奥德修斯没有
敬你，在阿耳吉维人的船边认真祀祭，
在宽广的特洛伊？为什么，宙斯，你对他如此严厉？”

其时，汇集云层的宙斯对她答话，说及：
“这是什么话，我的孩子，蹦出了你的齿隙[②]？
我怎会忘怀神一样的奥德修斯，他的
心智[③] 比别的凡人聪灵，比谁都
慷慨，敬祭拥掌辽阔天空的神明？
不，是环绕大地的波塞冬[④] 作梗，总在盛怒不息，
只因他捅瞎库克洛普斯的眼睛，

① Atlas，“负荷者”“忍受者”，为一泰坦。参考第七卷第 246 行注。

② 第 63—64 行同第五卷第 21—22 行。“汇集云层的”乃宙斯的饰词之一。

③ 原文为 noon，noos 的单数宾格形式；另见第 3 行。参考并比较第十卷第 493—494 行及相关注释。参考第二十卷第 10、38 和 41 行注等处。品析第十卷第 329 行及该行注。

④ 司掌海洋，亦是“裂地之神”。在荷马史诗里，波塞冬是宙斯的弟弟，但据赫西俄德记载，宙斯是克罗诺斯最小的儿子（《神谱》第 453 行以下）。参考《伊利亚特》第十二卷第 27 行注等处。“拥掌辽阔天空的神明”应该主要指居家奥林波斯山上的众神（包括波塞冬，尽管他在海底亦有宫邸）。宙斯乃主管天空之神（参考本书第十二卷第 384 行注）。关于天空和奥林波斯，参看第十六卷第 211 行注。

神一样的波鲁菲摩斯力大，库克洛佩斯
里无人比及，女仙苏莎生他，
荒漠大海的主宰福耳库斯[①] 的千金，
曾在空旷的岩洞，和波塞冬睡在一起。
所以，波塞冬，他裂震大地，虽然不曾
杀他，却使奥德修斯浪迹，回不得故里。
不过，让所有现在此地的我们一起规划他的归返，
保证让他回去。波塞冬将罢息
怒气——他不能孤身对抗永生神明的
联合，违逆我们的意志，较劲。”

其时，灰眼睛女神雅典娜对他答接：
“克罗诺斯之子，王者之最，我们的父亲[②]，
倘若此事确能欢悦幸福的神祇，
让精多谋略的奥德修斯回到家里，那就
让我们派遣导者赫耳墨斯，派阿耳吉丰忒斯
前往俄古吉亚岛屿，以便尽快
宣告我们的决议，对美发的仙女，
使心志坚忍的奥德修斯回返家居。

① 即海洋老人(或海洋长者)，参考第十三卷第 96 行及相关注释。比较《伊利亚特》第十八卷第 36—38 行。关于库克洛普(佩)斯，参考本书第九卷第 107 行注。

② 宙斯不仅是雅典娜、阿波罗和赫耳墨斯等奥林波斯神的父亲，而且还是广义上的“人和神的父亲”(参见《伊利亚特》第五卷第 764 行和本书第十二卷第 445 行等处)。连他的兄弟波塞冬都称其为“父亲宙斯”(该史诗第七卷第 446 行)。宙斯乃众神之主，他的意志就是“法律”，神和凡人“谁也不能违抗”(该史诗第八卷第 143 行)。宙斯强劲，即便奥林波斯山上的众神全都联合起来，也难以与之匹敌(参考该史诗第一卷第 565—567、581 和 589 行)。在本卷第 76—79 行里，宙斯或许不愿突出“个人”，低调表示了对联合的兴趣。参考并比较第十三卷第 148 行注。《奥德赛》突出了雅典娜的作用，不仅因为她是奥德修斯的护佑之神，而且还因为此神拥有智慧。

我这就动身，去往伊萨卡岛地，以便着力
催励他的儿子，把勇气注入他的心里[①]，
召聚长发的阿开亚人集会[②]，
对所有的求婚人论议，后者日复一日，
宰杀他步履蹒跚的弯角壮牛和羊群簇挤。
我将送他去往斯巴达和多沙的普洛斯，
察询亲爱父亲回归的消息，倘若他能听到点
什么，也好在凡人中争获良好的声名。”

　言罢，她结绑脚面，穿上条鞋精美，
永不败坏，取料黄金，载着她跨越苍海
和无垠的陆地，像疾风一样快捷[③]。
然后，她操起一杆粗重的枪矛，顶着铜尖锋利[④]，
粗重、厚实、硕大，用以荡扫战斗的勇士群伍，
他们使强力大神的女儿怒满胸襟[⑤]，
急速出发，冲下奥林波斯的峰顶，
落脚伊萨卡地面，在奥德修斯的门前，
手提铜枪，在庭院的槛条边登临，

① 参考第二十四卷第 520 行。雅典娜已点题奥德修斯的主要素质(参考本卷第 83 和 87 行，另见第 48 行；比较宙斯的评价，见第 65—67 行)。在开篇的第 1 行里，诗人未提其名，却颇为醒目地点到了他的多才多艺。“注入……心里”原文作 en phresi(另参考第二十卷第 41 行及相关注释。比较本卷第 29、66 行注。

② 在《奥德赛》里，诗人常用“阿开亚人”指伊萨卡人。广义上的阿开亚人即为希腊人。参考并比较第三卷第 217—220 行。

③ 比较《伊利亚特》第二十四卷第 340—342 行。《伊利亚特》和《奥德赛》中颇多相同和相似的诗句，这或许是两部史诗均为荷马所作的明证之一。

④ 第 99 行同《伊利亚特》第十卷第 135 行等处。

⑤ 第 100—101 行同《伊利亚特》第五卷第 746—747 行和第八卷第 390—391 行。

变取一位外邦人的貌形，门忒斯，塔菲亚人的首领[1]。
她眼见那帮高傲的求婚者，正在
门前把玩骰块，愉悦自己的身心，
坐在被他们宰剥的牛皮上，
信使[2] 和勤勉的随从们忙碌在周围，
有的在兑缸里匀调酒和清水[3]，
有的则用多孔的海绵将桌子擦抹干净，
搁置就绪，还有的正切分熟肉，大份堆起。

　神样的忒勒马科斯先见雅典娜，远在别人之前，
坐身求婚者之中，心里充满悲哀，
幻想他高贵的父亲许能回来，
驱散求婚人，在宫居里逃窜，
拥占属于他的荣誉，成为家院的主宰。
他正想着这些，坐在求婚人里面，看见雅典娜，
赶忙走向庭前，心里不平，愤烦：
不能让一位生客长久站等门边。他站立来者身前，
握着她的右手，把铜枪提接过来，
对她说话，用长了翅膀的语言[4]：
“欢迎你，陌生人，作为来客，你会受到招待。

---

① 塔菲亚人重贸易，亦司海盗（参阅第 181—184 行；比较第十四卷第 452 行、第十五卷第 427 行和第十六卷第 425—427 行）。参考第十四卷第 452 行注和第十五卷第 445 行注。

② 参考第 143 行注。

③ 参考第九卷第 209 行注。求婚人肆意糜费奥德修斯的家产，构成了对常规求婚方式的破毁（参考第十八卷第 275—280 行；比较本卷第 226 行）。参读忒勒马科斯对求婚人恶行的谴责（第 160—161 行和第二卷第 55—58 行）。

④ 程式化用语。参考第二卷第 269 行注。

然后，当你用过食餐，你可告诉我们，讲说需愿。”

言罢，他引路在先，帕拉斯[①] ·雅典娜跟行后面。
当二位步入高大的房殿，
他将手握的枪矛倚置高耸的柱边，
插入油光滑亮的木架，站挺着众多的投枪，
心志坚忍的奥德修斯的器械[②]。
忒勒马科斯引她入座，铺着亚麻的椅垫，
一把精制的靠椅[③]，瑰美，有一只脚凳，就在下面。
他拉过一把拼色的便椅[④]，给自己，避离求婚者，
离开，生怕来客受芜杂的喧闹惊扰，
倒胃，被那帮肆无忌惮的人们纷烦——
他亦想询问父亲的下落，此外。
一位女仆提来净水倒出，从一只绚美的
金罐，就着银盆，为他们洗手，
搬过一张滑亮的食桌，置放他们面前。
一位端庄的家仆送来面包，供他们进餐，

① “帕拉斯”常和“雅典娜”连用，在《奥德赛》里多有见例。关于帕拉斯的含义，参考第六卷第 328 行注和《伊利亚特》第五卷第 1 行注。雅典娜的别称甚多(参考本书第三卷第 378 行注)。忒勒马科斯此时尚不知来者的真实身份。尊重来客，给予热情招待，也就是对客谊的尊重(细读第六卷第 147 行注和第九卷第 270 行注等处)。

② 参考第十七卷第 28—30 行。日后，奥德修斯会命嘱忒勒马科斯收起器械，使求婚人无有供掷甩的兵器应战(第十六卷第 283—286 行)。

③ 原文为 thronos，指带直立的靠背和扶手的正规座椅，体积可能较下行中的便椅略大，常用于待客，以示尊敬(参考第四卷第 51 行，第五卷第 86、195 行和《伊利亚特》第十八卷第 389 行及第二十四卷第 522 行等处)。参考本卷第 132 行注。

④ 原文为 klismos，可能较 thronos 轻便，靠背后仰，造型上体现出“休闲”的风格。诗人有时似乎并不重视二者的椅型差异，并在用例中将其作为同义词互换使用(比较《伊利亚特》第二十四卷第 515 和 597 行等处)。另见本卷第 145 行。

摆出许多佳肴,足量排放,慷慨①,
一位切割者托着盛装着各式肉馔的盘子,
分放他们面前,摆下金杯,在他们身边,
一名信使② 替他们斟酒,穿梭往来。

　其时,高傲的求婚人全都走进屋内,
在靠椅和便椅上入座,依次成排,
信使们倒出清水,淋浇他们的双手,
女仆们送来面包,堆填在筐篮,
年轻人将酒满注兑缸,供他们喝灌③。
众人伸出双手,抓起面前佳美的肴餐。
然后,当他们满足了吃喝的欲望,
求婚人于是把兴趣移开,移至
舞蹈和歌唱,二者乃盛宴的随伴④。
信使将一把精制的竖琴放入
菲弥俄斯手里,他为求婚人歌唱,出于被逼
无奈⑤。他拨响竖琴,引吭动听的唱段。

---

① 第136—140行同第四卷第52—56行、第七卷第172—176行和第十五卷第135—139行。

② 在史诗里,信使除捎送口信外还兼司多种职责(比如这里提及的斟酒)。参考第八卷第62行注和第十九卷第135行注(比较第十七卷第383—385行及相关注释)。

③ 第148行同第三卷第339行和第二十一卷第271行。比较《伊利亚特》第一卷第470—471行。

④ 盛宴中不仅要有酒肉(神界的华宴除外),而且要有歌舞(还可包括各种即兴的表演和游戏等)的伴随。歌(包括音乐)舞是构成古希腊社团生活的不可缺少的组成部分。比较:"还有竖琴,我们的佳伴"(第八卷第99行)和"耳闻竖琴的声响……盛宴的侣伴"(第十七卷第270—271行)。参考第四卷第19行注。第149—150行为程式化诗行,在两部史诗里均有见例。

⑤ 日后奥德修斯杀灭了求婚人,但赦免了信使墨冬和歌手菲弥俄斯(参阅第二十二卷第330—377行)。

忒勒马科斯对灰眼睛雅典娜说话，
贴近她的头边，使别人无法听见：
“对我的说告，亲爱的生客，你可会愤烦？
此乃他们的一切，竖琴外加唱段，
信手拈取，简单，只因无须偿付，他们吞食
别人的财产，物主的白骨已在阴雨中霉烂，
不是弃置陆架，便是在奔腾的海浪里滚翻[①]。
倘若见他抵达伊萨卡回还，
他们的全部祈祷将是愿有更迅捷的腿脚，
而非变得更富，把黄金和衣服拥占。
可惜，他已死了，死于命运的凄惨——对于
我们，世上已无有慰藉，即使有人告知，
说他将会归返。他的回家之日已不存在。
不过，来吧，告诉我此事，要准确地讲来[②]。
你是谁，从何而来？居城在哪，双亲何在？
你来了，乘坐何样的海船？水手们如何把你
送上伊萨卡，而他们又声称来自何边？
我想你不可能徒步行走，登临这方地界。
告诉我此事，另外，讲实话，使我了解。

① 比较牧猪人欧迈俄斯和奥德修斯的父亲莱耳忒斯的“想当然”（分别参见第十四卷第133—136行和第二十四卷第290—296行及相关注释）。

② 程式化用语（见第206行），在荷马史诗中多次出现。本段中颇多在《奥德赛》里重复出现的语句。第170行同第十卷第325行、第十四卷第187行、第十五卷第264行、第十九卷第105行和第二十四卷第298行。第171—173行同第十四卷第188—190行。比较第十六卷第57—59行等处。史诗人物的言行举止离不开程式（即受程式化或既定表述形式的“限制”），语言既为表述人的言行思想提供了方便，也反过来制约着人的个性化因素的“自由”展开。参考第十六卷第59行注等处。

你是首次来访,还是原本就是家父的朋友,
来自海外?许多朋宾莅临舍下,从前,
家父亦经常外出,与他人结交往返。”

其时,灰眼睛女神雅典娜对他开言:
“听着,我会把你问的一切准确答全。
我乃门忒斯,恕我称宣,聪颖的安基阿洛斯的
儿男,统治欢爱船桨的塔菲亚人,
如今来临此地,带着海船伴友,如你所见,
扬帆酒蓝色的大海,前往忒墨塞,他们操讲
异邦的语言,换取青铜,我用闪亮的灰铁载船[①]。
我的船停驻那里,在远离城区的乡间,
泊靠林木繁茂的内昂山下,在雷斯荣港湾[②]。
令尊与我堪称世交的朋友,情谊可以追溯到
久远[③],你可询问老英雄莱耳忒斯,若有意愿,
此人,人们说,现今已不来城垣,

---

① 从第180—184行的描述推测,青铜许比铁贵重。但是,和黄金、青铜一样,铁也是财富的象征(参看第十四卷第323—326行和《伊利亚特》第十卷第378—380行)。另参阅该史诗第二十三卷第826—835行。上行中的忒墨塞所指(即位于何处)不明,虽然我们知道在盛产黄铜的塞浦路斯有一名为塔玛索斯(Tamasos)的地方。青铜由黄铜加锡冶炼而成。荷马生活在希腊社会已进入铁器时代的公元前九或前八世纪,铁器的使用(从史诗中频频出现以铁作比的隐喻这一点推断,参考本书第四卷第293行注)在当时已相当普遍。然而,荷马描述的英雄们却生活在青铜时代的末期(一般认为,青铜时代止于公元前1100年;不排除在那时人们已开始使用铁器的可能),所以史诗既理所当然地反映了英雄时代的特点,又糅合了其后所谓黑暗时期和荷马生活年代的某些生活景观,出现了人们在战场上挥舞青铜兵器,而在生活中却使用铁制具械的“混合”现象。参看第九卷第393行注。

② “雷斯荣”别处不见提及。关于“内昂山下”,另见第三卷第81行。

③ 客谊(xenie,或xenia)一经结下,便可持续终身,乃至传代(参考第十五卷第197行注)。另参考第十三卷第202行注。

独居一隅，在他的土地上经受生活熬煎，
由一位老妇照顾，伺候水饮食餐，
每当疲乏侵袭他的身骨，
劳累，苦作在坡地之上的葡萄园。
我来临此地，如今，只因听人说传，说是乃父已经
抵乡回还①。然而，事情非然，神祇已挫阻他的归返。
卓著的奥德修斯没有死在陆地，
他还活着，禁滞在浩渺的大海，
在一座水浪冲刷的岛屿，受制于野蛮人束管，
一群粗莽的汉子阻止他回归，违背他的意愿②。
现在，我要对你预言，长生者将其输入
我的心田③，我想它会实现，
虽然我非卜者，也不熟知鸟踪的兆显。
他不会久离亲爱的故地乡园，
哪怕止阻的禁锢像铁一般实坚④；
他会设法回程，此人多艺多才。
来吧，告诉我此事，要准确地讲来。
你身材高大，可是奥德修斯的儿男？
你的头脸出奇地像他，还有英武的眉眼——

① 关于奥德修斯即将或已经回返的提及贯穿整部史诗。参见第二卷第 163—165 行、第十四卷第 161—163 行、第十五卷第 176—178 行、第十七卷第 157—159 行、第十九卷第 306—307 行和第二十四卷第 312—314 行。另见本卷第 200—205 行。

② 雅典娜在真话里掺杂虚假，如此既显示了她预言的准确，又恰到好处地体现了“传说”的可能包容虚诓之词因而需要听者予以细心分辨的一面。

③ 比较第十四卷第 273 行和本卷第 89、320—321 行等处。另参读并比较第四卷第 261 行注、第十卷第 64 行注和第二十三卷第 14 行注等处。

④ 铁器的使用在公元前九至前八世纪已趋于普遍。诗人多次把“铁”用作喻指，表示被比对象的坚硬。参考第十二卷第 280 行和第十五卷第 329 行等处。另参考第二十一卷第 10 行注。

我们以往经常晤访见面，
在他去往特洛伊之前，偕同其他军友，
阿耳吉维人中最出色的壮汉，驾乘深旷的海船。
从那以后，奥德修斯和我便不再互相会见。”

其时，聪颖的忒勒马科斯对她回言：
“好吧，陌生人，我会把你问的一切准确答全。
是的，母亲说我是他的，但我自己则
不知其然；谁也不能自行知晓亲缘。
但现在，我希愿自己是某个幸运者的
儿男，其人守着自己的财富，迈入老年。
然而，我却是他的儿子，人说，会死的凡人中
他的命运最坏——既然你问我，要我答还。”

其时，灰眼睛女神雅典娜对他答话：
“神明无意让你的家族消隐，日后声名不得
远扬，既然裴奈罗佩[1] 生养了像你这样的儿郎。
来吧，告诉我此事，要准确地开讲。
此乃何样聚会，宴享？与你何干？是庆典，
还是婚嫁？这不是自带饮食的聚餐，显然。
瞧他们的恣肆，那副骄横的模样，胡嚼蛮咬，
作孽在整座厅堂。正经之人定会发怒，
置身他们之中，目睹此番羞人的景象！”

① 《伊利亚特》没有提及裴奈罗佩。Penelopeia 或许源出 penelops，意为一种毛色斑驳的鸭子。女子取名禽鸟称谓的做法在古希腊并不罕见。在一些民族的传说里，鸭子象征忠贞，但这似乎不像是古希腊人的“联想”。

其时，聪颖的忒勒马科斯对她答讲：
“既然你问及这些，陌生的客人，那就容我回答。
从前，这所家居可能会昌达兴旺，
不受讥辱，当某个男子在此地当家。
但现在，怀带凶邪的目的，神明决意让它变样，
致使那个人消失，凡生中无人有过他的祸殃。
我不会对他的死难如此悲伤，
假如他在伙伴之中倒下，在特洛伊人的土地上阵亡，
或在朋友的怀里，了结了那场冲杀①。
如此，阿开亚全军，所有的兵壮，会给他堆坟入葬，
使他在今后的日子，为自己，也替儿子争获巨大的荣光②。
但现在，风暴把他卷走，不光不彩地收场，
看视不见，听闻不到，留给我哀愁和痛伤③。
我的痛苦和悲哀并非只是为他——不，
神明还给了我别的苦恼愁怏。
那些镇领海岛的权贵，所有的他们，
来自杜利基昂、萨墨和林木繁茂的扎昆索斯④，
连同所有统掌本地的望族，在这山石嶙峋的伊萨卡

① 第238行同第四卷第490行和第十四卷第368行。

② 第239—240行同第二十四卷第32—33行。英雄们(或史诗中的人物)视荣誉和名声重于生命。作为奥德修斯的儿子，忒勒马科斯自然不应，也不会缺少英雄气概。坟墓乃活人在死后的“标记”，使人的英名永存，“存活”在后人的记忆里。参考并比较第四卷第584行、第十二卷第13—14行、《伊利亚特》第四卷第176—177行、第六卷第419行、第七卷第85—91行、第十六卷第456—457行、第二十三卷第245—248行和第二十四卷第799—801行等处。

③ 忒勒马科斯继续他对父亲之“死”的遐想(参考第162行注)。第241行同第十四卷第371行。

④ 关于这些岛屿的位置，参考第九卷第24行注。它们均与“山石嶙峋的伊萨卡”(本卷第247行，比较第401行)相距不远，地理情况当与伊萨卡近似。

地方，都在追婚我娘，把我的家产糜荡。
母亲既不拒绝可恨的婚姻，也无力结束
收场。这伙人吃空我的所有，耗糜
家藏，用不了多久，还会把我败亡[①]！”

帕拉斯·雅典娜对他答话，怒火满腔：
“哦，可耻！你亟需奥德修斯，不在
居家，他会手击这帮无耻的求婚者，开打。
但愿他立时现身，站立房居的外门
边旁，头戴战盔，提携盾牌、两枝矛枪，
一如我初次见到他时那样，
在我们家居，喝着酒，享受欢畅，当他
从厄芙拉过来，别离伊洛斯，墨耳墨罗斯的儿郎[②]。
奥德修斯前往该地，是的，乘坐快船，
寻求杀人的毒物，以便把它抹在
铜头的箭镞之上，但伊洛斯丁点
不给，出于对长生不老的神祇的惧怕，
幸好家父酷爱令尊，使他如愿以偿。
但愿奥德修斯，如此豪强，出现在求婚者中央，
如此，他们全都将找见死的暴捷，婚姻的悲伤！

---

① 第245—251行同第十六卷第122—128行。比较第十九卷第130—135行。人物对求婚人的频繁指责（参考第十五卷第376行注）当然也反映诗人的倾向。

② 墨耳墨罗斯乃伊阿宋（参考《伊利亚特》第七卷第468行）和美狄娅（参考本书第十卷第137行注）之子，其子伊洛斯别处不见提及。塞斯普罗提亚和厄利斯均有名厄芙拉（即厄芙瑞）的城镇。伯罗奔尼撒亦有一处厄芙拉，位于慕凯奈以西，“在马草丰肥的阿耳戈斯的边端”，是为西绪福斯的故乡（参见《伊利亚特》第六卷第152—154行）。古代注疏家认为厄芙拉即为科林斯的别名，所指似应为阿耳戈斯的厄芙拉。在特洛伊战争期间，科林斯（或科林索斯）仍归阿伽门农节制（该史诗第二卷第570行）。

不过,这一切都在神的膝头息躺[①]:
他能够回家复仇,在他的厅堂,
还是不能这样。这里,我要你用心思量,
想个办法,逼迫求婚人退出你的宫房。
来吧,认真听我说讲,按我说的办。
明天,你要召聚阿开亚壮士集会到场,
让神明做证,当众宣告你的主张。
明告求婚者散伙,各回自己的居家。
至于你的母亲,倘若心灵驱使她再嫁,
让她回见有权有势的亲爹,回到他的宫房,
让他们张罗婚宴,备下丰厚的礼物嫁妆[②],
数量之多,要与一位爱女的身份相当。
此外,我将给你明智的劝告,希望你好生听讲。
启用最好的海船,配备二十枝划桨,
出海探问乃父的音讯,他已长久离家,
兴许某个凡人会告诉于你,此人已听过宙斯
遣送的谣传[③],她比谁都更爱把信息在人间播扬。
先去普洛斯,求问卓著的奈斯托耳,
然后前往斯巴达,面见金发的墨奈劳斯,
身披铜甲的阿开亚人中,他最后还家。
倘若听说乃父仍然活着,正在归返,

① 比较本卷第400行、第十六卷第129行、《伊利亚特》第十七卷第514行和第二十卷第435行。参考本书第十三卷第231行及该行注。

② 参考第二卷第53行注。在《伊利亚特》里,为了平息阿基琉斯的愤怒,阿伽门农表示愿意给他一份极重的厚礼,包括嫁出三个女儿中的一位。阿伽门农承诺要陪送一份嫁妆,“分量之巨,为父者从未超过”(详阅《伊利亚特》第九卷第120—156行)。

③ 关于谣传(或谣言),参考第二十四卷第413行及该行注。谣言用话语报信,而话语是“长了翅膀的”(参考第二卷第269行注),极易在人间播扬(见本卷第283行)。

你仍需等盼一年，尽管辛苦备尝。
但是，如果听说他已死了，不再存活世上，
你可动身回返亲爱的故乡，
堆筑坟茔，举办隆重的牲祭典礼，规模配称，
场面浩大；然后嫁出母亲，给另一位夫家。
办完这些，一切妥帖收场，
你要在心里魂里好好忖想，
想方设法，除去家院里的求婚人，
用谲谋，或用公开的拼杀。别再抱住
儿时的稚嫩，你已脱离童龄的时光。
抑或，你不曾听闻了不起的奥瑞斯忒斯①，
他的声名在凡人中传扬，除掉弑父的凶手，
奸诈的埃吉索斯，曾将他光荣的父亲谋杀？
你也一样，亲爱的朋友，我看你健壮，身材高大——
勇敢些，像他，让接代的后人颂扬②。
现在，我要返回快船，回见
我的伙伴，他们一定等急了，正在盼望。

---

① 参阅第 29—43 行。在荷马看来，奥瑞斯忒斯是位了不起的青年英雄，故而应是处于人生转折时期而又面临外出寻父和为家族的耻辱雪恨的青年人（忒勒马科斯）学习的榜样。以后，悲剧诗人埃斯库罗斯深化了奥瑞斯忒斯替父报仇的主题，提出了伦理观念的“对与对的抗争”的设想。索福克勒斯大概会无保留地赞同这一观点，而欧里庇得斯则更进一步，萌生了“对”的人或事物（有时）亦会无缘无故地遭受惩罚的思想。悲剧诗人的创作“激发”了包括苏格拉底在内的一批古希腊哲学家的思考。埃斯库罗斯或许不会想到，他的关于“对与对的抗争”的思想会在我们的现代社会里找到广阔的解释范域。现代哲学正在为政治的多元化和生活的个性化寻找并不遗余力地提供越来越充分的理由，而促成这一取向之形成的认识论根源，便是承认矛盾的对立面的存在的合理性（亦即一定程度上的“正确性”）。

② 即颂扬忒勒马科斯的事迹或“光荣”（kleos）。kleos 可作“英名”解（参考第 299 行，另见第 95 行），有时亦作“信息”或“消息”解（参看第 283 行）。关于 kleos，另参考第七卷第 333 行注和第八卷第 136 行注等处。本卷第 300—302 行同第三卷第 198—200 行。

记住我的话，切记，按我说的办。”

其时，聪颖的忒勒马科斯对她答讲：
“你的话充满善意，客人啊，
像似父亲对儿子的教诲①，我将永不遗忘。
不过，来吧，稍事逗留，尽管你急于登程启航，
以便洗个澡，放松一下，休息好了，
心情舒畅，然后带着礼物回船，
一件好东西，贵重，绚美异常，我的赠送，
你的收藏，像亲密的主客间互致的礼尚②。”

其时，灰眼睛女神雅典娜对他答讲：
“别再让我留连，当我急于登程启航；
至于礼物，你的爱心催你给我的送赏，
留着，给我，当我下次造访，以便带着回家。
选一份好的，我会用佳礼报答。”

言罢，灰眼睛女神雅典娜旋即离去，

① 父亲既是长辈，又是使儿子事业有成的教导者和引路人。参考奥德修斯对儿子的教诲（第十六卷第 274 行以下、第十九卷第 42—43 行等处；但奥德修斯自忒勒马科斯出生后便征战和浪迹在外，即便有心教育儿子，也无法具体做到）。古希腊社会重父权（参考第十六卷第 19 行注）；关于父亲的形象问题，参阅第十七卷第 111 行注。

② 主人对客家馈赠，此乃史诗社会里通行的礼尚。参考第四卷第 125—132 行、第八卷第 389—395 行、第十三卷第 135—137 行、第十五卷第 83—85 行、第二十一卷第 11—15 行、第二十四卷第 271—279 行、《伊利亚特》第六卷第 219 行和第十卷第 269 行。比较《奥德赛》第四卷第 589—592 行及第 615—619 行。

像羽鸟直刺长空[1],在他心里注入
勇气和力量,后者思父情切,
比以往更强,揣猜会晤的含义,
心里甚是惊讶,忖想那是一位仙家。
他当即举步,坐对求婚者,一位凡人,神祇一样。

著名的歌手[2] 正对他们诵唱,后者静静地
坐着,听享。他唱诵阿开亚人饱含痛苦的回返,
从特洛伊归航,帕拉斯·雅典娜使他们遭殃[3]。

伊卡里俄斯的女儿,谨慎的[4] 裴奈罗佩
耳闻神奇的歌唱,在楼上的住房,
步下高耸的楼梯,建造在她的殿堂,
并非独自蹢行,有两位侍女随她。

---

① 雅典娜以"飞"的方式离去(学界对她是否变作鸟的形貌离开尚有争议)。参看第410—411行。参考并比较第三卷第371—372行。雅典娜离去的方式一定给年轻的忒勒马科斯留下了深刻的印象(细品本卷第323行)。

② 指非弥俄斯。参考第153—155行。

③ 据传特洛伊战争结束后,俄伊琉斯之子埃阿斯曾在雅典娜的神庙里强奸普里阿摩斯的女儿卡桑德拉,由此激怒了女神(参考第四卷第502行),后者决意使阿开亚人于归途中艰辛备尝(参阅第三卷第134行以下)。埃阿斯本人亦因"心里错乱,出言不逊"而死于波塞冬的击打(第四卷第502—511行)。诗人(或歌手)唱诵阿开亚人的既往,因而从一定意义上来说是希腊民族最早的历史学家。泰戈尔称印度史诗(注意中文"史诗"中"史"字的传神)《罗摩衍那》和《摩诃婆罗多》不仅是史诗,而且是历史,尽管这位印度文豪一定也知道,它们也像荷马史诗一样,早已被融入了一个承认神的存在的神话世界,与神的活动和传闻有着千丝万缕的联系。

④ 原文为 periphron(由 peri 和 phron 二词组成),是裴奈罗佩见例最高的饰词(比较:足智多谋的奥德修斯),亦可作"聪明的""慎思的"解。关于 phren 和 phrenes,参考第九卷第301行注。另参考第十八卷第161行注。"谨慎"与"莽撞"形成对比,是一种美德(arete),也是明智的表现。裴奈罗佩心智聪颖(参看第二卷第116—118行和第二十一卷第107—110行),即便是老辈的名女也无法与之比攀(第二卷第118—121行)。

当走近求婚者，她，女人中的姣娘，
站停撑举屋顶的立柱旁，
拢着闪亮的头巾，遮前，挡住脸庞，
两边各站一名忠实的随伴①。
她话对神圣的歌手，泪水涌注滴淌：
“菲弥俄斯，你知晓许多其他故事，凡人和
神明的既往，能勾销人的心魂②，歌手的传唱，
何不坐在他们身边，选唱其中的一段，让他们
继续喝酒，静下——辍止这个段子，它让我
悲伤，总在刺痛我胸腔里亲爱的心房，
难忘的哀愁折磨着我，谁都难以比攀，
念想一颗如此心爱的头颅，每当我思盼丈夫，
他的声名在整个赫拉斯和阿耳戈斯③ 的腹地传扬。”

其时，聪颖的忒勒马科斯对她答讲：

---

① 第331—335行同第十八卷第207—211行；第332—335行同第二十一卷第63—66行；第332—334行同第十六卷第414—416行。

② “诗是迷醉心怀的智慧。智慧是心思里歌唱的诗。如果我们能够迷醉人的心怀，同时也在他的心思中歌唱，那么他就真格的在神的影中生活了。”（纪伯伦《沙与沫》）比较：“诗的本质不过是，也仅仅是人类对一种最高的美的向往，这种本质……表现在对灵魂的占据之中……是一种心灵的迷醉……”（波德莱尔《波德莱尔美学论文选》）参考第四卷第598行注。有趣的是，虔诚的裴奈罗佩并没有在赞扬菲弥俄斯“知晓许多其他故事”的同时提及神的点拨（比较第八卷第479—481行）。

③ 在《伊利亚特》里，赫拉斯为裴琉斯的城国（第二卷第683行），位于塞萨利亚南部。在这里，该词泛指希腊北部。赫西俄德始用赫拉斯泛指（全）希腊（《农作与日子》第653行）。阿耳戈斯在此泛指伯罗奔尼撒（阿伽门农、墨奈劳斯、奈斯托耳和狄俄墨得斯等首领的属地均在该半岛上）。关于阿耳戈斯，另参考本书第四卷第99行注和《伊利亚特》第一卷第79行注及第二卷第160行注。“心房”（本卷第341行）原文作ker。参考第48行注。比较第361行。在特定的上下文里，ker可作“生命”解，有时甚至与“命运”（moira）等义。参考第二十一卷第247行注。

“为何抱怨这位出色的歌手,妈妈,
他受心灵的驱使,使性情顺畅?该受责备的
不是歌手,而是宙斯,他随心所欲,
对吃食面粮的凡人,对你我大家。
歌手没错,唱诵达奈人凄苦的返航。
人们,是的,总爱赞赏新歌,
新近在听众中流行传扬①。
所以,让你的心灵魂魄坚强,听他说唱。
并非只有奥德修斯失归,失去从特洛伊还家的
时光;许多人死在那里,同样。
去吧,朝向你的房居返回,操持自个的活计,
你的纱杆织机,还要催督侍女们干活,
做好工作分内。论谈是男人的事为,
所有的男子,首先是我,我是镇家的权威②。”

　斐奈罗佩走回居室,好生惊讶,
把儿子明智的话语深记在心房,

① 英国学者汤因比很可能忽略了第351—352行的史料价值。汤因比把英雄史诗的形成与人们爱听老故事的心理联系起来,认为“到了这个较晚的时期,史诗和英雄故事才达到它们文学上的顶点”(详阅《历史研究》,曹未风等译,上册第131—132页)。应该指出的是,对于菲弥俄斯和他的听众们(包括求婚人),关于特洛伊战争和阿开亚人返航回国的故事都是“新歌”。荷马的描述或许还反映了公元前九至前八世纪社会公众对史诗段子的收听取向。

② 比较第二十一卷第350—353行。参看《伊利亚特》第六卷第490—493行。忒勒马科斯与母亲之间似有芥蒂,沟通不很正常(细品本卷第360—361行)。尽管斐奈罗佩没有过错,但毕竟是由于她的存在,引来了本地和外岛众多求婚人的骚乱。忒勒马科斯当然不会以此埋怨母亲,但心里大概或多或少会有一些不快和烦躁(参考第427行),感觉此事棘手,不好处理。比较神的态度(第292行和第十五卷第24—26行)。关于忒勒马科斯与母亲之间的紧张关系,另参考第十七卷第47行注等处。比较弗洛伊德提出的“俄狄浦斯情结”(即儿子对母亲的“爱”)。

举步折回楼上的居室，由侍女们随伴，
悲哭奥德修斯，亲爱的夫君，直到
灰眼睛雅典娜送出香熟的睡眠，把她的眼睑合上①。

　然而，求婚者们作乱幽暗的② 厅堂，大声喧闹，
争相祈祷，期望在她身边睡觉，
直到聪颖的忒勒马科斯制止，对他们说道：
“追求我母亲的人等，你们放肆、蛮傲，
眼下，让我们进餐，享受快乐逍遥，不要
喧喊，须知此事佳好，能够聆听一位
像他这样出色的歌手，声音如神嗓一样美妙③。
明天，让我们大家前往集会商讨，
举行会议，届时我将直言相告④，
要你们离开我的房宫，去别处宴肴，
吃耗自己的财产，轮番，挨户转倒。
但是，倘若你们以为蹭下去有利、更好，
食糜别人的家产，无须偿报，那就继续
折腾，啖耗。我要呼唤神明，他们长生不老，
希愿宙斯作主，同意给予应报。
如此，你们会死在这座房居，把性命白白送掉！”

---

① 第360—364行同第二十一卷第354—358行；第362—364行同第十九卷第602—604行。关于“记在心房”（entheto thumoi），比较第344行注。

② “幽暗的”［或“多影的”“有暗影的”——甚至可作“阴罩的”或（由此引申为）“凉爽的”解］是修饰厅堂的程式化用语，也用于修饰云和山。厅堂（megara，单数 megaron）乃史诗人物在室内的主要活动场所（参考第六卷第304行注和第二十三卷第20、299行注）。

③ 比较第九卷第3—4行。

④ 比较阿基琉斯的说道（《伊利亚特》第九卷第314行）。关于集会（本卷第372行），参考第二卷第9行注。关于 agore 与 boule 的区别，另参见第五卷第3行注。

他言罢，求婚人无不惊诧，把嘴唇狠咬，
有感于忒勒马科斯的放胆，说话的方式路套[①]。

欧培塞斯之子安提努斯对他答道：
“毫无疑问，忒勒马科斯，一定是神明
教唆你阔谈胡说，吐出放胆的词藻。
愿克罗诺斯之子永不立你为王[②]，在伊萨卡
海水环绕，虽然你有这个权利，与生俱到。”

其时，聪颖的忒勒马科斯对他答道：
“我说话，安提努斯，你可不要气恼，
我会接过权力，倘若宙斯给交。
你以为对于凡人，此事最孬？
不，能当王者挺好。王者的家居能
即时昌达富有，本人也比他者地位更高。
不过，这里有许多阿开亚王者，

① 第381—382行同第十八卷第410—411行和第二十卷第268—269行。

② 换言之，忒勒马科斯（至少在安提努斯看来）还不是伊萨卡的basileus。在古代史诗里，basileus可作“国王”、“王者”、“王侯”、“领主”和“贵族”解，拥有世袭的统治（或治理）权和与之相关的特权。国邦内通常有多位basilees（参考第八卷第41行），他们是家室和领地的主人（如求婚者们），在“情理”上享有竞争王位（即一国之王）的权利。忒勒马科斯承认，当地有“许多阿开亚王者”，其中“谁都能占此权位”（即由于奥德修斯的不归而空出的王位，本卷第394—396行）。在特洛伊前线，阿伽门农在联军（或阿开亚全军）中的地位大概和奥德修斯在伊萨卡的等同。阿伽门农是王者之最，王中之王。狄俄墨得斯承认，阿伽门农拥有别人不可企及的尊荣（《伊利亚特》第九卷第38行）。奈斯托耳劝慰盛怒中的阿基琉斯不要与统帅争吵，因为“涉及荣誉的占有，别人得不到他的份子”（该史诗第一卷第278行）。另参考奥德修斯的警告（该史诗第二卷第203—205行）。在《伊利亚特》里，荷马着重强调的是王权的世袭制度（参阅第二卷第100—108行）。

年轻或者年老，在伊萨卡，海水环绕，其中
谁都能占此权位，既然卓著的奥德修斯已经死掉。
然而，我要当自家的绝对主人，
统领奴仆，卓著的奥德修斯为我争到[①]。”

其时，波鲁波斯之子欧鲁马科斯[②] 对他答道：
“此事息躺神的膝盖，忒勒马科斯，关于
哪个阿开亚人治统，在海水环绕的伊萨卡王导。
不过，你可做财产的主人，把你的家居统管守牢。
但愿此人不会来到，违背你的愿望，施暴，
把你赶出家居，只要还有人在伊萨卡栖住落脚[③]。
然而，人中的杰佼，我想问你那个生人，
从何处来到，哪方人氏，按他的称告，
双亲在哪，父亲的田庄在何处可找。
他可曾带来消息，有关乃父的归程来到？
抑或，他此行只为自己，有事情需要办好？
他走得快捷，瞬间逝消[④]，不作停留，好让

① 忒勒马科斯的态度十分明朗，如果能够袭领父亲的王位，他将当仁不让；否则，他将退而求其次，力保自己在家中的地位，做家居的主人。

② 欧鲁马科斯和安提努斯乃求婚人中最显赫的两位，也是他们的首领或“主心骨”（参考第四卷第628—629行）。

③ 欧鲁马科斯并非话出由衷。求婚人的首选目的自然是婚娶裴奈罗佩，抢占王位，同时获取经济利益，瓜分奥德修斯的财产（参考第二卷第335—336行）。

④ 参看第319—320行及相关注释。

大家识晓。他看来不是卑俗之人，凭他的外表[①]。”

其时，聪颖的忒勒马科斯对他答道：
“欧鲁马科斯，我父亲的回归已无可指靠。
我不再相信讯息，即便有人送到，
也不再关注卜释——母亲曾把
先知请到家里，以前，要他卜兆。
生人是我父亲的朋友，从塔福斯来到，
自称门忒斯，聪慧的安基阿洛斯的
儿子，欢爱船桨的塔菲亚人的王导。”

忒勒马科斯言罢，心知那是女神，长生不老。
那帮人于是转向舞蹈，陶醉于歌声的
美妙，欣享愉悦，等待夜色降落；
乌黑的夜晚来临，伴随他们的嬉娱逍遥[②]。
他们各回自己的居所，返家睡觉[③]。
忒勒马科斯行至睡房，在绚美的庭院
里建造，居高，视野宽阔。

---

① 在荷马看来，一个人出身的高贵与否，一眼便可看出。有出息的人通常相貌堂堂，气宇轩昂，表现出英雄的气度或潜质（参考第207—208行、第二十卷第191—194行和第二十四卷第252—253行等处）。俊美的相貌是王者和王家子弟必备或应该具备的外观，是受人敬重和仰慕的不可或缺的先决条件（参考第八卷第17—23行）。当然，光有漂亮的外表还不行。一位真正的英雄必须具备勇气（参考《伊利亚特》第三卷第45行），必须能言善辩（参考同上第220—224行和本书第八卷第174—175行），必须具备聪达的心智（参读该卷第176—177行），从而使外表的俊美匹配心智的灵慧（参考第十七卷第454行及该行注以及第二十一卷第110行注等处）。

② 第421—423行同第十八卷第304—306行。

③ 参考第十八卷第291和428行注。

他走向睡床,心里众多事情缠绕①,
忠实的欧鲁克蕾娅同行,举着火把高照。
她是裴塞诺耳之子俄普斯的女姣,
被莱耳忒斯买下,用自个的所有,
当着她青春年少,付出二十头牛成交②,
喜欢她,在他家里,如同对忠贞的妻好,
但惧怕后者的愤怒,从未和她睡觉。
现在,举着透亮的火把,她为小主人明照——老妇爱他,
比别的女仆胜超,曾是他的保姆,其时他还幼小。
他打开门扇,走进制合坚固的睡房,
坐在床边,脱下松软的衣衫③,
放入精明的老妇手中拿好,
后者折叠衫衣,抚弄平整,
伸手衣钉,在绳线穿绑的床边挂好。

① 忒勒马科斯心事重重,夜不能寐(第443—444行)。家里的芜杂局面和即将开始的旅程,此外还有明天的集会事宜,这一切都将成为他思考的内容。生活给他的压力可谓不小。

② 当时尚无货币,牛是估价的基本单位(之一)。欧鲁克蕾娅"值得"二十头牛的成交额,等于欧鲁马科斯承诺要每个求婚人支付(即赔偿损失)给奥德修斯的数目(第二十二卷第57行),可谓价格不菲。在《伊利亚特》里,一名手工精熟的女奴的换价为四头牛(第二十三卷第704—705行)。比较《伊利亚特》里开列的其他价目:一套金甲值一百头牛(第六卷第236行),一套铜甲值九头牛(同上);一只三脚鼎的换价是十二头牛(第二十三卷第702—703行),远较大锅昂贵,后者只有一头牛的换价(第二十三卷第885—886行)。破城后,获胜的一方会将敌方的女子掳获,作为"战礼"带回(参考本书第三卷第154行)。沦为奴隶的女人们通常成为主人宅邸里的家仆,有的还充当主人的床伴(参考《伊利亚特》第一卷第29—31行),甚至养育子嗣(本书第四卷第10—14行)。

③ 即衫衣(chiton),亦可称之为套衫,一般贴身穿着,男女亦然,无袖,垂至膝上。衫衣有长短之分。在这里,忒勒马科斯既可坐在床上脱衣,他的衫衣当为史诗人物常穿的较短的那种。长衫衣垂至膝下。在《伊利亚特》第十三卷第685行里,荷马提到了"衫衣长垂的伊俄尼亚人"。

然后,她走出卧室,手握银环,
将房门关上,攥动绳带,将门栓插牢。
整整一夜,忒勒马科斯裹着松软的羊皮,
想着雅典娜指明的行程,潜心思考①。

---

① 忒勒马科斯即将"初出茅庐",外出闯荡(从上下文和史诗中并无相关提及这一点来判断,忒勒马科斯以前似乎尚无外出远游的经历)。传说中的希腊英雄无不具有远游的阅历,或南征北战,或因公、私之事客访,或因在家乡杀人闯祸,外出寻谋生路。雅典娜精心安排了忒勒马科斯的出访,一则为使他得以打听父亲回归的消息(由此赢得传世的美名),二则也可能有意让年轻的王子得到必要的历练,甩掉毛头小伙的幼稚,练就英雄人物的气魄和胆略。荷马是相信"心之官则思"的。人在心里思考(phresin,另见第427行),进行比较判断,指导行动。

第二卷

当早起的[1] 黎明重现天际，手指玫瑰嫣红，
奥德修斯亲爱的儿子起身离床，
穿上衣服，肩挎锋快的劈剑，
绑好精美的条鞋，在闪亮的脚面系缚，
走出房门进发，看来像似天神[2]。
他命嘱嗓音清亮的使者，
传令长发的阿开亚人聚会一处，
信使们奔走呼号，人群很快会合集中。

---

① erigeneia，“早生的”“早至的”。

② 第3—5行同第四卷第308—310行。比较第二十卷第124—126行。程式化语句的大量使用不仅能减轻歌手的记忆负担，而且还有助于“风格”，即（口诵）史诗风格的形成。尽管诗人常用诸如“神一样的”短语形容凡人，但人毕竟不是神。对于人的弱点和缺陷，对于人生的悲苦和短暂，荷马都有极为精到的见解。凡人绝不能比肩神明，否则将会［像歌手萨慕里斯一样（《伊利亚特》第二卷第594—600行）］受到神的惩罚。公元前七世纪以后，希腊人似乎更加清醒地认识到了人生的局限。所谓“认识你自己”的核心内容，便是认识到人只能是人，而不是（不死的）神。神乃（无死的）长生者。

当人群集聚，在一个地点汇总[1]，
忒勒马科斯走向会场，手持枪矛青铜，
并非独行，由两条腿步轻快的犬狗伴从。
雅典娜给他抹上迷人的风采，
所有的人们观望，诧视着他走来，注目。
他在父亲的位子就座，长老们避让，退步。

　壮士埃古普提俄斯首先对他们发话，
一位躬背的长者，睿智，经验多得难以说述[2]，
他亲爱的儿子，枪手安提福斯，
已随神样的奥德修斯进兵伊利昂，出骏马的国土[3]，
乘坐深旷的海船，已被粗野的库克洛普斯杀除，

---

① 显然，这是一次正式召开的民众集会或 agore，不同于首领们的聚会[即商议，boule (复数 boulai)，比较第五卷第 3 行]。agore 和 boule 乃荷马史诗里的两种主要议事形式。召集聚会的权利通常属于王者和首领，由信使(亦司其他责职)负责传令。本卷第 1—14 行表明年轻的忒勒马科斯已开始了他人生中的转折时期，在与求婚人斗争的态势上已由过去的消极应付转入了主动“进攻”。雅典娜美饰他的相貌，平添他的风采，使他拥有一位未来王者的威仪，“在父亲的位子就座”(第 14 行)。比较《伊利亚特》第一卷第 54—55 和 304—305 行。关于信使，参考本书第八卷第 62 行及该行注。“长发的”乃阿开亚人的饰词之一(另见第一卷第 90 行)，在《伊利亚特》里颇多见例(比较“胫甲坚固的”，本卷第 72 行)。

② 每当引入(即初次提及)一位人物，诗人一般都会予以必要的介绍(另见第一卷第 428—433 行对首次出现的欧鲁克蕾娅的描述)。长者通常体弱(即体力上不如年轻人)，但富有智慧。埃古普提俄斯已经失去了一个儿子(安提福斯)，不久又将迎来痛失另一个儿子(欧鲁诺摩斯)的悲苦，前者是跟随奥德修斯出生入死的伙伴，后者则是奥德修斯即将予以杀除的“情敌”和势不两立的对手。

③ 在荷马史诗里，饰词“出骏马的”仅用于伊利昂。《伊利亚特》多次提及特洛伊战马的优良[参看该史诗第五卷第 221—223 行(同第八卷第 105—107 行)、第 265—270 行，第二十卷第 220—229 行和第二十三卷第 377—381 行等处]。参考本书第十八卷第 261—264 行。在史诗里，马的作用主要在于运送兵员(即拉车，参考第三卷第 68 行注和第十三卷第 81 行注)，农耕用牛。

在那深莽的洞里,作为被他吞食的最后一人活屠①。
他还有三个儿子,其中欧鲁诺摩斯介入了
求婚者的群伍,另两个看守田庄,父亲的财富。
然而,他仍然难忘那个失落的儿子,哀缅,忍受悲苦②。
带着泣子的悲情,他在人群中开言涕诉:
"听我说,伊萨卡人,聆听我的叙述。
我们再也没有集会③,或者聚首碰头,
自从卓著的奥德修斯走后,乘坐深旷的船舟。
今天,是谁出面召集我们? 是何种需要,
促使我们的长者,或许年轻的后生?
难道他已听知军队回归的消息,
先于别人,现在打算详告我们?
抑或,他有别的公事禀告,提请论争?
我想此君有福,是个好人。愿宙斯
成全,让他建功,心想事成。"

他言罢,奥德修斯的爱子听此预言后兴奋,
静坐不住,心里急切想着话对众人,
在会场中间站立,挺身。裴塞诺耳将

① 库克洛普斯(即波鲁菲摩斯)平时以羊奶和乳制品为主食,但若逮着机会,也会乐于以人肉为餐[参考第九卷第 344 行(其中很可能就有安提福斯);由此推断,平时的他或许也会猎杀动物和屠食他所放牧的羊儿]。

② 悲苦老头的形象在《奥德赛》里时有出现,贯穿始终(参考第一卷第 188—193 行和第二十四卷第 249—250 行及相关注释)。

③ 由此看来,在伊萨卡,国王是公民大会(agore)的召集人(比较《伊利亚特》第一卷第 54 行)。奥德修斯征战不归,滞居海外,公民大会无人召集,自然开议不成。时下忒勒马科斯聚众集会,"在父亲的位子就座"(本卷第 14 行)。

权杖[①] 放入他手中，一位机警的使者，擅论。
他开口说话，首先回答老人：
“老先生，此人不远，你会知晓他在此地站身。
是我召集众人，因我比谁都更感悲愤。
并非我已听悉军队回返的消息，
先于别人，现在打算详诉事由，
亦非有别的公事禀告，提请论争，
实是自个的需要——灾难已落附家居，
双份。我已失去高贵的父亲，曾经
王统你们，像一位父亲，善待你等。
眼下，一场更大的祸灾来临，将即刻
捣毁整座家居，把财富碎为齑粉。
我的娘亲违心背意，已被求婚人围困，
此间最显赫的大户们的公子王孙。
他们不敢会晤伊卡里俄斯，前往他的住处，

① 节杖乃权威的象征，以示讲话者获得了“发言权”的正当支持。细读《伊利亚特》第一卷第234—238行、第二卷第279行、第三卷第218—219行和第十卷第321行等处。王者（如阿伽门农）是权杖的（固有）持握者，有时可将其暂时转手他人，由暂持者代行职权（该史诗第二卷第185—187行）。参考该卷第46行、第六卷第159行和第九卷第37—38行及第98—99行。信使亦有自己的节杖（《伊利亚特》第七卷第277行），作为一种职业“标记”，如同后世的吟诵诗人那样。另参考该史诗第一卷第238行注。

以便让他为女儿整备礼物嫁妆[①],
把她交给他所喜爱的谁个,被他选中,
而是日复一日临来,骚乱我们的房宫,
宰杀牛羊,对我们肥美的山羊行凶,
摆开丰奢的宴席,暴饮闪亮的浆酒骄横。
我们的财物已被大部耗空,家中无有一位像
奥德修斯那样的汉子,把此番恶虐挡离宫中。
我们做不下此事,懦弱,难以
胜任:我们不曾久战疆场建功。
我会保卫自己,若有力量,我能。
这帮人无恶不作,难以容忍,全然不顾体面,放任——
我的家居已被破损[②]。你们应该羞责自己,
重视居家周围的乡里乡亲的

① 原文为 eednosaito,亦可作“收取聘礼”解。从下文来看(参考第 196 和 132—133 行),解作“准备礼物”(即嫁妆)似乎更能显示诗家在“口气”上的一致。此外,忒勒马科斯本人亦在第二十卷里表示愿意嫁出母亲,赠送难以清数的礼物(第 341—342 行)。追求裴奈罗佩的贵族子弟们后来都致送了礼物,但他们以追婚为由,大量食耗别人的家产,所以诗人明确指出,他们的“举动与以往的常规不符”(第十八卷第 275 行)。追求者致送礼物(即聘礼,此乃当时的常规做法)和出嫁者的亲属准备陪嫁的婚娶方式,在荷马史诗里均有提及。或许,我们还可以假设另一种可能,即在一次婚例中同时并存“接收”和“付出”的现象(但数目的多寡有所不同)。

② 较之《伊利亚特》,《奥德赛》显示出更加明显的惩恶扬善的道德倾向。我们似乎不应(像一些西方学者所坚持的那样)过多强调作者主观态度的“转变”,因为《奥德赛》的故事情节(亦即它的叙述实体)在很大程度上制约和决定了诗人的道德取向。

评论①,亦应惧怕神的愤慨,
免得,出于对恶行的震怒,神明惩罚你们。
我恳求各位,以奥林波斯大神宙斯的名义,
以召聚和遣散集会的塞弥斯② 的名义述陈:
停止吧,朋友们,让我独自一人被苦涩的
悲痛耗损——除非奥德修斯,我那高贵的
父亲曾经出于盛怒,恶对胫甲坚固的阿开亚人③,
由此引发你们的怒气,有意报复,
怂恿这帮人害我,恶狠。然而如此于我有利,更甚,
让你们耗糜我的财产,吞食牛身。

---

① 求婚人反常规的追婚行为旷日持久,伊萨卡的百姓肯定早已知晓此事。对公众的议论,求婚人应该已经有所耳闻(参考第十六卷第 375 行)。史诗人物重视自己的公众形象,重视舆论(即公众对他们的评价,参考本卷第 86 行)。参看第十六卷第 75 行注和第十九卷第 146 行注等处。招致公众羞辱的导因,可以是事关道德的,也可以是事关个人能力方面的。欧鲁马科斯担心自己的力气远不如奥德修斯,调上不了弓弦,由此给后人落下耻笑的话柄(第二十一卷第 253—255 行)。此事使他伤心,其剧烈程度甚至超过不能如愿以偿地婚娶裴奈罗佩!参考同上第 250—253 行。

② 女神,宙斯的第二位妻子(参见赫西俄德《神谱》第 901 行),命运的母亲。塞弥斯司掌"名分"和秩序(包括做事的规矩)。在史诗里,themis 有时作一般的抽象名词用,但相信荷马的听众们仍然可以(或会)从中感悟到隐约存在着的"神性"(参考第十四卷第 56 行和第 130 行注)。关于塞弥斯与集会的关系,细品《伊利亚特》第二十卷第 4 行。

③ "胫甲坚固的"是形容阿开亚人的常见饰词之一(比较第 9 行注)。饰词和被饰词之间通常有一种相对固定的关系,所以即使在无须佩带胫甲的和平时期,阿开亚人也可以是"胫甲坚固的"。另参考第 402 行注。忒勒马科斯在此说的无疑是反话,意在讽刺求婚人。奥德修斯当政时善待民众,"像一位父亲"(第 47 行;参考第一卷第 308 行注;比较本卷第 241 行注)。"阿开亚人"在此指伊萨卡人。另见本卷第 7 行、第一卷第 90 行和第三卷第 131 行等处。

倘若你等吃尽它们，将来就要赔偿补救[①]，
我们会遍走各地，公开声称要求，
要求偿还，直到索回全部所有。
但眼下，你们堆聚难忍的苦痛，在我心头！”

言罢，他怒掷权杖[②]，掉落地层，
泪水喷涌[③]，怜悯落临所有的人。
其时，他者默不作声，谁也没有那份胆量，
用严厉的词语回驳忒勒马科斯的论争。
唯有安提努斯作答，说话出声：
“鲁莽的忒勒马科斯，大言不惭，真能！
你在瞎说什么，羞辱，试图让舆论不利我们！
然而，你没有理由责难阿开亚求婚者，
错在你亲爱的母亲，她的诡诈超人。
眼下已是第三个年头，很快将进入第四年，
她一直在钝锉阿开亚人胸中的心魂。
她使所有的人怀抱希望，对每个人应承，

---

① 比较奥德修斯在杀灭求婚人后对裴奈罗佩道出的“补救”办法（参见第二十三卷第 356—358 行）。事实上，在菲洛伊提俄斯的精心牧理下，牛的头数不但没有锐减，反倒有所增长（参看第二十卷第 211—212 行）。当然，忒勒马科斯可以从“极致”的角度谴责求婚人（参考本卷第 58 行），但奥德修斯家中的贮存毕竟仍然丰足（详见第 337—343 行），此乃事实。

② 比较《伊利亚特》第一卷第 245—246 行里阿基琉斯的相似举动。“掷杖”与“愤怒”相连，表示当事者极度愤懑的心情。

③ 荷马史诗里的英雄们大都质朴、单纯，喜怒哀乐常常溢于言表。英雄也会流泪（比较：男儿有泪不轻弹），尽管哭泣并非表示（英雄）“气短”。阿基琉斯哭过（《伊利亚特》第一卷第 349 行），帕特罗克洛斯哭过（同上第十六卷第 3 行），奥德修斯更是不止一次地泪水滴淌（参见本书第八卷第 83—92 和 521—522 行）。另见第五卷第 84 行注。

送出信息，给我们，心里想的却是别的念头横生[1]。
她还构设诡计，蕴谋心胸，
安置一架偌大的织机，在她的房宫，
开始编制一件宽长精美的织物，话对我们：
'年轻人，追求我的人们，既然卓越的奥德修斯
已经死去，你们何不等等，尽管急于娶我，
待我做完此事，使织工不致半途而废不成。
我为莱耳忒斯制作披裹，为一位英雄，以便
当死亡，当那份注定的悲苦将他逮住之时，
邻里的阿开亚女子不致怪罪于我[2]，
让一位拥攒丰广家产的人士，死后无有织布裹身[3]。'
她言罢，说动了我们高傲的心魂。
她白天忙碌在偌大的织机前，从那以后，
夜晚则就着火把，将织物拆散从头。
如此三年，她瞒过我们，使阿开亚人信以为真。
随着第四年的来临，季节的转动，
一个知晓全部内情的女子抖出隐秘，告诉我等，
我们现场揭穿，正当她拆散绚美织物的时分。

---

① 第91—92行同第十三卷第380—381行。求婚人心口不一（参考第一卷第404行注；另参考本卷第236行），忒勒马科斯和裴奈罗佩有时亦"以其人之道，还治其人之身"，巧妙与之周旋。《奥德赛》里的人物比《伊利亚特》里的更多一些心眼，有时甚至显得诡计多端（包括用假话搪塞、欺骗）。

② 参考第66行注。

③ 和奈斯托耳一样，莱耳忒斯是一位创建过丰功伟绩的老英雄（参见第99行和第二十四卷第377—382行及相关注释）。关于用"织布裹身"，参考并比较《伊利亚特》第二十四卷第580—581行。

就这样,她违心背意,只好完工[①]。
现在,求婚人已经讲说,以便让你
记在心头,也好让所有的阿开亚人知晓内容。
送回你的娘亲,告嘱她婚配
由她父亲相中,亦能使她欢心的男人。
但是,倘若她继续折磨阿开亚人的儿子,
矜持于她的心计智慧,雅典娜的致送,
使她掌握精熟绚美的手工,通达、聪灵
多谋的高绝我们从未听闻,即便是
古时的名女,美发的阿开亚女人,
即便是图罗[②]、阿尔克墨奈[③] 和顶戴精致环冠的
慕凯奈[④] ——谁也不能与裴奈罗佩的智算比争[⑤]。
然而,在这件事上她的思绪不当欠稳。

---

① 日后,裴奈罗佩将亲口对奥德修斯讲述这段故事(第十九卷第 138—156 行),安菲墨冬的阴魂也将就此事对阿伽门农(的魂影)复述(第二十四卷第 129—148 行)。史诗故事通连或“糅合”神话,因此可以容纳离奇的夸张(参考第十三卷第 391 行及该行注)。织制一段裹尸的布匹,再慢也无须用三年时间。为了推动情节按照既定的设想展开,诗人需要求婚人在对此事的判断上缺少一般的生活常识。参考并比较第十卷第 152 行注和第十八卷第 213 行注等处。比较第十六卷第 326 行注。

② 厄利斯国王萨尔摩纽斯的女儿,裴利阿斯和奈琉斯的母亲,奈斯托耳的祖母(参阅第十一卷第 235 行以下)。

③ 安菲特鲁昂的妻子,与宙斯生子力士赫拉克勒斯(第十一卷第 266—268 行)。

④ 河神伊那科斯的女儿,阿耳戈斯的母亲,金宝之地慕凯奈(即迈锡尼)以她的名字呼称。另见赫西俄德的表述(片断 246)。上述三位古代名女均不以心智慧达著称,安提努斯将她们和裴奈罗佩以心智作比,似乎不算十分贴切。裴奈罗佩可与前辈名女相比的,或许是日后将会获取的名声。

⑤ 荷马并没有说裴奈罗佩比古时的名女漂亮,而是称她的“智算”(noemata)比她们的超胜一筹。随着时间的推移(和社会的进步),智慧(或心智)的作用益显突出,《奥德赛》的作者对此无疑有着深切的感受。奥德修斯以他的智勇双全“扬弃”了阿基琉斯和埃阿斯等一代名将单一的骁勇和粗莽;同样,裴奈罗佩以她的美貌和智算独领风骚于古今美女群中。参考第二十三卷第 189 和 226 行注。

你的家产和所有将被吃空,我说,
只要她抱守这个念头,是神明,
我想,将其放入她的心中。于她,此事会带来
噪响的名声[①];然而,于你,却是大量财物的失损。
我们不会返回自己的田庄或别处栖身,
直到她婚配最好的阿开亚男子,不管谁人。"

其时,聪颖的忒勒马科斯对他答话,出声:
"我不能把生我养我的母亲,违背她的
意愿,赶出家门。家父还在世上的某地,
无论是死了,还是活存。此事不易,回付
伊卡里俄斯的财物[②],假如我决意遣返亲母。
我会受难,被他的父亲害苦,遭遇神灵
致送的痛楚,娘亲会呼唤她的复仇[③],
当她走出门户,而我将领受公众的怨怒。
我不当此人,对她把此话说述。
至于你们,倘若我的答复触发了心中的怒火,
那就离开我的房宫,去别处宴肴,
吃耗自己的财产,轮番,挨户转倒。

---

① 比较阿伽门农的亡魂对裴奈罗佩的称颂并预言她将会有佳好的名声(参阅第二十四卷第 193—198 行)。

② 即交还伊卡里俄斯给裴奈罗佩的丰足的陪嫁。

③ 指复仇精灵(或女神)。她们主司对家族中弑杀(长辈)亲人事件的责惩。在荷马史诗里,行动诡秘、出手凶狠、带有浓烈和阴晦的泥土气息、通常以"直观"代替(或取消)理性思考的复仇女神(即厄里努斯姐妹们)并不占有突显的位置。有关复仇帮助母亲惩击儿子的提及,参见第十一卷第 280 行、《伊利亚特》第九卷第 567—572 行和第二十一卷第 412—413 行。参考该史诗第九卷第 454 行注。史诗人物畏惧神的责惩,也惧怕民众的指责(参考本卷第 66 行注,比较第二十一卷第 329 行注等处)和怨怒(本卷第 136 行)。这两种惧畏之情构成了对他们行为的制约。

但是,倘若你们以为蹭下去有利,更好,
食糜别人的家产,无须偿报,那就继续
折腾,啖耗。我要呼唤神明,他们长生不老,
祈愿宙斯作主,给予应报。
如此,你们会死在这座房居,把性命白白送掉[①]。”

　　忒勒马科斯言罢,沉雷远播的宙斯
遣出两只鹰鸟[②],从山巅之上直冲云霄,
乘着风吹结伴翱翔了一阵,比翼
齐飞,并排,舒展翅膀阔豪。
然而,当飞临会场中央,响声喧闹,
它们突然转向,羽翼猛然抖动,
俯冲所有的人,双眼放光,
可怕,鹰爪互扯对方的脖子脸颊撕绞,
疾飞右边,越过房居和凡人的城堡。
众人瞠目结舌,眼见这对鹰鸟,
心里思想着[③] 何事将会临落。
其时,哈利塞耳塞斯,马斯托耳之子,一位年迈
的武士在人群中说告——同辈中他远比
别人谙释鸟踪,辨示它们的迹兆。
眼下,怀着对各位的善意,他在人群中喊道:
“听着,伊萨卡人,聆听我的说告。
我要特别提醒警告求婚者,

① 第140—145行大致同第一卷第374—380行。

② 鹰是宙斯的使者,“飞禽中示兆最准的羽鸟”(《伊利亚特》第八卷第247行、第251行和第二十四卷第315行)。另参考该史诗第十二卷第219行注。

③ 参考第一卷第29行注。参考并比较第四卷第117行。

巨大的灾难正在向他们滚落[①]。无疑，奥德修斯
不会久离家小，现时已在某地，我想，
置身不远的近处，谋划破毁死亡，对那帮人
一个不饶。我们中的另外许多人也会遭难，
生活在明媚的伊萨卡海岛。所以，让我们趁早，
忖想如何让他们辍止或自己停下，如此
更好。此举与他们有利，若能做到。
我预言此事，知悉兆卜的堂奥，确实知晓。
关于他，我宣称一切都已实现，如我
所料，当着阿耳吉维人登船出战
伊利昂，足智多谋的奥德修斯与他们一道。
我说过，在历经磨难并痛失所有的伙伴后，
在第二十个年头，他会返回家门，
不被任何人察晓。现在，这一切正在践蹈[②]。”

　　其时，波鲁波斯之子欧鲁马科斯对他答道：
“回去吧，老先生，对你的孩子卜兆，
免得他们将来遭难难逃。关于这些事情，
我能做出更妙的卜释，远比你的老到。
阳光下众多的鸟儿四处

① 比较奈斯托耳的感叹(《伊利亚特》第一卷第 253—254 行)。

② 比较第九卷第 532—535 行和第十一卷第 112—115 行。关于马斯托耳之子哈利塞耳塞斯，另见第十七卷第 68 行和第二十四卷第 451—462 行 。当阿开亚舰队云聚奥利斯，卡尔卡斯曾就战事的发展和结局作出卜释，预言阿开亚人将在第十年里攻下路面开阔的特洛伊(参阅《伊利亚特》第二卷第 301—330 行)。在荷马史诗里，卜者的预言一般都会兑现。参考本卷第 182 行注。

飞绕，并非所有的它们都在显兆[①]。奥德修斯
死了，在那遥远的地方，我真想你和他
死在一道。这样，你就不会唠叨这些个卜释，
也不会挑唆忒勒马科斯生事，眼下正在气恼，
寄望于替自家争得一份礼物，兴许他会对你犒劳。
不过我要直言相告，此事将会见晓：
倘若你凭着年老，所知丰奥，唆使一个
年轻人，使他动怒，用话语激挑，
那么，首先，此举对他更为糟糕，
这些个话语不会使他成事分毫。
而对你，老人家，我们会惩罚索要——这会使你
揪心，当你付掏，你的悲愁将会老大不小。
这里，我要当众对忒勒马科斯说教。
要他敦促娘亲回返父亲的居所，
让他们张罗婚宴，将丰厚的礼物嫁妆备好，
数量之多，要与一位爱女的身份衬耀[②]，
我想阿开亚人的儿子们不会放弃

---

① 在当时，祭司的职责仍然是神圣的；在通常情况下，卜释具有精妙和不可逆转的准确性。然而，在史诗中，占卜（术）似乎已部分地失去了远古时代享有的不容置疑的权威性。荷马史诗里已有科学意识的最粗朴的"萌动"。比较赫克托耳对普里达马斯的驳斥："我不在乎这些，不会搭理这套"（《伊利亚特》第十二卷第 238 行）。当然，赫克托耳有神的允诺作为凭靠，使他得以如此气壮如牛（详阅同上第 230—250 行）。另参考阿伽门农对"无事不晓"的卡尔卡斯（和哈利塞耳塞斯一样，他"辨释鸟踪的本领无人赶超"）的怒斥（该史诗第一卷第 105—108 行）。不错，巫卜"产生"科学；但在此之前，必得有一个对卜释的准确性产生怀疑和提出质问乃至挑战的阶段。爱默生说过，被人们称为虚伪的宗教曾经是真实的。荷马肯定不会认真怀疑卜释的权威性。但与此同时，他也意识到了实证的重要，看到了用"标记"（sema）证明人物真实身份的必要性和比之话语显得远为"稳定"的可靠性。参考本书第二十三卷第 189 行注和第二十四卷第 329 行注。

② 第 197 行同第一卷第 278 行。比较该卷第 275—278 行，参考相关注释。

粗蛮的追求，因为我们谁也不怕，是的，
更不用说忒勒马科斯，尽管他雄辩滔滔。
我们也不在乎你老先生能作的任何卜兆，
预言不会实现，只会使你更加让人恨恼。
他的财产将被可悲地蚀食，永远
无须偿报，只要她拖延阿开亚人的
婚娶，让我们等待，日复一日，
为了得获她的佳好[①] 争吵，不去追求别的
女子，我等全都可合宜纳娶的妻姣。”

其时，聪颖的忒勒马科斯对他答讲：
“欧鲁马科斯，所有高傲的求婚人在场，
关于这些，我不打算继续恳求或谈论，不想，
因为神明已经知晓，还有所有的阿开亚同乡。
这样吧，给我一条快船，二十名伙伴，
随我出行，偕同回抵返航。
我将前往斯巴达和多沙的普洛斯地方[②]，
探询父亲的归还，他已长久离家，
兴许某个凡人会告诉于我，此人已听过宙斯
遣送的谣传[③]，后者比谁都更爱把信息在人间播扬。

---

① 原文为 arete(复数 aretai)，并非仅指“美德”(因而并非只是一个道德概念)，其涵盖范围可包括“德性”、“优点”和“属性”等。比如，美是一种 arete，迅捷亦然。比较拉丁词 virtus(派生自 vir，“人”)。关于裴奈罗佩的佳好，参考第十八卷第 251—252 行(同第十九卷第 124—125 行)和第二十四卷第 193—198 行等处。

② 忒勒马科斯知道(求婚人当然也一样)，斯巴达和普洛斯分别为墨奈劳斯和奈斯托耳辖领的地方，而二位都曾在特洛伊平原与奥德修斯并肩战斗，结下了深厚的情谊。忒勒马科斯应该已知二位已从特洛伊归返的消息(参考第三卷第 86 行)。普洛斯位于伯罗奔尼撒西南，濒海，故而是“多沙的”。

③ 原文为 ossa，参考第二十四卷第 413 行注。

倘若听说家父仍然活着，正在归返，
我会再等盼一年，尽管辛苦备尝。
但是，如果听说他已死了，不再存活世上，
我将动身回返亲爱的故乡，
堆筑坟茔，举办隆重的牲祭典礼，规模配称，
场面浩大；然后嫁出母亲，给另一位夫郎[①]。"

他言毕下坐，人群中站起门托耳，
曾是雍贵的奥德修斯的伙伴。
当他登船出发，奥德修斯把全部家业托付老人，
要他好生看守，并叮嘱大家听从他的管辖。
眼下，怀着对各位的善意，他在人群中讲话：
"听我说，伊萨卡人，聆听我的说讲[②]，
从今后，让手握权杖的王者不要
温和慈善，心里别再把公正忖想，
让他永远严厉，做事专横凶霸，
既然他统治的属民中无人怀念

① 比较第一卷第279—292行。忒勒马科斯的想法合乎情理，求婚人即便心里不愿，似乎也难以找出反对的理由。

② 第229行同第25行。老人抨击了求婚人的横行霸道，也意味深长地批评了民众的麻木不仁(第239—241行)。老人既领管家之衔，就该不辱使命，但《奥德赛》里却不见他代行理家的提及。

奥德修斯,神明一样,像一位父亲[①],和善。
现在,我不想斥责高傲的求婚人,
他们肆意横行,心里规划邪恶的念想,
甘愿拿自家的性命冒险,凶暴吞食
奥德修斯的家产,自以为他不会回返。
不,我要抱怨的是你等众人,你们静坐
此地,木然,一言不发,不用话语驳斥阻止

① 在荷马看来,对于子女而言,父亲的社会形象应以慈善为本。另见第47行、第五卷第12行和第十五卷第152行。除了具有勇敢、刚强、擅辩和足智多谋等美德外,奥德修斯的性格中还有善对国民的一面。荷马相信善有(或应有)善报。不仅如此,奥德修斯还是一位"神明一样"的伟人。注意"像神"(theioio)和"像父亲"的连用以及由此产生的合二为一的接收效应。比较第46—47行里两次出现的"父亲"(pater),前者用的是词语的实义,后者用了它的转义(喻奥德修斯对国民长辈式的"善待")。关于父亲,另参考第十五卷第197行注和第十七卷第111行注。詹姆斯·乔伊斯自小就喜欢尤利西斯(即奥德修斯),尤其欣赏他作为一个人物(或希腊英雄)的完整性(completeness)。尤利西斯是"父亲、儿子、丈夫、情人,是一位曾经逃避征兵的斗士,是一只鹞鹰"(*Masterpieces of World Literature*, edited by F. N. Magill, 1989,第912页)。奥德修斯并没有真的变成雄鹰;苍鹰扑杀鹅群(以及声称它乃奥德修斯)的景状出现在裴奈罗佩的梦景里(参阅本书第十九卷第543—550行)。关于梦与"现实"的关系问题,细读第四卷第809行注,第十九卷第543行注和第二十卷第90、94行注等处。当然,奥德修斯还是一位国王,一位出类拔萃的谋略家。如果我们愿意参考他的多才多艺(详见第五卷第257行注、第十四卷第228行注和第十五卷第324行注等处),那么他的身份还要远为复杂。此外,应该指出的是,荷马并没有在史诗里直接提及奥德修斯躲避"征兵"一事,尽管此说在后世甚为流行。奥德修斯曾偕奈斯托耳前往弗西亚,邀请阿基琉斯出战(参考《伊利亚特》第十一卷第765—769行和第九卷第252—259行)。奥德修斯曾于开战前出使特洛伊(参考该史诗第三卷第205—206行),以后又把阿基琉斯之子尼俄普托勒摩斯从斯库罗斯接到特洛伊前线(本书第十一卷第506—509行;参考并比较《伊利亚特》第二卷第716—725行及相关注释)。

求婚者，虽然他们人少，你们人多成帮[①]！”

其时，欧厄诺耳之子琉克里托斯对他答话：
“门托耳，你乱放厥词，胡思乱想，鼓动
他们阻止我等，说了些什么怪话！难呢，即便
人再多些，多过这帮，也难能在宴席上与我们开打。
就算伊萨卡的奥德修斯本人回来，
眼见高傲的求婚人饮食在他的厅堂，
心急火燎，想把他们赶出宫房，
他的妻子也不会高兴于他的归家，尽管思盼，
亟想——他会撞遇凄惨的命运，

① 门托耳不愧为一位有头脑、有见地的长者（难怪奥德修斯出征前把家中的事务托付给他并要大家听从他的督导，第226—227行），说话软中带硬，条理分明，意味深长。国家政治的现状和发展的走向，取决于国民的素质。如果伊萨卡公民仗义执言，群起声讨，求婚人恐怕早就会收敛骄横的气焰，中止反常规的求婚行为（参考第198—199行），停止对奥德修斯家居的糟蹋。假如果能如此，则善莫大焉，既于人无害，亦于己有利，求婚人将不致乐极生悲，到头来被归家的奥德修斯杀灭。“国家兴亡，匹夫有责”；只有全体国民行动起来，真正掌握自己的命运，主持公道，责惩邪恶，国家才可能兴旺发达，实现社会、经济和文化层面上的长治久安。从这个意义上来说，奥德修斯很可能不是一位目光远大和具备真知灼见的国王（比较第47行）。荷马或许没有想到，一位英明的统治者不仅应该知道怎样维护自己的统治，而且还应该知道（并切实采取措施）怎样“损害”自己的既得利益，使一己或小团体的利益服从于治国和兴民的“大道”。历史事实表明，上述第二个“知道”比第一个“知道”更能检验当权者的英明与否，是区别于一般高明的领袖人物和极少数真正具备雄才大略的旷世之材的试金石。奥德修斯只是一位一般意义上的能够善待民众的国王，而不是一位具有深邃的见识和出类拔萃才干的政治天才。当然，无论是对荷马还是对奥德修斯，我们的要求都不能太高，因为尽管二者都是伟人（参考第二十二卷第346行注），但他们毕竟生活在距今遥远的、人们还在谈论神与英雄们“共事”的年代。作为一位生活在那个时代的吟诵诗人，荷马能让门托耳讲出此番话语，已经难能可贵。

倘若和人多势众的我们斗打[1]。你的话不对，白讲。
这样吧，全体散会，各回自己的居家，
门托耳和哈利塞耳塞斯会催办此人的启航，
二者是他父亲家居旧交的朋帮。
不过，我想他会在此地闲坐久长，在伊萨卡
等盼讯息，决不会实践这次远航。”

他言罢，匆匆中止集会，解散[2]，
众人离去，回返，朝着各自的居家，
而求婚者们则折回神样的奥德修斯的宫房。

忒勒马科斯走离众人，沿着海滩[3]，
在灰蓝的海水里洗净双手[4]，对雅典娜祈讲：
“听我说，神明，你昨天莅临我们家房，
催励我坐船出海，在灰蒙蒙的水路
开航，探询父亲的归返，他已长久
离家。现在，这一切都被阿开亚人耽搁，

---

① 求婚人总共 108 个（参考第十六卷第 247—251 行）。事实上，连忒勒马科斯也怀疑己方能否以少胜多，击败求婚人（参考同上第 243—244 行）。然而，他们大概忘了，或者说没有想到，奥德修斯有雅典娜的助佑，有宙斯的神威作为凭靠（同上第 260—261 行）。

② 第 257 行同《伊利亚特》第十九卷第 276 行。

③ 海滩似乎是一个祈祷的好地方。在《伊利亚特》里，克鲁塞斯老人亦曾默行海滩，对神（王者阿波罗）再三祈求（第一卷第 34—36 行；参阅并比较该卷第 347—351 行）。海边自然也是祈请波塞冬助佑的“理想”地点。比萨国王的女儿希波达墨娅曾在漆黑的海滩上对手握三叉戟的神主念念有词（参见品达《奥林匹亚颂》颂一第 70—72 行）。比较本书第三卷第 5—6 行。

④ 净洗双手后祈讲，以示对神的敬重。参考第十二卷第 336—337 行、《伊利亚特》第九卷第 171—172 行、第十六卷第 230—231 行和第二十四卷第 302—307 行。另参考该史诗第三卷第 275 行注和本书第三卷第 445 行。

尤其是这帮求婚人，以邪毒的骄狂。”

他诵毕祈祷，雅典娜从近处来到身旁，
模仿门托耳的声音，变取他的形象，
对他说话，用长了翅膀的言语说讲[1]：
“你不会是个卑劣者，忒勒马科斯，不会头脑简单，
倘若你身上确已注入乃父的勇力刚强，
他有言必行，有行必果[2]，是条汉子好样。
所以，你的出航不会无有收获，不会白忙。
不过，假如你不是他和裴奈罗佩的生养，
我就不会寄愿你实现想要实践的企望。
儿子少有能和他们的父亲一样，

① 诗人偏爱的程式化用语，在《伊利亚特》和《奥德赛》里频繁出现。把讲出的话语比作飞鸟的翅膀（但丁曾把语言比作骏马，托尔斯泰将其视为飞箭），这是一种富于想象力（同时亦似不失贴切）的说法。语言记载并传扬人的千秋功罪，使听众了解发生在远古和远处的往事，它的及达面远超（当时）人的实际抵达能力，它的持续性也远非人的个体生存时间可以比及。荷马很可能从前辈诗人手里接过了一整套诸如此类的程式化（即相对固定的）用语。此外，需要指出的是（诚如我们刚才已经点到的），和“兵士（或民众）的牧者”［比较“羊群的母亲”（喻山地）］一样，“长了翅膀的话语”还是一个隐喻（metaphor），在上下文里起着重要的修辞作用，浓添着作品的文学魅力。荷马史诗里颇多隐喻，细心的读者将不难发现掩隐在诗行里的佳例。参看第四卷第 709 行注和第三卷第 491 行注等处。参考：“大地笑声朗朗”（《伊利亚特》第十九卷第 362 行）、“战争的乌云”（同上第十七卷第 243 行）和“青铜铸就的心魂”（同上第二卷第 490 行；比较本书第四卷第 293 行注和第十五卷第 329 行注等处）。至少，在亚里士多德看来，使用（或编制）隐喻的难度要大于明喻。参考第三卷第 2 行注。和明喻一样，隐喻可以表现人物的悲情（参读第十九卷第 207 行注），用词更显精妙、洗练，但在表现感情的力度上似不如明喻来得迅猛、炽烈。

② 英雄必须文（能说）武（能打）双全（参考《伊利亚特》第九卷第 443 行）。培养文武兼备的青年英才是古代教育的目的。另参见本书第四卷第 204—211 行（比较该卷第 818 行）、第十一卷第 511—516 行以及《伊利亚特》第二卷第 342 行。参考该史诗第三卷第 224 行注。

多数不如，只有少数能比父亲高强①。
不过，既然你不会是个卑劣者，不会头脑简单，
奥德修斯的心智并非全然不在你的身上，
所以你有希望，把这件事情做完顺当。
现在，甭管这伙愚蠢的求婚人，甭管他们的
目的和计划，因为他们既不明智，亦非公正无邪，
不知死亡和乌黑的命运② 确已
站等近旁，在将来的一天都将死亡。
你所急切盼望的航程不会耽搁久长，
你有像我这样的伙伴，曾是乃父的朋帮。
我将替你整备一条快船，亲自与你同往。
但眼下，你必须回返宫房，和求婚人混在一块，
备妥远行的给养，将所有食品用容器盛装，
注酒入罐，将大麦面粉，那是凡人的命脉③，
填入厚实的皮囊，我将穿走城区，召聚
自愿与你同行的伙伴。这里舟船众多，
在海水环绕的伊萨卡，旧的，新的，

---

① 《伊利亚特》中颇多此类“今不如昔”（或后代不如前辈）的感叹（参考第四卷第372—375行、第五卷第800—801和302—304行以及第二十卷第283—287行等处）。这一观点或许是古代诗人的一种共识。赫西俄德浓缩并理论化了前人的观点，在《农作与日子》第106—201行里讲述了著名的“五个时代”的神话。今不如昔的神话观无疑推动了古希腊人悲剧意识的形成。欧里庇得斯表述过相似的观点（详见《赫拉克勒斯的孩子们》第325—329行）。不过，今人并非一概不能超胜古人，儿子也未必绝对不能超过父亲。裴奈罗佩的心智古代名女不能比及（本卷第121行）；此外，荷马或许没有想到，尼俄普托勒摩斯的武功不如阿基琉斯，但他的口才却在亲爹之上（参考第十一卷第510—512行）。年轻气盛的卡帕纽斯曾驳斥统帅阿伽门农，声称他自己和狄俄墨得斯远比各自的父亲出色（《伊利亚特》第四卷第405—410行）。

② 参考第七卷第197行注和第二十卷第52行注。

③ 参考第九卷第89、191行及相关注释。关于神用的食物，参考第五卷第93行注等处。

我会仔细察看,替你找一条最好的出航,
很快准备停当,驶向浩渺的大洋。”

宙斯的女儿雅典娜言罢,忒勒马科斯
听过女神的话语,不曾耽搁久长,
当即举步回家,心情沉重、抑压①。
他碰见高傲的求婚者,在他的宫房,
正在庭院里撕剥山羊,将肥猪的畜毛燎光。
安提努斯笑着② 走向忒勒马科斯,
握住他的手,叫着他的名字说讲:
“鲁莽的忒勒马科斯,真能,大言不惭!
不要再心思邪恶,无论是行动,还是话语中伤③。
不如和我一起吃喝,像往日一样④。
阿开亚人无疑会把一切整治妥当,
备下海船和精选的伙伴,使你能尽快抵达
神圣的普洛斯⑤,寻访高贵的父亲现在何方。”

其时,聪颖的忒勒马科斯对他答讲:
“此事绝无可能,安提努斯,要我和你们一起
食餐,心平气和,默不作声,面对你们的骄狂。

---

① 参考第一卷第 427 和 443—444 行及相关注释。

② 安提努斯的欢笑和忒勒马科斯的心情压抑形成了鲜明的对比。

③ 和行动(ergon)一样,话语(epos)亦可伤人。史诗中的英雄和主要人物大都精通用行动和话语伤人与保护自己的门道。参考第四卷第 163 行及该行注。

④ 比较欧迈俄斯对忒勒马科斯的抱怨(第十六卷第 27—29 行)。

⑤ 普洛斯有祀奉波塞冬(此神乃奈琉斯的父亲)的祭仪(参考第三卷第 5—8 行),但诗人称普洛斯为“神圣的”或许并非专门出于上述考虑。“神圣的”是修饰地名的饰词,在史诗里已呈现“泛指”(或泛用)的倾向。

难道这还不够，你等求婚人，你们耗糜我的
家产，过去，成堆的好东西，当我还在儿时彷徨。
如今，我已成人长大[①]，能从别人那里听晓
事情的真相，怒气腾升在我的身上，
决意给你们招致凶险的灾亡，
无论是前往普洛斯，还是留在这个地方。
我行将出发，我说的航程不会徒劳白忙，
作为搭船的乘客，因我没有海船，无有
伙伴相帮。这一点，我想，正合你们的愿望。”

言罢，他轻快地抽出手来，从安提努斯的
握掌，而求婚人正在家居里整备食餐，
交谈中出言羞辱，对他讥刺有加。
某个高傲的年轻人其时这样说话：
“是啊，忒勒马科斯在谋划我们的死亡。
他会从多沙的普洛斯招来援帮，
甚至会从斯巴达，眼下正按捺不住，心想。
抑或，他将有意去往厄芙拉[②]，那里有肥沃的
土壤，以便弄些个有毒的药草[③] 回来，
撒入我们兑酒的缸碗，把我们全都害光。”

---

① 参考第一卷第 297 行。看来，忒勒马科斯确实已有胜似少年的老练。他说没有船(本卷第 319 行)，许是实话(偌大的王贵之家居然没有可供乘用的船舟，让人费解)，但称没有伙伴相帮(第 319—320 行)，却有欺诳的嫌疑。雅典娜已承诺为他召聚随行的伙伴(第 291—292 行)。参考第 92 行注。当然，忒勒马科斯说的可能是“现在”的情况，即现在还没有帮忙的伙伴。

② 参考第一卷第 259 行及该行注。

③ 诗人未提药草的名称，或许连他自己也未必确知此为何样妙药。在第四卷里，海伦动用一种得之于埃及的药剂，据说有舒心去愁的功效(详阅第 220—233 行)。比较第一卷第 261—262 行。

　　另一个高傲的年轻人则会这样说讲：
“谁知道呢，当他踏乘深旷的海船漫游出发，
自己亦会死在远离亲友的远方，像奥德修斯那样[①]？
如此，他会给我们增添工忙：
我们将劳神清分他的财产，把家居交由
此人的娘亲看管，偕同她婚配的新郎[②]。”

　　他们如此说讲，忒勒马科斯则走下父亲顶面
高耸的藏室宽敞，黄金和青铜在里面堆聚息躺，
大量的衣服装填在箱，另有芬芳的橄榄油，
一坛坛醇酒站列一旁，陈年、
飘香，装着神圣、不掺水的酒浆，
贴着墙边依次排列，密密麻麻[③]，等待奥德修斯，
在历经千辛万苦后许能折返回家。
两片密合的门板将贮室关上，
双扇，由一位女人负责日夜看管，
机警、小心，监护所有的室藏，
由裴塞诺耳之子俄普斯的女儿欧鲁克蕾娅。
其时，忒勒马科斯把她叫入房内，对她说讲：
“亲爱的保姆，替我装一些香甜的浆酒，
注入带把的坛缸，最好的佳品，仅次于你为

① 比较第 363—370 行。

② 第 336 行大致同第十六卷第 386 行。

③ 比较《伊利亚特》第六卷第 288—289 行和第二十四卷第 275—276 行等处。奥德修斯家境的殷实富有，由此可见一斑。参考本书第十四卷第 95—104 行。

那苦命之人的收藏，为宙斯养育的① 奥德修斯，
倘若他能生逃死和命运的追捕，回家。
我要十二② 坛，全用盖子封上。
此外，给我倒些个大麦，用密针缝合的皮袋接装，
要那精磨的麦粉，二十个衡度③ 的数量。
此事你知就行，不要声张。把所有的东西拢放一起，
我将于夜间取物，待等我的
娘亲登梯楼上的睡房，躺下。
我将前往斯巴达和多沙的普洛斯询访，
事关亲爱父亲的还家，但愿能听到点什么，碰上。”

---

① 或“神明养育的”，程式化用语，在两部史诗里均有见例。荷马不怀疑英雄应该有通神的家谱，应该和神祇沾亲带故。参考第一卷第 81 行注。诗人有可能想当然地把阿耳开西俄斯（莱耳忒斯的父亲）当作宙斯之子，只是没有予以明说而已（参考第十六卷第 117—118 行）。假如果真这样，那么奥德修斯就不仅是一般意义上（或泛指）的神育的凡人——他是宙斯名副其实的后代，是有家谱可查，因而可就“字面”意义理解的宙斯的嫡亲子孙。参考第十六卷第 118 行注。

② “十二”是荷马史诗里经常出现的数字（参考《伊利亚特》第一卷第 493 行、第六卷第 93 和 308 行、第十卷第 487 行、第十一卷第 691 行、第十五卷第 746 行和第二十四卷第 31 行等处）。参考《伊利亚特》第六卷第 248 行注。另见本卷第 374 行、第四卷第 747 行、第八卷第 59 行、第九卷第 159 行和第十九卷第 574 行等处。古代先民们相信，数字包含某种不可言喻的神奇力量。诗人喜用“十二”，不知是否受到古代“数论”或数字神学的影响。在荷马生活的年代，数字或许还会带有某种象征的意义，但诗人似乎采取了不予“深究”和不作公开说明的明智态度。我国古代历法分十二支，占卜有十二神，据传舜帝任用大臣也以十二为限（比较第八卷第 390 行）。巴比伦人把一天分为十二个时辰，用黄道十二宫计算和估测太阳的运行轨迹。在古代波斯人信奉的琐罗亚斯德教里，“五”和“七”（此二数亦散见于荷马史诗）均为圣数，而“十二”是“五”和“七”相加之和。古波斯历法展示天体运行的规律，显示人间历法制作和算筹的精当。参考并比较第三卷第 8 行注。

③ 一种计量单位。“二十”亦是诗人常用的数字。另见本卷第 212 行、第四卷第 360 行、第五卷第 34 行、第六卷第 170 行、第九卷第 323 行和第十二卷第 78 行等处。参考《伊利亚特》第十一卷第 25 行注和第二十四卷第 765 行及该行注。

他言罢，亲爱的保姆欧鲁克蕾娅惊呼，
恸哭，送吐长了翅膀的话语，对他说诉[①]：
“怎么了，亲爱的孩子，让这个念头钻进
你的心术？为何打算浪走广袤的乡土，
你，唯一受宠的儿储[②]？卓著的奥德修斯
已经死了，在某个异邦地域，远离他的国度。
这伙人会谋划邪恶，在你回返之际动武[③]，
你将死于谋诈，而他们会抢分你所有的财物。
不，留下，掌护你的财富。此事不妥，于你，
浪走宽阔的大海荒漠，遭受磨难，吃苦。”

其时，聪颖的忒勒马科斯对他答述：
“别怕，保姆，计划的制订中有神明作主。
对我起誓，好吗，别对我亲爱的母亲告诉，
直到第十一天，或第十二天临来的时候[④]，
亦可当她念想起我来，或听知我已走出，
使她不致嘤嘤哭泣，损害秀美的皮肤。”

他言罢，老妇对神明许下庄重的誓诺。

① 比较第一卷第 122 行。参考本卷第 269 行注。注意欧鲁克蕾娅的“恸哭”（比较求婚人的“笑”，第 301 行）。

② 关于忒勒马科斯的家谱，参见第十六卷第 117—120 行。

③ 欧鲁克蕾娅机灵（参考第 346 行），对事态的发展判断准确。参考第四卷第 750—757 行。诗人老到地利用了她的机智，前瞻性地点到了求婚人即将计划实施的恶行，有步骤地推动着情节的展开。

④ 比较第四卷第 588 行。

当发过誓咒，从头至尾说过[①]，
她注酒带把的坛缸，立刻，
倒出大麦，用密针缝合的皮袋接着，
忒勒马科斯则走回房居，汇入求婚人之中。

　其时，灰眼睛女神雅典娜开始实施下一步计筹。
变取忒勒马科斯的形象，她遍走全城[②]，
站在每个人身边说话，要他们
全都于晚间在快船边集中。
她对诺厄蒙发问，然后，弗罗尼俄斯光荣的
儿子满口答应，诚心，提供一条快捷的船舟。

　太阳落沉，所有的通道全都裹入漆黑之中[③]。
其时，她把快船拖下海域，将所有
船用的索具放上凳板坚固的船艘。
她泊船海湾的边沿，精干的伙伴们
集聚，围在四周，女神催励着每一个人。

---

① 第378行同第十卷第346行和《伊利亚特》第十四卷第280行。另见《奥德赛》第十二卷第304行和第十五卷第438行。誓咒受神祇(或宙斯)的监护，因此发誓者必须信守誓约，不得破毁，否则将遭致神明不留情面的惩罚。参考《伊利亚特》第三卷第276—280行。但凡事不能一概而论。有些誓咒的内容并非十分重要，加上环境的因素，偶尔破毁一下，似乎也不会激恼神灵。参考本书第四卷第749行注。

② 为了帮助忒勒马科斯，雅典娜确实不遗余力。此种人神密切配合、分头行动的做法，在今天读来难免显得荒唐，但在荷马生活的年代，却是口诵诗人们在编排故事时所必须依循的常规。参考第十三卷第439—440行。

③ 程式化语句，同第三卷第497行，第十一卷第12行，第十五卷第185、296和471行。

其时，灰眼睛女神雅典娜开始实施下一步计筹[1]。
她动身行往神样的奥德修斯的家居，
把香甜的睡眠送向求婚人[2]，
使饮酒的他们头脑昏糊，打落他们的酒杯
脱手，后者起身踉跄城中，向往睡梦，
谁也稳坐不住，睡眠临落在眼皮上头。
灰眼睛雅典娜对忒勒马科斯说话，其后，
把他叫出精工建造的房宫，
变取门托耳的形象，模仿他的话声[3]：
“你的胫甲坚固的伙伴[4]，忒勒马科斯，
已在桨架前坐下，等待你的号令动身。
走吧，你和我，别再耽搁航程。”

言罢，帕拉斯·雅典娜即速启行领头，
年轻人踏踩女神的足迹，在后面随跟。

---

① 第393行同第382行。这一程式化句子的用例另见第六卷第112行和第十八卷第187行等处。

② 赫耳墨斯显然亦有催眠的神功(参考《伊利亚特》第二十四卷第445—446行)。“睡眠”本身也是一位神明(参见该史诗第十四卷第229行以下)。

③ 雅典娜多次变取门托耳的身形。第401行同第268行、第二十二卷第206行、第二十四卷第503和548行。不知在第388—398行里雅典娜是以自己的还是幻取的形貌出现。史诗诗人无须，或许也不便对每一点细节及细微的变化作出交代(参考第十六卷第326行注)。

④ 在《伊利亚特》里，“胫甲坚固的”是阿开亚人的常用饰词。饰词与被修饰的成分常常“分享”一种固有和互相依存的搭配关系。在荷马心目中，即使在非战斗场景里，习惯于佩带胫甲战斗的阿开亚人仍然可以是“胫甲坚固的”。同样，在这里，“胫甲坚固的伙伴”很可能体现了一种习惯形成的搭配用法，它的侧重点并非在于伙伴们是否真的系带胫甲。事实上，上下文里并没有关于忒勒马科斯的随行人员携带武器和自我武装的提及。参考第九卷第60和550行、第十卷第203行和第二十三卷第319行。

他们来到海边，那里停驻船舟[①]，
眼见长发的伙伴已在滩头等候。
其时，灵杰强健的[②]忒勒马科斯对他们开口：
"来吧，朋友们，让我们搬运给养，均已
堆放在厅堂里头。但我母亲对此一无所知，
连同那些侍候的女子，例外只有一人。"

言罢，他领头行走，众人跟随其后。
他们把给养全部搬出，按照奥德修斯
爱子的吩咐，贮存在登板坚固的船舟。
忒勒马科斯登上海船，但雅典娜领先，
在船尾之上定坐，忒勒马科斯挨着她，
坐在近处。随员们解开系船的尾缆，
亦即登入，在桨架前下坐。
灰眼睛女神雅典娜送来顺疾的长风，
强劲的泽夫罗斯呼啸，扫过酒蓝色的浪峰。
忒勒马科斯激励伙伴，催促他们
抓紧起帆的缆绳，后者听从，
竖起杉木的桅杆，随即插入
深空的杆座，用前支索牢牢定固，
手握牛皮编制的绳条，升起雪白的帆篷[③]。

① 程式化诗行，同第八卷第 50 行、第十二卷第 391 行和第十三卷第 70 行等处。某些中世纪抄本中未见此行。

② 原文作 hiere is，可谓力量（is）与神圣（hiere；亦可按其原义，作"豪力"解）的结合（参考并比较第九卷第 56 行注）。诗人用了程式化饰词，"强健的"或许并不完全符合年轻的忒勒马科斯目前的状况。参考并比较第八卷第 2、4 行等处。

③ 荷马史诗里的海船兼备风帆和木桨（第 419 行）。在这里，既然有雅典娜送来的疾风，船员们大概无须多此一举，奋力荡桨。

海船迅猛向前，兜鼓起劲吹的疾风，
辟开一条紫蓝色的水路，唱着轰响的歌；
快船破浪前进，朝着目的地疾奔[①]。
他们系牢缆索，在乌黑的[②] 船舟，
于是拿出兑缸，满注浆酒，
泼洒祭奠，对长生不老、永恒的仙尊[③]，
尤其是对宙斯的女儿灰眼睛雅典娜敬奉[④]。
海船通宵达旦，赶奔她的行程。

---

① 比较《伊利亚特》第一卷第 481—483 行。

② 船的饰词之一，使用率很高，仅次于 thoe(快捷的)。“乌黑的”(或“漆黑的”)视觉效果(或者说，对船和船色的一般或“确定”印象)得之于船体上涂抹的可起防水和保护船板作用的沥青。参考并比较第九卷第 125 行和第十一卷第 124 行。

③ 神不饮酒(以奈克塔耳代之，参考第五卷第 93 行注)，却(至少在奠祭者看来)很在意凡人的祭酒。祭酒以酒最为普通，但亦可用蜂蜜、油，甚至净水。浇祭的场合很多，包括餐饮中、入睡前和登程上路时。祭酒常与对神的吁请和祈祷“配合”进行。“永恒的仙尊”中当包括波塞冬，此神主管海洋。

④ 雅典娜此时就在船上(变取门托耳的形貌，见第 401 行)，眼见出行者如此虔诚，心里定会暗自高兴(参考第三卷第 52—53 行)。比较《伊利亚特》第一卷第 472—474 行。人和神如此长时间地相伴、密切合作(当然，主要是神对人的帮助；另参考本书第三卷第 12 行以下)，此类情况在《伊利亚特》里无有见例。

第 三 卷

其时，赫利俄斯[①] 离开瑰丽的大海，
冉升铜色的天空[②]，光照长生者，
也对会死的凡胎，普照在盛产谷物的田野。
他们来到普洛斯，奈琉斯的城堡墙垣固坚，
当地的人们正汇聚海滩奠祭[③]，
用玄色的公牛[④] 供奉头发乌黑的裂地神仙。
人群分作九队，每队民众五百，

① 指太阳。参考第一卷第 8 行注和第十二卷第 133 行注。

② 或作“铜的”或“青铜富足的”天空(参考《伊利亚特》第五卷第 504 行；参考并比较本书第十五卷第 329 行注)。按照荷马的理解，奥林波斯众神的宫殿(自然是在天上)也和人间王家富豪的宫居一样，广泛采用青铜(作为建筑材料，比如“青铜铺地的”，参看第八卷第 321 行)。古代注疏家将 poluchalkos 引申解作“坚实的”“硬朗的”。铜色青黄，铜面光亮(参考第四卷第 72 行)，有些近当代学者从这方面入手诠解这一短语，似乎也有可取的地方。另参考《伊利亚特》第十七卷第 425 行。参考并比较本书第十五卷第 329 行和第十七卷第 565 行及相关注释。注意荷马的想象力，那种属于超一流诗文大家的无可比拟的对诗意的最深刻内涵的洞见。“青铜的天空”无疑是一个隐喻(参看第二卷第 269 行注)，比明喻的所指更显婉约、掩晦和含蓄。亚里士多德高度评价隐喻与“知”的关联，认为善于使用隐喻是“有天赋的一个标志”(《诗学》第十七章 1459a7；参考《修辞学》第三卷 10. 1410b 里的相关论述)。

③ 参考并比较第二卷第 260 行注。

④ 祭祀男性神祇要用雄性牲畜。黑色的祭畜通常用于慰祭地下的神灵，但作为裂地之神，波塞冬与地层“关系”密切，和哀地斯亦颇多交往。参考《伊利亚特》第三卷第 103 行(及该行注)和第二十卷第 404 行注。比较本卷第 422 行注。

各队拿出九头公牛[①],作为祭品奉献。
当他们尝过内脏,祭神,焚烧腿件[②],
来访者放船驶近海滩,在匀称的海船上
放下风帆,卷拢收藏,泊船滩沿,登临海岸。
忒勒马科斯步出海船,但雅典娜登岸在先,
眼睛灰蓝的女神首先对他说话,开言:
"忒勒马科斯,眼下无须谦和腼腆[③],
你来到此地,跨渡沧海,正为打听乃父的
消息:他在何处掩埋,遇到何样命运艰险。
去吧,现在,直接走向驯马的奈斯托耳,
智囊,我们知道,收隐在他的胸间。
你要亲口恳求,求他把真情讲来;

① "九"是诗人常用和喜用的数字。人群分作九队,又用九头牛献祭。看似轻描淡写的描述中是否隐藏着古代先民对数的神秘感觉的痕迹?当然,这种感觉在荷马生活的年代或许已不太强烈,已经不具"神圣"或神秘的含义。参考本卷第118行、第十卷第19行和第十四卷第248行等处。华夏文化中的"九"数包含深厚的天象学和宇宙论底蕴。文人墨客喜用"九"字。屈原的《离骚》中出现过众多以"九"领衔的"名谓",如"九天"、"九州"、"九疑"和"九歌"等。在我国民间,"九"至今仍被普遍看作是个昭示瑞祥的吉数。

② 参阅第456—463行。"内脏"当然包括腰、肝和脾,可能还指心和肺。参考第459行注。

③ 换言之,人不能在任何场合下(或总是)谦谨。深而究之,不难看出,荷马看到了道德观念及其表现方式的"相对"适应性。参考第十七卷第347行及该行注。雅典娜对忒勒马科斯一路陪伴,随时指点,确实"像一位父亲"(参考第一卷第308行)。

此人敏慧，的确，不会谎骗[①]。”

　其时，聪颖的忒勒马科斯对她答言：
“我该如何问候，门托耳，我该怎样趋步上前？
对于微妙的言谈我没有经验。
此事窘迫，要一个年轻人对长者询问在先。”

　其时，灰眼睛女神雅典娜对他答回：
“有的，忒勒马科斯，你自会知晓，在你心间，
还有的神灵会助你寻见[②]。你的

---

① 在荷马看来，一个聪明人(或智者)不会故意对朋友(或来访者)进行不公正的欺诈，他应该“办事周全”(第 52 行)。敏慧之人当然应该所知甚多，因此误导询问者的可能性很小。智能直接反映人的道德意识，而道德意识的优劣会直接体现人的知识水平。在荷马的认识论里，智能或智性与伦理或道德意识交叉重叠(参考第 265—266 和第 244 行)，二者间不存在分明的界限。四百年后，柏拉图区分了可见的和可知的世界，而亚里士多德则在美德(aretai)中区分出心智美德(如哲学思辨)和伦理美德(如克制)，阐明了智性和道德在知识论层面上的分界。参考亚里士多德的《尼各马可斯伦理学》第一卷 13. 1103a。在对道德观念的评判上，荷马是个相对论者(参考本卷第 14 行)，他所依据的主要是经验和与经验相关的常识，而非与思辨相关并构成它的“行为”基础的理论知识。奥德修斯是史诗里的正面人物，心智聪颖，且具责任心，有道德感，但他多次谎骗[比如，参看第十三卷第 256—286 行(其中有些是出于他的经验之谈)]，对朋友、家人甚至神明动用他的诡谲。不过奥德修斯的编谎自有他受制于文本的理由。他想隐瞒身份(这也是雅典娜的主意)，以便(除了别的理由外)探察家人和奴仆，“领略”求婚人的恶劣行径——这将直接关系到日后的反击与惩罚，关系到整个事态的进展。只要有正当的理由，史诗人物(包括行为高尚者)可以对任何人堂而皇之地“行骗”。这或许是荷马对“欺骗”的又一点认识，也是日后众多政治家和伦理道德著述家们(包括柏拉图)以不同的表述方式不厌其烦地反复予以强调的观点。

② 这是双重(或双合)动因论(参考《伊利亚特》第十九卷第 87 行注)在(荷马)认识论里的典型体现。和中国古代的先哲们一样，荷马知道人生的局限。他的不同似乎在于更倾向于用外来的“给予”补足人生的缺憾(细察本卷第 27 和 48 行等处)。参考第十二卷第 38、58 行及注释。

出生和成长，我想，不会无有神的恩典。”

　言罢，帕拉斯·雅典娜领头，快速前行，
年轻人踏踩女神的足迹，跟走后面[①]。
他们来到普洛斯人聚会的地点，
奈斯托耳和他的儿子们息坐那边，伙伴们在
周围忙碌，整备宴餐，烤肉，把另一些挑上叉尖[②]。
眼见生客来临，他们全都迈步向前，
握手欢迎，请他们息坐下来。
裴西斯特拉托斯首先出迎，奈斯托耳的儿男，
握住他俩的手，让他们下坐宴席旁边，
就着松软的羊皮，在海边的沙滩铺开，
挨着兄弟斯拉苏墨得斯和他的亲爹。
他给来人祭畜的内脏，给他们注酒
金杯，对二者说话，致意
帕拉斯·雅典娜，带埃吉斯的宙斯的女孩[③]：
“陌生的客人，请对王者波塞冬祈愿，

① 雅典娜像师傅带徒弟一样，领着初出茅庐的忒勒马科斯由稚嫩（参考第22—24行）走向逐步的成熟。忒勒马科斯以雅典娜作为榜样，“踏踩女神的足迹”（另见第二卷第406行）。

② 关于整备宴餐的情景，参考《伊利亚特》第一卷第458—468行。详阅本卷第421行以下。

③ 参阅《伊利亚特》第一卷第202行注。在荷马史诗里，饰词“带埃吉斯的”只用于宙斯。埃吉斯可起护甲的作用（因而也是一种装饰），亦可用于进攻，是古代诗人想象中的一种神奇兵器。参考《伊利亚特》第二卷第446—454行、第五卷第738—742行、第十五行第307—311行、第十七卷第593—596行和第二十一卷第400—401行。另参考该史诗第五卷第738行注。

因为你们遇上的是庆祭他的餐宴[①]。
当你洒过祭奠，祷毕，按照礼规，
即可递过香甜的浆酒，递杯你的朋伴，
以便让他亦能祭奠，我想他也愿意祈祷，
对永生的神仙。凡人都需神的关爱。
但此人比你年轻，岁数和我一般。
所以，我把金杯给你，首先。"

言罢，他把香甜的浆酒放入对方手心，满杯，
雅典娜感到高兴，对这位正直之人，办事周全，
知道先把黄金的酒杯递给她拿接[②]。
她当即祈祷，对王者波塞冬有言：
"听着，波塞冬，你把大地绕围，不要吝啬，
让我们完成这些事项，包容在此番祈愿。
首先给他们光荣，给奈斯托耳和他的儿男；
此外给所有普洛斯人慷慨的回报，
报答他们举办这次隆盛的宴餐；
答应让忒勒马科斯和我回返，
完成使命，为此我们来临，乘坐乌黑的海船。"

女神如此祈祷，但她自己正使一切实现。
其时，她对忒勒马科斯递出精美的双把酒杯，
奥德修斯亲爱的儿子祈祷，按她的话重复一遍。

---

① 波塞冬是奈琉斯的亲爹，奈斯托耳的爷爷。裴西斯特拉托斯代替父亲致词，翌日还将陪伴忒勒马科斯出访斯巴达墨奈劳斯的宫房。

② 裴西斯特拉托斯不知长者就是雅典娜，他之首先对她递杯，是出于对老者的敬爱（第 49—50 行）。关于对神洒酒祭奠，参考第二卷第 432 行注。

当炙烤完毕,他们取下叉上的肉块[1],
按份发放妥帖,开始丰美的食餐。
当众人满足了吃喝的欲望,
格瑞尼亚的车战者奈斯托耳[2] 首先对他们开言:
“现在,我们宜可询问生客前来,敢问
他们身为何人,眼下已享用食餐的欢快。
你们是谁,陌生的客人,船走水路,打哪儿过来?
是有什么公干,还是任意远游,
像那海盗一般,他们航行海上,拿性命
冒险,浪走,给异邦的族民致送邪难[3]?”

其时,聪颖的忒勒马科斯对他开言,
鼓起勇气,雅典娜已把它注入年轻人的
心怀,使他得以探询失离的父亲回还,
从而在凡人中争获良好的名声,传开[4]:
“奈斯托耳,阿开亚人巨大的光荣,奈琉斯的儿男,

---

① 直译作:(叉上)外层的(畜)肉,与“内脏”(第 9、40 行)形成对比。

② 荷马史诗里的勇士们一般乘车参加战斗(由马车将他们载到战场,然后下车步战)。诗人通常仅把“车战者”的头衔“赐”予老辈的英雄,即在特洛伊战争之前已经享有功名和盛誉的人物(如奈斯托耳和阿基琉斯的父亲裴琉斯等)。“格瑞尼亚的”出处不明,一说该词许指奈斯托耳的出生地(在墨塞尼亚境内),虽然这位极富驭车经验的老英雄的出生地究在何处,今天仍是个有争议的“谜”。或许,荷马自己亦不知该词的确切含义,只是沿用前辈诗人的既成,照本宣科;或许,诗人确信当时的听众可以理解他的说诵,因而不存在需要解释或换用词汇的问题。注意奈斯托耳问话的时机——客人已经用完食餐(参见第 70 行)。参考第四卷第 68—69 行及相关注释。此外,奈斯托耳的问话(本卷第 71—74 行)亦明显带有程式的性质。

③ 第 71—74 行同第九卷第 252—255 行。

④ 第 78 行同第一卷第 95 行。关于 kleos,参考第一卷第 283 和 302 行及相关注释。关于本卷第 79 行,比较第十二卷第 184 行、《伊利亚特》第九卷第 673 行和第十卷第 544 行。

你问我们打哪儿过来，我将回答，叙讲一番。
我们来自伊萨卡，内昂山的脚边，
此行为了私事，并非公干，你听，容我讲来，
我在追寻有关家父的消息，广为流传，
有关卓著和心志坚忍的奥德修斯，人说他曾
战斗在你的身边，帮助攻陷特洛伊人的城垣。
其他鏖战特洛伊的人们我们都有听传，
如何死去，一个个死于凄苦的毁败，
但克罗诺斯之子① 不让此人的死亡知晓人间。
谁也无法确切说清他何时遇难，
是在陆上，被人于战斗中杀害，
还是在海上，被安菲特里忒的激浪吞卷②。
所以，我来到你的膝前，现在，或许
你愿告诉我他悲苦的死难，无论是你
亲眼所见，或从别人的传闻里听说，后者
也曾浪迹海外。他的母亲生他，此生悲哀③。

---

① 指宙斯。古希腊人注重家族的传统[在他们看来，这和大胆想象(比如认定萨耳裴冬是大神宙斯的儿子和奈斯托耳是波塞冬的后代等)并不构成矛盾]，重视“父名”(参考《伊利亚特》第十卷第 68 行等处)。史诗人物注重出身，可以“某某人之子”的叫法称呼别人(见本卷第 167 行)。

② 参考第一卷第 241—242、161—162 行和第二卷第 365—366 行等处。安菲特里忒(Amphitrite)在荷马史诗里指大海(另见第五卷第 422 行和第十二卷第 97 行)，但在后世文学作品里却是一位海洋女神。不过，在第十二卷第 59 行里，诗人用了“黑眼睛”一词，修饰安菲特里忒(第 60 行)，使其具备了某种“拟人化”的属性。Amphitrite 在词源上许与 Tritogeneia[即雅典娜(本卷第 378 行)，可作“海洋生的”解]有所关联。此外，在希腊神话里，特里同(海神)为波塞冬和安菲特里忒之子，而 Triton 与 Tritogeneia 和 amphitrite 在词源上的“亲缘”关系，明眼人似乎不难察辨。参考并比较《伊利亚特》第四卷第 515 行注。

③ 奥德修斯生来便要受苦，这一点相当不幸地也体现在他的名字里。参考第十八卷第 332 行注和第十九卷第 409 行注。

不要舒缓惨烈，出于对我的怜悯或是敬待——
不，告诉我真相，讲说你所目睹的一切。
求你了，倘若高贵的奥德修斯，我的亲爹，
曾用话语或行动帮助[①]，对你，并使之实现，
在特洛伊人的土地，你等阿开亚人曾在那里受难。
追想这些，好吗，对我真实地讲述一遍[②]。”

其时，格瑞尼亚的车战者奈斯托耳对他答言：
“你的话，亲爱的朋友，使我回想起惨痛的往事，
忍受在那块地面，我们，阿开亚人的儿子，何其壮烈——
回想起我们在船上忍受的一切，在那迷蒙的海上
抢劫，跟着阿基琉斯，无论他把我们带往哪边[③]，
想起那一次次战斗，围绕王者普里阿摩斯宏伟的
城垣，所有最骁勇的战将在那里惨遭杀害。
嗜战的埃阿斯[④] 和阿基琉斯在那里躺翻，

① 关于话语和行动，参考第二卷第 272 行注。关于奥德修斯对墨奈劳斯的帮助，参考第四卷第 328—329 行。

② 第 92—101 行同第四卷第 322—331 行。

③ 阿基琉斯乃希腊联军的头号战将，亦是《伊利亚特》里的头号英雄。比较阿基琉斯的抱怨（《伊利亚特》第一卷第 163—168 行）。在英雄时代，抢劫和海盗通常是可以容忍，而且从某种意义上来说还是值得称颂的行为。阿开亚联军在特洛伊战争期间攻破并荡劫了特洛伊附近的众多城堡（参考《伊利亚特》第九卷第 318—329 行），杀死或抓捕男人（以后当作奴隶卖掉），把女人船运回营地，或作为打杂的女仆，或使其成为侍睡的床伴。和《奥德赛》里的其他英雄一样，奈斯托耳是“自私”（或“自怜”）的，即通常只是热衷于怨诉自己遭受过的苦难（尽管他们是在抢劫原本属于别人的东西），而很少提及并以同情的口吻详述对方（即被破城者或被掳掠和伤害者）所遭受的远为剧烈的苦难。

④ 指大埃阿斯（即忒拉蒙之子）。埃阿斯并非死于与特洛伊人的拼杀，而是因为争获阿基琉斯的甲仗失利，自杀身亡（详见第十一卷第 543—564 行）。诗人显然无意在此解释他的死因；为了强调战事的惨烈，他把埃阿斯也列入了战死者的“名单”。

还有帕特罗克洛斯，和神明一样多谋善断；
那里躺着我亲爱的儿子，英武、强健，
安提洛科斯，斗士，奔跑的速度奇快[①]。
我们还遭受过许多邪恶，除了这些以外，
会死的凡人中有谁能把它们说全，
哪怕你在我身边坐上五年六载，
问我了不起的阿开亚人在那里忍受的恶难，
你会累坏，很快，回转故乡，归返。
一连九年，我们为特洛伊人罗织灾难，试过
各种韬略，直到最后，克罗诺斯之子才勉强了结争端。
其时，全军中谁也不敢和他试比
谋算，卓著的奥德修斯远比他们高明，
在筹划的每一个方面[②]。这便是你的父亲，倘若你
真是他的儿男。惊异把我逮住，当我看视你的脸面。
确实，你的言谈和他的一样，谁也无法

---

① 为救护父亲，安提洛科斯被埃塞俄比亚王子门农击杀。日后，阿基琉斯为安提洛科斯复仇，杀了门农。步战中，腿脚的快慢至关重要。奈斯托耳特别提及儿子的腿快，显然是有意卓显他作为一名斗士的佳杰（或德性，arete）。在《伊利亚特》里，安提洛科斯曾参加跑赛（第二十三卷第 755 行以下）；此外，他曾给阿基琉斯信报帕特罗克洛斯战死的消息——“腿脚迅捷，跑至阿基琉斯的营房”（详见该史诗第十八卷第 2—21 行）。关于安提洛科斯，另参考本书第二十四卷第 78—79 行及相关注释。在本卷第 109—112 行提及的英雄中，只有帕特罗克洛斯的死亡见诸《伊利亚特》，其他三例均出现在已经佚失的“系列史诗”（如《小伊利亚特》和《埃塞俄丕斯》）里，但有关故事的“原型”应该在荷马生活的年代已广为流传。

② 主角奥德修斯尚未登场，但各方人物已对他频频提及，使听众（与读者）于不在之中感受到了他的无处不在。这种“未见其人，先闻其声”的构思方法，不仅使奥德修斯在出场之前即已先声夺人，而且通过人物“旁敲侧击”的评述暗示着他的重要，从方方面面开启并加深着人们对他的了解。奈斯托耳高度评价了他的谋略，谈到了他的主要优点——别忘了“足智多谋的”是修饰奥德修斯最常见的饰词之一。参考第九卷第 19—20 行。

想象一个年轻人的话语，能如此相似他的论谈。
当我和卓著的奥德修斯临战那边，我们
从未有过龃龉，无论是在商议，还是集会论辩①，
总是齐心协力，精心策划，
为阿耳吉维人② 设置最佳的谋略。
我们攻陷普里阿摩斯陡峭的城垣，
其后驾船离开，神明搅散了阿开亚人③，
宙斯设谋在他的心坎，规划阿耳吉维人凄惨的
回归，得知并非所有的人正直周全。
所以，许多人的归程惨淡，由于
灰眼睛姑娘致灾的愤怒④，她的父亲强健。
是她，让阿特柔斯的两个儿子闹翻，
当他们集聚阿开亚全军议会，人群
混杂无序，在夕阳西下的时分乱作一团。
阿开亚人的儿子们汇拢，喝得醉瘫，
他俩开始讲话，为此招聚起全军的兵汉。
其时，墨奈劳斯敦促全体阿开亚人

① 这里点到了联军在战时的两种决策机制，一种是由各部将领参加的商议会(boule)，另一种便是面向全军将士的集会(agore，参考第137行)。参考第二卷第9行注。此外，将领和部属间亦可能会有某种私下里的“串门”活动，以便及时商讨军机，交换看法，针对某些具体的问题制定对策(参考《伊利亚特》第二十四卷第650—652行)。

② 即来自阿耳戈斯的人，等于阿开亚人(第131行)，在《奥德赛》里常指围攻并最终荡劫特洛伊城的希腊人(有例外，见第309行)。另见第一卷第61—62行和第二卷第172—173行等处。

③ 第130—131行同第十三卷第316—317行。

④ 雅典娜为何暴怒(另见第145行)，荷马未做明确的解释。从第133行的叙述判断，临回归前当有某些阿开亚人的行为冒犯了神明。后世诗人的解释(参考第一卷第327行注)可供参考，但这似乎不是荷马明确“指定”的唯一理由。参阅第四卷第499—511行。

考虑返家，跨越大海的脊背阔宽，
但此议压根儿没让阿伽门农高兴，他主张
军队驻扎，举办隆重、神圣的祭祀①，
用以息缓雅典娜致命的怒怨——
蠢货，全然不知女神不会听他废话②：
神灵永恒，他们的心智不会急切拐弯。
就这样，兄弟俩你来我往，对骂，
起身离场，胫甲坚固的阿开亚人乱跳一气，
嘈乱不堪，两个对立的主意分获他们的赞赏。
晚间，我们在那儿睡下，心中盘思对立的
设想，宙斯正谋算让我们痛苦，艰辛备尝③。
拂晓，我们中有人把海船拽下神圣的大海
待航，舱装财产，将束腰紧深的妇女带上，
但另一半人不走，要和兵士的牧者④
阿伽门农同在，阿特柔斯的儿郎。
我们这一半人登船，启航，船儿走得
很快，有一位神明替我们抹平魔怪出没的海疆，

① 原文为 hekatombe，“百牛祭”（即用一百头牛祭神），似不应照字面意思理解（参考第二十卷第 276 行注），可作隆重、盛大的祭宴解。另见《伊利亚特》第二卷第 321 行等处。

② 比较《伊利亚特》第二十卷第 466 行。神祇倔拗，一经形成看法，便不会轻易改变陈见（参考本卷第 147 行）。

③ 参考第 132 行。宙斯并没有对奈斯托耳通报他的心思，老人何以晓得（神的谋算）？或许，他是从归航的悲惨中得出结论；此外，他也可以从先发事件的不顺中推导出此番设想。在史诗人物看来，事态发展的顺与不顺都可由神的参与或干扰所致（参考第 158、166 行），都可从神或神力的干预中寻找原因（亦即答案）。

④ 或“民众的牧者”。这显然是一个得之于游牧传统的用语；此外，它还是一个比设恰当的隐喻（参考第二十四卷第 368 行注）。另参考第二卷第 269 行注和第四卷第 709 行注。

来到忒奈多斯，设祭，让长生者领享。
我们急于赶路还家，但宙斯的心机艰深，还不
打算让我们返回，挑起了另一次吵骂嚷嚷。
其时，某些兵勇回头，掉转翘耸的海船，
全系他的部属，受制于聪颖和多谋的奥德修斯，
动身返航，给阿伽门农带去欢乐，阿特柔斯的儿郎。
然而我，带领跟随我的海船，云聚，
夺路逃亡，心知神灵正谋设祸殃。
图丢斯嗜战的儿子[①] 逃离，命催伙伴们赶忙；
其后，金发的墨奈劳斯汇合我们，赶上，
在莱斯波斯，当我们谋虑航程悠长，
是沿着基俄斯[②] 的外延，峭壁悬崖，
途经普苏里厄岛，将其留置靠左的边旁，
还是穿走基俄斯的内侧，途经多风的弥马斯地方。
我们请求神灵兆示，后者当即帮忙[③]，
要我们沿着海路的中段劈波斩浪，
直抵欧波亚，以便用最快的速度逃避祸殃。
疾风呼啸，开始劲发，海船奔驰，极快，
穿越鱼群汇聚的海洋，夜晚，将我们带临
格莱斯托斯岛上。我们祭献了许多公牛的

---

① 即狄俄墨得斯(参考第 88 行注)，阿开亚骁将，阿耳戈斯王者(参考第 181 行)，曾刺伤战神阿瑞斯(参阅《伊利亚特》第五卷)，后被帕里斯射伤(参见该史诗第十一卷第 368—377 行)。

② 爱琴海岛屿，位于莱斯波斯西南，古时相传为荷马的出生地(当然，这是个有争议的问题，至今悬而未决)。

③ “神灵”或许指波塞冬，此神主管海洋(参考第 178—179 行)。参看第 44 行注。对于史诗人物，神的助佑(以及干扰)并非只存在于想象之中——它是一种能够经常得到兑现的“现实”(参考并比较第 152 行注)。阿开亚人由北向南归航，在大方向上没有出错。

腿件[①],给波塞冬,庆幸能穿过浩渺的大洋。
及至第四天上,图丢斯之子、驯马的
狄俄墨得斯的伙伴们,在阿耳戈斯停稳了
匀称的船舫。我继续前进,向普洛斯续航,
风势一路不减,当神明将它送来吹爽。

“就这样,亲爱的孩子,我回抵家乡,无有讯息,
不知其他阿开亚人,哪些个活着,谁人死亡。
但是,只要是听闻的消息,坐在我的宫房,
我将让你知道,此举合宜,我不会隐藏。
人们说狂烈的慕耳弥冬枪手已平安抵达,
受制于心胸豪壮的阿基琉斯光荣的儿郎[②];
波伊阿斯光荣的儿子菲洛克忒忒斯回航顺利,
伊多墨纽斯将所有生逃战场的伙伴
带回克里特岛上,大海不曾把一个人夺抢。
你等虽说住在远方,亦已听知阿特柔斯之子
如何返家,如何被埃吉索斯可悲地害杀,
但埃吉索斯,以可怕的方式,为之付出了代价[③]。
所以此事美佳,当一个人死去,有一个儿子留下,
既然那人的儿子仇报弑父的凶手,
奸诈的埃吉索斯,曾将他光荣的父亲谋杀。
你也一样,亲爱的朋友,我看你健壮,身材高大——

---

① 关于“腿件”,参考第 459 行注。敬祭男性神明需用雄畜。比较第 422 行注。

② 指尼俄普托勒摩斯。参考第四卷第 5—9 行和《伊利亚特》第十九卷第 326—333 行。

③ 可见关于埃吉索斯杀害阿伽门农(另见第 234—235 行和第四卷第 521—537 行)以及奥瑞斯忒斯替父报仇的故事,在当时已广为流传(自然是通过“长了翅膀的话语”)。参考第一卷第 28—47 行以及第 298 行注。

勇敢些，像他，让接代的后人颂扬①！”

其时，聪颖的忒勒马科斯对他答话，说及：
“奈斯托耳，阿开亚人巨大的光荣，奈琉斯之子！
是的，他报仇雪恨，此事真实。阿开亚人
会广传他的光荣，后人将听诵他的事迹。
但愿神明也会给我那般勇力，让我
仇报求婚人，惩罚他们的骄蛮酷戾，
他们对我施压，肆意谋划设计。
然而，神明没有为我纺织如此的幸运②，
没有为我的父亲。现在，我们必须吞声忍气。”

其时，格瑞尼亚的车战者奈斯托耳对他答接：
“既然你谈到这些，亲爱的朋友，倒让我记起，
人们确实传说众多求婚人追攀你的娘亲，
在你的房宫，违背你的心意，对你谋划恶计。
告诉我，是你甘愿屈服，还是因为整片

① 参阅第一卷第298—302行。第198—200行同第一卷第300—302行。参考并比较第二十一卷第255、329行及相关注释。

② 参考第一卷第17行及该行注。关于神主导凡人的命运，另参考并比较第一卷第267和400行。

地域的民众听从神的话音，恨你[1]？
谁敢说奥德修斯不会在某一天回来，惩治他们的暴戾，
亲自动手，或由全体阿开亚人[2] 合力？
但愿灰眼睛的雅典娜会由衷地爱你，
一如当年爱护光荣的奥德修斯，
在特洛伊大地，我们阿开亚人在那里遭受苦凄。
我从未见过神明如此明显地展示爱意，
如同帕拉斯·雅典娜这般，公开在他身边站立[3]。
倘若她愿像爱他一样爱你[4]，把你放在心里，
他们中的许多人，如此，一定会把婚事忘记。”

---

① 奈斯托耳已对伊萨卡发生的求婚事件有所耳闻。但他相信，有雅典娜的呵护，奥德修斯回家复仇的可能性依然存在。第214—215行同第十六卷第95—96行。受到民众的痛恨，是件危险的事情（当然，忒勒马科斯并没有受到伊萨卡普通百姓的怨恨）。在伊萨卡，“民众”也包括求婚人的亲朋好友；在事关涉及重大利害关系的问题上，按照当时通行的办事规矩（亦即民俗），他们肯定会站在自己人的一边（细读第九卷第536行注）。史诗人物爱听故事（参考本卷第212行），而此类故事的广泛传播似乎并不按神的授意进行（比较第一卷第1行等处）。从这个意义上来说，它是一种全系人为的传播现象，是“神授”以外的另一条编制和讲述故事（包括传闻）的途径。参考第四卷第240行和第八卷第490行及相关注释。另见第十三卷第256行注等处。

② 取其狭义，指伊萨卡人（另见第二卷第72行等处），不同于它的广义所指（参考本卷第220行）。

③ 参考《伊利亚特》第十卷第274—280行和第十一卷第436—438行。另参考埃阿斯的评论（同上二十三卷第782—783行）。在《伊利亚特》里，雅典娜是阿开亚人的护神，不仅帮助奥德修斯，而且也助佑其他阿开亚将领（如阿基琉斯等）。某种意义上来说，她对狄俄墨得斯的厚爱（详阅该史诗第五卷）似乎并不稍逊于对奥德修斯的关怀。诗人很可能受到了没有收入两部史诗的其他相关事例的影响，在这一特定的上下文里让奈斯托耳讲诵了此番话语。关于雅典娜对奥德修斯的助佑，参考本书第十三卷第314行注和本卷第223行注等处。

④ 参考第二卷第433行注。奈斯托耳马上即会知晓，雅典娜不仅“最爱你那高贵的父亲”，而且也同样关爱着忒勒马科斯本人（见本卷第371—379行）。

其时，聪颖的忒勒马科斯对他答接[①]：
“我想，老先生，你所说的不会成为实际。
你的话过于夸张，使我惘迷。我希望的
事情不会发生，不会，即便神明属意。”

其时，灰眼睛女神雅典娜对他说起：
“这是什么话，忒勒马科斯，蹦出了你的齿隙？
神可救援凡人，轻易，哪怕从远方，只要愿意。
就我自己而言，我宁愿历经许多磨砺，
然后回到家里，眼见归返的时节[②]，
回家被杀，傍临我的炉基，像阿伽门农
那样，被杀，被他妻子和埃吉索斯的毒计[③]。
然而，死亡对所有的凡人降临，就连神祇
也不能替他们钟爱的凡人挡避，
当悲惨的死亡，还有败毁的命运对他扑击。”

---

① 忒勒马科斯的答言仅为短短的三行（第226—228行），而且并未直接回答奈斯托耳的问话。

② 第233行同第五卷第220行和第八卷第466行。这里的“家”和“回家”似应作广义解。阿伽门农被杀在埃吉索斯（参考第四卷第524—535行和第十一卷第409—426行），而非他自己在慕凯奈的家里。

③ 雅典娜的意思是，能够回到家乡，看一眼故乡的土地，然后即使被杀（像阿伽门农那样），也比暴死海外、尸骨不得收殓强。然而，阿伽门农本人或许不会赞同这一观点。在骁将阿基琉斯看来，阿伽门农“应该”死在特洛伊战场（而不应回家被亲人杀砍，死得无有光彩），从而替自己，也替儿子争得巨大的荣光（详阅第二十四卷第30—34行）。与之相比，雅典娜的看法更显实际，尽管少一点传统所崇尚的英烈；她的见解代表了一种注重“可行性”的“后现代”观点，却似乎少一点英雄叱咤风云，敢于战死海外，不能生还家乡的壮烈气概（参考该卷第31行注）。但雅典娜口出此言，可能带有奥德修斯能够回抵家乡的“暗示”（参考忒勒马科斯的理解，见本卷第240—242行），因此，我们不宜把第232—235行看作是对英雄，亦即史诗精神的直接和单一目的的“舒缓”或“解构”。

其时，聪颖的忒勒马科斯对她答接：
“尽管伤悲，门托耳，让我们别说这些。
此人再也不能回归，永生的
神明也替他谋划死亡和乌黑的命运。
眼下，我要察询另一个话题，求问
奈斯托耳，因为他的正直和心智[①] 别人
不可比及，人们说他已王统三代臣民[②]，
在我看来，他的长相像似神明。
哦，奈斯托耳，奈琉斯之子，告诉我真情。
阿特柔斯之子、统治辽阔疆域的阿伽门农[③]
如何死去？墨奈劳斯又在哪里？奸诈的
埃吉索斯设下何样诡计，谋杀一位远比他出色的人杰？
是否因为墨奈劳斯出离阿开亚和阿耳戈斯[④]，
在别地的人群中游历，使埃吉索斯杀人，鼓足勇气？”

其时，格瑞尼亚的车战者奈斯托耳对他答接：
“好吧，我的孩子，我会对你讲述全部真情。
你，是的，可以想象此事将怎样进行，
倘若阿特柔斯之子、金发的墨奈劳斯从特洛伊
回返，眼见埃吉索斯仍然活在他的宫里。

① 参考第20行注。

② 参考《伊利亚特》第一卷第250—252行。

③ 比较《伊利亚特》第一卷第101—102行。

④ 或“阿开亚的阿耳戈斯”。“阿耳戈斯”在此泛指伯罗奔尼撒。参考第四卷第99行注等处。比较本卷第233—234行及相关注释。比较第263行注。忒勒马科斯已知阿伽门农回返后被害一事（参考第193行以下），此时发问，主要意在了解墨奈劳斯的情况（斯巴达将是他客访的下一站地方）。

如此,此人死后甚至不会拥享坟茔,
将被暴尸荒野,城外,狗和
鹰鸟会来撕食,不会有一个阿开亚女子
为他号啕哭泣。他的作为可怕至极。
当我们战驻那里,完成许多苦活艰辛,
他却悠然自得,在马草丰肥的阿耳戈斯[①] 的
一角对阿伽门农的妻子说话调情,试图勾引。
起先,美丽的克鲁泰奈斯特拉不愿做
羞耻的事情,她的心智通灵,
此外身边还有一位歌手,阿伽门农曾对他
反复叮咛,在临去特洛伊之前,要他监护王妻。
然而,当神控的命运将她缠缚,
使她只有顺行[②],埃吉索斯抓住歌手,带向
荒岛,把他留给鹰鸟糟蹋,作为猎物享领,
把女人引回自己家中,后者和他一样愿意。
他焚烧了许多腿件,在神祇圣伟的祭坛边傍临,
挂起许多献祭,有织物和黄金的贡品,
以为做下一件偌大的莽事,心里从来不敢希冀。

---

① 指阿耳戈斯地区(位于伯罗奔尼撒东北部),而非狄俄墨得斯统治的阿耳戈斯城。比较《伊利亚特》第六卷第151—152行。参考本书第四卷第99行注。

② 由此可见,聪达的心智和不愿做羞耻之事的道德感都不足以阻止命运的缠缚,使克鲁泰奈斯特拉"只有顺行"。不难看出,诗人对克鲁泰奈斯特拉的过错寄予了一定的同情——这与他对埃吉索斯义正词严的谴责形成了鲜明的对比。神控的命运攻无不克,所向披靡。对神人关系的这一"系统"理解,既为荷马阐释人的局限和弱点(包括某些与本性相连因而很难克服的致命弱点)找到了背靠传统和得到舆论支持的理由,同时也相当巧妙地为低调处理克鲁泰奈斯特拉的奸情提供了减轻责任的"开脱"。然而,诗人对她的态度并非总是温和的。比较阿伽门农的阴魂对克鲁泰奈斯特拉的强烈谴责(第二十四卷第199—202行)。

"我们从特洛伊返航,一起,阿特柔斯
之子墨奈劳斯和我,互存友好的心意。
然而,当我们临抵神圣的苏尼昂[①],雅典的岬地,
福伊波斯·阿波罗发射无痛的箭矢,
把墨奈劳斯的舵手击毙[②],
此人手握舵桨,控掌快船的行迹,
弗荣提斯,俄奈托耳之子,凡生中
最好的船舵把式,当劲吹的风飙刮起。
所以,尽管回家心切,墨奈劳斯滞留那里,
掩埋伙伴[③],给他应享的礼仪。
然而,当他驶向酒蓝色的海途,
乘坐深旷的船艘疾行,来到马勒亚
陡峭的壁柱[④],沉雷远播的宙斯决意让他
船走险厄的途径,泼泻呼啸的狂风,
海浪涌起,高耸、浩大,宛如一面面峰脊。
他把船队截成两部,将一部分赶往克里特,
库多尼亚人在亚耳达诺斯的水流边居住[⑤]。
那里有一处险峰,一方矗起的巉壁突兀,
位于戈耳吐斯的一端,耸立在水面昏糊,
南风掀起巨浪,冲击岩角的左边,砸向

① 位于阿提卡的东南端,该地古时有祭祀波塞冬和雅典娜的庙堂。

② 诗人通常把人物突然和没有明显原因的死亡归于阿波罗的箭枝,即被阿波罗飞箭击杀。若死者为女性,则发箭者多为阿耳忒弥斯(例外见第五卷第 121—124 行)。参考并比较第七卷第 64 行、第十一卷第 172—173 行和第十五卷第 410—411 行。

③ 参考第十一卷第 26 行注。

④ 位于伯罗奔尼撒东南部海滩,高 793 米。刮自相反方向的风飙在此聚汇碰撞,导致海浪汹涌,水势激荡,给行船造成困难。归航中的奥德修斯也在马勒亚的峭壁前遇到了麻烦(参考第九卷第 80—81 行)。

⑤ 参考第十九卷第 175—178 行及相关注释。

法伊斯托斯，一块渺小的岩石，挡住大水的冲扑[①]。
一些船只驶向该处，人们拼命挣扎，总算
避开穷途，但激浪已碎毁海船，在礁石上
撞破。疾风把另一部分船队，
把五条乌头海船刮动，折腾到埃及停驻。
其后，墨奈劳斯在那一带聚敛黄金财富[②]，
驱船驶访讲说异邦语话的土著，
与此同时，埃吉索斯设谋家中歹毒。
他在富有黄金的慕凯奈为王[③]，七年，
当他把阿特柔斯之子害杀之后，国民臣服。
但是，他在第八个年头临对灾祸，杰卓的
奥瑞斯忒斯从雅典回还[④]，将弑父的凶手杀屠，
诛杀奸诈的埃吉索斯，曾经谋害他光荣的亲父[⑤]。
开过杀戒，他在阿耳吉维人中举办葬宴丰足，
为他可恨的母亲和怯战的埃吉索斯——

① 据阿瑟·埃文斯(Arthur Evans)先生考证，第293行里提及的巉壁(亦即“一块渺小的岩石”，见第296行)当在克里特的科摩港附近。法伊斯托斯位于克里特南部(另见《伊利亚特》第二卷第648行)，距戈耳吐斯约11公里，主要港口为马塔拉。

② 墨奈劳斯的自述确证了他在非洲敛财的事实(第四卷第90—91行)。史诗人物可以通过文明的客访敛财，也可以借助海盗式的抢劫致富(参考本卷第105—106行及相关注释和第十五卷第80—85行)。

③ 考古发现表明，慕凯奈时代权贵们使用金器和金饰物的现象普遍，金器制作工艺已达相当高的水平。参考《伊利亚特》第七卷第180行和第十一卷第46行。慕凯奈本地及附近地区并不出产黄金，所以其来源一是通过贸易，二是通过征伐掠夺，此外还可通过强占海外的矿源，开采黄金。谋杀阿伽门农后，埃吉索斯即成为慕凯奈的国王。不知求婚人是否从中得到过什么启示？但埃吉索斯是阿伽门农的堂弟，所以他的篡位并不改变阿特柔斯家族王统慕凯奈的事实。

④ 若据后世悲剧作家们的描述，奥瑞斯忒斯的流放地在希腊中部的福耳基斯，而非雅典。参考抒情诗人品达的《普希亚颂》颂十一第34—37行。

⑤ 第308行同第一卷第300行和本卷第198行。

同一天，啸吼战场的墨奈劳斯驶进港口，
船载全部所得，成堆的财富。
所以，亲爱的朋友，不要远游，久离家门，
撇下你的财物，让狂傲的人们待在
家中，以免他们吞分你的财产，
吃光，让你的远行一无所图[①]。
不过，我确实要劝你，敦促你对墨奈劳斯
访晤，他新近从海外回来，
人们置身那里，不会心存还乡的念头，
风暴将他卷去，偏离航途，
迷落在浩瀚的大海，连鸟儿也难能
一年内飞渡[②]，如此博大、严酷。
去吧，现在，带着你的海船朋伴上路，
倘若你愿走陆地，我这里有车马现成，
还有我的儿子帮助，护送你前往闪亮的
拉凯代蒙，金发的墨奈劳斯在那里居住。
你要亲口恳求，求他把真情讲述；
此人敏慧，的确，不会骗误[③]。"

他言罢，太阳下沉，黑夜临落。
其时，灰眼睛女神雅典娜对他们讲说：
"是的，老人家，你的话在理，一点不错。

① 第 314—316 行同第十五卷第 11—13 行。

② 不知是否指鸟的迁徙。如果是的话，则可作"难能一年内往返飞赴"解。在第十四卷第 257 行里，诗人（或奥德修斯）用了远为轻松的口吻，称从克里特远航埃及仅用了五天时间。

③ 第 327—328 行同第 19—20 行。

来吧,不过,割下祭畜的舌头[1],匀调美酒,
以便倾杯祭神[2],对波塞冬和其他
长生者,然后忖想睡觉,眼下已是时候。
黑夜已吞没白昼,所以此举不宜,
在祭神的宴享前息坐,回去吧,回头。"

　宙斯的女儿言罢,大家伙听从。
信使们倒出清水,让他们净洗双手,
年轻人将酒满注缸碗,供他们喝够,
先在众人的饮具里略倒祭神,然后满斟各位的杯盅。
他们丢舌入火,起身,洒出奠酒。
奠毕,他们开怀痛饮,喝得心满意足。
其后,雅典娜和神样的忒勒马科斯
双双起身,意欲返回深旷的船艘,
但奈斯托耳对他们开口讲述,挽留:
"愿宙斯和列位永生的神明止阻,
不让我家中的你们回返迅捷的船舟,
仿佛走离一个没有衣物的穷汉,一无所有,
无有成堆的披盖垫毯收藏家中,
待客,或由他自个入睡时开心享受。
然而,我有披盖和精美的垫毯,堆在
家中——不,奥德修斯亲爱的儿子
断然不能离去,睡在海船的舱头,只要我还
活着,我的孩子尚在宫里待客,

① 指白天杀祭的公牛的舌头,作为最后焚献(第 341 行)的祭品。

② 参考第二卷第 431—433 行及相关注释。有关睡前倾杯祭神的提及,另见第七卷第 137—138 行、第十八卷第 418—419 行和《伊利亚特》第九卷第 712—713 行。

不管谁人,临来舍下,继我之后[①]。"

其时,灰眼睛女神雅典娜对他答说:
"说得好,亲爱的老先生,忒勒马科斯
应该听你,如此远为佳好,善妥。
现在,他将随你同去,睡寝在
你的房宫,但我将前往乌黑的海船,
以便激励伙伴,把这一切告说。
来人中唯我可以声称年长[②],
其余的岁数全都和心胸豪壮的忒勒马科斯等同,
清一色的年轻人[③],伴他前来,出于爱尊。
晚上,我将在深旷的黑船边睡躺息身,
明晨拂晓前往心胸豪壮的考科奈斯人的居地[④],
提取一笔欠账,并非新贷,不小的
数目。既然这位年轻人来到你的房宫,
你要给他马车,由你儿子陪同,配备
骏马,最壮,给他蹄腿最快的那种。"

言罢,灰眼睛女神离去,形似一只

① 老人"脾气大,性格倔傲"(第十五卷第 212 行),不愿看到自己的好意被人婉言"抗拗"。与之相比,墨奈劳斯待客的态度要显得灵活一些,把尊重客人的意愿放在首位(参考同卷第 69—74 行)。

② 雅典娜此时自然仍以门托耳的形象出现。

③ 比较第二十四卷第 107 行。

④ 据古代地理学家斯特拉堡考证,考科奈斯人(即考科尼亚人)为原本住在厄利斯(或伯罗奔尼撒西南部)一带的先民,以后不知去向,其居地被后来的移民"占领"。希罗多德曾对考科奈斯人的存在有简略提及(参阅《历史》第一卷第 147 行和第四卷第 148 行)。

胡鹫[①]，在场的人们无不惊异，
老人慕诧，眼见此番情景[②]。
他握住忒勒马科斯的手，对他称指说起：
“我看你决不会卑俗，不会胆小，亲爱的朋宾，
倘若你年纪轻轻便有神明指点，与你同行。
来者并非家居奥林波斯山上的别个，
而是特里托格内娅[③]，宙斯的女儿，最受尊敬，
在阿耳吉维人中最爱你那高贵的父亲。
现在，女王，求你给我佳好的名声，
广施恩典，给我的儿子，也给我雍雅的妻爱，
我将献上一头一岁的小牛，有着宽阔的额面，
未经驯使，从未被人塞入轭架，
我将用金片包裹牛角，敬奉在你的祭坛前[④]。”

祷毕，帕拉斯·雅典娜听闻他的诵祈。
其时，奈斯托耳，格瑞尼亚的车战者前行，
带领他的儿子女婿们回返宏伟的宫居。
当一行人行至王者光荣的宅邸，

① 鹫的一种，有胡子。比较第一卷第 319—320 行。日后，雅典娜还将变作燕子，观看奥德修斯击杀求婚人的战斗(第二十二卷第 239—240 行)。另参考《伊利亚特》第七卷第 58—59 行和第十四卷第 286—291 行。雅典娜变幻莫测，是荷马史诗里变形次数及变幻模样最多的奥林波斯神明。

② 比较第一卷第 323 行。奈斯托耳由此认定忒勒马科斯有神灵指引(本卷第 376 行)。

③ 雅典娜的别称之一，原文作 Tritogeneia。参考第 91 行注和《伊利亚特》第四卷第 515 行注。关于雅典娜的称谓，另见《伊利亚特》第二卷第 157 行注、第四卷第 8 行注和第五卷第 1 行注。奈斯托耳大概是依据雅典娜与奥德修斯的良好关系做此判断(参考本卷第 379 行和第 221—222 行及相关注释)。

④ 第 382—384 行同《伊利亚特》第十卷第 292—294 行。

他们顺序在靠椅和便椅上坐定，
老人就着兑缸，当他们来临，为其
调匀香甜的浆酒，供他们喝饮，管家的
女仆已经打开封塞，在第十一个年里。
老人调酒兑缸，一遍遍祷祈，给雅典娜、
带埃吉斯的宙斯的女儿泼洒奠祭。

　奠毕，他们开始喝饮，人人都开怀尽兴，
然后返回各自的居所，睡躺将息，
格瑞尼亚的车战者奈斯托耳让
神样的奥德修斯的爱子忒勒马科斯
睡躺编绑的床上，在回音缭绕的门廊里就寝[①]。
裴西斯特拉托斯入睡他的身边，擅使粗长的
梣木杆枪矛，王子中未婚的单身汉，民众的首领。
奈斯托耳本人就寝高大房宫的内室，
身边息躺他的床伴，高贵的王妻。

　当早起的黎明垂着玫瑰红的手指，重现天际，
格瑞尼亚的车战者奈斯托耳起身离开床第，
走出房居，在光滑的石椅上坐临，
安置在前面，傍着高耸的门庭，
洁白，闪烁石料的光熠。从前，神样的
奈琉斯坐过这些石椅，举行会议，
日后命运把他压服，去了哀地斯的府邸，
眼下格瑞尼亚的奈斯托耳、阿开亚人的监护入座椅上，

---

① 参考第四卷第 296—297 行、第七卷第 335—336 行和《伊利亚特》第二十四卷第 643—644 行。

手握权杖[①],儿子们走出房室,
在他身边围聚,厄开夫荣和斯特拉提俄斯,
裴耳修斯、阿瑞托斯和神样的斯拉苏墨得斯,
还有裴西斯特拉托斯,壮士,第六个出临。
他们引来神样的忒勒马科斯,在他们身边坐定,
格瑞尼亚的车战者奈斯托耳开始发话,对他们说起:
“赶快动手,亲爱的孩子们,助我一臂,
让我抚慰雅典娜,先于对所有别的神祇,她临显
我的面前,清晰,在上次丰美的宴席,敬祭神明。
去吧,你们中的一位,从平野上弄回一头
母牛[②],要快,让一个牧牛的赶着她前行,
另一人去往心胸豪壮的忒勒马科斯乌黑的海船,
带来他所有的伙计,只留两位;
再去一人,通知金匠莱耳开斯光临,
以便请他包裹牛角,动用黄金。
其余的你们全都待在此地,但要吩咐
家中的女仆准备光荣的宴席,
搬出椅子烧柴,把清亮的净水取提。”

他言罢,人们操办赶紧。祭牛从[③]

① 关于权杖,参考第二卷第38行注。“阿开亚人的监护”乃奈斯托耳的饰语,也出现在《伊利亚特》里,显示他的资格和在阿开亚人中所享有的崇高声誉。“会死”(或“有死”)是凡人的命运,也是注定会发生的事情(本卷第410行)。细品第236—238行。

② 敬祭女神须用母畜。比较第6行并参考该行注。奈斯托耳是个极为虔诚的老人,把雅典娜的光顾看作是一件十分重要的事情,因此不敢怠慢,赶紧安排隆重的祭祀,同时也兼顾为忒勒马科斯饯行(参考第473—476行)。

③ 从第430行始,至第463行止,诗人用了较大的篇幅细致描述了牲祭的全过程。此乃荷马史诗里对类似场景的篇幅最长,因而也是最详尽的描述(比较《伊利亚特》第一卷第458—471行)。

草场赶来，心胸豪壮的忒勒马科斯的伙伴们
从迅捷的黑船[1] 边趋临；工匠来了，亦即，
手提青铜的家什，匠人的械具，
砧块、锲锤和精工制作的火钳，
用以加工金器。雅典娜也在来者之列[2]，
接受礼祭。年迈的车战者奈斯托耳
递过黄金，交给匠人，后者认真箔饰牛角，
小心翼翼，以便让女神见后高兴。
斯特拉提俄斯和高贵的厄开夫荣带过祭牛，
抓住犄角，阿瑞托斯从里屋出来，一手捧着
描花的盆碗，盛装洗手的净水[3]，一手提携
编篮，装着大麦待祭。强壮的斯拉苏墨得斯
站候近旁，手握利斧，行将击砍，
裴耳修斯手捧接血的缸碗准备。年迈的车战者
奈斯托耳洗手，撒出大麦，对雅典娜诵说
长篇的祷祈，割下祭牛头上的毛发，扔进火里[4]。

当众人撒出大麦，作过祷祈，

---

① 即“乌黑的海船”。参考第二卷第 430 行注。

② 雅典娜莅临祭仪，但可能隐身，不为众人所见（比较第 438 行）。雅典娜神通广大，即便不在现场，也可听闻和明察事态的进展（参考第 385 行）。参考并比较《伊利亚特》第二十四卷第 460—464 行和第十三卷第 68—72 行。比较本卷第 419—420 行。神祇无意，也不会分享（指进食）凡人的面食肉肴，他（她）们的参与重在“体验”人们的敬祭，以此领受荣耀，欢悦身心（参看第 438 行）。雅典娜去而复归或许还有另一层用意，那就是督察各方的言行举止，以便在忒勒马科斯需要帮助的时候及时提供便利。关于神的隐身，参考第十卷第 573—574 行及相关注释。

③ 比较《伊利亚特》第六卷第 266—268 行。

④ 参考第十四卷第422行。割下祭畜头上的毛发，意味着牲畜已由动物变成了祭品。毛发入火亦含祭神之意。比较《伊利亚特》第三卷第273—274行和第十九卷第254行。

斯拉苏墨得斯，奈斯托耳心志高昂的儿子，
就近站立，劈砍，斧斤切断脖子上的
筋腱，尽放母牛的力气，奈斯托耳的
女儿和儿媳们放声哭喊①，会同他雍雅的妻子
欧鲁迪凯、克鲁墨诺斯的长女一起。
他们抬起牛躯，搬离广袤的大地，紧紧摁住，
民众的首领裴西斯特拉托斯割断它的喉咙。
当魂息飘离骸骨而去②，黑血冒涌，
他们切分牛身，剔出腿骨，
按照合宜的程序，用油脂包裹，
双层覆盖，铺上精切的碎肉，老人

① 女人们按照程序，在祭仪的特定时刻发出哭喊，以增强祭事的气氛，舒缓杀祭的紧张，同时也借以沟通人、神（或许还有祭品）之间的感情。

② 参考并比较第十一卷第26行注和第十二卷第414行注。在荷马看来，“魂息”(thumos)乃生命之气，此物一旦飘离，躯体便会失去知觉（通常也就意味着死亡）。thumos有时亦可作“活力”解（参考第五卷第458—459行）。关于thumos，可细读第七卷第42行注和第十二卷第414行注。

将肉包放妥，在劈开的木块上焚烤[1]，洒上闪亮
的浆酒，年轻人手握五指尖叉，一旁守候。
焚烧了祭畜的腿件，品尝过内脏，
他们把所剩的部分切成小块，挑上[2]
叉头，仔细烧烤，将尖叉握在手中。

　与此同时，美貌的波鲁卡斯忒，奈琉斯
之子奈斯托耳最小的女儿，替忒勒马科斯
浴沐[3]，事毕，替他抹上舒滑的橄榄油，
穿好衫衣，搭上绚美的披篷，

---

① 畜骨用油脂包裹后火焚祭神（即让神祇享领），精肉留下，炙烤后由参祭者们自己享用。从理论上来说，不太好吃的内脏也经火焚祭神［参考并比较："荐黍稷，羞肝肺首心，见间以侠甒，加以郁鬯，以报魄也"（《礼记·祭义》）］，但参祭者亦可品尝，以示神人共享宴肴。荷马没有提及此举与普罗米修斯神话的关联。据传普罗米修斯替凡人着想，要他们在祭仪中用油脂将畜骨裹成大包，将精肉拢成小包，从而诱使宙斯择大舍小，受骗上当［由此可见，宙斯并非万能，至少是可以被骗的。然而，赫西俄德认为，具有永久智慧的宙斯实际上看出了普罗米修斯的诡计，心里明白（参阅《神谱》第549—551行）。在《伊利亚特》里，宙斯曾不止一次地上当受骗（比如，参阅第十四卷第153行以下）。尽管事后大发雷霆，但一个不争的事实是，这位人和神的父亲还是被骗了。赫西俄德很可能在这一点上"纠正"或发展了荷马的见解，表述了宙斯拥有不败的睿智，因而实际上不会被骗的观点。无极限地智化神祇的做法，在柏拉图的著述里得到了哲学的强劲支持，并反过来促进了柏拉图对传统诗歌（包括荷马史诗和悲剧）的憎恨（详阅《国家篇》第二、三和十卷）。以后，经过普罗提诺和其他新柏拉图主义者的有力推动，西方人终于在基督教里创造出了一个万能、全善和全智的造世主神明］。这一做法以后渐成习俗，成为祭神时沿用的常规。如此神人各取所需，彼此受益：神不吃肉，但喜闻烟香［即祭焚时袅袅升空的肉香；比较："建设朝事，燔燎膻芗，见以萧光，以气报也"（《礼记·祭义》）］，而凡人则在成功博取神明欢心的同时填饱了自己的肚皮，得到了咀嚼烤肉的实惠。不难看出，这里体现了人的智慧。普罗米修斯的人文主义，其实只是人为了替自己的实用主义辩护而设计出来的一面挡箭牌。"人创造了宗教，而不是宗教创造了人。"（马克思《黑格尔法哲学批判导言》，《马克思恩格斯全集》第一卷第452页）

② 第458—462行同《伊利亚特》第一卷第461—465行。

③ 参考第六卷第222行注。

后者步出澡盆，形貌像似长生的仙尊，
走去坐在奈斯托耳身边，此人牧领民众。

炙烤完毕，他们将肉块撸出叉头，
于是坐着咀嚼，训练有素的侍者殷勤招待，
把酒浆注入金铸的杯盅。
当大家满足了吃喝的欲望，
格瑞尼亚的车战者奈斯托耳开始发话，说对他们：
“动手吧，我的孩子们，轭套长鬃飘洒的驭马，
为忒勒马科斯的晤访，继续他的途程。”

他言罢，儿子们认真听过，服从，
迅速轭套快马，在车下的虚空，
一位女仆将酒和面包装上车辆，
连同熟肉，宙斯哺育的王者们的食物；
忒勒马科斯登上精工制作的轮车，
由奈斯托耳之子、民众的首领裴西斯特拉托斯
随车陪同，手握缰绳，挥鞭
驭马，后者心甘情愿，在平原上
飞速跑动，离开普洛斯的城垣，峭耸。
整整一天，它们摇撼轭架，系围在肩胸①。

---

① 如果奈斯托耳的儿子们套用的是《伊利亚特》里勇士赴战时所乘的那种，那么这辆车子显然不适合于载人作长途的奔波。战车通常狭小，驭手和主战者一般并肩站立车上，后者至作战地点下车。此外，从普洛斯前往斯巴达要翻过陶格托斯山，而在古时山上并没有可供马车行驶的车道。忒勒马科斯和裴西斯特拉托斯都是英雄的后代，又都是风华正茂的史诗青年，诗人会用一切可能的方式表现他们的贵族气派，展示他们接近于《伊利亚特》里勇士们的那种潇洒豪迈。在史诗里，人物必须适应诗人替他们想象和设计的“现实”，哪怕它与历史真实性不甚相符，哪怕它在细节上会有“漏洞”。

太阳落沉，所有的通道全都裹入漆黑之中[1]。
他们抵达菲莱，落脚狄俄克勒斯的家院，
阿尔菲俄斯之子俄耳提洛科斯的儿种[2]。
他们在那里过夜，受到主人的礼待意浓。

当早起的黎明重现天际，手指玫瑰嫣红[3]，
他们套起马车，登临，车身闪烁青铜，
穿过大门和回音缭绕的柱廊起程[4]，
驭者扬鞭催马，后者心甘情愿，飞速跑动。
他们来到盛产麦子的平原，朝着目的地
疾奔，快马跑得顺畅，载着赶路的他们。
太阳落沉，所有的通道全都裹入漆黑之中[5]。

① 第 487 行同第二卷第 388 行等处。

② 菲莱现名卡拉马塔(Kalamata)，大致居中于普洛斯和斯巴达之间。狄俄克勒斯乃阿尔菲俄斯河的后代(参看第 489 行和《伊利亚特》第五卷第 541—549 行)。另见本书第十五卷第 185—188 行。

③ 程式化用语，同第 404 行等处。这是一种极富诗意的表述(比较第五卷第 273—275 行等处同样佳美的诗句)。这里既有神和自然现象的绝妙结合，又融入了比喻的精练和由它增彩的现实世界的瑰丽，撩拨人的想象，给人浓郁的诗意美的享受。

④ 第 493 行同第十五卷第 146 和 191 行。

⑤ 第 497 行同第二卷第 388 行和本卷第 487 行等处。翌日，忒勒马科斯一行将车抵斯巴达，客访墨奈劳斯和海伦的房宫。

第四卷

他们来到群山环抱的拉凯代蒙①,
驱车前往光荣的墨奈劳斯的房宫,
见他正欢宴大群亲朋,在自己家中,
为儿子娶媳,也为雍雅的女儿② 嫁走。
他将把姑娘嫁送横扫军阵的阿基琉斯的儿子,
早已在特洛伊大地点头,答应嫁出女儿——
眼下,神明正兑现这桩婚俦。
其时,他正送出女儿,用驭马轮车,
前往著名的城镇慕耳弥冬③,由尼俄普托勒摩斯王统,
并从斯巴达迎来阿勒克托耳的女儿,
嫁配强健的墨伽彭塞斯,他的身材魁伟的儿子,
由一位女奴所生——神明已不让海伦孕育,
自她头胎生下独女以后,赫耳弥娥奈,
貌美,像金色④ 的阿芙罗底忒一样迷人。

---

① 位于伯罗奔尼撒南部,斯巴达为该地区的主要城市。

② 指赫耳弥娥奈(第 13 行)。据第 263 行推测,赫耳弥娥奈出生于海伦被帕里斯带往特洛伊之前,故而婚嫁时的年龄当不会太小。

③ 或"慕耳弥冬人光荣的城镇"。阿基琉斯(居家塞萨利亚的弗西亚)曾率慕耳弥冬将士参战。阿伽门农曾有意招阿基琉斯为婿(参阅《伊利亚特》第九卷中的相关描述)——在当时,此类贵族间的联姻已相当普遍。

④ 或"黄金的","黄金装饰的",在神祇中,只有阿芙罗底忒得此词修饰,或许意在显示她头发上的黄金装饰,但似亦可作泛指(或喻指)的"亮丽""瑰丽"解。

就这样，光荣的墨奈劳斯的亲朋和邻居们
宴享在宏伟、顶面高耸的华宫，欢悦、
轻松，一位通神的歌手弹响竖琴，
在人群之中，舞者里活跃着两位杂耍的高手，
翻转腾跳，合导着歌的节奏[1]。

　其时，二位站立宫门之前，壮士忒勒马科斯
和奈琉斯英武的儿男，连同他们的驭马，
被强健的厄忒俄纽斯、光荣的墨奈劳斯
勤勉的助手看见，于是穿行家居，
走向民众的牧者，带着讯言。
他趋前站立，说讲，送出的话语长了翅膀：
"宙斯哺育的墨奈劳斯，现有生客来访，
两位，应是强有力的宙斯的后裔[2]，看其长相。
告诉我，是为他们宽卸快马，
还是打发他们另找，找那可以招待的主家。"

　带着极大的愤烦，金发的墨奈劳斯对他答讲[3]：
"厄忒俄纽斯，波厄苏斯的儿男，从前，你可

---

① 比较《伊利亚特》第十八卷第 604—606 行。通神的(或神圣的)歌手自弹自唱，伴和舞者与杂耍者"腾跳"的节奏。有学者设想，舞者和杂耍者有可能会"模拟"歌手唱诵的某些内容，但这一观点没有得到学界的普遍认同。参考本书第一卷第 152 行注。

② 换言之，来者看似出身高贵的王家或贵族子弟。王者是"宙斯养育的"(程式化用语)，是手握权杖(即神授权力)的统治者(第 63—64 行，另参考第 44 行)。裴西斯特拉托斯是波塞冬的后代(参考第三卷第 44 行注)，但这并不影响厄忒俄纽斯称其为"宙斯的后裔"。宙斯是"人和神的父亲"(参考第一卷第 81 行注)。史诗人物尽可以放心地声称人间的王者都是宙斯的后裔(本卷第 27 行)。忒勒马科斯的曾祖父阿耳开西俄斯据说是宙斯之子。

③ 同第 332 行和《伊利亚特》第十七卷第 18 行。

不是傻瓜，然而眼下却瞎谈胡话，像似童郎。
忘了吗，我俩曾足量吞咽别人的
客谊，然后回返还乡。愿宙斯不再使
我们遭受那般痛殃。去吧，宽卸
生客的驭马，带他们过来宴享。”

他言罢，助手赶紧穿走厅堂，招呼
其他勤快的伴从过来，随他同往。
他们把热汗涔涔的驭马宽出轭架，
紧拴在食槽前，用控马的绳缰，
放下饲料，拌入雪白的麦粮，
将车辆贴靠闪亮的内墙，
引着来人进入神圣的宫房，后者惊慕，
眼见他的殿堂，属于宙斯钟爱的王家，
宛如闪光的月亮或太阳，光荣的
墨奈劳斯顶面高耸的家居闪烁辉煌①。
当饱享过眼福，慕仰，他们
跨入光滑的澡盆，净洗舒畅②。
女仆们替他们沐浴，涂抹橄榄油光，
穿好衣衫，披上厚实的羊毛篷挂，他们
走去下坐墨奈劳斯身边的靠椅，阿特柔斯的儿郎。

---

① 可见墨奈劳斯的宫殿确实富丽堂皇(诗人甚至罕见地用了“神圣的”一词加以形容)——须知忒勒马科斯亦是一位见过宫邸场面的王家子弟。比较奥德修斯对阿尔基努斯王宫的诧慕(第七卷第 81—102 行)。另见本卷第 69—75 行。关于第 39—43 行，比较《伊利亚特》第八卷第 433—435 行。

② 第 48 行同《伊利亚特》第十卷第 576 行；比较本书第十七卷第 48 行。两部史诗里颇多同样或相似的行句。关于女人(或女神)替男子洗澡的习俗(本卷第 49 行)，参考第五卷第 263—264 行及相关注释和第六卷第 222 行注。

一位女仆提来净水倒出,从一只绚美的
金罐,就着银盆,为他们洗手,
搬过一张滑亮的食桌,置放他们面前,
一位端庄的家仆送来面包,供他们进餐,
摆出许多佳肴,足量排放,慷慨,
一位切割者托着盛装各式肉馔的盘子,
分放他们面前,摆下金杯,在他们身边[①]。
金发的墨奈劳斯欢迎他们,说话开言:
"吃吧,随便用餐,然后,当
吃罢晚饭,我们将询问你等究竟乃
何方人氏前来——父母的种迹在你们身上犹在,
想必是宙斯哺育的王者的传人,手握权杖者
的后代;卑劣者不会有像你们这样的儿男。"

言罢,他端起给他的那份,优选的
烤肉,肥美的牛里脊,放在客人面前[②]。
他们伸出双手,抓起面前佳美的肴餐。
然后,当他们满足了吃喝的欲望,
忒勒马科斯对奈斯托耳之子讲话[③],
贴近他的头边,使别人无法听见[④]:
"奈斯托耳之子,你使我心欢,瞧这

---

① 第 52—58 行同第一卷第 136—142 行。

② 鲜嫩的里脊是肉中的佳品,用以待客显示对宾朋(或受者)的敬重(参阅第八卷第 474—478 行、第十四卷第 437—438 行、《伊利亚特》第七卷第 321—322 行和第九卷第 207—208 行)。

③ 人必须先吃饱肚子,然后方能享受谈话的愉悦(参看第 60—61 行),类似的"唯物主义"观点反复出现在荷马史诗里。第 67—68 行同第一卷第 149—150 行。

④ 第 70 行同第一卷第 157 行。然而,墨奈劳斯还是听到了他对裴西斯特拉托斯的窃窃私语,并适时予以了"纠正"(本卷第 76—79 行)。

铜光闪烁的一片[①],在整座回音缭绕的宫殿,
这里黄金琥珀发光,象牙白银璀璨。
奥林波斯山上宙斯的宫廷,里面大概就像这般,
财富大量堆积,看后让我惊诧一番。[②]”

金发的墨奈劳斯听闻他的言谈,
对二位说话,讲出长了翅膀的语言:
“凡人,亲爱的孩子,谁也不能和宙斯比攀[③],
他的宫殿永存,财富不败。
世间或许有人竞比我的财物,或许并不
存在。我历经艰辛,浪迹四海,船载
这一切回家,在第八个年头归来。
我曾浪走塞浦路斯、腓尼基和埃及,
抵临埃塞俄比亚人、厄仑波伊人和西冬尼亚人的地界[④],
驻足利比亚,那里的公羊迅速长出硬角,
母羊一年之中繁殖三胎[⑤],

① 参考第三卷第 2 行注。

② 参看第 43 行。类似的对美景的惊诧,另见第五卷第 73—75 行、第七卷第 43—45 和 133—134 行。比较第十七卷第 263—268 行。古希腊人对美的接受极为敏感(参见本卷第 62—64 行;参考第十一卷第 550 行注)。

③ 墨奈劳斯明智地“冲淡”了忒勒马科斯的赞扬,心知敢于放胆和神明比攀的人不会有好下场(细析第 502—510 行,参看第 504 行注)。参考第十三卷第 144 行注、第十四卷第 205 行注、第十五卷第 71 行注和第十八卷第 131 行注等处。

④ 关于西冬尼亚(人),参考第 617—619 行及第 619 行注;另见第十五卷第 118 行注。厄仑波伊人的“属性”自古便有争议,至今不甚明了。斯特拉堡猜想他们为阿拉伯人,族居红海一带(参考《地理》第一卷 1.3)。关于埃塞俄比亚人,参考本书第一卷第 22—26 行及相关注释。参考本卷第 514 行注。

⑤ 母羊的怀孕期为五个月,因此不可能一年三胎。《奥德赛》里颇多此类或许得之于道听途说的不真实的传闻。古希腊人对有关外邦人生活的“小道消息”一向颇感兴趣,希罗多德的《历史》里充斥着类似的令人难以置信的奇谈。

权贵之家不会贫匮，牧羊的下人亦然，
不缺奶酪肉类，不缺甜美的鲜奶，
羊儿提供哺崽的乳汁，长年不断。
然而，当我浪迹那些地界，聚集
许多财产，另一个人[①] 却把我的兄长
杀断，乘其不备，被他该死的妻子恶谋坑害。
所以，我并不以此欣欢，王统这堆财产。
你们或许已从各自的父亲那里听见，无论他们
是谁，因我已遭受太多的苦难，败毁了一个家院，
曾是那样强盛，拥有大量的财物堆积里面。
我宁愿住在家里，仅有三分之一的库财，
让那些人活着，在那段日子死于宽广的
特洛伊，在远离马草丰肥的阿耳戈斯[②] 倒翻。
我仍然经常悲哭所有那些朋伴，
泣念[③]，坐在这里，我的宫殿，
有时心灵在悲痛中沉湎，有时又戛然
辍止，凄楚的伤愁很快使人腻烦。
然而，尽管悲哀，我对所有人的悲思赶不上
对一个军男，他使我疾恨食物、睡眠，每当
想起他来，阿开亚人中谁也比不上

① 指埃吉索斯。

② 阿耳戈斯位于伯罗奔尼撒北部。狭义上的阿耳戈斯(城)属狄俄墨得斯管辖(参见第三卷第 180—182 行)，此处应作泛指解，即指伯罗奔尼撒(另见同卷第 251 行等处)。“阿耳戈斯”甚至可泛指希腊。参考《伊利亚特》第一卷第 79 行注和第二卷第 160 行注等处。

③ 人物的悲痛与哭泣贯穿于整部史诗，构成了《奥德赛》的情感基调。参考第二卷第 81 行注、第五卷第 84 行注、第十三卷第 221 行注和第十六卷第 190 行注等处。

奥德修斯的苦劳奉献[①]。于他,结局带来
悲哀;于我,是凄念他的痛苦,永远难以
忘怀——他已长久离去,我们一无所知
他是存活,还是死难。年迈的莱耳忒斯
和谦谨的裴奈罗佩一定在为他悲哀,连同
忒勒马科斯,父亲离家时他还是个新生的男孩[②]。"

他言罢,在对方心里激起哭念父亲的情怀,
泪水涌出眼眶,掉落地面,听知父亲的名字,
双手撩起紫色的披篷遮拭
泪眼[③]。墨奈劳斯已经认出他来,
其时在心里魂里[④] 斟酌盘算,
是让年轻人自己说及亲爹,
还是由他先提,询问盘查事情的来龙去脉。

当他思考这些,在心里魂里盘算,
海伦走出芬芳、顶面高耸的房间,
看来像似手持金线杆的阿耳忒弥斯一般。
阿德瑞斯忒随行,将做工精美的椅子放在她身边,

① 比较奈斯托耳对奥德修斯的赞扬(侧重点在他的谋略,见第三卷第120—122行)。参考该卷第122行注。

② 如果奥德修斯出征特洛伊时忒勒马科斯只是个"新生的男孩"(换言之,刚刚出生),那么此时的他已是个二十岁的大小伙子。比较第一卷第297行。另见本卷第144—145行。

③ 在《奥德赛》里,只有奥德修斯父子有过此类举动(参考第八卷第84行)。"披篷"或许实为一大片织布,可披于或裹于身上御寒。

④ 原文为kata phrena kai kata thumon(另见第二十卷第10行等处)。参考并比较第一卷第29、89行和第七卷第42行注。关于phren(复数phrenes),参考第九卷第301行注。

阿尔基培拿着松软的羊毛织毯，
芙罗手提银篮，阿尔康德瑞的馈赠，
波鲁波斯的妻子，居家埃及的塞拜[①]，
那里的人们富有，拥有难以穷计的财产。
波鲁波斯送给墨奈劳斯两个白银的澡盆，
一对三脚鼎，另有十塔兰同黄金[②] 连带，
他的妻子亦拿出绚美的礼物，此外，馈赠海伦
一枝黄金的线杆，一只白银的筐篮，
底下安着滑轮，黄金镶绕在篮子的边圈。
现在，侍女芙罗将它搬来，放置她的身边，
满装精纺的毛线，线杆缠着
紫蓝色的羊毛，横卧篮面，海伦
入坐椅子，脚下是一张足凳踩垫。
她当即开口发话，详询她的夫男：
“我们是否已知，宙斯钟爱的墨奈劳斯，
他们自称谁人，来到你我的家院？
不知是我看错，还是讲说真言？心灵要我说话[③]，
须知我从未见过如此的相似，

---

① 或埃及的忒拜，古代名城，据传极其富庶(《伊利亚特》第九卷第382—384行)，古埃及人称之为Wise，现名Luxor。阿尔康德瑞和波鲁波斯均为普通的希腊人名(参考本卷第228行注)。关于“商品”的换价，参考第一卷第431行注。

② 在荷马史诗里，塔兰同仅为黄金(而非其他金属的)计量单位。从《伊利亚特》里阿基琉斯给车赛者开列的奖品顺序来看，两塔兰同黄金的所值似乎不抵一口四个衡度容量的大锅。另参考《伊利亚特》第九卷第122行注。

③ 第140行同《伊利亚特》第十卷第534行。和奈斯托耳一样(参见本书第三卷第123—125行)，海伦看出了忒勒马科斯与奥德修斯的相像(本卷第141—143行；另参考第一卷第207—209行)。比较本卷第116、148行。不过，与阿伽门农相比，奥德修斯的身材明显偏矮(参考《伊利亚特》第三卷第193行，比较该卷第210行)，而忒勒马科斯则“健壮，身材高大”(本书第三卷第199行)。

无论是在女子还是男人之间，我眼见此人，惊叹，
他酷似心志豪莽的奥德修斯的儿男，
忒勒马科斯，当他离家之时尚是新生的
男孩——为了不要脸的我①，阿开亚人进兵
特洛伊城下，一心只想蛮烈的争战。”

其时，金发的墨奈劳斯对他答话，开言：
“我也看出了你说的相似，我的妻爱。
奥德修斯有这样的腿脚，这样的双手，
这样的眼神、头型和发绺的装点②。
我正追忆有关奥德修斯的往事，刚才，
谈说他为我经受的所有艰辛苦难，
此人滴淌辛酸的眼泪，从睑盖下涌来，
撩起紫色的篷袍，遮拭泪眼。”

其时，奈斯托耳之子裴西斯特拉托斯对他说接：
“阿特柔斯之子，宙斯哺育的墨奈劳斯，民众的首领，
这位后生正是那个人的儿子，如你所说，确切。
但他生性谨慎，心灵耻于说及，

---

① 海伦坚持了她在《伊利亚特》里的自我责备态度（见该史诗第三卷第 180 和 404 行、第六卷第 344 和 356 行、第二十四卷第 764 行）。比较本卷第 261 行注。

② 荷马的构思和创作对后世悲剧诗人的影响极大。在《奠酒人》里，埃斯库罗斯让厄勒克特拉认出了父亲墓上兄弟奥瑞斯忒斯的发绺“和我的头发一般，几乎没有两样”（《奠酒人》第 176 行）。此外，她还看出了地上“相称的足迹，看来和我的一样……我已踩入他的脚印，脚跟的形状，还有脚趾与后跟间的弓距和我踩出的印记如出一辙”（《奠酒人》第 206—210 行）。荷马大概会赞同“老子英雄儿好汉”的血统论观点，但他或许还会补充道：多数儿子不如他们的父亲（参考本书第二卷第 276—277 行，细读第 277 行注）。参考裴奈罗佩和欧鲁克蕾娅对奥德修斯外貌的注意及评价（第十九卷第 357—359 和 380—381 行）。

不愿初来乍到便夸夸其谈，对你——
我们爱听你的话语，高兴，像似谈论中的神明。
格瑞尼亚的车战者奈斯托耳派我
护送此人，同行，因他急于求见，
以便听记你对如何说话行事[①]的教诲。
家中的孩子会忍受许多愁戚，当父亲
出走，无人给他帮忙出力，
一如眼下忒勒马科斯的处境，父亲走了，
无人护卫，替他挡开国度中的恶虐[②]。”

其时，金发的墨奈劳斯对他答话，开言：
“太好了，嘿！此人正是他的儿子，来临
我的家院，其父为我忍受了多少艰难。
我曾想倘若他能前来，那么阿耳吉维人中他将
最受我的尊爱，如果沉雷远播的奥林波斯宙斯答应，
让我俩双双越洋回还，乘坐快捷的海船。
我会在阿耳戈斯给他拨出一座城垣，把他
从伊萨卡接来，建立家园，连同他所有的
民众、儿子和全部财产。我会腾出一个城市，
给他，从受我王统，位处这一带的城镇里面。

---

① 一个受过良好教育的贵族子弟，应该学会得体地表述自己的观点（epos），应该知道如何“表率地”为人做事（ergon）。另参考第二卷第 272 行注。除此二者以外，一位出类拔萃和有身份的人杰还应具备聪达的心智（第三卷第 244 行），学会审时度势，能够在“心里魂里盘算”，潜心思考（本卷第 120）。关于墨奈劳斯的口才，细品《伊利亚特》第三卷第 213—215 行。孔夫子重言行，认为唯其重要，故而必须“慎”之：“言行，君子之枢机，枢机之发，荣辱之主也。言行，君子之所以动天地也，可不慎乎。”（《易传·系辞上》）

② 赫克托耳死后，安德罗玛刻悲哭自己落寡的命运，但泣诉的重点却是在他俩的儿子因丧父而将会遭受的苦难（详见《伊利亚特》第二十二卷第 476—507 行）。

如此，我俩都在这边，得以经常互相会见，
欣享友谊，欢悦，什么也不能把我们分开，
直到死的乌云飘临，把我们缠卷①。
这一切，我想，必定是出于一位神灵自身的妒怨②，
仅让此人遭受不幸，不得回返家园。”

他的话催发了所有的人恸哭的激情③。
阿耳戈斯的海伦，宙斯的女儿，呜咽抽泣，
忒勒马科斯悲哭，阿特柔斯之子墨奈劳斯
和裴西斯特拉托斯，奈斯托耳之子，泪湿眼睛，
心里想着雍贵的安提洛科斯④，
被闪亮的黎明，被她光荣的儿子杀击。
念想此人，他用长了翅膀的话语对他们说及：
“阿特柔斯之子，年迈的奈斯托耳常说你
比别人聪颖，当我们谈论你的时候，
在他的宫里，相互之间提出问题。
所以现在，倘若可以，你能否帮忙，容我随意？

① 墨奈劳斯显然在带着强烈的感情说话，意在显示他对奥德修斯的情深谊长。当然，他或许也会知道，奥德修斯即便活着回还，也不会接受他的盛情，撇下自己的万贯家产，背井离乡，和他老死在一起。

② 神妒忌凡人(尤其是超乎寻常)的幸福，忌恨凡人生活的甜美，因此通常会设置障碍，制造麻烦，故意破毁他们人生的美满。参考第八卷第 565—566 行(同第十三卷第 173—174 行)和第二十三卷第 210—212 行。在荷马和史诗人物看来，神的妒忌是导致人生悲难的“渊薮”之一。比较《旧约·创世记》里上帝通过变乱人们语言的做法阻止人类建造通天巴别塔的故事。

③ 第 183 行同《伊利亚特》第二十三卷第 108 行。参考本卷第 101 行注。

④ 安提洛科斯不仅作战勇敢，而且口齿伶俐，在《伊利亚特》里深得阿基琉斯的喜爱(第二十三卷第 555—556 和 791—796 行)。另见本书第三卷第 111—112 行、第十一卷第 467—468 行和第二十四卷第 15—16 行及相关注释。安提洛科斯战死在特洛伊战场，被黎明之子(本卷第 188 行)门农击杀。

我不觉餐间的愉慰，嘤嘤哭泣。新的
黎明即将来临。然而，我不抱怨
哭悼死去的凡人，会见他的命运。
对可怜的凡生，此乃我们可以给予的唯一慰藉，
割下发绺①，让眼泪从脸上淌滴。
我本人亦有一位死去的兄长，绝非阿耳吉维人中
最坏的次劣，你或许知晓其人，但我自己
却不曾打过照面，从未。据说他比所有的人
卓杰，安提洛科斯，斗士，腿脚极其快捷②。”

其时，金发的墨奈劳斯对他答话，说及：
“亲爱的朋友，你的话像一位有识之士的
谈吐作为，比你年长——不是吗，令尊
便是这样说话，你的智辩在情理之内。
此人的亲种容易认定，有克罗诺斯之子③
替他纺织好运，在他结婚和生子之际，
一如现在对奈斯托耳，一生昌达富贵，
在宫居里欣享老年的安逸，
儿子们聪明伶俐，使唤枪矛的功夫卓杰。
眼下，让我们停止不住的啼哭，
忖想进餐重新。让他们倒水，把我们的

---

① 割发是为奠祭死者(参考第二十四卷第46行和《伊利亚特》第二十三卷第46、135行)。

② 腿脚快捷在步战中极其重要，因而也是一种 arete(参考第二卷第206行注)。阿基琉斯的饰词之一便是“捷足的”。比较：迅捷的海船、(迅捷的)闪念和长了翅膀的话语(因此也是快捷的)。奈斯托耳已先行提到过儿子的快腿并称他“英武、强健”(第三卷第111—112行)。

③ 指宙斯。参考第三卷第88行注。

双手洗净，明天一早我们可以继续，
忒勒马科斯和我，互相叙说谈议。”

他言罢，阿斯法利昂，光荣的墨奈劳斯
勤勉的伴友，倒出清水，洗过他们的双手。
他们伸出手来，抓起面前佳美的餐肴。

其时，海伦，宙斯的孩子，开始另一番图谋。
她倒入一种舒心的药剂[①]，在他们啜饮的酒中，
驱除愁恼，使人忘却一切悲痛，
谁要是喝了，匀拌在缸碗里化溶，
一天之内不会流泪，从脸上滴落，
即便是母亲死了，父亲归终，
即便是兄弟或亲爱的儿子被人当面谋杀，
挥砍青铜，亲眼见人行凶。就是
这种奇妙的药物，宙斯的女儿其时拥有，
好东西，埃及人波鲁丹娜的馈送[②]，瑟昂的

① 此药得之于埃及人的馈赠(第228行)，可能为鸦片(在当时，喜好“洋”货的埃及人可能从塞浦路斯进口鸦片)。对这一观点学界尚有争议。据说古埃及人有在酒里添加除了鸦片以外的其他植物制剂的习惯(参考第229—230行)。据此推测，有专家认为这里提及的“药剂”亦可能为莨菪。此物有毒，但适量服用可起镇痛和安神的作用。荷马本人很可能并不确知此药究为何物——鸦片在古希腊文献中的出现是公元前五世纪以后的事。

② 女人或许比男子多一点“巫性”(亦即灵性)，更倾向于被“神幻”迷惑。作为女性，海伦或许会对充满神奇色彩的埃及更具一种出于本能的向往。在古时便有一种传说，认为海伦实际上并没有去往特洛伊——她的虚影出行，真人却留在了埃及。战争结束后，墨奈劳斯携虚影回归，至埃及始遇海伦真身，虚影遂飘离而去。参阅希罗多德的《历史》第二卷和欧里庇得斯的《海伦》。瑟昂为本卷提及的埃及人名中唯一不存疑义者。比较第126行注。

妻子,肥沃的土地催产大量、极多的
药草,许多调制后产生疗效,许多歹毒邪凶。
那里的人个个都是医生①,比别地的人们
更通;他们是派厄昂② 的族裔传人。
其时,海伦施放此药,吩咐他们斟倒,
接续刚才的话题,对他们开口说告:
“阿特柔斯之子,宙斯哺育的墨奈劳斯听好,
还有你们,高贵父亲的儿郎,大神宙斯
无所不能,有时使某人走运,有时让他遭祸。
坐下吧,在宫居里进食餐肴,享领我的
叙说,我的故事适宜你们遣消。
我不能讲述全部,对你们一一说到③,
关于坚忍的奥德修斯,所有的辛劳,
只讲其中的一件,那个强健的勇士忍受并且

---

① 毫无疑问,这是一种夸张的说法,尽管也从一个侧面显示了古代埃及人对草药和药理的精通。参阅希罗多德《历史》第二卷 77、84。

② 在《伊利亚特》里,派厄昂(Paieon)是神界的医生(第五卷第 899 行),医术之高明自不待言,另见赫西俄德片断 307。Paieon 意为“医者”,公元前七世纪后始与阿波罗的名字挂钩(在荷马史诗里阿波罗还不是医神),而后者亦因此“正式”兼具了医治痛疾的神功。

③ 比较第十一卷第 328 和 517 行。参考并比较《伊利亚特》第二卷第 488—493 行(重点参见第 492 行)。海伦并没有祈请神明帮助,只是出于对时间或其他因素的考虑,认为没有必要历数奥德修斯的每一次“辛劳”。海伦不是歌手,却像歌手一样讲起了故事——以“当事人”的身份(细读本书第八卷第 490 行注)。在这里,叙述者当然还是荷马(或史诗诗人),但他是以海伦的身份讲述的,因此不同于以诗人身份所进行的“介绍”(如本卷第 216—234 行)。同样是讲故事,当诗人进入角色或以人物的身份讲述时,他就不会怀疑自己的记忆力(是否能够胜任),无须沿用世代相循的定型的做法,因此也就不再祈求神明(如缪斯姐妹)的助佑或“告诉”(参考第一卷第 1 行、《伊利亚特》第二卷第 484 行、第十一卷第 218 行和第十四卷第 508 行)。诗人可以“避开”神的点拨讲诵故事,当事人的叙述开辟了史诗里不受缪斯掌控的另一条弥足珍贵的叙事通道。参读本书第三卷第 215 行注、第十六卷第 247 行注和第十九卷第 203 行注等处。

做好，在特洛伊大地，你们阿开亚人饱受苦恼。
他对自己摧残，打开拳脚[①]，披上一块
脏乱的破布，搭在肩头，扮作仆人的相貌，
混入敌人路面开阔的城垣，
扮取另一个人的模样，装成乞丐求讨，
已不像阿开亚人船边的自己，而是
以乞者的形象进入特洛伊城堡，骗过了
所有的他们，唯独被我识破伪装[②]，知晓。
我对他发问，但他狡猾，避躲。
然而当我替他洗澡[③]，而后抹上橄榄油，
把衣服替他穿好，庄严起誓不对
特洛伊人泄密，不说奥德修斯已经来到，
直至他抵临快船营棚回跑，
如此，他才最终告我阿开亚人的每一个目标。
他用锋利的青铜击倒许多特洛伊人，
其后回到阿耳吉维人[④] 的军伍，带着翔实的情报。

---

① 奥德修斯是那种“放得下”和敢作敢为的人。为了改变形貌（参见第 247 行），他甚至不惜对自己拳脚相加。参考并比较第七卷第 142 行注、第十九卷第 409 行注和第十八卷第 332、375 行注。他能伸能屈，会打仗，也能干仆人的杂活（参看第十五卷第 320—324 行），偶尔也会出点“洋相”（如对自己“打开拳脚”；参考第十八卷第 375 行注）。在乔伊斯的《尤利西斯》里，布卢姆的形象和性格中无疑带有奥德修斯［罗马人称其为尤利西利（Ulixes）］的影子。布卢姆可以高贵得像帝王、主教或市长，也可以卑贱得像奴隶、无赖和妓女。布卢姆也像奥德修斯一样有过老者的体验，但奥德修斯没有像他那样，变成过婴儿。

② 换言之，被海伦“发现”了他的真实身份。《奥德赛》里多伪装，因此也就多各种形式的发现（参考第十六卷第 214 行注和第十九卷第 381 行注等处）。

③ 参考第六卷第 222 行注。

④ 参见专名索引里的相关条目。“阿耳吉维人”同第 256 行里的“阿开亚人”。荷马有时也称（曾经）战斗在特洛伊平原上的希腊将士为“达奈人”（第 278 行和第一卷第 350 行）。

特洛伊妇女放声尖啸，而我的心里
却乐开了花朵，此前心情已变，企望回家
事了，悲叹阿芙罗底忒的作为，使我迷渺[①]，
把我带到这里，离开亲爱的故国，
撇下我的女儿、睡房和丈夫，
一个齐备的男人，不缺心智和美貌。”

　其时，金发的墨奈劳斯对她答话，说道：
“是的，我的妻子，你的话很对，一点不错。
我曾领略过众多英雄的心智[②]，
他们的商议，曾经游历，在许多地方落脚，
然而却从未目睹像他这样的豪杰，
未知有谁的心力能像奥德修斯的那样坚牢。
那个强健的汉子曾经如此做到，在木马

---

① 阿芙罗底忒乃主司美和性爱的女神。海伦承认自己有错(参考第145行注)，但也肯定错的主因是神的误导。荷马史诗里的人物不认为人可以实现完全和完整的自控。强烈的情感和违规行为的操作受制于神的激挑。神分享凡人的成功，也分担他们的过错。神祇控掌人在关键时刻的心理活动，支配他们的意识和情绪变动的走向。爱情包括性爱，它的炽烈，尤其是反常规的亢奋运行，超出了人的理性和思考能力掌控的范围。神力和神的外来干预，被古希腊人用来解释一切在他们看来人力无法有效掌控的活动，包括心理的“变态”和激情的非理性或反理性勃发。参考第三卷第27和270行注。神不仅掌管宇宙，而且(可以)控制人的心灵。由于有神的“存在”，史诗人物常常得以名正言顺地推委责任，“饰非”自己的过错。荷马简化了人物心灵活动的复杂，但也为正确和公正评判他(她)们的是非功过增加了难度。在神的干预彻底从人的世俗生活里退出之前，人们(当然，也包括诗人)将很难系统和基本合理地把握行为及其评判范畴内的公正。“心情”(本卷第260行)原文作kradie，和ker(参考第一卷第344行注)同义，可作“心”“心灵”解。

② “心智”(noos)的含义，在此许与“想法”相去不远。类似的表述参见第一卷第3行。

之中苦熬[①] ——我们阿耳吉维人中最优秀的
雄杰坐在里面，给特洛伊人送去死亡和折夭。
其时，海伦你行至那边，必是受某位神灵
催促[②]，此君意欲给特洛伊人致送荣耀，
神样的德伊福波斯[③] 偕你临来，一起探瞧。
一连三圈，你巡走空腹的木堡，触摸外表，
随后出声呼唤，叫着他们的名字，达奈人[④] 中的英豪，
模仿阿耳吉维人妻子的声音逐一喊叫。
那时，我本人和图丢斯之子[⑤]，还有杰卓的奥德修斯

---

① 伏击或许是最能考验人的耐力和吃苦精神的军事行动。按照英雄伊多墨纽斯的观点（亦是他的经验之谈），埋伏是验证勇气（即 arete）的“最佳举措”（《伊利亚特》第十三卷第 277 行以下）。参考本书第三卷第 122 行注。关于木马破城的故事，另参考第八卷第 499—520 行及相关注释。

② 海伦出人意料地在那个时候出现在木马旁边，因此“必是受某位神灵催促”。荷马的世界里基本上不存在意外，一切凡人料想不到或突发的偶然事件都是神意驱使使然。当然，荷马沿用了世代相传的表述方法和形式，而受神驱使一类的表述在当时可能已带有某些套话的色彩。今天的学者们（包括专门研究荷马史诗的专家们）已很难确切考证荷马对程式化用语的确信程度。荷马是史诗（epos）的集大成者，但不是它的首创者。他的得之于前辈诗人的遗产中，无疑包括一大批经久沿用的程式化（或“行业化”）用语以及它们所包含的荷马本人完全赞同、部分赞同和或许不愿意赞同的观点。史诗人物的头脑（或心智）里当然存留着原始思维的残余。列维—布留尔教授以翔实的第一手资料论证了原始思维里不存在偶然或偶发事件的观点（参阅《原始思维》，丁由译，商务印书馆，第 358—373 页）。非洲、美洲和澳大利亚的土著居民们可用最原始的方法解释不可思议的古怪问题。“受过教育的欧洲人，对于人变为鱼和蜥蜴的故事，一定会感到是颇念空想的；但是这样奇怪的事情，对于粗野的明科彼人的宇宙观恐怕是极其自然的。”（格罗塞《艺术的起源》，蔡慕晖译，商务印书馆，第 191 页）比之他们的见解，荷马的观点或许要略微“先进”一些。至少，他“系统地”承认了人的作用，而他的“双重动因论”（参考本卷第 145 和 261 行注）也在一定程度上减轻了神的责任，为他（她）们介入凡人的生活和争斗提供了理性可以“屈尊”解释的理由（或合理性）。

③ 特洛伊老王普里阿摩斯之子，另见第八卷第 518 行。

④ 即希腊人，也作阿开亚人和阿耳吉维人（见第 279 行）。参考第 258 行注。

⑤ 即狄俄墨得斯（见第 282 行）。

均在人群里蹲坐，听闻你的呼啸，
狄俄墨得斯和我跃起，都想
出去，要不就在里面应答你的尖叫，
但奥德修斯拖回我们，拦住，尽管我俩急迫。
如此，阿开亚人的儿子们全都静悄，
只有一人，安提克洛斯，急于回答，想要，
奥德修斯强掩他的嘴巴，凶暴，抓住他，
用粗壮的双手，由此救下全体阿开亚人的性命，
直到帕拉斯·雅典娜把你从我们身边带跑①。”

其时，聪颖的忒勒马科斯对他答道：
“阿特柔斯之子，宙斯哺育的墨奈劳斯，民众的率导，
如此更加糟糕，这一切都不能替他挡离
凄苦的死亡，哪怕他的心灵有铁的牢靠②。
好了，请送我们上床，此刻，以便

---

① 海伦和墨奈劳斯都对奥德修斯大加赞赏，但海伦的侧重点在奥德修斯的机智，而墨奈劳斯着重强调的则是他的坚忍。坚忍构成了奥德修斯性格中的一个重要方面。但是，智者千虑，必有一失。我们即将看到奥德修斯不够坚忍（甚至显得鲁莽）的一面（参阅第九卷第 491—505 行）。关于帕拉斯，参考第一卷第 125 行注。

② 古希腊社会（包括小亚细亚的希腊人移民点）已在公元前 1000 年左右进入了铁器时代。荷马生活在铁器时代，但他描述的英雄们却生活在更早的青铜器时代（所以他们使用青铜兵器）。从荷马多次用铁作喻（另见第五卷第 191 行、第十二卷第 280 行和第二十三卷第 172 行）这一点来看，铁器的使用在当时（即荷马创编史诗的年代）已相当普遍。铁比青铜坚硬，矿源亦似比铜和锡丰富。另参考第一卷第 184 行注和第 204 行注。“心灵”原文作 kradie（参考本卷第 260 行及第 261 行注）。《奥德赛》里可作“心”或“心灵”解的词汇众多（细读第二十卷第 41 行注），含义上的差别细腻、微妙，虽然有时亦可作同义或近义解释。关于“心”族词汇的词义差别，参考第七卷第 42 行、第十卷第 492 行、第十一卷第 220 行、第十二卷第 414 行、第十六卷第 275 行、第十八卷第 331 行、第二十卷第 41 行、第二十一卷第 247 行和第二十三卷第 14 行等行次的注释。

让我们享受熟眠的甜美，好好睡上一觉。”

他言罢，阿耳戈斯的海伦吩咐侍女们
在门廊里整备床铺，抖开厚实、
紫红色的垫褥，用床毯罩覆，
铺上羊毛曲卷的披袍，作为盖物，
女仆们手举火把，从厅里走入，
备好睡床，信使领着客人步出。
壮士忒勒马科斯和奈斯托耳光荣的儿子
在厅堂外的床铺就寝，在门廊下睡着，
而阿特柔斯之子则入睡高大宫居的里屋，
身边躺着女人中的姣杰，裙袍长垂的海伦[①]。

当早起的黎明重现天际，手指玫瑰嫣红，
啸吼战场的墨奈劳斯起身离床，
穿上衣服，肩挎锋快的劈剑，
绑好精美的条鞋，在闪亮的脚面系缚，
走出房门进发，看来像似天神[②]，
在忒勒马科斯身边入座，叫着他的名字，说话称呼：
“何事，哦，壮士[③] 忒勒马科斯，把你带到此地，
来到闪亮的拉凯代蒙，跨越大海宽阔的脊背穿渡？
是公干还是私事？不妨真实地对我讲述。”

---

① 相似的描述见第七卷第 335—347 行。关于整备床铺，参考《伊利亚特》第九卷第 658—662 行和第二十四卷第 643—648 行。比较《奥德赛》第三卷第 397—403 行和第二十三卷第 288—294 行。

② 关于穿戴(武装)的程式，比较第二卷第 1—5 行及第二十卷第 124—127 行。

③ heros，“勇士”、“壮士”(另见第 20 行)、“英雄”(第 422 行)。参考《伊利亚特》第六卷第 61 行及该行注。

其时，聪颖的忒勒马科斯对他答道：
“宙斯哺育的墨奈劳斯，阿特柔斯的儿男，民众的率导，
我来探询家父的消息，不知你是否能够说告，
我的家院正被人吞蚀，肥沃的农地已被毁掉，
满屋子可恨的人们，无休止地
宰杀腿步蹒跚的弯角壮牛和群挤的羊羔，
求婚者们追逼我的娘亲，骄蛮，横行霸道。
所以，我来到你的膝前[①]，现在，或许
你愿告诉我他悲苦的死难，无论是你
亲眼所见，或从别人的传闻里听说，后者
也曾浪迹海外。他的母亲生他，此生悲哀。
不要舒缓惨烈，出于对我的怜悯或是敬待——
不，告诉我真相，讲说你所目睹的一切。
求你了，倘若高贵的奥德修斯，我的亲爹，
曾用话语或行动帮助[②]，对你，并使之实现，
在特洛伊人的土地，你等阿开亚人曾在那里受难。
追想这些，好吗，对我真实地讲述一遍。”

带着极大的愤烦，金发的墨奈劳斯对他答言：

① 换言之：现在，我向你请求（参考第六卷第149行和第147行注）。第322—331行同第三卷第92—101行。参考相关注释。

② 为了替墨奈劳斯争回面子，奥德修斯征战特洛伊（比较阿基琉斯的抱怨，详见《伊利亚特》第一卷第152—160行），出谋划策，喋血十年，最后又在木马破城的战役中建立奇功——倘若论功行赏，他的战绩当不在阿基琉斯之下。此外，据荷马“记载”，为了要回海伦，奥德修斯曾与墨奈劳斯一同于战前船渡汪洋，出使特洛伊（该史诗第三卷第205—206行）。仅此一项，恐怕就不容易。难怪墨奈劳斯会带着超乎寻常的激动心情说话（参考本卷第171—180行及相关注释）。比较墨奈劳斯对安提洛科斯的谅解（详见《伊利亚特》第二十三卷第606—611行）。

“可耻,咳!一群懦夫竟然妄想
躺在他的床上!此人勇敢、强健。
犹如一头母鹿,将初生、尚未断奶的
幼崽带到猛狮的窝巢,让它们睡眠,
出走,漫游在山坡和谷地之间,
采食草鲜,不料兽狮回返巢穴,
给两只小鹿带去残暴,毁败[1];
同此,奥德修斯将实施凶暴,给他们致送毁难。
哦,父亲宙斯,阿波罗,雅典娜!愿他
像过去一样,在城垣坚固的莱斯波斯
挺身打斗,与菲洛墨雷得斯角力,
把他狠狠地摔在地上,使所有的阿开亚人欢畅。
但愿奥德修斯,如此豪强,出现在求婚者中央,
如此,他们全都将找见死的暴捷,婚姻的悲伤[2]!
至于你的问话,对我的求央,我既不会
回避,含糊作答,也不会骗你欺诓——
我会转述从不出错的海洋长者[3] 的说告,
和盘倒出,毫无保留,绝不隐藏。

---

① 《奥德赛》里首次出现的有情节的明喻。在这里,狮子“对等”奥德修斯,小鹿“对等”求婚人,狮子一样的奥德修斯将“实施凶暴,给他们致送毁难”。荷马史诗里的许多明喻有自己的情节,其中的有些内容独立于作比或被比的人或事物。比如,在这个明喻里,母鹿就没有明确的所指,它的出现只是作为小鹿的母亲。明喻一旦“发展”起来了,就有自己一定程度上的独立性,无须完全受制于故事情节的约束。关于明喻,另参考第六卷第 130 行注、第八卷第 530 行注、第十卷第 414 行注、第十三卷第 34 行注和第十九卷第 114 行注等处。另比较第九卷第 323 行注和第十九卷第 392 行注。

② 比较第一卷第 255—266 行。第 345—346 行同第一卷第 265—266 行。

③ 即海洋老人普罗丢斯(见第 365 行)。

"那时,神明仍将我拘困埃及[①],尽管我
急于还乡,只因没给他们举办全盛的牲祭奠享;
神明希望凡人听从他们的指令,总是那样。
大海里有一座岛屿,顶着冲刷的激浪,
面对埃及,人称法罗斯,远离海岸[②],
抵达需要深旷的船舟一整天续航,
当啸喊的顺风刮起,从后面送爽。
那里有一个港口,落锚的好地方,水手们
汲取黯淡的用水,从那儿将匀称的舟船推入海洋。
神明把我留住,耽搁了二十天时光,疾风不吹,
不在海面荡漾,船儿赖其
推动,在大海宽阔的脊背上开航。
其时,粮食将会罄尽,人们会失去力量,
倘若无有一位神灵怜悯,对我救助当场。
多亏埃多塞娅,强健的普罗丢斯、海洋长者的
女郎,是我的窘境深深打动了她的心房,
当她与我邂逅,其时正独自漫步,走离我的群帮。
伙伴们总在岛上游荡,设法钓鱼,

① 比较第 477 行。墨奈劳斯承接奈斯托耳的叙述(见第三卷第 300 行),继续讲说他在埃及的经历。《奥德赛》里颇多此类"回闪"(或故事中的故事),显示了作者把握叙事程序和穿插编排故事内容的能力。另参阅本卷第 491—537 行和第九至十二卷里奥德修斯的叙述。关于当事人的叙述,参考本卷第 240 行注。

② 事实上,法罗斯距离海岸不到一英里。诗人头脑中地理概念的模糊由此可见一斑。另参考第 126 和 228 行及相关注释。

用弯卷的钩爪,受逼于辘辘的饥肠[①]。
她走来站立我的身旁,对我启齿说讲:
‘你是心智恍惚,我说陌生人,原本是个傻瓜,
还是打算放弃,乐于遭受苦难?
瞧,你已被长期拘困海岛,找不出解脱的
办法,而伙伴们亦已情绪低落,心情沮丧。’

“她言罢,我开口答话,说讲:
‘如此,我会作答,无论你是哪位女神仙家,
我并非自愿滞留,必定是冒犯了
某些长生者,辽阔的天空由他们拥掌。
告诉我,因为神祇无所不察,
是哪位长生者困我此地,阻止我的归航,
告诉我如何返家,行驶在鱼群游聚的汪洋[②]。’

“我言罢,她,丰美的女神当即答讲:
‘好吧,陌生人,我会让你明白一切,准确回答。

---

① 诗人相信,史诗人物只有在受饥饿逼迫时才会不得以食鱼(另见第十二卷第331—332行)——英雄们的食物应是与他们的豪情和壮举配称的烤肉(柏拉图无疑倾向于赞同这一点,参阅《国家篇》第二卷404B—C)。然而,有证据表明,生活在慕凯奈(即迈锡尼)时代的人们不仅吃鱼,而且消费的数量很大。从文本内容来看,史诗里颇多捕鱼的明喻(参阅《奥德赛》第五卷第432—433行、第十卷第124行、第十二卷第251—254行、第二十二卷第384—388行、《伊利亚特》第五卷第487行和第二十四卷第80—82行),从一个侧面表明了当时的生活现实。此外,在非直接表述(即不明说人们食鱼)的情况下,诗人会在赞颂美好生活时,间接地表明鱼鲜和麦子(人是吃食面粮的凡胎)、水果及羊肉一样,是构成人们日常餐食的部分。“生活昌盛”的标志之一是“鱼儿丰产海中”(详见本书第十九卷第109—114行)。显然,诗人在对英雄时代的构思中掺入了自己的想象,在参考民间传闻的同时参与了对英雄生活和古代社会的主观构想。参考第十二卷第254行注和《伊利亚特》第十六卷第408行注。

② 第379—381行同第468—470行。另见第390行。

从不出错的海洋长者出没在这块地方，
埃及的普罗丢斯[1]，永生，熟知海底的
每一处坑洼，波塞冬的下属仆帮；
人们说他乃我的父亲，把我生养。
倘若你能卧躺埋伏，将他逮下，
他会告诉你一路的去程，途经的地方，
告诉你如何返家，行驶在鱼群游聚的汪洋。
他还会说讲，卓著的人啊，倘若你有这个愿望，
告诉你何样的善恶已在你的宫里做下，
当你询访在外，经历冗长、艰难的远航。’

“她言罢，我开口说话，答讲：
‘明告我如何伏等神圣的老者，
以恐他先见于我，警惕，回避躲藏。
此事困难，要一个凡人制服仙家。’

“我言罢，她，丰美的女神当即答讲：
‘好吧，陌生人，我会让你明白一切，准确回答。
当太阳爬升，及至中天的时光，
从不出错的海之长者会从水中出来，
从劲吹的西风底下，离开乌黑水涡的掩藏。
出来后，他将睡觉，在深旷的岩洞里息躺，
四下里海豹成群结队，大海秀美女儿[2] 的育养，

① 海洋长者（即海洋老人）的名字在此为普罗丢斯（关于名称的由来，参考希罗多德的《历史》第二卷 112—116），在别处则另有他名。参看第一卷第 72 行及该行注。

② “大海的女儿”在《伊利亚特》第二十卷第 207 行里为阿基琉斯的母亲塞提斯的饰词，在此或许另有所指。

蜷缩着睡觉，当它们钻出海水的灰蓝，
呼喘深海苦涩的腥味，甚强。
我会把你带往，当黎明显现，把你们的
埋伏安排妥当；你要从伙伴中挑选
三位，凳板坚固的船边他们最佳。
我要告诉你这位老人的全部伎俩，眼下。
首先，他会遍巡海豹，一一计点，
看视完毕，把它们五个一拨数完，
他会居中躺倒，像牧人置身羊群中央。
接着，一旦眼见他屈身息躺，
你们要立刻行动，展示你等的力气阳刚，
紧紧抓住，任凭他奋力挣扎，试图逃亡。
他会变幻形象，各种生灵，
行走在地上，变成流水和神奇的火花——
你们必须死死抓住，用更大的力气摁压。
不过，当他最终询问，对你发话，
恢复原形，如你们初见他躺下时那样，
其时，英雄[①]，你要松手放他，动问
长者是哪位神灵对你怒发，问他
如何回返，行驶在鱼群游聚的汪洋。'

"她跃入汹涌的水浪，言罢。
其时，我走回驻地，海船在沙滩上停扎，
心绪颠腾，伴随抬动的脚丫。
当我回到停船的沙滩，我们动手

---

① 参考第 312 行注。

做好晚餐，神圣的黑夜[①] 降临，
我们睡觉躺下，枕着海岸。
当早起的黎明垂着玫瑰红的手指显现[②]，
我行进在宽阔大海的滩头，
对神明祈祷再三，带着三名伴友，
无论操做何事，他们最受我的信赖。

“与此同时，女神潜入大海宽深的水浪，
从水底带回四领海豹的皮张，
全系新近剥下，用以蒙骗她的老爸，
她在海滩上挖出四个沙坑，坐着
等待，我等走近，近临她的身旁。
她让我们依次躺入沙坑，给每人铺掩一领皮张。
那是一次最难忍的捕伏，腥臭的
怪味窒迷我们，来自咸水喂养的海豹身上。
谁愿和海水生养的魔怪睡躺？
幸好有她亲自救助，设想绝妙的办法，
带来安伯罗西亚[③]，涂抹在每个人的鼻下，
飘起浓郁的香味，将怪兽的臭气一扫而光。
我们伏等了一整个上午，用心忍盼，

---

① 黑夜可以是一位女神(参考《伊利亚特》第十四卷第259—262行)，正如themis一样(参考本书第二卷第69行及该行注)，尽管这不是诗人称其为“神圣的”非此莫属的理由。参看第七卷第283行注和本卷第445行注。

② 程式化诗句。比较第425—431行和第570—576行，其中有的诗行完全相同，有的则程度不等地大致相似。

③ 一种多功能的神物，参考第五卷第93行注。安伯罗西亚既为神物，自然便是神圣的(或安伯罗西亚的)。所以，黑夜是“安伯罗西亚的”，也就是“神圣的”(参考本卷第429行)。

海豹们集群爬出水面，登岸后
成排息躺睡觉，沿着海滩。
中午，长者钻出水面，眼见肥壮的
海豹，巡视他们，清点一番，
过程中最先计点我们，心中对谋诈全无
察觉，完事后他亦屈身息躺。
我们大叫一声，对他冲上，将他
箍在怀里，但长者没忘他的变术勾当。
首先，他变作一头虬须满面的狮子，
继而变作长蛇，接着是花豹，一头野猪硕大，
他幻变流水滚滚，变作大树，枝叶繁茂高扬，
但我们心志坚忍，将他紧紧揪住不放。
当狡诈多变的长者累得发慌，
于是开口询问，对我发话：
‘是哪位神明，阿特柔斯的儿郎[①]，告诫你
将我伏击，违背我的意愿？你想要什么，可讲。’

“他言罢，我开口说话，讲答：
‘你知道，老人家，为何回避，对我问话？
瞧，我已被长期拘困海岛，找不出解脱的
办法，眼下情绪低落，心情沮丧[②]。
告诉我，因为神祇无所不察，
是哪位长生者困我此地，阻止我的归航，

① 普罗丢斯无须动问，便知来者是墨奈劳斯。同样，忒拜先知泰瑞西阿斯未及询问，便知“我为谁人”(第十一卷第 91—92 行)。比较第十卷第 277—281 行。

② 比较第 373—374 行。

告诉我如何返家，行驶在鱼群游聚的汪洋[1]。'

"我言罢，他当即说话，答讲：
'你早该举办宴祭盛大[2]，给宙斯和列位
永生的仙家，然后登上船板，才能以最快的
速度驶过酒蓝色的大海，回抵国邦。
这不是你的命运，现时眼见你的同胞，
回返你营造精固的家居，回抵故乡。
你要先行返航，返回埃及的水路[3]，
宙斯泼降的河水[4]悠长，完成神圣、盛大的献祭，
尊褒永生的神明，辽阔的天空由他们拥掌。
如此，诸神才会给你日夜企盼的归航。'

"听他言罢，我的内心碎断，
因他命我返回迷蒙的水路，
回抵埃及，一次艰难、冗长的远航。
但尽管如此，我对他说话，回答：

---

① 第468—470行同第379—381行。"鱼群游聚的"是大海的常见饰词之一。

② 参考第352行。另参考奈斯托耳的讲述（第三卷第141—146行）。普罗丢斯并没有直接回答墨奈劳斯的问话（也没有明确告诉他该如何返家）。比较泰瑞西阿斯对奥德修斯的"开讲"（详见第十一卷第91行以下）。卜者通神，难免或应该保留某种谲秘莫测的"神"性，说话也倾向于含蓄、模糊，倾向于有所保留，不把一切明白无误地道出。普罗丢斯不是严格意义上的先知（或卜者），但他是"埃及的"（本卷第385行），属于那片生产各种灵丹妙药和蕴含各种神秘事物的地域。参考第492—493行。

③ 指尼罗河，荷马称之为埃古普托斯河（这里译作"埃及的水路"），赫西俄德始称之为Neilos（《神谱》第338行）。另见本卷第581行和第十四卷第258行（同第十七卷第427行）。对尼罗河流域的境况，荷马只是粗知一些传闻。

④ 或"降自宙斯（即天上）的河水"（因此可作"神圣的"解），实意为落雨汇成的水流。

‘这一切我都会做，老人家，按你说的办。
来吧，告诉我此事，要准确地开讲。
那些被我和奈斯托耳留在后面的阿开亚人
可已全部回返，乘船离开特洛伊，无有伤亡——
抑或，他们中有人悲惨地死去，在船上
或在朋友的怀里，了结了那场冲杀[①]？’

“我言罢，他当即说话，回答：
‘为何问我这个，阿特柔斯的儿郎？你不应
了解，也不该询知我的心肠。你会随之
流泪，我想，当你听过全部说讲。
他们中许多人死了，许多人存活世上，
身披铜甲的阿开亚人中，唯有两位首领
卒于归航。至于战斗，你本人就在当场。
有一人仍然活着[②]，在浩渺大海的某个地方。

“‘埃阿斯[③] 死了，连同他带长桨的海船覆亡。
起先，波塞冬把他驱往古莱的巨岩[④]
挺拔，以后又从激浪里救他，
而埃阿斯可能躲避死难，尽管遭恨于雅典娜，

① 第 490 行同第一卷第 238 行和第十四卷第 368 行。

② 指奥德修斯(另见第 551—560 行)。参考第 535 行注。

③ 指小埃阿斯，俄伊琉斯之子，洛克里亚人的首领。此人生性鲁莽倔犟(参阅《伊利亚特》第二十三卷第 473—489 行)。很可能主要是出于对他的错恶的愤恨，雅典娜决意使阿开亚人遭殃(本书第一卷第 326—327 行，参考该卷第 327 行注)。

④ 关于古莱石岩(原文用复数)的确切位置自古便有不同的推测，一说在小岛慕克诺斯，一说在德洛斯(参见第六卷第 162 行注)以北的忒诺斯。有的古代学者认为，欧波亚东南角一带应为古莱石岩的耸立之处。

要不是心里错乱，出言不逊迷狂，
自称逃出深广的海湾，不在乎神的意愿[①]。
波塞冬听闻他的吹擂，放胆说话，
当即伸出粗壮的大手，抓起三叉长戟，
对着古莱石岩击撞，破开它的峰面，
一部兀立原地，一块溅劈水浪，
埃阿斯息坐胡言乱语的地方，
将他砸入波滔，翻滚在无际的海洋。
就这样，埃阿斯死了，吞咽咸涩的水汤。
你的兄长脱险，躲过死之精魂的追赶，
带着他的海船，得益于女王赫拉的救帮。
然而，当他近抵马勒亚峭壁兀悬[②]，
一阵风暴将他扫离航线，裹卷，抛向

① 埃阿斯讲的是实话。用今天的眼光来看，阿开亚人的归航完全靠的是自己（即人的）智慧、毅力和胆量。然而，在那个时代，史诗人物却不能总是讲说真话（尤其是涉及神的问题和神与人的关系时更是这样），否则便会被认为是“出言不逊迷狂”。讲真话不难，难的是构建一种能够容纳并正确评估它的氛围。当然，作为一个生活在古代的勇士，埃阿斯既不会有这样的心智，也不可能有这样的意识，有针对性地宣传人本主义和无神论思想。他的吹擂受骄横的驱纵，反映了他的狂妄。在荷马看来，凡人不应贪天之功据为己有，不应以人的有限智慧和力量与神祇比攀（参考墨奈劳斯的明智，见本卷第 78 行）。挑战神明，蔑视他们的权威，是 hubris（参考第十一卷第 582 行注）的一种表现形式，其结果会触犯神灵，引来他们的报复，使当事者受到严厉的惩罚。

② 马勒亚位于伯罗奔尼撒南端。阿伽门农从特洛伊返航回家（在迈锡尼，即慕凯奈）无须舍近求远，绕过马勒亚。或许，我们应该考虑风暴的因素，但更有说服力的解释或许是某些诗行的失落或后人在此（凭借其他说法）做出的减删。关于阿伽门农和其他英雄的回归，古代必定存在多种同样流行的传闻（考德威尔的观点或许是对的：神话没有权威的“文本”）。后代诗人和校编家们会根据自己的理解和对某种流行说法的偏好，改动和“纠正”荷马文本中的某些提法。当然，在处理诸如此类的问题时，我们不应在寻求别的解释的同时，忽略荷马对地理概念的模糊认识以及史诗不是严格意义上的历史，因此可以（有时甚至必须）容纳某些不近情理之事（亚里士多德或许会赞同这一观点）这样的只有在研究文学作品时才必须予以承认的“事实”。

鱼群游聚的大海，任凭他高声吟叹，
落脚陆基边沿，苏厄斯忒斯的家乡，从前，
如今埃吉索斯在那里居家，苏厄斯忒斯的儿男[①]。
然而即便在那儿，顺达的归还仍在昭显，
神明改变风向，使他们回抵乡园。
阿伽门农兴高采烈，脚踏故乡的地面，
抓起泥土，亲吻，滚烫的眼泪暴涌[②]
下来，又回亲爱的故乡，重见。
然而，一名暗哨见他，从他的视点，埃吉索斯
狡诈，把他派往那边，哨守，许下
两塔兰同黄金[③] 回报，此人已监视整整一年，
以防阿伽门农走过，不被看见，心知他的莽烈。
此人见状跑向民众的牧者，他的家院，
埃吉索斯当即谋设对策，阴险。
他从本地选出二十名最好的人员，
埋伏起来，命嘱备妥盛宴，然后
赶去迎接民众的牧者阿伽门农回还，
带着驭马车辆，把可耻的目的暗怀。
如此，他把归者引向死亡，全无察觉，宴请，
杀他在宴席之间，像有人砍杀公牛，在食槽旁边[④]。

---

① 换言之，阿伽门农登陆埃吉索斯的属地并在后者的家里，而非在他自己的家中（像后世悲剧诗人所描述的那样）被杀（参看第 534—535 行和第十一卷第 410—411 行）。细品该卷第 431 行对“归家”的提及。参读本卷第 514 行注。

② 比较第五卷第 463 行和第十三卷第 354 行。

③ 关于“塔兰同”，参考第 129 行注。

④ 另见第十一卷第 409—411 行。埃阿斯和阿伽门农乃本卷第 496—497 行提及的死于归航（及返家“过程”中）的两位阿开亚主将。相信阿伽门农身边会有几位副手（也是将领），亦被埃吉索斯及其手下的人员击杀（准确地说，除埃吉索斯外，双方人员最后同归于尽，参见第 536—537 行）。

阿伽门农的随从无一幸免，
埃吉索斯的派员亦然，全都拼死在宫殿[1]。'

"听他言罢，我的内心碎裂，
坐在沙地上哭喊，心里不再愿想
存活，不想再见太阳的光线。
当我哭够痛快[2]，在沙滩上滚翻[3]，
从不出错的海洋长者对我开言：
'够了，阿特柔斯的儿男，不要哭个没完，
我不知此举能助你哪般。不如争取
尽快，动身，返回你的故园。
你或许会发现埃吉索斯仍然活着，或许奥瑞斯忒斯
已经下手，比你抢先，你会碰见他的葬埋[4]。'
他言罢，我的心灵和高傲的精魂
酥软在胸腔里面，尽管着实悲哀，
对他说话，吐送长了翅膀的语言：
'我知晓这些。能否告诉我那第三个人遭难，
此人仍然活着，被困阻在浩渺的大海，
抑或已经死了——虽说悲苦，我愿听你讲来。'

---

① 阿伽门农的随从进行了奋勇的抵抗，最后与对手同归于尽。比较第十一卷第412—413行里与此不甚协调的描述。

② 参考第十五卷第400行注等处。

③ 这使我们想到柏拉图对荷马的批评，指责史诗英雄们放纵激情，缺少应有的自制能力(参阅《国家篇》第二卷388A)。柏拉图的批评并非没有道理。

④ 这或许是一种人为的巧合，但墨奈劳斯确实在举办葬礼的那天抵达，"驶进港口"(详见第三卷第306—311行)。参考本卷第584—585行。在普罗丢斯列举的两种情况中，后一种属实(参考并比较第十七卷第237行注)。

“我说罢，他当即发话，答言：
‘那是莱耳忒斯之子，在伊萨卡建立家院，
我见他在一座岛上，滴淌滚圆的泪珠，
在女仙卡鲁普索的宫殿，后者强行
留他，使他不能回抵乡园，
手头既无海船，又无随行的伙伴，
偕他跨越大海宽阔的背肩。
至于你，宙斯哺育的墨奈劳斯，神明却无意
让你死去，在马草丰肥的阿耳戈斯终结——
长生者将把你送往厄鲁西亚平原[①]，
位于大地的极限，金发的拉达门苏斯[②]居住那边，
凡人的生活啊，在那里最为安闲，
既无飞雪，也没有寒冬和雨水，
只有不断的徐风，拂自俄刻阿诺斯[③]的浪卷，
轻捷的西风吹送，悦爽人的情怀，

① 厄鲁西亚像似后世教徒心目中的天堂，是一片安详和充满温馨的极乐世界[参见第564—568行；比较诗人对奥林波斯山景及天气状况的描述（第六卷第42—45行）]。品达为厄鲁西亚的“美景”增添了荷马在此没有提及的竖琴（亦即歌舞，参考片断114第5行）。注意普罗丢斯只称奥德修斯仍然活着，却没有说他即将归返（参考本卷第472行注）。

② 据传乃宙斯和欧罗巴之子。作为死者的判官，此君多次出现在柏拉图的“对话”里（详见《申辩篇》41A、《高耳吉亚篇》523E以下和《法律篇》第一卷625A等处）。

③ 参考第十一卷第639行。

因为你是海伦的丈夫，因此也是宙斯的婿男[①]。'

"言罢，他跃入汹涌的大海，
而我则返回自己的航船，神样的伙伴们
与我同行，伴随走动的脚步，心绪腾颠。
当回到停船的沙滩，我们动手
做好晚餐，神圣的黑夜降临，
我们睡觉躺下，枕着海岸。
当早起的黎明垂着玫瑰红的手指显现[②]，
我们把船只拖下闪亮的大海，首先，
在匀称的海船上竖起桅杆，挂上风帆，
然后大家坐入桨位，上船，
依次坐好，荡桨拍打灰蓝色的海面。
我们驶回埃及的水域，宙斯泼降的河水，
我停船滩头，举办全盛的牲祭[③]。
当平息了永生神明的怒气，
我为阿伽门农堆垒坟茔，使他的英名永存不灭[④]。

① 墨奈劳斯将在厄鲁西亚继续实质性的存在。换言之，他将继续享有自己的心智和血肉之躯，而非像别的英雄那样死后坠入哀地斯，只能以虚影的形式幻存。对于凡人，这是一种极为特殊和罕见的安排。墨奈劳斯能够得享这一福分，并非因为谋略超群或战功卓著，亦非就个人的其他能力而言，他有别人不可企及的绝顶之处——理由只有一条，而且很简单，那就是他是海伦的丈夫，因此是宙斯的"乘龙快婿"。由此看来，在古代史诗里已有"走后门"的问题(尽管这不是墨奈劳斯通过请客送礼得来的好处，尽管这也不是一条可以推而广之的"普遍规律"。比如，萨耳裴冬是宙斯之子，但死后却未能得到进入厄鲁西亚平原的殊荣)。

② 比较第 425—431 行。

③ 比较第 477—478 行。"全盛的牲祭"即 hekatombe(参见第三卷第 144 行注)。

④ 参考第二十四卷第 33、198 行注。比较《伊利亚特》第七卷第 87—91 行。关于埋葬，参考本书第十一卷第 26 行注。

我登船上路，一切做毕，长生者送来
顺风，将我带回亲爱的故园，速度快捷。
这样吧，现在，你就留在我的宫殿，
直到第十一或第十二个白天临来，
然后我会送你上路，归返，给你光荣的礼物，
三匹驭马[①] 和一辆溜光滑亮的车备，另外
给你一只精美的酒杯，让你对永生的神祇
泼洒祭奠，记住我的好意，终生怀念[②]。”

其时，聪颖的忒勒马科斯对他答话，说起：
“阿特柔斯之子，不要留我长滞这里，
须知我可以在你身边坐上一年，
不思家乡双亲，始终满意。
此番快感神奇，听你讲说故事，显示话语的
魅力[③]，但眼下我的伙伴们已在神圣的
普洛斯焦躁，而你却要我再留此地。
你要给我的礼物最好是能被收藏的东西；
我不会回返伊萨卡，带着马匹，而会把它们
留在这儿，让你高兴——你拥有
广阔的草场，有遍地的三叶草和良姜，种植

① 其中两匹带轭拉车，另一匹相对“闲置”，走在一边拉套。比较《伊利亚特》第十六卷第145—154和462—475行。

② 比较第八卷第431行。礼物是友情的寄托，客谊的象征。

③ 高尔基称语言“有一种感人”的力量，泰戈尔也说语言能展示“生活的魔力”。费尔巴哈称古代的族民为“想象力的孩子”，而语言是“一种充满着神秘的、魔术般的东西”。或许，杜甫的诗句更能传神语言的魅力：笔落惊风雨，诗成泣鬼神。《奥德赛》的作者反复强调语言和故事迷人（或震撼人心）的魅力（细察第239行、第十一卷第333—334行、第十三卷第1—2行和第十七卷第513—521行等处）。参考并比较第一卷第338行注中的相关解释。

小麦,稞麦和雪白、颗粒饱满的大麦长在这里。
伊萨卡无有大片平原,没有草野,
适于饲喂山羊,但景致比牧马的草场更美。
岛屿上均无可供跑马的草场,
有的是临海的坡地,而伊萨卡更是如此,尤为①。"

　　他言罢,啸吼战场的墨奈劳斯微笑,
抚摸着他的手,对他呼唤说起:
"你血统高贵,亲爱的孩子,听你的推理。
不过我有能力,可以改变赠礼。
我将从家藏的礼物中挑选一件最好的,
选那最精美和最受珍视的给你。
我将给你一只瑰美的兑缸,通体
纯银,边圈镶裹黄金,赫法伊斯托斯
的手工,得之于西冬王者、英雄
法伊底摩斯的赠礼,他的家居庇我,值我
归途返家之际。作为礼物,我要把它给你②。"

　　就这样,他俩你来我往谈议,
宴食者们步入神圣王者的宫邸,

---

① 奥德修斯的家乡多山,无有广阔的草场,比不上"马草丰肥"的阿耳戈斯和"出骏马的"特洛伊,但却"适放山羊牛群"。比较雅典娜对伊萨卡的描述(第十三卷第345—351行)。参考忒勒马科斯对车马的推辞(本卷第601—603行)。

② 第613—619行同第十五卷第113—119行。西冬(或西冬尼亚)为腓尼基人的城市(参见第十三卷第286行等处),在古时以工艺的精美闻名(参考《伊利亚特》第六卷第288—290行和第二十三卷第741—745行及第743、744行注),"盛产青铜"(本书第十五卷第425行)。西冬人即为腓尼基人,精贸易。赫法伊斯托斯(本卷第616行)乃匠神。史诗人物相信,人间的许多佳美物品均由此神制作。赫法伊斯托斯曾应塞提斯的请求,为阿基琉斯制作甲械(详见《伊利亚特》第十八卷第468行以下)。

赶着羊儿，搬来浆酒增力[①]，
他们的妻子携来面包，掩着漂亮的头巾。
就这样，他们整备食餐，忙碌在宫里。

　其时，奥德修斯的宫邸前求婚者们
正在嬉耍自娱，或掷镖枪，或投盘饼，
在一块平坦的场地，如前一样放肆无忌；
安提努斯和神样的欧鲁马科斯坐着，
求婚者的首领，他们中最豪勇的雄杰[②]。
弗罗尼俄斯之子诺厄蒙走向安提努斯，
临近，对他说话，提出问题：
“安提努斯，我们到底是有，还是没有主意——
忒勒马科斯何时从多沙的普洛斯返回？
他走了，带去我的海船[③]，我正要用在即，
前往宽广的厄利斯，我有马匹，十二匹
母马放养在那里[④]，哺喂未上轭架的骡崽，
坚毅，我打算驯使一头，将它从畜群带离。”

---

① “增力”，或可解作“与人有益的”。当然，酒也可以醉人，使人送命（参阅第十卷第 551—560 行）。参考第二十一卷第 294 行注。

② 比较第二十一卷第 186—187 行。“神样的”（本卷第 628 行）原文作 theoeides，亦可作“英俊的”“俊美的”解。美貌似乎是贵族们（或王者们）与生俱来的“佳好”，和他们的秉性和所作所为无关。求婚者们尽管做着受到诗人强烈谴责的邪恶之事，却仍然是“俊美的”和“最豪勇的”。诗人显然无意给所有表现美感的词汇（或所有的用例）都涂上道德（即孰好孰坏）的色彩。荷马对“美”的评判常常是中性的。诗人的叙述已从斯巴达转回到了伊萨卡，故事由此在一卷内实现了双向展开的势态（参考亚里士多德《诗学》第十三章 1453a30—33），把忒勒马科斯在斯巴达的活动留给了听众的想象。

③ 见第二卷第 386—387 行。

④ 奥德修斯亦在伊萨卡对面的陆架上拥有畜群（第十四卷第 100—102 行）。

他言罢,众人心里惊奇,尚不知晓王子
已去普洛斯,奈琉斯的城邑,以为他还在近处,
置身羊群,他的牧地,或和他的牧猪人一起。
欧培塞斯之子安提努斯对他说及:
"告诉我真情,他何时出走,哪些年轻人
随他前去?是伊萨卡的精壮,还是他的
帮工和奴隶?他能做到,可以。
告诉我此事,讲实话,使我知晓真情。
他可曾强取黑船,违背你的心意,
或是你自愿给他,当他索要,问你?"

其时,弗罗尼俄斯之子诺厄蒙对他答接:
"我自己给船,愿意。还能有什么别的做法可行,
当一个像他这样的人求问[①],有如此多的烦恼
折磨心灵?难能回拒他呀,不易。
随他同去的年轻人是此间最高贵的一群,
只比我等差些,我还目睹他登船,作为首领,
门托耳,或是一位神明,但在一切方面像极。
对此我感到诧疑,昨天早上我还见着神样的门托耳,
就在此地,而在此之前[②] 他已登船,向普洛斯出离。"

言罢,他迈步父亲的宅邸,
另外两位高傲的心里填满怒气。

---

① 诺厄蒙还算诚实,没有撒谎。但他不知向他要船的并非忒勒马科斯,而是变取忒勒马科斯形貌的雅典娜(参见第二卷第 383—387 行)。

② 即四天前。

他们让求婚的人群坐下，停止比赛，
欧培塞斯之子安提努斯对他们说起，
怒气咻咻，潽溢的愤恼满注在乌黑的心里，
双眼熠熠生光，宛如将燃烧的烈火喷击①：
“哈，这可是件伟烈的事情，忒勒马科斯居然
做成，蛮横地出海航行！他不会成功，我们先前以为②。
一个毛头小伙，蔑视我等众位，拖下
海船，离去，择用此间最出色的男丁。
恶难将由此积聚，开启。愿宙斯在其
未及足长成年之前毁灭他的性命。
这样吧，眼下，给我一条快船，二十位伴侣，
让我监视此人归返，伏等他的来临，
在那狭窄的海域，两边是伊萨卡和萨摩斯③ 的峭壁，
使他的出海寻父成为悲楚的事情。”

他言罢，众人均表同意，催他前往，
各位当即起身，走入奥德修斯的府邸。

裴奈罗佩亦非长久不知，不知
求婚人在内心设谋的诡计，只因
信使墨冬听闻他们谋划，传报给她知悉。
他站立院外，而他们则在里面商议，
听后带着信息走入裴奈罗佩的房居。

---

① 第661—662行同《伊利亚特》第一卷第103—104行。

② 比较第十六卷第346—347行。比较欧厄诺耳之子琉克里托斯的观点（第二卷第255—256行）。

③ 即开法勒尼亚，又名萨墨（参见专名索引）。安提努斯气急败坏，决定伏杀忒勒马科斯。欧鲁克蕾娅对此早有预见（参考第二卷第367行及该行注）。

当他跨过门槛，裴奈罗佩对他说及：
“高傲的求婚人差你过来，有何使命？
是要神样的奥德修斯的女仆们
为他们准备食餐，停下手中的活计？
别再求婚，别再在什么地方聚集，
愿他们吞咽最后的食餐，最后一次咽进。
你等麇聚此地，耗糜许多财物，
聪颖的忒勒马科斯的家积。难道你们没有
听各自的父亲讲说，当你们还在童龄，
奥德修斯乃何样之人，对那些生养你们的双亲，
他从未在国度里做过或说过什么，
有失公平，虽说此乃神圣王者的作为，
憎恨某人，喜好另一个乡邻，
但奥德修斯从不胡来，不会错待任何一位国民①。
你们的用心和不公的行径已昭然若揭②，

---

① 和母亲裴奈罗佩一样，忒勒马科斯也对父亲的“德政”赞不绝口，称他“像一位父亲”(第二卷第 47 和 234 行)，善待国民。另参考该卷第 71—74 和 230—234 行。诗人的倾向性是明确的：作为“民众(或兵士)的牧者”，王者或首领们应该善待自己的国民。荷马史诗里没有出现过以极其残暴的方式(系统地)酷待族民或国民的暴君(除去带有浓厚传说色彩的神秘人物厄开托斯，参考第十八卷第 84—87 行)。另一方面，作为交换，国民应该感谢国王的厚待，铭记他的善意，用忠诚和礼待来回报他的“爱民如子”。然而，求婚人恩将仇报，用丑行回答善举，以此亵渎了善有善报的公德，构成了对史诗社会所推崇的伦理道德观念的破毁。比较诗人对墨兰索“含蓄的”指责(参考第十八卷第 321—326 行及相关注释)。

② 裴奈罗佩怒斥了求婚人的倒行逆施，但提法上似乎把墨冬也归入了“对方”之列(参考第 681、686 和 694 行)。墨冬办事勤勉，善于周旋，颇得求婚人的好感(参考第十七卷第 172—173 行)，但他并没有卖身投靠，背叛奥德修斯家族。参阅第二十二卷第 357—360 行。墨冬此次会见裴奈罗佩的目的，就是为了向她密报求婚人恶谋杀害外出寻父的忒勒马科斯的消息(本卷第 698—702 行)。对此求婚人大概没有想到(参考并比较第 775 行)。

对他过去的善行，你们全无感激之情。”

其时，心智聪颖的墨冬对她说及：
“但愿，我的王后，这是最大的不幸。
然而，求婚者们正谋划另一件更为歹毒
凶险的事情。愿克罗诺斯之子不让它践行。
眼下，他们心想用锋快的青铜把忒勒马科斯
杀害，趁他回家之际。他已外出寻父，去往
神圣的普洛斯和光荣的拉凯代蒙打听消息。”

他言罢，王后双膝酥软，心力消散，
伫立许久，一言不发，眼里噙含
泪水，畅流的嗓音噎塞，出于悲哀[①]。
终于，良久，她开口说话，答言：
“信使，我儿为何离去出访？他无须
登上捷驶的海船，那是凡人
踏海的马车[②]，跨越苍茫的水滩。
难道事必如此，连他的名字也将消失人间？”

其时，心智聪颖的墨冬对她答言：
“我不知是某位神明驱动，还是受他自己的

① 第 704—705 行同《伊利亚特》第十七卷第 695—696 行。

② 参考第十三卷第 81—84 行里类似但有所“发展”的比喻(参考本卷第 339 行注)。把船比作跨海的马车，显示了诗人想象力的奇妙。史诗中的隐喻不如明喻那样“抢眼”，但也同样精彩，妙趣横生。参考第 700 行里以“锋快的青铜”暗喻铜剑的佳例(另见第 743 行)。参考第二卷第 269 行注。比较明喻(similes，参看第五卷第 53 行注、第十九卷第 207 行注和第二十二卷第 306 行注等处)。

心灵催赶[①],要他前往普洛斯,探询父亲的
归还——抑或,已遇会何样的命运安排。”

言罢,他走向奥德修斯的房居,回返;
女主人被一片碎损心魂的悲苦缠卷,无力
下坐椅面,虽然椅子很多,在她的宫内,
而是坐临门槛,置身建造精固的睡房
倒瘫,哭泣,可怜,侍女们全都放声嚎开,
在家居里她的身边,年轻和年老的一般[②]。
裴奈罗佩啼哭不止,对她们开言:
“听我说,亲爱的朋伴,奥林波斯神主给我
痛苦,多于和我同期出生与长大的所有女子同辈。
我痛失丈夫,先前,他有狮子的心肝,
超比所有的达奈人,在一切值得称道的方面,
高贵,声名在整个赫拉斯和阿耳戈斯的腹地传开[③]。
如今,风暴又卷走我的儿男心爱,不留
痕迹,从我的厅院,我不曾听闻他离开。
狠心的你们,竟无有一人记得将我
唤醒床沿,尽管你们的心里早已全都明白,

① 这种不是受神明驱使,便是凡人自己产生某种想法或操办某件重要事项的“模式”颇值得重视。这一模式频繁出现在《奥德赛》里,但在《伊利亚特》中却不见明显的用例。这似乎是“双重动因”(参考第三卷第 27 行注)以外的又一种解释动因的“方式”。另参见第七卷第 263 行、第九卷第 339 行和第十六卷第 356 行。比较第十四卷第 178—179 行。

② 女仆们大概看到女主人哭了,所以也都跟着“嚎开”。《奥德赛》里的正面人物难得一笑。与频繁出现的恸哭相比,墨奈劳斯短暂的一次微笑(第 609 行)委实显得微不足道。

③ 第 724—726 行同第 814—816 行;第 726 行同第一卷第 344 行(关于赫拉斯和阿耳戈斯,参考该行注)。

当他出去，登上乌黑、深旷的海船。
须知倘若让我听闻他在考虑出海，
那么，不是他得留下，哪怕急不可待，
便是他走了，让我死在庭院。
去个人，现在，快把多利俄斯老人[①] 找来，
我的仆人，家父把他给我，在我嫁到此地之前，
替我看管林木众多的果园，让他
找见莱耳忒斯，尽快，告诉一切，下坐他的身边，
兴许能促使织编思考[②]，在他的心间，
出去对那些人抱怨，他们正热衷于
败毁他的种子，神一样的奥德修斯的后代。”

其时，亲爱的保姆欧鲁克蕾娅对她开言：
“处死我，亲爱的夫人，用无情的青铜，
也可让我活在庭院，但我不会不讲，对你隐瞒。
我知晓所有的一切，是的，并给他索要的给养带全，
带去面包和浆酒香甜，但他要我起誓，庄严，
绝不告诉你此事，直到第十二个白天，
亦可当你念想起他来，或听知他已出海，

① 莱耳忒斯的农庄里有一多利俄斯（第二十四卷第 222 行）；此外，不忠诚的牧牛奴墨朗西俄斯和女仆墨兰索的父亲也名多利俄斯（第十七卷第 212 行，第十八卷第 322 行）。这几处的多利俄斯许为一人，但也不能排除某些学者所坚持的设想，即认为《奥德赛》里或许有两位，甚至三位同名多利俄斯的老人。

② 用纺织比喻思考的精细，此类表述亦带有隐喻（或暗喻）的性质。参考第 709 行及该行注。另见第 743 行。

使你不致嘤嘤哭泣,将秀美的皮肤损害[①]。
去吧,盥洗你的脸面,换上干净的裙衫,
去那楼上的居室,带着侍从你的仆伴,
求祷雅典娜,带埃吉斯的宙斯的女孩,
她能拯救你的儿子,甚至救他脱离死难。
不要给痛苦中的老人增添悲哀。幸福的
神祇,我想,还不至于那样痛恨阿耳开西俄斯[②]
的后代;家族中会有一人存活,继承
顶面高耸的房居和远方丰沃的田产。"

她言罢,静息了女主人的愁泣,止阻了悲哀。
她洗毕,穿上干净的衣衫,
走去楼上的居室,领着侍从她的女伴,
篮装大麦,对雅典娜祈祷,开言:
"听我说,阿特鲁托奈[③],带埃吉斯的宙斯的女儿,
倘若足智多谋的奥德修斯曾在宫里祭奠,
对你焚烧母牛或牝羊肥美的腿件,
念想这些,现在,求你了,拯救我亲爱的儿男,
挡开求婚人,挡开他们的邪恶骄蛮。"

---

① 参阅第二卷第 349—355 和 372—376 行。根据文本推断,此时还不到忒勒马科斯离去后的第十二个白天。欧鲁克蕾娅已经破毁自己的誓言。但考虑到裴奈罗佩已知儿子出海寻父的事实,此时实际上已无秘可保,不如痛痛快快地说出来,也好让裴奈罗佩更多地了解相关情况。参考第二卷第 378 行注。

② 莱耳忒斯的父亲,奥德修斯的爷爷(见第十六卷第 118—120 行)。关于阿耳开西俄斯,详见该卷第 118 行注。

③ 为一古旧词汇,确切含义已难以考证。埃斯库罗斯曾提及雅典娜"不知疲倦的腿脚"(《善好者》第 403 行)。参考《伊利亚特》第二卷第 157 行注。诸如此类的用词古旧,其含义或许在荷马生活的年代即已趋于模糊。

言罢,她动情哭嚎[1],女神听闻她的祈祷。
然而,求婚者们作乱幽暗的厅堂,大声喧闹[2],
傲慢的年轻后生中有人这样说道:
"好哇,我等苦苦追求的王后已答应和
我们中的一个婚好,却不知她儿子的死期已到。"

有人会这样说告,不知事情既定的结了。
安提努斯话对众人,对他们说道:
"你们全都疯啦,别再讲说此类豪横的
话语乱七八糟,小心有人进去密报[3]。
来吧,让我们悄然起身,把已经在大家
心里达成共识的计划做完拉倒。"

言罢,他挑出二十名最强健的青壮,
众人行至快船,来到海滩,
首先把航船拖下深邃的大海,
在乌黑的船体上竖起桅杆,挂好风帆,
把船桨套入皮制的索环,
一切准确就绪,升起调整白帆,
高傲的伴从们把他们的武器搬运上船,
他们泊舟海峡深处,然后下来[4],

---

① 或发出表示悲祭的哭喊(ololuge)。参考第三卷第451行注。

② 同第一卷第365行。参考该行注。

③ 总的说来,史诗人物中没有高明的阴谋家。安提努斯并非"杞人忧天"。有人确已向裴奈罗佩禀报了求婚人试图谋杀忒勒马科斯的计划(详见第675行以下),只是安提努斯或许没有想到密报者会是求婚人喜爱的信使墨冬。

④ 比较第八卷第51—55行。程式化或既有的配套用语"定型"着史诗人物生活的方方面面,既为诗人的描述提供了便利,也为听众的理解和评价限定了范围。

等待夜色降临，用过晚餐。

然而，谨慎的裴奈罗佩躺在楼上的
房间，无心用餐，不吃不喝，
一心想着雍贵的儿子，能否躲过死难——
抑或，他将遇害，被骄蛮的求婚人杀断。
像一头狮子[①]，被猎人逼堵，害怕，思绪
纷飞，当他们合拢欺诈的圈围，
她用心思考，就似这般。其时，甜美的睡眠临来，
催她卧倒入睡，把全身的关节松开。

其时，灰眼睛女神雅典娜开始实施下一步计划。
她变出一个形象，酷似裴奈罗佩的姐妹，
伊芙茜梅，心志高昂的伊卡里俄斯的女孩，
欧墨洛斯[②] 的妻子，丈夫居家菲莱。
女神把她送入神样的奥德修斯的家院，
以便劝阻悲啼和忧伤中的裴奈罗佩，
中止她的哀泣，泪水涟涟。
梦影飘进睡房，贴着门栓的皮条入内，

---

① 比较第335—339行中的狮子形象。这回，狮子（喻裴奈罗佩）不是抓捕小鹿，而是被猎人（喻求婚人）逼堵。狮子是诗人喜用的动物（形象），通常被用来作比勇武的男子（见第814行）。把一名文弱的女子比作狮子或许有些不妥，但诗人想要强调的侧重点或许是被逼迫的事实和被逼者此时的无奈与害怕的心情，而非狮子和猎人的确切或合乎情理的所指。参考第十九卷第543行注关于“象征语言”（包括明喻）的解释。另参考第二十卷第15行注。

② 阿德墨托斯和阿尔开斯提斯之子，居家塞萨利亚的菲莱（参看《伊利亚特》第二卷第711—715行）。

站临她的头顶，对她说话开言[①]：
“睡了吗，裴奈罗佩，带着心中的愁哀[②]？
然而，生活舒闲的神祇不愿让你
悲哭愁烦，你的儿子将会回返，
他没有过错，在神明看来。”

其时，谨慎的裴奈罗佩对她答言，
正在梦的门槛，睡得十分香甜[③]：
“为何前来，我的姐妹，现在？你可不是
常客，先前，因为你的居家远离我们这边。
眼下，你要我弃绝悲痛，众多的
悲哀，扰我，在我的心里魂间。

① 梦的活动受神力的支配(事实上，梦幻本身即可以是一位神灵，参考《伊利亚特》第二卷中的相关描述)。所以，在史诗里，睡梦有时不是“内生”的，而是“外来”的，是一种不与人的潜意识直接相关的奇妙现象。比较本书第六卷第20—23行。裴奈罗佩对梦有“精到”的解释(参考第十九卷第560—569行)。

② 比较《伊利亚特》第二卷第23行梦神对阿伽门农的诘问。参考该史诗第二十三卷第69行。

③ 诗人在此假设熟睡中的凡人仍有(对梦幻)答话的能力。或许，随着叙述的展开，裴奈罗佩会由睡眠进入渐醒的状态，直至最后“惊醒过来”(第840行)。梦是“现实”的难以分割的一部分，它与睡眠结合(第809行)，又与清醒交织(第841行)，浑然构成了展示现实的超越单一理智思考的“综合”层面。参考并比较第二十卷第90和94行注。包括卡尔·荣格在内的一些西方心理学家坚信，原始人生活在一个没有“清晰界限”，经常是主客体不分的朦胧的心理状态之中(但列维—斯特劳斯的研究表明，所谓的“野蛮人”具有清醒的科学或分辨意识：比如，大多数格利托人能轻而易举地举出450种植物名称)，他们可以通过进入“神迷”状态或确信梦景和实景一样是现实的一部分而非常自然地跨越“睡”和“醒”(或有意识)的界线。荷马史诗里的人物(包括裴奈罗佩)不是野蛮人，尽管当然也不是以文化“发达”著称并拥有高度科技文明的现代人。史诗人物是介于野蛮人和(现代意义上的)文明人之间的另一种人物群体；他(她)们的心理和梦中的感受不应被不“公正”地长期遗弃在文论家和心理学家的视野之外。

我痛失丈夫，先前，他有狮子的心肝，
超比所有的达奈人，在一切值得称道的方面，
高贵，声名在整个赫拉斯和阿耳戈斯的腹地传开①。
如今，我宠爱的儿子走了，乘坐深旷的海船，
一个无知的男孩，不谙战斗和言谈。
我为他伤悲，甚至超过对那个人男，
为他担心战栗，唯恐发生不测，
在他去往的国度，或在浩渺的大海，
因为恨他的人多，阴谋对他加害，
热衷于杀他，在他回返乡土之前。”

其时，幽暗的梦影对她答话，开言：
“勇敢些，别让你的心灵过多惧畏，
他有那样一位随伴，其他人都愿
祈祷求她站在身边，此神强健，
帕拉斯·雅典娜，怜悯你的悲哀，
是她遣我来临，告诉你如此这般。”

① 第 814—816 行同第 724—726 行。奥德修斯足智多谋，作战勇敢，在他还活着的时候已经享誉海内外。另外，此人多才多艺，裴奈罗佩的评价（第 815 行）并无言过其实之嫌。参考第五卷第 257 行注、第十四卷第 227—228 行及相关注释和第十五卷第 324 行注等处。对于奥德修斯的文韬武略，奈斯托耳和墨奈劳斯均已有过提及（参考第三卷第 122 行注和本卷第 106—107 行）。细读第九卷第 228 行及该行注。

谨慎的裴奈罗佩对她答还[①]：
“如果你确是一位神祇，听过女神的话音
前来，那就告诉我另一位不幸的人儿，
告诉我他仍然活着，得见太阳的光闪，
还是死了，坠入哀地斯的家府，现在。”

其时，幽暗的梦影对她答话，开言：
“至于那个人另外，我不能明告周全，
他是死了，还是活着——讲说空话很坏[②]。”

言罢，她贴着门栓和框柱离开，飘袅，
汇入吹拂的风卷。伊卡里俄斯的女儿
惊醒过来，感觉心里舒坦：
黑暗中临来的梦景如此清晰可见。

---

① 既然梦可以是外来的(参考第803行注)，史诗人物就可以把它当作一种身外之物(或独立于自我以外的第二实体)，与之展开对话。以自我为一方，以梦为另一方，这种认识或许源于初民对梦的不依附于人或人脑的“独立性”(和神秘性)的理解。由此我们可以引申想到，为什么梦是神灵乐于显现和对凡人传送神意(亦即兆示)的“地方”(参考《伊利亚特》第二卷第16行以下)。史诗人物所“信奉”和身体力行地予以实践的原始心理学，甚至还会把他们带得更远，带向在实体范畴上区分人体与心(或心智、心魂)的理解。人死后，命息(thumos，“魂息”“心魂”)从口中呼出；尸体经受火焚后，灵魂(psuche)脱离骨骼，坠入哀地斯的府居(参考本书第十一卷第26和220行注)。thumos和psuche寄存于人体之中，在本质上(尤其是psuche)独立于肉体的存在。所以，杀死一个人，并不等于也同时杀灭了他的psuche。既然心魂(可以)独立于人的肉体，史诗人物就可以“实施”一些配套的举措，包括以“我”(当然，如果通过诗人的口中说出，则变成了“他”或“奥德修斯”等具体的个人)的形式与自己的心魂(thumos和phren)展开讨论(第五卷第365行)，对自己“豪莽的心灵”说话(第五卷第355和407行；参考该卷第298行注)。

② 参考第三卷第20行和该行注。梦影受雅典娜指使(实际上是她自己“变出一个形象”，见本卷第796行)，而雅典娜显然不会在此时告诉裴奈罗佩奥德修斯的生死存亡。第837行同第十一卷第464行。

其时,求婚者们登上舟船,驶向起伏的
海面,心里谋划忒勒马科斯突暴的死难。
海峡的中部有一座山石嶙峋的岛屿,
位居中途,在伊萨卡和峰壁粗皱的萨摩斯之间,
名叫阿斯忒里斯①,不大,但两边均有泊船的
锚点。阿开亚人② 设伏等待,就在那边。

---

① 伊萨卡和开法勒尼亚(即萨摩斯,但确否尚存疑问)之间确有一极小的岛屿,名达斯卡利俄,但地貌似不与荷马描述的阿斯忒里斯相称。忒勒马科斯外出寻父的故事在此告一段落,他的活动将在十个整卷以后的第十五卷里复始续延。

② 指安提努斯及其随员们。

第五卷

其时，黎明起身离床，从高贵的提索诺斯[①]
身边洒出晨光，给神祇，也给凡胎。
众神下坐，商谈[②]，炸雷高天的
宙斯莅临，最强健的神仙。
雅典娜对他们说话，忆想、陈述奥德修斯遭受的许多
苦难，虽然他置身女仙的家里，女神仍然对他关怀：
“父亲宙斯，各位幸福、长生不老的仙家[③]，
从今后，让手握权杖的王者不要
温和慈善，心里别再把公正忖想，
让他永远严厉，做事专横凶霸，
既然他统治的属民中无人怀念
奥德修斯，神明一样，像一位父亲，和善[④]。
现时，他正遭受巨痛折磨，在一处岛滩横躺[⑤]，
在女仙卡鲁普索的宫房，后者强行
留他，使他不能回抵故乡，

---

① 劳墨冬之子，普里阿摩斯的兄弟(《伊利亚特》二十卷第 237 行)。本卷第 1—2 行同《伊利亚特》第十一卷第 1—2 行，比较该史诗第十九卷第 1—2 行。

② 形式上大致等同于人间首领们的聚会商谈(boule)，不同于公众或全军将士的集会(agore)。参考第二卷第 9 行注。

③ 第 7 行同第八卷第 306 行等处。宙斯不仅是雅典娜的亲爹，也是众神和凡人的父亲(参考第一卷第 81 行注)。

④ 第 8—12 行同第二卷第 230—234 行。

⑤ 比较《伊利亚特》第二卷第 721—722 行。参考本书第一卷第 48—59 行。“岛滩”指俄古吉亚岛。

手头既无海船，又无随行的伙伴，
跨越大海宽阔的脊背，偕他[①]。
眼下，又有人决意谋杀此人宠爱的儿郎，
趁他回家的时光。他已外出寻父，去往
神圣的普洛斯和光荣的拉凯代蒙询访[②]。”

其时，汇集云层的宙斯对她答话，说讲：
“这是什么话，我的孩子，崩出了你的齿间？
难道这不是你的心意，你的构想，
让奥德修斯回返，对那些人惩罚[③]？
如此，你可巧妙安排，做到，把忒勒马科斯送回家乡，
使他返回自己的国土，安然无恙，
让求婚者们一无所得，驾船归航。”

言罢，他话对赫耳墨斯，亲爱的儿郎：
“赫耳墨斯，既然作为信使，在其他事上，
去吧，对发辫秀美的女仙传送我们不争的决议，
让心志刚忍的奥德修斯还乡，归途中

① 第14—17行同第四卷第557—560行。

② 不仅普洛斯是“神圣的”，许多其他地域(如普索、莱斯波斯和莱姆诺斯等)亦然。作为一个泛用和“装点”地名的饰词，“神圣的”在此不具特别重要或使被修饰者有别于其他地域的“神圣”意义。拉凯代蒙为伯罗奔尼撒重镇斯巴达的所在地域。“光荣的”为一常用饰词，亦可作“闪亮的”解。除拉凯代蒙外，接受该词修饰的还有厄利斯和阿里斯贝。

③ 参见第一卷第48—62行。参考宙斯的回答(同卷第64—79行)。

既无神灵，亦无会死的凡人导航[1]，
乘用编绑的船筏，吃苦受难，
登临丰肥的斯开里亚，在第二十天上，
在那法伊阿基亚人的国度，宗源与神祇亲旁。
他们会由衷地爱戴，仿佛他是仙家，
送他走船归返，回到亲爱的故乡，
给他大量的青铜、黄金，还有衣裳，
比奥德修斯能从特洛伊争获的还多，
倘若他能归返，无有痛伤，带着战礼，他的分享。
如此，事情注定这样，他将眼见亲朋，
回抵顶面高耸的房居，回抵故乡。”

他言罢，导者阿耳吉丰忒斯不予抗争，
当即将精美的条鞋系连脚跟，
永不败坏，黄金铸成[2]，载着他跨越苍海
和无垠的陆地，快得像似疾风。

---

① 暗示奥德修斯将在很大程度上依靠自己的“力量”回返故乡。但奥德修斯的回归得到神的允诺，而宙斯的允诺（在史诗里）是促使事情成功的最强有力的保障（参考第 41 行）。此外，宙斯的所指或许仅限于从埃阿亚到斯开里亚这段航程，因为法伊阿基亚人将为奥德修斯提供海船并为之配备桨手，把酣睡中的他送抵伊萨卡海滩（详见第十三卷第 113—125 行）。事实上，宙斯已预见到了法伊阿基亚人将给奥德修斯礼物，送他归返家乡（本卷第 36—38 行）。雅典娜在第一卷里即已请求宙斯让赫耳墨斯前往俄古吉亚岛，要卡鲁普索放人（第一卷第 84—87 行）。宙斯此时下令，正式启动了让奥德修斯回家的计划。

② 赫耳墨斯（即阿耳吉丰忒斯，参考第一卷第 38 行注）足蹬安着翅膀的条鞋的形象不见于荷马史诗，可能系后世的“发展”。

他操起节杖[①],用以催眠凡人,弥合他想
合拢的瞳眸,亦可使睡者眼睛开睁[②]。
手握这枝节杖,强健的阿耳吉丰忒斯飞起动身。
他踏临皮厄里亚山脉[③],从晴亮的高空
扑向大海,贴着浪尖疾行,像燕鸥
搏击惊涛,穿飞荒漠大洋的骇浪,
捕食游鱼,在咸水溅起的泡沫里振摇翅膀[④]。
赫耳墨斯跨越伏连的浪水,就像这样。
当抵达那座岛屿,坐落在远方,
他步出深蓝的大海,行走在干实的陆地之上,
前行,来到一个深广的岩洞,美发
女仙的家院,见她正在洞里,眼下。
炉膛里燃烧着一大蓬柴火,劈开的
雪松和松柏飘出清香,弥漫在整座

① 即赫耳墨斯司掌权力的杖杆,亦为显示此神身份的标志(参考第 87 行)。比较雅典娜的枪矛(第一卷第 99—101 行)、波塞冬的三叉戟(第四卷第 505—506 行)和宙斯的埃吉斯(本卷第 103—104 行)。关于"节杖",参考第二卷第 38 行。另见第二十四卷第 1—5 行。

② 第 43—49 行同《伊利亚特》第二十四卷第 339—345 行;第 44—46 行同本书第一卷第 96—98 行。

③ 位于奥林波斯山以北。

④ 本来,作为一个明喻,"像燕鸥搏击惊涛"也就可以表现阿耳吉丰忒斯"飞起动身"的雄姿。然而,诗人意犹未尽,继续引吭海鸟的飞行乃至与"比较"毫不相干的"捕食游鱼"的景状,由此拉长了明喻的篇幅,促成了明喻在"情节"上的完整性。国外的荷马学者们一致认同荷马史诗以语言的古朴和简洁著称,殊不知荷马也有刻意制造"繁复"的时候。描写自然景状的明喻为歌手抒发诗情提供了绝好的机会,它增彩《奥德赛》相对而言更为贴近世俗的故事情节,同时也配合不时出现的荒诞和离奇,共同构勒出史诗绚丽多姿和色彩缤纷的画卷。参考第四卷第 339 行注以及《伊利亚特》里关于明喻的相关注释。比较:"比者,比方于物也;兴者,托事于物。"(郑众《十三经疏注》)刘勰说:"故'比'者,附也;'兴'者,起也……起情,故兴体以立;附理,故比例以生。"(《文心雕龙·比兴》)

岛上。女仙正亮开甜润的嗓门，在洞里歌唱，
来回走动在织机前面，用一只金梭织纺①。
洞穴周围遍长林木，生机盎然，
有桤树、杨树和柏树芬芳，
枝头垒筑它们的窝巢，飞鸟的翅膀修长，
有小猫头鹰②、隼和嘴儿尖长的海鸟，
像似乌鸦，觅食活动在海洋。
深旷岩洞的边口有一片繁茂的
葡萄藤蔓爬，浑熟的果实垂挂，
近处喷涌四眼溪泉，吐出水花晶亮，
成排，挨连，流动朝对不同的方向。
周边铺开成茵的草地，松软，长着欧芹和
紫罗兰，即便是神明，莅临此境，
也会对所见的美景羡赏，心里欢畅；
导者阿耳吉丰忒斯伫立那里，观享。
当心灵饱赏了所有的景象，
他步入岩洞深广，丰美的女神
卡鲁普索认出来者，当时对面，一眼见他，
因为永生的神祇不会不被认出，
相互，即便居家遥远的地方。
赫耳墨斯未见心胸豪莽的奥德修斯置身洞内，
其时他正蹲坐海滩，哭泣，一如往常，
浇泼碎心的眼泪，悲嚎，愁伤，

① 纺织是凡女的主要工作之一。诗家按人的工作"程式"塑造神的形象与日常活动（包括工作和娱乐），此例亦可资证明。不同的是仙女使用金梭（比较赫耳墨斯的金杖，第 45 行），而凡女使用的一般均为木梭。参考第六卷第 92 行注。

② glaux。参考第一卷第 44 行注对"灰眼睛"（雅典娜的饰词）的解释。

睁着泪眼凝视荒漠的海洋[1]。
其时，丰美的女神卡鲁普索对赫耳墨斯问说，
将他让座一把靠椅，明光闪烁：
“手持金杖的赫耳墨斯，为何现时光临，来到？
欢迎你，我所尊爱的客人，以前可不常访造[2]。
说吧，道出你的心衷。我的心灵会催我去做，
只要能够，只要事情可以做到。
进屋吧，随我，让我款待犒劳[3]。”

言罢，女神在他身边摆下一张食桌，堆放
安伯罗西亚[4] 丰绰，兑调鲜红的奈克塔耳[5]，供他饮啜。

---

① 奥德修斯的性格固然坚韧，但似乎爱哭。在诗人看来，恸哭不是件丢人的事情(参考第二卷第 81 行注)。从某种意义上来说，《奥德赛》是一部感伤文学作品，虽然它与风靡于欧洲十八世纪的感伤主义作品(如英国作家斯特恩的《感伤的旅行》等)相比，较为重视悲情的外在表露，而较少对人物的心理和情感变化进行“现实主义”的描述。本卷第 83—84 行同第 157—158 行。

② 比较《伊利亚特》第十八卷第 385—386 行。

③ 第 91 行同《伊利亚特》第十八卷第 387 行。参考本书第一卷第 169 行注和第十六卷第 59 行注等处。

④ ambrosie，神用(或神界)的食物，呈液体或糊状(参考《伊利亚特》第十九卷第 347 行，本书第九卷第 359 行)。安伯罗西亚是一种多功能的神物，可用于抹身防腐(《伊利亚特》第十六卷第 670、680 行和第二十三卷第 186 行)，亦可用于清洗和化妆(同上第十四卷第 170 行、本书第十八卷第 193 行，比较第四卷第 445—446 行)。形容词 ambrosios，意为“安伯罗西亚的”“不朽的”“神圣的”，乃神用器物的属性[如赫耳墨斯的条鞋，是“永不败坏的”(本卷第 45 行)]。参考《伊利亚特》第一卷第 529 行、第五卷第 777 行和第十四卷第 170 行及相关注释。

⑤ nectar。如果说安伯罗西亚是神界的食物，奈克塔耳则是神用的饮料，大致对等凡人饮喝的酒(但奈克塔耳不含酒精)。参考《伊利亚特》第一卷第 597 行注。看来，和凡人相比，神用的食物饮料具备“软”的特点。比较英雄(或史诗人物)的硬汉食物：酒和烤肉。在荷马唱诵史诗的年代，nectar(许为外来词)可能已是个沿用已久的词汇；换言之，荷马未必清楚这个词(或许还有安伯罗西亚)的确切含义。

赫耳墨斯，导者阿耳吉丰忒斯吃罢，喝过，
食毕，将进食的欲望满足，
于是发话，针对她的诘问答说：
“你，一位女神，问我，一位男神为何来此，
那就让我答话，实说，既然你有话问我。
是宙斯差我前来，并非系我主动。
谁会乐意跑过无垠的大海咸涩？
这一带无有凡人居住的城镇，没有人
用精美和全副的牲品祀祭，敬神。
然而，我等神祇无法回避带埃吉斯的
宙斯[①] 的意愿，或者使它落空。
他说你同居一个凡人，他比谁都可怜，
在所有为攻夺普里阿摩斯的城堡鏖战九年的
军男之中，及至第十年里攻占居城，然后
返航，起程，归途中冒犯了雅典娜[②]，
后者掀起一场凶险的风暴，高耸的巨浪扑击他们。
所有杰卓的伙伴全都死去，
而他则被狂风和海浪席卷，推搡到此地逃生。
现在，宙斯要你尽快放人，让他起程，
这不是他的命运，死在这里，远离亲人。
此事注定这样，他将眼见亲朋，
回抵顶面高耸的房居，回抵故乡栖身。”

---

① 参考第三卷第 42 行及该行注。关于埃吉斯，另参考第十三卷第 252 行注和第二十二卷第 297 行注。

② 参考第三卷第 134—138 行及相关注释。并非雅典娜的缘故，使奥德修斯痛失所有的伙伴(本卷第 110—111 行)。参阅第九至十三卷。赫耳墨斯没有忠实转述宙斯的原话(比较本卷第 29—42 行)，传令中颇多省略篡改和添油加醋的地方。

他言罢，丰美的女神卡鲁普索开始颤抖，
用长了翅膀的言语对他说话出声：
“好狠心啊，你等神明，比别的生灵更会妒意横生[①]，
嫉恨我等女神，当她们公开和男人
睡觉，都想把床伴招作自己钟爱的婿翁。
如此，当黎明，她的手指玫瑰嫣红，将俄里昂[②] 选中，
你等生活舒闲的神明全都怒气冲冲，
直到享用金座的阿耳忒弥斯贞洁，在俄耳图吉亚
射发温柔的箭枝[③] 杀身。
还有，当美发的黛墨忒耳[④] 屈从
激情，睡躺亚西翁，欢爱在那片农野

① 比较《伊利亚特》里阿波罗的抱怨（第二十四卷第33行）。男神会妒忌女神的“风流”，此乃事实。此外，赫耳墨斯的蓄意“挑逗”［参考本卷第105行；比较宙斯的原话（第29—42行）］激恼了卡鲁普索，增剧了她的反感。相比之下，男神（如宙斯）可以当着妻子的面历数他对其他女性的“欢爱”（详见《伊利亚特》第十四卷第313—328行）。当然，赫拉也会妒忌宙斯的寻花问柳，却断然不敢以同样的方式回惩宙斯的不忠。古希腊社会重父权（宙斯是神和人的父亲；奥德修斯善待国民，“像一位父亲”），重男权（参考本书第十六卷第19行注）。这一点也照例反映在神界的生活里，影响着由人塑造的神祇的性别和性爱观。

② 猎手，体型硕大，手握铜棍（详见第十一卷第572—575行）。比较本卷第274行。参考专名索引。

③ 程式化用语，喻指造成突至和无痛苦（或“温柔”）的死亡（参看第三卷第279—280行、第十一卷第172—173行、第十五卷第477—479行、《伊利亚特》第二十四卷第757—759行），与受长期疾病折磨造成（因而是痛苦）的死亡形式对比（本书第十一卷第172行）。在史诗里，此语多作象征性的突然或意外的死亡解，但此处或许用的是它的实意，即可按词面意思理解。关于俄耳图吉亚，另见第十五卷第404行。

④ 农作和丰产之神，宙斯的姐妹，据传和英雄亚西翁生子财神普鲁托斯，和宙斯生女裴耳塞丰奈。

三遍犁耕[①],但宙斯知晓此事,很快,
将他劈倒,掷甩闪亮的雷轰。
现在,你等神明恨我,因我留宿了一个凡人,
是我救他[②],当他骑跨船脊独自
浮沉——宙斯扔甩的霹雳闪亮,
粉碎他的快船,在酒蓝色的大海之中[③]。
所有杰卓的伙伴全都死去,
而他则被狂风和海浪席卷,推搡到这里逃生,
我热切欢迎,照料关怀此人,还许诺
使他长生不老,得以无终永恒。
然而,既然别的神祇无法回避带埃吉斯的
宙斯的意志,或者使它落空[④],那就让他
去吧,倘若宙斯下令,有此意愿,
让他在荒漠的海上扎挣。但我不能助他,
手头既无海船,又无随行的伙伴,
偕他跨越大海宽阔的脊身[⑤]。
然而,我会对他叮嘱,过细,不予隐瞒,

① 或三"转"犁耕,为一古老的耕犁仪式,据信会产生神奇的效果,肥沃土壤,增产丰收。"无论从历史上说还是从心理学上说,宗教的仪式先于教义,这看来已是现在公认的准则。"(卡西尔《人论》,甘阳译,上海译文出版社,第110页)

② 参阅第十二卷第447—450行。另见本卷第135—136行。卡鲁普索并没有结婚,她的爱是专一的。比较第118行及该行注。

③ 第132行同第七卷第250行。"酒蓝色的"(或"酒褐色的")为形容大海的常用饰词之一(见第一卷第183行等处),偶尔亦被用于修饰耕牛(参看第十三卷第31—32行和《伊利亚特》第十三卷第703行)。

④ 《伊里亚特》里的神祇当然知道这一点,尽管宙斯也不能为所欲为,全然不顾众神的意志(参考该史诗第十六卷第441—443行等处)。

⑤ 第141—142行同第16—17行和第四卷第559—560行。诗人在此使用了"脊背"的喻义(或转喻使用了它的词义,参考《伊利亚特》第九卷第207行),由此化解了行句的平铺直叙,浓添了诗的趣味。

使他安然无恙，返回祖居的国城。”

其时，导者阿耳吉丰忒斯对她答诉：
“那就动手，送他上路，小心宙斯的愤恨，
免得日后愤恨，对你泄怒①。”

言罢，强有力的阿耳吉丰忒斯离去动身，
而她，女王般的山水之神接到宙斯的口信，
外出寻找心志豪强的奥德修斯其人，
发现他坐临海滩②，眼里的泪水从来
未有干过，生活的甜美于他已经远去，
哭着，只盼回抵家门，不再愉悦仙女的情真。
夜晚，他卧躺仙女身边，一个不愿，
另一个愿意，在空旷的洞里应付③，
白天，他便蹲坐岩石，在那滩涂，
浇泼碎心的眼泪，悲嚎，伤愁，
睁着泪眼凝视荒漠的洋流。
丰美的女神站临身边，对他说诉：
“可怜的人啊，在我身边停止恸哭，别再让
你的生活萎枯，我将怀揣好意，送你上路。

---

① 王威不可冒犯。比较卜师卡尔卡斯对阿伽门农的畏惧(《伊利亚特》第一卷第80—83行)。

② 主角(《奥德赛》的第一主角)奥德修斯终于姗姗来迟，正式登场亮相，哭着，眼里泪水汪汪(参看第84行注)。在此之前，诗人已对听众述诵了大约2400个诗行。然而，奥德修斯虽在“幕后”，但他的存在却似乎一直都在“台上”。求婚人争夺的是他的妻子，而外出寻父的忒勒马科斯是他急切盼望能打听到有关父亲能否回归的确切消息的儿子。业已表达的内容为奥德修斯的出场做了充分的铺垫——听众和读者的等盼心情已被“调整”到最佳的“兑现”时机。诗人引而不发的叙事功夫令人叹服。

③ 比较第227行。

所以，去吧，用铜斧砍倒树木，连接
起来，做成一条宽大的筏舟，在隆起的高面
搭铺舱板，载你飘渡迷蒙的水途。
我会装上面包、水① 和殷红的浆酒，
增力人体的食物替你赶走饥苦，
给你穿上衣服，送来顺吹的艉风，
使你安然无恙，回抵自己的国度，
倘若神明愿意，他们拥掌辽阔的天空②，
比我强健，无论是谋略，还是实践付诸。”

　她言罢，卓著和历经磨难的奥德修斯
听后颤抖，对她讲话，说诉：
“这又是你的图谋，女神，哦！这不是相送，
按你的吩咐，要我乘坐船筏，将茫茫的苍海横渡。
此举危险，艰苦，就连匀称的
海船也难以就赴，欣享宙斯送来的长风，吹鼓。
无有你的好意，我不会登上筏船上路，
除非你，女神，你对我起发誓咒庄重，
保证你没有再设新招，使我受苦。”

　他言罢，丰美的女神卡鲁普索伸手抚摸
他的头，微笑，对他称指说诉：
“你呀，你这个赖棍，总是歪招迭出，

---

① 水乃必带之物，既可饮用，还可兑调浆酒（古希腊人饮酒前须加水匀调，参考第九卷第 209 行注）。

② 当然，神也控掌海洋和冥府（此外，还有人的命运和世间的万物），但他们（指奥林波斯神族）住在奥林波斯山上，而此山高耸，直入云端——所以，天空处于他们的直接掌控（或拥掌）之中，也是他们的“居家”。参考第十六卷第 211 行及该行注。

说出此番话来，与我争诉。
如此，让大地和上面辽阔的天空为我见证，
还有斯图克斯的水长[1]，幸福的神祇誓约
以此最具威慑的力量，最为庄重，
我没有再设新招，使你受苦。
我为你设想思考，一如会替自己
做出，倘若面临需要，置身你的地步。
我亦有通情达理的心智，胸腔里的
心魂富有同情，并非铁铸[2]。”

　言罢，她，丰美的女神引走迅速，
奥德修斯跟随其后，踩着女神的足迹迈步[3]。
他们来到空旷的洞府，一个男子，一位女神，
前者下坐椅面，赫耳墨斯刚才坐过，从那儿
起身，仙女则摆下各种食物，供他
吃喝，世间凡人常规的饮用。

---

① 诗人将宇宙一分为三(或者说，此乃诗人赞同的观点)，宙斯掌领天空，波塞冬统管海洋，哀地斯主理冥府，大地和高耸的奥林波斯归他们统管(详见《伊利亚特》第十五卷第188—193行)。斯图克斯是冥界的一条长河，神祇发誓常以它为证(参考并比较希罗多德《历史》第六卷 74)。这些当然都出于古代诗人的想象。赫西俄德对此另有增补，称斯图克斯为俄刻阿诺斯(见专名索引)的女儿(《神谱》第389行)。比较《伊利亚特》第三卷第276—280行。天空和大地(自然亦应包括斯图克斯等)似乎是比神祇更为接近“本源”的力量。幸福的神祇盟誓通常以它们作为见证(而凡人誓咒一般只要吁请神祇即可)，足见后者在神祇(亦即在古代初民们)心目中的地位和想象中所可以形成的巨大的威慑力量。奥德修斯感觉细腻，颇多疑心，迫使卡鲁普索微笑着发了一个“大誓”。比较雅典娜对奥德修斯的出于爱意的嗔怪(参考本书第十三卷第291—295行)。

② 换言之，并非心硬如铁(或冷酷无情)。比较第十二卷第 280 行。参考该行注、第二十三卷第 172 行注和第十五卷第 329 行注。另参考第二十一卷第 10 行注等处。

③ 忒勒马科斯曾跟随雅典娜行走，“踏踩女神的足迹”(第二卷第 406 行)。另见第七卷第 38 行。

她在神样的奥德修斯对面下坐，
侍女们将奈克塔耳和安伯罗西亚上桌。
他们伸出手来，抓起面前佳美的食物[①]。
当他们满足了吃喝的欲望，
丰美的女神卡鲁普索开始说述：
“莱耳忒斯之子，宙斯的后裔，多谋善断的奥德修斯，
你仍然急不可待，对不，盼想回返你的家居，
归返故土？既如此，我祝你一路顺风[②]。
但是，如果你知道，知在心中，你将遇到
多少艰难定数，先于回返你的国度，
你就会留在此地，和我，享做洞府的宰主，
不死，永生[③]，尽管你一心思盼再见妻子，
为此你总在期望，天天盼顾。
不过，我不比她逊色，我想可以如此声称，
无论是形态还是身段，人世间的凡女
断然不可竟比女神，以体形和容貌攀争。”

　　其时，足智多谋的奥德修斯对她答话，出声：
“不要生我的气，尊敬的女神。我知道
你的话句句是真，谨慎的裴奈罗佩岂能
与你相比，与你的美貌和体形比称——

---

① 参考第92—93行及相关注释。

② 比较墨奈劳斯的待客之道(第十五卷第68—74行)。但卡鲁普索奉宙斯之命行事，必须放人，所以情况并不完全一样。事实上，卡鲁普索已和奥德修斯同居七年(参考第七卷第259行)，留“客”的时间已经超过一般的“太长”。

③ 既然奥德修斯历经千辛万苦，最后回归家园，那么事情必定顺乎命运，也是宙斯的意志使然。尽管卡鲁普索有这个愿望，但她未必真有这个能力，改变事情既定的发展趋势，实现自己的心愿。比较第二十三卷第209—212行。

毕竟，她是一介凡人，而你长生不老，永恒。
但即便如此，我所朝思暮想的还是
回返家园，眼见归返的时分[①]。
若有某位神明击打，在酒蓝色的海中，
我会忍耐，以一颗坚韧的心灵在胸，
我已遭受许多磨难，一次次的艰辛负重，
在海浪里和战场上——何妨再加添这次行动[②]。"

他言罢，黑夜降临，太阳落沉。
他俩走进深处，在空旷的岩洞，
欣享爱的愉悦，互相依偎贴身。
当早起的黎明重现天际，手指玫瑰嫣红，
奥德修斯套上衫衣，裹起一领披篷，
神女则穿上一件长垂的白色裙袍，
瑰丽，体现织纺的精工，拦腰围系
绚美的金带，用纱巾掩起头颅面孔[③]。
然后，她为心志高昂的奥德修斯规划航程。
女神给他一把硕大的斧斤，贴合他的手心，
顶着青铜的斧头，两边都有劈口锋利，
安着一根瑰美的橄榄木的斧柄，插紧，
接着给他一把扁斧，带着他前行，

① 第 220 行同第三卷第 233 行和第八卷第 466 行。

② 奥德修斯历经艰辛（比较第十七卷第 284—285 行），在大海和战场上经受过一次次磨炼。史诗里的希腊将领都有吃苦耐劳的精神（参考第三卷第 103—108 行）。然而，和阿基琉斯和埃阿斯（忒拉蒙之子）等骁将相比，奥德修斯明显多一些忍辱负重的"苦"汉子素质（参考第十七卷第 283 行等处；参看该卷第 284 行注），多一点韩信胯下受辱式的忍让（或屈忍；小不忍，则乱大谋）意识。

③ 第 230—232 行同第十卷第 543—545 行。

临抵岛屿的尽端，树木高大成林，
有桤树、杨树和杉树冲指天际，
早已风干死去，故而质轻，能够漂起。
当她把高树生长的地域指明，
丰美的女神① 卡鲁普索回返自己的府居，
而他则开始砍树伐木，很快便做完事情。
他总共放倒二十棵船木，用铜斧剔削干净，
娴熟地劈出平面，摆正，按照粉线的指定。
其时，丰美的女神卡鲁普索折返，带给他一把钻子，
后者用它在条片上钻出孔眼，互相搭连，
用木钉和栓子将它们拼接在一起，
宽度有如一条底面开阔的货船，
一位技艺高超的木工的手艺，奥德修斯
为自己造船，铺连出如此规模的宽底。
接着，他搬起树段，铺设舱面，插入边柱，
工作不停，用修长的原木做成船基。
然后，他竖起桅杆，安置配套的端桁，
做好舵桨，用以掌控筏船的航行，
周边全都围起柳枝，遮挡严密，

① 另见第180、192和276行等处。“丰美的”原文作dia，“神圣的”，可作泛指的“美丽的”解。

抵御海水的冲袭，堆拢大量的枝条，做毕[①]。
其时，丰美的女神卡鲁普索送来制帆的
布匹[②]，奥德修斯动手制作，凭靠技艺，
安上缭索、帆索和升降索，全都到位，
最后动用杠杆，将船身推入闪亮的海里。

　到了第四天上，他把所有的一切做毕。
第五天，神女卡鲁普索送他离岛出行，
先替他沐浴[③]，穿上芳香的衣裳蔽体。
女神装船两只皮袋，一只盛灌黑红的酒浆，
另一只大的，注满净水，搬上一袋
食物，连同许多增力凡人的美味，
送出轻柔的和风推船，吹来温馨。
欣喜于顺吹的好风，卓著的奥德修斯出海扬帆，
坐着，熟练地操纵舵把控船，
睡眠从未贴临眼睑，因他

---

① 从上文提及的工序判断，奥德修斯制作的是船，而非一只简单的木筏。尽管制作过程中注入了诗人的想象，荷马还是强调了技艺的重要，充分显示了奥德修斯多才多艺的个人能力。在诗人看来，神的意志固然重要，但人的能力要和神的愿望配套。换言之，人应该竭己所能，在力所能及达的范围内充分展示自己的能量。人不能仅靠祈祷过日子。他们必须战斗，必须拼搏，必须冲刺，必须——像奥德修斯在此所表现的那样——掌握建造的工艺和处世的本领。后世的贵族及其子弟们可以“四体不勤，五谷不分”，但那显然不是诗人心目中的贵族精英们所应择取的生活态度（即知识和实践能力方面的局限）。

② 卡鲁普索虽然没有亲自动手帮助造船，但她为奥德修斯提供了必要的工具和制帆所需的布料（比较第 140 行）。女神能织布（第 62 行），却不便操作男人的活计，像奥德修斯那样动手造船（参考第 62 行注），尽管她自称拥有能使人长生不老的绝对超常的本领。

③ 女神沿用了凡间女子为男人沐浴的习俗。参看第三卷第 464—466 行、本卷第 263—264 行、第十七卷第 88 行和第二十三卷第 153—154 行等处。

始终盯望普雷阿德斯[①] 和迟落的布忒斯[②]，
还有大熊座，人们亦称之为御夫座的方向，
此星座总在一个轴点旋转，注视着俄里昂——
唯有她从不沐浴，在大洋的水浪[③]。
丰美的女神卡鲁普索曾经叮嘱，对他，
要把大熊座留在左边，当他航行海上。
他船走十七个整天，行驶在海洋，
及至第十八天始见山脉，投影深长，
那是法伊阿基亚人的土地，离他最近的地方，
看来像一面盾牌，在昏蒙的水面卧躺。

其时，强健的裂地之神从埃塞俄比亚人[④] 那里回归，

① 星群，词源尚有争议，一说引申自 pleiades，“鸽子”，与布忒斯遥相呼应。普雷阿德斯中的诸星紧挨，明亮，最易于肉眼观察。古人航海，夜间主要靠观察星座的位置辨别方向。另参考《伊利亚特》第十八卷第 486 行注。

② “耕夫”，其中最亮者为阿耳克吐罗斯（“哨兵”）。由于阿耳克吐罗斯是普雷阿德斯对面最亮和可见时段最长的星宿，诗人称布忒斯为“迟落的”（换言之，或许在拂晓时分仍可被船员目视）。阅读这些诗行时，我们可以感受到抒情诗般的寓意和美妙。

③ 第 273—275 行同《伊利亚特》第十八卷第 487—489 行（参考该处的相关注释）。有专家认为，根据荷马对星座位置的描述，奥德修斯返航的时间当在九月一日至十月二十一日之间。诗人的天文知识非常有限（但作为一位古代诗人，他的知识面应该说已经广得惊人了），他对星座的理解也较之今人有很大的区别——他的描述只能为我们的研究提供大致的参考。如果大熊座的位置确在船的左边，奥德修斯此时的航向当为朝对东方。“大洋”即俄刻阿诺斯。诗人把大地（即世界）想象为一个巨大的圆盘（参考本卷第 281 行的形象化描述），周边是俄刻阿诺斯的水汤，天空像一座苍茫的拱顶，把一切弧罩在它的底下。所以，星宿在空中运行，当它消隐（即不为人的目力视察）时，即为沉入了俄刻阿诺斯的水浪。关于猎手俄里昂，详见第十一卷第 572—575 行。

④ 据《奥德赛》作者的理解，埃塞俄比亚人分作东西两部，“居家最为远僻”（详见第一卷第 22—25 行）。诗人显然并不准确知晓埃塞俄比亚的地理位置。比较《伊利亚特》第一卷第 423—424 行和第二十三卷第 205—207 行，两处均并提埃塞俄比亚（人）与俄刻阿诺斯。

从远处索鲁摩伊人的山脊[①] 眺见他的身影，
见他正在海上航行。波塞冬于是增添怒气，
摇着头对自己的心魂说及：
“阿哈，不行！神明肯定已经突然改变主意，
关于奥德修斯的行迹，趁我置身埃塞俄比亚人里。
他已临近法伊阿基亚人的国界，
注定可在那儿摆脱眼下遭受的大灾磨砺。
不过，我想，我仍然可以给他足份的祸虐。”

言罢，他把云朵扯在一起，双手握紧
三叉戟，荡搅在海里，招聚所有的狂飙，
连同各种暴风吹袭，沉云堆积，
笼罩海洋大地；黑夜从天空降临。
东风和南风撞击，莽烈的西风和高天
养育的北风呼啸，把汹涌的巨浪掀起。
奥德修斯吓得双膝酥软，尽散心力[②]，
带着极大的愤烦，话对自己豪莽的心灵[③]：
“哦，不幸至极！啊，我将面临何样的终结？

---

① 据古代地理学家斯特拉堡推测，“索鲁摩伊人的山脊”在今天的土耳其境内（由此推断，波塞冬此时应从东方归来），但斯特拉堡的观点至今仍受到学界的质疑。

② 程式化表述。英雄也会害怕，像胆小鬼似地发抖，这不奇怪。通过诸如此类的描述（参考第84行注），诗人“唱”出了一个有血有肉的人物，一位常人可以接近和理解的感情丰富的孤胆英雄。知耻而后勇，这不丢脸。“心力”即 etor，可作“心”“心灵”解。比较第 298 行中的“心灵”（thumos）。细读第二十卷第 41 行注。

③ 人们常和自己的心灵或心魂说话（另见第355行），此乃史诗里表示思考的另一种说法（或对有效思考的补充）。或许，在诗人看来，讲话要有听话的一方，也就是说，要有个接收者。这个接收者（即听话的一方）要么是别人，要么是自己的心魂（或睡梦中的人物，参考第四卷第830行注）。所以，史诗里的人物，经常不在“心”里自言自语（但参考该卷第117行），而是倾向于“对自己的心灵说道”。参考并比较《伊利亚特》第二十一卷第552行注。

女神的话或许句句都对，我担心，
她说在回抵故乡之前，我将航海
遭受苦凄，眼下这一切都在成为实际。
瞧瞧这些积云，宙斯用来罩掩宽广的天庭①，
同时荡搅海水，风飙从各个方向
逼挤吹袭；我的暴死已定，无疑。
那些达奈人有三倍和四倍的幸福，他们为
阿特柔斯之子效劳，战死在广袤的特洛伊大地。
但愿我也在那时死去，和命运相会，
那一天，成群结队的特洛伊人对我投掷
铜头的利械，围绕裴琉斯阵亡的儿子拼击，
如此便能享领阿开亚人给我的光荣，接受葬仪。
但现在，命运将让我死得如此惨凄②。”

① 宙斯主掌天空(参考第十五卷第297行注)，操纵天气的变化，所以尽管波塞冬兴风作浪，奥德修斯仍以史诗人物的常规理解，将风云的突变归之于宙斯的神力。作为主神(或众神之王)，宙斯受到的吁请和赞誉最多；而与之相辅相成的是，他也不时代领凡人的疑怨和指责(参考《伊利亚特》第十九卷第85—89行)。奥德修斯并非不知波塞冬的作梗“捣乱”(参考本书第六卷第326行和第七卷第270—274行)，只是此时还不便马上确定，或一时还没有想到这是波塞冬的“非难”(比较本卷第339—340行)。

② 比较阿基琉斯的“愿望”(《伊利亚特》第二十一卷第279—280行)。死后得葬不仅是一种光荣，而且也有利于死者的阴魂进入冥府并在里面接受较好的“待遇”(参考该史诗第二十三卷第69—74行和《奥德赛》第十一卷第51—78行)。死后的“境况”如何(如能否接受葬仪，能否及时进入冥府等)是史诗人物关心的问题。对这一问题的考虑和由此得出的认识直接影响着他们在世时的“活动”，包括在战场及生死存亡之际的拼搏。西方伦理和道德观的设计者们从一开始就试图在今世以外寻找外延，试图把人们在世时的豪举与死后得到“善待”联系起来。这是“不能事人，焉能事鬼”以外的另一种“务实”——它实际到了把不存在的死后境况假设为一种有意义或至少是可以接受描述的存在并以此警戒实际生活中的人们，约束他们在今生今世的行为。本卷第312行同《伊利亚特》第二十一卷第281行。英雄倒下后，己方将士通常会为抢夺他的尸身而与对手拼死相争。关于争抢阿基琉斯尸身的战斗，另参考本书第二十四卷第37—42行。

一峰巨浪从高处砸落，话刚落音，
将筏船打得团团旋转，以可怕的冲力，
将他远远抛出筏板，舵桨脱离
他的手心。一股凶莽的旋风
呼啸着扑来，拦腰劈断桅杆，
将船帆和端桁席卷，掉落在远处的波涛里。
他被久久压在水下，无法从
高扬的骇浪下迅速探头浮起，
被神女卡鲁普索给他的衣裳往下拉挤。
终于，他浮出水面，喷吐苦涩的咸水，
此物从他的头顶浇淋，灌入嘴里。
但他没有忘却筏船，尽管置身险境，
转身穿游水浪，将它抓紧，
蜷缩筏面的中部，躲避死的终期。
风浪将他推搡颠摇，这边那里，
像那秋时的北风吹打蓟丛，在平原上
摇曳，秆束紧紧簇拥在一起——
同样，风暴将筏船颠摇浩瀚的洋面，这边那里；
有时，南风把它扔给北风逼挤，
有时，东风又把它抛给西风追击。

卡德摩斯的女儿眼见他的遭遇，脚型秀美的伊诺，

又名琉科塞娅[①],原本凡胎,讲说人语,
如今生活在大海深处,享受女神的荣誉。
她怜悯奥德修斯,见他随波逐浪,遭受苦辛,
于是冲出水面,像一只展翅的
海鸥,停栖固连的船上,对他说起[②]:
“可怜的人,裂地之神波塞冬为何
如此狂烈地恨你,让你遭受此般恶虐?
然而尽管怒不可遏,他却不能毁你。
这样吧,听我的,因你看来通达情理。
脱去你的衣服,把筏船留给风吹,
任凭,然后摆动双臂,游向法伊阿基亚人
的陆基,你将注定在那里脱离险境。
拿去吧,带着这方头巾,永不败坏,缚于
你的胸前——不要担心死亡或者苦难,不必。
不过,当你双手抓住陆地,
你要解开头巾,抛入酒蓝色的大海,

① 根据传说,伊诺是忒拜的创建者卡德摩斯的女儿,婚配阿萨马斯,后者被赫拉逼疯,杀死他和伊诺所生的第一个儿子。当疯迷的阿萨马斯试图残杀第二个儿子时,伊诺携子跳入海里,以后均被“转变”为神祇。琉科塞娅意为“洁白的女神”。在荷马史诗里,由人变神的例子罕见。参看第十一卷第601—604行及相关注释。比较卡鲁普索对奥德修斯的许诺(本卷第208—209行)。比较本卷第1行。

② 伊诺既说人话,以后又把头巾递与奥德修斯(第346行,另见第461—462行),所以此时大概没有变取海鸥的形貌。然而,在史诗里,通沾神性的鹰鸟偶尔也会讲话(参考第十九卷第544—545行)。珊索斯贵为神马,但通常并不说话,只是在一次关键的时候,它才对阿基琉斯开言,因为“白臂女神赫拉使其发音说话”(参阅《伊利亚特》第十九卷第404—407行)。

远离岸基,转过头去[①] 丢甩,挥臂。”

　言罢,女神递过头巾给他,
然后像一只海鸥,扑入起伏的大海,
汹涌和浑黑的水浪将她掩起。
其时,卓著和历经磨难的奥德修斯心里忐忑,
带着极大的愤烦,话对自己豪莽的心灵:
“唉,愁凄! 可会是某位不死的神灵骗我,
编织陷阱,要我将木船放弃?
不,眼下我不能从命,因我亲眼所见
陆基遥远,她说我能在那里逃离险境。
不过我会这样去做,此举于我最为适宜。
只要木架仍在,树段连在一起,
我便留在筏上,忍受痛苦磨虐;
但是,当汹涌的海浪砸碎筏船,
我就下海游泳——我想不出比这更好的主意。”

　如此,当他思考斟酌,在心里魂里[②],

① 按照常规,发出此类指令的应为生活在地下的神灵(或精灵,参考第十卷第528行)。然而,歌手奥耳甫斯(亦是一位阿耳戈船勇士)却因为不合时宜的回首而痛失本可还阳的妻子。据传奥耳甫斯有意领回死后去了冥府的爱妻欧里底刻,通过用音乐驯服冥地的恶狗而获得冥后裴耳塞丰奈的好感,给他特许,条件是奥耳甫斯于领引途中不得回头看顾妻子的魂影。然而,奥耳甫斯强忍不住,还是违约回眸,由此失去了把妻子带回阳世的机会。

② 第365行的程式化表述证明我们对第298行的分析正确(见该行注)。奥德修斯刚对自己豪莽的心魂说完(第356—364行),诗人便称他在心里魂里思考完毕,可见话对自己的心魂即为思考(或权衡斟酌)。参阅第408—424行和第464—474行。注意,在论及思考的“所在地”时,荷马不说脑子,而称在人的“心里魂里”。参考并比较第四卷第117行和275行注。比较本卷第376行。

裂地之神波塞冬,掀起一峰巨浪扑击,
惊险,可怕,峰起水头落下,对他
砸击,犹如风飙劲吹一堆焦干的
谷壳,搅得四散飘飞,筏船的
长木,同此,被捣得碎离,但奥德修斯
跨坐一根船木,像在马上坐骑,
剥去神女卡鲁普索给他的衣裳,
迅速把伊诺的头巾缚绑胸前,
随后一头扎进海浪,展开双臂划动,
竭尽全力。强有力的裂地之神见他游水,
摇着头,对自己的心魂说及:
“漂去吧,挣扎在海里,经受种种苦难,
及至置身那帮宙斯哺育的[①] 生民。
即便如此,我想,你也不会抱怨吃苦尚未尽兴。”

言毕,他扬鞭长鬃飘洒的骏马,
前往埃伽伊,那里有他的宫殿,宏伟[②]。

雅典娜,宙斯的女儿,其时另有图谋。
她止阻各路风飙,止阻它们的通途,

---

① diotrepheessi,在此作“神祇养育的”或许更好一些。法伊阿基亚人的先祖那乌西苏斯乃波塞冬之子(第七卷第 56—57 行)。但宙斯既是众神的“父亲”(参考第一卷第 81 行注),又是他们的对凡人而言的“代表”(参看本卷第 303 行注),因此在此权且“领受”一下,也未尝不可。

② 波塞冬一定知道奥德修斯虽历经艰险但仍可返回伊萨卡的命运(参考第十三卷第 131—133 行),所以也只能“见好就收”,不打算结果他的性命。波塞冬乃宙斯的兄弟,奥林波斯主神之一,所以应该在山上拥有宫邸(参考《伊利亚特》第一卷第 605—608 行)。诗人对埃伽伊位置的理解许有出入(参考并比较该史诗第八卷第 203—204 行和第十三卷第 20—21 行)。

嘱令它们静止，都去休息，但却激励
迅捷的北风出动，将他面前的海路开通，
让宙斯养育的奥德修斯躲过死和死之精魂的追捕，
置身于欢爱船桨的法伊阿基亚人之中。

　一连两天两夜，他在汹涌的海浪里
余生，心里一次次想到死难可能。
然而，当美发的黎明送来第三个早晨，
终于，大风息止，无风的宁静产生。
其时，他看见陆地，躺在不远的近处，
用眼一瞥，趁着巨浪将他抬起的工夫。
宛如一位父亲对儿子们复显喜人的
新生，他已带疴卧床，忍受巨痛阵阵，
长期折磨损耗，可恨的病魔侵蚀他的躯身，
然而，此事让人高兴，神祇解除了他的疾症；
同此，陆地和森林的出现使奥德修斯兴奋①，
拼命游去，渴望踏上岸口求生。
但是，当离岸的距离剩下喊叫可达的距程，
他听见海水撞击悬崖的响声，
一峰巨浪，从大海里攀升，可怕，喷砸

---

① 奥德修斯久漂海上，大难不死，眼见陆地后的喜悦心情当不亚于久旱逢甘露的农人。比较第二十三卷第233—239行。明喻用形象"图解"人物的感觉（如高兴），在直接反映感觉的表情或动作（如大笑）以外开辟了另一个表现领域，同时也在平铺直叙的情节语言中注入了类比的活力，给人别开生面、耳目一新的感觉。"太师教六诗，曰风、曰赋、曰比、曰兴、曰雅、曰颂。"（《周礼·春官》）汉儒郑玄解释道："赋之言铺，直铺陈今之政教善恶。比，见今之失，不敢斥言，取比类以言之。兴，见今之美，嫌于媚谀，取善事以喻劝之。"（《周礼注》）宋人陈骙《文则》云："《易》之有象，以尽其意；《诗》之有比，以达其情。文之作也，可无喻乎？"

干实的陆基，飞溅的浪沫将一切罩蒙，
那里无有泊船的港口，亦无进船的锚地停舟，
只有前升和突兀的岩壁，巉石嵘峥。
奥德修斯吓得双膝酥软，心力消融①，
带着极大的愤烦，对自己豪莽的心灵说称：
“不幸至极，哦！宙斯让我眼见陆地，最终，
我亦穿走海浪，游过这一大段距程，
但眼下却找不到出路，脱离灰蓝的水深。
前方是险峻的礁石峥嵘，周边波涛呼吼，
滚滚，陡峭的绝壁兀悬上面，
近岸之处水势深沉，使我难以
挣脱毁败，无法站住脚跟。
我担心，当我爬攀之时，巨浪会把我逮住，
抛向坚实的壁峰，使我的努力落空。
然而，倘若我继续向前，游泳，指望
找见斜对海浪的滩地，找见接海的港口，
我担心会被旋风再次抓获，
高声吟叫，把我卷向深海，鱼群在那里游动。
抑或，某位水中的神灵会放出海里的
怪物，安菲特里忒有的是这一类妖魔。
我知道著名的裂地之神含恨至深，恨我②。”

如此，当他斟酌思考，在心里魂魄③，

① 奥德修斯是英雄，也是一个普通人，所以不会没有害怕的时候（参考第 297 行及该行注）。第 406—407 行同第 297—298 行。第 407 行同第 464 行。

② 参考第 303 行注。“裂地之神”指波塞冬。关于安菲特里忒（第 422 行），参看第三卷第 91 行注。

③ 参考第 365 行注。

一峰巨浪将他卷向粗皱的礁石,对他冲扑——
其时,他的身骨会被砸碎,皮肤遭受裂破,
若非灰眼睛女神启示,将心路点拨。
他紧紧抓住岩石,启用双手,
死命抱住,出声吟叹,直到浪峰过后。
如此,他躲过峰口,但激浪的回弹又将他逮获,
扯开他的抓抱,将他远远地抛入水中。
像一条章鱼,被强行拖出壁窝,
吸盘上糊满厚厚的泥污;
同此,他那粗壮的手掌与岩面粘触,
被扯去表皮,巨浪将他淹没。

可怜的奥德修斯将会死去，超越命运的定夺[①]，
若非灰眼睛女神雅典娜再次点拨。
他避过浪头，涛峰朝着陆基喷涌，
向前游动，两眼盯视滩头，指望
找见斜对海浪的滩地，找见接海的港口[②]。
然而，当他游至一条水流清湛的长河的
出口，看来像似最佳的择选，

---

① 然而，奥德修斯并没有提前死去，命运(moira，同 aisa)的制约依然有效(细品第十一卷第 134—136 行)。在古希腊语里，moira 原意为“部分”，含义的形成或许受美索不达米亚语言中相关词汇(或词根)的影响[有学者认为，Olumpos (或 Olympas，“奥林波斯”)也是个来自亚洲的外邦词]。按照“部分”的要求和指向做事是合宜的(比如，死是人的 moira，所以人是必死的；人不能击打神明，这也是人的 moira)，因此也是符合“神圣”的既定方向和原则的。在荷马看来，命运既是一种制导的神力，又是掌控和“实施”命运的女神。在《伊利亚特》第二十四卷里，荷马毫无顾忌地使用了 moira 的单复数形式(分别参见第 209 及第 49 行，另参考并比较本书第七卷第 197 行)。有时，命运似乎和宙斯及其他神明共同发挥作用，一起推动事件的进程，取得既定的效果(参考《伊利亚特》第十九卷第 87 行，本书第二十二卷第 413 行等处)；有时，宙斯的意志又被认为享有高于一切的权威，似乎可以无所顾忌——宙斯(和众神)可以超越命运的规限，改变命定的进程(参阅《伊利亚特》第十六卷第 433—438 行)。就连“会死的”凡人，偶尔也可超越命运的规限，“升华”变成不死的神明(如赫拉克勒斯和伊诺)。另参考该史诗第二十二卷第 257、297 行等处。然而宙斯应该知道(诚如赫拉及时提醒他的那样，参阅同上第十六卷第 439—449 行)，非到万不得以的时候，最好不要做拗违命运之事，与 moira 对抗。违逆命运会引起众神的不满，引发神间的械斗，最终会破坏天体的平衡，宇宙的和谐，把世界推入极度的混乱之中。他明智地选择了与命运合作的做法，决定让爱子萨耳裴冬死于帕特罗克洛斯的手下(该史诗第十六卷第 431 行以下；另参考第二十二卷第 167—176 行)。超越命运亦指从事越权或“越分”的活动，此类行为的当事者(无论是人是神)都将受到宙斯或由他代表的神意的惩罚(参考《奥德赛》第一卷第 34—36 行；比较古希腊神话里宙斯对普罗米修斯的酷惩)。细读《伊利亚特》第八卷第 143 行、第十六卷第 849 行注和第二十四卷第 199 行注等处。

② 奥德修斯还是采用了第二种方案(参考第 417—418 行)。在史诗里，人们常常会面临诸如“是……还是……”式的选择。在这种情况下，入选的往往是“还是”以后的内容，即思考或设想中的第二种做法(参考第十七卷第 237 行注)。关于此类例子，另见本卷第 466—475 行和第六卷第 141—146 行。

不仅没有石头，而且挡风，能够。
他眼望河水涌出，心中对河神默默祈述：
“听我说，无论你是哪位神主，我来了，亟需帮助，
逃命大海，逃脱波塞冬的咒诅。
即便对永生的神明，浪迹之人受到尊敬，可以
祈请助佑，他祈求神明，如我现时所做，
贴临你的水流，置身你的膝下[①]，已经吃够苦头。
可怜我吧，神主，我声称是你的祈援人，请求。”

他言罢，河神停阻浪涛，息止水流，
寂静他的身前，让他安全进入
河的入口。其时，他双膝瘫屈，
粗壮的大手垂落，心魂已被咸水碎破，
全身皮肉浮肿，海水从他的口腔
和鼻孔涌出，难以呼吸，无力言说，
躺卧，极度的疲倦在他身上降落。
不过，当缓过气来，活力重新回聚心窝[②]，
他从身上解下女神的纱巾，
抛出，让其从河道里出走，
汹涌的浪涛载着它漂向洋流，伊诺当即把它
收回，伸出双手。奥德修斯步履踉跄，走离河边，
在芦苇丛中躺卧，亲吻育产谷物的泥土[③]，

① 换言之，奥德修斯已把自己置于祈求者的位置（参考第六卷第141—149行）。宙斯保护祈请帮助的落难之人。

② 比较第二十四卷第349—350行。“活力”原文作thumos（“命息”，参考并比较第十一卷第220行注、第四卷第830行注和第一卷第48行注）。

③ 比较久别后重回乡里（参考第四卷第518行注）的阿伽门农：“抓起泥土，亲吻，滚烫的眼泪暴涌”（同上第522行）。

带着极大的愤烦，对自己豪莽的心魂诉说：
“哦，痛苦！何事将会临头？最终会有什么结果？
倘若苦熬难忍的夜晚，在河边等着，
我担心鲜润的露珠和凶狠的寒霜会联手
整垮我已经受创的体魄，我已极度虚弱，
难抵明晨凛冽的吹风，从河面刮过。
然而，倘若爬上斜坡，进入投影森长的林中，
躺下，在密密匝匝的灌木里睡着，如此许能
避过寒冷，消除疲乏，甜蜜的睡眠将会降落，
但我又担心野兽，害怕成为它们杀捕的猎物。”

他斟酌比较，觉得此举最为稳妥，
启步走向林木，在贴近河边之处找见，
有一片空地宽阔，在两蓬树丛下止步，
二者同长一处，一蓬灌木，一蓬为野生的橄榄树，
湿润的海风，强劲，它的冲力吹不透它们，
闪亮的太阳，它的光线难以射入，
雨水浇泼不进，枝干缠叠虬杂①，
交连攀搭在一处。其时，奥德修斯
钻入枝丛，动手堆起一个宽阔的
床铺，地上有的是掉落的枝叶②，
足够把两人，甚至三个人遮护，
在那严冬时分，哪怕气候坏到极度。
奥德修斯见此高兴，历经磨难的他卓著，
于是居中躺下，四周堆起落叶挡护。

① 第478—480行同第十九卷第440—442行。
② 根据上下文判断，奥德修斯的归时当在秋天。参考第275行注。

像有人把一块未燃尽的木段埋入黑色的炭灰，
保存火种，在那边远的荒郊野地，周围没有
邻人居住，故而只能依靠自己，无法向他人求助[①]；
就像这样，奥德修斯掩身叶堆，卧伏。
雅典娜合拢他的睑盖双眸，将睡眠撒出，
以便尽快消释他的疲惫，中止辛苦[②]。

① 这又是一个采自生活景观的明喻（另见第 394—396 行、第 432—433 行）。参考第四卷第 339 行注。较之《奥德赛》，《伊利亚特》使用明喻的例次更多（参考《伊利亚特》第二卷第 471 行注，第五卷第 502 行注，第十卷第 362 行注，第十一卷第 113 行注，第十二卷第 132、170 和 423 行注，第十三卷第 180、754 行注，第十五卷第 619 行注，第十六卷第 259、392 行注，第十七卷第 726 行注，第二十卷第 164、497 行注，第二十一卷第 254 行和第二十二卷第 308 行注等处）。参考本卷第 53 行注。

② 应该说，自奥德修斯离开卡鲁普索的海岛后，雅典娜一路保护他来到法伊阿基亚人的国度。此时她又撒出睡眠，让奥德修斯尽快熟睡，消释极度的疲劳。参考第 381 行注。第一至五卷或以人物的睡眠，或以夜晚的降临终篇，而第六卷也将和以前各卷一样，在新的一天里开始对“另一段”故事的叙述，以此达成了情节时间和自然时间的较为和谐的对接。将两部荷马史诗各勘分为二十四卷，乃后世亚历山大学者所为。

第六卷

就这样，卓著和历经磨难的奥德修斯
困倦，疲惫，躺在那里睡觉。其时，雅典娜
前往法伊阿基亚人的居地城国，
他们原先居家宽广的呼裴瑞亚[①]，
傍临库克洛佩斯人[②]，后者横行霸道，
不断对他们骚扰，仗着比他们强豪。
神样的那乌西苏斯[③] 于是率众移民，
在斯开里亚落脚，远离吃食面粮的人们[④]，
沿城筑起围墙护保，兴盖房居，
划分耕地，立起敬神的寺庙。
但是，他已遵从命运，去了哀地斯报到，
如今，阿尔基努斯镇统该地，神明教给他略韬。
灰眼睛女神雅典娜去往的正是他的家所，
谋划心志豪莽的奥德修斯归家，

---

① 呼裴瑞亚，原文的字面意思为“遥远的疆土”（参考第 8 行）。

② 即圆目巨人（或独眼巨人）。赫西俄德或许采用了另一种传说，称其为一些拥有蛮力的工匠。在荷马史诗里，库克洛佩斯人和巨人及法伊阿基亚人一样，均为神的亲属。参考第九卷第 107 行注。

③ 那乌西苏斯是波塞冬之子（和库克洛普斯一样）。法伊阿基亚人居住在“丰肥的斯开里亚”，“宗源与神祇亲旁”（第五卷第 34—35 行，另见本卷第 203 行）。

④ 离开吃食人间烟火的凡人，也就等于避离了恼人的战争（参考第 201—205 行）。躲避战争是导致部族移民（第 7 行）的重要原因之一。尽管英雄们惯常咀嚼烤肉（或许诗人以为只有这样才能足显他们的英雄气概），但在实际生活中，凡人还是以食粮为主。参考第九卷第 89 行注。

进入精工建造的卧室,一位姑娘在里面
睡觉,像似永生的女神,若就身材容貌,
娜乌茜卡,心志豪莽的阿尔基努斯的女姣,
身边躺着两位侍女,典雅女神使她们长相佳妙,
分卧门柱两边,闪亮的房门已经关牢。
女神闪入姑娘的睡房,似一缕微风轻飘,
前去站临她的头顶[①],对她开言说告,
变作以航海著称的杜马斯的女儿,
女子和娜乌茜卡同龄,深得她的喜好。
以此女的形象,灰眼睛雅典娜对她说道:
娜乌茜卡,你的娘亲怎会有一位如此粗心的女儿,
闪亮的[②] 衣服堆着,不曾洗掉,
而你的婚期将至[③],届时你该穿得
漂漂亮亮,也要为随行的人们提供衣袄。
这些个东西能赢得传扬的美名,受众人
赞褒,使你父亲和尊贵的母亲乐陶。

---

① 程式化表述。另见第四卷第 803 行、第二十卷第 32 行和第二十三卷第 4 行。

② 惯用饰词,修饰衣服,使后者因此具备某种确定(或固定)的属性。无论干净还是肮脏,无论洗过还是待洗,只要是衣服就是或可以是闪亮的。参考第二卷第 72 和 402 行注。这既是史诗语言所特有的并非总是十分贴切的简洁,又是它的足以体现古朴修辞风格的瑰美之所在。

③ 娜乌茜卡长相出众(参看第 149—161 行),且为王者阿尔基努斯的女公子,“窈窕淑女,君子好逑”当不在话下(见第 34—35 行)。诗人反复提及娜乌茜卡将至的婚期(见第 33 行等处),仿佛姑娘已名花有主,只待婚嫁。然而,诗人从未提及姑娘未来的婿郎是谁,而更有甚者的是,他在让姑娘对奥德修斯表现出某种好感以后,又让阿尔基努斯亲口提议,愿招奥德修斯作为东床(详见第七卷第 311—315 行)。有理由认为,诗人有意在诗行里布设迷阵,制造奥德修斯可能与娜乌茜卡发展友情的假象,以此“调动”听众的情绪(高明的作者都知道如何“挑逗”读者),使其产生期待的心理。

所以，让我们前去浣洗[1]，就在拂晓，
我会和你同行，帮你，以便你能尽快
把事情做了，只因不久后，你将与人婚好。
这一带最杰出的法伊阿基亚青壮
都在追你，而你亦是一位出生本地的根苗。
记住了，敦促你高贵的父亲，今晨一早，
为你套起骡子，备好货车，装载
裙袍、腰带和闪亮的披盖，待等洗漂。
如此亦更为方便，于你，比之动用
双脚，浣洗之地远离城邑，路遥。”

　灰眼睛雅典娜言罢，离她返回
奥林波斯山高，人们说神的居所挺立，
永远，既无疾风吹动，亦无雨水淋浇，
无有雪花堆积，一片晴亮的天空
灼烁，无云，到处明光闪耀。
幸福的神明在那里享领愉悦，天天逍遥[2] ——

---

① 即使贵为王家的千金，娜乌茜卡仍象平民家里的姑娘一样，需要亲自动手浣洗自己和家人的衣裳。比较第七卷第234—235行。当赫耳墨斯抵达仙女卡鲁普索的洞府时，看见她正唱着歌，忙活在织机前面（详见第五卷第58—62行）。不知她纺织的是否就是那种神界的用品，那种永恒或“永不败坏的”衣衫（参考第二十四卷第59行）。有一点可以“肯定”（尽管诗人无须对此作出说明），那就是奥德修斯在岛上一住七年，他的穿着当由仙女负责，出自她或洞里女仆们的手织（参考第五卷第321和372行）。奥德修斯的衣衫“永不败坏”（第七卷第260行）；诗人明确指出，奥德修斯归航前，卡鲁普索替他穿上ambrota的衣衫（同上第265行）。

② 比较诗人对“天堂”厄鲁西亚平原的描述（第四卷第563—568行）。比较第七、八卷里讲述的法伊阿基亚人享受的乌托邦式的生活。参考第十六卷第211行注。雅典娜并没有以自己或杜马斯女儿的形貌随娜乌茜卡同去浣洗之地（比较本卷第31—33行）。有趣的是，姑娘虽然“惊异于刚才的梦兆”（第49行），却没有对雅典娜的言行感到蹊跷。

眼下，灰眼睛女神去那，当她完成对姑娘的说告。

其时，黎明登临璀璨的宝座，唤醒
裙衫秀美的娜乌茜卡姑娘[①]，惊异于刚才的梦兆，
穿走家居，以便告知双亲，
对亲爱的父母通报。她在屋里找到，
只见母后坐身炉火边旁，带着侍女，
杆摇紫色的羊毛[②]。她遇见父亲，
后者正打算出门会商，会见著名的
王者，接受高傲的法伊阿基亚人的请召。
她贴近亲爱的父亲身边，站定，对他说道：
"亲爱的爹爹，可否请你让他们替我把车辆轭套？
要那轮盘坚实的，车身老高，让我运载精美的衣服，
去往河边洗漂。这些脏衣服呀，堆得乱七八糟。
此外，你自己也有这个需要，当你聚会议事的首领[③]，
和他们会商一道，亦应穿着干净才好。
再者，你有五个亲爱的儿子，在宫居里住着，
两个已婚，另三个单身，风华正茂，
总想穿上新洗的衣服，以便参加
舞蹈；我呀，要把这一切牵挂思考。"

---

① 雅典娜刚以梦影的形式对娜乌茜卡有所叮嘱后离去，黎明女神厄娥斯便升临天空，使姑娘脱离梦兆。人、神、梦共存，虚、实的景致交织，构思绚美、奇特。这里有荷马史诗出神入化的文学魅力，反映了诗人多彩的现实观。

② 参考第31行注。

③ 阿尔基努斯正准备外出与首领们会商（见第54—55行）。从上下文及以下几卷中的有关描述来看，法伊阿基亚人的国度政治清明，人民生活安逸、富足。与之相比，伊萨卡自奥德修斯出征后便陷入了无政府状态（参考第二卷第26—27行），国事民政处于"无为而治"或放任自流的无序状态。

她言罢，却羞于对尊爱的父亲提及
婚事的快活，但他知晓一切，说话，答道：
“我不会对你吝惜骡子，或者别的什么，
我的女姣。去吧，仆人们会替你套车，
挑那轮盘坚实的，车身老高，有篮筐配套[①]。”

言罢，他对仆人下令，后者予以照办。
他们拉出顺滑的骡车，在宫外整备妥当，
牵出骡子，套入车前的轭架[②]，
姑娘搬出闪亮的衣服，从里面的室房，
放置油光滑亮的车上。与此同时，
娘亲装箱各种食物，它们给人力量，
放入许多美味佳肴，供她们食享，
注酒山羊皮袋，女儿把它放进车辆。
娘亲还给她一只金瓶，装着橄榄清油舒滑，
供女儿，亦给随行的女仆，浴后抹擦。
娜乌茜卡抓起鞭子和闪亮的绳缰，
鞭赶骡子出发，后者呼呼隆隆，迈步向前，
绝无勉强，拉动车载的衣服和姑娘。
少女并非独行，侍仆们跟随她的身旁[③]。

她们趋临河道清湛的水流，抵达，
总有浣洗的地方，晶亮的河水通过，

① 比较第 58 行。参考第 320 行注。

② 关于套车的情景，详见《伊利亚特》第二十四卷第 265—280 行。

③ 在荷马史诗里，大户人家的女子一般不会单独出行，外出(甚至在家里走动)必有侍女跟随。参考并比较第十八卷第 182—184 行和《伊利亚特》第二十二卷第 460—461 行。

丰足、奔腾，涤净衣服，不管多脏。
她们在那儿松出骡子，牵离车辆，
赶着行走，沿着转打漩涡的河岸，
让其牧食水草的甜香，然后动手
从车里搬出待洗的衣物，走向乌黑的水旁①，
放在河池里踩踏，互相竞比玩耍②，
直至洗净，漂除所有的污浊肮脏，
展开，在滩岸上铺晒成行，海水
冲刷，早已将岸边的卵石涤洗溜光。
其后，她们浴毕，用橄榄油全身抹擦，
吃用食餐，傍依河水，滩岸，
等候太阳的光线晒干洗过的衣裳。
当她和侍女们吃罢，欣享，
一起甩掉纱巾，开始戏球玩耍，白臂膀的
娜乌西卡带着他们，领头歌唱，
像泼洒箭矢的阿耳忒弥斯③，穿走山岗，
沿着陶格托斯或高耸的厄鲁门索斯④，
追赶野猪和迅跑的奔鹿，欢畅，

① 河水幽深，故有“乌黑的”视觉效应。关于“乌黑的”，参考第二十卷第 158 行注。

② 干活并非永远和劳苦相伴。比较卡鲁普索唱着歌儿织布的情景（第五卷第 61—62 行；另参考《伊利亚特》第十八卷第 567—572 行）。注意诗人在描述劳动场景时所流露出来的艺术感（亦即对美的接受感，同上第 546—549 行）。洗完衣服后，姑娘们将下河沐浴，吃用食餐，然后抛球玩耍，引吭高歌（本卷第 96—101 行）。

③ 宙斯和莱托的女儿。像兄弟阿波罗一样，阿耳忒弥斯擅使弓箭（如她的饰词所示），主管山林狩猎，兼司生育和保护处女的责职。

④ 陶格托斯位于拉科尼亚和墨塞尼亚之间，得名于阿特拉斯的女儿陶格忒（据传乃拉凯代蒙和欧罗塔斯的母亲），高度约为 2400 米。厄鲁门索斯位于阿耳卡底亚，阿开亚和厄利斯（均在伯罗奔尼撒）边境，是厄鲁门索斯河（及另外三条河流）的发源地。

女仙们跟着,带埃吉斯的宙斯的女郎[①],
随她穿巡荒山野岭,使莱托[②] 见后心花怒放:
阿耳忒弥斯的头颅额角高出所有的她们,
在群体中容易辨识[③],尽管她们也都个个漂亮。
就像这样,她,一位未婚的少女在仆人中闪光。

其时,当她准备重套骡拉的车辆,
叠起绚美的衣服,动身回家,
灰眼睛女神雅典娜开始实施下一步计划,
要让奥德修斯醒来,眼见佳美的姑娘,
由她领着行走,前往法伊阿基亚人的城邦。
其时,公主掷球一位侍女[④],
未中,掉入深旋的水中漂荡,
女人们齐声尖叫,惊醒高贵的奥德修斯,
坐起,开始在心里魂里思量:
“哦,苦啊!我来到哪方疆土,族民生性
怎样,是暴虐、野蛮、无法无天,

① “带埃吉斯的宙斯的女郎”在此(复数)指跟随阿耳忒弥斯的仙女们,但通常(单数)指雅典娜(参见第三卷第42行)。

② 莱托为宙斯生一儿一女,即阿波罗和阿耳忒弥斯。参考第162行注。奥德修斯即将把娜乌西卡比作阿耳忒弥斯(第151行)。

③ 比较阿伽门农在人群中“高出一头”的雄姿(《伊利亚特》第三卷第166—170行;另见该卷第192—194行)。高大为美(参考本书第十六卷第174行注;比较第十八卷第220行注)。

④ 此球当为皮制,能浮于水上(第116行)。这或许是西方文史作品中关于球类运动(亦即肯定是关于女子玩球)的最早记载。另见第八卷第372—376行。

还是善待生客，心中对神明敬怕[①]？
耳闻姑娘们的喊叫，回响，
抑或是一群仙女，出没在峻岭山崖，
在多草的泽地和河流的溪源边旁[②]，
抑或，我已置身人住的邻里，可以通话？
好吧，看看去，我将亲眼察视事情怎样。”

言罢，卓著的奥德修斯钻出，从枝蓬底下，
用粗壮的大手从厚实的叶层里摘取一根
带叶的树枝，挡住身体，遮掩下身的裸光，
趋前，像一头山地哺育的狮子[③]，相信自己的力量，
迎前，尽管被雨浇透，被风吹刮，

---

① 第119—121行同第十三卷第200—202行；第120—121行同第九卷第175—176行。像在其他许多方面（比如祭神、进餐和思考等）一样，史诗人物对突然出现的地形和相关景况的反映也（可以）是程式化的。

② 比较《伊利亚特》第二十卷第8—9行。

③ 当宙斯之子、全副武装的萨耳裴冬奋不顾身，豪情催使他冲向阿开亚人的护墙时（《伊利亚特》第十二卷第307—308行），荷马恰如其分地称他为“像一头山地哺育的狮子”（同上第299行），“像弯角牛群里的一头狮兽”（同上第293行）。然而，在这里，奥德修斯［尽管他有着狮子的心肝（喻勇敢）］却是赤身露体，仅用一根枝条遮羞，且面对的并非意欲杀屠的敌人，而是一群赤手空拳、在河边玩耍的女人——此时的他哪有（或需要）雄狮的威风？抑或，他把少女当成了女神？抑或，他想起自己在特洛伊城下的英雄本色，因此必须装出一副不可一世的样子吓人？或许，诗人想要在此强调的是英雄奥德修斯的“本质”——任何骁勇的战将都是狮子，即使在非战斗场境之中也应该这样（比较本卷第26行注）。或许，诗人以为用一个现成的明喻方便，只须信手拈来，况且史诗对语境的要求有时并不十分严格，并没有不容变通的限定。不管怎么说，形容战斗中的勇士，狮子的确是不可多得［如果说还不是绝无仅有的最佳择选的话（野猪的凶蛮超过山豹和狮子，《伊利亚特》第十七卷第20—22行）］的借喻，以突显并形象化展示猛士的豪迈和一往无前的英雄气概（参考该史诗第十一卷第113行注、第十六卷第752行注和第二十卷第164行注等处）。比较该史诗第十一卷第418行、第十六卷第489行、和第二十一卷第254行及相关注释。

但双眼闪发光亮，寻捕羊或牛群，
或是野地里的奔鹿，饥饿催使它
闯入坚固的栅栏，杀屠群羊。
同此，奥德修斯准备面对长发秀美的
姑娘，尽管光着身子，需求迫使他这样。
带着一身咸斑，他的出现使少女们悸怕惊慌，
四散奔逃，冲下突伸的海滩。
唯有阿尔基努斯的女儿站着，稳当，雅典娜
已从肢腿里取走恐惧，把勇气注入她的心房，
站立原地，直面对方。奥德修斯比较思量，
是走去抱住她的膝盖，恳求这位佳美的姑娘，
还是站离，维持原状，用温柔的
言词请求，问她能否指点城区，借给他衣裳。
他斟酌比较，觉得此举最为妥当，
站离，用温柔的言词说讲，
担心倘若抱住她的膝盖[①]，许会激怒姑娘。
于是，以高超的技巧，他用温柔的言词说话：
“我在你的膝下[②]，哦，女王。然而，你是凡人，还是仙家？

① 祈求者通常应下跪被祈求者跟前，伸手抱住后者的膝盖（亦可用一手托住对方的下颌或脸颊，参考《伊利亚特》第八卷第371行和第一卷第501行注），以示“低下”和真诚。被祈求者必须认真对待对方的祈求（因为祈求人受到宙斯的保护），只要境况和条件许可，尽可能地全部或部分满足祈求者的要求。在战场上，被俘者经祈求得以活命后，日后要履行承诺，交付财礼，以谢对方的不杀之恩。

② 奥德修斯并没有真的抱住姑娘的膝盖（考虑到此举不妥，见第168—169行），故以话语代之。这一细节显示了他的机灵。参考第五卷第449行。只要情况或条件许可，被祈求者应该（或者说，有义务）帮助对方（参考本卷第192—193行），因为浪人生客受宙斯保护（第207—208行），主方不得予以欺侮错待。当然，祈求者必须态度恭谨，敬畏神明，不能蔑视客主，贪得无厌，更不能反客为主（像求婚人那样），为所欲为，放胆糟蹋主人的家产（参考第十六卷第432行注）。

倘若你是神明,控掌辽阔的天上,
那么,我要说你与阿耳忒弥斯最为相像,
大神宙斯的女儿,论体形、身段和长相。
但是,倘若你是凡女,在这里居家,
如此,三倍的福佑属于你的阿爸和尊贵的亲娘,
三倍的福佑亦属于你的兄弟,我知道,有了你,
他们的心里一定总是喜气洋洋,眼见
好一棵树苗①,亭亭玉立,走向歌舞的地方。
然而,比他们更感心甜和幸运的是他,
以礼物超胜,领着作为新娘的你归家。
我的眼睛从未见过像你这样的美人,
男的或是女的;看着你,哦,你美得使我惊讶。
不过,在德洛斯②,我曾有过眼福,傍临阿波罗的祭坛,
目睹一棵嫩绿的棕榈树,何其挺拔,
我去过那里,带领大群随员同往③,
那次远足,给我带来凶邪的愁难。
然而,眼望那棵秀树,我打心眼里良久

---

① 娜乌茜卡是走南闯北的奥德修斯见过的凡人中最美的姑娘(参考第160行;当然,不排除有求于人的落难者此时适当的夸张)。女神塞提斯称自己生养了一个骠健的儿郎(即阿基琉斯,阿开亚军中的第一美男),“完美无缺”,“像一棵树苗成长”(《伊利亚特》第十八卷第55—56行,另见第二十二卷第87行及该行注)。树苗象征美好和风华正茂的人生(参考本卷第163行)。坚守阵地的斗士伟岸、挺拔,似高耸的橡树(《伊利亚特》第十二卷第132行,参考该行注),而倒地的英雄悲壮,像一棵杨树倾倒(该史诗第四卷第482行),死得太早,不能回报双亲的恩养(同上第478行)。树叶的春发秋落使荷马联想到了人生的短暂(细品该史诗第六卷第146—149行)。“树犹如此,人何以堪?”

② 小岛,位于雅典东南海面,据传莱托在该地生下阿波罗和阿耳忒弥斯,后二者因此在岛上享有祭仪和圣地。

③ 奥德修斯以此暗示他昔日的首领身份,表明他并非等闲之辈。

欣赏,从未有过如此佳木生长在大地之上;
同此,姑娘,我赞慕你,惊诧,断然不敢
抱住你的膝腿祈讲[①]。我承受着莫大的悲伤。
昨天,我脱身酒蓝色的大海,已是第二十天上[②],
在此之前,激浪和撕咬的狂风把我从
俄古吉亚岛[③] 一路推搡,命运让我登陆此地,
眼下,继续遭受祸殃。苦难不会中止,
我想,在此之前,神会让我艰辛备尝。
怜悯我,哦,女王。我历经磨难,你是
我第一个相遇的对方,这里没有我的熟人,
居住此地,拥有这片疆土城邦。
给我指点去往城里的方向,给我一些布片裹缠,
如果你临来之际,带着什么衣裳,
我将祈求神明使你如愿以偿,只要心想,
让他们给你一位丈夫,一座房居,凡事和谐
欢畅——没有什么比这更好,实惠可佳:
两个人,丈夫偕同妻室,守着和顺的一家。

① 参考第147—149行及相关注释。娜乌茜卡美得让奥德修斯“惊诧”(第168行;比较第237行)。我们注意到,诗人从未用如此长的篇幅,以如此饱含赞意的口吻和动情的语句颂扬过任何一位女神的美貌(比较奥德修斯对卡鲁普索的例行公事式的赞扬,见第五卷第216—218行)。诗人对人体的美予以了足够的重视和经常的提及。古希腊人对美的体验和“接受”极其敏感。参考第四卷第71—75行和第十一卷第550行及该行注。古希腊人审美,还带有脱离(或部分脱离)行为的是非“纠葛”的一面。诗人并不否认,若就长相而言,求婚的年轻小伙子们都是美的(参考第二十四卷第106—108行和第四卷第629行注)。与其说与相貌的美,行为的美与心智的美的关系或许更为直接(细读第三卷第20行注)。

② 参考第五卷第34、278—279和388—390行。

③ 女神卡鲁普索栖居的岛屿(另见第一卷第85行、第七卷第244和254行),具体所指及位置不明。

此事会给忌恨的敌人送去众多的愁怏，
给朋友致送欢乐，替自己赢得最好的名声传扬①。”

其时，白臂膀的娜乌茜卡对他答道：
“既然，我的朋友，你不像是个卑劣者，不像心智缺少，
而宙斯，奥林波斯大神亲自致送凡人，赐予命运佳好，
给每一个人，好人、坏蛋，凭他的意愿赏犒②，
如此，他一定也给了你什么，你要以忍耐为妙。
眼下，不过，既然你临抵我们的土地城国，
你将不会匮缺衣裳或是别的什么，
一位落难的祈求者临抵异乡，可望得到。
我会给你指点城区，将我们部族的名称说告。
我们是法伊阿基亚人，拥有这片土地和城市的族胞，
我乃心胸豪莽的阿尔基努斯的女儿，
他体现法伊阿基亚人的权势，是力量的凭靠。”

言罢，她转而叮嘱秀发的侍女，说道：

---

① 这段话（第 149—185 行）颇能展示奥德修斯出类拔萃的口才。整篇讲话表义精确，层次分明，有赞美，有陈述，有请求，最后以对娜乌茜卡美好的祝愿收场。在特洛伊城下，奥德修斯和奈斯托耳是联军中最能言善辩的行家。参考《伊利亚特》第三卷里特洛伊长老安忒诺耳对奥德修斯讲演技巧的赞扬（第 216—224 行）。我国古代先哲称谈话（或讲话）的艺术为“谈说之术”，并举其要旨为“矜庄以莅之，端诚以处之，坚强以持之，譬称以喻之，分别以明之，欣欢，芬薌以送之，宝之，珍之，贵之，神之；如是，则说常无不受”（《荀子·非相》）。奥德修斯重视夫妻关系的和谐与家庭生活的美好。这或许也是促使他抵御长生不老的诱惑（参考本书第五卷第 206—209 行），决心回家和妻儿享过“会死的凡人”的生活的思想动机之一。奥德修斯明确表示，他怀念父母，情系故乡，因此无意留恋海外，决心回返国邦（参阅第九卷第 28—36 行）。

② 比较第四卷第 236—237 行。参考第一卷第 267 和 400 行。但人的因素并非无足轻重（参考本卷第 190 行）。

“站稳了，姑娘们。就因为见到一个男人——你们
往哪里奔跑？以为他是敌人，对我们进剿？
现在没有，将来也不会有活着的凡人，
临抵法伊阿基亚人的国土，带来战争
侵扰，因为我们乃长生者们十分钟爱的乡胞。
我们独居最远的边地，傍临汹涌的海涛，
除了自己，凡人的足迹不到①。
不过，这个浪者可怜，来了，
我们就应予以照料，须知但凡生客浪人
都受宙斯护保②，略给一点，便是珍宝。
来吧，侍女们，给他食物饮料，沐浴
生客，在河里，找个地方，风吹不到。”

她言罢，姑娘们止步不跑，互相鼓励，
把奥德修斯领到避风的地方，遵从心志
豪强的阿尔基努斯的女儿娜乌西卡的
嘱咐，照办，放好衣衫和披篷，由他着穿，
给他舒软的橄榄油，用金瓶盛装，
告嘱他自行沐浴，在河里的水浪。
其时，卓著的奥德修斯对女仆们说讲：
“原地站住，姑娘，站离一点，

① 参考第 8 行注。法伊阿基亚人虽是神的裔胞，但并非神明（或仙民），所以也吃食人间的五谷杂粮，也会生老病死。

② 参考第 147 行注。第 207—208 行同第十四卷第 57—58 行（但翻译时根据上下文意思，作了适当调整）。参考第八卷第 569 行注和第十六卷第 423、432 行注。当然，所谓的客家（或浪者）也可能是在家乡欠下血债的杀人犯（参看第十三卷第 260 行注）。如果他杀死的是自己的亲人，复仇女神将追究他的责任，但这并不意味着他会由此失去在外乡祈请宙斯保护的权利。参考并比较第八卷第 546—547 行及相关注释。

待我洗去肩上的盐垢，将橄榄油
抹上——我的皮肤未沾油星，时间久长。
我不想在你们面前洗澡，那会使我害臊：
在长发秀美的姑娘们眼前裸体，溜光①。”

他言罢，侍女们离去，向年轻的主人报告。
卓著的奥德修斯在河里浴洗，搓去
粘贴的盐斑，从他宽阔的肩膀和背腰，
然后刮去头上的积垢，得之于荒漠大海的波涛②。
当擦洗完毕，遍抹橄榄油膏，
他穿上未婚的姑娘给他的衣服；
雅典娜，宙斯的女儿，使他看来
显得更壮、更高，在他头上理出③
拳曲的发绺，犹如风信子的花朵垂飘。
像一位高明的工匠，将黄金在银器上镶铸，
凭着赫法伊斯托斯和帕拉斯·雅典娜教会的

---

① 奥德修斯此时的“腼腆”令人费解。奥德修斯至此一直光身（第136行），其身子早被姑娘们一览无遗。此外，在荷马史诗里，女子替男人（包括来访的客人）洗澡是通行的习俗[海伦就曾为奥德修斯沐浴（第四卷第252行）]，所以不存在不好意思的问题。或许，奥德修斯觉得自己身上太脏，洗起来费劲，因此不愿麻烦姑娘们；或许，他考虑到姑娘们均为未婚的少女，不便让她们过于接近男人的身体（但奈斯托耳的末女波鲁卡斯忒曾为来访的忒勒马科斯洗澡，见第三卷第464—466行）。所以，“较真”起来，上述第一条理由似乎（相对而言）更易于接受。不排除对此作其他解释的可能（比如，“场境”或“场合”的问题）。关于女子替男人洗澡的习俗，另见第四卷第49行、第五卷第263—264行、第八卷第449—450行、第十卷第361行、第十七卷第88行（比较第十九卷第317行）、第二十三卷第153—154行和第二十四卷第365—366行。

② 比较《伊利亚特》第十卷第572—575行。

③ 第230行同第二十三卷第157行。参考本卷第169行注。

整套技艺[1]，使每一件成品体现典雅的精巧，
同样，雅典娜镀饰迷人的雍华，在他的头颅肩座[2]。
其时，他行至一边，在海岸边下坐，
俊美，光彩夺目。姑娘惊慕他的长相，
发话秀发的侍女，对她们说道：
“听着，白臂膀的女仆，我有话要说。
并非违背所有拥掌奥林波斯神明的意志，
此人临抵法伊阿基亚人之中，来到。
刚才，他还形容不整，但现在，
他却像似拥掌辽阔天空的神保。
但愿被称作我夫君的谁人能住在这儿，
有他的仪表，但愿他能留下，愿意这么去做[3]。
来吧，侍女们，招待生客，给他食物饮料。”

她言罢，侍女们服从，认真听过，
摆出吃的喝的，在奥德修斯身边放好。
卓著和历经磨难的奥德修斯猛吃猛喝，
一顿好嚼——他已有好长时间未沾食肴。

其时，白臂膀的娜乌茜卡开始实施下一步所做。

---

① 赫法伊斯托斯乃神界的工匠，曾为众神建造宫殿，亦为阿基琉斯制作甲械。雅典娜为智慧和工艺女神。分别参考第二卷第115—118行和第八卷第272—281行。本卷第232—235行同第二十三卷第159—162行。当然，雅典娜也司掌战事，是战争女神。

② 参考第二卷第12行、第十六卷第172—176行和第二十四卷第367—369行。荷马似乎没有理由不熟悉神祇可以增美凡人的史诗传统。在苏美尔史诗《吉尔伽美什》里，主人公吉尔伽美什同时接受了几位神祇对他的塑形和增美（参考并比较本书第二十卷第72行注）。作为两分似神，一分是人的建城者，俊美的相貌是他得以“合法”统治圣伊亚那（即乌鲁克城）城民的外部（或外在）条件之一。

③ 诗人再次使用了模棱两可的语言，以“挑逗”听众（参考第27行注）。

她叠好衣服，放上精美的骡车，
套起蹄腿强健的骡子，踏上车板，
招呼奥德修斯，对他开口说告：
“起来吧，生客，朝对城区抬腿，让我指引
你去往我聪慧父亲的居所，在那里，
我断定，你会结识法伊阿基人最高层的首脑。
这样吧，让我们这么去做；你看来不会笨拙[①]。
当我们穿行郊野，从农人劳作的田野走过，
其时，你可跟着骡车，脚步轻快，
和女仆们结伴，由我引路开道。
但是，当抵及城边，高墙环绕，
城垣两边各有一座漂亮的港口，
均有狭窄的进口通道，翘耸的船儿沿着路面
排开，一船一埠，各有自己的位点停靠。
那里还有一处聚会的场所，用开采的
石块铺建，拱围波塞冬绚美的神庙。
人们在那一带整治黑船上使用的家什，
修整布帆缆索，把桨板仔细精削。
法伊阿基亚人不在乎射弓箭筒，
关心的是桅杆、船桨和匀称的海船走俏，
穿越灰蓝色的洋面，是他们的欢乐喜好。
我有意避开他们不雅的言谈，以免日后有人
讥嘲，社区里确有那恣傲的家伙，

① 比较第 187 行。娜乌西卡正逐步加深着对奥德修斯的了解（参考第 240—243 行）。

若让其中的厚脸皮者相遇我们，便会这样说道[①]：
‘跟随娜乌茜卡的外乡人是谁，高大、英俊，
她在哪里把他找到？此人必是她未来的夫婿，
不用说告。也许，她为自己效劳，从来自外邦的客船，
找回这个浪子，须知此地人迹不到——
要不，便是某位神明，应她再三祈祷，
从天上下凡，以后天天和她相伴一道。
如此更好，倘若她自个外出，从别地寻回
丈夫，既然她不屑一顾本地的法伊阿基亚
乡胞，尽管追求她的人多，都是杰佼[②]。’
他们会这样说告，使劲对我造谣，
而我本人也不会赞同姑娘如此行事，
那就是，无有亲爱的父母意许，
在正式结婚前和男人结交。
所以，陌生人，你要认真听我说告，
以便尽快争得家父赞助，送你回家便了。
你会在路边见到一片光荣的树木，祭奉
雅典娜的杨树，一泓泉溪奔流，周边芳草展铺，
那里有我父亲的田庄，有他鲜花盛开的园圃，

① 所谓人言可畏。史诗人物注重维护自己的名声，唯恐被别人背后议论不是，落下恶名。有身份的女子可以大大方方地给男子洗澡，却害怕制造绯闻，谨慎到不愿和“敏感”的男子一起走动（比较裴奈罗佩在求婚人面前的举动）。史诗社会有其开放的一面，但也有与之对比显得很有趣的闭塞的角落。从第276—284行里我们可以读到诗人老到的戏谑工夫。参考并比较第十八卷第355行注。

② 比较第27行和34—35行。像裴奈罗佩受到众多年轻人追求一样，娜乌茜卡是法伊阿基亚阔少热切追求的对象。但法伊阿基亚青年并没有整天麇集作乱在女方的家里，食糜别人的家产（此外，裴奈罗佩乃有夫之妇，这与娜乌茜卡的未婚公主身份很不相同）。

去城的距离,近在一个人的喊呼[①]。
坐下,你要在那里打住,等待
我们进城,行往阿爸的宫府。
当你估计我们已抵达王宫,
便可启步法伊阿基亚人的城埠,寻问
心志豪强的阿尔基努斯,家父的居处。
宫邸容易辨认,一个无知的孩子便可
带你认出,那一带没有法伊阿基亚人的
建筑,像似英雄[②] 阿尔基努斯的
宫府。当你进入房居场院,掩入,
便应迅速走过厅堂[③],在我母亲身前
止步,她正坐在柴火边,就着火炉,
杆转紫蓝色的毛线,看后让人惊慕,
背靠房柱,身后坐着她的女佣,侍仆。
傍临她的座椅,是我父亲的宝座,
他置身椅面,喝酒,像似神主。
走过他的身边,用你的双手把我母亲的

① 参考第五卷第400行和第九卷第473行。

② heros,参看第四卷第312行注。

③ megaron,为家居中的主要房室建筑,有撑顶的梁柱,内置象征家庭及其“荣誉”的火盆(或炉塘)。与日常生活相关的一切活动(可能除了烹调外)均可在厅堂里进行。

膝盖抱住[①]。做去吧，以便及早见到你的
返家之日，幸福，哪怕你居家遥远的国度。
知道吗，倘若她心怀善意，对你的难处，
那么就有希望，你能眼见亲人，回抵
营造坚固的家居，回抵你的故土[②]。"

　　言罢，娜乌茜卡挥动闪亮的皮鞭，驱赶骡车，
骡子奔跑，迅速离开滚动的河水，
抬起坚实的蹄腿，轻松摆动腿脚，
但她小心驾御，以便让步行的奥德修斯

---

① 参考第147行注。可以说到目前为止，孤苦伶仃的英雄奥德修斯是在女性的帮助下到达了返航回家的最佳出发点。应该说，如果不出意外，他的归家已成定局。我们记得，是女神雅典娜（奥德修斯在神界的忠实支持者）敦促宙斯让奥德修斯动身返航（第五卷第5—27行），以后又在关键时刻多次出面，协助他杀灭了人多势众的求婚者。卡鲁普索接到赫耳墨斯传送的令言后不曾迟缓，叮嘱奥德修斯造船，（并为其）提供充足的给养，送出轻柔的和风推船[同上第265—268行。不错，是卡鲁普索"强行留他，使他不能回抵故乡"（同上第14—15行），但女神是出于爱意，"她照料我，对我关怀"（第十二卷第450行）。此外，奥德修斯之所以久滞俄古吉亚，可能是因为神定的时间不到，似乎是命运使然（参阅第一卷第16—18行）]。海面上，当波塞冬招聚狂飙，四面逼挤奥德修斯时，卡德摩斯的女儿伊诺雪中送炭，给他一方永不败坏的头巾，嘱他"不必担心死亡"（第五卷第330—347行）。然而，事情并未就此中止。波塞冬掀起巨浪，碎砸奥德修斯的木船，使他差点死去，"超越命运的定夺"。在这千钧一发之际，又是雅典娜救助，"再次点拨"（同上第436—437行）。眼下，是娜乌茜卡救他于困境之中，给他吃的穿的，辅之以善意的指点，为他引路，要他进宫后走过父亲的身边，将她母亲的膝盖抱住，以便争得后者（一位深得丈夫和国民敬重的王后）的同情和支持，得以"回抵营造坚固的家居"（本卷第314—315行），回抵久别的乡土。从情节上看，《奥德赛》由主人公的回归和复仇两大部分组成。在回归部分，奥德修斯极大地得益于女性的帮助，而在需要通过战斗解决问题的复仇部分里，我们将会看到，男性将走向前台，成为他的得力助手。当然，雅典娜的助佑依然如故，此外，我们亦不应忘记保姆欧鲁克蕾娅的协助。有意思的是，奥德修斯在杀灭求婚人后，尽杀了所有与他们有染的女人。

② 第313—315行大致同第七卷第75—77行。

和侍女们跟上,仔细掌控鞭子的定导[①]。
太阳落沉,他们临抵那片著名的林带,
奉献给雅典娜的祭犒,卓著的奥德修斯坐下,
当即对大神宙斯的女儿祈祷:
"听我说,阿特鲁托奈[②],带埃吉斯的宙斯的女儿,
这次,听我说告,既然你先前没有
聆听,任凭著名的裂地之神将我摧捣[③]。
答应我,让法伊阿基亚人欢迎我,对我怜保。"

他言罢,帕拉斯[④]·雅典娜听闻他的祈祷,

---

① 除了司掌浣洗衣物外(参考第31行注),娜乌茜卡还会鞭赶骡车。比较《伊利亚特》第二十四卷第322—327行。在史诗里,骡车多用于运送物品(包括从城外运入烧柴和木料,参考《伊利亚特》第二十四卷第782—784行)。骡子可用于耕地(本书第八卷第124行),但不作载人车战之用。临战时运送战勇的车辆均由驭马拖拽。比较第三卷第477—486行,参考同卷第486行注。

② 参考第四卷第762行注。比较第三卷第378行注。

③ 奥德修斯的意思似乎是,当他被波塞冬击捣之时曾对雅典娜作过祈求(而后者则对他的求救之声充耳不闻)。如果说奥德修斯确实有过请求雅典娜救护的表示,诸如此类的语句却没有出现在诗人对事态进展的描述里(参阅第五卷第291行以下)。史诗诗人可以在下文中讲述上文里没有"铺垫"的事情(参考同上第276—277行),而无须苛求细节上的丝丝入扣和表面上的"滴水不漏"。作为凡人,奥德修斯不可能完全知情,对雅典娜的暗中帮助(参考同上第383—387、426—427行及相关注释)他当时全然不知,此刻也仍然没有提及。不能排除他当时晕头转向,"尽散心力"(同上第297行),没有马上想到必须请求雅典娜帮助的可能。事实上,他当时的第一反应并没有直接与波塞冬的仇慝挂钩,而是还以为风云的突变乃宙斯所为(同上第303—304行,参考相关注释;比较同上第423行)。

④ 词源不明,一说与古时的一个意为"姑娘"的词汇相关。比较闪米特语词 ba-alat,意为"女士""夫人"。古代评论家们把 pallas 的词源与 pallo(即 pallō,"挥舞""摇动")联系在一起,将其解作"摇动埃吉斯者",但近当代学者对此多有质疑,一般不取此义。参考第一卷第125行注和《伊利亚特》第五卷第1行注。神祇似乎都长着"顺风耳"。即便置身远方,他们也能听闻凡人的祈求(参看该史诗第一卷第43行和第二十四卷第314行等处)。

但没有在他面前显身，唯恐她父亲的
兄弟波塞冬愤恼[1]，后者仍然狂怒不息，
对神样的奥德修斯[2]，直至他抵达自己家乡的怀抱。

① 波塞冬是雅典娜的长辈。在《伊利亚特》里，奥林波斯神明分作两派，介入凡人的争斗(参考第二十卷第31—40行)，险些引发一场自宙斯及其帮手们击败泰坦诸神以来最严酷的众神之战。面对波塞冬的挑战，阿波罗明智地予以避让，理由之一也是不愿和"他父亲的弟兄"兵戎相见(详阅《伊利亚特》第二十一卷第461—469行)。后世阿波罗的理性之神的形象，在《伊利亚特》里已见端倪。

② 日后，愤怒的波塞冬将法伊阿基亚人运送奥德修斯回抵伊萨卡的海船变作石头(第十三卷第162—163行)，但没有做出过激的举动，伤害奥德修斯的性命(参考该卷第131—133行)。宙斯已答应让奥德修斯回返(参考第五卷第31行等处)，并已指定要法伊阿基亚人致送礼物，送他回到故乡(同上第36—39行)。命运注定奥德修斯得以返家(同上第41—42行)。既如此，波塞冬当然也只能适可而止，以避免违抗宙斯的意志(细察第十三卷第132—133行)。

第七卷

就这样，卓著和历经磨难的奥德修斯祈祷，
而两头强健的骡子则拉着姑娘行往城里。
当抵达父亲光荣的府居，她在
院门前停下骡车，兄弟们前来，围着她
站立，凡人，却像永生的神祇。他们
从车前松出骡子，将洗好的衣服搬入府邸，
姑娘走进她的居室歇息。一位贴身
老妇，来自阿培瑞的欧鲁墨杜莎[①]，替他点亮火把照明。
多年前，翘耸的海船将她从阿培瑞载到此地，
人们选她，作为礼物，交到阿尔基努斯手里，
因他统治法伊阿基亚人，民众听他，像服从神灵。
她曾抚养白臂膀的娜乌茜卡，就在宫邸。
眼下，她为姑娘点亮火把，在室内整治晚餐备齐。

其时，奥德修斯起身走向城区，雅典娜

① Eurumedousa，“统治辽阔”（疆域的），以此作为一名女子的名字，颇为蹊跷。“阿培瑞”的所指不明，国外学者对此虽颇多猜测，但都似有牵强之嫌。对古代诗歌（史诗）里提及的人名，诗人显然无意予以逐个仔细考证。第 9—10 行言简意赅，对欧鲁墨杜莎作了简单的介绍（参考第二卷第 16 行注）。比较欧鲁克蕾娅的身世（见第一卷第 428—433 行）。

布起浓雾①，在他周围，出于善意，
以防某个心胸豪壮的法伊阿基亚人遇见，
问他打哪里过来，对他出言不逊。
当他行将进入城市美丽，
灰眼睛女神雅典娜见他，
变取一个小姑娘的形貌②，提着水罐，

---

① 另见第42和140行。蒙上迷雾后，凡人看视不见，但雅典娜却仍可看见奥德修斯(见第19行；参考第十三卷第190—191行)。此雾不影响奥德修斯的看视，在本卷第143行里"从他身边消散"(参考并比较《伊利亚特》第十七卷第648—649行)。比较该史诗第五卷第776行、第八卷第50行、第十七卷第269行和第二十卷第443—446行。神亦会在战场上大面积布撒黑雾，以帮助他想助佑的一方(该史诗第十七卷第643—644行)。

② 雅典娜变幻莫测，这回又变作一个小姑娘，准备把奥德修斯带往阿尔基努斯的府邸。参考第六卷第311行注。柏拉图强烈反对荷马让神祇变幻无常的做法(详阅《国家篇》第二卷里的相关论述)。从某种意义上来说，文学的生命力在于"变"，而神学和以形而上学为认知支撑的非变通性哲学的立论(和思想)基础则是"不变"。在一个接受并认可神明具体参与的世界里，科学的认识论不可能得以确立。如果人们连与自己打交道者是人还是神都分不清楚(参考本卷第199—210行、第十三卷第312—313行和第十六卷第194—200行等处)，那么他们将如何确立认识的基点，又何谈客观公正和尽可能全面地了解自己所置身其中的世界？史诗人物可以借助神的干预(参考第三卷第152行注)解释几乎所有不能用常规意义上的经验解释的问题(参考并比较第四卷第275、713行注；另参考第九卷第339行和第十六卷第355—357行)，但这种自以为是的"知"实际上是一种比承认不知更危险的无知。幸好荷马没有让凡人只是一味沉迷于虚幻和自欺欺人的"知"感，没有让他们总是像柏拉图笔下的洞穴人那样(参阅《国家篇》第七卷)，浑浑噩噩地满足于洞穴生活的无知。荷马史诗里的人物生活在阳光下(有趣的是，为了求得"真知"，奥德修斯不得不下到黑魆魆的冥府边缘，咨询于泰瑞西阿斯的灵魂)，只要愿意，他们可以通过探察找到正确的答案，找见"发现"带来的光明(细读本书第十七卷第363、514行注；参看第十六卷第214行注)。"发现"的扩展自然会使人逐渐变得聪明起来。日后，西方人又发现了这样一条"真理"，即应该把神的活动排斥在人的直观感受和一般经验之外。今天，西方人已不再会相信有谁能在雅典、纽约、伦敦或巴黎的街头遇到雅典娜。这是思想的进步，也是——荷马或许没有料到——诗人在《奥德赛》里竭诚提倡的通过探察"发现"并认识事物的求知方式所必然能够(经过引申运用)取得的合乎认知规律的成果。

走来在他面前站定，卓著的奥德修斯问她，说起：
“孩子，能否领我前往他的府邸，此人
名叫阿尔基努斯，王统这里的人民？
我是个不幸的陌生人，长途跋涉，
从老远的地方来到此地，无有熟人，
在拥有这片土地和城市的人中举目无亲。”

　其时，灰眼睛女神雅典娜对他答接：
“如此，我的朋友和父亲，我会带你找到
要去的府邸，国王是我雍贵亲爹的近邻。
不过，走时要静，由我领你，
不要注视谁个，也不要对他们问起，
对外来的生人，他们没有太多的耐心，
亦不会热情招待来自异乡的人丁①。
他们自信于自己的海船，速度的快捷，
在汪洋大海里穿行——那是裂地之神的赐送②，
他们的航船快似闪念和展翅的生灵③。”

---

① 比较第 17 行。注意此间的叙述和第六卷第 204—205 行所表述的内容构成了矛盾。年轻的娜乌茜卡可能把话说得过于绝对了一些，把来客的稀少“引申”说成了(绝对)没有。尽管和库克洛佩斯和巨人部族的成员们相比(参见本卷第 205—206 行)，法伊阿基亚人构成了与野蛮形成对比的文明一极，但这并不等于说他们在一切方面已臻完美。法伊阿基亚人的国民素质里也存在着需要提高的一面(参考第六卷第 273—285 行)。他们喜爱讽刺和讥揄，对外邦人不够热情(亦即对客谊的尊崇和关心程度不够)。或许，他们自以为驾得快船，亦是跳舞的高手，加之生活舒怡(更为重要的是，他们是波塞冬的后裔)——由此变得狂妄自大，目中无人？好在法伊阿基亚人的权贵们还算通情达理，像其他地方的客主一样，热情接待了奥德修斯。

② 参考第 327 行。“裂地之神”指波塞冬，法伊阿基亚人的先祖(参考第 56—62 行)。阿尔基努斯统领法伊阿基亚人，凭借“神明教给他(的)略韬”(第六卷第 12 行)。

③ 所以，语言是“长了翅膀的话语”，也是(虽然荷马没有明说)迅捷的闪念的载体(参考《伊利亚特》第十五卷第 80—82 行)。

　言罢，帕拉斯·雅典娜引路疾行，
奥德修斯跟走后面，踏踩女神的足迹，
以航海著称的法伊阿基亚人不见他的踪影，
当他疾步国民之中，穿走城里，只因秀发的
雅典娜，一位可怕的女神，不愿让他们看见，
在他身边布起神奇的迷雾——女神爱他，发自心底①。
奥德修斯赞慕他们匀称的海船和港口，
还有英雄们聚会的场所，以及绵长、高耸
和连接栅杆的墙垣，此情此景让人看后称奇。
当他们行至国王光荣的宫邸，灰眼睛
女神帕拉斯·雅典娜首先发话，说及：
"到了，我的朋友和父亲，这便是你要我
帮找的府居，你会见到宙斯哺育的王者们②
宴食在宫里。进去吧，别怕，鼓起
勇气。勇敢者做事总有好的结果，
哪怕是一位陌生人，从外邦临抵。
你会先见女主人，见她在宫里，

---

① 法伊阿基亚人喜欢嘲讽外来者(参考第32—33行及相关注释)，雅典娜使他们看不见奥德修斯，后者由此躲过了他们的讥揄。女神还向奥德修斯详细介绍了阿尔基努斯的"宗源"(第53—68行)。在荷马史诗里，thumos常作"心灵"或"心魂"、"命息"解，显示人的活力。生命的豪壮体现为一种蓬勃的气势，因此thumos可与人的勇莽和激情相关，作"勇气"(第50—51行)或"怒气"(第八卷第178行)解。与之相比，ker和kradie(第69行)等近义词似乎相对少一些"气脉"或"魂息"的直接所指。此外，ker和kradie也似乎比较固定，通常不会飘离躯体。参考并比较第二十一卷第247行注。

② 除阿尔基努斯外，国内另有"十二位治统的王者"(第八卷第390行)。虽然王者众多，但阿尔基努斯无疑是王中之王，即权贵们的首领，拥有最终一锤定音式的权威。关于王者(们)，参阅第一卷第386行注。

阿瑞忒[1] 是她的称呼叫名，和国王阿尔基努斯
同宗，从一个共有的祖先源起。
初始，裂地之神波塞冬和最美的女子
裴里波娅亲近，生子那乌西苏斯开基。
她是心志豪强的欧鲁墨冬的末女，
其父那时王统心志高昂的巨人生民[2]，
但他鲁莽，断送了种族，也毁了自己。
波塞冬和他的女儿睡躺，生下心胸
豪壮的那乌西苏斯，法伊阿基亚人的首领。
那乌西苏斯有子阿尔基努斯和瑞克塞诺耳，
但阿波罗射杀瑞克塞诺耳，用银弓击杀在宫里[3]。
此人已婚，却不曾生有男丁，仅留下一个女儿，
阿瑞忒，被阿尔基努斯娶作妻子，受到他的
敬重，极其。世间的女辈中无人可以与她比及，
她们服从丈夫，管理家居，如今。
人们敬她，过去，现在，敬在心里，
包括她亲爱的孩子，阿尔基努斯自己，

① Arete(Arētē)，意为“被祈愿者”(含被祈愿而得来之意)。阿瑞忒极受家人和国民的崇敬(参见第 71—74 行)。

② 在赫西俄德的《神谱》里，克罗诺斯受母亲伽娅(大地)指使割下父亲乌拉诺斯(天空)的阳具，后者的血流浸染大地，生出巨人一族(详见第 163 行以下)。在《奥德赛》里，作者或许取用了这一神话的另一种说法。和库克洛佩斯及法伊阿基亚人一样，巨人族是神的亲属(见本卷第 205—206 行)，细品第 60 行所示巨人族的覆灭。参读《神谱》第 617—885 行。关于法伊阿基亚人的“来历”，另见本书第六卷第 3—8 行。

③ 指突至或非自然(即“提前”)的死亡，为一程式化的借用喻指的表现手法(另见第三卷第 279—280 行)。比较第五卷第 124 行注。荷马史诗里的阿波罗或许还不是医治之神(参考第四卷第 232 行注)，却肯定可以致病(参阅《伊利亚特》第一卷第 53—67 行)。倘若死者为女性，则“司箭”(即致死者)一般为阿耳忒弥斯。另参考本书第四卷第 275 行注。参阅并比较《伊利亚特》第二十四卷第 260 和 498 行。

还有她的属民，后者看她，如同仰视神灵，
对她问候——当她穿走城区——以示敬意。
王后心智聪颖，为人通达情理，
化解争端，甚至在受她善待的男人群里①。
所以，倘若对你的难处她能心怀善意，
那么就有希望，你能眼见亲人，回抵
顶面高耸的房府，回到你的故地。”

言罢，灰眼睛雅典娜离他而去②，
跨越辽阔和荒漠的大海，行离斯开里亚美丽，
来到马拉松，在路面宽阔的雅典临抵，
进入厄瑞克修斯③营造坚固的家居。奥德修斯
行至阿尔基努斯著名的府邸，心里思绪
纷飞，当他走临青铜的门槛，站立，
宛如闪光的太阳或月亮，心志豪强的

① 阿瑞忒受到了所有法伊阿基亚人的敬重。在第六卷里，荷马以罕见的大篇幅热情讴歌了娜乌茜卡的秀美（第149—169行，参考该卷第169行注）。在这里，他又以两部史诗里最长的篇幅和极为诚挚朴实的语言表述了国民对王后（亦即一个女人）的崇敬。诗人没有用过相似的语言赞美任何一位女神，包括赫拉和雅典娜。当娜乌茜卡要奥德修斯先向母亲祈求时（第六卷第304—311行），不知她是否考虑到本卷第66—74行所提及的内容。

② 如果说奥德修斯此时大概没有意识到女孩就是雅典娜，那么日后他或许会在反思中对此有所感悟（参看第十三卷第322—323行）。

③ 传说中的雅典国王，阿提卡英雄，据传为匠神赫法伊斯托斯（参考第92行）之子。

阿尔基努斯顶面高耸的家居闪烁光辉[①]。
青铜的墙面伸开两翼，从宫门指向
内室，贴围着一道珐瑯的墙脊，
大门取料黄金，护卫着坚筑的宫邸，
适配白银的门柱，青铜的门槛，
连同银质的眉梁和一个黄金的手柄。
黄金和白银的犬狗站立门的两边，
由赫法伊斯托斯手铸，显示他的工艺匠心，
守护心志豪强的阿耳基努斯的宫居，
全都生长不老，永存的年华无尽。
里面，两边沿墙排开座椅，
从门边伸向内室，铺盖精工织纺
的细布织毯，女人的手工，华丽。
法伊阿基亚人的首领在此聚会，
吃喝，他们的库藏食用不尽[②]。
金铸的年轻人手举燃烧的
火把，在坚实的座基上站立，
遍照夜间的厅堂，给宴食者致送光明。
宫里有五十名女仆，有的
推动手磨，碾压苹果黄的谷粒，
有的织布，转动线杆，坐着，忙个

① 比较第四卷第45—46行。从上下文的描述中可以看出，金、银、铜器的冶铸工艺在慕凯奈（即迈锡尼）时代已经达到极高的水平。像大海是“鱼群游聚的”一样（尽管史诗里的英雄们被描写成是不到万不得已之时不食鱼的），史诗里的房屋通常是“顶面高耸的”（另见本卷第77行）。史诗依赖于这些典型意义上的程式化词语的帮助，形成了自己鲜明的特色。

② 阿尔基努斯的宫居确实富丽堂皇。参考第十卷第427行。库藏（包括食品）的丰足是诗人评判富有与否的标志之一。

不停,像那高耸的杨树上摇曳的树叶;
织工细密的麻布上,往下渗落柔软的橄榄油滴。
正如法伊阿基亚汉子比别地的男人
更善航行大海,驾驭快船,他们的女子
精于纺织,凭借雅典娜赐送的心智技艺①,
使她们掌握精熟绚美的手工,通达、聪灵。
庭院的外面,傍临院门,是一片果林,
宽广,铺展四天耕完的面积,周边围着笆篱,
里面种着高大的果树,昌茂、繁密,
有梨树、石榴和硕果闪亮的苹果树,
还有甜美的无花果和昌茂的橄榄树辉映②。
果实从不断档,从不败坏凋零,
无论是夏天,还是冬季,西风总在
吹拂,透熟一批,催发另一批的周期。
黄熟的梨子压着梨子,苹果叠着苹果贴挤,
葡萄簇拥葡萄,无花果儿顶着无花果粒。
国王还有一座葡萄园,丰产,也在那里,
葡萄有的正被太阳晒干,在一块温软的
平地,有的正被人们撷采,还有的
受着踩压踏挤;前排长着未熟的串儿,花朵

① 正像歌手的唱诵得之于缪斯(或阿波罗),女人的手工技艺得之于雅典娜。对此类描述我们不宜作过于拘谨的理解。可以肯定荷马不是诸如此类用语的首创者——他很可能只是沿用了希腊民族的古代精英们解释神、人关系的一种“习惯”。比较第 64 行注。参考第八卷第 490 行注等处。雅典娜教授纺织,但荷马史诗里却从未出现过雅典娜纺纱织布的情景。她太忙了,根本无暇顾及这些只关系到衣食住行的具体事情。与她相比,凡人“餐食大地的果实”(《伊利亚特》第二十一卷第 465 行;比较本卷第 307 行),与物质条件的关系紧密(参考本卷第 224—225 行)。《奥德赛》始终保持着对“物质”的通连(参考第 99 行注)。

② 第 115—116 行同第十一卷第 589—590 行。

已经谢地，另有一些正在成熟，颜色变得紫黑。
园林的尽头是一片青绿，各式菜鲜
排列整齐，葱茏不败，一年四季，
拥接两条泉溪，一条穿灌整座园圃，
另一条在对面喷涌，与院门连接，
傍依高耸的房居，城民们在此提水汲取。
这一切乃神赐的礼物，光荣，给阿尔基努斯的宅邸①。

卓著和历经磨难的奥德修斯欣赏，站在
那边。当心享了所有这些，欣羡，
他迅速跨过门跨，进入宫殿，
眼见法伊阿基亚人的首领和统治者们
正给眼睛雪亮的阿耳吉丰忒斯泼酒祭奠，
他们总把最后一杯敬献此神，每当心想上床之前。
其时，卓著和历经磨难的奥德修斯穿走房居，
全身仍被雅典娜拢来的浓雾罩掩，
直到行至阿瑞忒和国王阿尔基努斯面前。

---

① 比较第35行。在史诗里，任何最精美的东西都(可以)是神的赐物(或造物，参见第92行)。阿尔基努斯家院里的一切都得之于神的赐送，但明眼人不难看出，诗人所描述的场景明显地取自人的生活(但或许有所加工"拔高")。假如荷马是一位天生的盲人，那么他一定是照背了前辈诗人的成作。但如果不是，那么可能性至少就有两种，即(一)沿用了既有的诗行；(二)自创，基于平时的生活经验和别人的讲述，予以提炼概括。

奥德修斯双手抱住阿瑞忒的双膝[①],
神奇的迷雾即时从他身边消散,
屋里的人们见他,全都无声愕然,
望着他,惊异;奥德修斯祈求开言:
"阿瑞忒,神样的瑞克塞诺耳的女儿,
我历经艰辛,来到你的膝前[②],作为祈求者,对你
丈夫和宴食此地的人们,愿神明使他们昌达,
生活甘甜,把昌盛和民众给予的权益
递交家居的传人,交给各自的子孙后代。
至于我,我只求你们赶快,助我
回返家园,我已长期受苦,远离朋伴。"

言罢,他在火炉边下坐,在

① 尽管史诗里的英雄们以高傲著称(即使对神祈祷,他们亦惯常站而不跪),但也都知道在关键(特别是面临生死存亡的)时候应该能伸能屈。作为一位王者,攻破特洛伊城的一代英豪(或许还是第一功臣),奥德修斯眼下跪在一个女人面前,双手抱住她的膝盖,请求"助我回返家园"(第151—152行)。奥德修斯的"能屈"意识还不止于此。在第十七和十八卷里,我们将会"看"到乞丐奥德修斯——一个衣衫褴褛、伸手要饭的穷酸[奥德修斯只是重操旧艺。据海伦描述,此人曾"对自己摧残,打开拳脚……扮作仆人的相貌,混入敌人路面开阔的城垣",复又"扮取另一个人的模样,装成乞丐求讨……骗过了所有的他们",其后"回到阿耳吉维人的军伍,带着翔实的情报"(详阅第四卷第244—258行)]。奥德修斯能上能下,在需要的时候敢于和善于忍辱负重,体现了荷马对人中俊杰的素质要求。此外,奥德修斯的成功模仿[亚里士多德会说,模仿是艺术(包括戏剧)的"特征"]固然显示了这位多才多艺者的天资聪颖,但似乎也从一个侧面——我们是否可以这样猜测——证明了至迟在荷马生活的年代,模仿(即装扮、扮演)不仅已是诗家本人熟悉的行为(柏拉图认为,荷马会扮演史诗中的角色并以人物的身份讲话),而且也是社区生活中常见的"现象"(参考第一卷第152行注和第四卷第19行注)。

② 比较第六卷第149行。这一回,奥德修斯是真的跪在了被祈请者的膝前。他照例是先讲一通好话(比较同卷第149—169行),然后提出"助我回返家园"的要求(本卷第151—152行;比较第六卷第175—179行)。

火边的灰堆[①],全场静默,肃然。
终于,老英雄厄开纽斯对他们开言[②],
法伊阿基亚人中的长者,最为年迈,
知晓许多古往的事情,极富口才。
其时,他怀揣善意,对众人讲话,说开:
“阿尔基努斯,此举不好,也不体面,
让陌生人在灰地里坐着,在那炉边,
其他人不作表示,只因等待你的令言[③]。
去吧,扶起生客,让他坐在缀饰银钉
的椅面,吩咐信使兑调醇酒,
好让我们对喜好炸雷的宙斯泼洒
祭奠,此神关注祈求之人,总与该受尊重的他们同在。
让家仆端出备存的食物,让客人晚餐。”

灵杰豪健[④] 的阿尔基努斯听过这些,
于是握起聪明和心计熟巧的奥德修斯的手来,

---

① 人物下坐地面(而非椅上)为一种显示受挫于悲苦或出于无奈,甚至绝望的表示(参考第四卷第716—719行和第二十一卷第55行)。

② 史诗人物并不一定爱幼,却肯定尊老。有身份的老人常常被看作是智慧的象征,说话很有分量。厄开纽斯是法伊阿基人中的奈斯托耳,见多识广,老谋深算,“极富口才”(第157行;比较《伊利亚特》第二卷第370行)。参考本书第三卷第68行注。但老年人体弱、衰败,身体远不如年轻人强健,此乃他们的弱势,是他们(当然也是人生)的悲哀(参考《伊利亚特》第四卷第313—316行等处)。

③ 然而,阿尔基努斯为何迟疑?诗人没有就此做出明确的解释。或许,他在审视奥德修斯的身份和来意?或许,他在考虑与送他返航相关的“深层次”问题?参考第十三卷第173—177行和第八卷第569行注。比较第四卷里墨奈劳斯对怠慢客人的态度(该卷第20—36行)。奥德修斯的突然出现使所有在场的法伊阿基亚人愕然(本卷第144行;比较《伊利亚特》第二十四卷第477—484行)。阿尔基努斯有理由从中感悟到是神意使然(本卷第199—200行;比较《伊利亚特》第二十四卷第563—567行)。

④ 原文作 hieron menos。比较第二卷第409行注。

将他从炉火边扶起，入座闪亮的椅面，
换下强有力的劳达马斯[①]，他的儿男，
一直挨着他下坐，最受他的宠爱。
一位女仆提来净水倒出，从一只绚美的
金罐，就着银盆，为他们洗手，
搬过一张滑亮的食桌，置放他的面前，
一位端庄的家仆送来面包，供他们食餐，
摆出许多佳肴，足量排放，慷慨[②]。
卓著和历经磨难的奥德修斯开始吃喝进餐。
其后，强健的阿尔基努斯告嘱信使，开言：
"调兑一缸浆酒，庞托努斯，斟给厅里的
人等各位，以便对喜好炸雷的宙斯泼洒
祭奠，此神关注祈求之人，总与该受尊重的他们同在[③]。"

他言罢，庞托努斯调好浆酒香甜，先在众人的
饮具里略倒，作为祭奠，祭后添满，在各位的杯盏。
酒过祭奠，他们喝得心满意足，痛饮开怀[④]，
阿尔基努斯当众发话，对他们开言：
"听我说，法伊阿基亚人的首领和统治者各位，

① 此君即将激挑奥德修斯，邀他参加比赛(详见第八卷第132行以下)。阿尔基努斯让奥德修斯下坐最受他宠爱的儿子劳达马斯的座位，显示了待客的诚意。

② 第172—176行为多次出现的程式化诗句，同第一卷第136—140行、第四卷第52—56行、第十卷第368—372行和第十七卷第91—95行。细品本卷第177—184行所示的餐饮程序。第178—183行大致同第十三卷第49—54行。

③ 参考第六卷第147行注和第九卷第270行注。

④ 比较第228—229行。注意对神的洒酒祭奠。参考第十八卷第425—428行。

我的话出自真情,受胸腔里的心灵催赶①。
眼下,你们可以回家休息,已经用过食餐,
明天,拂晓时分,我们会把更多的长老请来,
款待客人,设宴厅堂,给众神举办
丰美的祭奠。其后,我们将考虑送客
回返,让我们的客人无有厌烦,不受苦难,
接受我们的相送,回返自己的乡园,
幸福,尽快,哪怕他居家遥远,
一路上无有痛苦,不遭恶难,直至
落脚故园。从那以后,不过,他将
忍受命运和严酷的纺织者给他编织的一切②,
当母亲生他,在他出生的那一天。
但是,假如他是长生者中的一员,从天上下来,
那么,这将是神灵规划的一件新事手段,
以往,神明总对我们清晰显现,
当我们敬奉光荣和全盛的祭奠,

① 特洛伊人安忒诺耳(此君曾热情招待前去索要海伦的奥德修斯和墨奈劳斯)讲过同样的话语[《伊利亚特》第七卷第 349 行(同该卷第 68 行,说者为赫克托耳)]。“心灵”原文作 thumos(参考本卷第 42 行注)。比较第 309 行里的“心灵”(ker)。

② 在荷马看来,命运(moira,aisa)控掌人的一生(尤其是他们的死亡),而人从出生的那一刻起就已开始接受命运的制约(参考《伊利亚特》第二十四卷第 209—211 和 131—132 行)。但命运并非细致到控掌人生中的每一个事件,人的决断权在许多情况下拥有宽广的活动空间。在荷马史诗里,命运的作用虽大,却总是显得程度不等地捉摸不定,显得比通常以人的形象出现的神明衹“遥远”。除了个别神通广大的人(如阿基琉斯)以外,凡人一般不知自己的死期(亦即命运)。关于 moira 和 aisa,另参考本书第五卷第 436 行注。关于神的“织纺”,参考第一卷第 17 行和第四卷第 208 行等处。

他们就坐在此地宴食，坐在我们身边[1]。
再者，我们中若有人独行，路遇神明在外，
他们不作掩饰，因为我们和神族亲近，
如同库克洛佩斯与野蛮的巨人部族和他们一般。”

　其时，足智多谋的奥德修斯对他答话，开言：
“不要想得太远，阿尔基努斯，我可不是
拥掌辽阔天空的长生者，没有他们的
体形和身段——我是凡人，一介肉胎[2]。
不管你知晓谁人，遭受过最大的不幸
悲难，我便是那样的人等，所受的痛苦可以
与之比攀，我还能讲说更多的愁烦，
忍受过所有那些苦灾，出于神的意愿。
不过，眼下让我吃完食餐，尽管悲哀，

① 比较第一卷第22—26行。但神不吃人间的（常规）食物（详见第五卷第93行注），因此即便真的来了，或许还得自带（或即席制作）“干粮”。法伊阿基亚人是神的亲族（本卷第205行），因此能和神同堂就餐。在《伊利亚特》里，宙斯曾带领众神参加高贵的埃塞俄比亚人（按照荷马的理解，他们居家俄刻阿诺斯河边）的欢宴（第一卷第423—424行）。在一般情况下，神通过受领凡人的祭奠分享他们的食餐，以此避免与凡人在餐事上的具体接触。至少，在赫耳墨斯看来，一位永生的神明不宜“公开接受凡人的款待”，哪怕主人是女神的儿子阿基琉斯（参考该史诗第二十四卷第462—464行）。从阿尔基努斯的谈论中可以看出，以往神明莅临他们的餐会时均以自己原有（即神）的形貌出现（另见本卷第204—205行）。而这一回，来者不仅突然出现，而且以一个凡人的形貌，这就使在场的法伊阿基人不好理解。阿尔基努斯怀疑来者是一位神明，并进而认为此乃“神灵规划的一件新事手段”（第200行），由此左思右想，导致了刚才的迟疑不决（参考并比较第159—161行及相关注释）。参考第20和210行注。

② 奥德修斯针对阿尔基努斯的顾虑（第199—203行）作答。细读第203行注。在一个神祇变幻莫测（此外，神还经常“改动”凡人的模样）而又和凡人杂处的世界里，人间的凡夫俗子们会远非罕见地碰到需要辨别对方是人还是神的棘手问题。忒勒马科斯不认为改变了形貌的来客就是自己日夜思盼的父亲，认为是神明有意欺哄，加重他的苦难（详见第十六卷第194—200行）。

世间没有什么比可恨的肚子不要脸面[①],
它逼人,强令人们想起它的存在,
即便极度悲苦,心里注满哀怨,
像我现时一样,心里怨哀,然而
它还在催我吃喝,逼我忘却受过的
全部苦灾,命我,是的,必须将它满填。
你们可快速行动,拂晓明天,
让不幸的我重回自己的故乡,
尽管已历经磨难。让生命离我而去,当我见过
自己的财产、仆人和宽敞、顶面高耸的房宅[②]。"

他言罢,众人均表称赞,赞同
送客归返,认为他说得在理明白。
当洒过祭奠,全都喝得心满意足,痛饮开怀,
他们各回自己的家所休息,回还,
卓越的奥德修斯其时仍在宫殿,
阿瑞忒和神样的阿尔基努斯和他同在,
傍坐他的身边,仆人们收走宴用的盆盘。
这时,白臂膀的阿瑞忒首先说话开言,
因她已认出披篷衣衫,当她眼见对方的身穿,
乃她亲手织制,绚美,由侍女们帮办。
王后对他说话,送吐长了翅膀的语言:

① 第216—221行的描述颇为生动,是一个逗乐的小插曲。荷马自己或许也经历过食不果腹的日子,对此许有切身的体验。参考第四卷第369行、第六卷第133行和第十五卷第344—345行。人必须先吃饱肚子,否则一切都将无从谈起(参考第四卷第69行注)。诗人的话(本卷第215—221行)看似"轻松",实则包含了一个深刻的道理。

② 比较第十九卷第526行和《伊利亚特》第十九卷第333行。

“陌生的客人，我要亲自对你发问，在先[①]。
你是谁，打哪儿过来？是谁给你这身衣服着穿？
难道你不曾说抵达此地，你浪走大海？”

其时，足智多谋的奥德修斯对她答话，开言：
“此事艰难，哦，王后，要我从头至尾讲说受过的
愁难，历数天神给我的这许多苦酸。
不过，我将回答你的问题，对你说来。
那里有一座岛屿，俄古吉亚，卧躺在
远方的大海[②]。岛上住着阿特拉斯的女儿、
秀发的卡鲁普索，一位可怕的女仙[③]，
独身，神祇和凡人均不和她往来。
然而，倒霉的我呀，独自一人，被命运
弄到她的炉边，因为宙斯掷甩的霹雳闪亮，
在酒蓝色的大海中粉碎了我的快船。
所有杰卓的伙伴全都牺牲死难[④]，
而我则抱住弯耸海船的脊骨，
漂泊了九天，及至第十天乌黑的晚上，

① 第 237 行同第十九卷第 104 行。关于“长了翅膀的语言”(第 236 行)，参见第二卷第 269 行注。比较本卷第 36 行注。

② 奥德修斯的叙述从被拘留俄古吉亚岛开始。这是到目前为止他于归途中经历过的最“近”的苦难。在此之前，他和他的伙伴们已经历过千辛万苦，这一切诗人将留待日后仍由“当事人”奥德修斯自述(第九至十二卷)。叙述中颇多与前面的描述雷同或相似的句子，恕不一一标注。

③ 比较第一卷第 50—52 行。阿特拉斯是泰坦 Iapetus（或 Iapetos）之子，力大无比，奉宙斯之命站立西方，扛顶天穹（参见赫西俄德《神谱》第 517—520 和 746—748 行；比较本书第一卷第 52—54 行）。荷马称他为“歹毒的”（或“狠心的”，第一卷第 52 行）。

④ 参考并比较第一卷第 6—9 行。参读第五卷第 131—133 行。

神明把我带到俄古吉亚的岛滩，秀发的卡鲁普索
住在那里，一位可怕的女仙。她留下我，
爱意热切，对我照料关怀[①]，还答应
使我长生不老，永恒，无有终年，
但她绝难说服，使我改变胸腔里的心念。
我在那滞留七年[②]，接连，泪水总是
浸湿衣穿，卡鲁普索的致送，永不败坏。
但是，当第八个转走的年份到来，
她亲自吩咐我出离，敦促快办，不知是
因宙斯口信相催，还是她自个的心意改变[③]。
她送我上路，驾乘固连的船筏回返，给我
许多面包甜酒，穿上永不败坏的衣服，
送出轻柔、温馨的和风推船。
我行驶在海洋，船走十七个整天，
及至第十八天上始见山脉的投影，
那是你们的地界，使我亲爱的心灵喜欢。
然而，我的不幸又来，裂地之神
波塞冬致导许多悲愁[④]，仍将与我随伴。
他吹刮狂风袭我，挫阻我的回还，

① 比较第253—256行和第十二卷第447—450行。

② 和“十二”“二十”等一样，“七”也是个程式化数字（另见第三卷第304行和第十四卷第285行）。关于“九”，参考第三卷第8行注。

③ 比较第四卷第713行及该行注。奥德修斯尚不知是宙斯和雅典娜定下主意，决定让他回返家园（并杀灭求婚人）。如此，他便不可能坐等神的助佑，坐等美好结局的必然实现。他必须奋斗，必须每日里带着诚惶诚恐的心情，以如履薄冰般的谨慎态度处理或应付每一个事件。

④ 参阅第五卷第282—296行。波塞冬确曾卷来狂飙，但当时奥德修斯提及的却是宙斯的名字（见同上第303行）。宙斯乃集云之神，掌控天气的变化（此神分工主管天空）。

翻搅难以言喻的大海，汹涌的激浪
使我无法驾留船筏，哪怕我悲叹再三。
其时，狂飙碎砸我的船板，
我只能游过深渺的海湾，
直到风浪把我推到你们的口岸。
不过，我若想在那儿登陆，凶险的波涛
会把我撞向高耸的巉壁，那东西让人心寒，
所以我被迫后退，再游，及至抵达
一条河流，总算，看来像是最佳的地段，
不仅没有石头，而且能把风力挡还。
我跌跌撞撞出来，倒翻，息聚生命，神圣的夜晚①
降现。我走出河床，离开宙斯泼降的水源②，
行往灌木丛中睡躺，堆起覆盖的
树叶，神明把无尽的酣睡送来③。
叶堆里，我心力憔悴，悲哀，
睡了一夜，睡至拂晓，不醒午间，

① 即安伯罗西亚的(参考第五卷第93行注)夜晚。“神圣的”为修饰夜晚的程式化用语[另见第四卷第429行(同第574行)、第十一卷第330行和《伊利亚特》第二卷第57行等处]，对它的含义(即为何称夜晚为神圣的)西方学者们颇多猜测。一般认为，晚上是睡觉(而睡眠是甜美的)的时间，是人们在劳作了一天后得以补充精力和体力的“休闲”，是神祇设想和规划使凡人延续生命与生活的“手段”。因此，和睡眠一样，夜晚是神赐的。或许，“神圣的”还可能包容古代先民们对夜晚(和天体运行)的理解。夜晚孕育和滋养生命，白天(即太阳)使万物复现，茁壮成长，生机盎然。比较“神圣的日光”(即“白天”，参看本书第九卷第56行及该行注)。

② 参考第四卷第478行及该行注。

③ 奥德修斯不甚明了的是，是雅典娜使他几次死里逃生，以后又撒出睡眠，使他尽快消释折磨身心的疲惫(第五卷第491—493行)。奥德修斯或许只是凭照“常规”说话，但有趣的是，这也是一个事实(即确有一位神明使他入睡)。在荷马看来，某些看似顺应常规的现象，在“阐释上”可以与神界的事实于表义的层面上实现可以得到普遍认同的通连。

及至太阳失去光辉，始离酣熟的香眠。
其时，我发现你的女儿和侍女们戏耍在
海滩，她呀，在她们中显现，看来像似神仙。
我向她祈求，她亦当场做出正确的决断，
你不会期望年轻人会这样行事，
他们总是比较粗疏随便[1]。
她给我许多吃的，此外，给我闪亮的醇酒，
让我在河里洗完澡后，给我这身衣服着穿。
我对你说的全都是实话，尽管感觉悲哀。”

其时，阿尔基努斯对他答话，说接：
“我的女儿，朋友，还是有所忽略，
不曾把你带到家里，和她的侍从们
一起。你曾恳求，首先对她求祈。”

其时，足智多谋的奥德修斯对他答话，说接：
“不要责备你无瑕的女儿，英雄，为了我的原因。
她确曾催我跟着侍女们前行[2]，
但我出于窘迫和害臊，不听，
担心若是让你看见，许会心生怒气。

---

① 比较第二卷第 188—189 行。年轻人通常比较毛躁，办事不够稳妥。此外，他们经验较少，阅历较浅，不擅审时度势、随机应变。参考《伊利亚特》第三卷第 108—110 行、第十九卷第 218—219 行和第二十三卷第 589—590 行。但年轻人身体强壮，骠勇刚健(参考该史诗第四卷第 313—316 行)，充满活力。即便战死，年轻人的体魄仍然“足显俊美”，“他的一切”都是装点(该史诗第二十二卷第 71—73 行)。比较本卷第 155 行注对老人之优、劣势的评价。

② 参考第六卷第 260—261 行。

我们凡人的种族脚踩泥地,容易产生妒忌[①]。"

其时,阿尔基努斯对他答话,说接:
"我胸中的心灵,陌生的客人,不会无故
动怒,没有原因。凡事以适度为宜[②]。
哦,父亲宙斯,阿波罗,雅典娜!但愿此事可行,
让你这样的人杰,和我同有见地,
能够娶下我的女儿,被人称作我的快婿,
和我住在一起。我会给你房屋财产,
假如你自愿留居此地。不过,法伊阿基亚人
不会勉强,要你违背意愿——父亲宙斯不喜此类事情[③]。
至于护送之事,你可以放心,我把它定在
明天,在此之前你可享受睡眠,躺下
休息,他们会送你出海,风平浪静,送你
回到故土房居,或是你想要去的别的哪里,
哪怕远远超出欧波亚,去过

① 在这一点上,吃用仙食(或安伯罗西亚)的神祇也比凡人好不了多少;他们也同样会心生妒忌(参考第五卷第 118—132 行及相关注释)。

② 希腊人生性直率、刚勇,有时显得好斗,崇尚个人英雄主义。荷马在此提倡适度,或许是对他的同胞们的出于好意的告诫。"不走极端"是后世希腊著述家们倡导的美德,和"认识你自己"一样,是古希腊人经常用来提醒自己和别人的"戒律"。"凡事以适度为宜"读来似乎有格言的诲人之意。比较第 307 行。

③ 过分注重个人意志的实现和利益的取得(换言之,以个人为中心)固然不好,但完全不顾个人意愿,一味强调社团和集体意志(或利益)并把它推向极限的做法,同样应该予以避免。和卡鲁普索不同,阿尔基努斯也希望(比较第六卷第 33—35 行)奥德修斯能够留下(做他的女婿),但同时明确表示他会尊重奥德修斯的意愿。卡鲁普索是一位女神(尽管地位远非赫拉和雅典娜等奥林波斯女神般显赫),故而或许可以显得霸道一点。但阿尔基努斯是人,是有教养的法伊阿基亚人的王者,因此无疑会比卡鲁普索多一些以尊重个人意愿为核心的受到宙斯保护的(如同我们今天常说的受法律保护的)人道主义。比较墨奈劳斯的"主随客便"(参考第十五卷第 69—74 行)。

那里的人们，都说那是最远的边地——
当时，他们载送金发的拉达门苏斯[①]，
送他晤访伽娅的儿子提图俄斯[②] 商议。
他们去过，没费太大的力气，完成
那次出航，当天便回到家里。
你会亲眼目睹，心知我的船乃最好的极品，
还有我的年轻人，他们荡桨闹海的本领。”

　　他言罢，卓著和历经磨难的奥德修斯高兴，
对宙斯祈祷，叫着他的名字说起：
“父亲宙斯，但愿阿尔基努斯实现
所说的一切，在盛产谷物的土地上
获享不朽的声名[③]；愿你让我回返故地！”

　　就这样，他俩你来我往谈吐，
但白臂膀的阿瑞忒告嘱侍女们

---

① 拉达门苏斯乃宙斯和欧罗巴之子，米诺斯（参见第十一卷第 568—571 行及相关注释）的兄弟（《伊利亚特》第十四卷第 321—322 行）。Rhadamanthus 似乎为一外来人名。参考本书第四卷第 563—564 行及第 564 行注。

② 据传提图俄斯乃欧波亚巨人（一说为米努阿斯的后代），因在福基斯强暴莱托（第十一卷第 580 行），被她的儿女阿波罗和阿耳忒弥斯射杀。拉达门苏斯许为提图俄斯的恶错前去“晤访”，但我们的猜测或许只能到此为止。奥德修斯曾目击提图俄斯在地府里受到极刑的惩罚：被兀鹫啄食肝脏（同上第 578—579 行。比较希腊神话中普罗米修斯遭受的苦难。肝脏被古希腊人看作粗蛮激情的滋生地）。

③ 即 kleos。不朽的声名乃英雄们所能获得的最高荣誉。看来奥德修斯颇有自我意识，知道并在此暗示自己的重要。史诗人物重视善举的“交换”，所谓“来而不往非礼也”。正如战场上的勇士们互换礼物，奥德修斯在此承诺用（即使对方获取）“不朽的名声”（注意，精明的奥德修斯不失时机地在进行一次以自己的声望——尽管阿尔基努斯现时还不知他的真实身份——为后盾的“投资”）换得对方的帮助，为自己的“回返故地”提供必要的物质支持。

在门廊里整备床铺，抖开厚实、
紫红色的垫褥，用床毯罩覆，
铺上羊毛曲卷的披袍，作为盖物，
女仆们手举火把，从厅里走入[①]。
她们动手干活，顷刻间备妥坚实的床铺，
行至奥德修斯身边站住，对他说话催促：
“起来吧，生客，可去睡卧，我们已备好床铺。”
她们言罢，而听者亦已被睡躺的意识模糊。
于是，奥德修斯躺下睡觉，历经磨难的他卓著，
息躺编绑的床上，在回音缭绕的门廊里寝卧，
但阿尔基努斯前往入睡高大房宫的内室，
显贵的妻子，他的床伴，在他身边躺着[②]。

① 紧张而忙碌的一天至此行将结束。程式化用语的作用之一便是为事件的进行提供划分时段的标志。第 334 行同第四卷第 620 行，在史诗里多次出现；第 336—339 行同第四卷第 297—300 行。第 340 行同第二十三卷第 291 行。

② 在经历过二十天的旅途磨砺之后，奥德修斯终于又睡到了舒适的床上，享受睡眠的香甜。比较第三卷第 398—403 行。本卷第 345 行同该卷第 399 行。本卷亦以人物的入睡终篇。参考第六卷第 331 行注。

第八卷

当早起的黎明重现天际，手指玫瑰嫣红，
灵杰豪健的阿尔基努斯起身离床[①]，
宙斯的后裔、荡劫城堡的奥德修斯[②] 起身一同，
灵杰豪健的阿尔基努斯带领各位，
前往营造在海船边的会场，抵达，
下座密排、溜光的石椅，在那里
集中。帕拉斯·雅典娜穿走城区，
变作睿智的阿尔基努斯的使者，
为心志豪强的奥德修斯的回归策谋。
她行至每个人的身边，对他说话，站住[③]：
“随我来，法伊阿基亚人的首领，你们治统，
前往会场，弄清那个陌生人的身份，
新近来到，抵达睿智的阿尔基努斯的房宫，
浪走苍茫的大海，体形像似天神。”

---

① 比较第二卷第1—2行。第1—61行中颇多在史诗里重复出现的句子。

② 在《伊利亚特》里，“荡劫城堡的”不仅有（即接受它修饰的）奥德修斯（第二卷第278行），而且还有战神阿瑞斯（第二十卷第152行）、厄努娥（第五卷第333行）、阿基琉斯（第十五卷第77行）和俄伊琉斯（第二卷第728行）等。在《奥德赛》里，奥德修斯是唯一接受“荡劫城堡的”修饰的人物，因此或许带有特指的一面，表明他乃荡劫城堡伊利昂（第一卷第2行）的英雄。歌手德摩道科斯将从本卷第500行起唱诵木马破城［即伊利昂（或特洛伊）］的故事。参考并比较第三卷第106行注和第九卷第39—46行及相关注释。

③ 第10行同第二卷第384行。

　她的话使大家鼓起勇气，增添了力量①，
人群迅速集聚，会场座无虚席，
爆满。许多人望着莱耳忒斯
聪慧的儿子，惊讶，雅典娜已经
镀饰迷人的雍华，在他的头颅肩膀，
使他看来显得更加伟岸、高大②，
从而赢得全体法伊阿基亚人的爱戴，
使他们惊畏，崇仰，经受各种考验——
法伊阿基亚人将探察奥德修斯的力量。
当人群集聚，汇总在一个地方③，
阿尔基努斯当众开言，对他们发话：
"听我说，法伊阿基亚人的首领和统治者们在场，
我的话出自真情，受胸腔里的心灵催赶。
这里有一位生客，我不知晓其人，浪迹此地，
来自东方或是西方的部族④，祈求在我的宫房。
他敦请我们护送，恳求为保证他的安全着想。
所以，让我们赶紧送他，一如既往，
从未有人来临我的家居，长期
滞留，悲苦，为了求得送航。

---

① 程式化诗行，同《伊利亚特》第五卷第 792 行（在该史诗里出现达十次之多）。

② 比较第六卷第 229—235 行。本卷第 20 行同第十八卷第 195 行。阿尔基努斯已经对奥德修斯有了很好的印象（参考第七卷第 312—315 行）。

③ 第 24 行同第二卷第 9 行（参考该行注）。

④ 诗人似对东、西（即太阳升起和下落的）方向比较敏感。参考第十卷第 190—192 行和《伊利亚特》第十二卷第 239—240 行等处。

动手吧，让我们把一条黑船[①] 拖下闪亮的海洋，
首次使用，从我们的地域挑选，配备
五十二名向来是最出色的青壮启航。
当你们全都在架位上绑好船桨，
便可下船，前往我的宫房，忙碌，
备下肴餐领享，我会给足食品，让每个人吃爽。
我的话对年轻人说讲，但也对你等
王者，握拿权杖，前往我绚美的住所，
以便款待这位陌生的客人，在我的宫房，
谁也不许拒绝，违抗。此外，招请通神的歌手
德摩道科斯[②] 弹唱，神明给他本领，别人不可
比攀，用歌诵愉悦，每当心魂催使他引吭[③]。”

　　言罢，他领头先走，各位跟随其后[④]，
作为握掌权杖的王者们[⑤]，信使前去传唤通神的歌手。

---

① 即乌黑的海船(参考第二卷第430行注)。另见本卷第51—52行。参考并比较第七卷第34—36行。阿尔基努斯打算启用五十二名船员(本卷第36行)，可见此船的体积不小，安提努斯用于伏杀忒勒马科斯的快船仅需“二十位伴侣”(第四卷第669行；比较第一卷第280行)。雷托斯和裴奈琉斯统领五十条海船进军伊利昂，“每船载坐一百二十名兵勇”(《伊利亚特》第二卷第509—510行)。

② Demodokos，意为“受民众欢迎的”。“德摩道科斯，受到民众敬仰”(第472行)。和王者一样，诗人(即歌手)是神圣的(见第43行：通神的)，因为神祇给他们本领(应解作某种特殊的本领)，一般的平头百姓不能胜任他们的工作。诗人受神的点拨和“教导”讲诵故事，使用文学化的格律语言，平时亦需勤学苦练，潜心钻研(参考第二十二卷第347—348行及相关注释)。

③ 诗人受缪斯点拨(第73行)，他的歌诵出自心魂(thumos)，使听众闻之动情，得到并体验喜怒哀乐的感受。诗歌是牵动心灵的情感催化剂，是心与心的交流。参考第一卷第338行注和第四卷第598行及该行注。

④ 第46行同第二卷第413行。

⑤ 参考第五卷第47行注等处。

五十二名精选的年轻人前往，此外，
按他的嘱咐，沿着荒漠大海的滩岸。
当行至海边，那里停驻舟船[①]，
他们把黑船拖入深邃的大海，
在乌黑的船体上竖起桅杆，挂好风帆，
把船桨套入皮制的索环，
一切准备就绪，升起调整白帆。
他们在离岸较远的水面泊船，然后
折回睿智的阿尔基努斯宏伟的家院。
聚会的人群众多，挤满门廊、庭院
和房间，有老人，也有青年，
阿尔基努斯犒劳他们，拿出十二只羊、
八口白牙闪亮的猪和两头腿步蹒跚的牛祭奠。
他们剥杀祭畜，收拾完毕，备妥丰美的宴餐。

其时，信使[②] 近前，引着佳杰的歌手走来，
缪斯爱他，喜欢，给他好事坏事参半[③]，

① 比较第 50—56 行和第四卷第 779—786 行。

② 即庞托努斯，阿尔基努斯的信使。在荷马史诗里，信使（即使者）除了传送讯言外，还兼任多项工作，包括召集民众聚会（第二卷第 6—8 行）和维持会场秩序（《伊利亚特》第二卷第 96—100 行和第二十三卷第 567—568 行）等。此外，信使还要充当跑腿（本卷第 399 及 477 行）和侍候首领们的餐饮（参考第一卷第 143 行及第七卷第 178—184 行）。

③ “好事”指给他歌唱的甜美，“坏事”指夺走他的视力（第 64 行）。在荷马看来，凡人只能享有好坏参半的命运，清一色的佳好属于神祇。关于缪斯姑娘，参看第一卷第 1 行注。参考本卷第 63 和 106 行注。比较第四卷第 236—237 行。

夺走他的视力，却给他歌唱的美甜①。
庞托努斯给他搬来嵌缀银钉的座椅，
倚靠高耸的立柱，放在宴食者中间，
信使将脆响的竖琴挂上钉栓，
告示他如何伸手摘取，在他头顶上面，
摆下食桌和精美的篮筐，在他身边，
另置一杯浆酒，供他在心想啜饮之时喝干。
众人伸出双手，抓起面前佳美的肴餐。
然而，当他们满足了吃喝的欲望，
缪斯催动歌手唱响英雄们的业绩②，
那份荣光，他们的名声冲指宽广的天上，
关于奥德修斯与阿基琉斯的争吵③，裴琉斯
的儿郎，在敬祭神明的丰宴，
把粗暴的话语说讲，使民众的王者阿伽门农

① 缪斯既然可以给出诗唱，也就可以收回(比较《伊利亚特》第二卷第 594—600 行里歌手萨慕里斯的遭遇)。神“给予”歌手(aoidos)诗唱的段子(即故事)，而非仅仅触发他们诗唱的灵感。古希腊人相信，生理上的失明会在心智的“视觉”上得到弥补。换言之，双目失明的盲者不仅感觉特别敏锐，而且拥有比常人明晰的洞察世事的心力。古代的史诗诗人中不乏盲者(参考《阿波罗颂》第 172 行)。另参考本卷第 106 行注。

② 或“英雄们的(直译为：人的)光荣业绩”，即 klea andron(另见第一卷第 337—338 行和《伊利亚特》第九卷第 189 行)。“缪斯催动歌手唱响”在此显然已是一种应景的程式化表述，其含义大概已与“歌手开始唱响”无太大的区别。另见本卷第 499 行。同样的内容，若由当事人讲述，则无须提及缪斯的催动(参考第七卷第 240 行以下)。

③ 关于“奥德修斯与阿基琉斯的争吵”，希腊古文献中此为绝无仅有的提及。两位英雄为何争吵？诗人未作说明。据古代评论家们推测，此事发生在赫克托耳死后。其时，两位英雄就如何制定攻克特洛伊的策略问题发生争执。阿基琉斯执意强攻，奥德修斯则力主智取，双方互不相让。这一解释似乎不无可取之处，但毕竟只是一种猜测。如果这一估测正确，那么奥德修斯当是最后的胜者：希腊人不是单凭强攻，而是通过结合强攻的智取，最终拿下了特洛伊城。诗人即将唱颂这段故事(详见第 499 行以下)。

由于阿开亚人雄杰之间的争斗，心里欢畅[①]，
因为福伊波斯·阿波罗已经告谕于他，
答话在神圣的普索[②] 地方，当他跨过石凿的门槛，
求神帮忙。凶灾开始滚动，其时，落临
特洛伊人，出于大神宙斯的设计，落临达奈人的身上。

著名的歌手唱诵这些，奥德修斯伸出
粗壮的双手，撩起紫蓝色的篷衫
硕大，盖住头脸，遮掩俊美的貌相，
羞于在法伊阿基亚人面前泪流满面，滴淌。
每当通神的歌手停止诵唱，
他便取下遮头的披篷，抹去泪花[③]，
拿起双把的酒杯，对神明奠洒，
而每当他重新开始，法伊阿基亚人的

① 据说阿波罗曾谕示阿伽门农，当两位最优秀的阿开亚人发生争吵时，希腊联军便可望攻破特洛伊城。

② 普索为德尔菲的旧称。荷马提及的另一处著名的神谕发示地是多多那（见《伊利亚特》第十六卷第 233 行和本书第十四卷第 327 行）。普索乃阿波罗的圣地，富藏财物珍宝（该史诗第九卷第 404—405 行）。

③ 参考第五卷第 84 行注。虽说“无情未必真丈夫”，但奥德修斯也似乎太爱哭了一点（也就是说，在感情的流露方面显得太软了一点）。事实上，在本卷第 523 行里，诗人在形容他的悲泣时称他“犹如一个女人恸哭，扑倒在亲爱的丈夫身上”。就连他自己也觉得此时不宜哭鼻子，“羞于在法伊阿基亚人面前泪流满面”（第 86 行）。或许，此乃诗人出于情节发展的需要而设计的一个反复出现的场面（参见第 87—88 行），为的是让阿尔基努斯注意到他的哭泣（第 94 和 533 行），产生疑窦，开口询问他的身世和“来龙去脉”，从而使故事的延续更显自然（或合乎情理）。但不管怎么样，奥德修斯过于频繁的恸哭无疑会影响他的硬汉形象。参考第二卷第 81 行注和第十卷第 201、415 行注等处。注意，歌手（德摩道科斯）唱诵的并非远古或古代的往事，而是他的同时代人（包括奥德修斯）征伐特洛伊的经历。人们爱听新的诗段，“新近在听众中流行传扬”（第一卷第 351—352 行）。当奥德修斯还活着的时候，他的名声（kleos）已为公众熟知（裴奈罗佩称他的英名在赫拉斯和阿耳戈斯的腹地传扬）。

首领们喜欢他的故事，催他接唱，
奥德修斯便又会掩起头脸，哭叹。
就这样，他暗自流泪，不被别人觉察，
唯有阿尔基努斯明视他的举止动向，
因他就座客人身边，听闻他的悲叹悠长。
他当即发话，对欢爱船桨的法伊阿基亚人说讲：
“听我说，法伊阿基亚人的首领和统治者们在场，
眼下，我们已满足了自己对均份美食的愿望，
还有竖琴，我们的佳伴[①]，伴随宴会的慨慷。
既如此，让我们出去，试试各种
竞技不妨，也好让我们的生客告诉朋友，
回到家乡，我们比别人胜出多少，
若论拳击、摔跤、跳远和腿脚的奔忙。”

言罢，他领头前行，众人随同跟他。
信使将脆亮的竖琴挂上钉栓，
搀着他的手，把德摩道科斯引出宫房[②]，
跟随法伊阿基亚人的权贵，行走
在同一条路上，前去观赛欣赏。

---

① 参阅第一卷第152行注。

② 德摩道科斯是一位盲诗人，这一点没有问题。一些古今评论家据此推断荷马也是一位盲者，理由是他可能在描述中糅合了自己从艺的体验。对于古旧的往事，猜测是允许的，何况猜测者还有文本和史料的间接支持（只是读者在接受时应持审慎的态度）。我们不便轻易苟同因为有人“搀着他的手”行走，就认定《奥德赛》的作者是一位盲人的提法，但古代诗人（即歌手）中多盲者则似乎是不争的事实。《左传》中有“史为书，瞽为诗，工诵箴谏”的记载。《国语·周语》称：“天子听政，使公卿至于列士献诗，瞽献曲。”孔子敬重和怜恤盲人，《论语·子罕》的记载为我们提供了一个很能说明问题的例证：“子见齐衰者，冕衣裳者与瞽者，见之，虽少必作，过之必趋。”

他们行至聚会的地方,后面无数民众
跟随,许多杰出的年轻人站立赛场。
阿克罗纽斯站起,连同俄库阿洛斯、厄拉特柔斯、
那乌丢斯和普仑纽斯、安基阿洛斯和厄瑞特缪斯、
庞丢斯和普罗柔斯、索昂和阿那伯西纽斯,
还有安菲阿洛斯,忒克同之子波鲁纽斯的儿郎。
欧鲁阿洛斯站立赛场,那乌波洛斯之子[1],屠人的
阿瑞斯一样,法伊阿基人中他最出色,
仪表和身段仅次于劳达马斯的雍雅。
人群里站出雍贵的阿尔基努斯的三个儿郎,
劳达马斯,哈利俄斯和克鲁托纽斯,神祇一样。
快跑是他们要比的第一个赛项。
赛场从起点向前伸展,他们发奋
追跑,合力踢起平原上的泥尘飞扬。
雍雅的克鲁托纽斯远远跑在前面,
领先的距离约有骡子犁出的一条地垄短长,
率先归返人群,把对手撂在后面穷忙[2]。
接着,他们开始痛苦的摔跤,互相,
欧鲁阿洛斯远胜所有的强者,最佳。
跳远中安菲阿洛斯击败所有的对手,
投赛中厄拉特柔斯的饼盘远超各家,

① 上述人名几乎全都与海和航海有关,即所谓的应景表义(专有)名词(或名称)。

② 和《伊利亚特》里的跑赛(第二十三卷第 740—792 行)一样,法伊阿基亚人的赛跑以来回计程和决胜。请注意,本卷第 120—130 行中提及的赛跑、摔跤、跳远和(投掷)饼盘等仍是现代奥林匹克大赛中的竞比项目。

拳击中劳达马斯远胜对手，阿尔基努斯健美的儿郎①。
然而，当他们全都在竞技中愉悦过心房，
阿尔基努斯之子劳达马斯在人群中说话：
“朋友们，来吧，让我们询问生客，是否精熟
赛事，知晓某项。看他的身材不像卑劣之人，
瞧他的小腿、大腿和上面的臂膀，
还有粗壮的脖子，一身巨大的力量②。他也不缺
盛年的阳刚，只是已被众多的不幸拖垮。
世上没有什么能比大海凶狂，摧捣
凡人，哪怕他有身板，十分健强。”

其时，欧鲁阿洛斯对他说话，答讲：
“你的话在理，劳达马斯，说得顺畅。
去吧，挑战他，激他试比赛场。”

听罢这番话，阿尔基努斯杰卓的儿子
走去，发话奥德修斯，在人群中站定：
“你也出来吧，陌生的父亲③，试试这些，
倘若你也谙熟任何一项竞技。你知晓赛事，

① 我们注意到，诗人在此没有提到奖品。关于劳达马斯，参见第七卷第 170—171 行。和诗乐一样（本卷第 45 行），竞技体育亦能愉悦人的心房（第 131 行）。在平时（以区别于战时），史诗人物可在竞技场上（或通过竞技比赛）争得最大的荣光（参考第 147—148 行）。

② 参考雅典娜的帮忙（第 18—21 行）。不过，奥德修斯的身体本来即很强壮（参见《伊利亚特》第三卷第 193—194 行）。关于奥德修斯的王者风度，见同上第 210—211 行。另参考本书第十八卷第 66—71 行。强健也是一种 arete（参考第二卷第 206 行注），是争获功名（kleos）的先决条件。

③ 或“阿爸”。此时的奥德修斯当已过不惑之年。参考并比较第十六卷第 31 行注。

一定，须知对于活着的凡人，最高的荣耀
莫过于得之竞技[①]，凭借奔跑的速度，双手的力气。
所以，来吧，试比，抛开你心中的迟疑。
你的启航不会久搁，你的海船
已被拖向海里，船员们已准备就绪。”

其时，足智多谋的奥德修斯对他答话，说接：
“劳达马斯，为何要我操做这些，这般讽刺挑激？
忧虑占据我的心中，远超竞技，
我已遭受许多磨难，一次次负重艰辛，
息坐你等聚会的人群中间，思盼
回家，祈求你们的王者和所有的国民。”

其时，欧鲁阿洛斯答话，对他当面嘲讥：
“不，陌生人，我看你不像个汉子
谙熟竞技，虽说如今它在人中盛行。
你更像那往返水路的人等，坐在桨位众多的船里，

① 在战时，战场或战争(polemos)是英雄们争获荣誉的地方，而在平时(即和平或休战时期)，争抢 kleos 的场合便是体育竞赛。法伊阿基亚人“现在没有，将来也不会”面临战争(详见第六卷第 200—203 行)，所以对于他们，赛场也就是“战场”，是凭勇力争获荣誉的首选地方。人们争获荣誉和声名的另一个去处是会场(boule, agore，参见《伊利亚特》第一卷第 490 行和和九卷第 441 行)，但在议事中，争获 kleos 的支撑主要不是体力，而是心力(即谋略和雄辩)。参考本书第四卷第 163 行注。史诗英雄(即战场和竞技场上的争斗者)必有强健的体魄，双手有劲，腿脚能跑出快捷的速度(见本行下半节)。史诗中的竞技项目无不与实战相关，但法伊阿基亚人栖居边远之地，无有入侵之敌与之交战(参见第六卷第 199—205 行)，因此他们的竞技活动或许会更多地带有一些“非功利”(即非为实战)的性质，尽管参赛者的目标仍然是为了争夺“最高的荣誉”(本卷第 147 行)。尽管如此，诗人还是提到了战神阿瑞斯(第 116 行)，以显示欧鲁阿洛斯的“战”力和豪壮。

你是船员的头儿，商贾的首领，
只知关心自己的货物，牟取盈利，
行船小心翼翼[1]。你不像是个竞技的人丁。”

足智多谋的奥德修斯恶狠狠地盯着他，抨击：
“你出言不逊，朋友，是个傻瓜好比。
所以此事不假，神明不会把所有的佳善
统赐生民，无论是身材、心智还是辩力[2]。
有人，是的，长得相貌平平，
但神明将佳句输入他的辞令，使那些
看视他的人眼见欣喜，此人话对他们，滔滔
不绝，和逊、甜美，在人群中烁闪光辉，

① 史诗人物蔑视商贾，（带有偏见地）以为他们通过欺骗敛财（参阅第十五卷第415—416行）。法伊阿基亚人的海船快捷，男子都是行船的好手（参见第六卷第270—272行和第七卷第327—328行），但他们生活丰裕，自给自足，鄙视商贸，欢享文艺体育，俨然一个已超越了必然王国而进入了自由王国的民族（参阅本卷第247—253行）。对于奥德修斯和生活在必然王国里的史诗人物，有（贵族）气魄的敛财活动应是攻城略地与展示口才和情谊的客访（xenie）。公元前七世纪以后，古希腊贵族和学界人士对商贸的态度渐趋缓和。利益的驱动和经济的杠杆会促使人们改变传统形成的意识（参考希罗多德《历史》第四卷152）。为了激挑奥德修斯站出来竞比，欧鲁阿洛斯显然故意使用了“过火”的词句。为此，欧鲁阿洛斯即将付出一柄好剑以为赔礼（本卷第402—405行）。

② 比较特洛伊智者普鲁达马斯对赫克托耳的劝诫（《伊利亚特》第十三卷第730—733行）和阿开亚军中的智慧老人奈斯托耳的见解（同上第四卷第320行）。奥德修斯、普鲁达马斯和奈斯托耳所用的言词不尽相同，但总的意思是一样的，那就是人不可能十全十美，样样在行。

人们望着他行走城区，犹如看视神明[①]。
另有人虽然长相酷似神祇，
然而谈吐却无有典雅升华，
比如你，相貌堂堂，出众，就连
神也无法加以修理，但你心智愚笨，不行。
现在，你已在我胸中激发怒气[②]，
用你颠三倒四的言语。我并非新手，
就你所说的这些竞技——不，我一直是最好的人选，
告诉你，只要相信我的精壮，双手的力气。
眼下，我历经磨难，含辛茹苦，已经忍受许多悲凄，
经受人间的战争和汹涌海浪的磨砺[③]。
然而，尽管有过这些艰辛，我仍将与你竞比，
你的话刺痛我的心灵，你的言论已把我挑激！”

　　言罢，他跳将起来，未脱披篷，抓起
一块饼盘，更大、更厚，比法伊阿基亚人
比赛投掷时用过的那块更重[④]，远比。

---

① 可见史诗人物(后世古希腊人亦然)对能言善辩(而非讷讷无言)以及修辞和讲演技巧的重视。参考《伊利亚特》第三卷第192—224行对奥德修斯的外表和高超的讲演艺术的比较。徒有堂堂的相貌还不足以使人成为出类拔萃的英豪。参考荷马对心智美的重视(本书第十八卷第220行注;比较本卷第174—177行)。比较:“澹台子羽，君子之容也，仲尼几而取之，与处久而形不成其貌……故孔子曰:‘以容取人乎，失之子羽……’”(《韩非子·显学》)

② “怒气”原文作 thumon(thumos 的单数宾格形式)。参考第七卷第42行注。比较本卷第177行里的“心智”(noon)。

③ 第183行同第十三卷第91、264行和《伊利亚特》第二十四卷第8行。参考本书第五卷第222—224行及第224行注。

④ 古典时期的金属饼盘重1.5至5.7公斤不等，现存的一些公元前六世纪的石饼重7公斤。

他转动身子，让饼盘飞出粗壮的手臂，
石饼呼啸着穿过空间，把操使长桨和以航海
闻名的法伊阿基亚人吓得屈身在疾飞的石块下面，
匍匐在地。石饼轻松脱手，冲击，
超越所有的标记落地①。雅典娜变取一个
男人的身形，标明落点，对他开口说及：
“即便是一个瞎子，陌生的朋友，亦可通过
触摸分辨你的坑迹，因它远在前面，不和
其他的混在一起。对此项赛事你不用担心，
法伊阿基亚人超越不了，也难以比平。”

　她言罢，卓越和历经磨难的奥德修斯高兴，
欣喜于汇聚的人群中有一位友好的知己。
他再次话对法伊阿基亚人，用更为轻快的语言说起：
“及达我的落点，年轻人，然后我可再投一记，
同样遥远，或是扔出更远的距离。
请便，还有谁个愿意，受他的精魂驱使，还有心灵②。
来吧，与我试比，既然你们已激怒了我，

① 通过竞赛以及下文中奥德修斯的自述（第 202 行以下），诗人使阿尔基努斯和其他法伊阿基亚人的首领进一步领略了来客的英雄本色，为他们“接受”奥德修斯做好了心理上的准备。参考并比较第 88 行注。奥德修斯在海上颠簸了二十天，身心疲惫（参考第 182—183 行），加之未脱披篷，即兴投掷，然而却能驾轻就熟，轻而易举地战胜所有的对手。雅典娜已美饰他的仪容（第 18—20 行），不知此时有否暗中相助，推送饼盘（诗人对此未予提及，大概可能性不大；奥德修斯应该可以凭靠自己的力气战胜以擅长行船著称的法伊阿基亚青壮，参考第 246—247 行）。

② 参考第二十一卷第 154 行及该行注。

和我竞比拳击、摔跤或赛跑[①],啥都可以。
只要是法伊阿基亚人都可出赛,除了劳达马斯自己,
因为他是我的客主——谁会和朋友争比?
此人不是蠢货,便是一无所用的东西,
倘若他在异乡客地挑战朋友,
与东道主竞比;他会毁掉自己的一切。
但是,我不拒绝其他人,亦不予以轻蔑,
我会与他当面较量,和他竞技。
人间的诸般赛事,我样样都可拿起。
我熟知如何操使滑亮的弓杆,
先发制人射箭,把队群里的敌人
杀击,虽然许多伙伴站拥
我的身边,全都用弓箭拒敌[②]。
只有菲洛克忒忒斯[③] 的箭术胜我,
当我们阿开亚人弓战,在特洛伊大地。
但是,对其他人,我要说,我的弓艺远为高明,
只要是今天活在世上的凡人,用粮食果饱肚皮。

---

① 在阿基琉斯为礼葬帕特罗克洛斯的遗体而举办的赛会上,奥德修斯参加了拳击、摔跤和快跑三项比赛。奥德修斯是一位名副其实的全能型选手,他的箭术亦远较除了菲洛克忒忒斯以外的其他阿开亚人精湛(第 219—221 行),尽管《伊利亚特》没有为我们提供这方面的证明。参见第 218 行注。

② 在《伊利亚特》里,奥德修斯以一位枪手的身份参战,未见使用弓箭战斗的提及。丢克罗斯和墨里俄奈斯参加了弓赛(该史诗第二十三卷第 859—860 行,参考第 859 行注)。这也是两部史诗不甚协调的一个事例。学者们对此颇多猜测,但尚难取得一致的意见。

③ 《伊利亚特》提及菲洛克忒忒斯并称海船边的阿开亚人很快便会盼望被留弃在莱姆诺斯(参考本卷第 283 行注)岛上的他前来参战(《伊利亚特》第二卷第 716—725 行,参考第 725 行注)。另见《奥德赛》第三卷第 190 行。菲洛克忒忒斯的强弓得之于力士赫拉克勒斯(参考本卷第 224—225 行)的传赠,因此箭无虚发,使他在日后射杀帕里斯,立下了显赫的战功。

然而，我不会和前辈的人杰争雄，
不与赫拉克勒斯[1] 或俄伊卡利亚的欧鲁托斯[2] 竞比，
他们曾用弓箭对战神祇。
豪勇的欧鲁托斯暴死，所以，不曾在房居里
活到老迈的年纪——阿波罗恨他，
将他杀死，只因此人挑战他的弓艺[3]。
我投得枪矛，掷出别人放箭的距离。
只是在跑赛上，我担心，某个法伊阿基亚人[4]
可能超我——我已历经海浪的残酷，遭受
一次次砸击，船上的贮存不能维持
良久，我的肢腿已因之失去了活力。”

他言罢，全场静默，众人悚然寂沉，

---

① 传说中的古代英雄，历经著名的“十二件苦役”（参考第二十一卷第 26 行），得弓于阿波罗的馈赠（弓箭是他的标志性兵器）。在《奥德赛》里，他和伊诺是仅有的两个（倘若可以不计提索诺斯等“例外”）获得神仙身份的凡人（参考第十一卷第 601—626 行和第五卷第 333—335 行）。关于赫拉克勒斯，另参考《伊利亚特》第八卷第 362—369 行、第十一卷第 689—690 行、第十五卷第 25—30 行、第十八卷第 117—119 行和第二十卷第 145—148 行等处。奥德修斯得弓于欧鲁托斯之子伊菲托斯，亦与赫拉克勒斯的活动有间接的关联（参阅本书第二十一卷第 11—41 行）。

② 古希腊神话里以俄伊卡利亚为名的城镇不止一个，欧波亚和塞萨利亚都有，荷马指的可能是墨塞尼亚的俄伊卡利亚（参考第二十一卷第 13—17 行和《伊利亚特》第二卷第 596 行）。据传欧鲁托斯射术高明，曾是赫拉克勒斯的师傅。

③ 挑战神祇即为超越人的 moira（见第五卷第 436 行注），因此必会遭致神的惩击。比较歌手利诺斯和萨慕里斯的遭遇（细读《伊利亚特》第十八卷第 570 行注和第二卷第 594—600 行）。赫拉克勒斯曾经对战神明（参考该史诗第五卷第 392 和 395—396 行），但不曾试图与之竞比弓艺。

④ 奥德修斯对跑赛有所保留。在阿基琉斯举行的那场赛事上（见第 206 行注），他得益于雅典娜的帮助，勉强取得了第一（《伊利亚特》第二十三卷第 740—779 行）。阿尔基努斯特别点到，法伊阿基亚人“腿脚轻快”（本卷第 247 行，另见第 253 行），所以必定能跑善跳（第 250—251 行）。

唯有阿尔基努斯说话，回答出声：
“你的话不失优雅，我的朋友，说对我们。
你想展现自己的风采，属于你的能力，
只因此人[①] 在集会上讥贬，使你气愤，
讲出那番话来，谁也不会如此挑剔你的才能，
倘若他心知如何讲话，把握分寸。
听着，听我说称，以便日后告知
别的英雄[②]，当你坐在自己的房宫，
宴享，由你的妻侣和孩子陪同，
回忆我们的卓杰，宙斯赐予我们的
活动，始于祖先生活的时候，传给我们。
我们的拳击并非炉火纯青，摔跤亦似稍逊一筹，
但我们腿脚轻快，是出色的水手，
亲善宴食、竖琴和舞蹈，喜欢有众多
替换的衣裳，用热水洗澡，喜欢靠床的享受[③]。
来吧，全体法伊阿基亚人中最好的舞手，
跳起你们的舞蹈，让我们的客人告知亲朋，
在他回家以后，我们的航海之术如何高于所有

① 指欧鲁阿洛斯。

② 或“豪杰”“壮士”。参考《伊利亚特》第六卷第 61 行注。

③ 奥德修斯对此没有发表评论。他或许不会笼统反对享受，但就此时的心境而论（加之经受了长期的军旅生活和苦难的折磨），他显然不会对这一切太感兴趣（尽管他惊慕法伊阿基亚小伙子们训练有素的舞步，见第 265 行）。参考奥德修斯对享受的厌恶（第十九卷第 337—342 行）。然而，在与卡鲁普索相伴的七年里，他的生活似乎相当舒适（参见本卷第 451—453 行）。神不会使作为个体（或人中的“部分”）的凡人在一切方面展示卓杰，尽显只能属于作为整体的人（即人类）的全部才能。这一点对法伊阿基亚人也一样。奥德修斯尽管多才多艺，但仍然尺有所短，仍有不如他人的弱项（比如，参考第 219 和 230—231 行）。

别地的人们[1],还有我们的快腿、舞蹈与歌喉。
去个人,赶快,取来德摩道科斯脆响的
竖琴,给他,在我们房宫的某处悬挂置留。”

神一样的阿尔基努斯言罢,信使起身,
前往提取空腹的竖琴,从国王的房宫。
其时,选自民众的公断人起身,九位
总共,每回都由他们安排和平整
娱乐的场地,备妥一个圈围净空。
信使回来,提着德摩道科斯脆响的竖琴
回程,后者步入中场,身边围着年轻的小伙,
甫及成人,擅舞,个个训练有素,
腿脚踏响在平滑的舞场之中。奥德修斯
凝视他们灵巧的舞步,心里惊慕由衷。

德摩道科斯拨响竖琴,开始动听的唱诵,
有关阿瑞斯和头戴绚美花环的阿芙罗底忒的爱情,
最初怎样幽会睡躺,在赫法伊斯托斯的房宫。
阿瑞斯给她礼物,众多,玷污了王者

① 然而,如果行船无需舵把,船儿知晓人的心思,自行驶往船员想去的地方(参考第 556—560 行)——如此,水手的航海之术将如何能够得以充分展现,而法伊阿基亚人又如何能使别地的生民相信他们的航海之术超胜一筹(若非得到神力或神意的帮助)?

赫法伊斯托斯的床铺[1]。太阳神赫利俄斯[2] 当即
给他送去口信,目察他俩爱躺的举动,
赫法伊斯托斯听过讯言,心痛,
走向他的工房,心里谋划险凶,
将硕大的砧块摆上托台,锤打出一张罗网,
难以挣断,不破,可把他俩当场逮住。
当铸成这个机关,怀着对阿瑞斯的愤怒,
他走进房间,那里有他钟爱的床铺,
沿着床柱布起罗网,笼罩四面,稳固,
悬置众多网丝,垂下房顶的梁柱,
纤细,像那蜘蛛的网套,就连幸福的神明
也难以盯住。他的铸工十分诡秘精固。
当布下这张套网,将整个床面罩箍,

① 荷马在此讲述了一个神族成员间偷情通奸的故事(第266—366行)。在《伊利亚特》里,匠神赫法伊斯托斯的妻子是卡里斯(第十八卷第382—383行),而在这里则"调包"成了阿芙罗底忒。持《伊利亚特》和《奥德赛》不是由荷马(或同一位诗人)所作观点的古今西方学者,将这一例证看作是立论的主要依据之一。考虑到荷马在创编《伊利亚特》和《奥德赛》的过程中广泛地从既有的神话传说和史诗段子(或故事)里选用相关情节这么一个目前已得到学界多数专家认同的事实,我们似乎有理由设想他在此择用了出自另一叙事传统的唱段。在"那套"神话里,阿芙罗底忒是赫法伊斯托斯的妻子,而由于整个段子均采自那套系统,诗人或许会觉得不便或不宜改变其中的神名。比较本卷第218行注。参考第七卷第59行注。

② 参考第一卷第8行注。太阳光芒万丈,照亮世界,自然"无所不见"(参考本卷第302行)。比较第280—281。参考并比较第四卷第379行和《伊利亚特》第十四卷第341—345行。

他动身前往莱姆诺斯[1]，一座城堡坚固，
人间大地上，那是他最钟爱的去处。
操使金缰的阿瑞斯并非不见，疏忽，
目睹著名的工匠赫法伊斯托斯离去，
旋即行往著名神工赫法伊斯托斯的房宫，
急于和头戴绚美花环的库塞瑞娅[2] 同床合铺。
女神刚刚回来，从她父亲、克罗诺斯强有力的
儿子家中，坐着，其时阿瑞斯闯入门户。
他握住对方的手，对她呼唤说诉：
"来吧，亲爱的，让我们去那床上躺着，
赫法伊斯托斯走了，已不在此处，想是去了
莱姆诺斯，说蛮语的新提亚人[3] 在那里居住。"

他言罢，阿芙罗底忒愿意和他睡躺，欢迎。
二者走向床面，睡寝，精巧的网线
四面扑来，心智灵巧的赫法伊斯托斯的手艺，
他俩动不得手脚，亦无法爬起，

---

① 爱琴海中的一个岛屿，多火山，古时岛上有赫法伊斯托斯的祭仪(cult，主要城市名赫法斯提亚)。宙斯曾把儿子赫法伊斯托斯从天上扔下，后者跌落在莱姆诺斯岛上，"多亏新提亚人赶来，救死扶伤"(《伊利亚特》第一卷第590—594行)。罗马诗人沿袭了古希腊诗人开启的传统，将莱姆诺斯视为匠神赫法伊斯托斯的圣地(奥维德《岁时记》第三卷第82行)，称赫法伊斯托斯为莱姆诺斯尊神(参见奥维德《变形记》第四卷第185行和维吉尔《埃涅阿斯纪》第八卷第454行)。莱姆诺斯亦是阿开亚联军弃置菲洛克忒忒斯的地方(参看本卷第219行注)。阿芙罗底忒的另一个称谓是库普里斯，出现在《伊利亚特》第五卷里，共五次。

② 阿芙罗底忒的别称。据传阿芙罗底忒诞生于浪沫之中，登陆于库塞拉岛的海滩，由此得名库塞瑞娅(参考赫西俄德《神谱》第192行和本书第四卷第261行注)。

③ 斯拉凯(即色雷斯)人的一部，许为莱姆诺斯岛上最早的居民，曾救助赫法伊斯托斯(《伊利亚特》第一卷第594行)。

时下逃不出网捕，知晓已经中计。
著名的强臂神工靠近，站临，
他已折返回来，并未到达莱姆诺斯岛地，
赫利俄斯一直在为他监察，告诉他真情。
他举步回家，心情沉重压抑[①]，
站在门边，胸中腾升粗蛮的怒气，
发出可怕的喊叫，对所有的长生者说起：
“父亲宙斯，各位幸福、长生不老的神明，
来呀，看看这件滑稽、无法容忍的事情，
阿芙罗底忒，宙斯的女儿对我从来
不感兴趣，恋爱败毁的阿瑞斯，
只因他俊美，腿脚没有毛病，而我
生来瘸拐，尽管这不是我的责任——
但愿他们没有生我——而是父母的问题[②]。
瞧哇，现在，看清，他俩拥躺我的卧床，
欢爱，睡在一起！我恶心，目察此景。
但我想他俩不愿如此久躺，哪怕只是一会儿，
尽管爱得深情。他们将无意睡躺，我敢说，
我的罗网和机关会把二者箍紧，不放，

① 第303行同第二卷第298行。

② 参看《伊利亚特》第一卷第584—594行。据赫西俄德“披露”，赫法伊斯托斯是由赫拉独自生养的儿子（《神谱》第927—928行，正如宙斯可以“独自”从头颅里生出雅典娜一样，《神谱》第924行）。赫法伊斯托斯在宙斯的厅堂里巡走斟酒的忙碌模样，曾引发众神的哄堂大笑（《伊利亚特》第一卷第597—600行；比较本卷第343行及该行注）。参考《伊利亚特》第十八卷第410—411行。

直到她父亲付还我全部追婚的聘礼①，
为了他狗眼睛的女儿，我把财物送交他的手里。
姑娘美貌，确实，但她不能控掌激情。”

他言罢，众神云聚他青铜铺地的府邸。
环绕大地的波塞冬来了，善喜助佑的
赫耳墨斯来临，还有阿波罗，远射的神祇②，
但女神们出于羞涩，此刻待在家里。
赐送佳物的神明在门边站立，

① 诗人再次沿用了人间习俗处理神界的相关事件。像人间的求婚者一样，赫法伊斯托斯为了求得阿芙罗底忒的爱情并与之成亲，一定给宙斯送过求婚的财礼。从他此刻气急败坏的样子推测，他的送礼或许在质和量方面相当可观，不在小数。此番话由一位长生不老的神明说出，浓添了故事的喜剧氛围。与赫法伊斯托斯相比，裴奈罗佩的求婚人不仅不给莱耳忒斯致送财礼，反而长期作乱别人的家居，肆无忌惮地耗糜别人的家产。说他们的行径不够体面，那是最轻的责词。参考并比较第二卷第 53 行注。

② 卓尔不群和喜欢“天马行空”的宙斯照例不会参与此类神族成员间的纠纷（尽管赫法伊斯托斯曾对他吁请，第 306 行）。波塞冬为宙斯的兄弟，神族中的第二号人物，携领另两位奥林波斯神明（据第 321 行分析，似还有其他非奥林波斯神仙随行）亲来劝解，“观赏团”的规格实在不应算低。波塞冬还是法伊阿基亚人的先王那乌西苏斯的父亲（第七卷第 57 行），与这支神裔的过从甚密（参看第六卷第 266—267 行和第七卷第 34—36 行等处），所以在这种场合出现，也有助于博取听众的欢欣。

忍俊不禁的笑声哄堂而起①，当幸福的
长生者眼见心智灵巧的赫法伊斯托斯的手艺。
他们互相交谈，望着各自身边的神明：
"丑恶之事不会昌兴。瞧，慢的逮住了快的，
一如眼下，赫法伊斯托斯，迟慢，尽管瘸拐，
却抓住了阿瑞斯，奥林波斯山上腿脚最快的神明，
施用巧计。通奸者阿瑞斯必须赔偿②，所以。"

就这样，神们你来我往，一番说议；
王者阿波罗，宙斯之子，其时对赫耳墨斯说起：
"赫耳墨斯，宙斯之子，导者，致送佳美的神祇，
告诉我，你可愿被紧箍在坚实的网里，
和她同床，在金色的阿芙罗底忒身边睡寝？"

① 比较《伊利亚特》第一卷第595—600行。神不死，因此从本质上来说，他们的生活比之凡人的更具喜(剧)的一面。参考本卷第318和343行注。尽管赫法伊斯托斯称自己是一个"可悲的不幸者"(第351行)，但他毕竟与可悲(亦即会死)的凡人不同，不会有那种对死的"终极的"忧虑。对"死"的思考构成了现代哲学关注的核心问题之一。克尔凯郭尔始终把死亡看作一个严肃的问题，而在里尔克看来，对于生活中的每一个人，死亡属于挣不脱的"命运"，是与生俱来和不能选择的"归处"。在这里，我们似乎可以看到荷马的影子(参考《伊利亚特》第六卷第488—489行、第二十一卷第106—110行和本书第十六卷第129行等处)，尽管他肯定不会像里尔克那样，在鼓励人们珍爱生命的同时(无可奈何地)热爱死亡。孔子一般不愿深谈死亡。《论语·先进》："未知生，焉知死？"但对于庄子，则生与死同在，"一受其成形，不亡以待尽"(《庄子·齐物论》)。与其避而不谈死亡，不如公开宣扬聊以自慰的生不如死论——"人谓之不死，奚益！"(同上)比较："仲尼曰……不以生生死，不以死死生。死生有待邪？皆有所一体。"(《庄子·知北游》)

② 无论通奸者的责任是"刑事"的还是道德的，他必须为自己的"冒犯"付出代价(即接受某种形式的惩罚)，这一点似乎在神明中已达成共识。看来神们已在促进自己道德观的演变方面取得了凡人愿意看到的进展，已经意识到有必要对为所欲为和我行我素的做法予以有效且有实际体现的制约。

其时，信使阿耳吉丰忒斯对他答接：
“王者阿波罗，远射的神明，我愿此事当真，
哪怕无尽的罗网三倍于此箍我，
所有的神祇都来看视，连同女神一起——
我愿傍依金色的阿芙罗底忒，在她身边睡寝。”

他言罢，永生的神明哄然笑起①，
只有波塞冬例外，劝求不停，恳求
赫法伊斯托斯，著名的神工，要他放出阿瑞斯，
劝讲，用长了翅膀的话语对他说及：
“放他出来吧，我保证他会按你的
要求偿付，当着永生的神明。”

其时，著名的强臂神工对他答接：
“不要催我这么做，波塞冬，裂地的神祇。
对可悲的不幸者，保证没有意义。
我怎能把你揪住，当着永生的神明，

① 故事的喜剧效应在此达到了高潮。神明永生，不死，所以他们完全可以比凡人活得更自由自在，潇洒自如，以远为轻松的态度对待许多在人间或许会引发严重后果的事件。诗人或许正是抓住了这一点，有意识地在情节中插入一些以神的活动为背景的笑谈（如《伊利亚特》里赫法伊斯托斯的调解和阿芙罗底忒的负伤等），以此博取听众的开心。敢于笑弄神明，这本身就是不与神祇“见外”的表现。神和人尽管有所不同（就神明不死这一点而论，应该说有着本质的不同），但绝非不无相同和相通之处——荷马无疑相信，古时存在过一个人神杂处并有具体接触往来的时代。诙谐可以表示可贵（至少是局部的）平等意识，是建立和睦社会的一种重要和富于人情味的“感情”基础。公元一世纪以后，随着基督教渐趋广泛的传播，由严格教义支撑的上帝（或“主”）变得越来越严肃（亦即越来越“正确”）和越来越不可“侵犯”。神（即上帝）离开了凡人的逗乐，切断了与凡人在“喜剧”领域的交往，彻底摆脱了“世俗”的一面，逐步升华成了一种统治人的精神活动的超然力量。

倘若阿瑞斯跑了，既避过偿付，又逃出网里？”

其时，裂地之神波塞冬对他答接：
“倘若阿瑞斯跑了，赫法伊斯托斯，不付欠债，
溜之大吉，如此，我会把它付清。”

其时，著名的强臂神工对他答接：
“好吧，我不能，也不宜回拒你的讲情。”

强壮的赫法伊斯托斯言罢打开罗网，
二位脱离极其强固的网面，跳将出来，
当即，阿瑞斯登程斯拉凯，
而爱笑的阿芙罗底忒则返回塞浦路斯的
帕福斯，返回她清烟缭绕的祭坛和领地①。
典雅女神替她沐浴，在那里，用安伯罗西亚油脂②
擦抹身体，神的用物，他们永享生命，
替她穿上绚美的衣裳，让目击者看后惊异。

就这样，著名的歌手一番诵唱，奥德修斯
聆听，心里舒畅，其他人也都如此③，

① 阿瑞斯和阿芙罗底忒一北一南，分道扬镳。斯拉凯乃阿瑞斯的“故地”（参考《伊利亚特》第十三卷第301行），而塞浦路斯则有贡奉阿芙罗底忒的祭仪。至于阿瑞斯最终是否支付赔偿的问题，诗人没有说明，听众大概也不会就此类玩笑刨根问底。“爱笑的”是阿芙罗底忒的饰词之一，在《伊利亚特》里亦有见例。开过“玩笑”后，阿芙罗底忒照旧享受她作为一位女神的生活，享受长生者（本卷第365行）的奢华和安逸。

② 安伯罗西亚的用处之一，在此相当于人间的橄榄油。关于安伯罗西亚，参见第五卷第93行注。

③ 参考第343行注。奥德修斯哭过（见第83—88行），眼下“聆听，心里舒畅”，足见诗人穿插使用悲、喜段子，以调节听众心情和感觉的老到功夫。

以航海著名的法伊阿基亚人，操使长桨。

其时，阿尔基努斯命嘱哈利俄斯和劳达马斯
单独起舞，因为他俩的舞技无人比过。
二人伸手拿起一只漂亮的红球，
聪灵的工匠波鲁波斯为他们制作，
一人弯腰后仰，抛球投影悠长的云朵，
另一人高高跃起，轻巧地将它接入
手中，先于腿脚在地上站落。
玩过了抛球的游戏[1]，他俩在
丰产的大地上跳起舞蹈，迅速
变换位置，旁围在场的年轻人
脚踩节拍，一时间响声雷动。
其时，卓著的奥德修斯对阿尔基努斯说道：
“哦，豪贵的阿尔基努斯，人中的杰卓，
你的属民确是最好的舞手，已被证实，
如你所说。我感到惊诧，眼睛见过[2]。”

他言罢，灵杰豪健的阿尔基努斯快慰，
当即对欢爱长桨的法伊阿基亚人说话，告谓：

---

① 法伊阿基亚青年喜欢玩球（另见第六卷第 99—116 行及相关注释）。

② 比较第 366 行和第二卷第 13 行等处。对“美”的惊诧在《奥德赛》里不乏见例（参考第六卷第 169 行注）。古希腊人审美常常伴随一种激情（参考该卷第 153—168 行），而更为难能可贵的是，这种“情绪”并没有太多地影响他们对美的中性性的体验（参阅第四卷第 629 行注）。在公元前五至前四世纪，希腊哲学开始了对中性美（或美本身）的成规模的研究。当一种哲学走向辉煌的时候，我们不应忘记文学的感召和铺垫。文学既为哲学的诞生设置了障碍（参考第七卷第 20、210 行注和本卷第 547 行注等处），也为它的发展提供了强有力的支持。细读第四卷第 629 行注、第二卷第 182 行注和第二十三卷第 226 行注等处。

"听我说,法伊阿基亚人的统治者和首领各位。
来客的确是个谦谨之人,我以为。
来吧,让我们给他表示友情的礼物[①],此举称配。
我们有十二个执政的王者,拥掌权力国内,
加上我,民众的首领们,一共十三位[②]。
这样吧,你等各拿出一件洁净的披篷,
一件衫衣,拿出一塔兰同[③] 黄金珍贵,
然后,我们将把礼物一起聚归,以便让生客
手捧着它们,心情愉快,走向晚间的餐会。
不过,欧鲁阿洛斯要向他当面致歉才对,
致送礼物,赔报那番不合时宜的话语说谓[④]。"

---

① 古希腊人喜出游,擅交际(当然是以他们的风格),重主客间的情谊(xenie,或xenia)。赠送或互致礼物是表示和缔结 xenie 的重要手段。通过表示友好的交往,主客双方成为 xeinoi(客友),建立长期的友好关系。客谊甚至可以传代,祖辈(或上代人)结下的 xenie 可使战场上兵戎相见的后辈对手罢息战事,互赠礼物(且无须担心此举会招来通敌的嫌疑),以固系和延续已有的情谊。自然,客家在主人面前表现得越出色,给他(们)留下的印象越深(如奥德修斯所做的那样),他所得到的礼物也就会越多越好。

② 伊萨卡也一样,拥有众多的王者(basilees,单数 basileus,参考第一卷第 386 行注),但只有一位国王或执政并拥有最后决断权的王者(即奥德修斯)。参阅该卷第389—396 行。在斯开里亚(第五卷第 34 行),阿尔基努斯从父亲那乌西苏斯手里接过权力(参考第六卷第 7—12 行;比较第一卷第 386—387 行),无疑稳掌宙斯赐予的王权(比较《伊利亚特》第二卷第 100—108 行),是处理该国政务和重大事件的王中之王(参考本书第七卷第 159—161 行)。当然,他也必须体现民主协商精神,遇事与其他首领商议,征求和听取他们的意见。

③ talanton,字面意思许为"均衡"或"被秤量的东西",在荷马史诗里专为黄金的计量单位,但所指的重量不明。无论是按后世欧波亚的标准(一塔兰同合 25.86 克)还是埃吉纳的规定(一塔兰同合 37.80 克)估算,每位首领的赠送不算太多,但加在一起却也相当可观(连同衫衣和披篷等)。阿尔基努斯本人将赠送一只金杯(第 430—432行),价值当在一塔兰同以上。或许是奥德修斯的叙述(第九至十二卷)增进了对方对他的了解,阿尔基努斯于奥德修斯临行前决定,法伊阿基亚人的首领们将再给他一份价值更高的赠礼(参考第十三卷第 13—14 行)。

④ 详见第 159—164 行。

他言罢,大家均表赞同,催促办理,
各位派遣自己的信使,前往取回赠礼。
于是,欧鲁阿洛斯对阿尔基努斯答话,说起:
“哦,高贵的阿尔基努斯,人中的豪杰,
毫无疑问,我会按你所说,对客人赔礼。
我要给他这柄佩剑,剑身一水青铜,柄把
取料白银,连带剑鞘,用新锯的象牙做成
扁平的圆形。此物珍贵,他会见后知情。”

言罢,他把柄嵌银钉的铜剑放入奥德修斯手里[①],
说话,用长了翅膀的语言对他说及:
“你好,陌生的父亲,倘若我说过什么
不宜,那就让风暴把它卷走,了结[②],
愿神明保你重见妻子,回返故地,
你已久遭磨难,远离朋亲。”

其时,足智多谋的奥德修斯对他说话,答接:
“你好,亲爱的朋友,愿神明使你幸福,
愿你今后不会念想给我的剑礼,

---

① 诗人刚刚讲完赫法伊斯托斯因阿瑞斯通奸他的妻子而要其支付赔偿的故事,此刻又讲述了欧鲁阿洛斯对奥德修斯的赔礼。如果说神界的赔偿形同玩笑,人间的赔礼则实实在在地表现为易手的物质利益。欧鲁阿洛斯快人快语,知错就改,而奥德修斯的回答(第413—415行)亦颇为大度,显示了他的胸怀。

② 史诗人物并不羞于致歉。比较《伊利亚特》第四卷第362—363行。欧鲁阿洛斯没有把自己刚才的狂傲归咎为神的怂恿。参考并比较本书第四卷第713行注、第九卷第339行注和第十六卷第355—357行及相关注释。奥德修斯亦不再计较他的冒犯,表现出一位贤明国王应有的大度(参见上注)。

你用它致歉，连同说出的话语。"

言罢，他把嵌缀银钉的铜剑背挎上肩。
太阳落下，人们送来光荣的礼件。
阿尔基努斯高傲的信使们搬过赠礼，
由阿尔基努斯的儿子们手接，精美绝伦的
好东西，放在他们尊敬的母亲身边。
灵杰豪健的阿尔基努斯领着他们，
所有的人步入宫殿，入座高椅上面。
其时，豪健的阿尔基努斯对阿瑞忒开言：
"取一只精美的衣箱，夫人，把你最好的取来，
亲自动手，放一领簇新的披篷，一件衣衫。
此外，让人点火热起铜锅，给此人沸煮澡水，
以便让他沐浴后目睹排放整齐的
礼件，高贵的法伊阿基亚人已将其搬来这边，
然后欣享宴食，同时聆听歌手的唱段。
我本人将给他一件礼物，一只瑰美的
金杯，以便让他终身不忘，对我怀念，
当他在家中洒祭宙斯和其他各位神仙[①]。"

他言罢，阿瑞忒走向女仆，告嘱她们
以最快的速度架起一口大锅，就着柴火。
女仆们在炽烈的柴火上架起鼎锅，
添注澡水，填塞木块，燃起火苗，

① 精美的杯盏乃赠客的佳物。客人回家后既可用杯子洒酒祭神，又会见物思人，怀念赠杯者浓浓的友情(参考第四卷第 591—592 行，比较本卷第 414 行)。参阅《伊利亚特》第十六卷第 225—232 行。

柴火煨舔锅底，使水温增高[①]。
与此同时，阿瑞忒从她屋里搬出绚美的箱子，
赠送客人，将精美的礼物放好，
装箱法伊阿基亚人礼送的衣服黄金，
连同她个人致送的一件衫衣，一领瑰丽的篷袍，
对生客开口说话，用长了翅膀的语言关照：
"小心箱盖，快用绳结扎牢，
以防途中有人打劫[②]，趁你卧躺
乌黑的海船赶路，在甜美中睡觉。"

听罢这番话，卓著和历经磨难的奥德修斯
当即合妥箱盖，出手迅捷，绑捆绳线，
打好女王般的基耳刻教授的复杂的锁结。
其时，家仆即时催他沐浴，
踏入澡盆里面，后者眼见滚烫的热水，
心里美甜，他已长期未受此般照应，
自从离开秀发的卡鲁普索的家院[③]，虽然
在那段日子里他曾受到关照，仿佛就是神仙。
女仆们替他沐浴[④]，涂抹橄榄油，
搭上绚美的披篷，穿好衣衫。

① 第434—437行同《伊利亚特》第十八卷第344及346—348行。

② 即便风平浪静，海上也不太平。海盗时有出没，而过往的商贾们也会逢场作戏，不会放过顺手牵羊的机会。

③ 我们知道，一天前奥德修斯已在河边洗过一次（第六卷第224—227行），但那次是他自己动手，亦无正规的澡池和紧接着的盛宴款待。此外，那次是在河里，肯定只能将就冷水，没有冒着热气的浴汤，使奥德修斯见后"心里甜美"（本卷第451行）。

④ 参考第五卷第264行注。本卷第454—455行大致同第四卷第49—50行等处，显示浴客并为之穿衣的程式。

他浴罢出来，汇入饮酒的人群
赴宴。其时，娜乌茜卡，美似神仙一般，
站在支撑坚固屋顶的房柱旁边，
目不转睛地望着奥德修斯，心里慕赞[①]，
对他说话，用长了翅膀的话语开言：
“陌生的客人，再见；记住我，当你
回返家院，是我救你一命，最先[②]。”

其时，足智多谋的奥德修斯对她答话，开言：
“娜乌茜卡，心志豪强的阿尔基努斯的女儿，
愿赫拉的夫婿宙斯答应，他炸雷高天，
让我回到家里，眼见归返的时节。
那时，我会对你祈祷，像对神仙，
终身如此，因为是你，姑娘，使我活命今天。”

言罢，他下坐靠椅，在国王阿尔基努斯身旁。
这时，人们整备餐份，兑调酒浆，

---

① 比较第六卷第 237 行。

② 娜乌茜卡的话语简洁、明快，看似出于随意，但也可作字斟句酌的理解。感情和礼仪，简练与含蓄得体地融入了这短短的两行诗里。用“言简意赅”当然不能尽收这两行诗句的幽渺和精微。“只有最伟大的诗人才能 do this kind of thing。”奥菲莉娅的“‘No more but so?’, may be set beside Nausicca’s farewell”(J. A. K. Thomson，“A Note on Greek Simplicity”, *The Greek Tradition*，第 147 页)。刘勰提倡“余味曲包”(《文心雕龙·隐秀》)，“物色尽而情有余”(《文心雕龙·物色》)。唐人刘知幾用一个“晦”字表述了含蓄的精义：“晦也者，省字约文，事溢于句外。”(《史通·叙事》)荷马编制的是叙事诗，以讲故事和使听众尽可能顺畅地把握情节的展开为己任，因此很自然地不会把含蓄当作叙事的立意之本，不会把它当作首选的叙事技巧加以普遍运用。然而，这不等于说诗人全然没有含蓄的意识(比较本书第十六卷第 190 行注等处)。在必要的时候，他会“偶尔露峥嵘”，把含隐的美表现得淋漓尽致。

信使近前走来，引着佳杰的歌手
德摩道科斯，受到民众敬仰，摆下椅子，
倚靠高耸的立柱，在宴食者中央①。
足智多谋的奥德修斯叫过信使，对他说讲，
切下一条白牙闪亮肥猪的脊肉，
仍有一大块留下，油膘挂贴两旁：
“拿着，信使，把这份肉肴递交德摩道科斯
食享②，捎去对他的问候，尽管我哀忍悲伤。
所有活命大地之上的人中，歌手惠受
尊重敬待，因为缪斯教会他们诗唱③，
钟爱这个群体，他们以歌诗作为行当④。”

---

① 第 473 行同第 66 行。

② 奥德修斯以脊肉馈飨德摩道科斯，以示对诗人的敬重（细品第 483 行）。参考第四卷第 66 行注。另参考本卷第 481 行注。

③ 参考第 64 行注。关于德摩道科斯，见第 44 行注。关于缪斯及其与诗人的关系，参见第一卷第 1 行注。缪斯乃主掌诗艺的女神，她们（或阿波罗，本卷第 488 行）“教会”诗人们（aoidoi）歌唱，而非只是（甚至主要不是）给他们以唱诗的灵感。缪斯使他们记取诗段的内容，得以成功地讲诵或转述英雄们的业绩（第 73 行）。当然，荷马知道，把好话说得过头一点，把或许应该属于自己的功劳多记一点在缪斯和神的账上，大概不会有错（参考《伊利亚特》第二卷第 484—492 行）。诗人并非无所作为（参考本书第二十二卷第 347 行），重要的是摆正自己的位置，不要像萨慕里斯那样，试图挑战缪斯的权威，张狂地扬言要与她们一比高低（参考《伊利亚特》第二卷第 594—600 行）。诗人也是人，他们也同样需要用（实际上是他们自编的）故事里的相关事件（如萨慕里斯的遭遇等）来约束自己的行为和人性中的狂妄。参考本卷第 490 行注。

④ 奥德修斯尊重诗人（故而递之以脊肉，第 477 行），不仅因为他们是缪斯钟爱的宠儿，而且还因为他们是社区里的英雄（第 483 行）。攻城略地需要勇士出力，而和平时期的生活则需要诗的点缀。诗人和勇士同为社会中的精英分子，共同“创造”了史诗的光彩夺目和辉煌（参考第二十二卷第 346 行注）。荷马不止一次地把奥德修斯比作诗人（比如，参见第二十一卷第 406—409 行），巧妙地指出了作为兵器的弓和作为乐器的竖琴的“共性”，成功地把他自己所钟爱和从事的行当有机地糅入了英雄们的业绩之中，融入了史诗的氛围。

他言罢，信使接过脊肉，将其放置
英雄德摩道科斯手上，后者接过，心里欢畅。
众人伸出双手，抓起面前佳美的肴餐。
然而，当他们满足了吃喝的欲望，
足智多谋的奥德修斯对德摩道科斯说讲：
“所有凡人中，德摩道科斯，我对你称赏。
一定是宙斯的女儿缪斯，要不就是阿波罗教会了你诗唱，
逼真，有序，你唱诵阿开亚人的经历，
他们做过和遭受的所有事情，阿开亚人的苦难[①]，
仿佛你曾身临其境，或亲耳听过当事人的说讲。
开始吧，唱诵另一个段子，关于那匹
木马，由厄培俄斯制作，凭借雅典娜
帮忙，实施神勇的奥德修斯的良策，填满武士，

① 可以把第 487—491 行看作荷马对口诵诗人得到民众认同的成就的热情赞扬。得益于缪斯或阿波罗的帮助，歌手可以逼真地讲述阿开亚人的经历，仿佛他们“曾身临其境，或亲耳听过当事人的说讲”(第 491 行)。请注意，荷马在此提到了“当事人的说讲”。这一重要却看似一笔带过的提及，几乎被所有的西方评论家们所忽视。事实上，它提供了一条就“含金量”而言我们很难予以过高估计的信息，那就是关于故事的来源，诗人除公开宣布得之于缪斯(或阿波罗)以外，间接却同样明晰地点到了“当事人的说讲”。诗人或许不会亲临战场(即“身临其境”)，但(他们)可以或必然会接触某些经历过特洛伊战争的人员，从正面和侧面了解到那场旷日持久的大战的实况(以及战后英雄们回归的情况)。比如，德摩道科斯现在就和奥德修斯同处一堂。除了听当事人的说讲外，诗人亦可听闻别人对当事人说讲的转述(参考《伊利亚特》第二卷第 486 行)，搜集创编故事的素材(我们知道，这也是包括希罗多德和修昔底德在内的后世历史学家们搜集素材的主要途径之一)。如果说承认缪斯(和阿波罗)的教授是一种得之于传统的行业“客套”，亲耳聆听当事人(或转述者)的说讲，则是早期史诗诗人(即歌手)搜集故事题材并用新的段子充实既有史诗情节的一条具有实质性(与上面提到的“客套性”形成对比)意义的重要和必须引起我们重视的渠道。参考本书第一卷第 1 行、第十三卷第 256 行、第十四卷第 363 行和第十六卷第 247 行注等处。

设计混入高堡，冲出，将伊利昂劫荡[①]。
倘若你能讲诵这些，一点不差，
我将对所有的凡人把你宣扬，告诉他们
神明慷慨赐你神奇的礼物，让你诗唱。”

他言罢，歌手受女神催动，开始唱诵，
起始于阿开亚人登上座板坚固的
海船启航，放火自己的营棚。
其时，光荣的奥德修斯已带领众人坐着，
在木马里藏身，位居特洛伊人集会之地，
特洛伊人自己已把它拽入高城。
眼下，木马站立那里，人们坐临周边，
无休止地谈论，分持三种不同的辩争：
是挥起无情的铜剑，将空腹的木马切分，
或是把它拖走，推下悬崖深坑，
还是留马原地，作为贡品，平慰神的心胸。
这第三项主张将被实践，最终[②]，
因为他们的城市注定将被破灭，当它容纳
这匹木制的巨马，让所有最优秀的阿开亚人
在里面坐着藏身，给特洛伊人送去死亡、牺牲。
他唱诵阿开亚人的儿子们如何冲离深旷的
伏身之地，涌出木马，荡劫垣城，

① 奥德修斯亲口提议，请德摩道科斯讲述木马破城的故事，并由此引出自己的再一次痛哭流涕和真实身份的被人“发现”。木马破城是奥德修斯亲自参加并予以协调指挥的战斗，墨奈劳斯对此已有过介绍（第四卷第 271—289 行），这里诗人重提此事（本卷第 492—520 行），除了借以显示奥德修斯的战绩外，可能还考虑到了结构，即情节的合理铺排和有序发展的需要。

② 参考并比较第十七卷第 237 行注。

唱诵他们如何分头出击，在陡峭的高堡上拼争，
而奥德修斯又如何尤其出色，和神样的墨奈劳斯
冲锋，阿瑞斯一样，杀向德伊福波斯[1]的房宫；
在那儿，他说，他经历了一生中最险恶的战斗，
但凭借心胸豪壮的雅典娜佑助，照旧获胜[2]。

　就这样，著名的歌手唱诵，奥德修斯
酥软，泪水浇滴面颊，注涌。
犹如一个女人恸哭，扑倒在亲爱的丈夫身上，
他在城前为民众倒下牺牲，
试图打开无情的死亡之日，将其挡离城市儿童。
她眼见丈夫死去，大口吐出粗气，匍匐他的
身上，尖啸出声，敌兵站在后面，
用枪矛的柄端击捅她的脊背肩头，

---

① 普里阿摩斯和赫卡贝之子，在《伊利亚特》第十二卷里有过出色的表现。赫克托耳死后，德伊福波斯成了特洛伊全军的首领。参考本书第四卷第 276 行。关于木马破城的故事，另参见该卷第 271—289 行。特洛伊主将德伊福波斯其时大概已退守房宫，作最后的一搏。战斗的激烈程度可想而知(参考本卷第 519 行)。为了攻破特洛伊城，著名工匠厄培俄斯(一说按奥德修斯的设计)制造了一匹巨大的木马。包括奥德修斯在内的一批勇士藏身马腹之内，其余将士佯装驱船离去，只留下西农一人。西农对特洛伊人谎称木马乃雅典娜的赠物，倘若将其拽入城内，将使城市不可摧破。特洛伊人不顾阿波罗的祭司拉奥孔劝阻，把木马拖入城里，以后又不听卡桑德拉(参考第十一卷第 421—423 行)关于此马将使特洛伊人遭殃的预卜，不做必要的防备。午夜，希腊勇士冲出马腹，突袭得手，与城外佯装返航却又杀回的将士里应外合，攻下了特洛伊城。

② 第 492—520 行描述了特洛伊战争最后阶段的部分战事，给《伊利亚特》中未了的故事画上了一个句号。古代的史诗系列中有一部《破劫特洛伊》(或《特洛伊失陷》，共两卷)专门讲述破城的经过，已佚失。罗马诗人维吉尔在《埃涅阿斯纪》第二卷里描述了这段故事——有理由相信，他会通过各种可能提供信息的渠道，了解或部分了解《破劫特洛伊》的内容。

强迫她起来，带走充作奴工，操做苦活，
忍受悲痛，强烈的哀愁蚀毁她的面容[1]。
就像这样，辛酸的眼泪流下奥德修斯的
眉头，但他暗自哭泣，不被别人觉察，
唯有阿尔基努斯明视他的举动，
因他就座客人身边，听闻悠长的悲叹出声。
他当即发话，对欢爱船桨的法伊阿基亚人讲诵：
“听我说，法伊阿基亚人的首领，你们治统，
让德摩道科斯辍止竖琴脆亮的响声，
这段唱词看来不能欢悦所有的听众。
自从大家开始晚餐，神圣的歌手张嘴唱诵，
我们的客人便没有停息悲苦的
恸哭。他的心里肯定承受着巨大的悲痛。
不过，让他止终，以便让我们大家都能快乐，
东道主和客人。此举妥当，因为
我们所做的一切都是为了客人的尊荣，
策划护航，展示爱心，给他表示友好的礼送[2]。

---

① 明喻描述了破城(即亡国)后妇女的凄惨命运，显示了战争带给妇女的痛苦。家破人亡的妇女只有一条出路，那就是沦为奴隶，在主人家中忍受工仆的生活。这一情景也出现在情节语言(和明喻语言形成对比)之中(参考第九卷第 40—41 行、《伊利亚特》第六卷第 464—465 行和第十六卷第 830—832 行等处)。奥德修斯自己点要这个唱段(本卷第 492—495 行)，此时又痛哭流涕，形同一个失去丈夫的女人。诗人的安排(参考第 495 行注)迎合了奥德修斯隐藏心中的自恋情结，触发了他自我怜赏的“怀旧”情感。参考第十卷第459行注等处。任何形式的满足都能带来快乐。从这个意义上来说，阿尔基努斯的评价(本卷第538行)显然有所偏颇，没有“切中”奥德修斯的心衷。不过，这也难怪，因为阿尔基努斯此时尚不知对方的真实身份。

② 阿尔基努斯对客谊的理解符合宙斯的意志，也体现了许多史诗人物在这一问题上的共识。然而，他或许平时没有经常以此教导他的国民，以致后者的待客之道与他的大相径庭(参考第七卷第 30—33 行)。在荷马看来，客谊体现文明。比较波鲁菲摩斯的粗蛮(详见第九卷第 266 行以下)。

只要是心智稍具常识的人都懂，
客人和祈援者就是他的弟兄①，
所以，别再包藏诡谲的心计，
针对我的提问。直言为好，告诉我们。
告诉我在家时父母对你的称呼，
城里的别人又如何对你相称。
凡人中谁都有个名字，无论高贵
或是低劣的小人，一旦他被生养，
双亲必会给他起名，当着他的出生。
告诉我你的国度，你的胞民和居城，
以便使我们自定航向的海船送你回程②。
法伊阿基亚人中无有舵手，
我们的船也不似别人的那样安着桨舵操纵，
它们自行知晓人的心思目的，

① 史诗人物生活在知识的积累阶段，还没有有意识地进入分辨（知识）的时代（参考第十二卷第188行注）。祈援者并非个个都是好人，他们中的一些人也不是因为在家乡做了好事，然后成为离乡背井的流浪者。如果一个人在家乡闯祸，甚至杀人害命，受到被害者亲友的追捕，那么这个人就理应为自己的所作所为付出代价，受到应有的惩罚。然而，当此人一旦逃离故国，沦落他乡，他的身份便可在史诗的注重客谊的伦理观的公开保护下，堂而皇之地由原先的杀人犯（或杀人者），变成受到宙斯庇护并理应得到主家热情接待的客人（或祈援人；参考第十四卷第284行注）。荷马史诗没有为分辨此人的身份转变提供足以说明“问题”的知识背景，难怪阿尔基努斯自以为可以天经地义地把所有的祈援者都看成是照例应该得到主家款待的兄弟。热情待客本身并没有错，问题出在诗人及其作品里的人物对祈援者的可能做了错事但日后却反倒受到丰厚回报这一不公正的事实或“过程”缺乏必要的思考。由此我们会很自然地想到苏格拉底的一系列看似简单却实则意义深远的诘问（比如，什么是友谊），想到在一个民族的历史上，有没有出现过这样一个诘问（亦即寻找伦理概念的知识背景）的时代，对其日后的伦理道德观念的发展走向直至定型，将会产生何等重要的影响。

② 法伊阿基亚人的海船自定航向，因此无须舵手（第557行），但仍需划桨的船员（第535行），以此体现他们航海的技巧（参考第252—253行）。参考第560行注。

知晓所有凡人的城市，每一处肥沃的田耕[①]，
以极快的速度穿行深渺的大海，
掩罩在水汽和云雾之中，绝对
不用担心毁败，或遭致损坏没沉。
但是，从前我从父亲那里听闻，那乌西苏斯
曾经说称，告诉我波塞冬为此怀恨，
只因我们船渡所有的来客，从来畅顺。
他说将来会有一天，当一艘精制的法伊阿基亚
航船驶回，从海路的迷蒙，波塞冬
将砸毁船只，用一座大山封围我们的居城[②]。
老人如此说告，而神明可以使之实现，
或撇留不做，随他的喜好，凭任。
所以，来吧，告诉我此事，要准确地述陈：

① 法伊阿基亚人既是神的亲族，就必定会有一些神奇和不同凡响的东西。他们的海船是自动制导的，并且“知晓人的心思目的”(第 559)。

② 第 565—569 行同第十三卷第 173—177 行。荷马史诗里多次出现此类事先(或事后)告知的预言(比较第九卷第 506—516 行)，以显示神的英明和卜术对事件的掌控。此类预言一般都会实现，但至少从“理论”上来说，并非绝无避免的可能(参考本卷第 570—571 行)。预言的实现通常需要有关人员的“配合”，而人们总会出于这种或那种原因顺推预言实践的进程(比较索福克勒斯的名剧《俄狄浦斯王》)。所以，阿尔基努斯是明知故犯，不惜承冒城国被大山封围的危险，决定船送奥德修斯回程。阿尔基努斯此举的动机中或许带有心存侥幸的因素(见第 570—571 行)，但更为合乎情理的解释似应与尊重客谊(xenie)有关(参考第 542—547 行等处)。阿尔基努斯的进退两难(不知他自己有没有意识到)至少是潜在的。如果运送奥德修斯，他的城国将承冒风险；但如果不送，他又将承担破坏 xenie 的罪名，受到客谊的护佑者宙斯的惩罚(参看第六卷第 207—208 行和第七卷第 165 行)。一边是波塞冬，另一边是更为强大的宙斯，阿尔基努斯无论作出哪种选择都将招致两位主神中一位的不满，遭受难以逃避的“击打”。如果说荷马在这一点上有所认识但还没有形成定型的思想，后世的悲剧诗人们则在这方面有了较大的拓展，基本上形成了明晰的思路，把有深度地展示(人的)选择的艰难看作是创作高水平悲剧(并由此展示和检验剧作家专业水平)的一块极有分量的基石。参考第一卷第 298 行注和第七卷第 161 行及该行注。

你曾浪迹哪里，去过哪些人居的邦城，
他们墙垣坚固的城市，那里的民生，
哪些暴虐、野蛮，法规全无，
哪些善待生客，心中敬畏众神①。
告诉我为何哭泣，伤悲在你的心中，
当听知有关阿耳吉维人、达奈人② 和伊利昂
的传闻。神明定设这些，纺织凡人的
毁破，使之成为后人诗唱的内容③。
可是有哪位联姻的亲人在伊利昂牺牲，女儿的
丈夫，或是妻子的父翁，一个勇敢者，在那里献身，
此乃本家血统以外最亲的亲人？
抑或，死去的是你的伴友，知心，
一个好人？须知一位能够心心
相印的伙伴，半点也不亚于弟兄④。”

① 第575—576行同第六卷第120—121行、第九卷第175—176行和第十三卷第201—202行。

② 和阿开亚人一样，在荷马史诗里，阿耳吉维人和达奈人均指希腊人。参考《伊利亚特》第一卷第2、42和79行注。诗人在一个行次里等义使用了“阿耳吉维人”和“达奈人”，显然主要是出于填补音步，从而使格律在形式上趋于规整的需要。

③ 参考第一卷第346—350行。比较《伊利亚特》第六卷第357—358行和《奥德赛》第二十四卷第193—202行。

④ 此乃一句格言式的告诫。参考第七卷第310行、第十一卷第427行、第十五卷第23行及相关注释。看来，阿尔基努斯是个重感情的人(参考本卷第546—547行及第547行注)，尽管他自己早已失去了那位嫡亲的兄弟(第七卷第63—64行)。比较墨奈劳斯对奥德修斯的感情(第四卷第169—180行)。如果我们愿意按字面理解第四卷第104—105行的话，墨奈劳斯对奥德修斯的深情显然已超过了对自己的嫡亲兄长阿伽门农。阿氏兄弟曾因回归问题意见相左，神明“让阿特柔斯的两个儿子闹翻”(第三卷第136行)。在《伊利亚特》里，阿伽门农对兄弟相当友好，有时甚至袒护到了“徇私”的程度(比如，参读第十卷第227—240行)。

第九卷

其时，足智多谋的奥德修斯对他答话，讲说：
“哦，豪贵的阿尔基努斯，人中的杰卓[1]，
此事的确佳宜，聆听歌手述诵，
像我们眼前的这位，有着神一般的歌喉[2]。
人间无有什么比这欢悦，我说，
比之喜庆的场面陶醉所有的民众，
宴食者们聆听歌手唱诵，在厅堂里
依次下坐，身边面食肉馔
堆满食桌，侍酒人舀酒兑缸，
巡走，依次注满他们的杯盅。
此乃最好的情境，在我看来，称合我的心衷。
然而眼下，你的心绪转而要我讲述凄苦
哀愁，如此会增添我的悲楚，加剧嚎哭[3]。
我将先说什么，对你，把什么留待以后？
天神给我痛苦，如此众多[4]。

① 第 2 行同第八卷第 382 行等处。

② 比较第一卷第 370—371 行。

③ 参考第八卷第 88 行注。喜和悲是诗人擅长描述的情感（比较本卷第 5—11 和第 12—15 行；参考第八卷第 368 行注），但《奥德赛》中出现的悲的场面远远多于喜的场景。一些可用“喜”表述的场面，诗人往往以“悲”（或哭嚎）代之（参看第十六卷第 213—220 行和第二十三卷第 231—238 行等处）。

④ 奥德修斯多次表述过相似的意思（另见第 38 行）。第 15 行同第七卷第 242 行。参考并比较第三卷第 152、208 行注等处。

现在，容我先报名字，使你们知晓，
以便日后，当我躲过无情的死亡之日，
尽管居家遥远，能够友待你们做东。
我乃奥德修斯①，莱耳忒斯之子，以谋略的
精巧在人间蜚声，我的名气冲指天空。
我居家阳光明媚的伊萨卡②，那里有一座山岗，
枝叶婆娑的奈里托斯，挺拔，周边坐落
许多岛屿，一个挨着一个卧躺，
有杜利基昂、萨墨和林木繁茂的扎昆索斯③，
但我的海岛离岸最近，最为遥远，
朝对昏暗，其余的朝向黎明，太阳升起的东方。
故乡岩石嶙峋，却适宜年轻人成长，
就我而言，我看不出世上有比它更可爱的地方。
丰美的女神卡鲁普索确曾想把我留下，
在她深旷的洞府，将我招作婿郎④，
而诡谲的基耳刻，同样，这位埃阿亚的女仙
也曾要我做她的丈夫，拘我在她的厅堂⑤，

① 关于名字的含义，参见第十九卷第 407—409 行及相关注释。参考本卷第 12—15 行。

② Ithaca(或 Ithake)，位于希腊西部的阿卡耳那尼亚以西海面，据传得名于波塞冬的后裔普特瑞劳斯之子伊萨科斯(参考第十七卷第 207 行)，今名西阿基(Thiaki)。另参考第四卷第 605—608 行和第十三卷第 242—247 行。诗人很可能并不确知伊萨卡的具体位置，而对该岛地理特征的所知亦可能仅限于道听途说的传闻。

③ 据学者考证，诗人所说的杜利基昂很可能是今天的琉卡斯(Leukas)，萨墨是今天的开法勒尼亚(Kephallenia)，扎昆索斯的名称未变，拉丁化的拼写为 Zacynthos。杜利基昂和扎昆索斯分别位居伊萨卡以北和以南海面，萨墨(或开法勒尼亚、萨摩斯)在伊萨卡以西，由一条宽约六至七公里的海峡隔开。

④ 卡鲁普索留他七年(第七卷第 259 行，参阅第十二卷第 447—450 行和第五卷中的相关描述)。

⑤ 基耳刻留他一年。详阅第十卷第 203—574 行和第十二卷第 1—150 行。

但她绝难说服，使我改变胸中的愿望。
所以，说到底，最亲的是自己的父母
故乡，即便居家丰腴之地，
客留外邦，远离自己的爹娘[①]。
好吧，我将告诉你充满艰辛的归航，
宙斯让我受难，当我离开特洛伊地方。

“海风吹拂，当我离开伊利昂，在基科尼亚人的
伊斯马罗斯抢滩[②]。我攻破城邑，把居民屠杀，
掳掠他们的妻子，抢来众多财产
大家伙分光，均等、公平，对谁也不欺诓[③]。
其时，我主张撒开腿脚，命嘱众人
逃亡，但他们糊涂至极，不听劝讲，

① 奥德修斯尚不知母亲已经去世(参考第十一卷第170—173行)，亦不知父亲的情况(同上第174—176行)。在说明盼望回归家乡的“动力”时，奥德修斯没有提及对妻儿的思念。

② 此乃奥德修斯率部离开特洛伊后的第一次战斗。伊斯马罗斯位于斯拉凯。基科尼亚曾派兵参加特洛伊战争，为特洛伊人的同盟(《伊利亚特》第二卷第846行，另参考该史诗第十七卷第73行)。奥德修斯乃“荡劫城堡”的行家，既跟着阿基琉斯干(虽然奈斯托耳没有提及他的名字，参考本书第三卷第103—106行)，自己也挑头领着别人干(如果我们愿意相信他在第十四卷第229—232行里的表白)。

③ “抢劫”在此被描写成一种受到肯定的英雄行为(比较第三卷第104—106行，参考第106行注)。明火执仗的率众抢劫显示英雄的气魄(当然这是荷马和史诗人物的观点)，亦是xenie(细读第八卷第389行注)以外敛财的又一条便捷却可能搭上身家性命的途径。比之“偷偷摸摸”和小头小脑的经商欺骗，攻城拔寨、烧杀掠抢要显得远为光明正大。古今商(业)、战(争)观的不同由此可见一斑。然而，荷马又是讲究均等和公平的，赞同在均分战礼时“对谁也不欺诓”。在一种很不公平的前提(指抢劫)下谈论公平，在不加谴责滥杀无辜的同时颇为得意地提倡诚实，这些在我们看来多少有点滑稽的表述，在荷马描述的英雄时代里却是天经地义的事情。本卷第42行同第549行。比较第八卷第547行注和第十三卷第260行注。史诗人物的伦理观里确有一些需要澄清和认真分辨的“盲点”。参考本卷第536行注。

就地饮酒大量，在海滩上宰掉众多
腿步蹒跚的弯角壮牛和肥羊。
这时，基科尼亚人跑去，召来其他
基科尼亚人，居家内陆的邻邦，
人数更多，更为豪强，谙熟车战
杀敌，但需要时亦能徒步疆场。
他们在拂晓时分开战，像旺季里的花朵
和树叶那样①，而宙斯给倒霉的我们
致送厄运，使我们遭受众多苦楚备尝。
双方站好阵势，在快捷的舟船边开打，
互相投掷，抛甩铜头的矛枪，
伴随清晨的中移和渐增的神圣日光②，
我们站稳脚跟，打退他们，尽管人数多于我方。
然而，当太阳西行，到了替耕牛卸除轭具的时光，
基科尼亚人终于得手，打垮阿开亚人的攻防③，
每船有六位胫甲坚固的伙伴被杀，
但余下的我们逃离毁败，躲过死亡。

“我们从那儿出发，续航，庆幸避过了

---

① 在《伊利亚特》里，变取普里阿摩斯之子波利忒斯形象的神使伊里斯把列队开进的阿开亚军阵比作树叶，“像那滩沿上的沙子”(第二卷第800行)。另参考并比较该卷第468和455—473行。

② 直译作“神圣的白天”(hieron emar)。形容词hieros或许与is(力，力量)同源。太阳的光线威力无比，给人世间带来光明。与之相比，ambrosios所带的“神界的”“神用的”含义无疑远为明显。比较“神圣的夜晚”(ambrosie nux，参见第七卷第283行及该行注)。参考第十五卷第8行注。

③ 描写战争时，荷马很自然地套用了听众所熟悉的《伊利亚特》中的语言。参阅该史诗第十一卷第84—85行和第十六卷第779—780行等处。此类相似的表述，令人信服地固系了两部史诗的亲缘。

死难，但心里却为失去亲爱的伙伴悲伤[①]。
我不愿带领翘耸的海船逃亡，
直至大家伙悲呼三声，对每一位不幸的伙伴，
他们死在平野，被基科尼亚人击杀。
汇集云层的宙斯驱来北风，击打船舫，
神奇、凶虐的狂飙扯动游云，蔽罩
大地和汪洋。黑夜从天空临降[②]。
激流冲搡，席卷海船，狂飙的暴力
将风帆裂作三块、四片，碎成破烂。
我们收起风帆，放置船板，惧怕死亡，
代之以手摇船桨，直到登临岸上。
一连两天两夜，我们在那里
息躺，悲痛和疲倦已碎搅我们的心房[③]。
当美发的黎明送来第三个白天的昼光，
我们竖起桅杆，挂上雪白的风帆，
坐入船位，任凭海风和舵手控导船舫。
其时，我本可回家，安然，回返祖地故乡，
但浪涛和北风作怪，当我绕行马勒亚[④] 之际，
使我偏离航向，推船，晃过了库塞拉[⑤]。

① 第 62 行同第 105 行和第十卷第 77 行；第 62—63 行同第 565—566 行和第十卷第 133—134 行。

② 第 68—69 行同第十二卷第 314—315 行。

③ 第 74—75 行同第十卷第 142—143 行。

④ 古代航海的险区（如果说还不是死亡之角）。参考第三卷第 286—290 行及第 288 行注。另参考第四卷第 514—516 行和第十九卷第 186—187 行。

⑤ 小岛，位于马勒亚东南海面。以此为界，“诗人”奥德修斯将把听众带离现实世界，进入光怪陆离的探险生涯，地名的标示亦将由此开始，偏离“实有”的轨道。

“一连九天，我随波逐浪，被凶暴的强风
推搡在鱼群游聚的海洋，直到第十天，方始
登岸吃食落拓枣者的国邦[①]，他们以一种花食为粮。
我们在岸边落脚，提取净水，
伙伴们迅速食罢晚餐，在迅捷的船旁。
当大家吃喝完毕收场，我派出
伙伴巡访，命嘱他们探明
谁个吃用面食，在这个地方[②]。
我选出两人，另派第三位负责报信，前往。
他们随即出发，很快遭遇吃食落拓枣者的
群帮，那些人无意谋算伙伴们的
性命，只是拿出落拓枣，让我的人品尝。
当他们食过落拓枣的果粒甜香，
三位中竟无人愿意带着讯息回返，
打算和吃食落拓枣的人们住在一起，
以落拓枣为粮，忘却回家返航。
我强逼他们哭哭啼啼，回到停船的地方，

① 奥德修斯一行离开了他们所熟悉的地中海，进入了连接奇妙、遥远和神秘的“幻想”，脱离了可分析的常态世界，进入了可想象但仍然部分地连通经验的另一种现实。在当时，诸如吃食落拓枣者(lotus-eaters)的故事或许并非全然无人相信的奇闻(包括阿尔基努斯在内的法伊阿基亚首领们大概不会对此有太多的感叹)。植物世界的玄妙困惑着当时见识不算太广的人们，而旅行者们的道听途说又常常会以讹传讹，混淆视听，使人们把寻找正确答案的希望过多地寄托给无法验证的遐想。海伦从埃及带回一种药剂(或草药)，据说饮后能使人忘却忧愁——即便家中死了亲人，饮者也不会落洒眼泪(详见第四卷第220—226行)。

② 比较第85—89行和第十卷第56—61行。第88—90行同第十卷第100—102行。“常规”世界里的凡人以吃食(常规意义上的)面粮为主，所以可以把“吃用面食(或面粮)”，看作是凡人区别于神祇和魔怪及想象世界中的某些非常规凡人(如这里提及的以落拓枣为粮的族民)的一个显著特征(参考本卷第191行)。寻找吃面食的人们，是寻找“常规”凡人的另一种说法。参考第八卷第222行和第六卷第8行注等处。

把他们拖上船面，绑紧在凳板底下，
然后下令其余可以信靠的
伙伴上船，匆忙，担心他们中
有人吞食枣果，忘却归航，
伙伴们迅速登船，进入桨位，
依次坐好，拍打灰蓝色的海面荡桨①。

“我们从那儿出发，续航，心里悲伤，
抵达无法无规、骄蛮暴虐的库克洛佩斯的
家邦②，他们一切仰仗永生的神明恩赐，
既不动手田耕，也不种植果粮，
无须农耕，无须播种，万物自己生长，
小麦、大麦，还有葡萄树，提供酿酒的
果实，大串，宙斯的降雨使它们茁壮。

---

① 比较第四卷第 579—580 行，本卷第 179—180、471—472 和 563—564 行，第十二卷第 146—147 行。

② 库克洛佩斯人和法伊阿基亚人同为神的亲族，然而前者无法无规，骄横暴虐，生活原始封闭（参考本卷第 125—130 行），后者却已具备（用诗人的眼光来衡量）较为完备的法制体系，政治开明，文化和艺术事业发达，人民生活文明、富足，上层人士待客彬彬有礼，殷勤周到，体现了“上国”的风范。不知法伊阿基亚人迁居后，库克洛佩斯人（Kuklopes，其单数形式为 Kuklops，指波鲁菲摩斯，见本卷第 403 行）的居地是否有所变动（参考第六卷第 3—8 行）。如果没有的话，那么他们似仍应居住在呼裴瑞亚附近。参考第六卷第 5 行注和本卷第 297 行注。古希腊神话内容芜杂，千头万绪，分支极多。《神谱》里的库克洛佩斯就与荷马在此的描述很不相同。

这帮人既无法律，亦无聚会的地方[1]，
而是栖住深广的洞里，在
高耸的山巅安家，每个人都是他的
妻子孩童的法律，不把别人的事情放在心上。

“那里有一座不大的海岛[2]，从港口伸延，
既不远离库克洛佩斯的居地，亦不贴近它的边沿，
林木罩覆，数不清的野山羊生聚那边，
既无凡人来往，惊扰它们的悠闲，
亦无猎人出没，在深山老林里
含辛茹苦，猎捕在大山的峰巅。
那里没有牧放的羊群，此外，亦无农人往返，
亘古，无人开垦，从未种植，人迹
不到，但却哺育结队的野山羊，咩咩叫唤。
库克洛佩斯没有船首涂抹紫红的海船，
亦无造船的工匠，在他们中间，为他们制作

---

① 在诗人看来，有没有法规和聚会的场所(agorai)是衡量一个民族文明水平的重要砝码。对于一个生活在公元前八世纪的受过相对良好教育的人(如荷马本人)来说，会场是体现文明政治的硬件设施，而通过商议和辩论解决“公共问题”既是文明国家(如奥德修斯的伊萨卡)保持长治久安的治国方略之一[自从奥德修斯统兵出征伊利昂后，伊萨卡人就再也没有举行过以商讨公民事务为宗旨的集会(第二卷第26—27行)，从而造成求婚人生事并使问题长期得不到解决]，也是避免产生或“消灭”像波鲁菲摩斯这样全无法律意识的野蛮人(和暴君)的可靠的体制保证。库克洛佩斯人没有文明的“公共”(或公众，亦即社会)意识，过着原始、落后和以个体经营为主的小牧主生活(细品本卷第114—115行；但从第六卷第5—6行来看，库克洛佩斯们对法伊阿基亚人的骚扰，有可能系一种经常性的集体行为)。验察文明程度高低的另一个标准，便是国民(或主地居民)对客谊的态度。参考并比较第八卷第542—547行和本卷第258行以下。

② 奥德修斯率领部众先登此岛(第148行)，然后精选一部分伙伴，乘坐一条海船离岛出发，前往波鲁菲摩斯和部分库克洛佩斯人居住的另一处岛滩(第177—181行)。

凳板坚固的航船，使他们得以驶访凡人
栖居的每一个城镇居点，像别地的
人们那样，互访，驾船穿走大海，
使这座岛屿成为繁荣昌盛的地界[①]。
这是个不坏的地方，万物都适季生长衍繁，
成片的草地，傍临灰蓝色的大海，
丰泽、松软，可以生长葡萄，长青不败，
还有平展的可耕地，使人们总能足量收获庄稼——
因为土地极其肥沃——季季不断。
岛上还有一座良港，无须锚系，易于停船，
不用投出锚石，亦无须紧系的绳缆，
人们只须登临海岸，静等水手们的
心愿驱使行船，海风亦会徐徐吹来。
另有一泓闪亮的清泉，滚动在港湾的头前，
涌自岩石下面，杨树成林，生长在它的周边。

① 参考第八卷第247—253行。库克洛佩斯人有极好的航海条件（本卷第136—139行；此岛离他们的居地相去不远，见第181行），可惜他们心智闭塞，不会利用，于是造成了生活环境和思想见识上的闭塞，造成了族民的愚昧。可以想见，对于生活在地中海沿岸地区的人民，不会造船和行船是难以想象和容忍的局限。船和航海如此重要，无怪乎波塞冬扬言要用大山封堵法伊阿基亚人的城垣（亦即封塞他们的出海通道），以此惩罚他们渡送客人的善举（参考第八卷第565—569行）。没有海船的库克洛佩斯人思想封闭，目光短浅；他们的生活几乎没有文饰，没有诗歌、舞蹈及竞技的升华与点缀。从这个意义上来说，他们的生活质量与"欢爱船桨的法伊阿基亚人"不可同日而语。

我们在那里靠岸,有某位神明指引[①]
我等船行昏蒙的黑暗,四下里一无所见,
密密的浓雾遮裹海船,天上亦无月亮
显现,后者躲在云朵里,藏掩。
我们中谁也没有眼见岛岸,
也不见长浪翻滚,冲击海滩,
直到驱动凳板坚固的船只,临抵岸边。
当泊船海滩,降下所有的风帆,
我们踏上海边的滩地,举步向前[②],
躺倒睡觉,等待神圣的黎明到来。

---

① 奥德修斯庆幸自己能摸黑靠岸。对于史诗人物,任何侥幸或意外的成功都有外在的原因,亦即神的指引。参考第四卷第 261 行注和第七卷第 64 行注。比较本卷第 154—155 行。他们的认识通常会停留在这一"阶段",一般不会由此出发深究,把问题探查清楚,做出理性的回答。事实上,在他们看来,这是个不成问题的问题,换言之,答案是现成的,显而易见。对于信神并认定神祇无处不在地具体参与、影响及决定凡人生活的人们,世界上不存在无法解释的问题。越是深奥的问题,道理也就越趋简单——除了神的干预,难道还会有什么别的解释?初朴的神学观固然能给人以实则"莫须有"的自信,但同时也禁锢着人的思考,束缚乃至窒息着人的求索精神。任何自以为可以或已经就认识的终端及相关问题提出最终和最"正确"答案的学问及思想体系,都会无法避免地带有经不起辩证推敲的僵化和形而上学的一面。在这一点上,荷马的强调人神共存、频繁交往以及提倡从神的存在中寻找事因的神学观自然也不例外。聪明的奥德修斯是荷马神学坚定不移的信奉者。他是那个时代的人杰,一位务实、有能力、在许多方面具备永恒魅力的英雄。然而,就思想意识和思考的"习惯"而言,他只是个随大流的普通人,并没有超出时代的局限[尽管与他的伙伴们相比,奥德修斯无疑多一些好奇心和对"事务"(而非根本问题)的求知欲,参考本卷第 229 行及该行注]。参考并比较第二卷第 241 行注。细读第八卷第 384 行注。认识上的模糊显然也会妨碍人们对"本体"的阐释与理解。此外,对神或神力解释的不确定性(参考第二卷第 124—125 行、第三卷第 158 行和本卷第 142 行等处),无疑也会在召唤思辨意识产生的同时,梗阻系统哲学(哪怕是唯心主义的)在文学的古朴而广袤的陆基上"抢滩"。

② 第 150 行同第 547 行。

“当早起的黎明垂着玫瑰红的手指显现[①],
我们巡走海岛,赞慕所见的一切;
仙女,带埃吉斯的宙斯的女儿们
拢来漫走岗峦的山羊,让我的伙伴们食餐。
我们当即回返,从船里取来弯弓和带有
长插口的标枪,把人群分作三队,投掷,
神明即时赐予猎物[②],满足了我们的心愿。
当时有十二条海船随我[③],每船均分
九只,而我却得到十只山羊,一人独占[④]。
我们快活了整整一天,直到太阳下山,
坐着咀嚼无尽的羊肉,畅享酒的香甜[⑤],
船上载着殷红的浆酒[⑥],尚有一些不曾
喝完,行前各船携带很多,装在坛罐,
当我们把基科尼亚人神圣的高堡荡翻。
我们察视库克洛佩斯人的居地,距此不远,
望见炊烟,听闻绵羊和山羊咩咩叫唤。
当太阳落下,昏黑的夜晚降临,
我们躺下睡觉,枕着长浪拍击的滩沿。

---

① 程式化诗行(见第二卷第 1 行和《伊利亚特》第一卷第 477 行等处)。本卷第 150—152 行同第十二卷第 6—8 行。

② 参考第 142 行注。

③ 奥德修斯带去十二条船参战(《伊利亚特》第二卷第 637 行),返航时的船艘数目亦为十二,一条不少。如果每船都乘载一定数量的船员,奥德修斯属部在特洛伊战争中的人员损失当不会太大。“十二”是诗人喜用的数字(另见本卷第 195 及 204 行、第四卷第 747 行、第八卷第 59 和 390 行等处)。参考第二卷第 353 行注。

④ 比较第 42 行及该行注。

⑤ 第 161—162 行同第 556—557 行和第十卷第 183—184 行等处。第 161 行同《伊利亚特》第一卷第 601 行。

⑥ 参考第 45 行。

当早起的黎明垂着玫瑰红的手指显现[①],
我聚众集会,对所有的人开言:
‘你等留在这儿,我的可以信靠的伙伴,
我将带着我的伴友,连同我的海船,
前往探寻那里的生民,弄清他们是谁,
是暴虐、野蛮、无法无天,
还是善待生客,心中对神明敬畏[②]。’

“言罢,我登上海船,同时告嘱
伙伴们上来,解开船尾的绳缆。
他们迅速进入桨位,上船,
依次坐好,荡桨拍打灰蓝色的海面[③]。
我们抵达那边,相去不远,
眼见一个山洞,在陆地边沿,近水,
高耸,垂挂着月桂,里面有栅围的畜栏,
大群的山羊和绵羊在此过夜睡眠。洞外有个庭院,
墙面高耸,取料石岩,基座在泥里深埋,
高大的松树和耸顶枝叶的橡树长在那边。
洞里住着一个人怪,其时正牧羊
远处的草野,孤僻,不和别人

---

① 参考第 152 行注。

② 第 175—176 行同第六卷第 120—121 行。换言之,“善待生客”是不野蛮的表现,亦即显示对神的敬畏(参考第八卷第 569 行注对阿尔基努斯处境的解释)。库克洛佩斯人“不在乎什么带埃吉斯的宙斯”,因此自然也不会或无须善待生客。参考本卷第 276 行注。

③ 第 179—180 行同第 103—104 行。

往来,独自隔居在外,心想与律法无关[①]。
事实上,他是个让人惊惧的魔怪,看来,
不似吃食面粮的人胎[②],倒像是高山上的
一座长着树林的孤峰,站离别的岭峦。

“其时,我命嘱其他可以信靠的伙伴
留在原地,傍临护卫海船[③],
挑选十二名最棒的随我行动,向前。
我随身携带一只山羊皮袋,装着黑红的浆酒,
香甜,马荣的赠物,欧安塞斯的儿男[④],亦是
阿波罗的祭司,此神乃护卫伊斯马罗斯的天仙[⑤]。
他以此物相赠,只因我们出于敬意,护卫了他
和妻儿的安全[⑥]。他居家奉献给
福伊波斯·阿波罗的神圣林带,给我光荣的礼件,
给我七塔兰同优炼的黄金,
另赠一只兑酒的纯银缸碗,给我喝饮的
浆酒,总共十二个坛罐,未经
兑水,神妙的好东西,香甜。家院里的

① 参考第 112 行注。“人怪”(第 187 行)指波鲁菲摩斯(见第 403 行),或许为库克洛佩斯人里性情最孤僻者,亦无妻子儿女(参考第 114—115 行)。参读第 107 行注。

② 参考第 89 行注。

③ 第 194 行同第十卷第 444 行。

④ 马荣,得名于家乡马罗奈亚,位于斯拉凯南部海岸,以产酒闻名。“欧安塞斯”意为“与美丽的鲜花”(同在)。

⑤ 马荣是阿波罗在基科尼亚的祭司(后世传说他乃酒神狄俄尼索斯的曾孙)。参考第 40—41 行。

⑥ 马荣是阿波罗的祭司,且又居家奉献给阿波罗的林子,这种特殊(或通神)的身份足以阻止奥德修斯及其同伴动手加害。

男仆女佣对此一无所知,知情者只有
一名女管家,除他自己和亲爱的妻子以外[①]。
当欲饮这种蜜甜的红酒,他会倒出
漕满的一杯,兑添二十倍清水[②],
神奇的香味升起,会从兑缸里飘溢
出来,使人非尝不可,它的甜美阻挡不开。
我倒装此酒,灌满一个大袋,另携一个
皮囊的粮食,因我高傲的心灵知情在先:
我将遇见一个生人,很快,此君力大强健,
粗蛮,不知律法,不受礼仪规限。

“我们迅速来到岩洞,却不见他的
影踪,其时正在草场,牧放他的羊儿肥丰。
我们进得岩洞,赞慕眼见的所有,
那一只只篮子,满装酪块重沉,还有绵羊
和山羊的羔崽,挤在栏中,分开关养,
头批的、中期的和新近出生的分关,
互不相混。所有接奶的容器全都
漕流奶清,连同所有的桶罐和碗盆[③]。

---

① 奥德修斯家中的库房里亦存有“不掺水的酒浆”,“陈年、飘香”(第二卷第340—341行,比较本卷第210—211行),贮室由老妇欧鲁克蕾娅负责日夜看管(第二卷第344—347行)。奥德修斯的睡床由他自制,床上有一“机关”,只有奥德修斯夫妻,“外加一名帮仆的女奴”知晓(参见第二十三卷第225—228行)。

② 古希腊人饮酒必兑清水,后世通行和常见的比例为酒一水三或酒二水三。此种基科尼亚酒的烈度无疑远超常规,但诗人的描述或许带有夸大的成分。须知奥德修斯将用此酒灌醉波鲁菲摩斯,而如果没有超常的烈度,又何以能使那样一个力可拔山的巨人(参考第240—242行)倒下?

③ 波鲁菲摩斯粗蛮、愚朴,却是个对工作认真负责、办事颇有条理的牧者。奥德修斯及其随员赞慕眼见的情景(第218行)。比较第五卷第75行。

伙伴们对我建议,求我先把
奶酪搬走,然后回来,接着再把
绵羊和山羊的羔崽赶出栏圈抢空,马上
返回海船,启航,从咸涩的水路逃生。
然而我却没有听从他们——要不该有多好[①] ——
亟想见见此人[②],看看能否收些礼物回程。
我的伙伴们将会发现,见他不是快乐的时分。

“我们燃起柴火,祭对神明虔诚,
然后在洞里食嚼奶酪,等他回身,
直到他返家,息止牧工。他扛着
一大捆干柴,充作造备晚餐之用,
摔丢洞里,发出可怕的响声,
我们吓得蜷成一团,在山洞的角落藏身。
接着,他把肥羊赶入空旷的洞中,
所有待挤鲜奶的母羊,把公羊,雄性的
绵羊山羊留在洞外的庭院广深。

---

① 事实证明,奥德修斯的固执造成了本来可以避免的人员损失。奥德修斯才华横溢,智勇双全,然而他毕竟是个凡人,不可能十全十美。他无疑过于自信,有时听不进别人中肯的劝告。固执的性格使他不时显得犟拗,在处理某些看似细小、实则关系重大(如伙伴们的身家性命)的事情时缺少必要的精细。另见第 500 行注。参考并比较第 229 行注。比较第七卷第 316 行注。然而,奥德修斯已心知即将遇见一个强健有力的生人(参见本卷第 213—215 行;注意诗人没有提及此乃神的点拨)。以他的好奇心和敛财的欲望(第 229 行),此次遭遇和人员的损失将是在所难免的事情。

② 奥德修斯决意按既定的想法行动,通过承冒风险的“探寻”,“弄清他们是谁”(第 174 行)。看来奥德修斯的固执并非没有可以谅解的动机。好奇心是获取知识的动力,而求索精神(让我们把话说得“大”一点)是使人逐步变得聪明起来,使自己最终具备“智性地”识别对与错能力的前提(比较第 228 行)。亚里士多德会说,惊异(与好奇心不无相似之处)反映人的求知状态,它有助于培养人的思辨意识,促使人们把对事物的一般感觉升华为从事哲学研究的热情。

然后，他抱起门石，将洞口堵封，一块
巨大的顽石，大得连二十二辆
精造的四轮大车也难以将它从地上载走拉动①。
就是这么一块高耸的岩壁，这家伙用来挡住洞门。
其后，他坐下挤奶，给绵羊和山羊唤叫出声，
依次一个个接续，把羊羔塞入各自的母腹吮啃。
随后，他分出一半雪白的羊奶凝混，
放入柳条编织的筐篮，作为奶酪贮存，
将另一半留在桶里，以便随手取来
饮用，任意，作为晚餐现成②。
当他忙忙碌碌，做完所有这些③，
于是点亮柴火，眼见我们，发问：
‘你们是谁，陌生的来客，船走水路，打哪儿来人④？
是有什么公干，还是任意远游，
像那海盗一般，他们航行海上，拿性命
冒险，浪走，给异邦的族民致送凶狠？’

---

① 波鲁菲摩斯乃库克洛佩斯中的最强健者(第一卷第70—71行)，力气确实大得非凡，使他有理由放胆声称他们比宙斯和其他神明强健(本卷第275—276行)。石头的硕大决定了奥德修斯日后必须采取主要凭靠精巧的计谋(而非力量或“蛮力”)逃离洞穴的办法。如此巨大的石块(或石岗、岩面)自然会有，但能够仅凭一己之力搬动它的人怪，在地球上却不可能存在。诗人既然已把听众带入了一个必须依靠遐想理解的现实，他就不会把诸如此类的事情看成是不可理喻的荒诞。

② 由此判断，波鲁菲摩斯平时以羊奶及其制品为餐。参考《伊利亚特》第五卷第902—903行。另参考本卷第293行注。

③ 第250行同第310和343行。波鲁菲摩斯干活有条不紊，井然有序，仅就这一点而论，我们似乎很难把他归入茹毛饮血的(参考第292—293行)野蛮人之列。参考第223行注。

④ 比较第三卷第69—70行。但好客的奈斯托耳是在让忒勒马科斯吃饱喝足后方始询问他的来路(见该卷第67行)。本卷第252—255行同第三卷第71—74行。

“他言罢,我们吓得内心碎破,
惊恐于他粗沉的声音,鬼怪般的形貌。
但即便如此,我还是开口答话,对他说告:
‘我们是阿开亚人,从特洛伊来到,
被各种方向的疾风刮离航线,穿越浩瀚大海的波涛,
驱船回家,走错水路,偏离了航道。
所以,我们来临此地,宙斯乐于这样遣调。
我们声称乃阿特柔斯之子的部属,
阿伽门农的名声乃当今天底下最伟烈的事晓[①],
他攻破那样一座城市,把那么多人
毁掉。然而,眼下我们临抵此地,在你的
膝下祈告[②],或许你能招待我们,或给出
赠礼,生客有这样的权益得到。
敬重神明,哦,最强健的杰豪,我们是你的祈援者,

① 可见,在当时的希腊世界,阿伽门农的名声已经大噪。阿伽门农自己(即便当他在世之时)也应该知道这一点。作为一支(用当时的眼光来看)庞大的希腊联军的统帅(特洛伊战争的重要性远远超过在古希腊社会盛传的其他“业绩”),打赢了一次历时十年的伟大战争,阿伽门农于九泉之下(称之为“冥府”,或许会更希腊化一些)应该可以感到欣慰。比较他的悲观主义(第二十四卷第95—97行)。“名声”原文作 kleos。

② 参考第六卷第147行和第149行及该行注。

而宙斯，生客和祈援人的护保①，
客谊之神，总是和受人敬重的客家站在一道。’

“我言罢，他心里不带怜悯，当即答道：
‘陌生人，你可真是蠢货，要不就是从远方来到，
当你告诉我要惧怕神明，或回避他们的愤恼。
库克洛佩斯不在乎什么带埃吉斯的宙斯，
或是别的神明幸福，须知我们远比他们强豪②。
我也不会因为惧怕宙斯动怒而放过
你和你的伙伴，倘若兴头把我引入别的门道。
不过，告诉我，以便让我知晓，你们把精造的
海船停泊哪里，当你们来到？搁在近处，或是远遥？’

---

① 所谓出门靠朋友。出门人无依无靠，自然需要别人的帮助，接受客地人家的“地主之谊”。古希腊人把客谊(xenia，或 xenie)提升到“权益”的高度并引入了神(宙斯)对它的保护(参考第六卷第 207—208 行和第七卷第 164—165 行)。所以，招待客人不是简单的行善——这是一种受道德观和神学观双重支配的“社会”行为(或义务)。波鲁菲摩斯不和他者合群，行动上单枪匹马，生活上自给自足，是个社会以外(或非社会)的独居者。他或许不会远游(在荷马看来驱船出访是文明的行为，参见本卷第 128—130 行)，因此也无须别人的客待。他知道客谊的规矩(参考第 517 行)，却选择了公开蔑视和不予实践的高傲(参考第 365—370 行)，采取了不予合作的立场。奥德修斯贪财(第 229 行)、机灵，知道行使客家的权利，甚至敢于当面提出索取礼物的要求(第 267—268 行)。

② 波鲁菲摩斯敢说此番豪言，不知基于何样的“事实”，类似的说法别处不见提及。赫西俄德的《神谱》里有三位库克洛佩斯(天空和大地之子)，为宙斯“锻造”霹雳和闪电(参阅该诗第 139—146 行)；但即便是他们，也不敢吹擂有胜过宙斯的豪力。不过，相信波鲁菲摩斯不会平白无故地吹牛，而诗人也没有在上下文里予以否认或“辟谣”。波鲁菲摩斯既不把宙斯和奥林波斯神明放在眼里，就更不会在乎人间的英雄豪杰(参考本卷第 263—266 行)。事情到了这步田地，奥德修斯应该已知形势的严峻。在《奥德赛》里，敢于向宙斯的权威挑战的还有俄托斯和厄菲阿尔忒斯兄弟，也是波塞冬的儿子(详见第十一卷第 305—316 行)。他俩曾捆绑战神阿瑞斯，把他塞进铜锅，“憋了十三个整月”(《伊利亚特》第五卷第 385—387 行)。

“他言罢，诱我道说，但我阅历丰富，没有
被他骗过，回答，用机巧的言词述说：
‘裂地之神波塞冬将我的船舟碎破，
撞砸岩壁，在你地界的滩坡，
在岬石上解体结果，海风把它抢夺。
然而我，逃离风暴的毁败，带着这批同伙。’

“我言罢，他那不带怜悯的心肠不再说告，
而是跳将起来，伸手我的同道，
逮住两个，仿佛摔掷小狗，
砸向地表，脑浆迸溢，把泥层透浇。
接着，他撕裂他们的肢腿，将晚餐办好，
像山地哺育的狮子，他把所有的一切吞嚼，
皮肉、内脏和多汁髓的骨头，统统报销[①]。
我们伸手求援宙斯，放声大叫，
目睹他的所作残酷，但心灵已被绝望裹包。
当库克洛普斯吞咽人肉，把硕大的
肚子撑饱，足饮不掺水的羊奶[②]，灌倒，

① 和莱斯特鲁戈奈斯人一样(第十卷第116行)，波鲁菲摩斯生吞活人。此外，他也饮酒(本卷第353—355行)，俨然一个酒肉之徒。由此推测，波鲁菲摩斯平时除了进食羊奶及其制品外，是否也会想到生食肥美且垂手可得的群羊？对这样一个嗜肉的人怪，我们似乎很难设想他会对自己放牧(因而每天在他眼皮底下转悠)的肥羊网开一面。然而，即便是野蛮人也有表现爱心和怜悯(包括由自怜引起的情感“外移”)的欲望和与之相适应的方式。参考第446行注。

② Kuklops，意为“圆目者”。古希腊人饮酒兑水(参见第209行注)，喝奶(一般为羊奶)时也要掺水稀释，但“不掺水的羊奶”为荷马史诗中绝无仅有的一例。喝饮不兑水的酒是野蛮人(如波鲁菲摩斯)的作为。或许为了突显波鲁菲摩斯的野蛮举止，也为与下文中此君饮不掺水的酒遥相呼应，诗人在“羊奶”前加了“不掺水的”一词。

他翻躺洞里，伸摊四肢，在羊群里睡觉。
其时，我在自己豪莽的心魂里思考①，
打算逼上前去，从胯边拔出锋快的剑刀②，
直捅他的心房，横膈膜和肝脏在那里连搅③，
用手触摸寻找。但我转念一想，又觉此举不妥，
因为如此我们也会暴虐地死去，
我们的双手绝难推开那峰莽石，
从高耸的洞门边将其推倒④。
就这样，我们干等神圣的黎明，哭嚎。

“当早起的黎明垂着玫瑰红的手指显现，
他点亮柴火，开始挤奶闪光的羊群
依次一个个接续，将羊羔塞入各自的母腹吮奶。
当他忙忙碌碌，做完所有这些，

---

① 参考并比较第五卷第 298 行注。

② 奥德修斯乃征战特洛伊的英豪，自然会有《伊利亚特》里的英雄式的冲动（比较该史诗第一卷第 190—191 行）。

③ 在诗人看来，此乃受击后最能致人于死地的要害部位之一。“横膈膜”原文作 phrenes，在荷马史诗里指心脏周边的软组织。据 G. Autenrieth 教授研究，phren（复数 phrenes）由此引申指“心”、“心智”和“思考”（*A Homeric Dictionary*，第 287 页）。

④ 第 299—305 行言简意赅地描述了奥德修斯此刻的心理活动。他的第一冲动是勇士式的，那就是奋勇杀敌，用战斗和豪力解决问题。其后的“转念一想”（第 302 行）是对第一冲动的否定，体现了思考的有效进程和一位足智多谋者的成熟心计，同时也预示着一个更为合理可行的第二方案的成功制订。在《伊利亚特》里，阿基琉斯有过相似的冲动（该史诗第一卷第 188—192 行，比较第二十一卷第 173—174 行），虽然也在心里魂里思量。若非雅典娜亲自出面阻止（该史诗第一卷第 195—205 行），他很可能会真的拔出铜剑，杀了阿伽门农，从而（破毁命运的限定）改变整个事态的进程。然而，在这里，雅典娜没有出现，决定自己和伙伴们命运的重大决策由远比阿基琉斯成熟的奥德修斯自己做出。个人的作用在此得到了远为充分的发挥。当然，我们不宜就此武断地进行过多的引申。与其说神祇在第九卷里有隐退的迹象，倒不如说诗人有意借重这几个行次，以示奥德修斯的机敏。

于是再次抓抢两个活人，备作食餐，
吃罢，将滚肥的羊群赶向洞外，
轻而易举地搬开巨莽的门石，然后
复又挪回，像有人关合箭筒的挡盖①。
就这样，库克洛普斯吹出哨响利尖，驱赶
肥羊走向山峦，把我撇在洞里，心里谋划恶难，
想着如何惩治那家伙，但愿雅典娜给我光荣，助赞。

“我思考此事，觉得此举最宜操办②。
库克洛普斯睡躺的羊圈边旁，横倒着一根
粗大和青绿色的橄榄树干，被他截砍，以便
风干后作为手杖使唤，看来总有一根
桅杆的长短，矗指在宽大、乌黑的货船上，
配备二十枝划桨，穿行在汪洋大海③ ——
这便是树段的长度，用眼睛判断。
我走上前去，砍下一段，一寻长短④，
递给伙伴，要他们削光皮面。
他们削光树段，而我则站在旁边，劈细
顶尖，放入柴火，使之收聚硬坚。

---

① 史诗里的明喻有长有短(参考第四卷第 339 行注)。在这里，诗人用短短的一句话点明了波鲁菲摩斯的无穷豪力(关于石块之大之重，见本卷第 240—242 行)。明喻的轻巧和石块的硕大形成对比，突显了波鲁菲摩斯的力气并非一般之大。

② 第 318 行同第 424 行和第十一卷第 230 行等处。

③ 对熟悉造船和航海的荷马(或奥德修斯)来说，用桅杆表示树段的长短很是贴切。注意诗人对“桅杆”和“海船”的引申。看来，称荷马史诗表述简洁也只是相对而言：诗人可以用两个行次来“修饰”桅杆的长短。这也是荷马在明喻中常用的修辞手段(参考第四卷第 339 行注)。驱行此船需用二十名桨手(比较第八卷第 36 行)。

④ 一个 orguia 的长度约为六英尺。该词在此的实际指对，大概为一人向两边平伸双臂所及的长度。

然后，我把它匿藏在羊粪下面，
洞穴里到处是这东西，成堆连片。
接着，我命嘱伙伴们拈阄，
定夺谁个将跟我承受难艰，抬起巨木，
趁库克洛普斯酣睡之际，捅入他的眉眼。
中阄者正是我想挑中的人选，
四人，连我一起，一共凑满五位。
傍晚，库克洛普斯回来，牧赶多毛的羊群，
当即把所有的肥羊拢入深广的
洞内，外面不留一只，在宽深的庭院[1]，
许是产生了什么想法，或是受到神明拨点[2]。
他抱起巨莽的门石，把洞口堵严，
然后坐下挤奶，给绵羊和山羊出声叫唤，
依次一个个接续，把羊羔塞入各自的母腹吮奶。
当他忙忙碌碌，把所有这些做完，
于是再次抓抢两个活人，备作晚餐。
其时，我手捧一只常春藤木大碗[3]，满装
黑红的浆酒，说话，站临库克洛普斯身边：
'拿着，库克洛普斯，喝酒，你已饱食人肉的

---

① 比较第 237—239 行。这回，波鲁菲摩斯把所有的羊只（包括公羊）拢入洞内，"许是产生了什么想法，或是受到神明拨点"（第 339 行），客观上为奥德修斯的出走提供了方便（详见第 425—432 行）。比之《伊利亚特》，《奥德赛》在对一些细节的处理上更多地体现了作者对构思技巧的精到理解和编排上的匠心。

② 相似的表述另见第四卷第 712—713 行和第十六卷第 356—357 行。奥德修斯及其伙伴们将藏身公羊的腹下，逃出洞穴。波鲁菲摩斯的安排为奥德修斯一行的出逃准备了条件。参考并比较本卷第 142 和 213 行。

③ 一种糙木容器，用常春藤木制成。一说得名于木面上雕刻的常春藤图案。另见第十四卷第 78 行和第十六卷第 52 行。史诗人物喜欢在饱餐后畅饮，波鲁菲摩斯也不例外。

肴餐，以便知晓此乃何样的好酒，由我们
船载。我带酒给你，作为敬奠，兴许你能
可怜我的境遇，放我回还，但你暴怒，
我无法忍耐。残忍的家伙，凶虐，无有法度
规限——日后，众多的凡人中谁还胆敢再来？'

"听我言罢，他接碗一饮而尽，感觉
出奇地满意，灌下美酒，问我，说起：
'再来点，多给些，赶快告诉我你的叫名，
好让我给你一份礼物，使你高兴。
库克洛佩斯人丰产谷物的土地，也生长酿酒的
葡萄，大串，得益于宙斯的降雨催励，
但你的酒啊，是那安伯罗西亚，是奈克塔耳神溪[①]。'

"他言罢，我又给他闪亮的酒液。
一连三次我为他添送，一连三次他喝光醇酒，
大大咧咧。当酒力入渗，渗入他的心智，
我对他说话，话语里饱含诡骗：
'你问我光荣的名字，库克洛普斯，我会道来，
但你须得给我一份客礼，你已答应在先。
我名叫"无人[②]"，父母和所有的

---

① 库克洛普斯(即波鲁菲摩斯)并不惊诧于奥德修斯索取礼物的要求(参考第267—278行)，答应给他"一份礼物"(第356行；读者很快便会知道那是什么。另参考第517—518行)。此外，他提到宙斯的降雨，也知安伯罗西亚和奈克塔耳(参考第五卷第93行注)是神用的食物饮料。这一切表明，他对外部世界并非一无知晓、无所听闻。

② Outis，和outis(无人，没有人)有"谐音"之妙。奥德修斯聪明地玩起了文字游戏，而这一招也确实奏效(参考第408—414行)。古希腊男子用名以s结尾的特多，所以Outis的叫名没有(或许也不会)引起已经喝得酩酊大醉的波鲁菲摩斯的怀疑。参考并比较第410行注。在此，若把Outis作音译处理，即译作"乌提斯"，似亦有可取之处。

伙伴都用此名,以"无人"对我称唤。'

"我言罢,他当即作答,心里不带怜悯:
'如此,我将先食他者,再吃"无人",
用你的伙伴们垫底;这便是我的礼送,给你。'

"言罢,他步履踉跄,肩背撞地,躺倒,
粗壮的脖子向一边歪挤,所向披靡的睡眠①
逮住他,登临,人肉呕出他的喉管,
混杂酒滴。他醉了,喷吐浇淋。
其时,我把木段插入厚厚的柴灰,
使之升温炽烈,说话,对所有的伙伴
鼓励,以免有人惊怕,临场退避。
当青绿的橄榄木段加热,近乎
发火的燃点,灼亮,爆出可怕的光辉,
我拔出树段,临近,伙伴们在我身边
稳稳站立,某位神明给我们吹入巨大的勇气。
他们抓抱橄榄木段,端头尖利,捅入
他的眼睛②,而我则在高翘的那头旋转,压上
全身的豪力,像有人穿打船木,手握
钻器,而工友们在下面协作,攥紧皮条,

---

① 神和凡人(包括英雄豪杰)都需要睡觉(且入睡后会忘却一切)。从这个意义上来说,睡眠攻无不克,没有"对手"。在《伊利亚特》第十四卷里,赫拉不无夸张地称其为"所有神祇和凡人的王统"(第 233 行;赫西俄德曾以相似的词语赞颂宙斯,见《神谱》第 923 行)。另参考并比较《伊利亚特》第二十四卷第 3—4 行。

② 单数,即将树端的尖头扎入了波鲁菲摩斯唯一的一只眼睛。荷马没有明说库克洛普斯只长一只眼睛,但此间的上下文无疑围绕着这一当时的人们大概均已熟知的定说展开。参考第 107 行注。

在两边旋转出力，使其深深往里切进；
就像这样，我们抱住尖头经火硬化的树段，
旋转进他的眼睛，血水在滚烫的尖头边沸煮，
燃烧的眼球焚毁，焦炙所有的眉毛，
连同眼皮，火团炸裂了眼睛的座基。
像一位铁匠，将一把巨大的砍斧
或扁斧插入冷水，发出嘶嘶的声音，
增强铁器的力度，经此淬火处理①；同此，
库克洛普斯的眼睛在橄榄木的周边发出响音。
他爆出一声剧烈、可怕的喊声，震摇四周的岩壁，
吓得我们后退躲闪，回避。他拔出木段，
从自己的眼睛，端头血肉模糊，
丢甩，发疯似的挥动双臂，
狂呼别的库克洛佩斯人，居家
周围的岩洞，在多风的山巅居栖。
他们闻讯蜂拥而来，从各处居地，
站在洞穴周围，问他有何苦疾：
'怎么啦，波鲁菲摩斯，为何如此呼喊，
在这神圣的夜里，惊扰我们的睡眠临抵？
不会是来了凡人，抢赶你的羊群，违背你的心意？
不会是有人胆敢杀你，通过谋诈或是武力？'

---

① 在382—393短短的十二个诗行里，诗人连用了两个明喻。青铜器时代大约止于公元前1100年（不言而喻，这是个"时代"概念，并不意味着铁器时代开始后人们就不再冶铸青铜）。至迟在公元前九世纪，淬火工艺已传入希腊并逐步得到推广使用。参考第一卷第184行注和第四卷第293行注。史诗里的明喻常能以零碎的形式从不同的侧面反映荷马所熟悉的同时代人的生活。参考《伊利亚特》第十二卷第423、435行注和第二十卷第497行注。

“其时，强健的波鲁菲摩斯答话，在他的洞里：
‘无人试图杀我，我的朋友们，通过谋诈，而非武力[①]。’

“如此，他们答话，吐送长了翅膀的话语：
‘既然无人欺你孤单[②]，用暴力整你，
那么一定是大神宙斯致送疾病[③]，你无法避离。
所以，最好祈告王者波塞冬，你的父亲。’

“言罢，他们动身离去；我欢笑，笑在心里[④]，
庆幸我的假名和周全的计划得手骗欺。
但是，库克洛普斯悲痛，在困苦中叹息，
伸手触摸，把巨石移开门道，

---

① 波鲁菲摩斯粗蛮，不仅没有掌握先进的工艺(如造船)技术，而且缺少精确使用语言和细致表达思想的能力，所以乖乖地钻入奥德修斯设置的圈套当是情理之中的事情。波鲁菲摩斯强健，力大无比(参考第240—242和275—276行)，但他有勇无谋，斗不过体力上不可与他同日而语的奥德修斯的机警。波鲁菲摩斯代表古老的粗蛮和生莽，在一个渐趋于尚崇知识和谋略的时代，他空有一身力气，却只能忍辱受害，被奥德修斯捅瞎眼睛。

② 参考第366行注。“无人”原文作me tis(没人)。然而，若把二词连写即成metis，意为“计划”、“谋略”或“智慧”。与波鲁菲摩斯相比，奥德修斯只是个小不点儿(第460行)，但凭借智慧(metis)，他却成功欺耍了山峰一般的(第191—192行)库克洛普斯。文明可以“四两拨千斤”，战胜有勇而无谋的野蛮。参考第408行注。库克洛佩斯们将ou改作me，歪打正着，无意中道出了波鲁菲摩斯被智慧“耍弄”的事实。

③ 换言之，如果无有外来者找你麻烦，那么你如此乱喊乱叫，想必是心智出了毛病。波鲁菲摩斯紧急中没有把话说清楚，致使闻声赶来的库克洛佩斯们不仅没有帮上忙，反倒丢给他一顿讥讽。此后，他们肯定散去，各回家门，但荷马谙熟“从简”的精妙，对此略而不作赘述。波鲁菲摩斯当然可以留住他们，再作说明，但情节的发展需要他证明奥德修斯的机智，不“允许”库克洛佩斯们帮他解决问题。

④ 奥德修斯难得高兴，很少欢笑(参考第二十二卷第371行)。比较第二十卷第301—302行。与之相比，求婚人笑得远为经常，远为“豪放”(参考第十八卷第350行注和第二十卷第362行注，比较第二十一卷第376行注)。

挡住出口坐定，张开双臂，
准备抓住谁个，试图混在羊群中逃离，
以为我的心灵会如此愚笨，试玩这种把戏。
然而，我却在规划思考，忖想最好的良计，
寻找死里逃生的办法，既为伙伴，
也为自己，综合我的全部谋略，所有的巧机——
在这生死存亡的关头，巨大的灾难已经逼抵。
我思考此事，觉得此举最为可行[①]。
洞里有一些雄性的绵羊，毛层厚卷，饲养精良，
伟健、硕大[②]，油黑的绒毛深长。
我悄悄行动，用轻软的柳条将公羊捆绑，
取自无法无天的魔怪库克洛普斯通常睡觉的
地方[③]，三只一组，让中间的那只怀藏
一位伙伴，另两只担任护卫，挟在两旁。
如此，每三只羊儿带送一人，而载送我的则是
一头公羊，全部畜群中远为出色，最棒。
我抓抱它的腰背，蜷缩在多毛的腹下，
躺着，头脸朝上，凭着心智的坚忍，
双手紧攥深软的羊毛，不放。
就这样，我们悲泣，等待神圣的黎明升上。

"当早起的黎明垂着玫瑰红的手指显现[④]，

---

① 第424行同第318行。

② 参见第338行注。

③ 奥德修斯充分发挥自己的聪明才智，就地取材（比较第五卷第259—261行及相关注释），利用有限的"资源"（他有极强的适应能力），合理加工，借以实现自己的目的。另参考本卷第319—329行。

④ 第436—437行同第306—307行。

公羊们冲出洞口，急急忙忙走向草场，
但母羊尚未挤奶，在栏中四处叫唤，垂着
鼓胀的乳房。它们的主人忍着剧烈的疼痛，
抚摸每一只羊背，当后者行至
他的面前站下，但他愚笨，不曾觉察
我的人正紧贴公羊的肚腹，紧攥厚实的毛长。
走在羊群最后的是那头公羊，行至门旁，
载负他的卷毛，连同我的智囊和身体的重量。
强健的波鲁菲摩斯伸手抚摸[①]，对它开口说讲：
'我的好公羊啊，为何在群羊中最后一个
离开洞场？你可是从未拉在羊群最后，以往，
一向是迈开大步，远远地走在前面，
嚼食青绿的嫩草，抢先抵达滚动的河水，
傍晚也总是居前领头，第一个归返
圈栏。然而你却走在最后，眼下。或许，你在为
主人的眼睛悲伤[②]，被一个坏人和他歹毒的
伙伴捅瞎，先用酒灌糊我的心智，
这个"无人"，我想他还没有逃脱败亡。
但愿你能像我一样思考，能够开口说话，
告诉我那家伙躲避我的愤怒，在哪里缩藏，
如此，我一定会把他摔碎，脑浆
迸涂在地上，以此舒缓我心中的痛苦，

① 第446行展示了波鲁菲摩斯性格中温柔的一面(另见第441行)。他可以生吃活人，但对他的羊儿却表现出颇富人情味的关怀。他愚朴(参见第442行)，缺少自我保护意识，极易被骗(比较第419行)。

② 字里行间透露出波鲁菲摩斯心里的哀婉。很快，他把对自己的悲悯转化成对奥德修斯的仇恨，表述了复仇的气概。

这个小不点“无人”带给我的祸殃[①]！’

“言罢，他任其走开，放手公羊。
当我们脱离岩洞，离开庭院，
我率先脱身公羊，然后将伙伴们一一释放，
随之动作迅速，频频回首张望，驱赶大步
行走的群羊，肥得鼓鼓囊囊，直到回抵
海船边旁。伙伴们眼见我等归还，
高兴，随之又为失去的朋伴们啼哭悲伤，
但我不让他们嚎出声来，用点动的眉头[②]
示意每个人，命嘱他们赶快，
将多毛的羊儿填装船舫，驶向咸涩的海洋。
他们迅速登船，进入桨位，
依次坐好，拍打灰蓝色的海面荡桨[③]。
当我离岸，距程及至一声喊叫可以传达[④]，
我对库克洛普斯啸喊讥嘲，呼讲：
‘那人可不是懦夫，库克洛普斯，你寻思
夺食他的伙伴，在深旷的洞里粗耍野蛮的力量。
毫无疑问，你的恶行已报施在自己身上。
残忍的东西，竟敢在家里暴食

① 参考第 410 行注。

② 参考第二十一卷第 431 行。比较本卷第 489 行。

③ 第 471—472 行同第 103—104 行。奥德修斯终于化险为夷，显示了过人的机智和胆量。应该指出的是，在他与库克洛普斯打交道的整个过程中，雅典娜并没有出面帮忙，也没有把什么念头注入他的心房(比较第 317 行)。参考第 479 行及该行注。

④ 第 473 行同第五卷第 400 行和第十二卷第 181 行。

客人——为此,宙斯和列位神明已对你惩罚[1]!’

“听我言罢,他的心里火气见长,
扳下大山上的石峰,掷甩飞扬,
砸在乌头海船的前面,只有一点
偏差,差点儿没有碰擦船桨的端旁,
巨石溅落,激起汹涌的海浪,复又回退,
冲扫,瞬间把我们从大海卷回
滩地,逼迫我们搁船岸上。
其时,我出手抓起一根长竿,
撑船离岸,出言鼓励伴友,
点动头颅[2],要他们压上全身的重力划桨,以便
逃离临头的灾亡。他们伏身,死命荡桨。
然而,当我们离岸两倍于刚才的距离,
我又想对库克洛普斯嚷嚷,但伴友们
劝阻,相继出言抚慰,对我劝讲[3]:
‘粗蛮的人啊,为何再次试图激恼那个野汉?
他刚才投石入海,逼迫我们的
海船退回岸边,使我等又一次陷入绝望。
倘若让他听闻声音,我们中有谁说讲,
他会敲碎我们的脑袋,砸烂船帮,

---

① 宙斯并没有真的出面干预,对波鲁菲摩斯进行惩罚。或许,奥德修斯坚信宙斯在暗中调度指挥(参考第 339 行),惩恶扬善,而他自己的壮举只是“替天行道”,体现客谊的佑保之神宙斯(第 270 行)的意志,使破毁客谊的波鲁菲摩斯咎由自取,为自己的恶行付出惨重的代价(第 477 行)。《奥德赛》鲜明地展示了诗人的道德取向,把智慧与蛮力的抗争提高到道德的层面,输入了对善与恶的评判。

② 参考第二十一卷第 129 行及该行注。

③ 第 493 行同第十卷第 442 行。

投掷粗粝的顽石——他的臂力极为豪强。’

“他们如此说讲，但说不动我豪莽的心房[①]。
我对他说喊，依旧怒火满腔：
‘若有哪个会死的凡人问你，库克洛普斯，
是谁让你受辱，把你的眼睛捅瞎，
告诉他是荡劫城堡的奥德修斯所为[②]，
莱耳忒斯之子，居家伊萨卡地方。’

“我言罢，他悲叹一声说话，对我答讲：
‘哦，苦哇，昔日的预言如今已成现状[③]！
这里曾有一位先知，此人强健、高大，
忒勒摩斯，欧鲁摩斯之子，卜术超人，高强，
作为卜者，在库克洛佩斯人中活到老年久长。
此人曾对我说过这一切都将兑现，

---

① 奥德修斯的固执和个人英雄主义“旧病复发”（参考第228行及该行注）。一位通常劝阻别人不可鲁莽的人士（参阅第四卷第280—289行）居然一而再、再而三地拒不听从同伴们的合理劝告，一错再错，缺少全局观念，容易被胜利冲昏头脑。奥德修斯的言论（本卷第502—505行）不仅直接招致了波鲁菲摩斯的又一次掷石击打（第537—542行），而且还透露了自己的名字，使波鲁菲摩斯得以向父亲波塞冬提供准确的情报（第528—531行），导致后者挟卷不息的盛怒，全程紧盯逼迫（参考第一卷第68—75行），挫阻他的归航。和《伊利亚特》里的奥德修斯相比，《奥德赛》里的他依然聪颖、足智多谋。但除此以外，年岁和脾气同时见长的他似乎部分地失去了以前的沉稳。这里或许有受制于情节发展的需要，或许有纳采不同“说法”（参考第七卷第59行注）带来的问题，或许也包容了老年时期的荷马对人性的深邃思考。不过，奥德修斯是一位血气方刚的英雄，所谓好汉做事好汉当——而通报名字和身世亦是战场上的勇士们习以为常的做法。此外，作为先行受害的一方，奥德修斯此时道出自己的大名也是显示“荣耀”(kleos)的一种方式，许会浓添自己复仇后的满足感，加码对波鲁菲摩斯的责惩（参考亚里士多德《修辞学》第二卷3.1380b22）。

② 参考第39—42行及第42行注。另参考第三卷第85和130行。

③ 第507行同第十三卷第172行。

而我将失去视力，被奥德修斯出手捅瞎。
我总在防备某个英俊的汉子，身材
高大，勇力过人，来到这块地方，
却不料到头来了个小不点儿，一个侏儒虚软[1]，
先用酒把我灌醉，然后刺瞎我的眼睛，捅穿。
过来吧，奥德修斯，让我给你客谊礼赏[2]，
敦促著名的裂地之神送你回家，
因为我乃他的儿子[3]，而他声称是我的亲爸。
他会亲自治愈我的眼睛，只要他想，
而其他幸福的神明和会死的凡人都无法帮忙。'

"听他言罢，我开口答话，对他说及：
'但愿我能抢断你的魂息，确凿，结果你的
性命，把你送往哀地斯的府居，就像知晓，
确凿，即便是裂地之神也无法治愈你的眼睛！'

"我言罢，他开始对王者波塞冬
祷祈，高举双臂，冲指多星的天际[4]：
'听我说，黑发的波塞冬，你环绕大地，
倘若我真是你的儿子，而你声称是我的父亲，
那就让荡劫城堡的奥德修斯，莱耳忒斯之子，

① 亚里士多德曾摘引本行（引文稍有不同，见《诗学》第二十二章 1458b25）。

② 参考第 270 和 359 行注。波鲁菲摩斯确实愚笨，行骗显然是个外行。在这种时候，有谁会相信他的"招请"，驱船回来挨打？

③ 参见第一卷第 70—73 行。

④ 第 527 行同《伊利亚特》第十五卷第 371 行。波鲁菲摩斯野蛮，却知道用史诗人物常用的"文明"方式对神祈祷。据本卷第 275—276 行推测，波鲁菲摩斯的力气当胜过他的父亲。

居家伊萨卡乡地，让他永难回到家里。
但是，倘若他命里注定可见朋亲[1]，
回抵家乡和营造坚固的府邸，你也
要让他迟迟归返，遭难，痛失伙伴死尽，
乘用别人的海船，在家里寻见苦辛！’

“他言罢，黑发的神仙听闻他的祷讲[2]。
他再次举起一方石头，远比第一块硕大，
旋转，投掷，压上无法估算的力量，
砸在乌头海船的后面，只有一点
偏差，差点儿没有碰擦舵桨的端旁，
巨石溅落，激起汹涌的海浪，复又回退，
冲扫，推搡我们，把我们逼至岛滩。

“我们临抵海岛，其余凳板坚固的
舟船全都驻等那个地方，伙伴们

---

① 看来，连波鲁菲摩斯也知道命运的强豪。命运规定的结局必然发生，就连神祇也必须尊重命运的安排，尽可能在命运划定的范围内活动（包括帮助或挫阻当事的凡人）。奥德修斯必定回返故乡，此乃既定的命运。参阅哈利塞耳塞斯的预言（第二卷第174—176行）、宙斯的明确认同（第五卷第41—42和114—115行）以及先知泰瑞西阿斯的昭示（第十一卷第100—117行）和基耳刻的讲话（第十二卷第140—141行）。参考第七卷第197行注等处。

② 比较《伊利亚特》第一卷第43行（同第457行）等处。波塞冬听闻儿子的祈求后决意帮忙。尽管《奥德赛》里的神祇或许比《伊利亚特》里的他们更具道德意识，但还是依旧注重“血缘”关系，而不顾亲属们的所作所为是否合乎道德原则的规范。帮助朋友（或关系亲近的人），伤害敌人（或关系相对疏远的人）是史诗人物的行为准则（比较阿基琉斯对福伊尼克斯的告诫，《伊利亚特》第九卷第613—616行），也是诗人在两部史诗里明确予以认可的做法。公元前五世纪，苏格拉底看到了对传统的道德观念进行哲学化处理和认真审察的必要，揭开了西方伦理哲学研究的新篇章。知是行的前提，对道德观念的正确理解，始终存在着一个如何铺设和辨析它的知识背景的问题。

坐在船边,久久等盼,悲伤。
我们及达,将海船靠岸,停驻沙滩,
举步向前,踏上海边的滩地①,
从深旷的船里带出库克洛普斯的群羊,
动手予以分光,均等、公平,对谁也不欺诓②。
当我们将羊群分发,胫甲坚固的伙伴们
给我另外留出那头公羊——海岸边,我把它献祭给
王统一切的宙斯,克罗诺斯汇聚乌云的儿子,
焚烧羊腿,给他。然而,他却不为所动③,
继续谋划,如何扫灭我所有凳板
坚固的海船,连同可以信靠的朋帮。

"我们快活了整整一天,直到太阳下山,
坐着咀嚼无尽的羊肉,畅享酒的香甜④。
当太阳落下,昏黑的夜晚降临,
我们躺下睡觉,枕着长浪拍击的滩沿。
当早起的黎明垂着玫瑰红的手指显现⑤,

---

① 第547行同第150行和第十二卷第6行。奥德修斯的小分队回到了那座野山羊众多的"不大的海岛"(详见本卷第116—176行)。

② 第549行同第42行。

③ 宙斯既已认可命运(moira)的安排,或许就不打算每事过问。奥德修斯何以知晓宙斯"不为所动"?难道是因为宙斯没有反馈兆示(如遣送鹰鸟或打出响雷等)?是否可把这看作事后的分析——奥德修斯已经历第554—555行所描述的事件,眼下正以回顾的口吻讲述在阿尔基努斯的厅堂?宙斯之所以扫灭奥德修斯的伙伴,是因为他们冒犯在先(参阅第十二卷第374行以下)。此外,让奥德修斯痛失所有的同伴海船,孑然一身得回家乡,也是命运既定的安排(参考第二卷第174—175行),并非出于宙斯的一己之愿。当然,在荷马看来,凡人不可能知晓神的全部设想,而在这一点上,聪明的奥德修斯自然也不能例外。参考并比较本卷第479行及该行注。

④ 第556—557行同第161—162行。

⑤ 第558—560行同第168—170行。

我催励伙伴们行动，告嘱他们
踏上船板，解开船尾的绳缆，
他们迅速进入桨位，上船，
依次坐好，荡桨拍打灰蓝色的海面[1]。

“我们从那儿出发，续航，庆幸避过了
死难，但心里却为失去亲爱的伙伴悲伤[2]。”

① 第563—564行同第179—180行。

② 第565—566行同第62—63行。“心”原文为 etor（参考第一卷第48行注）。悲伤始终伴随着奥德修斯（及其伙伴们）的回归。参阅第五卷第84行注和第二十一卷第376行注。

第十卷

“我们临抵埃俄利亚岛，埃俄洛斯在那里
居住①，希波塔斯之子，受到永生的神明爱护，
那是一座浮动的岛屿，四周铜墙
围固，牢不可破，由险峻的绝壁撑住。
他有十二个孩子，居宿宫府，
六个女儿，六个风华正茂的儿子②，
他把女儿婚配儿子，作为妻助③。
日复一日，他们宴食在父亲和雍贵的
母亲身边，身前美味佳肴多得难以计数。
白天，馔香在宫中飘浮，响声回荡在
庭院之中；夜晚，他们睡躺温良的妻子
身边，盖着织毯，就着穿绑的床铺。
我等来到他们的城市和绚美的家府，
他招待我们一个整月，什么都问，关于
伊利昂，阿耳吉维人的海船和阿开亚人的归途，

---

① 埃俄利亚岛由埃俄洛斯“派生”得名。此岛“浮动”(第3行)，因此没有固定的位置。埃俄洛斯(Aiolos)似为一应景表义名词(参考第八卷第115行注等处)，意为“变动的”或“多变的”。此君司掌风吹(本卷第19—22行)，住在一座浮动的岛上，且两次接待奥德修斯态度截然不同——这一切都体现了名字所含的“变动”的特点。

② 第6行同《伊利亚特》第二十四卷第604行。

③ 在古希腊神话里，近亲结婚通常乃神祇的作为(比如宙斯以姐妹赫拉为妻)。

我对他讲说一切,顺序告诉[1]。
其后,当我问及归程,请求提供
护送,他满口答应,助我出行上路。
他给我一只皮袋,取自一头九岁壮牛的躯身,
里面填满各种方向的风吹,疾呼,
因为克罗诺斯之子[2] 派他管风,
或吹或止,全凭他的意愿调度。
他把皮袋放置深旷的船舟,用一根银绳牢牢
扎住,不使它们乱吹,不使一丁点儿跑出,
但却让西风顺刮,助我归途,
连同随员和海船跨渡。然而事情
并非那样,一切毁于我们的糊涂。

"一连九天,我们昼夜兼程赶路,
及至第十天上,终于眼望乡土,
看见人们添拨柴火,我们确已贴抵近处[3]。

---

① 比较第十二卷第 35 行。诗人不仅在行文上广泛采用了《伊利亚特》的表述方式(比如,参考本卷第 163 和 207 行注等处),而且也在故事内容的铺排上经常点题阿耳吉维人(参考《伊利亚特》第一卷第 79 行注)在特洛伊及回归途中的作为,以此紧固两部史诗的内在联系,使当时的听众和今天的读者都能从他的叙述中体会到两部史诗一脉相承的"亲情"。

② 指宙斯。克罗诺斯并非只有一个儿子,但在荷马史诗里,单独出现的"克罗诺斯之子"概指宙斯。海船由西向东航行(第 25 行),续航十天,始见伊萨卡乡土(第 28—30 行)。

③ 换言之,已经眺见"人烟"。比较第九卷第 166—167 行。另见本卷第 149 和 196—197 行等处。参考第 152 行注。

但是，香甜的睡眠其时把我逮住[1]，我已筋疲力尽，
总在亲自操掌风帆的缆索[2]，不愿把此事
对伙伴交付，以便尽快回家，归返自己的国度。
然而，伙伴们互相议论，说我
带着黄金白银回府，以为那是
希波塔斯之子、心志豪莽的埃俄洛斯的赠物。
他们互相交谈，各自望着身边的伙伴说诉[3]：
‘嘿，我说此君到处受到所有人的爱戴
敬重，无论走到哪个城市，哪片国土，
带回珍贵的财宝，从特洛伊夺掳，
而我们，和他一起经历所有的事情，
含辛茹苦，到头来却一无所得，两手空无[4]。
眼下，埃俄洛斯出于友谊，又给了他这许多
财富。让我们赶快，看看袋里装着什么，
有多少黄金，多少白银在里面填鼓。’

“他言罢，歪逆的建议得到伙伴们的赞同。
他们打开皮袋，各路疾风随之冲出，
狂飙即时把他们卷走，冲扫海面，

① 伙伴们两次闯祸均在奥德修斯睡去，“被香甜的睡眠”逮住之时(另见第十二卷第338行)。奥德修斯的回归注定了不能一帆风顺，人的弱点总在干扰他的行程。不是由于他自己的鲁莽致错(参考第九卷第228行注)，便是他的伙伴们以这样那样的理由闯下大祸。

② 奥德修斯自己造船，也通晓驾船的技术，确实是古代的一位不可多得的多面手。参考第十四卷第228行注和第十五卷第324行注。

③ 程式化用语，同第八卷第328行和第十三卷第167行等处。

④ 从特洛伊战场得胜归返的军士们一般多少有所掳掠，不大可能真的“两手空无”。史诗人物说话常带夸张，“水分”颇多(比较阿基琉斯的抱怨，见《伊利亚特》第一卷第167—168行)。

裹离自己的国度,任凭他们啼哭。
我从睡中醒来,在我豪迈的心里思度,
是从船上跳下,死在海里,
还是静受等待,继续和活人相处①。
我忍耐,挺住,躺倒船上,掩起
头颅,凶狠的风飙刮搡船队,将其卷回
埃俄利亚岛,连同伴友们的声声叫苦。

“我们在岸边落脚,提取净水,
伙伴们迅速食罢晚餐,在迅捷的船旁。
当大家吃喝完毕收场,我带上②
一位信使和一名伙伴,前往
埃俄洛斯著名的宫房,眼见他
坐着食餐,连同他的妻子儿女用享。
我们进入宫居,在门柱边的槛条上
坐下,他们心里疑惑,对我们问讲:
‘为何回来,奥德修斯?是哪位凶邪的神灵强加③?
我们送你上路,准备得稳稳当当,让你
回返故乡家里,或是你想要去的任何地方④。’

---

① 奥德修斯想到了自杀(第51行)。然而,他个性中的坚忍很快战胜了死的念头,决心挺住,“继续和活人相处”(第52行)。注意,他选择了“是……还是……”中的第二项。参考第五卷第440行注。

② 第56—58行同第九卷第85—87行。

③ 对突发和意想不到的事变(如此时奥德修斯的突然回返),史诗人物的第一反应经常是考虑有没有神力的催动或“干扰”。参考并比较第七卷第64行注等处。埃俄洛斯显然以为奥德修斯及其随员们冒犯了(或曾经冒犯过)神明,所以此行失利,在海上受惩,被刮回启航的地方(参考本卷第72—75行;比较第31行)。参看第九卷第142、536行注和第十四卷第273行注等处。

④ 第66行同第七卷第320行。

“他们言罢，而我，尽管心里悲苦，作答：
‘那帮倒运的伙伴们毁我，由无情的睡眠
帮忙。补救失误，朋友们，你们有这个能量。’

“我如此回答，用动听的言词说讲，
但他们全都默不作声，唯有父亲开口答话：
‘马上离开海岛，你们，人世间最邪逆的一帮！
我不能赞助或帮送任何人，
倘若幸福的神明如此恨他。
走吧，你的回返表明你遭恨于仙家[①]。’

“言罢，他把我赶出宫门，任我高声吟叹。

---

① 神既没有促使奥德修斯睡眠（至少诗人没有这么说，见第 31 行），也没有唆使他的伙伴们打开口袋。但是，史诗人物相信睡眠可以包含神意（有时甚至就是一位神明，参考《伊利亚特》第十四卷第 230 行以下）。此外，睡眠受神支配，他们可以撒出香甜的睡眠，让凡人合拢双眼。奥德修斯的伙伴们屠食赫利俄斯的牧牛闯祸，就因为在此之前神把奥德修斯送入了睡眠的香甜（见本书第十二卷第 338 行）。至于奥德修斯的伙伴们趁首领入睡之时打开风袋一事，也多少带点“巧合”的味道，让埃俄洛斯有理由推断其中许有神意的定导。不过埃俄洛斯不及细问便凭想当然办事，匆忙赶人，此举难免武断。睡眠亦可以是一种正常的生理现象（参考本卷第 84 行），与神力无关。同样的区分也可用于对风、雨、黎明和阳光等“现象”的理解。它们可以通神（有的本身就是神灵），但有时（或经常）也可作一般的自然现象理解（换言之，诗人似乎无意在其中加入神性的内涵，参考第 160、186 和 86 行等处）。参考并比较第十六卷第 481 行注和第二十卷第 52 行注等处。

我们从那儿启航出发，心里悲伤[①]，
痛苦的划桨疲惫船员们的心房，
都怪我们愚蠢，失去了顺风的帮忙。

“于是，我们日以继夜续航，六天不曾停下，
临抵拉莫斯[②] 陡峻的高堡，在第七天上，
抵达莱斯特鲁戈奈斯人怪的忒勒普洛斯，那里的牧人
招呼同行，归来的和出牧的互相致意，你来我往。
在那里，牧人若不睡觉，可以挣得双份酬享，
一份得之于牧牛，另一份得之于看管白亮的群羊，
因为白天和黑夜紧接，连傍[③]。
我们进入光荣的海港，参天的绝壁
矗立两旁，绝无空断之处，
两峰突岩兀起，相望，延伸至
港湾的出口，形成一条通途狭长。
伙伴们全都把翘耸的海船划入其间，
一条条挨着停放在空广的
港湾，里面向来风平浪静，无有

① 第 77 行同第九卷第 62 行。奥德修斯没有责怪伙伴们，但他显然想到了人的“愚蠢”（第 79 行）。人有聪明的时刻，也有糊涂和愚笨的时候（他自己亦曾“聪明一世，糊涂一时”，参考第九卷第 228 行），往往会把顺势转变成逆境，与到手的机会擦肩而过。此外，他亦没有责备神明。由此判断，此次失误中人为的因素大些，可能起了主导的作用（比较本卷第 75 行注）。“心”原文作 etor（另见第 198 行）；比较第 78 行里的 thumos（心房）。词汇的多样化使诗人有可能避免难堪的重复。

② 或许得名于该城的奠基者、传说中的波塞冬之子拉莫斯。

③ 大意可能指该地的黑夜极短，故而牧人一天可挣两份工酬。此地究在何处？难道在寒冷的“远北”地区，那里的夏夜均有亮光？抑或在渺茫的远东地区，或许“远”过黎明升起的东方？此类故事很可能得之于旅行者（包括走南闯北的船员们）奇谈式的道听途说。比较第十一卷第 14—22 行。

大波，小浪不翻，宁静，明光闪现。
然而，我却独自将黑船泊驻口外，
停在边端，牢牢系于石壁，牵出绳缆，
爬上一面粗皱的石壁，站着探监，
既望不到牛群，亦无劳作的人影可见，
我们所能眺睹的，只有袅升在村野的青烟[1]。
所以，我派出伙伴巡访，命嘱他们探明
谁个吃用面食，在这个地方[2]，
我选出两人，另派第三位负责报信，前往。
他们离开海船，行走在一条平整的道上——
大车由此下来，载运木料进城，从高高的山岗。
他们在城前路遇一位打水的姑娘，
莱斯特鲁戈尼亚人安提法忒斯壮实的
女郎，行至水流清甜的溪泉，
阿耳塔基厄[3]，人们由此汲水，回返城邦。
我的人站在她的边旁，交谈，问她
谁是这里的治统，民众的国王；
她随即手指，指明她父亲顶面高耸的宫房。
当进入那所光荣的房居，他们发现一个女人

① 参考第 30 行及该行注。奥德修斯泊船“口外”(第 95 行)，真乃明智之举。他的细心既救了自己，也救下了一船伙伴(第 126—132 行)。

② 第 100—102 行同第九卷第 88—90 行。关于“吃用面食”的凡人，参考第九卷第 89 行注。

③ 荷马熟知伊阿宋率领众英雄驾阿耳戈船远航的故事(参考第十二卷第 69—72 行)。诗人可能在此搬用了得之于传闻的阿耳塔基厄溪泉，后者出现在有关阿耳戈船的故事里，位于普罗庞蒂斯海(现名马尔马拉海)南岸的西基库斯附近。

硕大，像一面山峰，让他们见后感觉恐慌[①]。
她当即召回著名的安提法忒斯，她的丈夫，
从集会归返，后者谋划了他们凄楚的死亡。
他抓抢我的一位伙伴，备作食餐，
另两个落荒而逃，跑回我的海船。
国王大叫，声音传遍整座城邦，强健的
莱斯特鲁戈奈斯人听闻拥来，从四面八方，
成千上万的他们，不像凡人，倒似巨魔一样。
他们站挺悬崖，扔出人一般大小的顽石，
对我们砸打，船边骤起可怕的声响，出自被杀的
伙伴和被捣的海船，全被砸烂。他们挑起船员，
就像挑鱼一样，扛着带走，充作昏晦的餐享[②]。
当他们屠宰我的伙伴，在深水的港湾，
我拔出胯边锋快的利剑，

---

① 比较波鲁菲摩斯的形象(第九卷第 191—192 行)。奥德修斯一行再次碰上了生吃活人的部族。和库克洛佩斯不同的是，莱斯特鲁戈奈斯人生活在一种看似优雅和文明的环境之中(并非草居洞穴的野人)。他们有平整的道路(本卷第 103 行)，汲水在清甜的泉溪(第 107 行)，拥有顶面高耸的住房(第 111 行)。此外，他们生活在一个有组织的国邦里，有治统的国王(第 118 行)——甚至还有面向全民的集会(agore，第 115 行)。然而，这一切文明的"景观"却并没有使这个巨人部族的国民们羞于生食凡人，毫无顾忌地从事这种最野蛮和最血腥的勾当。文明将与野蛮长期共存。即使在一个文明国家里，野蛮的冲动仍会时隐时现；即使在一个拥有高技术的现代化国家里，落后的意识和生活方式仍将像莱斯特鲁戈奈斯人修长的幽影一样，长期阴罩它的光辉。当然，莱斯特鲁戈奈斯人是一群巨魔般的生灵(第 120 行)，仅就形象上来看也算不得文明。荷马不会欣赏食人的野蛮行径。在《伊利亚特》里，他对阿基琉斯杀祭活人的举措表示了不加掩饰的厌恨之意(细读第二十三卷第 175—176 行)。

② 不知吃人的莱斯特鲁戈奈斯们是否食鱼？在荷马史诗里，壮士们只有在备受饥饿逼迫时才会不得已食鱼(参考第四卷第 369 行和第十二卷第 331—332 行)。然而，诗人喜用以捕鱼为内容的明喻(参见第五卷第 432—433 行和《伊利亚特》第二十四卷第 80—82 行等处)。

斩断系泊乌头海船的绳缆，
招呼伴友，催促他们尽快压上
全身的重力划桨，以便躲过临头的灾亡。
他们惧怕毁败，荡桨水浪，可喜的是
我的船，仅此一艘，冲出了拱遮的悬崖，
来到海上，其余的全部在那里毁光。

“我们从那儿出发，续航，庆幸避过了
死难，但心里却为失去亲爱的伙伴悲伤①。
我们来到埃阿亚②，一座海岛，上面住着
美发的基耳刻，一位可怕的女神通讲人话，
心地歹毒的埃厄忒斯的嫡亲姐妹③，
同为光照人间的赫利俄斯的孩子，
俄刻阿诺斯的女儿裴耳塞是其亲娘。
我们在那儿悄悄靠岸，驾着海船，
凭借某位神明的指点，进入适宜泊船的港湾。
我们在那里登岸，息躺，一连两天

① 第 134—135 行同第九卷第 82—83 和第 565—566 行。悲伤和哭泣始终伴随着奥德修斯的回归。《奥德赛》也是西方伤感文学的鼻祖。

② 据希罗多德考证，Aia（或许同 gaia，“土地”）位于科尔基科（《历史》第七卷 193）。科尔基斯位于亚洲，北接高加索，南连亚美尼亚。古希腊英雄伊阿宋曾驱船阿耳戈远航该地，意在索取金羊毛。

③ 埃厄忒斯居家科尔基斯，基耳刻的兄弟，美狄娅的父亲（参阅赫西俄德《神谱》第 956—962 行）。美狄娅曾帮助伊阿宋盗取金羊毛。在此之前诗人已提到过基耳刻（本书第八卷第 448 行、第九卷第 31 行）。本卷第 136 行同第十一卷第 6 行和第十二卷第 148 行。基耳刻精通药理（本卷第 276 行），是个魔变大师（参考第 212—213 行）。史诗里，人和神通讲同一种话语（但偶尔也会有一些用词上的差别，参考第 305 行、《伊利亚特》第一卷第 403—404 行和第十四卷第 289—291 行等处），因此称基耳刻“通讲人话”（本卷第 136 行）似乎没有太多的“区别”（即将她区别于其他神祇的）意义。参看第十二卷第 61 行。比较第十三卷第 111—112 行。

两夜，悲痛和疲倦已把我们的心灵碎断。
当美发的黎明送来第三个白天，
我握起枪矛，连同锋快的劈剑，
迅速离开船边，寻找瞭望的地点，
眺视凡人的踪迹，察听他们的话言。
我爬上一面粗皱的石壁，站着探监，
眼见从基耳刻的厅院升起青烟①，
从广阔的大地升绕，穿过灌木林间。
其时，我在自己的心里魂里想开，
是否应去察视，既然已见火烟②。
我斟酌比较，觉得此举最为妥帖③：
先回船边海滩，让我的伙伴
吃顿食餐，然后派遣他们前往打探。
在归返的路上，当我接近翘耸的海船④，
某位神明，因我孤身一人，对我怜悯⑤，
送来一头巨大的公鹿，顶着冲指的角尖，
拦路我的面前，刚从林中下来，前往饮水

---

① 奥德修斯以当事人的身份追溯往事。在当时，他不会（也不可能）知晓那处房院里住着一位女仙，名基耳刻。当事人的回忆（或讲述）占据了《奥德赛》里大面积的叙事篇幅。

② 我们中国人有把“人”和“烟”合在一起说话的习惯，比如“不食人间烟火”和“荒无人烟”等。人的生存离不开火，而火的点发必然起烟。荷马或许也和我们一样，把“人”和“烟”连在一起考虑问题，即以为只要有烟，便可据此推断有人迹存在的可能。但基耳刻是一位女神，不食人间烟火，不知她用火的目的何在。许是荷马习惯于使用人与烟的套路（表示有人迹存在，参考第九卷第166—167行和本卷第30行等处），故而在此出口成章，信手拈来。逻辑是哲学的本质（罗素语），但显然不总是文学的圭臬。

③ 程式化诗行。另见第十八卷第93行、第二十二卷第338行、第二十四卷第239行、《伊利亚特》第十三卷第458行、第十四卷第23行和第十六卷第652行。

④ 第156行同第十二卷第368行。

⑤ 比较第九卷第154—155行。参考本卷第64行注等处。

河边，太阳的豪力已在它的身上体现。
当它走出，我出手它的背部中间，脊骨旁边，
青铜的枪尖深扎进去，透穿，公鹿在
尖厉的叫声中躺倒泥尘，魂息飘离躯干①。
我脚踩鹿身，从创口里拔出青铜的
矛尖②，将其放置地面，然后动手
绞拔树枝藤条，编成一根绳索，
约有一寻长短③，将这庞然大物
的蹄腿圈绑起来，扎成一堆，
背上肩膀，回返乌黑的海船，
撑柱我的枪矛，因为此鹿奇大，
仅凭一肩一臂的力量绝难抬搬。
我把野物扔掷船边，召集伙伴，
站在每个人身边说话，用和善的语言④：
‘尽管伤心，亲爱的朋友，我们还不致坠入
哀地斯的家院，在命定的日子到来之前。
来吧，快船里还有些吃的喝的，
让我们考虑进食，抗拒饥饿的熬煎。’

“听我言罢，众人服从，立即行动，
撩开蒙头的衣服，在荒漠大海的滩地

① 诗人用描述《伊利亚特》里勇士倒地的诗行形容公鹿的中枪躺翻。第 163 行同《伊利亚特》第十六卷第 469 行。“魂息”即 thumos，参考本书第十一卷第 220 行注和第十二卷第 414 行注。

② 比较《伊利亚特》第六卷第 65 行。奥德修斯不愧是一位在特洛伊杀敌甚众、颇多建树的杰出将领。

③ 比较第九卷第 325 行、第十一卷第 312 行和《伊利亚特》第二十三卷第 327 行。

④ 第 173 行同第 547 行和第十二卷第 207 行。

惊慕公鹿，它呀的确是一头奇大的动物。
当饱享过眼福，凝视，他们[①]
净洗双手，开始准备光荣的食厨。
我们快活了整整一天，直到太阳下山，
坐着咀嚼无尽的[②] 鹿肉，畅享酒的香甜。
当太阳落下，昏黑的夜晚降临，
我们躺下睡觉，枕着长浪拍击的滩沿。
当早起的黎明垂着玫瑰红的手指显现[③]，
我聚众集会，对所有的人开言：
‘听我说，伙伴们，尽管你们正遭受困苦恶难。
亲爱的朋友们，我们不知昏暗和黎明的位置，
不知光照人间的太阳从何处升攀[④]，
下落哪边，所以让我们开动脑筋，赶快，
还有什么办法——不，没有了，依我之见。
我曾爬上一面粗皱的石壁，观察
岛屿的情景，只见无垠的大海圈围，
环绕四周，岛屿自身低平，下陷——我目睹青烟
从它的中部升袅，穿过灌木林间[⑤]。’

“听我言罢，他们的内心破碎[⑥]，

① 第 181 行同第四卷第 47 行。诗人（以及他所赋予人物）的审美意识几乎无时不在。然而，对美的欣赏并没有阻止他们对美的个体（即公鹿）的“占有”（本卷第 182—184 行）。

② 或“大量的”“足量的”。

③ 第 183—187 行同第九卷第 556—560 行。

④ 比较第 185 和 187 行。所以，对第 190—191 行不可作拘于字面的理解。

⑤ 比较第 149—150 行。参考第 152 行注。

⑥ 第 198 行同第 566 行和第十二卷第 277 行。

回想起莱斯特鲁格尼亚人和安提法忒斯的作为，
回想心志豪强和生食人肉的库克洛普斯的凶虐，
高声哭嚎尖叫，流淌大滴的眼泪①，
但此番悲戚不会给他们带来报回。

“我把所有胫甲坚固的伙伴分作
两队，给每队指派首领一位，
由我自己和神样的欧鲁洛科斯各带一队。
我们随即在铜盔里摇动阄块，
心志豪强的欧鲁洛科斯的阄石崩出帽盔②。
于是他带队出发，有二十二名伙伴跟随，
哭哭啼啼，而我等留在后面的亦以哭声挥别。
他们行至基耳刻的居所，在山谷林间，
位于一片空地，建筑用料石块，溜光滑亮，
到处是狮子和山野里的灰狼，漫游周围，
已被女神魔服③，吞过凶邪的药饵，
并不攻击来人，而是群围他们讨好，
摇动长长的后尾，似那犬狗，
围着主人献媚，当他从外面食宴

① 比较第567行。荷马的表述初朴、外露，强调直观的感觉效应。在《奥德赛》里，不仅奥德修斯爱哭，他的伙伴们也都视痛哭嚎啕为家常便饭，动不动就哭上一场，以表示悲哀的心情（参见第398—399行）。哭的常见固然与情节中多悲苦的事件相关，但也肯定与荷马的“直接”表现法不无干系。

② 诗人广泛采用了《伊利亚特》的构句和表述方式。比较该史诗第三卷第325行和第七卷第181—183行。

③ 食过基耳刻喂给的药物（pharmaka）后，狼和狮子变得像狗一样温顺，“围着主人献媚”（第216行）。药物能产生神奇的效果，魔服（thelgein）人（第235—236行）和动物。语言兼具药物的功用，可以“蛊惑”（即迷幻或魅迷）人的心灵（细品第一卷第56行）。参考第十二卷第39行注。

回归，总会带回点什么，使它们快慰；
就像这样，臂爪粗壮的山狼和狮子走近我的
伙伴献媚，后者害怕，眼见硕大的野兽，可畏。
他们站临秀发女神的院门前，
听闻屋里基耳刻的歌声甜美，
正在一幅很大的织物前走动来回[①]，
神的用物，永不败毁，绚丽、光荣，织工精美。
其时，民众的首领波利忒斯对众人说话[②]，
朋伴中最出色、也最受我喜爱的一位：
‘朋友们，屋里有谁在行走，围着硕大的织物来回，
歌声传响在每个角落，甜美，不知是
一个女人，或是神明其谁[③]。来吧，让我们对她称谓。’

“他言罢，众人叫出声音，对她呼喊，
后者随即打开闪亮的房门，出来，邀他们
进去，伙伴们愚朴，全都进屋就范，
唯有欧鲁洛科斯怀疑有诈，等在门外。
她把来者带入屋内，使其入座靠椅和便椅[④] 上面，
兑调一份饮料，将大麦、奶酪和淡黄色的

---

① 比较对卡鲁普索相似的描述(第五卷第 61—62 行)。

② “民众的首领”(orchamos andron)为修饰史诗人物的程式化用语。参考第三卷第 401 行等处。诗人亦把这一饰词用于牧猪人欧迈俄斯(第十四卷第 22 行;细读该行注)。

③ 比较奥德修斯的迷惑(第六卷第 149—154 行)和阿尔基努斯的迟疑(第七卷第 199—206 行;参考相关注释)。显然,在一个人神混杂相处的世界里,人们经常会遇到难以准确定位对方身份(即是神还是人)的问题。参考并比较本卷第 75 和 77 行注。

④ 关于靠椅和便椅,参考第一卷第 145 行以及第 131、132 行注。

蜂蜜勾兑普拉姆内亚醇酒[1]，拌入邪迷的
魔药，使他们忘记自己的故园[2]。
她递出食料，众人喝饮完毕，然后
她用棍杖击打[3]，把他们赶入猪圈，
后者变成猪的形貌，有了猪的声音头脸，
竖指猪的鬃毛，但体内的心智照旧[4]，没有改变。
他们哭嚎，进入圈内，基耳刻丢下
橡子、圣栎和山茱萸的果实，供他们
食餐，睡滚泥地的猪的食物，它们喜欢。

“欧鲁洛科斯返回乌黑的快船，
传告伙伴们的遭遇，命运的悲惨，
但尽管试图讲话，却说不出一个词来，
心灵被巨大的悲愁震呆，双眼
泪水汪汪，一心只想痛哭举哀。
我们惊望，对他讲话问开，

---

① 参考《伊利亚特》第十一卷第 638 行和第 639 行注。参阅该卷第 629—640 行。敬祭死人亦可用相似的糊状食物（参考本卷第 518—520 行）。此外，雅典娜[除了不用杖拍便能给人增高、增壮和增美外（比如，参考第六卷第 229—231 行）]也只消举杖轻轻一拍，即可改变人的相貌（参见第十三卷第 429 行、第十六卷第 172 和 456 行）。

② 比较落拓枣的“魔力”（第九卷第 93—97 行）。

③ 同样神奇的还有赫耳墨斯永不败坏的金杖（此神似乎也是一位魔幻大师，参看第 302—306 行；比较第十六卷第 172 行），能够闭合和开睁人的眼睛（即使人睡去和醒来，参考第五卷第 47—48 行）。

④ 因此，他们可能仍然保留着思考的能力（并且还能哭嚎，见第 241 行）。“心智”原文作 noos，亦可作“智能”、“理解”或“思考”解。荷马已经意识到 noos 比表象（或人的外表）重要。改变心智的难度显然要大于变动外表。日后，雅典娜将把奥德修斯变成老乞丐的模样（第十三卷第 429—433 行），却没有变动他的心智，使其仍然拥有一向属于他（因而比外表更为“本质”）的智慧和判断能力，在与求婚人的周旋中占据上风。参考本卷第 493 行注。

终于,他对我们讲说他已失去伙伴:
'我们穿走树林,光荣的奥德修斯,按你说的
操办,在林谷间发现一处绚美的家院,
位于一片空地,建筑用料溜光滑亮的石块。
屋里有人歌唱清甜,一位凡女或是女仙,
穿梭往来于织机之前,伙伴们对她说话,呼唤,
后者随即打开闪亮的房门,出来,邀他们
进去,后者愚朴,全都进屋就范,
唯有我怀疑有诈,等待在外面。
他们全都失踪消隐,连一个人也
不曾出来①,尽管我坐着,长久察探。'

"他言罢,我挎起嵌缀银钉的铜剑,
硕大,在我的背肩,挂上射弓②,
命他带路,从来时的原路返回那边,
但他求我,双手抱住我的膝盖,
恸哭,对我吐送长了翅膀的语言:
'别把我弄往那里,卓著的人儿,违背我的意愿——
让我留下等待。我知道你本人不能回来,也带不回
你的伙伴。所以,让我们赶快,带着剩下的

① 但欧鲁洛科斯似乎知道,行往基耳刻房殿的人们会被变作"猪、狼、或是狮子"(见第432—433行)。

② 像《伊利亚特》里临战(或出行)的武士一样,奥德修斯以程式化的套路武装起来。注意,奥德修斯没有抓握他的常用兵器(亦是《伊利亚特》里的英雄们惯用的)枪矛,而是代之以背上弯弓,一件在近身的搏杀中用不上的武器(难道奥德修斯有意从远处对基耳刻施放冷箭?比较第322行)。不过,弓箭将在日后的弓赛和击杀求婚人的战斗中发挥重要作用——诗人是否有意偶作提及,以便在听众心目中树立弓手奥德修斯的形象,为以后接受弓艺娴熟的他做好心理准备。参考奥德修斯的自我"吹擂"(第八卷第215—222行)。《伊利亚特》里没有奥德修斯开弓放箭的见例。

人们逃难，如此，我们仍可躲避凶邪之日的毁败。’

“他言罢，我对他说道，答话：
‘欧鲁洛科斯，你可留在此地
吃喝，傍临深旷、乌黑的海船，
但我将前往察看，因我重任在肩，出于必然。’

“言罢，我离开海船和滩沿。
然而，当我穿走林谷，独自，行至
精通药理的基耳刻宽大的房宅，
手握金杖的赫耳墨斯，当着我临抵房前，
变取一个年轻人的形貌与我会见，
留着头茬的胡子，正是风华最茂的岁月①。
他握住我的手，叫着我的名字说及：
‘去哪呀，不幸的人儿，独自穿走岗谷，
对地形地貌无所知悉？你的伙伴现在基耳刻的
宅邸，以猪的形貌被关在圈里，
你打算救出他们，来到此地？我不认为
你自个可以回来——你会和他们待在一起。

① 第279行同《伊利亚特》第二十四卷第348行。赫耳墨斯（即阿耳吉丰忒斯，见本卷第302行）亦曾“变取一位年轻人的模样”，会见前去阿基琉斯的营棚赎回儿子遗体的普里阿摩斯（参阅《伊利亚特》第二十四卷第345行以下）。赫耳墨斯神擅喜引导，是陌路人和迷路者的“向导”。此外，他也引导死人的灵魂（参考本书第二十四卷第1—10行），是史诗里的凡人生前和死后都用得着的助佑之神。奥德修斯何以知晓年轻人乃赫耳墨斯所变？基耳刻在本卷第331行里点到此神一再对她提及奥德修斯将会登临此地，奥德修斯或许可以从中得到启发。此外，他与基耳刻同居一年，亦可从日常的谈话里得获许多信息，包括听闻仙女对这里提到的“年轻人”究竟是谁的说明。奥德修斯以当事人的身份回忆既往（参看第149行注），因此若就可信性而言，应该不亚于诗人的“直接”讲述（参考第八卷第488—492行）。

不过,我可以救你,使你免受害欺。
瞧,这是一种妙药,你可带着它进入基耳刻的
府邸,它会挡开凶日的恶难,替你。
我将告诉你基耳刻的手段,全部歹毒的惯伎。
她会调给你一份饮料,将魔药拌入食品,
但她无法使你变样,我给的妙药
可予防抵。让我告诉你事情的细节,
内里。当基耳刻举杖打你,
你要立马拔出胯边的利剑,扑上,
对她冲击,仿佛你要杀她,当即;
她会害怕,邀请你同床睡寝。
不要拒绝,回拒女神的盛情,
如此,她会放回你的朋伴,对你招待在意。
要她发出庄重的誓咒,其时,以幸福神祇
的名义,保证不设新招,使你再受苦凄①,
以免她毁损你的男刚阳健,趁你光身之际。'

"阿耳吉丰忒斯言罢,给我草药,
从地上拔起,对我解释药性。
此药根部玄黑,却开出乳白的花朵,

① 和神祇交往,凡人必须十分小心。但奥德修斯生性狡诈,办事细心,即使赫耳墨斯不予叮嘱,他自己可能也会想到要基耳刻发誓在先(参考第五卷第178—179行)。

神明称之为莫利[①]。会死的凡人很难
把它挖掘,但神明却能操做一切事情。

　“赫耳墨斯言罢离去,回返高耸的奥林波斯[②],
穿越林木繁茂的岛屿,而我则走向基耳刻的
房居,众多的愁事伴随脚步,颠腾在心里。
我在美发女神的家门外站临,
站着叫喊,神女其时聆听,
当即打开闪亮的房门出来,邀我
进去,我随之入内,心里忧烦至极。

---

① molu,大概与梵语词 mūlam(根、根茎)同根,纯属神物,凡人很难(或很“危险”)将其挖掘。“莫利”(或“莫鲁”)乃神对此物的称谓(另见第十二卷第 61 行),诗人没有提及相应的“凡名”[即凡人对它的称谓;参考本卷第 137 行注;另见第十二卷第 61 行注。至于基耳刻的魔药(本卷第 317 行)及以后所用的解药(第 392 行),诗人干脆从简,未提名称]。奥德修斯无疑会接药在手,但诗人不曾提及奥德修斯将如何用它化解基耳刻拌入饮料中的魔药,也没有说明对此物的善后处理(伊诺曾给奥德修斯头巾,救他于惊涛骇浪之中,但嘱他登陆后将神物送回)。或许,这是某种像护身符般的绝佳妙物,只需携带身上,便可抗拒魔药的作用。诗人把我们带入了一个显然是非现实的魔幻世界。

② 奥德修斯如何知晓赫耳墨斯必定回返奥林波斯而不是去往别的什么地方?他可以按照常规推测(就像遇到蹊跷之事时可以很自然地说“这里必有一位神明”一样),也可能代行诗人的“委托”,讲说本该由诗人讲述的话语。诗人“让”奥德修斯代理讲说故事,而把自己消隐在人物的叙述之中,如此既可不时补充叙事中的不足,又可退居“二线”,避开某些应该由他承担的责任(参考并比较第 279 行注)。我们注意到,当诗人以人物的身份讲述时,不管故事多长,内容多么繁复,他都无须祈请神明(通常是缪斯)助佑,当仁不让地娓娓道来,显示他的叙事才能。参考并比较第三卷第 215 行注。Lowell Edmunds 教授区分了诗歌(poetry)和(讲)故事(storytelling),区分了歌手(bard)和讲故事者[story teller,参见 *A New Companion to Homer*,1997,第 417 页;另参考 Marcel Detienne, *L'Invention de la mythologie* (Paris,1981)中的相关论述和 C. Calame 讨论 mythe 的文章,载 *Kernos* 4(1991),第 179—204 页],但似乎忽略了我们在上文中提到的当事人有别于诗人的叙事特点,没有看到当事人(或 Edmunds 所说的讲故事者)在叙事上的大于诗人的“自主性”。

她让我下座靠椅,绚美,嵌缀银钉,
做工精致,脚下有一张足凳垫底。
她给我一份饮料喝饮,兑调在一只金杯里,
拌入魔药,怀藏歹毒的用心。
她递出此物,我接过喝尽,未曾中魔变形,
她举杖击我,开口对我说及:
'去往你的圈栏,和你的朋伴躺在一起。'

"听她言罢,我从胯边拔出利剑,
对基耳刻冲击,仿佛我要杀她,当即,
但她尖叫着跑来,抱住我的双膝,
放声哭嚎,用长了翅膀的话语对我说起:
'你从何而来,是谁? 居城在哪,还有你的双亲[①]?
此事让我惊奇,你喝下我的拌药,居然没有
中魔变形,别人谁也抵挡不住,
一旦灌饮此药,使其渗入他的齿隙。
你胸腔里的心灵[②] 魔力不可侵袭。如此,
你一定是足智多谋的奥德修斯临抵。持用金杖的
阿耳吉丰忒斯一再对我提及,说你将会来临此地,
当你统领乌黑的快船回家,撤离特洛伊。
来吧,把劈剑插入鞘里,让咱俩
行往睡床共躺,你我欢爱

① 基耳刻的问话没有超出凡间客主对生人例行公事般的询问(参考第七卷第238行、第八卷第550—555行和第九卷第252—253行等处)。不同的是基耳刻不等奥德修斯回答,自己便道出了"一定是足智多谋的奥德修斯临抵"(本卷第330行)。基耳刻抱住奥德修斯的双膝(第323行),带有恳求之意。比较第481行。

② noos(比较第一卷第66行)。参考同上第48行注。noos比thumos更多地含带"智"或"智能"之意(参考本卷第240行注)。比较第七卷第42行注。

成双，以此建立相互间的诚信之意。'

"她言罢，我对她答话，说接：
'你怎能要我对你温存，基耳刻，
而你却把我的伙伴变作猪猡，在你的宫邸？
现在，你又把我带到这里，诡谲，
叫我前往你的睡房，和你躺在一起，
以便趁我光身之时毁损我的男刚阳气。
所以，我不愿走向床铺，随你，
除非你，女神，你对我起发庄重的誓咒，
保证不设新招，使我再受苦凄。'

"我言罢，她当即起誓，按我的要求办理。
当发过誓咒，从头至尾说毕[1]，
我登上基耳刻的床铺，绚美无比[2]。

"与此同时，基耳刻家里的侍女，
四名，开始忙碌在她的宫邸。
泉溪和丛林生养她们，还有
神圣的河流，注入海里[3]。她们中的
一位覆盖绚美的织毯，紫色，在椅子的

---

① 第 346 行同第二卷第 378 行。诗人略去了誓咒的内容。比较第五卷第 184—187 行。在史诗人物看来，誓咒能产生制导人的心理和言行的巨大的形而上的约束力。发伪誓的或破毁誓咒者将受到神明严厉的惩罚。誓证的威慑力对神祇也同样有效（参考本卷第 380—381 行）。

② 第 347 行同第 480 行。

③ 换言之，她们都是仙女。第 352—372 行的描述完全沿用了人间（或凡人）待客的礼仪。参阅并比较第四卷第 39—67 行和第八卷第 416—457 行等处。

靠背，用麻制的布片垫铺座椅；
另一位侍女搬过白银的餐桌，在椅子前
放停，摆上食篮，用料黄金。
第三位匀酒在银质的兑缸，
芳香浓郁甜蜜，摆开金杯；
第四位送来清水，点发烈燃的柴火，
在一口大锅的腹底，使水温升起。
当热水在闪亮的铜锅里沸滚[1]，
她让我进入澡盆，从大锅里舀出汤水，
掺匀，冷热正合我意，从我的头颅肩膀浇淋，
将碎糜心力的疲倦从肢腿洗去。
事毕，她替我擦抹橄榄油滴，
搭上绚美的披篷，穿好衫衣，
让我下座靠椅，绚美，嵌缀银钉，
做工精致，脚下有一张足凳垫底。
一位女仆提来净水倒出，从一只绚美的
金罐，就着银盆，为我们洗手，
搬过一张滑亮的食桌，置放我们面前。
一位端庄的家仆送来面包，供我们进餐，
摆出许多佳肴，足量排放，慷慨[2]，

---

① 第 360 行同《伊利亚特》第十八卷第 349 行。女神将亲自（而不是吩咐女仆）替奥德修斯洗澡（本卷第 361—365 行）。

② 第 364—372 诸行此前均已有出现。第 368—372 行同第一卷第 136—140 行、第七卷第 172—176 行、第十五卷第 135—139 行和第十七卷第 91—95 行，为一出现率很高的程式化语段。应该指出的是，生活本身也带有“程式”的一面。白天与黑夜的轮复，季节的按照规律的转换，还有人的衣食住行，一日三餐，这些无不带有雷同的一面。语言的重复反映生活中常态现象的重复。从这个意义上来说，程式化用语和语段不仅体现文学的浓缩，而且也反映生活的机械性和难以彻底摆脱雷同的实质。

提请我们餐饮。然而，我却无意享用，
坐着，心里忖想别的事情，想象凶险。

“基耳刻见我坐着不动，手指
不碰食餐，沉溺于强烈的悲哀，
走来站在我的身旁，对我吐送长了翅膀的语言：
‘为什么，奥德修斯，你干坐不动，像似
哑巴一般，耗糜你的心灵，不吃不喝——
是否怀疑我还会再要手段？不，你无须
害怕，因为我已对你发过庄重的誓咒在先。’

“她言罢，我对她答话，开言：
‘哦，基耳刻，有哪个正直之人
能够违心享用面前的食物饮料，
在他眼见伙伴获释，在那时之前？
所以，倘若你诚心要我吃喝，那就
放出他们，让我亲眼目睹可以信靠的伙伴。’

“我言罢，基耳刻出行，穿走厅殿，
手持魔杖，开门，打开猪圈，
赶出他们，看似一群肉猪，九岁[①]。
伙伴们站临她的面前，后者穿行他们之间，
用另一种药物一一点触他们，
使身上女王般的基耳刻用凶邪魔药催长的
鬃毛消失，其时隐失不见，

① 诗人喜用“九”数(比较第 19 行：一头九岁的壮牛)。另参见第三卷第 7—8 行、第十四卷第 230 和 248 行等处。参考第三卷第 8 行注。

伙伴们复显人形，看来更加年轻、
高大、远为俊美，比之先前。
他们认出我来，一个个抓起我的双手轮番，
恸哭的欲望临落我们，屋里回荡响声，
悲楚至极[①]，就连女神亦心生悯怜。
丰美的女神行至我的身边，对我开言：
'莱耳忒斯之子，宙斯的后裔，多谋善断的奥德修斯[②]，
去吧，回返你的快船，回抵滩沿，
拖拽木船上岸，首先，将所带
之物和船用的具械全都存放洞岩，
然后带上你可以信靠的伙伴[③]，回来。'

"他的话说动我高傲的心怀，
我回返自己的快船，回抵海滩[④]，
在迅捷的船边眼见可以信靠的伙伴，

---

① 奥德修斯的伙伴们承受了一次"非人"的经历，其时变回人形，震惊和惧怕之情可想而知。百感交集，归为一发，此时的他们沿用了在《奥德赛》里几乎无所不适的恸哭，借以表达心中难以名状的悲怆。另见第 408—409 行。参考并比较第十六卷第 190 行注。

② 奥德修斯在荷马史诗里的全称，另见第五卷第 203 行和本卷第 504 行等处。一个诗行需要凑足六个音步，而仅仅说"多谋善断的奥德修斯"虽然足以表义，却就音节的数量而言远远不够。此外，史诗的表述总体上追求庄严、厚重，不时出现的人物的全称或许有助于形成和保持作品于淳朴中卓显雄浑的诗风。另参考本卷第 456 行注。女神显然服从了诗人的安排，以规范化的程式用语称呼奥德修斯（参考第 307 行注）。

③ 基耳刻何以知晓岸边还有奥德修斯的伙伴？奥德修斯并没有就此对她有过提及。诗人的简练有时流于随便，会给人前后连贯不畅的感觉。参考并比较第 522 行注、第十三卷第 357 行注和第十六卷第 408 行注等处。不过，换一个角度（见本卷第 307 行注），我们或许能对此类问题做出全新的理解。

④ 第 407 行同第四卷第 779 行。比较本卷第 402 行。

掉淌大滴的眼泪，悲哭苦酸。
一如在那村野，牛犊围住牧食归来的母牛，
归返圈栏，吃得肚皮滚圆，
小牛成群结队地蹦跶过去，栏栅
挡不住它们的奔跑，围绕它们的娘亲
一个劲地哞哞叫唤[①]；就像这样，伙伴们见我，
拥来围在我的身边，泪水涟涟[②]，心中的激情
使他们感到仿佛回到了家乡，回到了
山石嶙峋的伊萨卡，生养和哺育他们的城垣。
如此，伙伴们哭着前来，对我讲说长了翅膀的语言：
‘哦，宙斯哺育的奥德修斯，见了你大家伙高兴，
仿佛回到了我们的伊萨卡故园。
说吧，告诉我们，讲诉其他朋伴的死难。’

“他们言罢，我用温柔的言词答话，说接：
‘让我们拖船上岸，首先，将所带
之物和船用的具械全都存放洞岩，
然后赶快，你们大家跟我向前，
以便面见你们的伙伴，在基耳刻神圣的
住宅吃喝，那里的东西食用不完。’

---

① 一个采自乡村生活且动感和感染力极强的明喻，它的“突然”出现剧增奥德修斯与伙伴们因别后重逢而迸发出来的强烈情感，衬托并极致化人物心中的激情澎湃。毕竟，奥德修斯已从魔药里逃生，回到了急切盼望并担心他难以生还的伙伴们身边。参考第 399 行注。比较第 397—399 行，尤其是第 399 行里的“悲楚至极”与此时岸边伙伴们的高兴之情（参考第 416—421 行）。

② 从第 410—414 行所用的明喻推测，伙伴们此时的心情应以高兴为主（参见第 419 行）。看来，《奥德赛》中的人物（包括神祇）并非总是出于悲痛哀哭（比较第 201 行注）。他们悲痛时哭，悲喜交加时哭，高兴时也哭。哭的背后有诗人突出故事悲情基调的叙事底蕴，是一张由激情和表现激情的需要构成的复杂的情感网络。

“我言罢，众人立即按我说的操办，
唯有欧鲁洛科斯试图阻挡我的伙伴，
对他们说话，用长了翅膀的语言：
‘唉，可怜的人呢，你们要去哪边？为何期望邪恶，
行往基耳刻的房殿？她会把我们
全都变作猪、狼，或是狮子，
让我们守护她偌大的房宫，被迫守卫。
同样，上一回，当我们的伙伴进入
库克洛普斯的院内，鲁莽的奥德修斯和他们一队，
那帮人断送性命，由于此人的妄为[①]。’

“他言罢，我在心里权衡，是否用
长锋的利剑[②]，从壮实的大腿边抽出，
砍下他的头颅，掉落泥土，
尽管他是我婚连的近人，亲属。然而，伙伴们
劝阻，相继出言抚慰，对我说诉[③]：

① 此乃对奥德修斯偏执和犟拗的正确批评。奥德修斯本人亦对此有所认识(参见第九卷第224—229行)，但他不记前车之鉴，以后又再犯同样性质的错误(参见同上第500—501行和相关注释)。比较第七卷第142行注和第九卷第228行注等处。

② 第438—440行展示了奥德修斯挟带霸道的英雄气概。比较第151—152行。相似的场景见《伊利亚特》第一卷第188—194行里阿基琉斯的“豪情”。尽管奥德修斯此时只是“在心里权衡”，但他的伙伴们一定看到了他愤怒的表情，不然就不会出言劝阻，为欧鲁洛科斯求情。有造诣的诗文大师知道如何调动听众(或读者)的想象力，调动并合理利用他们的思绪，用以补足文字上的表义空隙。如此形成的简洁无可厚非。由于欧鲁洛科斯已是第二次阻挠奥德修斯的行动(参考本卷第266—269行)，加之他所提及的险情此刻已经不复存在，奥德修斯确实也有对他发火的理由。只是此行一去便意味着滞留一年，无形中顺延了求婚人耗损奥德修斯家产的时间。

③ 第442行同第九卷第493行。

'宙斯养育的奥德修斯,倘若你发布令嘱,
我们将让他呆留原地,傍邻海船,守护[①],
你可带领我们,前往基耳刻神圣的居处。'

"言罢,他们从海船和岸边上路,
欧鲁洛科斯亦不曾滞留深旷的船舟,
跟随前往,惧怕我凶暴的责辱。

"与此同时,基耳刻在家里浴洗其他伙伴,
热情关怀,用橄榄清油抹涂,
给他们穿好衣衫,搭上厚实的羊毛披篷[②];
我们找见他们,在厅堂里餐食一处。
我的人面面相觑,互相之间认出,
暴涌眼泪,整座房居回响他们的嚎哭。
丰美的女神近临,对我们说诉:
'莱耳忒斯之子,宙斯的后裔奥德修斯善断多谋[③],
别再如此伤心,放声嚎哭。我亦知晓
你们遭难在鱼群游聚的大海,历经千辛万苦,
面对敌视的人们伤损你们,在干实的大陆[④]。

---

① 比较第九卷第194行。

② 第451行同第四卷第50行。比较本卷第365行。

③ 称呼奥德修斯的程式化用语(同第401行),出现在两部史诗里。程式化用语的特征之一是在同义的基础上形成繁复,用一个以上的词汇对中心词形成拱围,组成表义"集团",既具局部完整的结构作用,又可对听众的接收形成有规模的语义(和气势上的)冲击,使其通过反复的收听加深对所指对象"特征"和相关情节的理解。参考第401行注。

④ 基耳刻或许道出了奥德修斯及其伙伴们爱哭的隐衷。长期的苦难折磨和一连串的惊险遭遇使他们产生了某种自怜情结(参考第463—465行)。这或许是某些史诗人物爱哭的深层次里的原因。参考并比较第399行注。

来吧，啜饮浆酒，吃用食物，
直到重聚胸腔内的豪气，带着它，
你们离开山石嶙峋的伊萨卡，家乡
故土。眼下你们心绪颓败，身体衰枯，
总在郁闷中回想艰难的浪迹，无心
享领欢快，遭受过这许多痛楚。'

"她的话把我们高傲的心灵说动[①]。
日复一日，我们滞留那边，一年完整，
坐着宴食无尽的肉肴和香甜的浆酒。
当一年结终，月份逝移，季节
变换，到了悠长的白昼归返的时候，
我的可以信靠的伙伴们提醒，对我说诉：
'好糊涂的人啊——是时候了，你该忖想回返故土[②]，
倘若你能存活，命里定注，
回抵故乡，回到营造坚固的家府。'

"他们的话把我高傲的心灵说动。
整整一天，直到太阳落沉，

---

① 第466行同第十二卷第28行和本卷第475行。《奥德赛》是一部苦难史诗（比较亚里士多德对悲剧的划分，见《诗学》第十八章），因此诗人明智地没有对享受作过多的渲染。他用短短的两句诗行，带过了奥德修斯及其伙伴们一年的享乐（本卷第467—468行）。

② 奥德修斯在埃阿亚享了一年的清福，不仅没有归心似箭，反倒要伙伴们提醒他回返乡土，颇有点乐不思蜀的劲头。比之被卡鲁普索拘留，整日里"浇泼碎心的眼泪悲嚎"的情景（详见第五卷第81—84行），此时他的心情一定远为舒坦轻松。不过，他在埃阿亚仅住一年，而在卡鲁普索那边却滞留了漫长的七年（第七卷第259行），时间上的差异很大（此外，基耳刻对他的关心爱护无疑更为实际真诚）。或许，随着岁月的逝移，他会再次陷入长住客地、思念家乡的悲苦之中。

我们坐着吃喝无尽的肉肴和香甜的浆酒。
当太阳落沉，昏黑的夜晚临来[①]，
他们躺下睡觉，在幽黑的房中。
其时，我登上基耳刻绚美无比的床铺，
抱住她的膝腿求诉[②]，女神聆听我的话语，
当我讲说，把长了翅膀的言词送吐：
‘哦，基耳刻，兑现你的承诺，送我
回返家乡上路。我的心魂正在催我，
伙伴们亦在促动，他们耗损我的心灵，
哭嚎在我身边，当你不在此处[③]。’

“我言罢，丰美的女神当即回话，答诉：
‘莱耳忒斯之子，宙斯的后裔奥德修斯善断多谋，
你们不必违心背意，留在我的家府，
但要先行完成另一次远航，
抵达哀地斯和可畏的裴耳塞丰奈的居处，
咨询忒拜人泰瑞西阿斯的灵魂[④]，

① 第 476—478 行同第 183—185 行。

② 这回轮到奥德修斯抱住基耳刻的膝盖请求了(比较第 323 行)。抱膝是史诗人物(包括神祇)向对方祈求时所取的常规姿势。参考第六卷第 147 行注。

③ 伙伴们劝他回返时并没有哭嚎(参见第 471—474 行)。但在听了伙伴们的劝告后，奥德修斯没有马上行往基耳刻的床铺(见第 475—479 行)，所以诗人可以利用这段时间(而伙伴们亦会在此其间继续劝说)，把哭嚎的情景留给听众的想象来填补。参考第 439 行注。

④ 第 492 行同第 565 行、第十一卷第 165 行和第二十三卷第 323 行。在荷马看来，灵魂(psuche，复数 psuchai)仍呈人形，但轻渺飘忽(只是一个影像)，通常不具活人的智力(本卷第 494—495 行)。比较 thumos(详见第七卷第 42 行注)。

一位双目失明的卜者，他的心智依旧如故[①]，
裴耳塞丰奈只给他一人智力，在死去
以后仍能思考，其他人只能变作虚影，飘忽。’

“听她言罢，我的内心碎裂，
坐在沙滩上哭喊，心里不再愿想
存活，不想再见太阳的光线。
当哭够痛快，在沙滩上滚翻[②]，
我开口说话，对女神答言：
‘谁当我们的向导，基耳刻，航行那边？
无人去过哀地斯，搭乘乌黑的海船。’

“我言罢，丰美的女神当即回话，答诉：
‘莱耳忒斯之子，宙斯的后裔奥德修斯善断多谋，
行船无有向导，你却不必忧苦，
只须竖起桅杆，将雪白的风帆展铺，

① 泰瑞西阿斯是凡人中死后仍保留心智（phrenes empedoi）者，故而拥有智力（noon，第 494 行），有能力进行推理思考（pepnusthai），给人以明智的劝告。参考第 240 行及该行注。参考并比较第十一卷第 26 和 220 行注。

② 奥德修斯的反应和墨奈劳斯听过阿伽门农被杀的噩耗后的表现如出一辙（参见第四卷第 538—541 行）。比较本卷第 50—52 行。奥德修斯经历过的奇遇和由此而造成的心灵创伤甚于墨奈劳斯。所以，他或许应该比墨奈劳斯多一些失去理智，（在此刻）做出过激反应的“理由”。参考第 459 行注。和欢笑一样，痛哭也是一种发泄，一种使心理恢复平和的手段。参考并比较第十五卷第 400 行注。

坐下，让劲吹的北风推你上路[①]。
然而，当你船至俄刻阿诺斯的水流[②]，你会发现
那里有一处海岸，裴耳塞丰奈的树丛密布，
生长高大的白杨和落果不熟的柳树，
岸泊你的航船，在漩涡深卷的俄刻阿诺斯停驻，
你自己则要前往，行至哀地斯阴晦的家府。
在那里，普里弗勒格松和斯图克斯的支流
科库托斯涌入阿开荣[③]，绕卷一块石壁，
两条河流轰响，汇成一股。
近抵那里，英雄，你要按我说的去做。
挖出一个陷坑，四边一个肘尺的宽度，
泼倒祭奠，给所有的死人，
先用奶液掺和蜂蜜，再倒香甜的浆酒，
然后添加清水，把雪白的大麦撒出。

---

① 换言之，船员们（或乘坐者）既不用荡桨，亦无须掌舵（但仍要升起白帆），任由北风推送。参见第十一卷第6—10行。法伊阿基亚人的船无舵（船儿知晓人的心思目的，自会定导航向），但行船仍需划桨的水手。与之相比，基耳刻的描述使去往冥地的海船拥有了一种更为“先进”的能力——甚至可以不用船桨，免去水手。只是这种“先进”并非得之于船的设计和制造方面的优良，而是因为行驶在一条特定的水路，自有北风的顺推吹刮。荷马一定知道神话中无所不在的各种奇谈趣闻会激发和引导人们的想象。随着时间的推移，秘索思[muthos（或mythos），“故事”“神话”]中的玄幻将部分和不断地被逻各斯（logos，“科学”“理性”）的实证精神以及在这种精神指导下的制作活动转变为“事实”，变成生活中的人们由感觉新奇而逐渐转变为熟视无睹的现实。关于本卷第506行，比较第八卷第54行和第九卷第77行。

② 关于“水流深渺的”俄刻阿诺斯，参见第十一卷第13行及该行注。

③ 冥界的四条河流。普里弗勒格松意为“燃烧的河”，斯图克斯意为“可恨的河”，科库托斯意为“悲悼”，阿开荣的含义同样伤感，意为“悲苦的河”。希腊西北部的塞斯普罗提亚有一条名为阿开荣的河流，位于厄庇鲁斯南部，古时亦是“死者的谕言”的发示地，但它的得名很可能迟于公元前八世纪（不排除得名于荷马史诗里长河阿开荣的可能）。关于斯图克斯河，另见第五卷第185行注。

你要许愿死者，再三，对他们无力的头颅：
当你回返伊萨卡，将要献祭一头未孕的母牛[1]，
最好的，在你的房府，在祭焚的柴垛上堆垒财物，
给泰瑞西阿斯另备一只公羊，
全黑[2]，你所拥有的羊儿中最棒的牲畜。
当作过祈祷，对死人光荣的部族，
你要献祭一只公羊和玄黑的母羊，
将羊头转向厄瑞波斯[3]，而你自己则要
侧脸冥府的水路[4]，众多死者的
灵魂会蜂拥而来，把你围住。
其时，你要对伙伴叮嘱，要他们捡起
倒地的祭羊，已被无情的青铜杀屠，
动手剥去羊皮，焚祀羊鲜，对神灵祈诉，
向强有力的哀地斯和可畏的裴耳塞丰奈求助，
而你自己要拔出胯边的利剑，
蹲坐，别让死者无力的头脸[5]
贴近血边，直到你对泰瑞西阿斯问过。
这时，民众的首领，先知会来到你的坐处，
他会告诉你途经的地方，此程的去路，

---

① 然而，诗人此后（即在奥德修斯返回伊萨卡后）对献祭母牛一事未作相应的提及。是诗人的疏忽，还是有意的省略，不得而知。有一点可以肯定，那就是诗人似乎没有必要对提及的每一点细节作出前后一致或互为关照式的呼应。关于第 519—520 行所示内容，参考第 234—235 行及相关注释。

② 参考第三卷第 6 行注。本卷第 517—525 行大致同第十一卷第 25—33 行。

③ 即朝对地下，对着哀地斯的冥府。参考第十一卷第 37 行。

④ 指俄刻阿诺斯，即奥德修斯临抵时船走的水路。参考并比较《伊利亚特》第三卷第 5 行。关于“侧脸”，参考并比较第五卷第 346—350 行及相关注释。

⑤ 死者的头颅无力（另见第 521 行），因为他们只是一些虚影（skiai，第 495 行）。另参考第十一卷第 49 行和第 50 行注。

告诉你如何返家，航行在鱼群游聚的海途[①]。'

"她言罢，享用金座的黎明随即登升[②]，
神女替我着装，套上衫衣，裹起披篷[③]，
而她自己则穿上一件白色的裙袍，
瑰丽，体现织纺的精工，拦腰围系
绚美的金带，用纱巾掩起头颅面孔[④]。
其时，我叫起伙伴，穿走房宫，
站在每个人身边，用和善的言语说称[⑤]：
'别睡了，别再躺着，在香熟的睡眠里做梦。
女王般的基耳刻已给我指路，让我们登程。'

"我的话把他们高傲的心魂说动[⑥]。
然而，我未能带走所有的伙伴，无有失损。
有个叫厄尔斐诺耳的，我们中最年轻的一人，
战时并非极其勇敢，思绪亦非平稳。

① 比较埃多塞娅(普罗丢斯的女儿)对墨奈劳斯的指点(第四卷第 365 行以下)，告诉他海洋老人，"埃及的普罗丢斯"会告嘱他如何返家。本卷第 539—540 行同第四卷第 389—390 行。然而，令人不解的是，先知泰瑞西阿斯的灵魂并没有告诉奥德修斯第 539—540 行明示要说的情况。给奥德修斯详细指明归返路程的是基耳刻自己(详见第十二卷第 36—141 行)。既如此，基耳刻为何要奥德修斯一行去冥府——换言之，奥德修斯此行的真实目的何在？是否因为诗人纳用了某些既已成篇的故事，在汇编过程中忽略了细节上的关联？

② 第 541 行同第十二卷第 142 行等处。

③ 比较第十四卷第 320 行。

④ 第 543—545 行同第五卷第 230—232 行。

⑤ 第 547 行同第 173 行和第十二卷第 207 行。

⑥ 第 550 行同第十二卷第 324 行和第十九卷第 148 行。"心魂"原文为 thumos。参考第十一卷第 26 行注和第十二卷第 414 行注。比较本卷第 406 行和第 492 行注。

此人离开朋伴,寻找凉风,喝得酩酊大醉[①],
躺在屋顶上睡觉,在基耳刻神圣的房宫。
当耳闻伙伴们走动,传来芜杂
的响声,他倏然站起,忘了
应该走去,踩着长梯下到底层,
恍恍惚惚中踏坠屋顶边沿,将颈骨
摔离椎根,精魂朝向哀地斯落沉[②]。

"当我的人出发,我对他们说话有声:
'你们以为正在归返亲爱的故乡,动身,
殊不知基耳刻已给我们指明另一趟旅程,
前往哀地斯和可畏的裴耳塞丰奈的府居,
向忒拜人泰瑞西阿斯的灵魂询问。'

"听我言罢,他们的内心破碎,
瘫坐在地,嚎哭,拔绞发根[③],

---

① 酒使人愉悦,给人增力,但也使人失态,甚至断送性命。参考第十四卷第 467 行注。奥德修斯便曾借助酒力,灌醉人怪波鲁菲摩斯,继而用树段的尖头刺捅,扎瞎他的眼睛(详阅第九卷第 345 行以下)。

② 事发时奥德修斯尚不知此事(参考他与厄尔裴诺耳在地府里的问答,第十一卷第 51 行以下)。关于收埋厄尔裴诺耳遗体的情况,参见第十二卷第 8—15 行。本卷第 558—560 行同第十一卷第 63—65 行。厄尔裴诺耳很可能是现存西方古文献记载中酒后(自行失足)丧生的第一人。参考并比较第二十一卷第 304 行。"精魂"原文作 psuche (参考本卷第 492 行注)。

③ 绞拔头发以示极度的悲痛(另见《伊利亚特》第十八卷第 27 行和第二十二卷第 406 行,比较第二十四卷第 162—165 行)。比较奥德修斯本人在听闻基耳刻的此番指令后的反应(本卷第 496—498 行)。比之伙伴们的"拔绞发根",同样嚎哭的奥德修斯"心里不再愿想存活",用词上虽不及"绞拔发根"更具"烈"感,但在表示痛苦的底蕴上似乎更显深层,增添了几近"绝望"的维度。《奥德赛》是一部苦难史诗(参考第 466 行注),但也表现人物的激情和饱含强烈情感的举动。

但此般悲戚不会带来好处，给他们。

“当临抵滩岸，来到快船边旁，
我们坐下，悲楚，大滴的眼泪流淌。
基耳刻已径自行往乌黑的海船，
将一只公羊和一只玄黑的母羊系于船上，
避过我们的视线，轻而易举——谁的眼睛
可以得见神的往返，除非这是他的愿望[①]？

① 也就是说，只要神不想让凡人见着，他们便完全有办法做到，在光天化日之下，在凡人的眼皮底下隐身。此外，神还可让人群中的某个人看见他（或她）的显现，而让自己不愿对其显身的其他人无法看见。当雅典娜前往阿开亚人的军营，阻止阿基琉斯对阿伽门农动武时，女神“只对他一人显现”，其他人全都看视不见（《伊利亚特》第一卷第 198 行）。参考本书第三卷第 435 行注。注意《伊利亚特》第五卷第 844—845 行里雅典娜的“隐形帽”。在两部史诗里，神经常变取凡人的形貌，频繁介入人间的事务（包括战争）。有时，史诗人物会认出与之交往的是“不死的”神明，所依据的识辨“标准”可以是出众的美貌（即长相，如闪亮的眼睛、修长的脖子和高耸的胸脯，参见《伊利亚特》第三卷第 396—397 行），也可以是对方离去时行走的步态等［见同上第十三卷第 70—72 行；此外注意该卷第 62 行对波塞冬离去时所取“方式”的描述（确切地说，应为形容）：像一只展翅疾飞的鹰鸟；比较本书第三卷第 371—372 行］。另见《伊利亚特》第十七卷第 333—334 行等处。不过，在通常情况下，辨认神祇并非易事。奥德修斯（尽管足智多谋且特受雅典娜的青睐）承认：“此事着实不易，让一个凡人见你后认出，不管他多么聪明。”（本书第十三卷第 312—313 行）参考第十三卷第 312 行注。参考并比较第七卷第 20 行注和第九卷第 142 行注等处。

第十一卷

“当众人行抵海岸,来到船边,
我们先把船只拖入闪亮的大海,
在乌黑的船上竖起桅杆,挂上风帆[①],
抱起祭羊,放入海船,自己亦足登
船板,悲楚,哭洒大滴的眼泪。
美发的基耳刻,可怕和通讲人话的女神,
送来顺吹的长风,一位佳好的伙伴,
从乌头海船的后面推送,兜起布帆[②]。
我们把船上的各种索具调紧妥善,
坐下,任凭海风和舵手定导航船。
船儿兜鼓气流,在海上行驶了整整一天,
太阳落沉,所有的通道全都裹入黑暗[③]。

---

① 第2—3行大致同第四卷第577—578行。

② 第6行同第十卷第136行,大致同第十二卷第449行。船儿已经开航,诗人很自然地用起了行船的程式(参考第十二卷第148—152行)。参考并比较第十卷第505—507行及相关注释。

③ 程式化用语,同第二卷第388行、第三卷第497行、第十五卷第185行等处。

"海船驶向极限,水流深渺的俄刻阿诺斯[①] 的边缘。
基墨里亚人[②] 在那里居住,有他们的城垣,
掩隐在云翳里,被覆盖的雾团,亮丽的太阳
从未射达那里,照耀他们,将黑暗透穿[③],
无论是当他攀升多星的天空,
还是从天上归返地面,回转,
凄楚的黑夜笼罩悲苦的凡人,无有终端。
及达后,我们驱船靠岸,拿出羊鲜,
众人向前走去,沿着俄刻阿诺斯的水边,
直到行至那里,基耳刻描述过的地点[④]。

"其时,裴里墨得斯和欧鲁洛科斯将祭畜

---

① 环世长河,河神。据赫拉"介绍",俄刻阿诺斯(Okeanos)乃"育神的长河"(换言之,是万物的始祖),而其妻忒苏斯是"我们的亲母"(《伊利亚特》第十四卷第 201 行)。荷马的这一见解颇合"奥耳甫斯诗歌"作者的见解(但请比较赫西俄德的不同说法,《神谱》第 133—136 和 337—370 行)。柏拉图曾在讨论赫拉克利特哲学的上下文里引用这一诗行(细读《克拉底鲁篇》402B)。比较巴比伦史诗《埃奴玛·埃立什》中关于创世的描述,其中的阿普苏颇像荷马史诗里的俄刻阿诺斯。古代小亚细亚文化对希腊史诗及古希腊人神学观形成的影响由此可见一斑。俄刻阿诺斯和忒苏斯居住在世界的最西端。当所有的河流泉溪都应召前往宙斯的房殿,"来到议事地点",唯有老资格的俄刻阿诺斯例外(参阅《伊利亚特》第二十卷第 4—9 行)。荷马是古希腊神话(muthos)和神话地理学的主要创编者之一。参考希罗多德背靠逻各斯(logos)的驳斥(《历史》第二卷 23 和第四卷 8、36)。

② 关于基墨里亚人的居地(位置)学界向有争议,一说在远北地区,有人(如 R. Henning)甚至具体指定为不列颠。用科学提倡的准确性来定位荷马神话地理学里的地名和居点,不仅最终很难令人信服,而且容易走向反科学的随意引申和(至少是不太负责任的)大胆猜测。

③ 比较阳光明媚、气候宜人的厄鲁西亚平原(第四卷第 563—568 行)和奥林波斯(第六卷第 42—46 行)。

④ 比较第十卷第 509—515 行。奥德修斯一行已置身(通连)哀地斯(即冥府)的边缘地带。

抓住，我抽出利剑，从胯边拔出，
开挖一个陷坑，四边一个肘掌的宽度①，
泼倒祭奠，给所有的死人②，
先用奶液掺和蜂蜜，再倒香甜的浆酒，
然后添加清水，把雪白的大麦撒出。
我许愿死者，再三，对他们无力的头颅：
当我回返伊萨卡，将会献祭一头未孕的母牛，
最好的，在我的房府，在祭焚的柴垛上堆垒财物，
给泰瑞西阿斯另备一只公羊，
全黑③，我所拥有的羊儿中最棒的牲畜。
其时，当我用祀祭和祈祷恳求过死人的
部族，我抓住祭羊，在坑上割断
它们的喉咙，黑红的鲜血喷注。死人的

① 第25—33行几乎是对第十卷第517—525行的重复。一个肘掌(pugon)的长度约为15英寸，从人的中指关节算起，至肘部止。比较本卷第311行注。

② 按照荷马及史诗人物的理解，人死后尸体经受火焚(参见第74行和第十二卷第8—15行)，心魂(psuche，复数psuchai)随之飘离躯体(参考本卷第220—222行；但"飘离"亦可与死亡同步发生，参见《伊利亚特》第五卷第696行等处)，进入冥府，以失却实质的虚影(eidolon，复数eidola)的形式存在，丧失思考和说话交际的能力，一般不再归返阳间。比较"精神为物，游魂为变"(《易经·系辞上》)。然而，荷马史诗保留了某些盛行于慕凯奈(即迈锡尼)时代的因为全尸土葬死者而显得有必要对他们进行祭慰的"旧"习(见本卷第25—33行)。我们不敢，也不便贸然断定慕凯奈时代绝对没有"火葬"(实为火焚尸体后掩埋遗骨)，也没有理由排除在荷马生活的年代"土葬"(即将死者全尸掩埋)和"火焚"二者并存的可能。在探析史诗对死者的"善后"处理问题时，我们似乎应该考虑到这一文学形式的特殊性，应该或必须兼顾诗人(即史诗的编制者们)的意愿。与之或许不无一点关系的一个提示是，尽管慕凯奈时代的族民们食鱼(参考第四卷第369行注)，但作为他们的杰出代表的史诗英雄们却只对牛肉(和猪、羊肉)情有独钟，而对蔬菜和肉质细腻的海鲜不屑一顾。

③ 祭祀地下的神灵(和死者)要用毛色玄黑的牲畜(参看《伊利亚特》第三卷第103行注；另参考该史诗第二十卷第404行注和本书第三卷第6行注等处)。

灵魂从厄瑞波斯[①] 上来，拥聚在那个去处，
有新婚的姑娘，未婚的小伙，历经磨难的老人，
还有鲜嫩的处女，年轻的心灵承受痛苦，
连同许多战死疆场的斗士，被青铜的
枪矛捅破，仍然披挂带血的甲护。
他们从四面八方拥来，将坑口围堵，
发出奇异的噪叫，吓得我脸色青灰，被恐惧逮住。
其时，我对伙伴们叮嘱，要他们捡起
倒地的祭羊，已被无情的青铜杀屠，
动手剥去羊皮，对神灵祈诉，焚祀羊鲜，
向强有力的哀地斯和可畏的裴耳塞丰奈求助，
而我自己则拔出胯边的利剑，
蹲坐，不让死者无力的头脸
贴近血边，直到我对泰瑞西阿斯问过[②]。

“我的伙伴首先过来，厄尔裴诺耳的魂魄，
因他还不曾入土，被路面开阔的大地埋没，
我们撇下他的尸体，在基耳刻的房宫，
未埋，未经哭悼——我们有另一件事情要做[③]。
我眼见他后泪水涌落，心生怜悯，

① 参考专名索引。

② 奥德修斯正严格按照基耳刻的叮嘱行事(比较第 44—50 行和第十卷第 531—537 行)。死者徒有虚形，无有血肉之躯，故而不仅头颅“无力”(本卷第 49 行)，手脚和全身亦然。

③ 关于厄尔裴诺耳的死亡，详见第十卷第 551—560 行。厄尔裴诺耳的 psuche 不喝血浆便能讲话，或许是因为尸体尚未被火焚埋葬的缘故(不知荷马对此作何解释)。帕特罗克洛斯的魂魄亦曾对阿基琉斯显现，要求“葬我，越快越好”(详见《伊利亚特》第二十三卷第 65—74 行)。

对他讲话，用长了翅膀的话语道说：
‘厄尔裴诺耳，你如何坠临此地，穿行黑雾？
你比我的黑船快捷，到此，凭靠脚步。’

“我言罢，他悲叹一声答话，对我道说[①]：
‘莱耳忒斯之子，宙斯的后裔奥德修斯善断多谋[②]，
神定的凶邪命运和不节制的豪饮毁我。
我在基耳刻的房宫睡着，根本不曾想过，
应该走去，踩着长梯下到底座，
恍恍惚惚中踏坠屋顶边沿，将颈骨
摔离椎根，精魂朝向哀地斯沉落[③]。眼下，
我要对你，以那些远在家中、不在此地的人们，
以你的妻子和把你从小养大成人的父亲的名义，
以被你留养房宫的忒勒马科斯的名义求说[④]，
因我知道，当离开此地，离开哀地斯的家屋，
你会返回埃阿亚岛屿，在精造的海船上乘坐。
及达后，王爷，我求你把我记住，
不要弃我而去，不经埋葬，未被

① 第 59 行同第九卷第 506 行。

② 程式化用语（同第五卷第 203 行和第十卷第 504 行等处），对奥德修斯的“完整”称谓。参考第十卷第 456 行注。

③ 第 63—65 行同第十卷第 558—560 行。厄尔裴诺耳的魂灵其时尚未进入哀地斯（而只是飘忽在它的边沿）。

④ 比较奈斯托耳对阿开亚将士的请求（《伊利亚特》第十五卷第 661—666 行）。

哭悼——小心我会变成神的诅咒,对你惩报[①]。
你要把我就地火焚[②],连同我的全部甲胄穿着[③],
堆垒坟茔,在灰蓝色大海的滩头,
埋葬一个不幸之人,让后世的人们知晓[④]。
此事你要替我操做,在墓顶上把桨杆插牢,
我用它划船,当我在伙伴群中存活。'

"他言罢,我开口答话,道说:

---

① 或许,厄尔裴诺耳的亡魂也遇到了帕特罗克洛斯的精魂对阿基琉斯陈述过的同样的问题(《伊利亚特》第二十三卷第 71—74 行)。由此足显火焚和其后掩埋遗骨(并接受哭祭)的重要——原来,此乃死者得以"心平气和"地进入哀地斯的"门票"。未经礼葬者的魂魄会干扰(亦可能危害)活着的亲友们的生活,而生活在阴间的神族(如复仇女神们)会把死者的诅咒变成现实,对相关人员实施惩报。这使我们很自然地联想起阿伽门农之妻克鲁泰奈斯特拉的灵魂对复仇女神的催促,要求她们惩罚儿子奥瑞斯忒斯弑母的罪过(埃斯库罗斯《善好者》第 94 行以下)。此外,荷马一定也会知道(既然他熟悉墨勒阿格罗斯的故事),活人亦可替死去的亲属诅咒,祈请神明惩罚行凶的另一位亲属(包括儿子,参阅《伊利亚特》第九卷第 565—572 行)。比较《史记·伯夷列传》:"父死不葬,爰及干戈,可谓孝乎?"宗教有时会站取同情和帮助弱者或不幸者(如死者)的立场,对强者和幸运者(包括仍然活着的人)施加道义上的压力,使其履行某种或某些被认为是必尽的义务,由此减缓"冲突",达成强弱(者)之间的平衡(或有限度的和睦)。古代中国人相信,"游魂为鬼"。孤魂野鬼会作祟活人,给亲友招灾致难。因此,要让野鬼有个归处,使其不致变"厉"加害。"鬼有所归,乃不为厉,吾为之归也。"(《左传》昭公七年)

② 参考第 26 行注。由此可见,灵魂可以离开未经火化的尸体,找到相关人员并与之交谈,提出接受火化的要求。火化许有某种象征的意义,使灵魂最终和"正式"脱离肉体,得以名正言顺地进入冥府。然而,荷马不会认为灵魂或虚影(eidola)是一种优于活人的存在,不会无保留地赞同死亡是对悲苦生活的解脱的厌世观点。

③ 《论语·为政》:"死,葬之以礼。"比较《周易·系辞上》:"古之葬者,厚衣之以薪,葬之中野,不封不树,丧期无数。"

④ 死者是不幸的,因而需要抚慰。但筑坟的另一功用是纪念,让后人知晓(参考第二十四卷第 80—84 行、《伊利亚特》第六卷第 417—420 行等处)。坟墓延续人的声名。

'不幸的朋友啊,这一切我会按你说的去做。'

"就这样,我俩相对,互致悲伤的话语,
我在坑的一边,护着牲血,将劈剑手握,
对面是伙伴的虚影,对我喋喋不休地絮说。

"其时,过来的是我母亲的魂魄,
安提克蕾娅,心志豪强的奥托鲁科斯的女儿,
我把她留在家里,前往神圣的伊利昂战斗。
眼见她后我心生怜悯,泪水涌出,
但尽管如此,我强忍极度的悲痛,不让她
临近羊血,直到对泰瑞西阿斯问过。

"其时,忒拜人泰瑞西阿斯的魂魄前来,
手握金杖,知晓我为谁人,对我开讲:
'宙斯的后裔,多谋善断的奥德修斯,莱耳忒斯的儿郎,
为何撇离阳光,不幸的人儿,来临
此地,看视死人,一个没有欢乐的地方?
现在,你可退离牲血,收起利剑,
以便让我饮血,对你把真情说讲。'

"他言罢,我收起嵌缀银钉的劈剑,
将其推入鞘藏,杰卓的先知
对我说起,当他喝过血浆:
'你所盼求的,光荣的奥德修斯,是回家的甜香,
但神祇会使你遭殃。你躲不过

裂地的神仙[1]，我想，他在心里恨你，
怨恨，因你捅瞎了他的儿郎。
但即便如此，你仍可回家，艰辛备尝，
倘若你能控制自己，还有伙伴们的欲望，
当你首次抵达斯里那基亚岛屿[2]，
驾乘精造的海船，夺路灰蓝色的汪洋，
发现赫利俄斯的牛群，连同牧食的肥羊，
此君无所不见，听闻所有的事项[3]。
其时，如果你一心只想回家，不对畜群损伤，
你们便可如数回抵伊萨卡，艰辛备尝；
但是，倘若你伤损它们，我便可预言你的
海船和伙伴们的灾亡。即使你自己得以逃避，
也会迟迟归返，尽失伙伴，遭殃，
乘坐别人的海船，在家里寻见苦伤，
骄狂的人们食糜你的家产，
致送婚聘的礼物，追求你神一样的妻房。
回家后，你将严惩这些人的暴狂。
当杀除这帮求婚者，在你的殿堂，
凭借诡谲，或是公开用锋快的青铜击杀，
你要带上造型美观的船桨，出游离家[4]，

① 指波塞冬。参考第一卷第 4 行和第九卷第 528—536 行(比较本卷第 101—103 行)等处。作为亡魂中唯一保留心智者，忒拜先知泰瑞西阿斯不喝羊血即会讲话(第 90—96 行)。参考并比较第 73 行注。

② 参阅第十二卷第 260 行以下。

③ 太阳乃荷马心目中最亮的“星体”，自然无所不见(参阅《伊利亚特》第十四卷第 344—345 行)，但称他“无所不闻”(即“听闻所有的……”)，理由何在？本卷第 109 行同第十二卷第 323 行和《伊利亚特》第三卷第 277 行。

④ 第 121—137 行大致同第二十三卷第 268—284 行。此段文字讲述奥德修斯击杀求婚人后需做的事项，却与奥德修斯回家的路线无关。

直至抵达一个地方，那里的居民不知
海洋，吃用的食物里不搁咸盐[①]，
不知头首涂成紫红的船舫，不识
造型美观的桨片，那是海船的翅膀。
我将告诉你一个醒目的标记，你不会错闪[②]。
当你走去，另一位路人将会和你遇上，
说你扛着一把簸铲，在你闪亮的肩膀，
其时你要把造型美观的船桨插进地里，
给王者波塞冬备献丰足的祭享，
一头公牛、一头爬配的公猪和一只雄羊，
然后动身回家，举办全盛的牲祭，
给永生的神明，他们拥掌辽阔的天空，
依次，一个也不能拉下。你的死亡将远离海洋[③]，
以极其温柔的方式，让你在丰裕的
晚年生活中倒躺。你的人民

① 对于荷马，世界的腹地(或远离海洋的内陆地区)是一片广袤而充满神奇事物的地方。道听途说，加之自己的想象，是古代诗人创编神话和"故事"的主要依据。

② 第126行同《伊利亚特》第二十三卷第326行。

③ 换言之，奥德修斯将死于陆上；从135—136行判断，很可能会卒于自家的殿堂。公元前六世纪，库瑞奈诗人欧伽蒙写了一部名为《忒勒格尼亚》的史诗，内容上续接《奥德赛》，共两卷，其中讲到奥德修斯和基耳刻之子忒勒戈诺斯外出寻父，误杀奥德修斯，以后又婚娶裴奈罗佩诸事。如果一个人死于亲子之手，那么人们将很难把此君看作是一个在"丰裕的晚年生活中躺倒"的幸福之人。当然，欧伽蒙没有必要完全按荷马的"旨意"创作；此外，他也像包括荷马在内的前辈史诗诗人那样，可以放手采编和加工提炼自以为合宜的传闻。

将会盛昌。我的话句句当真①，已对你说讲。’

“他言罢，我开口答道，说话：
‘这一切，泰瑞西阿斯，一定是神的编网。
来吧，告诉我此事，要准确地答讲。
现在，我眼见她的灵魂，我死去的亲娘，
但她缄口坐在血边，不愿屈尊
对我说话，正视自己的儿郎。
告诉我，王者，怎样使她认出我来，当场②。’

“我言罢，他当即对我答话，说讲：
‘此事容易，我将说告，点拨你的心房。
任何死者都会对你确切回答，
只要你让其临近血浆③；但是，倘若你
挡拒，他便会返回原来的地方。’

“言罢，王者泰瑞西阿斯的灵魂返回
哀地斯的府邸，讲过此番预言，道毕，

① 要说“当真”，或许不假。但泰瑞西阿斯却没有仔细讲述奥德修斯归程中“途经的地方……”(第十卷第 539—540 行)。是基耳刻蒙人？是泰瑞西阿斯预知基耳刻会代他司理此职(参见第十二卷第 39—141 行)，故而明智地避免重复？还是因为奥德修斯忙中出乱，忘记问及？一些学者猜测第十一卷原本为一独立成篇的故事(或另一套故事里的部分)。我们的上述诘问表明，他们的质疑或许并非凭空臆想，完全没有可资参考的价值。

② 尽管基耳刻有过提示(见第十卷第 536—537 行)，奥德修斯看来并不知晓阴间里的亡魂要先饮牲血方能与活人理智交谈的“诀窍”。比较阿基琉斯见过帕特罗克洛斯亡魂后的惊叹(《伊利亚特》第二十三卷第 103—104 行)。

③ 饮血后，psuche 会暂时恢复记忆，在短时间内拥有生前的思考和辨识能力，并能与活人进行有意义的交谈。

而我则稳站原地等待，直至母亲来临，
喝过黑稠的血浆后认出我来，当即，
放声哭嚎，用长了翅膀的话语对我说及[①]：
'我的儿啊，你如何穿行黑雾，坠临此地，
仍然活命？活人看不到这一切惊险，不易，
两地间隔着宽阔的大河，可怕的水流凶疾，
首先是俄刻阿诺斯，徒步绝对无法
穿越，除非有一条好船，制作固精[②]。
你可是从特洛伊来临此地，带着你的海船和伙伴，
经过长时间的飘零？你还不曾回到
伊萨卡，见过妻子，在你的宫邸？'

"她言罢，我对她回答，说起：
'一件必做之事将我带到哀地斯的家府，母亲，
咨询忒拜人泰瑞西阿斯的魂灵。
我还不曾临近阿开亚地方，尚未
落脚故地，总在受苦，到处飘零，
自从当初，我随卓著的阿伽门农远征
伊利昂，出骏马的地方[③]，与特洛伊人杀拼。
来吧，告诉我此事，要准确地答接[④]。
是何样的悲惨命运和死亡毁你？
是长期的病痛，还是带箭的阿耳忒弥斯

① 第 154 行同第十卷第 324 行。

② 参考第十卷第 505—507 行及相关注释。安提克蕾娅死后，灵魂（或魂影）坠入哀地斯的冥府，对奥德修斯自特洛伊返航历险的情况自然一无所知。

③ 参考第二卷第 18 行及该行注。

④ 第 170 行同 140 行。

夺命,用无痛的箭矢对你射击①?
告诉我父亲的情况,还有被我留在家里的儿子,
是依旧接掌我的权势,还是荣誉已为某个
别人抢夺,以为我回不了故里?
告诉我我那婚娶的妻子,她的想法心计,
是仍然和儿子同住,看守所有的家底,
还是已经改嫁,婚配阿开亚人中的俊杰②?'

"我言罢,女王般的母亲答话,当即:
'她还在宫中等你,以十分坚忍的
心灵,在悲苦中耗去一个个
白天黑夜,总在哭哭啼啼③。
尚无人拥握你王者美好的权利,忒勒马科斯
自由自在,经营属于你的份地,出席
份额公平的宴餐,以裁决者的身份享用,
受到所有人的邀请。你父亲④ 仍在
农庄,不去城里,住处既无床铺,
亦无床上的用品,无有篷毯和闪亮的盖褥一并。
冬天,他睡在屋里,和工奴们一起,
垫枕灰堆,贴着柴火,裹卷褴褛的破衣。

① "无痛的"(或"温柔的")与"长期的病痛"(第 172 行)形成对比。因长期的病痛致死,无疑是件悲苦的事情。另见第三卷第 279—280 行和第五卷第 123—124 行。参考第五卷第 124 行注。

② 泰瑞西阿斯已告诉奥德修斯求婚人追求裴奈罗佩的情况(第 116—117 行)。

③ 第 182—183 行大致同第十三卷第 337—338 行。

④ 指莱耳忒斯。老人可以享受舒适、体面的生活(参考第二十四卷第 254—255 和 365—367 行),但他"选择"了另一种生存方式。诗人自然会欢迎一位悲苦老头的加盟,以浓添作品的悲怆气氛。参考第二卷第 23 行注。

当夏日来临,到了硕果累累的秋收季节,
他便席地为床,随处就寝,卧躺
堆垒的枯叶上,在他的葡萄园倾斜的坡地,
伤怀,剧烈的悲痛增聚在心里,
盼望你的归家,痛苦的老年对他逼挤。
我也一样,为这同样的原因死去,
并非带箭的夫人[①],瞄准射击,
用无痛的箭枝把置身厅堂的我毁灭,
亦非疾病缠身,最常见的杀手,
在痛苦的耗损中把命脉夺离人的肢体。
不,光荣的奥德修斯,是对你的思盼,
思念你的温善、聪灵,夺走了我甜美的生命。'

"她言罢,我在心里思忖,心想展臂
抱住死去的娘亲,她的魂灵。
一连三次我迎上前去抢抱,服从急催的内心,
但一连三次她飘离我的手臂,像一个影子
或是梦景,悲痛加剧,折磨我的心灵[②]。
我对她说话,用长了翅膀的语言说及:
'为何避我,母亲,当我试图抱你,
以便,即使在哀地斯的家居,我们的双臂亦能
紧抱,在凄楚的悲哭中舒慰一起?

① 指阿耳忒弥斯(参见第172行)。

② 比较《伊利亚特》第二十三卷第99—101行。参考并比较本书第二十四卷第1—18行及相关注释。

抑或，你只是个虚形[1]，高傲的裴耳塞丰奈
把它送来与我，增剧我的悲痛，加深愁戚？’

“我言罢，女王般的母亲答话，当即：
‘哦，我的孩子，比所有的凡人苦命[2]，
并非裴耳塞丰奈、宙斯的女儿蒙你，
事情原来就是这样，人死以后，没有外例。
其时，筋腱不再和肉体骨头连合一起，
当命息飘离白骨[3]，整个身子
交付柴火的凶莽暴烈，摧袭，
灵魂[4] 飘出，飞走，像一个梦影。
你必须赶快，尽快返回光明，记住
这里的一切，以便日后讲与妻子聆听。’

“就这样，我俩一番交谈；其时，一群妇女
来到我的身边，受高傲的裴耳塞丰奈送遣。

---

① eidolon。参考《伊利亚特》第二十三卷第 104 行。另参考本卷第 222 行。奥德修斯聪颖过人，多才多艺，可谓是凡人中最接近于全才的一位。然而诗人却假设他不知身后之事，不知人死后的“生存”现实。这是一门特殊的“学问”，即便对聪明和博学如奥德修斯者，也存在从头学起的问题。安提克蕾娅于是娓娓道来，对儿子讲授起心魂学的入门（第 216—222 行）。这听起来似乎有点让人难以置信，但荷马确实是这样立意的，并且还毫不犹豫地让奥德修斯当了一回门外汉，做了一次小学生。

② 比较塞提斯对阿基琉斯命运的悲叹（《伊利亚特》第一卷第 417—418 行）。

③ “命息”原文作 thumos。人死后，命息从口中呼出（参考《伊利亚特》第四卷第 524 行、第十三卷第 654 行和第十五卷第 251 行），标志着人体活力的彻底失损。离开躯体的命息本身也不再“存活”，不能像 psuche（“灵魂”，本卷第 222 行）那样，继续以 eidolon 的形式存在于冥府之中。参考并比较第 26 行注。关于 thumos，另见第十二卷第 414 行注。

④ psuche，参考并比较第 220 行注。厄尔裴诺耳的灵魂（psuche）离开躯体的时间显然比这里描述的早些，几乎与死亡同步进行（参考第十卷第 560 行）。

她们都是王者的妻子女儿，从前，
当时拥聚，拥围在黑血旁边。
我思考着如何发问，一个接着一个问来，
考虑过后，觉得此举最为妥帖：
我从壮实的大腿边抽出长锋的利剑，
不让她们同时喝饮浓黑的血液，
使其只好等着，依次向前，挨个
讲述自己的身世，我把所有的她们问遍。

"我眼见出身高贵的图罗，首先，
告诉我她乃雍贵的萨尔摩纽斯的女孩，
又说她是埃俄洛斯之子克瑞修斯的妻子，
与一条河流相爱，神圣的厄尼裴乌斯，
奔涌大地的长河中他是最美的俊男[①]，
图罗常去那里，在厄尼裴乌斯清丽的水边。
幻取他的形貌，环绕和震撼大地的神明
和她在卷打漩涡的河口卧躺欢爱，
紫蓝色的水浪峰起，像一座山峦
卷曲，罩掩神明和一位凡间的女孩，
前者解开她少女的腰带，使其沉入睡眠。
当神明完成他的举动做爱，
于是握住女子的手，对她称呼开言：
'你该高兴，夫人，为这次欢爱。你将

① 厄尼裴乌斯是裴尼俄斯河的支流，在希腊北部的塞萨利亚。在荷马史诗里，此河同斯卡曼德罗斯等一样，既是河流，又是河神，集自然和神力（亦即神圣性）为一体。图罗是奈琉斯的母亲（第 254 行），奈斯托耳的祖母。奥德修斯即将会见奈琉斯的妻子克洛里斯（详阅第 281—287 行）。关于奈琉斯（亦即图罗）家族的故事，另参考第 253—259 行和第十五卷第 225—255 行。

生养光荣的孩子，待等一年，须知长生者的爱抚
不会空白。你要关心照料，把他们养大成材。
回家吧，现在，别说，不要把我的名字传开，
告诉你，我乃波塞冬，裂地的神仙。'

"言罢，神明潜入波涛汹涌的大海，
而她则孕怀和生养了裴利阿斯和奈琉斯，
二子双双长大，成为豪伟宙斯的侍从，
强健。裴利阿斯居家宽广的伊俄尔科斯[①]，富有羊群
成片，而另一位则在普洛斯为王，多沙的地面。
女人中的王贵还替克瑞修斯生养别的男孩[②]：
埃宋、菲瑞斯和阿慕萨昂，嗜喜车战。

"继她之后，我又见到安提娥培，
阿索波斯[③]的女孩，声称亦在宙斯的怀里睡躺，
生下安菲昂和泽索斯，一双儿男，

① 伊俄尔科斯位于塞萨利亚，为埃宋(见第259行)之子伊阿宋聚会众位豪杰，出海寻觅金羊毛之地，是一座"构筑坚固"的城堡(《伊利亚特》第二卷第712行)，据传由克瑞修斯(见本卷第237行)创建。

② 参考第237行。克瑞修斯乃埃俄洛斯和厄娜瑞忒之子，伊俄尔科斯城的创建者。

③ 河流，在波伊俄提亚。参考第239行注。另参考斯特拉堡《地理》第九卷2.24。

他俩首筑七门的忒拜[①],创建,
修造围墙——须知若无此物,他们无法
在宽广的忒拜生存,尽管十分强健。

“继她之后,我又见到安菲特鲁昂的妻子
阿尔克墨奈,曾在豪伟的宙斯怀里卧躺,欢爱,
生养赫拉克勒斯,骠健勇敢,心灵有如狮子一般[②]。
我还见到墨佳拉,心志高昂的克瑞翁的女孩,
嫁给安菲特鲁昂的儿子[③],勇莽,不知疲倦。

“还有美丽的厄丕卡斯忒,俄狄浦斯的母亲[④],
我接着看见,她心里不知,做下可怕的事情荒诞,
嫁给亲生的儿子,后者弑父,然后

---

① 波伊俄提亚古代名城,在慕凯奈时代即已广为知晓。安提娥培因为宙斯生养了一对创建该城的儿郎而成为古代名女。另参考阿波罗道罗斯《文库》(*Bibliotheca*)第三卷 42—44。卡德摩斯和俄狄浦斯均曾在忒拜建功立业(参考本卷第 271—280 行)。不知荷马是否知晓忒拜城乃阿格诺耳之子卡德摩斯创建的传闻——此说在后世远为流行。由卡德摩斯的名字派生,该地族民得名“卡德墨亚人”(第 276 行)。尽管仅凭一己之力凡人很难成就筑城的伟业,但古代诗人却常爱把建城的功名记在个人名下。参考第十七卷第 207 行及该行注。比较苏美尔英雄吉尔伽美什建造乌鲁克城的故事。

② 关于宙斯欢爱阿尔克墨奈并使其生子赫拉克勒斯一事,另见《伊利亚特》第十四卷第 323—324 行(参阅该史诗第十九卷第 95 行以下)。

③ 即力士赫拉克勒斯。安菲特鲁昂是赫拉克勒斯名义上的(即凡人)父亲。墨佳拉是赫拉克勒斯的第一位妻子。

④ 俄狄浦斯(莱俄斯之子)弑父娶母的故事在荷马生活的年代已广为人知。厄丕卡斯忒即我们所更为熟悉的伊娥卡斯忒(或 Jocasta),(和俄狄浦斯)生子波鲁尼刻斯(《伊利亚特》第四卷第 377 行)和厄忒俄克勒斯(同上第 386 行)。神话不是《圣经》,没有“统一”的文本。一套神话往往有多种说法,有一个以上的“变体”,在细节上亦颇多差异。参考本书第七卷第 59 行注等处。参阅索福克勒斯的《俄狄浦斯王》和欧里庇得斯的《腓尼基妇女》等剧作里的相关行段。

娶母，但神祇很快公诸凡人，此事真相大白。
然而，尽管悲哀，此人仍在美丽的忒拜，
王统卡德墨亚人①，一切遵照神祇包孕痛苦的安排，
而她则走向地府强健的门卫，坠入哀地斯的府宅——
上吊，从高耸的屋顶垂下一个活结，
受不了无休止的伤悲，把众多的哀痛留给
活着的那位，母亲的复仇女神们使之实现②。

“我还见到绝色的克洛里斯，奈琉斯的妻爱，
视其貌美，给出难以数计的聘礼家财。
她是亚索斯之子安菲昂③ 最小的女儿，
其父曾以强力王统米努埃人的俄耳科墨诺斯④ 地面。

---

① 真相大白后，俄狄浦斯仍在美丽的忒拜城国称王，并没有捅瞎自己的眼睛（如索福克勒斯在《俄狄浦斯王》里所描述的那样）。荷马没有提及斯芬克斯的谜语（正如他亦没有提及许多出现在后世悲剧里的其他细节一样），但这并不表明他一定不知道此事。不过，悲剧作家“有权”采用关于俄狄浦斯（或别的王公贵族）的其他传闻，亦可自己创编某些细节甚至改动既有故事的主干情节（参阅《诗学》里的相关章节），从而—— 用后人的眼光来看——不仅成功写出了脍炙人口的传世佳作，而且也无意中继续了荷马和前辈诗人的努力，参与了创编神话（或故事）的最新版本的工作，成为弘扬和发展民族文化的传人。关于卡德墨亚人，参考本卷第 263 行注和《伊利亚特》第四卷第 385 行以下。

② 我们不知道（换言之，荷马没有说）厄丕卡斯忒是否对复仇女神（即厄里努斯姐妹）发出过要求惩罚俄狄浦斯的祈求（亦即对俄狄浦斯的诅咒），但“相信”复仇女神会主动监视人间破毁伦理纲常的恶行，替受伤害的一方和死去的亲人打抱不平（参考第 73 行注）。注意“一切遵照神祇包孕痛苦的安排”（第 276 行）中的用词，此语读来颇显意味深长。参阅埃斯库罗斯的《七勇攻忒拜》里俄狄浦斯之子厄忒俄克勒斯和波鲁尼刻斯的兄弟阋墙，互相残杀。

③ 俄耳科墨诺斯国王，奈斯托耳的外祖父。比较另一位安菲昂——安提娥培之子，泽索斯的兄弟，忒拜的创建者（第 260—263 行）。

④ 位于波伊俄提亚北部，米努埃人的主要城市，忒拜的近邻，在迈锡尼时代即已初具规模。参考《伊利亚特》第二卷第 605 行和包桑尼阿斯《描述希腊》第八卷 13。

所以，她乃普洛斯的王后，给丈夫生养光荣的儿男，
奈斯托耳、克罗米俄斯和高傲的裴里克鲁墨诺斯接连。
她还生养了高雅的裴罗，美得让人惊赞，
周边所有的男子追她，但奈琉斯不愿嫁出
女孩，除非有人能把那群额面开阔、长角弯卷的壮牛，
强健的伊菲克勒斯的所有，从夫拉凯[1] 赶开。
此事艰难，只有豪勇的先知墨朗普斯[2] 敢于
承担，无奈神定的命运悲惨，将其裹缠，
戴着沉重的镣铐，被粗野的牧牛人虐待。
不过，当天日和月份终止尽殆，
新的一年转随季节临来，
强健的伊菲克勒斯放他，告诉他所有
知晓的预言；宙斯的意志于是得以实现[3]。

“我还见到莱达，曾是屯达柔斯的妻爱，
给丈夫生养两个儿子，心志刚健，
驯马的卡斯托耳和拳手波鲁丢开斯强悍[4]。

---

① 塞萨利亚城市。荷马曾并提“夫拉凯和鲜花盛开的普拉索斯”（《伊利亚特》第二卷第695行，另见该史诗之第十三卷第696行和第十五卷第335行）。

② 图罗和克瑞修斯（第237行）的孙子。关于墨朗普斯，另参考第十五卷第225行以下。然而，即便结合这两处的描述理解，我们仍然难以清晰梳理故事的来龙去脉。有理由相信，诗人在此（和第十五卷里）提及的很可能只是一个当时的人们所熟悉的完整故事的部分。

③ 比较《伊利亚特》第一卷第5行。在荷马看来，从某种意义上来说，人间的争斗图解宙斯的意志，是一种按既定方式展开的实现神意的安排。参考并比较本节第五卷第436行注、第七卷第197行注、《伊利亚特》第八卷第143行、第十六卷第849行注和第二十四卷第528行注等处。

④ 莱达和宙斯生养一女，即海伦（参考《伊利亚特》第三卷第199行和本书第四卷第184行）。莱达（和屯达柔斯）的另一个女儿是阿伽门农之妻克鲁泰奈斯特拉（《奥德赛》第二十四卷第199行）。

滋养生命的[1] 泥土已将他俩葬埋，
但他们仍然活着，即使在地表下面，接受宙斯
赐送的荣誉[2]，隔天生死，轮番
存活，享领的光荣有如神祇一般。

“继她之后，我又见到伊菲墨得娅，阿洛欧斯
的妻房，但她告诉我，说是曾与波塞冬欢爱睡躺，
为他生养了两个儿郎，但他们却未能存活久长，
神样的俄托斯和声名远扬的厄菲阿尔忒斯[3]，
盛产谷物的大地哺育的最高的儿男，
俊美、远为漂亮，除了著名的俄里昂[4]。
当他们年方九岁，身子已有九个肘尺[5] 的
宽长，人高九寻[6]，甚至对奥林波斯山上的
长生者们威胁讲话，扬言他们将

① 或“催生的”(见《伊利亚特》第三卷第243行)。

② time(参考并比较《伊利亚特》第一卷第505、510行)。能够“隔天生死，轮番存活”，确实难得(假如这是真的)。“不死”(即“永生”)是“幸福的”神祇的特权(参考本卷第304行)，是神不同于人的最本质的“特点”。墨奈劳斯能够超凡，日后将被送往厄鲁西亚平原(第四卷第563行)，享受不死的待遇，因为他是“宙斯的婿男”(同上第569行)。在这里，莱达也是宙斯的“妻子”，所以尽管卡斯托耳和波鲁丢开斯人出屯达柔斯的精血，宙斯是否会因为念及他对莱托的“恋情”(或出于作为“第三者”的不好意思)，才给“情人”的这双男儿以特殊的关怀(即致送使其不死的time)？当然，此乃神话现象，对此我们不可太过认真。参考品达《奈弥亚颂》颂十第55行以下。

③ 二位的力气确实大得惊人，居然曾把战神阿瑞斯“捆绑起来”，使他在大锅里“憋了十三个整月”(《伊利亚特》第五卷第385—387行)。

④ 黎明女神钟爱的猎手(详见第五卷第121—124行和本卷第572—574行)；星座(第五卷第274行)。稍后，奥德修斯将“眼见硕大的俄里昂”(本卷第572行)。

⑤ 一个pechus的长度从人的中指指尖算起，至肘部止，约为18英寸，长于第25行里的pugon(译作“肘掌”)。

⑥ 参考第九卷第325行注。比较提图俄斯的“长”(即高)度(本卷第577行)。在短短的两行诗里，诗人用了三个“九”字。参考第三卷第8行注。

苦战一番，催发战争的轰莽，
计划将俄萨堆上奥林波斯，再将枝叶婆娑的
裴利昂架临俄萨，由此攀登天上[1]。
他俩定会实践此事，假如成熟长大，
但阿波罗，宙斯和秀发的莱托之子，
击杀他俩，趁着双鬓下尚未长出
毛发，胡须尚未将颌颊掩藏。

“我还见到斐德拉[2]、普罗克里斯[3] 和阿里阿德奈[4]，
歹毒的米诺斯秀美的姑娘，塞修斯曾
把她带出克里特，前往神圣雅典的山岗，
但他却不及欢爱，只因阿耳忒弥斯动手，
基于狄俄尼索斯的见证，在海浪冲涌的迪亚杀她。

“我还见到迈拉[5]、克鲁墨奈[6] 和可恨的厄里芙勒[7]，
接受贵重的黄金，将亲爱丈夫的性命弃舍。

---

① 作为凡人，却胆敢挑战神祇，精神可嘉。比较波鲁菲摩斯对宙斯等奥林波斯众神的藐视(参阅第九卷第 275—277 行)。

② 克里特国王米诺斯的女儿，雅典英雄塞修斯(《伊利亚特》第一卷第 265 行)的妻子，希波鲁托斯的继母。不知诗人是否知晓斐德拉受激情驱怂，爱上希波鲁托斯的“诽闻”。

③ 雅典国王厄瑞克修斯(《伊利亚特》第二卷第 547 行)的女儿，阿提卡英雄开法洛斯的妻子。

④ 米诺斯的另一个女儿，据传曾帮助塞修斯出离克里特，但在迪亚岛遭塞修斯抛弃。一说此女日后做了酒神狄俄尼索斯的新娘(或情人)。

⑤ 普罗伊托斯之女，据传为阿耳忒弥斯的随从，因不贞被女神所杀。

⑥ 夫拉科斯的妻子，伊菲克勒斯(第 290 行)的母亲。

⑦ 安菲阿劳斯的妻子。接受俄狄浦斯之子波鲁内开斯的贿赂，泄露丈夫的藏身之处(作为卜者，安菲阿劳斯自知此行必死无疑，故而试图躲避)，使后者不得不随众勇士(连他一共七位)进攻忒拜，在该地接受了既定的死亡。参考第十五卷第244—247行。

但我不能对你们细述全部，点名，一个一个，
我所见到的女人，英雄们的妻子和女儿——
在此之前，神圣的夜晚将会消逝。眼下，
我要睡觉，可以和伙伴们一起，入睡速捷的船舸，
亦可就寝这里，回航之事由神和你们负责[1]。”

他言罢，众人悚然无言，全场静默，
惊诧于他的故事，在整个幽暗的厅中[2]。
白臂膀的阿瑞忒首先发话，说道：
“你们看此人如何，各位法伊阿基亚乡胞，
他的身材、相貌，连同平衡、稳笃的思考？
他是我的客人，不错，但你等各位也应为他增添荣耀。
不要急于送他事了，也不宜吝啬送他的礼品，
他有这样的需要。你们都有丰足的
财物，感谢神的恩典，家居里堆藏佳宝。”

其时，老英雄厄开纽斯对他们说道，
法伊阿基亚人中的长者，年事最高[3]：
“朋友们，我们谨慎的王后没有偏离说错，
亦没有违背我们的心衷。做去吧，按她的嘱告[4]。

---

① 阿尔基努斯已答应拨船送他回家(见第七卷第317—320行)。诗人又把听众带回到阿尔基努斯的厅堂，把他们从神话或故事中的现实，带回到至少是可以接受经验检验的生活中的现实。

② 第333—334行同第十三卷第1—2行。第333行同《伊利亚特》第三卷第95行和本书第八卷第234行等处。

③ 第342—343行大致同第七卷第155—156行。

④ 阿瑞忒在法伊阿基亚人中享有崇高的声望，连阿尔基努斯也叮嘱各位权贵要“按照她的吩咐去做”(第348行)。关于女性对奥德修斯的帮助，参考第六卷第311行注。

现在，要看阿尔基努斯用话语和行动关照[①]。”

其时，阿尔基努斯对他答话，说道：
“按照她的吩咐去做，只要我还活着，
王统欢爱船桨的法伊阿基亚乡胞。
不过，尽管归家心切，让我们的客人
再耐心等到明天，待我征齐所有的
礼犒。送客上路是我们大家的责任，
首先是我，我是这片地界的权威定导[②]。”

其时，足智多谋的奥德修斯对他答话，说道：
“哦，高贵的阿尔基努斯，人中的杰豪，
倘若你劝我留在此地，甚至待上一个年头，
只要答应送我回家，给我光荣的礼犒，
如此仍将是我的选挑。此举远为佳好，
回返亲爱的故乡，手握更多的东西回到。
所有的胞民会因之更加尊重，更加
爱我，见我回抵伊萨卡落脚[③]。”

其时，阿尔基努斯对他答话，说道：

---

① 语言(epos)和行动(ergon)是古希腊人组织社会活动的两个“方面”，也是他们评估人们的行为及其意义的两个范畴。参考第四卷第163行注等处。法伊阿基亚人的权贵们已经给奥德修斯送过表示客谊的财礼(第八卷第417行以下)。参见阿尔基努斯在第八卷里的“关照”(第387—395行)。

② 比较忒勒马科斯的自我标榜(第一卷第359行)。

③ 通过客谊(xenie)收礼是史诗人物在海外(或外地)敛财的一条重要途径(参考第四卷第81—91行；比较掠劫，见第九卷第42行注)。财富象征荣誉，显示人的地位。在一个崇尚英雄的社会里，财富是衡量一个人的价值和评估他的成就的重要参照。在荷马看来，一位英雄应该理所当然地也是一个富人。

“当看视你的模样，奥德修斯，我们不认为
你是个骗子或油嘴滑舌的家伙，乌黑的大地
生养他们，大量，到处浪迹窜跑，
编造谎话，讲说谁也无法见证的传谣。
你用词典雅，想法通情达理，本领
高超，似一位歌手①，你讲说凄惋的故事②，
你本人和所有阿耳吉维人的苦熬③。
说吧，告诉我此事，要准确地说告，
你可曾见着神样的伙伴，随你前往
伊利昂，遇会命运的访召。
长夜漫漫，无有尽消，眼下还不是时候，
在宫里睡觉。继续吧，讲述你奇异的苦劳。

① 把英雄比作歌手，在那个时代不仅不显跌份，而且是一种赞褒。比较：“恰似有人凝视歌手。”（第十七卷第518行）尽管歌手或许上不了战场［但阿基琉斯曾自弹自唱（当然，他不是职业歌手）；奥耳甫斯亦曾随阿耳戈船远征］，但荷马却并不感到称歌手德摩道科斯为英雄（heros）有什么不当（参考第八卷第483行）。参考并比较第一卷第325行注和第八卷第44、45行注等处。

② muthon（muthos或mythos的单数宾格形式），在此可作“往事”解（参考第369行）。奥德修斯是一位叙事的高手。比较欧迈俄斯的评价：“他的故事动听，会勾迷你的心窍。”（详见第十七卷第514—521行）关于奥德修斯的演说技巧，另参考第六卷第185行注和《伊利亚特》第三卷第216—224行及相关注释。故事的内容“凄惋”，但人们爱听（本书第十七卷第520行），因为听时和听后可以欣享愉悦（参考第八卷第45行和第十七卷第519行）。荷马知道艺术美的魅力，知晓悲与喜的转换关系。参考黑格尔在《美学》中对悲剧美的论述。尼采似乎过多地强调了悲剧美感“形而上”的一面，但同时也颇有见地地指出：“艺术是可喜的希望。”（参阅《悲剧的诞生》中的有关论述）

③ 奥德修斯以当事人的身份讲述，其“真实性”和权威性似乎不容怀疑。比较奥德修斯对德摩道科斯的赞扬（第八卷第487—492行）。如果说德摩道科斯只是仿佛曾经身临其境，“或亲耳听过当事人的说讲”，奥德修斯则是名副其实的当事人，以亲自参与者的口吻，权威地讲述了他本人和其他“阿开亚人的苦难”。细读第八卷第490行注。诗人似乎在此区分了当事人的说讲和浪人的或许旨在骗取招待的“谎话”（细品本卷第363—366行；参考第十四卷第122—130行）。

我会坚持听赏，听到清亮的拂晓，
只要你愿意讲述受过的苦难，在宫中说告。”

其时，足智多谋的奥德修斯对他答话，说道：
“哦，高贵的阿尔基努斯，人中的杰豪[①]，
二者各有时宜，讲述大段的故事和睡觉。
但是，倘若你坚持要听，我将不会吝啬说告，
讲述那些事情，比说过的更加凄恼，
伙伴们的悲苦，他们以后死掉，
躲过了特洛伊人的搏斗嚎叫，
被一个坏毒女人的意向害杀，在回返后惨遭。

“当圣洁的裴耳塞丰奈驱散女人们
的魂魄[②]，赶往各个方向去处，
阿伽门农的灵魂飘来，阿特柔斯的儿子
悲苦，连同其他人的灵魂，和他一块儿死去，
在埃吉索斯的房居遇会命运，将他围住[③]。
他当即认出我来，喝过浓黑的牲血，
尖叫嚎哭，泪水滚动涌注，
扑向我的怀里，试图将我抱住，
但力量和勇力不再，已不像当年那样，
在他柔润的肢腿里留驻。

① 第 377—378 行同第 354—355 行和第九卷第 1—2 行。

② 奥德修斯继续讲述他的见闻。关于魂魄（即心魂，psuche），参考第 26 和 220 行注。

③ 第 387—389 行同第二十四卷第 20—22 行。诗人在《奥德赛》的开篇部分即已提到阿伽门农从特洛伊战场归返后的遭遇（第一卷第 35—41 行）。另参阅第三卷第 265—272 行等处。

见他后我心生怜悯，泪水涌出，
对他说话，送去长了翅膀的话语谈吐：
‘阿特柔斯最尊贵的儿子，民众的王者阿伽门农[①]，
是何样悲苦的死亡之运把你压服？
是波塞冬吹扫你的海船，卷来摧捣
和无情的狂风，激荡，将你去诛？
抑或，是在干实的陆地，人间的械斗把你杀屠[②]，
当你试图从栅栏里赶走牛群和卷毛的绵羊，
或和敌人打斗，为了掠夺他们的城市女流？’

“我言罢，他当即对我答话，说诉：
‘莱耳忒斯之子，宙斯的后裔奥德修斯善断多谋，
不是波塞冬吹扫我的海船，卷来摧捣
和无情的狂风，激荡，将我去除，
亦非在干实的陆地，人间的械斗把我杀屠——
不，是埃吉索斯谋设我的死亡毁灭[③]，
邀我前往他的房府，赐宴，杀我，由我那该死的
妻子帮助，像有人在槽前砍宰牛的头颅。
就这样，我的死法最为悲楚，伙伴们亦被
相继杀死，躺倒我的周围，像白牙闪亮的肉猪，

① 阿伽门农的程式化称谓(另见《伊利亚特》第二卷第 434 行和《奥德赛》第二十四卷第 121 行等处)。使用冗长的全称，既为填补音步的需要，也示对尊者的敬重。参考第十卷第 456 行注。

② 在古代，人的活动(包括战争)范围只限于陆地和海上。奥德修斯知晓阿伽门农享有当今天底下最伟烈的名声(第九卷第 264 行)，却似乎未闻阿伽门农回归后惨遭谋杀的消息。

③ 第 409—426 行(由阿伽门农亲口讲述)描述了阿伽门农(及其床伴)和伙伴们回返后惨遭杀戮的经过。可结合第四卷里墨奈劳斯的转述(第 521—537 行)理解这次惊心动魄的凶杀。

在一个有权有势的富人家里，为了
一次婚礼、庆典，或公众的聚餐遭屠。
你曾亲临杀人众多的战场，
一个对一，或在激战中较量，
但若见过那番场景，你的心里会生发最大的悲伤：
我们摊手躺倒，在兑缸和满堆的食桌边旁，
尸横整座房宫，地上遍流血浆。
我耳闻卡桑德拉[①] 的惨叫，最凄厉的声响，
普里阿摩斯的女儿，被奸诈的克鲁泰奈斯特拉
宰杀，倒在我的身上。我挥动双手，击打
地表[②]，死了，死于剑插，但那不要脸的女人
转过身去，狠心，不愿动一动手指，把我的
眼睛和嘴唇合上，尽管我正去往哀地斯的宫房[③]。
所以，世上女人最狠，最毒，
会把此类恶行在心里谋藏，
一如她的所为，预谋不光彩的举动，
规划婚合丈夫的死亡。你瞧，我以为
归家后会受到孩子和仆人们的欢迎，
本想，而她却心怀奇毒的邪恶，

---

① “王家最美的女姣”，通卜术，曾与俄斯罗纽斯订亲，但未成鸾俦（详见《伊利亚特》第十三卷第 361—373 行；另见该史诗第二十四卷第 699 行）。

② “击打地表”以示对地下的神灵（包括或可以是哀地斯和裴耳塞丰奈）祈告，盼望神明替死者“张目”，对加害者实施报复。参考《伊利亚特》第九卷第 567—569 行。

③ 阿伽门农对克鲁泰奈斯特拉的愤恨甚至甚于对埃吉索斯（另见第 427—434 行和第二十四卷第 199—202 行）。克鲁泰奈斯特拉亲手杀死卡桑德拉，不可谓不狠，此外亦不愿出于对死人（且不论此君是她的丈夫）的怜悯，做一点最后的符合礼仪的“善举”，合拢死者的眼睛和嘴巴，确实不可谓不毒。但阿伽门农曾用自己的女儿血祭，由此深深地刺伤了克鲁泰奈斯特拉作为被祭者生身母亲的心灵。不知荷马的听众们是否知道事件的诸如此类的前因？

将耻辱往自己和所有女性身上泼洒，
对后世的女流，即便她行为贤良。’

“他言罢，我对他说话，答讲：
‘唉，不佳！沉雷远播的宙斯从一开始
就憎恨阿特柔斯的家传，泄愤，借助
女人的谋划①。我们中许多人死去，为了海伦，
而克鲁泰奈斯特拉对你阴谋陷害，当你置身远方。’

“我言罢，他当即对我答话，说诉：
‘所以，你不要温存，即使是对妻从②，
不要告诉她所有的一切，你心知的事由，
讲出一半，将另一部留住。
不过你，奥德修斯，你绝不会被妻子杀诛，
伊卡里俄斯的女儿、谨慎的裴奈罗佩
为人贤和，心智敏慧灵聪。
唉，她还是位年轻的妻子，当我们
离家战斗，怀抱一个婴儿，将孩子抱在前胸，

① 参考《伊利亚特》第一卷第5行。阿开亚人兵临特洛伊城下，苦战十年，为了夺回海伦；而阿伽门农最后亦死于克鲁泰奈斯特拉的“阴谋陷害”，命归黄泉。参考本卷第297行及该行注。宙斯的意图中显然还应包括奥瑞斯忒斯弑母的一幕（参考宙斯的“预言”，第一卷第40—41行）。另见第三卷第306—310行。比较莱俄斯（俄狄浦斯的父亲）家族“传代”的杀戮。此类豪门大族里的杀亲行为包孕深刻的思想内涵，为后世的悲剧诗人提供了取之不尽的可“开发”资源（参阅亚里士多德《诗学》第十三章）。

② 诸如此类的话语带有格言的性质（另参见第427和第456行等处）。女人可以极大地帮助男人，使其走向成功（参考第六卷第311行注），也可以挫阻男人的事业，毁掉他们。这或许便是荷马的女人观。女人肯定有她们的弱点，但男人亦远非完善——人性中带有从本质上来说或许很难依靠自身的力量最终予以彻底克服的脆弱的一面。从阿伽门农对女人的明显带有偏见的言论中，我们可以体察到古希腊社会尊崇父权、男权和相对压制妇女及其权益的传统。参考第五卷第118行注。

此儿一定已经长大，如今坐在成人的排位之中。
幸福的孩子，他的父亲将回到家中，
他会展臂抱住阿爸，此乃合宜的举动。
我的妻子却不会给我眼福，看一眼自己
亲生的儿种① ——在此之前，她已杀我结终。
我还有一事奉告，你要记在心中。
当驱船回返亲爱的故乡，你要悄悄
行事，不要大张旗鼓。女人信靠不住。
来吧，告诉我此事，要准确地答诉。
告诉我，你可曾听说我儿仍然活着，
或在俄耳科墨诺斯②，或在多沙的普洛斯，
亦可能在宽广的斯巴达，和墨奈劳斯同往，
因为高贵的奥瑞斯忒斯还活在人间，不曾作古。'

“他言罢，我对他答话，说诉：
'阿特柔斯之子，为何就此问我？我不知
他是死了，还是活着——讲说空话可恶③。'

“就这样，我俩站着，互致悲伤的言词④，
凄楚，挥洒大滴的泪珠。其后，
裴琉斯之子临来，阿基琉斯的魂魄，
连同帕特罗克洛斯和雍贵的安提洛科斯的一道，
还有埃阿斯的灵魂，达奈人中仅次于

① 指奥瑞斯忒斯。参见第一卷第 40—41 行和第三卷第 307—310 行等处。
② 参考第 284 行注。比较阿基琉斯对儿子的关心(第 492—493 行)。
③ 第 464 行同第四卷第 837 行。
④ 第 465 行同第 81 行。参看第 225 行。

斐琉斯豪贵的儿子,若论身材相貌[1]。
埃阿科斯的后代、捷足的阿基琉斯的灵魂知我,
哭嚎,用长了翅膀的话语对我说道:
‘莱耳忒斯之子,宙斯的后裔奥德修斯善断多谋,
粗莽的人啊,你的心灵还能想出什么,比这烈豪?
你怎敢坠临哀地斯的府邸,无知觉的
死人在此居住,只是活人死后的影飘[2]?’

“他言罢,我对他答话,说道:
‘斐琉斯之子阿基琉斯,阿开亚人中你远为强豪[3],
我来临此地,出于探询泰瑞西阿斯的需要,或许
他会告诉我归返的办法,回返伊萨卡的岩礁。
我还不曾临近阿开亚地方,尚未在
故乡落脚,总在经受苦熬。此前无人
比你幸福,阿基琉斯,今后也不会有人赶超。
先前,当你活着,我们阿耳吉维人
敬你像对神明;眼下,在此你有偌大的权威,
在死人中称豪。即便死了,阿基琉斯,不要悲恼。’

“我言罢,他当即对我答话,说道:
‘哦,光荣的奥德修斯,不要抚慰我的亡悼。
我宁愿做个帮工,在别人的田地上耕作,

① 第467—470行同第二十四卷第15—18行。帕特罗克洛斯和奈斯托耳之子安提洛科斯生前均为阿基琉斯的好友。“达奈人”即阿开亚人(或阿耳吉维人,参见第八卷第578行;参考第一卷第61、272和344行及相关注释)。关于埃阿斯,参考本卷第543行注。

② eidola,“虚影”。参考第26行注等处。

③ 第478行同《伊利亚特》第十六卷第21行和第十九卷第216行。

自个无有份地，只有些许家产凭靠，
也不愿充当王者，对所有的死人施令发号①。
来吧，现在，说说我那高傲的儿子，
是否奔赴疆场战斗，已经成为统兵的楚翘，
告诉我有关雍贵的裴琉斯，倘若你曾听晓，
是否仍在慕耳弥冬人中享领荣耀②，
是否有人施辱，对他，在赫拉斯和弗西亚③，
因为老年已僵服他的双手腿脚。
我已不在那边，不领阳光射照，不能帮他，
已无有从前的力豪，在辽阔的特洛伊，
我为阿耳吉维人战斗，杀死他们中最好的杰佼。
但愿我能以往日的强健，哪怕只有片刻时光，归返父居，
用我的强健震慑他们，以不可战胜的双手：
对谁个抢夺他的荣誉，滥施强暴。'

"他言罢，我对他答话，说道：
'关于雍贵的裴琉斯，我无有讯告，

① 所谓"好死不如赖活"。史诗人物通常不过分惧怕死亡。为了个人和家族的荣誉(time，对此阿基琉斯的感觉尤甚，参考《伊利亚特》第十六卷第 84 行以及该史诗之第一、九卷里的相关诗行)，他们会摈弃苟活，毅然选择(战)死的豪壮，以此争获不朽的名声(kleos)，让后人传颂他们生前的辉煌。但是，死亡毕竟不是什么好事，黑魆魆的地府肯定不是任何人向往的地方(比较本书第十卷第 496—498 行)。只要听听那几条河流的名称，便足以使人毛骨悚然(参考第十卷第 514 行注)。因为死亡，命息(thumos)飘离躯体，人的存在失去了使其成为活人的实质[注意，荷马不像后世的基督教神父们那样，认为心魂(或心灵、灵魂)是人的本质]，成了无所依附和飘忽不定的虚影(eidola)。阿基琉斯的答话，既是对奥德修斯的宽慰之词的回复，也是那个时代(或许还应包括荷马生活的时代)的人们有关生死观的经验之谈。

② 关于"荣耀"(time)，参考第 303 和 491 行注以及《伊利亚特》里的相关诗行及注释。另见第 503 行。比较第 175 行。

③ 关于赫拉斯和弗西亚，参见《伊利亚特》第二卷第 683 行。参考该行注释。

但至于你的爱子尼俄普托勒摩斯[①],我却
有话说道,既然你问我,索要全部真实的信报。
是我本人,乘坐深旷、匀称的海船,将他
从斯库罗斯带到,介入胫甲坚固的阿开亚人,进剿。
每当我们在特洛伊城下聚会谈讨,
他总是第一个发言,用词不出差错,
讲话中只有神样的奈斯托耳和我赶超[②]。
当我们阿开亚人在特洛伊平原战斗,
他从不缩躲,和大队人马或大群的兵勇混杂,
而是远远冲在前面,狂烈,比谁都勇骁[③],
在惨烈的战斗中把众多敌人放倒。
我不能对你细述全部,呼名,一个个计点
被他杀死的人们,当他为阿耳吉维人攻捣,
但那里确有一位豪杰,忒勒福斯之子,被他用铜矛宰掉,

① 阿基琉斯生前尚不确知爱子尼俄普托勒摩斯是否存活,虽说“有人在斯库罗斯替我照看”(《伊利亚特》第十九卷第326—327行)。

② 确实不易。如果奥德修斯没有刻意夸张,尼俄普托勒摩斯的口才(亦即演说技巧或劝说的本领)已经超过了他的父亲[荷马从未用类似的语言赞扬过阿基琉斯;参考第二卷第276—277行;比较第三卷里奈斯托耳对忒勒马科斯口才的评价(第124—125行)]。会说话(换言之,会谋略)和会打仗是史诗社会对英雄们的既是起码,亦是最高层次上的要求。比较墨奈劳斯的讲演风格(《伊利亚特》第三卷第213—215行)。

③ 赫克托耳亦表现过同样的奋不顾身(《伊利亚特》第二十二卷第458—459行;参考同上第十二卷第462—466行)。两部史诗在用词遣句上的相似不胜枚举,比比皆是。尼俄普托勒摩斯文武双全,已经具备一位青年英雄的基本素质。比较阿基琉斯所受的教育(《伊利亚特》第九卷第442—443行)。参考并比较本书第二卷第272行注、第四卷第163行注、第八卷第148行注和本卷第346行注。

英雄欧鲁普洛斯[①],连同许多开忒亚
伙伴,为了一个女人的礼物,被杀在周围一道。
他是我所见过最美的男子,除了豪健的门农[②]。
此外,当我等最勇敢的阿耳吉维人进入
厄培俄斯制作的木马[③],一切归我辖统,
紧闭隐藏,或从坚固的蔽所冲出,
其他达奈人的首领和统治者们
都在擦抹眼泪,双腿在身下
索索抖动,但我却从未见他那
英俊的脸蛋变色,变得苍白[④],或从
脸上抹去泪珠。相反,他恳求我让他
跨出木马击冲,不停地触摸剑把和
铜尖沉重的枪矛,渴望伤损特洛伊兵众。
其后,当我们攻陷普里阿摩斯陡峭的城堡[⑤],
他登上船板,带着他的份子和足量的战礼

① 欧鲁普洛斯乃忒乌斯拉尼亚(位于慕西亚)国王忒勒福斯之子。阿基琉斯曾在战斗中击伤忒勒福斯(据《库普里亚》)。阿基琉斯死后,普里阿摩斯用一枝金铸的葡萄藤(由匠神赫法伊斯托斯制作)贿赂欧鲁普洛斯的娘亲阿斯图娥凯,使原本不愿让儿子出行的她答应送其赴战。

② 门农乃厄娥斯(即黎明)和提索诺斯(第五卷第1行)之子,埃塞俄比亚国王,杀死奈斯托耳之子安提洛科斯[参阅第三卷第106—112行(尽管未提及门农的名字)],被阿基琉斯所杀。关于门农的故事,《埃塞俄丕斯》里多有描述。从"理论"上讲,门农的俊美应该胜过阿基琉斯,后者只是阿开亚人中的第一美男(参考本卷第469—470行)。本卷提及的美男子还有"神样的"俄托斯和厄菲阿尔忒斯兄弟,"俊美","除了著名的俄里昂"(第308—310行)。诗人喜用"最"的概念(见第522、523以及412、418、421和427行等处),所指有虚有实,意在强调,亦为烘托气氛。史诗允许,也需要夸张。

③ 关于木马破城一事,另见第四卷第271—289行和第八卷第492—520行。

④ 反之,"贪生者的脸色会不断改变色调"(《伊利亚特》第十三卷第279行)。伏击最能验证勇气(详见同上第276—291行;另参阅本书第四卷第270—273行)。

⑤ 第533行同第三卷第130行。

获缴，安然无恙，不曾被飞掷的铜械击中，
或在近战中被人刺捣——战斗中此乃
常见之事——阿瑞斯疯狂，谁都不饶。'

"我言罢，埃阿科斯捷足的后代，他的
灵魂大步离去，穿过遍长阿斯弗德[①] 的泽草，
高兴，听过我的说讲，知晓他的儿子杰佼。

"这时，其他死者的灵魂站临我的身边，
悲怆，一个个对我说话，诉说自己的忧伤。
唯有忒拉蒙之子埃阿斯[②] 的灵魂伫立，
站离我的身旁，仍为那场争判愤怒，
是我成为赢家[③]，当时我们争吵，在船边争夺
阿基琉斯的械甲。他那女王般的母亲将其设作礼赏，
由特洛伊人的儿子们裁夺，还有帕拉斯·雅典娜[④]。
但愿我没把那次赛事赢下，
让一颗如此高贵的人头为了衣甲被大地收藏，

---

① 阿斯弗德(或阿斯弗德洛斯，asphodelos)为一种百合属植物，花朵呈淡蓝色，其"象征"含义与裴耳塞丰奈的祭仪相关，后世古希腊人习惯于将其种植于墓地周围(这一习俗沿用至今)。

② 即大埃阿斯，有别于洛克里斯的埃阿斯(关于后者，参考第三卷第 133—135 行、第四卷第 499—510 行和《伊利亚特》第二卷第 527—530 行等处)。

③ 阿基琉斯死后(被帕里斯射杀在斯凯亚门下)，沙场上照例会发生争抢尸体的战斗(参考第二十四卷第 36—42 行)。塞提斯把甲械赏给了在战争中出力最多的联军将领。

④ 有人(包括古代荷马史诗校勘家阿里斯塔耳科斯)认为，此行系由后人增补，故为伪作。

埃阿斯,他的俊美[①] 和战绩超比所有的
达奈人,仅次于裴琉斯雍贵的儿郎。
所以,我出言抚慰,对他说讲:
‘埃阿斯,雍贵的忒拉蒙的儿郎,难道你
甚至在死后亦不能泻愤,为了那套倒霉的
械甲?神明用它致难,使阿开亚人痛伤,
失去了你,一堵那样高伟的护墙。我们阿开亚人
哀悼你的死亡,像对裴琉斯之子阿基琉斯
之死那样不断经常。该受责备的不是别个,
而是宙斯的挑发[②],出于对达奈枪手的
极度痛恨,使你遭受灾亡[③]。
临近些,我的大王,以便听清我的叙述
说讲,消止你的愤怒,连同高豪的心想。’

---

① 诗人对人物的长相十分敏感,在此以赞褒的口吻同时提及了埃阿斯和阿基琉斯的俊美(另见第522—523行对门农的评价)。美貌和战绩一样,都是值得反复提及的“优点”(aretai)。

② 史诗人物经常对宙斯和其他神明发出抱怨(另参考第一卷第32—34行、第十二卷第371—373行、第二十三卷第222行、《伊利亚特》第三卷第164行和第十九卷第87—89行等处及相关注释)。具有并保留这种责备(或责怪、批评)的权利十分重要。他使人想到形而上的领域里可以和应该保留某种“不确定”性以及包括在一些重大的方面实施变动的可能。如果连神(包括神主宙斯)的正确性都可以诘问,那么世界上就不(或不会)存在不受怀疑、审视和挑战的东西。

③ 宙斯为何极度痛恨达奈枪手?诗人未作明确的解释。是因为阿开亚人(即达奈人)荡平了伊利昂?是因为他们杀了他的爱子萨耳裴冬?还是因为阿开亚将士在返航前做过什么亵渎神明的事情?参考第三卷第131—135行等处。应该看到,对于荷马的听众来说,我们所不知道的许多“事件”(遑论故事的细节),都是(或可能是)家喻户晓的常识。所以,我们不能轻易指责诗人,称他行文过于简练或在表述上含糊其词。指出这一点并非没有意义。至少,这会有助于我们以较为宽容的态度对待这位生活在大约两千八百年前的史诗诗人。

“我言罢，他不作回答[①]，随同其他
死者的灵魂离去，进入黑暗。
当时，尽管愤怒，他或许会对我开口，
而我亦会对他说讲，但我胸中的心灵
急于想见其他魂魄，属于那些人故亡。

“我见到米诺斯[②]，宙斯光荣的儿郎，
坐着，手握金杖，在死者中发布判决，
他们围聚在王者身边听候裁讲，有的
坐着，有的站着，在哀地斯门庭宽阔的宫房。

“继他之后，我眼见硕大的俄里昂[③]，
在遍长阿斯弗德的草野，拢赶被他
猎杀的野兽，在荒僻的山冈，
手握一根永不断毁的青铜棍棒。

“我见到提图俄斯，大地光荣的儿郎，

---

① 含蓄、深沉，胜似千言万语。诗人让脾气火暴的猛士埃阿斯此时默不作声，悄然离去，从而造成一个性格上的反差，迫使听众（和读者）揣估人物“沉默”的含义，充分驰骋想象。参考第八卷第462行注。

② 宙斯和欧罗巴（一说赫拉）之子，克里特先王，拉达门苏斯的兄弟（参考第七卷第323行及相关注释）。后世盛传的“米诺安文明”或“米诺安时代”，即以他的名字冠名。史学家修昔底德认为，米诺斯是一个历史（即非神话）人物（详阅《伯罗奔尼撒战争史》第一卷4）。这一观点得到了一批近当代史学家的赞同。在阴间，米诺斯也像俄里昂和赫拉克勒斯一样重操旧业（他的“工作”是王统民众，治理国家）；至于他之成为死者的判官一事（参考柏拉图《高尔吉亚篇》523E），则可能与后世作家依据古代诗人诸如此类的描述进行顺推和引申的做法有关。

③ 关于俄里昂的死亡，参考第五卷第121—124行。此君重操生前的旧业，以打猎消磨时光。参看本卷第310行注。

横躺平原,占地九个佩勒斯隆短长[1]。
两只兀鹫分站两端,啄食他的肝脏,
尖喙扎入腹肠,他的双手不能将其赶开身旁。
他曾强暴莱托,宙斯尊贵的妾房,
当她前往普索,途径帕诺裴乌斯[2] 佳美的舞场。

“我还见到坦塔洛斯[3],遭受剧烈的痛殃,
站在湖里,水头漫涌颌下,焦渴,
亟想喝饮,但却无有点滴碰沾。
每当老人躬身,试图饮灌,
湖水退潮泻去,露出他脚边
乌黑的泥巴,神灵涸泄了水塘。在他的
头顶,枝叶高耸的树上密结的果实垂下,
有梨树、石榴和苹果树,硕果闪亮,
还有甜美的无花果,辉映橄榄树的茂昌[4]。
然而,每当老人挺身,伸手摘采向上,

① 比较俄托斯和厄菲阿尔忒斯兄弟的高度(第 311—312 行)。pelethra,单数 pelethron,词源不明。一个 pelethron 的长度约为一百英尺(另见《伊利亚特》第二十一卷第 407 行;比较该史诗第二十三卷第 164 行)。关于诗人的夸张表述,还可参看该史诗第五卷第 859—861 行。提图俄斯的遭遇(见本卷第 578—579 行)和为凡人偷盗火种的普罗米修斯的相似。地府里亦有鹫鸟,可谓无奇不有。

② 福基亚城市,距普索不远。普索为阿波罗谕示地德尔菲的旧称。

③ 传说中弗鲁吉亚的一位国王,裴洛普斯的父亲(因此是阿伽门农的先祖)。荷马未提坦塔洛斯受苦的原因。参考第 560 行注。从我们所掌握的对古希腊神话的“常规”知识判断,他的过错似乎也应和提图俄斯、西绪福斯和伊克西翁(此君曾试图强暴宙斯的妻子赫拉,参考《伊利亚特》第十四卷第 317 行及该行注)的作为一样,犯了 hubris(蛮横、粗暴、侵犯他者的权益)的大忌。后世作家对坦塔洛斯的冒犯作过种种猜测,其中包括他曾杀子祭神一说(参看品达《奥林匹亚颂》颂一)。关于 hubris,参考《伊利亚特》第一卷第 203 行及该行注释。

④ 第 589—590 行同第七卷第 115—116 行。

风儿便会将其拂走，吹向积云的投影森长。

“我还见到西绪福斯[①]，遭受剧烈的痛殃，
双臂抱住一块奇大的莽石，挣扎着
动用手脚的力量，试图推上石头，
送至山峦的峰岗，但每当顽石即将
翻过，巨大的重力会迫使它转向，
无情的石块跌滚下来，落回平坦的地方。
于是，他会再次推石上山，肢腿汗水
浇淋，泥尘飞扬，在他的头上。

“继他之后，我又眼见赫拉克勒斯健强，
当然，只是影像，他本人正置身永生的神明中间[②]，
欢领他们的宴享，妻娶脚型秀美的赫蓓，
大神宙斯和穿用金条鞋的赫拉的女郎。
死者的叫声在他身边嘈响，像一群鸟儿

① 埃俄洛斯之子，科林斯国王，世间最狡诈的凡人（参考《伊利亚特》第六卷第154行）。在某些非荷马传统的神话里，此君还是奥德修斯的父亲。他曾戏弄奥德修斯的岳父奥托鲁科斯，亦曾两次使睡神（或司掌睡眠的神祇）受骗上当。

② 换言之，赫拉克勒斯已是一位神祇。在古希腊神话（包括荷马史诗）里，能够最终变成神的凡人并不多见。参考第五卷第334行注。少数凡人“有幸”得到神的特别青睐，能在指定的范围内（如墨奈劳斯）或以特定的方式（如卡斯托耳和波鲁丢开斯兄弟）得到长生（或某种形式的“不死”）的“恩赐”（参考并比较第四卷第563行注和本卷第303行注）。此外，《伊利亚特》提到特罗斯的一个儿子，名叫伽努墨得斯，貌美（参考本卷第550行注），被众神看中，带到奥林波斯山上，成仙，当了宙斯的侍斟（见该史诗之第二十卷第232—235行）。另参考本书第五卷第312行注。赫拉克勒斯已先于奥德修斯，来过冥地（本卷第623—626行）。

惊飞四方,他来了,宛如黑夜一样[1],
握拿出套的弓杆,箭枝搭在弦上,
可畏,四处张望,似有人射箭发放。
他斜挎一条背带,可怕,金铸的
条带,上有奇伟的铸纹图像,
有大熊、野猪和狮子,眼睛闪亮,
有战争和格斗的场面,屠人和搏杀的景状。
但愿巧手制作此带的工匠,精工铸制
这些场面,今后别再设计景象。
他立即认出我来,当他眼见[2],
哭嚎,用长了翅膀的话语对我开言:
'多谋善断的奥德修斯,宙斯的后裔,莱耳忒斯的儿男,
不幸的人儿,难道你也惨遭可悲的
命运,像我活着时,在阳光底下遭受的那般?
我乃克罗诺斯之子宙斯的儿男,但却承受痛苦,
无法计算,伺役一个比我远为低劣的
凡人[3],指派我操做苦活难干。
有一次,他差我来此牵带那条獒犬,想不出
比这更难的活计,要我操办,

① 阿波罗亦曾像黑夜一样(为惩击阿开亚人)可怕地临降(《伊利亚特》第一卷第47行)。就"可畏"的程度而言,赫拉克勒斯的来临比阿波罗的有过之而无不及(参见本卷第605—614行)。需要说明的是,对于包括荷马在内的古代诗人(当然,也对于他们的听众),"如实"描述地府的景状并非为了显示荒诞(请比较阅读加缪的《西绪福斯神话》),而是旨在实话实说,展示不同于人间的另一个"现实"。冥府就应该有必然属于它的样子,稀奇古怪是那里的正常或常态意义上的景况。

② 参考第390行。两行诗的前半节相同。

③ 参考《伊利亚特》第十五卷第639—640行和第十九卷第122行以下。

但我带回犬狗[①],将其带出哀地斯的房院,
赫耳墨斯为我引路,除了灰眼睛的雅典娜[②] 以外。'

"言罢,他返回哀地斯的房院,
但我坚持,在原地等待,寄望于眼见
他们出来,别的斗士英雄,在往日里死难。
我本可目睹更早的死者,我想眼见,
裴里苏斯和塞修斯,神明光荣的儿男[③],
若非死人的部族,成群结队的他们围住我,在此之前,
发出奇异的噪叫,吓得我脸色青灰,被恐惧逮住,
担心高傲的裴耳塞丰奈会从哀地斯
送出可怕的怪物,送出戈耳工的脑袋[④]。
于是,我当即回到船边,命嘱
伙伴们上来,解开船尾的绳缆,
众人迅速登船,坐入桨位[⑤],
汹涌的波涛载它驶下俄刻阿诺斯水面,

---

① 在赫西俄德和后世文人的作品里,此狗名凯耳伯罗斯(参见《神谱》第311—312行)。另见《伊利亚特》第八卷第368行。

② 《伊利亚特》已先行提及此事(参见该史诗之第八卷第366—369行)。雅典娜曾多次营救赫拉克勒斯(详阅同上第362—365行)。

③ 在古代,有人(如公元前三世纪的麦伽拉人赫瑞阿斯)将此行和《伊利亚特》第一卷第263行视为雅典司政裴西斯特拉托斯的增补,认为后者试图以此讨好崇尚荣誉的雅典人。塞修斯乃雅典英雄,拉庇赛人的王者裴里苏斯[伊克西翁(参考本卷第582行注)名义上的儿子,参看《伊利亚特》第十四卷第317—318行]是他的朋友。参阅本书第二十一卷第295—302行。

④ 据传塞修斯曾割下墨杜莎的脑袋,后者乃三位戈耳工里唯一会死的凡胎。凡人眼见戈耳工的脑袋后会即时变成石头。戈耳工的脑袋"凶险、极其可怕",象征"带埃吉斯的宙斯致送的不祥"(《伊利亚特》第五卷第741—742行)。

⑤ 第637—638行同第九卷第178—179行。

先靠开桨荡划，其后则凭顺风推送向前①。

① 基耳刻没有说及行船需要船员荡桨（参考第十卷第505—507行）。参考本卷第8行注。

第十二卷

“当我们驱船离开俄刻阿诺斯的水流，
驶向大海的波涛，浩渺的洋面，回返
埃阿亚岛，那里有早起黎明的舞场，
她的家院，赫利俄斯亦在那里露脸[①]。
我们及达，将海船靠岸，停驻沙滩[②]，
踏上海边的滩地，举步向前，
躺倒睡觉，等待神圣的黎明到来。

“当早起的黎明垂着玫瑰红的手指显现[③]，
我派遣伙伴去往基耳刻的房居，
抬回厄尔裴诺耳的遗体，此君死在那边。
然后，我们劈砍树段，在突岬的边端
将他掩埋，热泪滚滚，悲哀。
焚毕尸体，连同他的甲械，
我们堆垒坟茔，在上面竖起墓碑，

① 比较第十卷第 135—139 行。
② 第 5 行同第九卷第 546 行。
③ 第 6—8 行同第九卷第 150—152 行。

将他造型美观的船桨插入坟的顶端[①]。

“就这样，我们忙完这些，一件一件，
而基耳刻亦已知我们从哀地斯回返，
当即整装前来，侍女们跟随，遵命
携带面食、大量的肉肴和殷红的浆酒亮闪。
丰美的女神开口说话，站在我们中间：
‘粗蛮的人儿，活着走入哀地斯的房院，
如此将丧生两度，而别人只死一遍。
来吧，吃用食物，啜饮酒浆[②]，
在此享过一个整天，待等明日，拂晓时分，
即可启航归返，我会给你们指路，把所有的
细节交代，使你们不致吃苦受难，
出于歪逆的谋划，无论是在陆地，还是大海[③]。’

“她的话说动了我们高傲的心灵[④]。

---

① 奥德修斯及其伙伴们按照厄尔裴诺耳的意愿（见第十一卷第 71—78 行）将其遗体火焚掩埋。关于厄尔裴诺耳，参考第十卷第 551—560 行和第十一卷第 51—80 行。关于火焚，参考第十一卷第 26 和 74 行注。办完丧仪（包括哭悼），厄尔裴诺耳的魂魄，从“理论”上来讲，当不会“变成神的诅咒”（第十一卷第 73 行），给奥德修斯一行的回归增添麻烦。然而，波塞冬的愤怒尚未息止，奥德修斯及其随员（按命运的定导）仍有许多待吃的苦头。

② 第 23 行同第十卷第 460 行。

③ 看来，基耳刻似乎知晓泰瑞西阿斯并没有（至少是没有完全）履行她在第十卷第 539—540 行里对奥德修斯的承诺。除了有关斯里那基亚岛的情况外（而基耳刻亦将重复这一点，详阅本卷第 127—141 行），泰瑞西阿斯并没有细说奥德修斯的归途或“此程的去路”。奥德修斯探访冥地的最大收获或许不是探明了事关归途的全部事宜，而是会见了一些著名女子和几位过去与他并肩战斗和共事过的阿开亚将领，领略了阴曹地府的可怕，开阔了眼界，增长了“知识”。

④ 第十二卷颇多与第十和十一卷相似的诗行。第 28 行同第十卷第 466 行。

整整一天，直到太阳沉寂，
我们坐着吃喝肉肴和香甜的浆酒无尽。
当太阳落沉，昏黑的夜晚来临①，
他们躺倒入睡，在船尾的缆索边憩息②，
但基耳刻握住我的手，避开亲爱的伙伴，
让我坐离，开始谈话，详问一切，仔细；
我对她顺序讲说，尽诉每一件事情③。
其时，女王般的基耳刻对我发话，说及：
‘如此，这一切均已做毕。听着，我要
对你说话，神明会让你牢记我的叮咛。
首先，你将遇见塞壬④，她们魅迷所有的
生民，只要谁个过去。倘若不加防范，
有谁向她们靠近，喜欢塞壬的歌声
聆听，他便归家无望，不会有团聚
站等的妻子和幼小儿女的欢欣；
塞壬的曲调清亮，会把他魅迷。
她们坐栖草茵，身边白骨堆垒遍地，

① 第29—31行同第十卷第183—185和476—478行。

② 第32行同《伊利亚特》第一卷第476行。

③ 第35行同第十卷第16行。基耳刻对奥德修斯的关心有时显得比卡鲁普索真诚和细致入微。

④ 从原文第52行用了名称的双数这一点判断，塞壬应为两位。Seiren，复数Seirenes，双数Seirenoiin，词源不详，一说与seire（绳子）有关，意指塞壬的歌声可将过往的海员“绑住”。事实上，她们用歌声魅迷（thelgousin）“所有的生民”（第39—40行）。和塞壬一样，人间的歌手（即诗人，如菲弥俄斯）也能唱诵动听的段子，勾销（亦即醉迷）人的心魂（第一卷第337—338行）。歌（aoide）由词和曲（即语言和音乐）组成，它的优美得力于语言的表义功能。应该指出的是，塞壬“知晓一切”（本卷第189行），而菲弥俄斯亦“知晓许多其他故事”（第一卷第337行）。诗歌（亦即语言，参考第四卷第598行注）和基耳刻的药物（pharmaka）一样（细读第十卷第213行及该行注），可以迷惘人的心智，中止人的智力行为的正常展开（参考并比较第一卷第338行注）。

到处是烂死的人们,挂着皱缩的灰皮[①]。
你必须驱船一驶而过,烘暖蜜甜的蜂蜡,
用以充填伙伴们的耳朵,使其,我指的是别人,
不能聆听。但是,如果你自个想要耳闻,
那就让他们在快船上把你的手脚绑紧,
贴站桅杆之上,绳端将杆身箍起,
如此你便能听闻塞壬的歌声,欢喜[②]。
不过,倘若你恳求,央求他们松绑为你,
他们要用更多的绳索,把你捆得更紧。

"'当你的伙伴划船旁经她们而去,
其后的路程我将不能确切为你指明,
那里有两条航线,你必须自己思考
用心[③]。我愿把这两条路径说与你听。
一边是悬耸的峭壁,溅响着黑眼睛
安菲特里忒[④]掀起的巨浪震击,

① 在这里,诗人的简练再一次让后世的评论家们伤透了脑筋。塞壬可用歌唱魅迷凡人,但如何使他们丢失性命?或许,被她们的歌声魅迷的船员会变得魂不守舍,心智失去识别和判断的能力,从而使海船的行驶失控触礁,船毁人亡,尸体被浪水冲上滩头,在岸边霉蚀腐烂。如此解释,听来似乎有理,但因缺少(准确地说应为没有)上下文的直接支持,因此只能仅供参考。

② 玫瑰好看,但能扎手。对美的追求常常需要付出代价。女神的劝告一定会挑发奥德修斯强烈的猎奇心理(参考第九卷第229行),促使他宁可被绑在船上,也要先听为快。

③ 即便神明会使人增强记性(参考第38行),但当事人仍须发挥自己的主观能动性,巧用人的有限的智慧。参考并比较第三卷第27和270行注等处。

④ 安菲特里忒是"大海"的另一种说法。另见第97行。参考第三卷第91行注。但在这里,安菲特里忒接受了"黑眼睛"的修饰,因此带有了"拟人"的性质,可作海神解。

幸福的神明称它们为普兰克塔伊[①]。
飞鸟无法从那儿穿过，就连胆小的
鸽子，为父亲宙斯运送仙食[②]，亦无外例，
陡峭的岩壁每次抓捕一只，
父亲只好另遣一只，把数目补齐。
凡人的航船休想逃脱，临近该地，
汹涌的海浪和肆虐的烈焰会
吞噬船板，连同船员的躯体。
唯一的例外是破浪远洋的阿耳戈，穿越，
无人不晓的它从埃厄忒斯那里返回故里[③]，
而就连它亦会碎撞在巨莽的悬崖，
若非赫拉送它通过，出于对伊阿宋[④] 的爱惜。

---

① 神祇称这些岩壁为普兰克塔伊［“晃动（或碰撞）的岩石”］。不知它们可有相应的在凡界通行（即凡人用来称呼它们）的称谓？参考《伊利亚特》第一卷第403—404行、第二卷第813—814行、第十四卷第290—291行、第二十卷第74行。诗人提及“神称”，但没有提及（或因无有）“人称”的例子，另有本书第十卷第305行里的“莫利”。诗人熟知阿耳戈船英雄远航黑海的故事（本卷第69—70行）。据传在赫拉的帮助下，伊阿宋一行驱船（即阿耳戈）穿过“撞合的岩壁”（Sumplegades），船体有所损伤，但人员安然无恙（比较第71—72行；诗人没有提到Sumplegades）。

② 即安伯罗西亚（参考第五卷第93行注等处）。关于为宙斯运送仙食的鸽子，此乃希腊古代文史作品中绝无仅有的提及。比较罗德斯的阿波罗尼俄斯《阿耳戈船英雄》第二卷第561行以下。

③ 在这里，诗人特别提到阿耳戈船在返回故里（而非前往科尔基斯）的途中穿过了碰撞的岩壁。埃厄忒斯乃科尔基斯国王，美狄娅的父亲，基耳刻的兄弟（参考第十卷第135—137行及相关注释）。

④ 埃宋之子，阿耳戈船的属主。为取金羊毛，伊阿宋召集了一批英雄远航黑海，在埃厄忒斯的女儿美狄娅的全力帮助下得手，归返。参考第70行注和第十一卷第256行注。

"'另一条水路托起两面岩壁[①],一块的
尖峰及达广袤的天空,一团黑云总在周边
围定,从不散去,阳光从不照射
峰顶,无论是在初夏还是秋收的时节。
会死的凡人无法爬攀壁面,在它的
峰巅站立,哪怕他长着二十只手,二十只脚[②] ——
石壁兀指直上,仿佛已被打光磨平。
悬崖的中部有一个洞穴,昏暗,扑朔迷离,
朝向西方,对着厄瑞波斯[③],朝对那里,
哦,闪光的奥德修斯,你和你的伙伴将驱导
深旷的海船前进。没有哪个骁勇的汉子可以
手持弓弩,从深旷的船上箭射悬伸的洞里,
洞内住着斯库拉,她的嘶叫可怕至极。

---

① 基耳刻由此转入了对第二条水路的描述。"碰撞的石岩"会合拢石面,挤碎航船,而斯库拉和卡鲁伯底斯二者中的任何一方亦足以使穿越者船毁人亡。危险来自同一条航路的两边,哪一方都不好惹,把试图穿渡的苦命的船员们夹在很难夺路逃生的中间。推而广之,这种两边都有危险的状况,也同样存在于奥德修斯一行所能择选的两条水路上面。穿越普兰克塔伊困难,而要想穿越斯库拉和卡鲁伯底斯把守的水道同样不易。人的生存有时就会遇到这种左右为难或进退维谷的局面。且不说鱼和熊掌难能全得,且不说只能得到鱼和熊掌中的一样会留下遗憾,人的生存有时会遇到根本就没有鱼和熊掌,因此谈不上在两种美味之间做出选择的时候,会遇到——更有甚者——只能在两份"苦果"面前被迫选用其中一份的"横竖不是"的关口。在这里,诗人没有谈及人在城国里的日常生活,但这并不意味着我们没有理由对他的描述进行推而广之的思考。古希腊神话包含深刻并具可引申潜力的思想内容,对此诗人也和我们一样,或许会有差别不致太大的感悟。小说家乔伊斯知道,西方文化的长河里耸立着一峰岩石(不过,那是不会"晃动"的 Rock),代表亚里士多德式的教条(Dogma)。它的对面是卡鲁伯底斯,一个水流湍急的漩涡,代表柏拉图及其追随者们的以神秘主义(Mysticism)为取向的学观与思考。

② 和"十二"(见第 89 行)一样,"二十"是诗人喜用的数字。史诗中多见的数字还有"三"和"九"等。

③ 参考第十卷第 528 行。

诚然,她的声音只像一条初生的幼犬
吠叫,但她确是一头凶恶的魔怪,谁个遇着,
见了都不会欢喜,包括神祇。
她有十二条腿脚,全都空悬挂起,长着
六条脖子,极长,每条撑挑一个
可怕的头颅①,带有牙齿,三层,
密密匝匝,含藏幽黑的死亡,填溢。
她的身子,腰部以下,缩蜷在深旷的洞里,
却伸出脑袋,悬指在可怕的渊地,
捕食鱼类,探视绝壁周围,寻觅
海豚、星鲨或任何大条的美味,海中的
魔怪,安菲特里忒的饲养多得难以数计。
没有哪个海员胆敢吹嘘,声称他们的航船驶过,
不曾失损人丁②,她的每个头颅各逮
一个活人,从乌头的船上抢劫。

"'另一面岩壁低矮,奥德修斯,你会看见,
它与前者临近,你甚至可以射箭达及③,
上面长着一棵无花果树,硕大,枝叶繁密,
树下栖居神奇的卡鲁伯底斯④,把黑水吞吸。

---

① 比较赫西俄德对某些魔怪的描述(此类故事有可能得之于古代小亚细亚地区流行的传闻,详见《神谱》第270—336行)。公元前四世纪,提摩塞俄斯曾写过一部以斯库拉为名的酒神颂(即狄苏朗勃斯)。

② 第二十三卷第328行再次强调了斯库拉的厉害。

③ 和"喊声"(见第九卷第473行)、"牛(或骡)耕"(见《伊利亚特》第十卷第351—352行)和"投枪一掷"(同上第357行)一样,"箭程"(即一箭可达的距程)也是史诗人物估测距离的"单位"。另见本卷第83—84行。比较《儒林外史》第十二回:"跑了一箭多路,一头撞到一顶轿上……";第一回:"就在我这大门过去两箭之地,便是七泖湖"。

④ 从词源上分析,此怪的叫名许含"深广的吞吸"之意。

她一日之中三次吐水，三次呼呼隆隆地
吸进。但愿她吞吸时你不在那边，
须知遇难后就连裂地之神也无能为力。
你要驱船疾驶而过，躲避她的吞吸，
偏向斯库拉的石壁遁走，因为哭悼船上
六位伙伴的不幸，远较全军覆灭好些[①]。'

"她言罢，我对她答话，说及：
'说吧，女神，告诉我真情，
我是否既可避离歹毒的卡鲁伯底斯，
同时打开另一个，当她对我的伙伴攻击[②]？'

"我言罢，丰美的女神开口答接：
'粗蛮的汉子，心里总是惦念着战斗
杀拼。你就不想让步，即使面对永生的神祇？
她不是凡胎，而是一个作恶的不死精怪，
凶险、强蛮、狂虐，不可与之对战，
亦无防御可言。最好的办法是避离逃难。
假如你披甲战斗，傍着石峰开打，浪费时间，
我担心她会再次攻击，伸出
脑袋抢劫，吞噬你同样数量的伙伴。

① 所谓两害相权取其轻，也是不得已而为之。参考第 73 行注。

② 诗人让奥德修斯不失时机地表露出自己的英雄气概。尽管歹毒，斯库拉和卡鲁伯底斯一样，毕竟也是一位长生者，是一个不死的魔怪。

你要使出全身力气行船，祈求克拉泰伊斯[①] 帮援，
她是斯库拉的娘亲，生下这个恶魔肆虐凡胎。
她会阻止女儿，不让她再次加害。

"'其后，你将抵达斯里那基亚岛[②]，放牧着
赫利俄斯大群的肥羊，有他的牛畜成片，
七群牛，同样数量的羊儿，每群
五十肥白。它们永远不生幼崽，
亦无死亡的一天，由发辫秀美的女神
充当牧者，兰裴提娅和法厄苏莎[③]，
由闪亮的奈埃拉为赫利俄斯·徐佩里昂[④] 生育。
女王般的母亲生养和哺育她们，
将其送至海岛斯里那基亚遥远，住下，
看守父亲的羊儿和牛群，硬角弯卷。
其时，如果你一心只想回家，不对畜群损伤，
你们便可如数回抵伊萨卡，艰辛备尝；
但是，倘若你伤损它们，我便可预言你的

---

① Krataiis，"强有力的女子"。

② 穿过斯库拉和卡鲁伯底斯把守的海道，奥德修斯一行便可抵达斯里那基亚岛。泰瑞西阿斯已先行描述过有关情况（详见第十一卷第 105—115 行），但基耳刻在此增加了一些泰瑞西阿斯不曾提及的细节。诗人在此完全凭借想象或得之于道听途说的传闻讲述，所以我们自然没有必要对他讲述的内容过于"认真"。或许，连他自己也不会以为有必要探明（或论证）斯里那基亚岛的具体位置。参考并比较第十卷第 1—4 行及相关注释。

③ 女儿的名字颇能体现父亲（即太阳）的特色，分别意为"闪光"和"灼亮"。参考第十卷第 2 行注和第十八卷第 5 行注等处。

④ 两词亦可单独使用（参见第一卷第 8、24 行和本卷第 175—176 行），指太阳（神）。参考第一卷第 8 行注。

海船和伙伴们的灾亡。即使你自己得以逃避，
也会迟迟归返，尽失伙伴，遭殃。’

“她言罢，享用金座的黎明随即临降①。
丰美的女神离去，登坡岛滩。
我站临木船，命嘱伙伴们
全都上来，解开船尾的绳缆，
众人坐入桨位，迅速登船，
依次坐好，荡桨拍打灰蓝色的海面②。
美发的基耳刻，可怕和通讲人话的神仙，
送来顺吹的长风，一位佳好的伙伴，
从乌头海船的后面推送，兜起布帆。
我们把船上的各种索具调紧妥善，
坐下，任凭海风和舵手定导航船③。

“其时，尽管心里悲痛，我出言告诫伙伴：
‘朋友们，既然此事不妥，只让一两个人

① 第142行同第十卷第541行。奥德修斯及其同伴们又迎来了不寻常的一天。奥德修斯应该知道（至于基耳刻，那就更不用说了，因为她是神仙），此次与基耳刻分别后，今生今世大概不会再能有缘相见。然而，他们离别匆匆，一切“公事公办”。诗人没有给他们以任何机会，表述依依不舍或至少是互道珍重的叙别情感。史诗人物表达情感的方式简洁（参考第十六卷第224行注），有时甚至不得不屈从于诗人的“武断”，简洁到了不近情理。

② 第144—147行在第十一卷里已有用例。

③ 第148—152行同第十一卷第6—10行。基耳刻和卡鲁普索均有呼风唤雨的本领。对奥德修斯与基耳刻话别的情景，诗人简洁到了只字不提的程度。荷马不擅，也不喜欢作儿女情长的描述，对“爱”和“爱情”的表述也常常言简意赅，强调“直接”“务实”，避免温情脉脉，悱恻缠绵。关于“通讲人话”（第148行），参考第十卷第137行注。

知晓基耳刻、丰美的女神告我的谕言，
所以我将通报此事，好让大家明白，
我们是死，还是逃避灾亡，躲过毁败。
首先，她要我们避离神奇的塞壬，
避开她们的歌唱和鲜花盛开的草野①。
只有我，她说，可以聆听一番，但你们
必须用痛苦的绳索将我捆紧，
让我贴站桅杆之上，被绳端箍围在上面②；
倘若我恳求，央求你们为我松绑，
你们要把我捆得更紧，用更多的绳线。'

“就这样，我把详情转告伙伴，
与此同时，制作坚固的海船疾驰，
临近塞壬的岛滩，顺吹的海风送它向前。
突然，徐风停吹，凝止的静谧笼罩
洋面，某种神力停息了海浪的滚翻。
伙伴们站立起来，取下风帆，
放入深旷的舱内，各就各位，荡开
船桨，溜光的桨板划开雪白的水线。
其时，我抓起一大盘蜡块，用锋快的
铜刀切出小片，在我粗壮的手掌里磋磨，

① 奥德修斯“省略”了基耳刻的告诫中关于白骨和“烂死的人们”的描述，明智地避免了引发伙伴们（我们可以预测他们听后必定会这么做）的号啕大哭（参考第十卷第566—568行及本卷第203—205行）。

② 比较第51行。参考第52行注。然而，聆听者为何必得被绑在桅杆之上？诗人对此未作解释。难道听了塞壬绝妙的歌声后，人会变得无法自制，发疯似的手舞足蹈起来？抑或，塞壬的歌声能够实实在在地“吸”人（而非一般意义上的吸引，如吸引人的注意力等），把活人吸向她们的岛滩？参考第192—194行及相关注释。另见第46行注。

蜡团很快软化,经不住赫利俄斯
日照的炽烈和徐佩里昂王爷[①] 的强健。
我用软蜡依次塞封耳朵,给所有的伙伴,
而他们则绑紧我的腿脚,在迅捷的海船,
让我贴站桅杆之上,绳端将杆身箍圈[②],
复又坐下划桨,荡击灰蓝色的海面。
当我们离岸的距程近至喊声可达的范围[③],
海船走得轻巧、迅捷,塞壬看见了
疾临的船儿,对我们送来歌声,酥甜:
'过来吧,尊贵的奥德修斯[④],阿开亚人的光荣伟烈!
聆听我们的歌唱,停住你的航船。
但凡有人打此经过,驾驱乌黑的海船,
都会聆听甜美的歌声,飞出我们的唇沿,

① “太阳”要么是赫利俄斯,要么是徐佩里昂,但不是阿波罗。参考第 133 行注。比较第十卷第 75 行注。

② 第 178—179 行大致同第 50—51 行。

③ 史诗不是科学,尽管不甚精确,但文学性强,使用的常常是贴近生活和连接经验的“活”的语言。喊声可以计程,给人朦胧的距离感。同样的表述另见第五卷第 400 行和第九卷第 473 行。参考本卷第 102 行注。体会第 175—176 行浓郁的诗味。

④ 塞壬已知来者乃奥德修斯,可见神通广大。塞壬声称能对过往的凡人传授知识(而她们身处的那片荒凉的岛滩居然也成了传授知识的地方,参考第 186—188 和 191 行),尽管事实上,不加防备的船员们将为之付出生命的代价。如果说斯库拉和卡鲁伯底斯以凶狠的方式杀人,塞壬则以“酥甜”(第 183 行)作为诱饵,用美妙故事的软刀子害命。相比之下,塞壬的方式杀人于“自愿”之中,使人更加难以防备。

然后续航，带着喜悦，所知超胜以前[①] ——
我们知晓一切，阿耳吉维人和特洛伊人
在宽广的特洛伊苦熬，出于神的意愿。
我们知晓每一件事情，在丰产的大地上实现[②]。'

"她们如此引吭，歌声甜香，我的心灵
亟想聆听，点动眉毛，示意伙伴们

---

① 史诗人物(神祇亦然)生活在一个以"知"的多寡评判人的智慧程度的时代。他们渴望通过听闻"智"者(包括诗人)的讲述，不断积累有"故事"(亦即秘索思)佐证和支持的知识，羡慕的是只有神灵才可能及达的"知晓一切"(第189行)的境界。知识的增聚仍然处于(尽管已达到较高层次上的)积累的阶段。人们还不曾想到，对于传统意义上的以秘索思(muthos)为中心的知识，社会的精英或"知识分子"有对其进行严格分辨的必要。这种分辨大概会包括对故事的取舍(比如选用或摈弃某种"说法")，但它的主要作用应该是从根本上动摇故事知识的权威性(参考《伊利亚特》第十一卷第220行注)开始，驳斥它的虚幻性，揭示它的反经验和"非"理论实质，使人们在继续进行知识积累的同时，进入对已有知识实施审辨的阶段。不受(或不经)审视的知识的大量和无限制的积累并不是一件好事。从公元前六世纪起，古希腊人开始了用系统的可思辨和可实证知识取代传统的秘索思知识的进程(当然，彻底的取代是不可能的)，逻各斯(logos)精神逐渐进入人的思维和意识，至公元前五世纪形成一种趋势性的规模，在苏格拉底的审辨或辩驳(elenchos)哲学中达到了发展的顶峰。秘索思知识并没有因为逻各斯知识的强劲冲击和几乎是全方位的进逼而销声匿迹。但是，西方人从此知道，在秘索思以外，知识还有，或者说必须应有另一个存在领域——在那里，人们培育并发展自己的理性，扼制荒唐；在那里，人们从事各个方面的科学研究，逐步缩小秘索思和秘索思知识在现象解释、道德审视及行为评判等领域里的活动范围。参考本书第一卷第327行注、第二卷第182行注、第十卷第113行注和第十一卷第14行注等处。

② 像缪斯教导诗人一样，塞壬能告诉凡人(或船员)"每一件事情"。然而，听者将为之付出船毁人亡的代价，明显地得不偿失。请注意，塞壬(和诗人一样)的歌唱以叙事(而非抒情)为主，因此在很大程度上要借助故事内容的跌宕起伏吸引听众。参考第39行注。塞壬特别提到(她们知晓)阿开亚人在特洛伊的苦熬，以此增剧奥德修斯对聆听的渴望；而从诗作的构思角度来看，此语亦可起到衬托奥德修斯回归的时代背景和有机并在"细处"连接《伊利亚特》的精妙作用。

给我松绑[①],但他们趋身向前,拼命划桨,
裴里墨得斯和欧鲁洛科斯起身,当即
增添绳条,把我勒得更紧,加力捆绑。
当他们划过塞壬栖居的地方,我等
远离她们的声音,听不见歌唱,
我的好伙伴们立即从耳朵里取出我给
填入的蜂蜡,解除绑我的绳圈。

“当我们离开海岛,我当即望见
一团青烟,连同一峰巨浪,响声轰然。
伙伴们惧怕,丢下手中的划桨[②],
全都溅落在大海的浪卷;船儿停驻,
只因众人不再荡桨,驱它向前。
其时,我在船上来回走动,催励伙伴,
用和善的言语说话,站在每个人身边[③]:
‘亲爱的朋友们,恶难于我们并不新鲜。
此景不比那次险恶,当库克洛普斯
把我们关在深广的洞里,用粗蛮的暴力迫害[④]。
然而即便是在那儿,我的勇气、谋划和智慧
使大家脱险。我想你我亦会回想这些,将来。
干起来吧,服从,按我说的办。
坐稳身子,在你们的舱位,荡开船桨,

① 奥德修斯已听见歌声。既然被绑在船桅之上并不影响收听,为何要求松绑?可是塞壬的歌声会传送“致动”的魔力,使人产生飘然欲作仙飞的感觉?参考并比较第162行注。

② 比较第二十四卷第534行。

③ 第207行同第十卷第173和547行。

④ 详阅第九卷第193—566行。

深划汹涌的水面，如此，宙斯兴许
会让我们脱身，逃避这场毁败[①]。
对你，舵手，我有此番令言。你要牢记，
记在心间，当你调控船桨，驾驭深旷的海船。
你必须避开巨浪烟团，尽可能
贴靠石壁[②] 行船，以免在不知不觉之中，
把航船导向那边，把我们抛进灾难。'

"我言罢，众人即刻执行照办。
我不曾提及斯库拉，那个无法制服的祸害，
担心伙伴们因此惊恐害怕，不再
荡桨，缩挤，躲进船身里面。
至于我，我抛却心头基耳刻严苛的
训诫，叫我不要武装临战，
而是系上光荣的铠甲，手握两枝
修长的枪矛[③]，前往站立船首的
舱板，心想由此可得先见石崖边的

① 奥德修斯早有斗打斯库拉的决心(参考第 112—114 行)，尽管显得莽撞了一点。此时，他鼓励伙伴们奋力划桨，充分发挥自己的主观能动性，所谓尽人意而听天命。宙斯不会帮助那种自己不思发奋，专等神明救援帮助的凡人。参考第五卷第 222—224 行。

② 指斯库拉的岩壁。奥德修斯没有转述斯库拉食人的厉害，理由参见第 223—225 行。对于历经艰辛、屡遭怪诞之事惊吓的伙伴们，奥德修斯的有所"保留"不失为明智之举。

③ 奥德修斯不顾基耳刻的劝诫，以特洛伊战场上勇士武装临战的方式(参读《伊利亚特》第十三卷第 241 行)，毅然决定披甲持枪，不惜与魔怪斯库拉一决高低。很明显，奥德修斯绝对不是斯库拉的对手，但他的这种敢于不畏强暴，放手一搏的气概仍然值得我们赞叹。从他身上我们可以看到后世悲剧英雄的影子，感悟到荷马史诗和悲剧通连的一面(无怪乎柏拉图会称荷马为第一位悲剧诗人)。

斯库拉，此妖给伙伴们致送灾难。
然而，我找不见她的踪影，双眼疲倦，
到处搜索，扫视昏暗的岩面。

“如此，我们行船狭窄的海道，哭泣，
一边是斯库拉，另一边是神奇的卡鲁伯底斯①，
卷着可怕的漩涡，吞噬大海的流水。
当她发作喷吐，像一口大锅架在莽爆的火顶，
整个海面狂搅、颠腾，水花飞扬，
四处泼溅，从岩壁的峰脊淌滴。
然而，当她转而吞咽咸涩的海水，吞吸，
混沌中揭显海里的一切，岩礁呼吼，
可怕至极，海底裸露，一片乌黑的
沙砾。恐惧揪住我的随员，吓得脸色灰青。
出于对死的惧怕，我们盯视卡鲁伯底斯的动静，
却不料斯库拉强袭深旷的海船，硬抢我的伙伴
六名，随员中他们最为强豪、有力。
我转过头脸，看视快船和伙伴们的安危，
只见六人的手脚已经高悬，离着我的
头顶，哭嚎，对我呼喊，叫着我的
大名，那是他们最后的呼唤，挟卷伤心。

① 参考第73行注。威胁来自水道的两边。在这种不无象征意义的生死关头，凡人很难避免顾此失彼(参看第244—246行)。第235—243行充分显示了诗人描述“可怕”和“宏莽”场景的令人叹服的功力。奥德修斯刚才还精神抖擞、英雄气概十足地准备大战斯库拉，这会儿却又和伙伴们一起悲声哭泣(第234行)。诚然，场境的可怕确实并非普通人可以想象。在《诗学》里，亚里士多德提到了提摩塞俄斯的《斯库拉》，并举例其中奥德修斯的恸哭，以此批评诗人不必要地“丑”化人物性格的不甚妥当的做法(参阅该书第十五章1454a 30—31)。

犹如一个渔人垂着修长的钓杆，置身
突兀的岩壁，丢下诱饵，钓捕小鱼，
沉下硬角，取自漫步草场的牛畜，入水，
拎提起来，将鱼儿扔上岸基，蹦跳，挣扎颠挺[①]；
就像这样，伙伴们颠挺挣扎，被她拖上峭壁。
神怪将捕获吞尽，就着洞口，他们的叫声凄厉，
对我伸出双手，胡乱挣扎一气。
这是我眼见过的最惨的景状[②]，
当我觅路海上，备尝艰辛。

“逃离悬崖，躲过可怕的卡鲁伯底斯
和斯库拉，我们驶抵神明绮美的岛地[③]，
放养着额面开阔的牧牛，体形健美，
另有肥硕的羊群，赫利俄斯·徐佩里昂的体己。
当我还在乌黑的船上，漂行在海里，
便已听闻哞哞的牛叫，被集群赶回栏圈，

① 明喻的生动与传神程度，“迫使”我们很难无保留地相信或赞同某些西方学者关于荷马(如果他是两部史诗里的全部或部分明喻的原始创编者的话)可能是一位双目失明的盲诗人的推断。至少，荷马不是一位天生的盲者。参考并比较第八卷第 64、106 行注。关于捕鱼的明喻，另见《伊利亚特》第十六卷第 406—408 行和第二十四卷第 80—82 行。比较本书第二十二卷第 383—388 行。小鱼可钓(本卷第 252 行)，捕获大鱼则要用标枪或渔网才行。

② 换言之，其惨烈程度甚至超过了波鲁菲摩斯撕吞活人的情景(参见第九卷第 287—291 行)。伙伴们临死前的颠挺、凄叫以及对奥德修斯求救的绝望表示，表明奥德修斯的“结论”言之有理。然而，他为何不听基耳刻的告诫(本卷第 124—125 行)，在这生死存亡的紧急关头向斯库拉的娘亲克拉泰伊斯求救？放不下面子？可能。忘了？有情可原(考虑到情况的万分紧急，人容易忙中出错)。不过，更为合理的做法似应为从文本中寻找答案。细读第 122—123 行。基耳刻的意思是，当斯库拉再次发起攻击时，奥德修斯可以向她的娘亲请求帮援。

③ 指斯里那基亚岛。

夹杂咩咩的羊语，心中顿然想起
双目失明的先知，忒拜人泰瑞西阿斯和
埃阿亚的基耳刻的叮咛。二位曾再三告诫，
要我避开赫利俄斯的岛屿，他给凡人致送欣喜。
于是，虽说心里悲痛，我对伙伴们发话说起：
'听我说，伙伴们，尽管你们正遭受恶难苦凄，
我要对你们转告泰瑞西阿斯和
埃阿亚的基耳刻的预言，二位曾再三叮嘱，
要我避开赫利俄斯的岛屿，他给凡人致送欣喜[①]。
他们说我们将遭遇最险恶的灾难，就在那里。
所以，绕过海岛，驾驱乌黑的海船前进'。

"听我言罢，他们的内心破碎[②]。
欧鲁洛科斯[③] 当即答话，言语中带着恨嫉：
'你真刚毅，奥德修斯，强健过人，手脚
不会疲惫。你的整副身板必是铁铸[④]，
不让累得精疲力尽和缺少睡眠的伙伴们
登临岛地。倘若上岸，在这海浪拥围的

---

① 第 273—274 行同第 268—269 行。史诗人物喜爱光明。奥林波斯众神居家天上，那里明光闪烁，一片透亮。拥抱死亡的昏暗属于哀地斯的冥府，属于那片谁都不愿意去的黑魆魆的地方（比较第 244 行）。

② 第 277 行同第十卷第 198 和 566 行。

③ 关于欧鲁洛科斯的不合作态度和顶撞，另见第十卷第 261—269 和 429—437 行。奥德修斯曾产生过杀他的念头（同上第 438—440 行）。奥德修斯恨他的另一个原因，或许是因为日后也是他建议宰杀太阳神的牧牛（本卷第 340—344 行），从而导致了伙伴们死于非命，不得回抵家门。比较第 352 行注。

④ 注意欧鲁洛科斯的口气。在荷马创编史诗的年代，铁器已进入百姓的生活。铁喻"坚硬""坚实"。类似的用法另见第四卷第 293 行和第五卷第 191 行。参考第一卷第 184 行注、第四卷第 293 行注和第十九卷第 13 行注等处。

岛屿，我们能再次整备可口的餐食增力。
然而你却逼迫我们瞎闹，以眼下的疲惫穿走
迅捷的[①] 黑夜，避过海岛，行船迷蒙的洋域。
黑夜属于凶虐的风暴，给海船致送毁灭。
我们中谁可逃避灭顶的祸灾，
倘若风飙骤起，南风和西风
劲吹死命，比谁都擅喜裂毁
海船，不顾神明、我们主宰者的旨意[②]？
现在，让我们接受黑夜的劝诫，
整备晚餐，留在迅捷的船边[③]，贴近；
明天拂晓，我们将重新登临，驱船宽阔的洋面前行。'

“欧鲁洛科斯言罢，伙伴们均表赞同，
我由此明白，神灵确已给我等谋设灾愁[④]。
其时，我对他说话，将长了翅膀的话语说诵：

① 或作“突至的”解(参考《伊利亚特》第十二卷第463行等处)。

② 欧鲁洛科斯的执拗表明，凡人经常会祸咎自取，与神的意志无关(参考宙斯的“辩解”，第一卷第32—34行)。人有时会全力以赴地追求某种实际上并不符合自身利益的“目标”(参考本卷第294行和《伊利亚特》第十八卷第310—313行)。具有讽刺意味的是，当人们进入这一错误并必然会带来悲剧结果的“轨道”时，他们的投入越大，结局也就越惨；他们的信心越足，意志越坚，最终对自己造成的伤害也就越大、越深，并且有可能更为直接和剧烈。然而，与命运(moira)相比，人的作用常常显得并非同样重要(有时甚至无足轻重，细读本卷第341行注以及第十一卷第297和438行注等处)。参考并比较第三卷第27和270行注关于“双重动因”的解释。

③ 比较《伊利亚特》第八卷第502—503行和第九卷第65—66行。在本卷第291行里，诗人对“黑夜”作了拟人化处理。

④ 面对难以用“常理”解释的局面，史诗人物的第一和仅剩的选择便是把导因归于神祇(或神力)。类似的情况另见第169行和《伊利亚特》第十八卷第311行等处。参考并比较本书第四卷第261行、第七卷第64行、第九卷第142行和第十卷第64行及相关注释。

‘欧鲁洛科斯,主行者仅我一人,你逼我听从[①]。
这样吧,你等众人,对我许下誓言庄重[②],
倘若我们遇见牛群或大群的羊儿,
谁也不许作恶,做出鲁莽的举动,
不许屠杀羊牛。不,你们不能,只可
满足于进餐她的食物,神圣的基耳刻的致送。’

“我言罢,他们当即起誓,按我的要求办妥。
当发过誓咒,从头至尾说过,
我们将精固的海船停泊在深旷的港湾,
临近一处甜净的水流,伙伴们下得
船来,办妥晚餐,动作娴熟。
当大家满足了吃喝的欲望[③],
他们想起并哭念亲爱的伙伴,
被斯库拉抢出深旷的海船,吞啖活屠,
甜怡的睡眠降临,伴随他们的恸哭。
当黑夜进入第三部分[④],星辰的方位变动,
汇集云层的宙斯驱来呼啸的疾风,
神奇、凶虐的狂飙扯动游云,蔽罩

① 奥德修斯虽身为首领,此时也只好少数服从多数,硬着头皮苦撑。

② 第 298 行同第十八卷第 55 行。奥德修斯嘱咐伙伴们不要伤杀牛群(第 299—302 行),以后又明确告知岛上的牧牛归属太阳神所有,后者“无所不见,无所不闻”(第 320—323 行)。然而,伙伴们还是忍不住饥饿的逼迫,杀牛食肉,“遭毁于自己的愚蛮”(第一卷第 7—8 行)。

③ 程式化用语,同第一卷第 150 行等处。

④ 诗人(或生活在那个时代的人们)把黑夜分作三个部分(参考《伊利亚特》第十卷第 252—253 行),“第三部分”即最后的逝点临近黎明的部分。比较该史诗第二十一卷第 111 行对白天的划分。

大地和汪洋，黑夜降自天空[①]。
当早起的黎明重现天际，手指玫瑰嫣红[②]，
我们拽起海船，拖入一个深旷的岩洞，
里面有女仙漂亮的舞场，还有座椅连同。
我聚众集会，对他们说话出声：
‘朋友们，既然快船里有食品饮料储存，
大家伙不要沾碰牛群，以免招来伤损，
这里的壮牛肥羊属于可怕的赫利俄斯，
日神无所不见，无所不闻[③]。’

“我的话说服了他们高傲的心魂[④]。
然而，南风长刮不止，一个月整，其他的
风向偃息，只有南风和东风随同。
只要尚存食物，得饮殷红的浆酒，
众人都想活命，倒也不曾沾碰牧牛。
当船上的储备罄尽，其后，
他们便被迫外出狩猎，四处荡游，
抓捕鱼儿、鸟类，不管什么，只要能够到手——

---

① 第 314—315 行同第九卷第 68—69 行。看来，神明确实意欲除掉奥德修斯的伙伴们。欧鲁洛科斯计划翌日拂晓登船上路（本卷第 293 行），但夜间大风刮起，且一月不停，迫使他们在斯里基亚岛滞留，耗尽给养，宰杀赫利俄斯的牧牛。

② 程式化诗行，同第二卷第 1 行等处。参考第三卷第 491 行注。

③ 第 323 行同第十一卷第 109 行（参考该行注释）。“念此日月者，为天之眼睛。”（韩愈《效月蚀》）第 320—323 行是对第 298—302 行的补充。话既已说到这一步，伙伴们应该知道问题（即倘若屠宰太阳神的牧牛）的严重性。

④ 第 324 行同第十卷第 550 行。

饥饿逼挤肚皮，他们带着弯卷的鱼钩①。
其时，我独自向岛内行走，以便对神
祈祷，但愿他们中的一位，能给我指点航程行舟。
当穿走海岛，将伙伴们撇在后头，
我找到一处蔽风的去处，
净洗双手，对所有拥掌奥林波斯的神明祈求，
而他们却合拢我的眼睛，撒出睡眠的甜诱②。
这时，欧鲁洛科斯对伙伴们提出设想险凶：
'听我说，伙伴们，虽然你们正遭受恶难苦痛③。

---

① 诗人（或奥德修斯）的意思很明确：不到万不得已或"山穷水尽"之时，能征惯战的壮士们不食鱼鲜（史诗中亦无英雄们食鸟的第二见例）。除了面包外，他们的食物是牛、羊和猪肉。文学（特别是像荷马史诗一类的古代叙事诗歌）模仿或在一定程度上反映现实[生活（在荷马史诗里，"生活"至少应涵盖两个时代，即分别为英雄们的时代和荷马及他的同胞们生活的时代）]，但也反过来创造属于自己的现实（让·鲍德里亚或许会称之为超现实的"幻象世界"）。文学的现实不一定完全忠实于生活的现实，它包含作者个人的主观取向，包含理想化和想当然的成分，也一定或必然包含对文体类型、创作和构思规律以及听众（或读者）的审美倾向的尊重。指出这一点并不意味着我们愿意断定荷马在这一问题上必然采取了遵循诗意夸张的创作方式。我们想要说的是，在阅读荷马史诗时，我们不应放弃生活（即历史）现实以外的另一个维度——与之相关的另一个问题是，我们不宜过分强调文学现实的"现实"程度，不宜轻易地把它提升到（历史）事实并由此进行推理和"发挥"的高度。参考并比较第四卷第369行注、第六卷第8行注和第九卷第89行注等处。饥饿难忍，肚皮"可恨"。荷马反复强调了饥饿对人的困扰（参考第十五卷第344—345行、第十七卷第286—289行及相关注释；另见本卷第342行），实际上也从"反面"说明了吃饱肚子的重要。

② 只要愿意，史诗人物可在任何时候把睡眠归之于神的致送。不仅睡神可以理所当然地使人入睡，雅典娜（参见第二卷第393—398行）和赫耳墨斯（见《伊利亚特》第二十四卷第445—446行）等仙家也都有此神功。参考本卷第295行。比较第十卷第31行。

③ 第340行同第271行和第十卷第189行。

对于悲苦的凡生[1],各种死亡都让人厌恨,
但死于饥饿,撞见命运,则是最惨的一种。
来吧,让我们赶出赫利俄斯最好的牧牛,
祭献给长生者,他们拥掌辽阔的天空。
假如有幸回返伊萨卡,回返乡中,
我们将马上兴建一座供品丰足的神庙,给赫利俄斯·
徐佩里昂,置放许多上好的进贡。
不过,倘若他出于愤恨,为了长角的壮牛,
心想捣毁我们的海船,得获其他神明赞同,
那么,我宁可吞咽海水,一死了结,葬身浪峰,
也不愿困留荒岛,被慢慢地折磨丧生[2]。'

"欧鲁洛科斯言罢,伙伴们均表赞同[3]。
他们当即动手,就近拢来赫利俄斯最好的

① 对于人生的悲苦,荷马有过经典的表述。参考《伊利亚特》第六卷第 146—149 行和第二十一卷第 464—466 行。比较本书第十五卷第 408 行。与凡人相比,神祇不死(本卷第 370 行),因此是"幸福的"(第 377 行)。神使凡人遭难,加剧了人生的痛苦(参考第九卷第 15 行)。

② 欧鲁洛科斯的建议并非全然没有道理。此外,这也说明他或许存有侥幸心理(参考第 343—347 行)。横竖是死,不如做个"饱死鬼"。荷马经常把人物放入必须在生死存亡之际做出重大抉择的关口来描写,以此突显人物的个性,编排情节的跌宕起伏。然而,此时的他们并非马上即会饿死,并非除了杀牛以外,别无其他出路。至少,他们还可捕鱼捉鸟;此外,以希腊人的见多识广,他们一定还可以寻觅并发现其他可以果腹的杂物。从这个意义上来说,屠牛者确实咎由自取,理应受惩,为自己的"恶错"付出代价。然而,命运和神的安排是最有"说服力"的定导(参看第二卷第 174—176 行、第九卷第 532—535 行和第十三卷第 339—340 行)。这帮人迟早是死,尽管他们的明智与否或许能在一些小的方面对自己的"前途"做一些无关紧要的改动。或许,在荷马看来——让我们循着他有关命运的思考演绎——这是凡人的可悲(或悲苦,本卷第 341 行)在深层次上的含意。参考第十一卷第 297 行注。欧鲁洛科斯很擅辞令(参考本卷第 343—344 行),将屠牛食肉的企图归隐于不言之中。

③ 第 352 行同第 294 行。参考第 290 行注。

牧牛，丰美，额面开阔，硬角弯卷，
正在食草，临近头首乌黑的船舟。
他们站围牛群，其后，对神明祈求，
摘下鲜嫩的绿叶，从枝干高耸的橡树，
凳板坚固的船上已无有雪白的大麦可用。
作罢祈祷，他们杀宰牧牛，剥去皮张，
剖下腿肉，用油脂包裹腿骨，
双层覆盖，铺上精切的碎肉。
由于没有酒浆，泼洒烧烤的祭物，
他们以水代酒祭奠，将所有的内脏烤熟。
焚烤了祭畜的腿件①，品尝过内脏，
他们把剩余部分切成小块，挑上叉头②。

“其时，舒甜的睡眠离开我的眼睑；
我回返自己的快船，回抵海滩。
然而就在归返的路上，当我接近翘耸的海船③，
烤肉的香味弥漫，迎面扑来，
我悲声叹叫，对着永生的神明呼喊：
‘父亲宙斯，各位幸福、长生不老的神仙，
你们用残忍的睡眠将我欺哄，使我遭难，

---

① 即用油脂包裹的腿骨(第360—361行)。参考第三卷第459行注。宰牛者得到饱啖牛肉的实惠(比较本卷第343—344行)，同时还兼顾了对神的祭祀。

② 关于宴祭的详细描述，参阅第三卷第430—463行。本卷第360—361行同《伊利亚特》第一卷第460—461行；第364—365行同《伊利亚特》第一卷第464—465行和本书第三卷第461—462行。关于“内脏”(本卷第364行)，参考第三卷第9行注。

③ 第368行同第十卷第156行(第367行同该卷第407行)。

伙伴们留在此地，做下错莽的事情毁败[①]。'

“裙袍长垂的兰裴提娅迅速出动，告诉
赫利俄斯·徐佩里昂我们宰牛的讯言[②]，
后者心中震怒，话对在场的神仙：
'父亲宙斯，各位幸福、长生不老的神祇，
惩罚莱耳忒斯之子奥德修斯的伙伴！
这帮人骄横，将我的牧牛杀宰，它们总能
使我欢悦，当我攀升多星的天空，
或从天上归返地面，回转[③]。
除非他们赔偿我因被劫牛造成的损失，
我将把光明送给死人，沉入哀地斯的房院[④]。'

---

① 人们既应祭慰和恭维神明，亦可抱怨和责备神灵(参考第十一卷第559行及该行注)。奥德修斯既然认定神灵故意捉弄，自然也就能以此为由怨责他们。但宙斯或许对此会有别的解释(细品第一卷第32—34行)，有意在“追究”责任时加大凡人自己承担的比重。

② 赫利俄斯“无所不见”(第323行)，为何还要兰裴提娅专程报信？正是明光闪耀的他发现了阿瑞斯与阿芙罗底忒偷情(第八卷第270—271行)，并于赫法伊斯托斯捉奸前严密监视他俩的举动(同上第302行)。

③ 比较第十一卷第17—18行。

④ 假如赫利俄斯真的不再日照人间，而把明光投向哀地斯的府居，后果将极其严重。此举会颠倒光明和黑夜的位置，破坏既有的生活秩序。此外，它将改变神族对世界统治的既定格局，引发更大范围的裂变，伤损天体的合谐。或许正因为如此，赫利俄斯的威胁立马奏效，迫使宙斯做出“立即劈砸他们行途中的快船”(第387行)的承诺。参考《伊利亚特》第十六卷第439—452行和第二十卷第54—65行等处。诸神当然知道，对于凡人日光意味着什么，有多么重要。参考本卷第274行及该行注。

“其时，汇集云层的宙斯对他答话，开言[1]：
‘还是照射长生者，赫利俄斯，照射
会死的凡胎，普照盛产谷物的田野。
我会立即劈砸他们行途中的快船，在那
酒蓝色的洋面，用闪光的炸雷，将它裂成碎片。’

“我从长发秀美的卡鲁普索那儿听知这些，
她说，她从信使赫耳墨斯口中得知此番信息[2]。

“当行至海边，那里停驻舟船，
我挨个责备他们，但我们找不到
补救的办法，死牛不会复还。
其时，神明当即对我们展示兆现。
牛皮开始爬行，叉尖上的牛肉发出轰喊，
熟的生的，响声犹如牛哞一般[3]。

“一连六天，我的可以信靠的伙伴们
啖食赫利俄斯最好的牧牛，拢来美餐。

---

① 第 384 行同第一卷第 63 行等处。“汇集云层”的乃宙斯（天空的主宰）的常见饰词。宙斯（Zeus，所有格形式为 Dios）的主要“作战”手段是“闪光的炸雷”（本卷第 388 行），也与天空（即来自天上的）有关。比较梵语词 dyaús（所有格形式为 divás），意为“天”“天空”。

② 细心的读者或许会问，作为一介凡胎，奥德修斯何以能知道神祇在事发后的具体反应（详见第 374—388 行）？第 389—390 行便是对此类诘问的回答。诗人有时会像一位细心的维多利亚时代的小说家那样注重细节的安排。参考并比较第十卷第 307 行注。

③ 荷马通常不喜刻意描绘令人毛骨悚然的场景（另见第二十卷第 345—349 行）。此种风格的“叙事”在荷马史诗里并不多见。比较本卷第 45—46 行。

但是,当克罗诺斯之子宙斯送来第七个白天[①],
呼啸的风飙终于息止收敛,
我们当即登船,驶向浩渺的大海,
竖起桅杆,升起雪白的篷帆。

“当我们驶离海岛,眼前无有可见的
陆岸,只有天空,连同汪洋一片,
克罗诺斯之子扯来灰暗的云层,笼罩在
深旷的海船上面,云下的大海变得乌黑森严[②]。
航船继续开进,但只有短暂的时间,尖啸
的西风突然扑来,狂风呼吼,席卷,
疾飙劲吹,将两边固系船桅的支索
裂断,桅杆向后倾倒,所有的索具
掉入舱底躺翻。桅杆倒向船尾,
敲砸舵手的脑袋,把头颅和脑骨
捶得稀烂——像个潜水者,他
跌落舱板,高傲的魂息脱骨,离开[③]。

---

① 第 399 行同第十五卷第 477 行。

② 第 403—406 行同第十四卷第 301—304 行(不同之处只在用“克里特”取代了这里的“海岛”)。

③ 换言之,舵手一命呜呼。“魂息”原文作 thumos,亦可作“命息”解。thumos 的含义比较广泛,包括可作“心智”、“心灵”、“命息”或“精气”解。参考第十一卷第 220 行及该行注。可作“命息”(或“魂息”)解的例子,另见第三卷第 455 行、第十卷第 163 行、《伊利亚特》第十三卷第 671—672 行和第十六卷第 606—607 行等处。参考并比较本书第十一卷第 491 行注。thumos 与 psuche(参考该卷第 26 行注)有大致等义的一面,而荷马亦不止一次地并用二者(见《伊利亚特》第十一卷第 334 行和本书第二十一卷第 154、171 行)。人死后,psuche 以虚影(eidolon)的形式存在于哀地斯;冥府里无有 thumos“活动”的见例。参考并比较第五卷第 454—459 行。thumos 位居胸腔或肺叶,有感觉(故能爆发或感受“激情”),能思考。

宙斯甩出霹雳闪电,击打我们的海船,
遭受大神的雷劈,整条船体颠颤,
硫黄的烟味弥漫。伙伴们掉落海里,
似一群白骨顶,被浪水冲卷,沉浮在
乌黑的船边;神明夺走了他们回家的企愿①。

"我仍然颠行船上,直到激浪
卷走龙骨边的船帮,推着光杆的
龙骨漂走,砸断与之相连的桅杆,
幸好尚存一条牛皮制成的后支索连搭,
我用它捆绑龙骨和桅木,绑连,
任凭凶险的风飙推搡,坐在它的上面。

"其后,西风停止呼吼,收敛,
南风轻快地吹来,给我的心灵致送悲伤,
我将回返险恶的卡鲁伯底斯,重走一趟。
风浪推我漂走,整整一个晚上,及至旭日东升,
及抵可怕的卡鲁伯底斯,来到斯库拉的悬崖。
其时,卡鲁伯底斯正吞陷咸涩的海水,
我高高跃起,伸手高大的无花果树②,

① 第 415—419 行大致同第十四卷第 305—309 行。是宙斯,而非奥德修斯的"仇人"波塞冬,使奥德修斯的伙伴们命归冥府。参考本卷第 387—388 和 405 行以下。比较第一卷第 9 行。

② 此树硕大、枝叶繁茂(见第 103 行)。狂风把奥德修斯送回到卡鲁伯底斯和斯库拉险象横生的海峡。上一回,奥德修斯避开卡鲁伯底斯(第 244 行),从贴近斯库拉的一边闯过。这一次,他又被迫历险卡鲁伯底斯的水涡,凭借自己的机智和胆量再次死里逃生。当然,对于史诗人物,人的努力重要(参考第 216 行注),但能在生死关头创造奇迹,他们不会不想到神的帮忙(参考第 445—446 行)。

抓住，紧抱，像蝙蝠一样。然而，
我找不到蹬脚支身的去处，亦无法贴爬，
树的根部离我甚远，枝杈伸展，在够不到的上方，
粗大、修长，遮罩卡鲁伯底斯的面庞。
我只好紧紧抱住不放，等着她喷吐①
龙骨桅杆。我急切等盼，它们终于迟来
姗姗，在那判官离开市场② 之时，回家进用晚餐，
判毕年轻人的诉讼，一桩一桩办完；
就在这种时候，卡鲁伯底斯才把杆段送还。
其时，我松开腿脚臂膀，从高处跳下，
溅落水面，偏离两根木段，掉在中央，
但我跨爬上去，挥手划向前方。
好在人和神的父亲③ 不让斯库拉再次见我，
否则我将逃不出暴死的灾亡。

“从那儿我漂行九天，及至第十天晚上，
神祇把我带到俄古吉亚岛屿，秀发的卡鲁普索
在那里居家，一位可怕的女神，讲说人话。

---

① 参考第 105—106 行。

② agore，另见《伊利亚特》第十八卷第 497 行。除个别用例外，在荷马史诗里 agore 作“集会”解（参考本书第三卷第 127 行注和第八卷第 148 行注等处）。当时尚无正式的法庭（或法院），判决经常在市场里进行（详见《伊利亚特》第十八卷第 497—508 行）。“判官”（或裁决者）由德高望重或有身份的人士担任（参考本书第十一卷第 186—187 行）。比较同卷第 568—571 行。

③ 指宙斯。参考第一卷第 81 行注。在荷马史诗里，只有宙斯可得此殊荣。赫西俄德称宙斯为“神和人的王者”（《神谱》第 923 行）。这一回，奥德修斯的指称明确（他已掌握确切“情报”，参考本卷第 389—390 行），并非含糊其词（参读第 295 行注）。至于宙斯是否真的发过指令，让斯库拉不对奥德修斯行凶，我们不得而知（不知基耳刻的通报是否涵盖这些内容）。

她照料我,对我关怀。然而为何再述此事,重讲?
昨天,在你的宫居,我已告诉
你和你雍雅的妻房[①]。我讨厌重复,
再述说过的事情,已经清楚地对人说讲。”

① 参阅第七卷第 241—297 行。当然,在场的还有列位法伊阿基亚权贵。诗人在本卷第 447—450 行上半节里重提第七卷第 253—256 前半节里说过的内容,以小篇幅的重复点题已经说过的事实,以此完成叙述的跨越时间的前后衔接,从而使听众得以心悦诚服地认可奥德修斯关于无须再次大篇幅重复的陈述(本卷第 452—453 行)。

第十三卷

他言罢，众人悚然无言，全场静默[①]，
惊诧于他的叙事，在整个幽暗的厅中[②]。
其后，阿尔基努斯对他答话，出声：
“现在，奥德修斯，你已置身我的房宫，
青铜铺地[③]，顶面高耸，我想你能归家，
不再受挫偏离航线，既然已经备受折磨种种。
眼下，我要催嘱你等各位，聚在
我的宫中，啜饮权贵们享用的闪亮醇酒，

---

① 程式化诗行，同《伊利亚特》第七卷第 92 行。比较本书第七卷第 154 行等处。

② 第 2 行同第十一卷第 334 行。奥德修斯讨厌重复（参见第十二卷第 452 行），但史诗的构组恰恰需要“重复”。故事（或精心构组并通过精彩表述的语言篇章）拥有神奇并使人“惊诧”（kelethmoi，派生自 keleo）的力量（比较柏拉图《普罗泰戈拉篇》315A）。在荷马生活的年代，诗歌和巫卜（亦即诗艺和巫术）远没有彻底脱钩，诗歌（或故事）的得之于远古的震诧人心的力量依然深深地潜伏在人们对诗的接受意识之中。荷马把诗歌归之于神的赐送，坚信它具有通神的一面，因此不仅是传送知识的媒介（参考本书第十二卷第 188 行注），而且还是催化和魅迷人心的手段。荷马反复强调语言的魅迷（thelgein）作用（参看第十四卷第 387 行和第十七卷第 514 行等处；比较第十二卷第 39—44 行和第十六卷第 298 行），把诗歌（或神话、故事）看作是神力在凡界的延伸。thelgo 和 keleo 具有同义的一面；在后世的口语里，希腊人用 keleo 取代了 thelgo。参考并比较第四卷第 598 行注、第十二卷第 39 行注和第十四卷第 387 行注等处。

③ 参考第七卷第 86 和 89 行。

总在我的身边,聆听歌手的唱诵[1]。
赠客的衣服已经放好,躺在滑亮的箱笼,
连同精工冶铸的黄金,其他礼物汇总,
法伊阿基亚人的首领们将其带来,作为馈送。
这样吧,让我们每人送他一个大鼎和
一口烧锅[2],大家可从百姓中征收
费用。此事不易,由一个人慷慨负重。”

阿尔基努斯言罢,众人欣喜赞同,
于是返家睡觉,各回自己的家门。
当早起的黎明重现天际,手指玫瑰嫣红,
他们匆匆行至海船,携带坚实的青铜,
灵杰豪健的阿尔基努斯[3] 亲自登船,
把礼物在凳板下放妥,使其不致妨碍

---

① 有权利,自然便有相应的义务,但费用的实际负担者是民众(参考第14—15行;比较第二十三卷第355—358行)。民众将为首领们的豪爽付出代价,为客谊的体面承担“责任”。

② 奥德修斯已经收取法伊阿基亚首领们的一份不薄的赠礼(参考第八卷第390行以下)。此外,阿尔基努斯亦已先行给过他一只金杯(同上第430—432行)。三脚鼎(实为三脚锅,造型上不同于中国的鼎,也没有那样厚实)和烧锅既有实用价值,也是馈赠客人的佳品礼物;鼎锅还是家中的摆饰,具有装饰的功用。参考《伊利亚特》第二十三卷第259行和第八卷第290行注。本卷第13行里的“大鼎”不知是否与《伊利亚特》第二十三卷第702行里提及的那个属于同一类型,后者——根据在场的阿开亚人估计——值得十二头牛的换价(同上第703行)。与之相比,一名手工精熟的女子只有四头牛的价位(同上第704—705行)。另参读同上第259—270行。阿尔基努斯曾以十二只羊、八口猪和两头牛的“出手”招待父老乡亲(本书第八卷第59—60行)。不知是由他自己,还是公库支付这笔开销。参考并比较本卷第9行注。

③ 注意阿尔基努斯的饰词。“灵杰的”(hieros)明显展示古代(抑或,慕凯奈时代)王者和王权的神圣性。比较hiereus(祭司)和hiereion(祭物、牲品)。另比较“神圣的歌手”(theios aoidos,第27行)。参考第二卷第409行注。

船员的行动，当他们荡摇桨板，驱船急速前冲。
然后，全体前往阿尔基努斯的宫居，备享宴酬。

灵杰豪健的阿尔基努斯祭出一头公牛，
给宙斯，克罗诺斯汇聚乌云的儿子，万物的镇统。
焚毕腿件，他们开始享领宴肴的
光荣，神圣的歌手对他们歌唱，
德摩道科斯，深得人民敬重[①]。但奥德修斯
频频侧首，观望闪光的太阳，
盼望它赶快下落，急切，盼想归程。
像有人盼望食餐，业已赶着一对酒褐色的
牛身，整天拖着制合坚固的犁具耕地，
欣喜于太阳的垂落，挪动
沉重的双腿，终于盼来晚餐的时分[②]；
同此，奥德修斯欣喜于太阳余晖的下沉。
他当即发话，对欢爱船桨的法伊阿基亚人，
首先是对阿尔基努斯，说话述陈：

---

① 相似的赞语另见第八卷第 472 行。参考该卷第 44 及 480 行注和第十一卷第 368 行注。关于“腿件”，参考第三卷第 459 行注。

② 诗人适时引入了一个取自现实生活景观的明喻，把归心似箭的奥德修斯比作劳累了一天、盼望回家晚餐的农人。比喻生动、鲜活，充分利用了明喻语言（参考第四卷第 339 行注）开拓的表述空间，形象地表现了“奥德修斯欣喜于太阳的下沉”（本卷第 35 行）的激动心情。牛是农人相依为命的伙伴，它们的苦干精神充分体现在《伊利亚特》的一则明喻里：荷马把两位埃阿斯比作“两头酒褐色的健牛”（详见第十三卷第 703—707 行；参考并比较该史诗第十卷第 351—353 行和第十八卷第 541—549 行）。关于荷马史诗里的明喻，我们已在对《伊利亚特》的评述时多次“点到”。参考并比较该史诗第二卷第 471 行注、第五卷第 502 行注、第十卷第 362 行注、第十五卷第 619 行注以及第二十卷第 164 和 497 行注。

"哦,豪贵的阿尔基努斯,人中的杰尊[1],
泼洒奠酒,送我平安出走,踏上归程,
我祝你们安康,我的全部心想如今都已成真:
有人护航,船载表示友好的礼送。愿天神让
它们使我昌盛;愿我回家之后,团聚妻子的
洁贞,眼见他们无有伤损,所有的亲朋。
愿诸位留居此地,给婚娶的妻子带来康乐,
给你们的孩童;愿神明恩赐,使你们
遇事如意,让不幸远离你们的民生!"

他言罢,众人均表称赞,赞同
送客归返,认为他说得在理明白。
其时,强健的阿尔基努斯告嘱信使[2],开言:
"调兑一缸浆酒,庞托努斯,斟给厅里的
人等各位,以便对父亲宙斯祈祷,
送出我们的客人,使他回返故园。"

他言罢,庞托努斯调好醇酒香甜,给各位斟倒,
站在每个人身边。他们泼洒奠酒,
给所有幸福、永生和拥掌辽阔天空的神仙[3],
在他们下坐之处敬奠。卓著的奥德修斯站起,

---

① 第38行同第八卷第382行等处。奥德修斯已知法伊阿基亚人会送他回国,故以美好的祝愿表示感谢(同时也意在催促)。参考并比较第七卷第147行注。

② 信使(或使者)不仅传送口信,还兼司多种责职,包括调兑酒浆(见第50行)和代为王者(或招待的一方)送客(第64—65行)。参考第八卷第62行注。

③ 洒酒祭神,既示对神的敬重(并求其保佑),亦示主家对出门者(或客友)的礼送之意(参考第十五卷第147—153行)。参考第二卷第432行注。

将带把的杯盏交到阿瑞忒手里①，
对她说话，吐送长了翅膀的语言②：
“祝你幸福，尊敬的王后，此生不变，
直到老年和死亡来临，凡人注定会有的一天。
我去了，现在。祝你欢乐，与你的孩子、人民
和王者阿尔基努斯共享，在这座宫院！”

卓著的奥德修斯言罢，跨出门槛，
强健的阿尔基努斯差遣信使同行，
引他前往快船和海边的沙滩。
阿瑞忒亦指派女仆，跟行一边，
让其中一个手捧一领净洗的披篷，连同一件衣衫，
吩咐另一个搬抬那只精固的箱子③，
第三个提携食品和殷红的酒浆随伴。

当他们行至海边，那里停驻舟船，
高傲的水手们迅速接过物品，妥放在

---

① 另见第十五卷第148—149行和《伊利亚特》第二十四卷第284—285行。

② 程式化表述。奥德修斯特别对阿瑞忒（单独）表示祝福，以示对她的由衷感谢（参考第六卷第311行注）。由此，奥德修斯的回归将进入顺途，而男人也将从女子手中接过协助奥德修斯的“工作”（当然，雅典娜的助佑谁也不可替代），帮助他实施对求婚人的复仇。祝福（本卷第59—62行）基本上是一种对凡人的行为。神祇长生不老，从本质上来说无忧无虑，因此无须会死和悲苦的凡人对他（她）们祝福，祝愿他（她）们的生活幸福美满。卡鲁普索对奥德修斯有救命之恩（参考第五卷第130—132行），生活上对他关心照顾（同上第135行），助他归返，针对行程的艰险有所告诫（参阅同上第203—207和233行以下）。然而，当奥德修斯与她分别（并且很可能是永别）时，却没有说过一句表示祝福的话语。雅典娜曾对波塞冬有过一番“祈愿”（第三卷第55—61行）。但第一，她以门托耳的身份祈请；第二，其中以提要求为主，没有祝福。

③ 参考第八卷第438—445行。

空旷的舱内,包括所有的食品饮料,
然后为奥德修斯铺开一条毛毯和一条亚麻的布单,
在深旷海船的尾部,使他得以不受惊扰,
在甲板上安眠。奥德修斯登船,静静地
躺在上面。水手们在各自的桨位就座,
顺序,从穿孔的石块上解下绳缆。
他们趋身荡划,船桨扬起水花滴溅。
睡眠临落奥德修斯的眼睑,舒怡,
最为香甜,不带苏醒,最像死亡一般①。
宛如四匹儿马拉车②,在那平原,
受激于鞭头的驱赶,合力奋发向前,
高扬蹄腿,轻捷,在路面上跑开;
就像这样,航船翘起船尾,撇下紫蓝色的
水浪翻腾,穿行在呼吼的大海。
船舟迅猛开进,走得平稳,从不摇颠,就连
盘旋的鹰隼,飞禽中数它最快,也难以追赶。
就这样,海船迅猛开进,破浪向前,
载着一个凡人,和神明一样多谋善断,
心灵已忍受许多痛苦,历经各种折磨悲哀:

① 和死亡一样,人在酣睡时一般无有知觉。此外,死亡是"乌黑的",而睡眠也发生在乌黑的夜晚,二者都与"乌黑"直接或间接相关。无怪乎诗人称睡眠"最像死亡"(第80行),二者是一对兄弟(参考第二十卷第52行注)。当然,人死后一般不再复活,因此死亡是"可恨的"。与之相比,睡眠去除疲劳,使人的身心得到休息,因此"舒怡,最为香甜"(本卷第79—80行)。

② 四马拉车的情景在荷马史诗里罕见(另见《伊利亚特》第八卷第185行及该行注)。《伊利亚特》里的战车通常由两匹马拉拽(参考并比较该史诗第十一卷第698行注)。把快船比作奔马(本卷第81—83行,另参考第四卷第708—709行)顺乎人的想象,颇为贴切。本卷第87行继而引入鹰鸟,使形象的组合更趋缤纷,呈现出海陆空全方位展示的势态。

人间的战争，在汹涌的海浪里颠翻[①]。
眼下，他正在安眠，忘却了所有受过的苦难。

当那颗最明亮的星辰[②] 闪现，预报
早起的黎明，她的光线送来初晨，
劈波远洋的海船驶近，靠拢岛身。

那里有一处港湾，以海洋长者福耳库斯[③] 的名字
称谓，在伊萨卡的郊外。两峰突兀的峭壁相对
而立，低斜伸出，将港口拱围，
挡避滔滔的骇浪，受飙风推送，
啸吼在港口外面。岬内，带凳板的海船
一经驶入锚点即可停泊，不用绳连。
港湾的入口处长着一棵橄榄树，枝叶茂繁，
附近有个佳美的洞穴，幽暗，

① 第91行同第264行、第八卷第183行和《伊利亚特》第二十四卷第8行。人所面临的挑战，来自意味深长的内、外两个方面。战争是人为的(当然在史诗人物看来，也是神致的)，是一种人与人(或人际间的)行为；而大海是外在的，是一个不以人的意志或喜好为转移的客观存在。史诗英雄与人斗，也与自然搏斗，有时还要直接或间接地和远非与人为善的神祇抗争(狄俄墨得斯就曾直接面对面地与战神阿瑞斯战斗)。当然，人与自然也存在合作的一面，而人与神的关系则更多地体现为前者对后者的服从和尊敬。在处理人与人的关系上，荷马不主张无休止的争斗，认为敌对势力的和解不仅符合人的根本利益(参考本书第二十四卷第531—532行)，而且也体现了宙斯的意志(同上第482—486行)。参考并比较第十二卷第73行注。

② 或许指金星。

③ 与奈柔斯(《伊利亚特》第一卷第556行)和普罗丢斯(本书第四卷第365行)一样，福耳库斯也是一位“海洋老人”，而且还是库克洛普斯的外祖父(参见第一卷第70—73行)。

女仙们的圣地，奈阿德斯是她们的称唤①。
那里有石头的兑缸和带把的
瓮罐，蜂儿将蜜浆储存在里面，
还有石制的织机，修长②，女仙们
用其纺制海紫蓝的织物，看后让人惊叹③，
伴临潺流的泉水，永不涸干。洞穴有两个入口，
一个迎对北风，凡人可以进内，
朝对南风的另一个神圣，那是
长生者的入口④，凡人不得逾越。

　水手们已知那边的情况，划船进入港湾。
海船受力疾冲，竟有半条船身搁置
沙滩，桨手的膂力巨大，就有这般。
他们步出凳板坚固的海船，登岸，
先把奥德修斯抬出深旷的海船，
连带麻布的床单和闪亮的织毯，
将他平放沙滩，后者仍然处于熟睡状态。
然后，他们搬出物品，高傲的法伊阿基亚人
致送的礼件，受心胸豪壮的雅典娜催动，
在他登船返家之前，将其放置在橄榄树边，

---

① 山林水泽是女仙们的属地，也是她们活动的地点。古希腊人赋予自然以"人为"的神性。"大自然的每一个完美无缺的单独部分都有自己的神，每一条河有自己的河泽女神，每一片森林有自己的森林女神，古希腊人的宗教就是这样创立起来的。"（恩格斯《风景》，《马克思恩格斯全集》第四十一卷第 91 页）不过，古希腊的河神很多都是男的，并且通常又都是他所代表的河流本身（参考本书第十一卷第 239 行注）。

② 比较第十二卷第 317—318 行。

③ 参考并比较第六卷第 169 行注。

④ 即神祇的专用通道。人创造了神，也"塑造"了他们的独特性。神的独特性还反映在某些用词上（参考第十卷第 137 和 305 行注；另见第十二卷第 61 行及该行注）。

避开路径，垒作一堆，唯恐有人经过此地，
先于奥德修斯苏醒，伤损他的财产。
做毕，他们动身归返家园。但是，裂地之神
却不曾忘记初时的威胁，对神一样的
奥德修斯，其时开口询问宙斯的意见：
“父亲宙斯[①]，我将不再受到敬重，在永生的
神明中间，既然凡人对我毫不尊敬，
那些法伊阿基亚人，还是我的后代[②]。
我说过，奥德修斯要遭受许多苦难，
方能归返家园[③]，然而我不曾彻底破毁
他的还家，因为你已答应，点头在先。
但他们载他过海，酣睡在快捷的舟船，
让他息躺伊萨卡，给他难以数计的礼件，
有大量的青铜、黄金和织纺的衣服[④]，
比奥德修斯能从特洛伊运回的更多[⑤]，
倘若他能无有伤痛，带着分享的战礼归返。”

---

① 另见《伊利亚特》第七卷第 446 行。波塞冬是宙斯的兄弟（参考该史诗第十五卷第 166 和 187—188 行），但仍按通行的规矩，称其为“父亲”（连宙斯的妻子赫拉亦以此相称，见该史诗第十九卷第 121 行）。古希腊人尊重父权（现代希腊人亦然），因此很自然地把宙斯和“父亲”联系起来。在那个神权和世俗权利并存和共同发挥作用的英雄时代（或社会）里，宙斯是“神和人的父亲”（该史诗第十五卷第 12 行，赫西俄德《神谱》第 457 行；此语在《伊利亚特》里出现了十二次，在《奥德赛》里的用例较少，为三次）。参考第一卷第 81 行注。

② 波塞冬是阿尔基努斯的爷爷（参见第七卷第 61—63 行）。此神似乎对凡人潜在的冒犯特别敏感。参考《伊利亚特》第七卷第 446—453 行里他对宙斯的“告状”。两部史诗颇为默契地刻画了裂地之神性格中的这个侧面。

③ 参考第五卷第 377—379 行。

④ 第 136 行同第十六卷第 231 行。

⑤ 客访是敛财的重要途径。比较墨奈劳斯于回归途中在埃及的客访（亦即敛财活动）。参考第八卷第 389 行注。

其时，汇集云层的宙斯对他答话，说道：
“你说了些什么，威镇远方的裂地神骄？
神灵并没有伤损你的尊褒。此事行使不得，
攻击和羞辱我们的尊长①，神中数他最好。
至于凡人，倘若有谁放纵强健凶蛮，
对你轻藐，如此，你可对他惩剿②，
现在，将来——放手做去吧，凭你的喜好。”

其时，裂地之神波塞冬对他答话，
“我本该即速，乌云之神，按你说的去办，

---

① presbutaton，可作“最年长的”或“最受尊敬的”解。宙斯是波塞冬的兄长（参看《伊利亚特》第十三卷第 355 行），且远比操使三叉戟的弟弟强健。赫西俄德或许择从了另一套神话的定位，将宙斯视为克罗诺斯最小的儿子（参阅《神谱》第 453 行以下）。

② 参考第十一卷第 582 行注和《伊利亚特》第六卷第 140 行及该行注。人可以批评和责备神祇（参考本书第十一卷第 559 行注），但显然要有个限度，不能无限度地放纵自己，为所欲为（当然，这是荷马的神学观）。人要有自知之明，要“认识你自己”（参考第二卷第 5 行注）。不过，法伊阿基亚人运送过往的客人并予以礼待本为符合客谊之举，于神也没有什么伤害。然而，波塞冬痛恨的恰恰是他们“船渡所有的来客”（本卷第 174 行；比较第六卷第 201—205 行），并且“从来畅顺”（第 174 行）。看来，宙斯提倡且予以大力支持的客谊（参考第 202 行注、第九卷第 176 行注，另见第十四卷第 57—58 和 389 行等处）并不足以阻止波塞冬的妒意，而宙斯也因为出于对兄弟的礼让，同意让其“放手做去”（本卷第 145 行），从而松动了支持客谊的一贯立场，在这一问题上采取了双重标准。参考并比较第 260 行注和第十四卷第 87 行注。

但我一向敬畏你的愤怒①,不敢动手贸然。
这一回,我决心击砸那条漂亮的
法伊阿基亚航船,在那迷蒙的海面,当它
返航归还,以便让他们中止,不再护送
人员;我要围困他们的城市,用一座大山②。”

其时,汇集云层的宙斯对他答话,说道:
“听听我的想法,好兄弟,我以为此举极妙:
当全体民众见它驶临,归返,
从城上远眺,你可把它变作石头,看似
快船③ 的形貌,近离海岸,让所有的人吃惊
盯瞧,然后围困城市,用一座大山围包。”

听罢此番嘱告,裂地之神波塞冬
赶往斯开里亚,等候在法伊阿基亚人
生聚的地方。破浪远洋的船儿临近,

---

① 参考《伊利亚特》第二十卷第 13—15 行。但如果逼急了,波塞冬也会奋起反抗[虽然仅用言词(epos),并且只是当着神界信使伊里斯的面,详阅该史诗第十五卷第 184—199 行]。宙斯的豪力确实大得可以。奥林波斯山上的众神就是联合起来,恐怕(应该说肯定)也不是他的对手(参考该史诗第一卷第 566—567 行和第八卷第 450—451 行及相关注释)。另参考并细读该史诗第一卷第 590—591 行、第十五卷第 18—24 行和第十九卷第 129—130 行等处。但宙斯也有过被包括赫拉、雅典娜和波塞冬在内的奥林波斯神明“逼宫”的屈辱。幸得塞提斯搬来救兵,才使他脱险,免遭可耻的毁败(该史诗第一卷第 399—404 行)。此外,波鲁菲摩斯可以声称库克洛佩斯人远比包括宙斯在内的奥林波斯神明强健(本书第九卷第 275—277 行),而俄托斯兄弟也曾扬言要踏着高山登天,与奥林波斯众神决战(详见第十一卷第 305—316 行)。

② 比较阿尔基努斯的父亲那乌西苏斯的预言(第八卷第 565—570 行)。

③ 船可以或应该是“快”的(像奔马和高飞的雄鹰,参考第 81 行注),即便它停止不动,即便船体已经变成石头(另见第 168 行)。参考并比较第二卷第 72 和 402 行注。

迅速驶向岛旁，裂地之神逼近海船，
将其变作石头，根扎在海水的底盘，
仅凭一次挥手打击，然后离开石舫①。

以航海闻名的法伊阿基亚人，他们操使长桨，
其时用长了翅膀的话语，互相说讲，
望着各自身边的伙伴，诉说感想：
“咳，是谁停驻了我们的快船，在那水面之上，
当它驶近，回返家乡？刚才还可清晰眼见它的形象。”

他们中有人这样说讲，不知何事已经发生。
其时，阿尔基努斯开口，话对他们：
“咳，真准，昔日的预言如今成真。
家父曾经说称，告诉我波塞冬为此怀恨，
只因我们船渡所有的来客，从来畅顺。
他说将来会有一天，当一艘精制的法伊阿基亚
航船驶回，从海路的迷蒙，波塞冬
将砸毁船只，用一座大山封围我们的居城。
老人如此说告，如今一切均已成真②。

---

① 参考第157行注。比较第105—107行里的石头“制品”。宙斯亦曾把尸体变成石头(《伊利亚特》第二十四卷第611行)。

② 第172—178行大致同第八卷第564—570行。预言的部分实现也部分地荡灭了阿尔基努斯的侥幸心理(如果有的话，参考第八卷第570—571行)。波塞冬最终有没有封围他们的居城，我们不得而知。在荷马史诗里，谕言(或神谕)常有不可抗拒和逆违的“实现性”。但考虑到第八卷第571行似乎为此事的兑现留了余地，此外也考虑到法伊阿基亚人与神族，尤其是波塞冬的近亲关系(波塞冬乃阿尔基努斯的亲爷爷)，我们似乎可以不必太过认真地设想，波塞冬会在接收隆盛的献祭后对法伊阿基亚人的城市网开一面。

来吧,按我说的做,让我们服顺。
我们将不再运送凡人[①],落脚我们的
居城,还要从牛群里精选十二头公牛,
给波塞冬祭奉。如此,他或许会怜悯我们,
不致峰起一座大山,封围我们的居城。”

他言毕,众人害怕,备好牛牲。
于是,法伊阿基亚人的首领和
统治者们围站祭坛,对波塞冬
祈祷出声。其时,卓著的奥德修斯长睡
醒来,在自己的国度[②],但却辨识不出
久别的乡土,只因帕拉斯·雅典娜,女神,
宙斯的女儿已把一切蒙罩在迷雾之中,以便
掩隐他的身份,对他细说详情,告嘱,
使妻子认不出他来,连同他的亲朋和城里的民众,
直到他严惩过求婚人的骄横粗鲁。
所以,对归来的王者,她使一切看来都显异殊:
利于泊船的港湾,蜿蜒的山路,
还有陡峭的石壁,枝叶繁茂的大树。
他跃起直立,环视自己的故土,
高声吟叹,抡起手掌,击打

① 荷马史诗里的神祇妒忌心强。法伊阿基亚人渡送过往的来客,从来顺畅(第174行和第八卷第566行),如此也会引起神的不快(比之普罗米修斯为凡人偷盗火种而受宙斯严惩一事,法伊阿基亚人的作为要轻描淡写得多),遭致报复。参考第四卷第181行注。但斯开里亚绝少有凡人光顾(参考第六卷第201—205行),大概不会有太多的来客,需要法伊阿基亚人帮忙渡送。

② 即伊萨卡。

两边的腿股[①],悲痛,开口说诉:
"哦,好苦! 我来到哪方疆土,族民生性
如何,是暴虐、野蛮、法规全无,
还是善待生客,心中敬畏神主[②]?
我将把这许多东西带往哪里? 自己又将
漂游何处? 真该留在法伊阿基亚人
之中,造访其中另一位强健的王公,
他会善待于我,送我返回乡土。
眼下,我不知该把东西堆放何处;不能
留置此地,担心它们会沦为别人的财物。
算了吧,那些个法伊阿基亚人的首领治统,
他们并不缜密周全,办事不在情理之中,
把我弄到异域,还说要送我回到
明媚的伊萨卡,却只说不做,凭空。
愿祈援者的宙斯惩罚他们,他也监视

① 比较《伊利亚特》第十二卷里呼耳塔科斯之子阿西俄斯的举动(第 162—163 行,另见该史诗第十五卷第 113—114 行)。

② 第 200—202 行同第六卷第 119—121 行。族民有无法规(包括约定俗成的"规章制度")意识,能否热情接待生客,心里是否敬畏神明,有无体面及较为完备的生活和娱乐设施(如会场、舞场等),这些是荷马用来衡量和评估他们的文明程度的标准。主地的居民应该善待生客,因为客家(实为陌生人)和客谊受到宙斯的保护(参考第八卷第 389 行注等处)。在荷马史诗里,神常常站在"弱者"或需要保护者的一边(参考第十一卷第 73 行注),有意无意地对有能力提供帮助的方面(如主地的居民)施加心理上的压力,形成威慑。当然,任何神学理论的实质都会直接或间接地反映人的意愿。所以,与其说这是神的扶助弱小,不如说这是人的实用主义在神的行为准则里的体现。参考并比较本卷第 260 行注。

其他凡人，对错恶的谁个责惩[①]。
这样吧，让我先清点财物，看看他们是否
会拿走点什么，放入深旷的海船走人。”

　言罢，他开始计点精美的三脚鼎和
烧锅，还有黄金和精纺的衣物[②]。
物品俱在，无一缺损，但他悲痛难忍，凄楚，
踽行涛声震响的滩沿，在自己的国土，
号啕不止，啼哭[③]。其时，雅典娜行至近处，
变取一位年轻人的形貌，以牧羊为生，

① 比较第九卷第 477—479 行。参考第八卷第 332 行注。当然，法伊阿基亚人并没有错待奥德修斯，倒是这位生性多疑的受益者下车伊始，妄加评论，错怪了好人。不过，奥德修斯孤身闯荡，确实需要别人帮助。置身于弱者的境地和逆境之中，他对“公正”和惩恶扬善的渴望心情也自然会比《伊利亚特》里的勇士们更切。神的道德感或许会随着人对它的企望而逐渐优化，慢慢趋于“完善”。西方人对神的需要并没有因为尼采宣布“神死了”而彻底终结。参考并比较第二卷第 64 行注和第三卷第 459 行注等处。

② 此时的英雄奥德修斯颇似一位精明的管家。有趣的是，当地人在岛上的一个岩洞里确曾发现了十三只公元前九至前八世纪制造的鼎锅（参考第 14 行注）。奥德修斯贪财（参考第九卷第 267—268 行和第十九卷第 285—286 行），此刻像普罗丢斯点数他的海豹一样（第四卷第 450—451 行），清点起他的得之于客谊的财物。

③ “管家”（参见上注）此刻又像个孩子（比较《伊利亚特》第十六卷第 7—10 行）似的啼哭。参考本书第五卷第 84 行注等处。“慷慨为悲咤，泪如九河翻。”（韩愈《杂诗》）比较：“我从没遇见过有这么多眼泪的人——从眼里，从鼻里，从嘴里流得那样自在。他好像是一团海绵渗透了水，于是压榨起来。”（安特列夫《马赛曲》）参考本书第十卷第 459 和 567 行注。在事物的内核里，流淌着眼泪（sunt lacrimae rerum，参考维吉尔《埃涅阿斯纪》第一卷第 462 行）。

一个雅致的小伙，像那王家子弟[①]，
肩披一领精工织制的披篷，双层，
闪亮的脚下蹬穿条鞋，手持枪矛一根。
奥德修斯眼见心喜，走上前去，
对她说话，用长了翅膀的话语开讲出声：
“亲爱的朋友，你是我在此相遇的第一个路人，
问候你，但愿你对我无有恶憎。
求你救护这些东西，救我，我对你祈求，
像对仙神，在你亲爱的膝前，作为一名祈援人[②]。
告诉我此事，讲实话，使我能够知真[③]。
这是何地，何人在此谋生？
是某个阳光明媚的岛屿，还是一片滩地，
从肥沃的陆基倾入海里，前伸？”

---

① 正值奥德修斯亟需帮助之时，雅典娜再次雪中送炭，以一位“雅致的小伙”的形貌（比较《伊利亚特》第二十四卷第345—348行），出现在他的面前。关于雅典娜对奥德修斯的佑助，另见本书第五卷第382—387行和该卷第493行注。不过，这一回，雅典娜是自行设置了需要帮助的“局面”（参考本卷第187—193行），然后再变作一位贵族子弟，主动接受辨不清家乡景貌的奥德修斯的询问。雅典娜将一帮到底，直到奥德修斯杀灭所有的求婚人，使对立的双方（另一方为求婚人的亲属）言归于好（参考第二十四卷第546—547行及相关注释）。

② 祈求者受宙斯保护（参考第六卷第207—208行）。参看该卷第147行注和第十四卷第388—389行等处。需要对方帮助的忒勒马科斯曾对奈斯托耳说道：“我来到你的膝前”（换言之，“求你了”，第三卷第92行；另参考第六卷第149行等处）。奥德修斯自称曾抱过埃及的某个国王的膝盖，请求饶命（第十四卷第279行）。在这里，由于情况不甚紧急，亦并非事关身家性命，所以他只用话语代替，以此明示对方，他已把自己置于祈求者的位置（参考第六卷第147行注；另参阅第十四卷第279行注）。人物祈求时要抱住对方的膝盖，也可只是提及膝盖——难道膝盖有某种沿袭自远古先民文化的“神性”？不管怎么说，史诗人物相信，凡人的兴衰荣辱乃至身家性命都在“神的膝头息躺”（比如，参见第一卷第267、400行和《伊利亚特》第十七卷第514行）。参考本书第十五卷第277—278行及相关注释。

③ 第232行同第一卷第174行。

其时,灰眼睛女神雅典娜对他述陈,
“不是真笨,客家,便是打远方而来,
倘若你问的是这座岛屿,绝非默默
无闻。许多人知晓,熟晓它的名称,
无论是住在东方的族民,太阳从那里攀升,
还是居家远方,在那昏冥幽暗之处的民生。
这是个岩石嶙峋的去处,不适于跑马驰骋,
虽说狭窄,却不至贫瘠过甚,
生产充裕的粮食,还有酿酒的葡萄,
雨量一向充沛,露水使熟果的收获盛丰。
这里适放山羊牛群,各种树材
丛生,灌溉的用水不断,长年滋润[1]。
所以,陌生的客人,伊萨卡[2],它的大名甚至在
特洛伊传闻[3],虽然位置远离阿开亚地界,人称。”

她言罢,卓著和历经磨难的奥德修斯高兴,
欣喜于踏上故乡的土地,帕拉斯·雅典娜、

---

① 比较第四卷第601—608行。参考相关注释。

② 比较第188行。雅典娜“引而不发”,先用了十个诗行介绍岛屿的知名度和地理、物产情况,然后再报出它的大名,此举无论从叙事还是修辞角度来衡量,其接收效果都比平铺直叙超胜一筹。

③ 参见《伊利亚特》第二卷第632行等处。伊萨卡位居慕凯奈文化辐射的边缘地区,它的知名度与忒拜、慕凯奈和阿耳戈斯等名城不可相提并论。雅典娜的评价或许多少带点对奥德修斯家乡的言过其实的赞褒。注意雅典娜对特洛伊的提及。参考本书第十二卷第189—191行及相关注释。

带埃吉斯[1] 的宙斯的女儿已把真相道明，
于是对她答话，用长了翅膀的言语，
但却梗阻实话的吐出，没有讲说真情，
总想利用胸中的机巧，心智的捷敏：
"我曾听说过伊萨卡，在宽广的克里特[2] 知悉，该地
隔着浩海，与这里远离。现在，我亲临此地，给孩子
留下同等数量的财物，带来你所见到的这堆东西。
我逃亡出离，因为杀了伊多墨纽斯之子

---

① 参考第三卷第42行注。关于aigis的原义及词源，学界尚有争议。奥德修斯应该尚不知年轻小伙的真实身份(参考本卷第312—313和299—300行)，但从诗人的叙述来看(第251—252行)，此时的他似乎已知对方就是雅典娜。

② 奥德修斯是一位编故事的能手(参考阿尔基努斯对他的赞扬，第十一卷第367—369行)。在自编的故事或谎话里，他总爱声称自己是克里特人(另见第十四卷第199行和第十九卷第172行)。克里特是著名的米诺安文化(得名于克里特先王米诺斯)的发源地，在古代地中海地区享有盛名。米诺安文化曾对希腊本土的慕凯奈(即迈锡尼)文明产生过影响，而颇具"恩将仇报"色彩的结局是，公元前十四世纪，一次慕凯奈人的远征行动荡灭了曾辉煌了几个世纪的米诺安文化。克里特多铜矿，物产丰足，居民重商贸，通航海，对于生活在铜器时代的希腊人，那是个历史悠久、颇多传奇和具有深厚文化底蕴的地方。奥德修斯俨然以一位当事人(参考第八卷第490行注)的身份对雅典娜侃侃而谈。他当然在谎编故事，但却使我们联想起当事人的讲述在史诗构组中的作用。在英雄史诗的初创阶段，歌手(或诗人)们一定从当事人或与之相关的人员的讲述中直接或间接地获取过故事的原始资料。当事人的叙述可能是真的(即真实的)，也可能掺有水分，甚至——至少从理论上来说——可以出于完全的虚构。所以，对于当事人的描述诗人或许不会全信，比较、择选和去伪存真肯定是他们在创编史诗时必须经历的过程。好在客观地说，史诗无须(或者说不应)完全真实。否则，诗人会失去想象的余地，听众会失去对生活的琐碎和困苦的超越，而神祇，那些伴随族民们"走过来"的他们，也将失去控制、操纵和干预凡人的生存和价值观形成的机遇。

俄耳西洛科斯[①],此人腿快,在宽广的克里特
超比所有吃食人间烟火的凡丁。我杀了他,
因为他想抢夺我掠之于[②] 特洛伊的
全部战礼,为了它,我的心灵曾饱受痛凄:
人间的战争,汹涌海浪的磨砺,
只因我不愿伺候他的父亲,作为随从,
在特洛伊大地,而是统领另一些人,我的兵丁。
我埋伏路边,带着一位朋宾,当他从

---

① 在《伊利亚特》里,伊多墨纽斯乃阿开亚方面的主要将领之一,统兵克里特人,率八十条海船参战(参阅该史诗第二卷第 645—652 行等处)。在本书第十四卷第 237 行里,奥德修斯谎称是他的同事,在第十九卷第 181 行里又假冒他兄弟的身份出现。杀人后出逃的事例屡见于荷马史诗(参看第十四卷第 380 行、第十五卷第 272 行、《伊利亚特》第十三卷第 696 行、第十五卷第 430—432 行和第二十三卷第 85—88 行)。古希腊人刚烈,喜好用武力解决问题。杀人后,为了逃避被害者亲友的报复,当事人的选择只能是背井离乡。有趣的是,当杀人者沦落他乡后,他便摇身一变,成了主地居民(或他自以为可以对之求助的任何人)的客友(xeinos)或祈愿人(参考本卷第 231 行)。作为"弱者"(细读第 202 行注)的他此时名正言顺地得到了客谊的护佑者宙斯的保护(参考并比较第 144 行注)。不知荷马是否认真想过,宙斯的保护对象有可能是杀人的罪犯(换言之,是宙斯应该惩恶扬善,予以严惩的人),而主地的好心人亦可能事与愿违,帮助某些本该受到以血还血式深究的盲流分子发家致富。然而,荷马不是系统思想家,也不会从理论上回答诸如杀人者是怎样"合法"或道德地变成受保护的祈愿者的问题。他对"英雄"和"英雄业绩"的理解与我们的很不相同。作为史诗诗人,荷马不反对明火执仗的掠夺,对军事行动中滥杀俘虏的现象亦无只言片语的谴责。同样,在他看来,英雄(或壮士)因某种理由杀人并不构成严格意义上的犯罪(倒是颇能显示他的刚烈和英雄本色),因此可以不受刑事责任的追究(此外,当时既无现代意义上的"刑事"概念,亦无完备的司法体系和独立于"政治"的司法机构)。在这里,奥德修斯并没有真的杀人(即杀死俄耳西洛科斯)后出逃,但从他的叙述中我们可以看出,他对假设中的杀人行为不仅没有丝毫愧疚之意,反倒利用此事大肆渲染,借以显示自己的豪气。西方学者几乎无例外地忽略了某些英雄人物(包括阿基琉斯的好友帕特罗克洛斯)的既是杀人者(即应该受到有关方面追捕的逃犯),又是祈愿人(即理应受到主地居民庇护和全力赞助的客友)的双重身份以及与之相关的其他问题。

② 参考第 260 行注和第三卷第 106 行注等处。

田野走来,用铜头的枪矛打击。
漆黑的夜晚蒙罩天空,无人见我,
无人知晓,当我抢夺他的性命。
我宰了他,用锋快的青铜做毕,
当即夺路海船,请求高贵的腓尼基人[①]
相助,致送我的战获,愉悦他们的心灵,
求他们带我出走,前往普洛斯
或亮丽的厄利斯,厄培亚人镇统的地皮。
然而,强劲的风力把他们刮离,彻底
违背他们的意愿——水手们并不想骗我,故意。
就这样,海船偏离航线,我们误来这里,
顶着夜色,赶紧划入港内,全然不思
晚餐,尽管大家亟需进食充饥,
全都下得船来,忍受,躺倒在地。
当时,我筋疲力尽,睡眠的香甜来临,
而他们则搬出财物,从深旷的船里,
放置沙滩之上,傍随我的躺息。
他们登上海船,驶往人丁兴旺的
西冬,撇下我,带着心中的苦凄。”

　　他言罢,灰眼睛女神雅典娜微笑,
伸手抚摸着他,变取一个女人的形貌[②],

① 古国腓尼基位于地中海东部,族民散居在今天的黎巴嫩和叙利亚沿海地区,以航海和商贸的发达著称,主要城市为西冬(见第 286 行)。另参考第四卷第 84 行和第十五卷第 415 行以下。

② 雅典娜由“一个雅致的小伙”(第 223 行)又变取了“一个女人的形貌”。注意雅典娜没有以自己(即女神雅典娜)的形象显现,尽管她此时已不想隐匿自己的身份(参考第 299—303 行)。此时的奥德修斯大概知道对方是谁了。比较第 252 行注。

高大[①]、美丽，手工瑰丽精巧，
对他发话，吐送长了翅膀的话语说道：
“此人必得十分聪敏狡诈，方能胜过你的
种种诡谲高超，即便是一位神明，与你会交。
你这个家伙，精明，诡计多端，
即使在自己的地界亦不愿罢息欺哄，说些个
欺蒙拐骗的故事，打心眼里喜欢此类花招。
好了，让我们别再就此谈讨，你我都谙熟
论辩的精要，你在凡人中远为杰出，
多谋，能说会道[②]，而我在所有神祇中领享
盛名，以我的才略智巧。可你没有认出
帕拉斯·雅典娜，宙斯的女姣，总是站护
你的身边，把你的每一次苦辛关照。
是我使所有的法伊阿基亚人爱你，
现在，我又来到这里，帮助你谋设高招，
藏匿高傲的法伊阿基亚人给你的财物，
在你返家之前，按照我的计划和意愿做到，

① “高大”使男人显得强壮，使女子显得丰腴，是古希腊人审美一以贯之的主要标准之一。物体太大了固然不美，但不能太小；美的事物（包括悲剧）要有一定的“体积”。参阅亚里士多德《诗学》第七章。

② 雅典娜对奥德修斯的评价虽然带有调侃的成分，却极为精辟，入木三分（另见第330—332行）。不言而喻，这段话也代表荷马的心声，是诗人对作为史诗人物的奥德修斯的“智慧”和能说会道，亦即思辨才华的稍带“苛责”的评价。奥德修斯聪明，但也狡黠，能言善辩，但有时也稍显花里胡哨。尽管如此，在一个人神杂处的世界里，小心谨慎一些还是很有必要的。别忘了奥德修斯的伙伴们曾被基耳刻变成猪猡。奥德修斯确实难以轻信自己已经回到故乡伊萨卡（参考第248—249行），因为他所眼见的一切并不符合记忆中故乡的形貌（比较第352—354行）。这或许也是他编造故事搪塞，用以试探对方的一条理由。此外，在此之前雅典娜尽管也在助他回归，却一直都在暗中，还没有以面对面的方式对他提供佑助。奈斯托耳知晓女神公开助佑奥德修斯的实例，参考他的“见证”（第三卷第221—222行）。参考本卷第316—319行。

告诉你必将遇到的所有麻烦，在你的
房居精工建造。但你必须，是的，
必须忍受一切，不要说你已浪迹归来，
对任何男人女子称告；你要默默忍受
许多悲愁，面对那帮人的狂暴。”

其时，足智多谋的奥德修斯对她答话，说议：
“哦，女神，此事着实不易，让一个凡人见你后认出[①]，
不管他多么聪明，因为你会变幻，随意。
但我知晓这一点，知悉，从前你对我关爱[②]，
当我们阿开亚人的儿子们战斗在特洛伊大地[③]。
我们攻陷了普里阿摩斯陡峭的城堡，
其后驾船离开，神明搅散了阿开亚军兵，
自那以后，宙斯的女儿，我就不再见你，

---

① 如果神不想让凡人认出，他(她)们完全可以做到(参考第十卷第573—574行；比较《伊利亚特》第一卷第198行)。但凡人并非绝对或无例外地认不出神祇。奥德修斯在本卷第312行里的辩解尽管不无道理，但也非绝对正确。俄伊琉斯之子埃阿斯和海伦都曾认出过神明(另参考第一卷第420行和《伊利亚特》第十七卷第333—334行等处)，而他自己亦曾识破女神的幻变，“猜想此乃雅典娜”(本书第二十二卷第210行)。参考第十卷第574行注。

② 参考《伊利亚特》第二卷第279—282行和第十卷第274—282行。在阿开亚军中，雅典娜对奥德修斯的特别关照并非秘密。因女神的干扰而输掉跑赛的埃阿斯指责她总是站守奥德修斯身边，“像似他的亲娘”(详见同上第二十三卷第768行以下)。参考本书第三卷第221—222行及相关注释和第二十二卷第235、259、271行注。

③ 雅典娜多次进入战阵，激励或帮助阿开亚人战斗(参阅《伊利亚特》第四卷第86行以下、第五卷第793—861行、第十七卷第553—559行和第二十二卷第214行以下)。

不知你曾私访我的海船，替我挡开愁悒[①]。
我总在颠沛流离，痛苦揪揉着我的
内心，直到神明解除我的不幸，
直到在法伊阿基亚人富饶的土地，
你出言慰励，领着我，亲自，进入他们的城里[②]。
现在，我对你恳求，以你父亲的名义，因我并不
认为已真的回返阳光明媚的伊萨卡，而是错走，
误抵另一个国度飘零。我想你在捉弄我，
诓我已在此地，说话，对我骗欺。
告诉我，好吗，倘若我已真的归返自己亲爱的故里[③]。”

其时，灰眼睛女神雅典娜对他答道：
“你总是这样，心里总在怀疑思考，
所以我不能弃你不管，任你忧恼，

① 没有雅典娜的帮助，奥德修斯恐怕很难安全抵达法伊阿基亚人的居地（即斯开里亚）。参考第五卷第382—387行和426—427行等处。雅典娜暗中帮忙，助佑奥德修斯归返（参考本卷第302行），但奥德修斯不见女神显形，自然很难判断。即便明知有神祇帮忙，他也难以断定此神是否就是雅典娜。不过，他自己应该明白女神对他的青睐（参考第314行），因此至少应该在潜意识里感悟到雅典娜可能会助佑他归返。或许，在与卡鲁普索同居的七年期间，他中断了与女神的联系（参考第318行）并由此产生了某种“生分”的感觉。此外，女神激恼于阿开亚人归航前的不轨或渎神行为（详见第三卷第134—147行），有意挫阻他们的回归，由此自然也殃及奥德修斯，暂时中止了对他的特别关心和助佑。

② 参阅第七卷第14—77行。但奥德修斯当时似乎并没有认出女神。除非他能从本卷第302行的内容推断，奥德修斯此刻的“认可”似乎显得有点唐突。当然，我们应该承认荷马有“省略”的权利（参考第十卷第486行注）；此外，亦不可排除奥德修斯事后反思那天的情景，通过感悟得知的可能。

③ 奥德修斯生性多疑（从某种意义上来说这是个优点），对神的表述有时亦持怀疑态度（参考第五卷第171—187行）。在荷马史诗里，凡人拥有质疑，甚至反驳神的见解（而无须担心受到惩罚）的权利（参见同上第182—183行）。

知道你话语流畅，心智敏捷，有着清醒的头脑。
换成别人，浪迹归来，定会盼见厅中
的妻子儿女，急切，回家奔跑。
但你却并不乐于急着查询诘问，
直到考验过妻子[1]，而她则总是
坐在宫里，在悲苦中耗去一个个
白天黑夜，总在泣啼哭啕。
我从不怀疑，心里从来知晓，
你会回转家里，痛失所有的伙伴同道[2]。
然而，你知道，我不愿和父亲的兄弟
波塞冬打闹[3]，他对你心怀愤怨，
因你捅瞎他钟爱的儿子，对你恨恼。
来吧，我将使你相信，展示伊萨卡的形貌。
此乃海洋长者福耳库斯的港湾，
入口处，在此，长着棵橄榄树，枝叶繁茂，
附近有个幽暗的洞穴，佳妙，
女仙们的圣地，奈阿德斯是她们的称叫[4]。
那是一个拱顶的山洞，过去你常在

---

① 奥德修斯应该已知妻子对他忠诚，仍在家中等他（参考第十一卷第 181—183 行，比较本卷第 336—338 行），但处在一个注重实证和证据（sema）的时代，诗人或许会更加乐于看到作品中的主人公能走在时代的前列，比一般人更多地具备重视探察和“证明”的意识（参见第 333—334 行）。参考第二卷第 182 行和第二十三卷第 189 行等处。

② 换言之，雅典娜也知道奥德修斯只能孑然一身还家的命运。至于他的伙伴们，由于命里注定不能回返，所以只能基于这种或那种原因死于海外（参考第十二卷第 351 行注）。他们“必然”会犯错误，因此也“必然”难回家乡。

③ 比较阿波罗相似的态度（《伊利亚特》第二十一卷第 468—469 行）。参考本卷第 141—142 行及相关注释。

④ 第 347—348 行同第 103—104 行。

里面给女仙举办全盛的祭犒；
那是一座山脉，奈里托斯被林木覆罩。”

言罢，女神驱散迷雾，地貌变得清晰，
卓著和历经磨难的奥德修斯眼见乡园，
高兴，欣喜中亲吻盛产谷物的土地①，
话对女仙们祈告，扬起双臂：
“我一直以为，奈阿德斯女仙，宙斯的女儿，
我已见不到你们的身形②。现在，请接受我
善好的祷祈。我还将给你们礼物，一如既往，

① 另见第五卷第463行。比较阿伽门农对泥土的尊重(见第四卷第522行)。古罗马学者卢克莱修尊大地为万物的母亲(埃斯库罗斯和莎士比亚表述过相似的观点)，《周易》中有“天地絪缊，万物化醇”的佳句。在古希腊神话中，天空(乌拉诺斯)和大地(伽娅)是包括克罗诺斯在内的一代神族的生身父母。大地包孕古朴的神力，是神祇誓盟时具有威慑力量的“见证”(即证誓者，参考《伊利亚特》第十五卷第36行)。此外，虽说人死后灵魂奔向哀地斯的冥府(当然，这是荷马和史诗人物的理解，参考《奥德赛》第十一卷第26行注)，但“土埋”是葬仪必要的组成部分，是“入土为安”的具体实施(参考第十二卷第11—12行、《伊利亚特》第三卷第243—244行；比较本卷第427—428行)。泥土(即土地、泥地)“让幼小的你们爬行，让长大的你们建房”(埃斯库罗斯《七勇攻忒拜》第18—19行)，是死者安息的地方。

② 凡人不会有彻底的“知情权”[荷马知道人在认知方面的局限，而填补全知者空缺的办法便是继承前辈诗人的“明智”，沿用神在“明”里而人在“暗”里(即不知)的惯例]，他们通常只能实践神祇制订的计划，而无法知晓后者在奥林波斯山上(或其他地方)做出的决断。参读《伊利亚特》第二卷第38—40行。另参考本卷第383—385行。然而，在关于自己能否安全回归这件事上，奥德修斯应该早就心里有底，因为忒拜先知泰瑞西阿斯的魂魄已向他交代过相关的底细(第十一卷第113—115行)。所以，如果不是诗人的疏忽，便是奥德修斯有意讨好女神(参考本卷第358—360行)，博取她的欢心。

倘若致送战礼的雅典娜[①],宙斯的女儿,
应允,答应让我存活,让我的爱子长成人丁。”

其时,灰眼睛女神雅典对他答道:
“别担心,别为这些事情忧心烦恼。
还是让我们赶快,把这堆东西藏好,
在这佳美洞穴的深处,使你的财物得以安全存保。
然后,我们要规划思考,确保取得最好的结果。”

言罢,女神走进幽暗的山洞,
寻找藏物的地方。奥德修斯尽搬他的所有,
就近停放,有黄金、坚韧的青铜和
精工制作的衣裳,法伊阿基亚人的馈送,
在洞内仔细堆藏,帕拉斯·雅典娜,
带埃吉斯的宙斯的女儿,用石头把洞口封上。

他俩在那棵神圣的橄榄树边坐下[②],
谋设骄横的求婚人的灾亡。
灰眼睛女神雅典娜首先发话,说讲:
“足智多谋的奥德修斯,宙斯的后裔,莱耳忒斯的儿郎,
如何手击那帮无耻的求婚者,想想,
他们横霸在你的宫殿,已有三年时光,

---

① 雅典娜是战争女神,所以“致送战礼”(换言之,能使她助佑的凡人在战争中获胜,有所虏获)。奥德修斯爱哭,却是“荡劫城堡”的英雄(第十八卷第 356 行;另见第三卷第 85、130 行等处)。奥德修斯已回抵故乡。不久后,奥德修斯和女神将联手攻击求婚人,显示豪蛮的战力和横扫敌仇的雄风。

② 参考第 346 行。此处为海洋老人福耳库斯的港湾,橄榄树的“神圣”或许与此相关。

穷追你神一样的妻子,致送婚聘的礼赏[1]。
她总在盼念你的回归,虽然心里悲伤,
对每个人应承,使所有的求婚者怀抱希望,
送出信息,给他们,心里想的却是念头别样。”

其时,足智多谋的奥德修斯对她答话,说讲:
“我肯定会死于险厄的命运,在自己的
宫房,一如阿特柔斯之子阿伽门农,
若非你,女神,适时告诉我这一切情况[2]。
来吧,编织我们的计划,我将如何报复击打;
站在我身边,催发我的勇气力量[3],
像当年那样,我们合力捣毁特洛伊闪亮的冠潢[4]。
倘若你,灰眼睛女神,能照旧热切,站助我的身旁,
哦,尊贵的女神,我便能与三百个人
斗打[5],如果全心全意,你能对我帮忙。”

---

① 另见第十一卷第 117 行。

② 事实上,泰瑞西阿斯已先行告诉奥德修斯回家后将会遇到的境况(此外,就详尽程度而言,也超过雅典娜在第 376—377 里的“点拨”,参考第十一卷第 115—120 行)。看来,奥德修斯确是有意恭维女神(雅典娜,参考本卷第 357 行注),并非一点都不了解家中求婚人肆无忌惮的情况。求婚人确有在奥德修斯回家后杀他的想法(参见第二卷第 246—251 行)。关于阿伽门农被害一事,参阅第十一卷第 405—426 行。

③ 参看第二十二卷第 224—235 行里雅典娜对奥德修斯的激励。

④ 参考德摩道科斯的唱诵(第八卷第 499—520 行,重点参考第 520 行)。关于雅典娜对奥德修斯和阿开亚人的帮助,另见本卷第 314 和 315 行注。奥德修斯的口述(第 387—389 行)证明了奈斯托耳的介绍属实(参考第三卷第 221—222 行)。参考并比较本卷第 319 行注。

⑤ 显然,这是一种夸张的说法(除非雅典娜能亲自上阵,亲手杀人;但若果真如此,奥德修斯的参战岂非多余——没有他,雅典娜也能把求婚人杀光)。另参考第十四卷第 196 行、第十五卷第 367 行、第二十卷第 211 行及相关注释。参考并比较第十八卷第 30 行注。

其时,灰眼睛女神雅典娜对他答道:
“放心吧,我会站助你的身旁[①],不会把你忘了,
当我俩操办此事,我知道,那帮求婚人
会血染大地,脑浆飞溅在宽广的地表,
他们食糜你的财产,啖耗。
来吧,我要让凡人认不出你来,改变你的容貌。
我将皱折你滑亮的皮肤,在你柔韧的肢腿,
毁损你头上棕黄的发毛,给你披上
褴褛的衣衫,使任何人见后都会厌恼。
我将昏糊你的双眼,曾是那样俊俏,
使你在所有的求婚人面前,在你留守
宫居的妻儿面前显得脏俗猥琐。
至于你,你要先去牧猪人[②] 的住地,
他看养你的猪群,对你始终心存善意,
善待你的儿子和谨慎的裴奈罗佩友好。
你会找见他正和猪群厮守,后者拱食在
渡鸦石边,傍临阿瑞苏沙泉水逍遥[③],
嚼食增力的橡树子,喝饮昏黑的
流水[④],猪的饲料,催发满身的肥膘。

① 参阅第二十二卷第 255 行以下。

② 指欧迈俄斯。奥德修斯将在第十四卷里与他见面,而雅典娜将在第十五卷的开篇部分前往斯巴达,召回已“沉寂”多时的忒勒马科斯(参考本卷第 411—415 行)。

③ 诗人用了具体的名称定点猪群活动的地方。然而,渡鸦石很可能是当时的人们知晓的某种泛指的提法,而阿瑞苏沙则显然是通指泉溪的泛用名称(据后世学者考证,希腊境内至少有八处泉溪以此为名)。

④ 泉水清澈,晶亮。“昏黑的”并非意指水脏,而是暗示溪水的幽深,给人“黑”的视觉感受。

你要留宿那边,询问所有的一切,和他一道,
而我将前往斯巴达,那里的女子美貌[1],
召回你的爱子忒勒马科斯,奥德修斯,
他已寻见墨奈劳斯,在拉凯代蒙广袤,
打听你的信息,是否还活在人间世道。”

其时,足智多谋的奥德修斯对她答话,说接:
“为何不对他道说真情,既然你心知一切?
难道他也要漂游荒漠大海,
遭受痛凄,让求婚人把他的家产吃尽?”

其时,灰眼睛女神雅典娜对他答道:
“你不必忧虑,为他心焦。我曾
亲自送他出航,陪伴,使他争获
名声显耀[2],他并没有受苦,眼下正平安无事,
在阿特柔斯之子的宫邸享受各种丰奢佳肴。
是有乘坐黑船的年轻人埋伏[3],不错,
等着杀他,先于他归返故乡回国,
但此事不会发生,我说。泥土会掩埋
许多求婚者,眼下正把你的家产食夺。”

① 海伦为斯巴达王后。墨奈劳斯和海伦有一女儿,名赫耳弥娥奈,“貌美,像金色的阿芙罗底忒一样迷人”(详阅第四卷第5—14行)。

② 在战时,争获功名的地方自然是“人死人亡”的战场;在平时,博取名声(kleos)的场所则是赛场和显示谋略与口才的会场(包括商议和集会,参考第八卷第148行注)。除此之外,外出周游(列国)显示自己的人品才华,广交朋友,亦是和平时期贵族子弟经受历练、获取名声(即提高知名度)的重要途径。kleos亦作“信息”(即听闻到的消息)解(参考本卷第415行)。

③ 参阅第四卷第842—847行。“黑船”即“乌黑的海船”。求婚人确实心狠手辣,试图斩草除根。

言罢，雅典娜举杖奥德修斯，拍敲，
皱折他滑亮的皮肤，在他柔韧的肢腿，
损毁他头上棕黄的发毛，使他
全身被老人的皱皮裹包，
昏糊他的双眼①，曾是那样俊俏。
女神给他搭穿一领旧篷，连同一件衫套，
脏杂、破旧，被浊臭的烟火透熏黑烤，
然后给他一领奔鹿的皮张披裹，硕大、已被蹭去
皮毛，给他一根枝杖，一只满是窟窿的
袋包，破烂，用一根编连的绳子悬吊②。

就这样，他俩规划完毕分手；女神
欲寻奥德修斯之子，前往神圣的拉凯代蒙。

① 另见第 401 行。眼睛是心灵的窗口（所谓“目者，心之浮也”），闪烁生命的光华。老年人反应迟钝，双眼昏花，“可恨的老年”使人虚弱（参考《伊利亚特》第四卷第 315 行）。不过，我们相信此时奥德修斯的心智（或心灵的眼睛）依旧“明亮”，他将凭靠自己的足智多谋和过人的体力对付并最终清理门户，灭杀所有的求婚人。荷马史诗里的神祇可以随意变作人的模样，介入凡人的战争和生活。在《奥德赛》里，雅典娜不仅自己多次变作凡人，而且还屡次改变奥德修斯及其家人的相貌（参阅第六卷第 229—231 行、第八卷第 18—20 行、第十六卷第 173—176 行、第十八卷第 190—196 行、第二十三卷第 156—158 行及第二十四卷第 367—369 行）。参考第十六卷第 172、174 行注。然而，诗人有时会“忘记”奥德修斯已被变形［即全身已被变成老者的形貌（本卷第 430—433 行）］这一事实，因而会在需要他显示骠健的时候，“还”他以一位中年男子的强壮［参考第十八卷第 66—69 行；雅典娜只是“豪壮他的肢腿”（该卷第 70 和 74 行），似乎并没有“理会”他的皱皮和昏花的眼睛］。参考并比较第十八卷第 69、380 行注和第二十卷第 194 行注等处。老年是人生的黄昏。作为一部苦难史诗（细读第十卷第 466 和 567 行注），《奥德赛》需要时隐时现的悲苦老头形象的点缀（参考第二卷第 23 行注和第二十四卷第 253 行注；比较第十一卷第 187—196 行）。此时的奥德修斯模样确实寒酸。参考并比较第十八卷第 375 行注。比较第四卷第 244—245 行。

② 关于第 438 行所涉内容，另见第十七卷第 198 行和第十八卷第 109 行。

第十四卷

奥德修斯离开港湾[①],踏上崎岖的山路,
穿走繁茂的林峦高处,遵照雅典娜的指引,
寻觅高贵的牧猪奴[②],家仆中他比谁都
尽职,看护卓著的奥德修斯聚积的财富。

他发现牧猪人坐在屋前,院落由高耸的
墙栏围住,此地视野良好,可以眺见各处,
宽敞、舒坦,收拾得干干净净,由牧猪人
自己建筑,围圈主人的猪群,他已不在门户,
远离年迈的莱耳忒斯和家居的女主[③],

① 即福耳库斯的港湾(参见第十三卷第 96、345 行)。伊萨卡山地逶迤(本行下半节),没有大片的平原,适合于放牧山羊,“景致比牧马的草场更美”(第四卷第 605—606 行)。

② 第十三卷第 404 行已提及牧猪人。“高贵的”(dion)似与牧猪人的(现实)身份不配,尽管他确有高贵的出身(参看第十五卷第 412—414 行)。但古代史诗编讲故事,也“创造”属于自己的涵盖神话的现实(参考第十二卷第 332 行注)。如果说封建社会里的牧猪人不可能高贵,在荷马塑造的史诗氛围里,他却可以接受 dios 的修饰(参考并比较第五卷第 242 行注)。在作为史诗人物这一点上,他和阿基琉斯、奥德修斯和作为反面人物的求婚人欧鲁马科斯等没有什么两样(参考 A. M. Parry 编纂的 *The Making of Homeric Verse: The Collected Papers of Milman Parry*,第 151—152 页)。参考并比较本卷第 22 行和第二十卷第 185 行注。

③ 指裴奈罗佩。关于莱耳忒斯的起居,参考第一卷第 188—193 行。在主人家遭受求婚者骚扰,主子们出于种种原因对奴仆们鞭长莫及,疏于管理之时,欧迈俄斯的忠诚(就人与人应有的和睦关系而言)尤显可贵。比较其他男工女仆们的懈怠(第十七卷第 318—321 行)。

用巨大的石块堆垒，以带刺的蒺丛压铺。
他在墙外设置木桩，四下里团团围箍，
结结实实、密密匝匝，用劈开的树段，橡树中
幽黑的部分排堵。他在院内造了十二[①] 个猪栏，
一个紧接一个，猪猡息躺的去处，每栏
关养五十[②]，睡躺在地，全都是
怀崽的母猪，公猪躺在栏外，
数量远为稀疏，神一样的求婚人[③] 总在吃宰，
锐减它们的头数——牧猪人被迫源源不断，
即时选送群中最好的肥猪，
眼下，仅存三百六十头尚在栏储。
四条犬狗总是伴随猪群息躺，野兽一样

---

① 参考第二卷第353行注。

② 阿尔基努斯的宫里有五十名女仆(第七卷第103行)，斯里那基亚岛上有赫利俄斯的七群羊，每群五十只(第十二卷第129—130行)。另参考《伊利亚特》第二卷第509、556行，第八卷第563行和第二十四卷第495行等处。在《奥德赛》第二十二卷里，诗人再次连用了“五十”和“十二”。奥德修斯家中“有五十名女仆”(该卷第421行)，其中“十二人做下事情耻辱”(第424行，另见第二十卷第107行)。

③ 参考第3行注。求婚人为非作歹，但“横蛮”(见第27行)并没有妨碍他们成为“神一样的”(antitheoi)敢作敢为者。像与人勾搭成奸的埃吉索斯仍是“雍贵的”(amumonos，第一卷第29行)，像生吞活人的波鲁菲摩斯仍是“神一样的”(antitheon，同上第70行)一样，在诗人心目中(我们是否可以不无依据地猜测)，求婚人的蛮横无理不仅无损于他们的贵族气度，而且还在某种意义上体现了史诗人物敢做粗莽之事的“英雄”气概。史诗人物有时也显得温文尔雅(有教养并不与史诗精神必然或直接构成冲突)，但他们必有高傲的心胸，身体强壮，具备在必要或关键时刻奋力一搏和豁出去(包括承冒犯下hubris的风险，参考《伊利亚特》第一卷第203行注等处)的胆略。当然，对此类沿用的饰词我们不可过于拘泥于它们的字面含义，不可用片面追求精确的硬性要求，来“换取”对史诗的宏观取向及文体和文化特征的实质性理解。

狠凶，由民众的首领牧猪人① 饲养它们。
其时，他正自制条鞋，贴合脚跟，
割下一块牛皮，色调和温，其他猪倌
均已出去，放猪各自不同的去处，
一共三个，第四人被他遣往城府，
出于逼迫，给蛮横的求婚人赶去一头肉猪，
满足那帮人饱啖的欲望，供他们祭屠②。

　突然，吠叫的犬狗看见奥德修斯，
高声叫着向他扑冲③，后者谨慎，
蹲坐在地，枝棍脱落手中。
其时，他会在自己的农院受到严重伤损，
若非牧猪人腿快，赶紧冲出
院门，丢下手中的皮件帮衬。
他对狗群呵斥，四下里驱散它们，
投掷密集的石块，话对自己的主人：
“狗群突起奔袭，老先生，险些把你
撕坏，引来你对我的责怪声声。
然而，神明已经给我其他悲苦愁闷。
我坐在此地，为神样的主人伤心悲痛，

① 如此“评价”或许与牧猪人高贵的出身有关，也可能因为牧猪人是猪倌的头儿(参考第25—26行)，但更值得引起我们注意的原因，或许是因为牧猪人是个在《奥德赛》里并非无足轻重的史诗人物(参考第3行注)。牛倌菲洛伊提俄斯也是“民众的首领”(几乎和阿伽门农一样)，尽管受他统领的除了牛以外，或许只有他自己(参考第二十卷第185和254行及相关注释)和为数不多的同僚(参考本卷第100—102行)。

② hiereusantes，此处似已失去“祭”的含义，可作“杀屠”解。参见第94行。

③ 犬狗不识奥德修斯(比较老犬阿耳戈斯对主人的忠诚，参见第十七卷第290行以下)，对其冲扑，但对熟人，它们却显得十分温顺(参考第十六卷第4—10行)。

精心饲养他的肥猪,殄享别人,
而他,忍饥挨饿,浪走在某个
讲说异邦话语的国度或是城镇,
倘若他还在哪里活着,得见太阳的明光生存。
来吧,老先生,进入我的屋棚,
首先吃饱肚皮,开怀,用食物和酒,
然后讲说你打哪儿来,受过哪些苦楚在身[①]。"

言罢,高贵的牧猪人带路屋棚,
引他进去,请他下坐,就着堆起的柴蓬,
覆盖一块野山羊的皮张,多毛、厚实、
硕大,取自他的床铺[②]。奥德修斯高兴,
对他的殷勤真诚[③],对其称唤说话,出声:
"愿宙斯,陌生人,和其他永生的神明使你
最想的事情都成,你如此盛情,对我真诚。"

---

① 先吃饱肚子,再说别的。看来牧猪人颇知待客的礼数。另见忒勒马科斯对雅典娜相似的致词。参考第四卷第68—69行和第69行注。

② 牧猪人的农舍摆设简单,只能因陋就简,因地制宜,以现有的条件尽可能周到地接待客人(实为他的主人)。比较第十六卷第47—48行。牧猪人反"客"为"主",这一安排颇具戏剧色彩。

③ 雅典娜已把奥德修斯变作一个悲苦老头的模样,并称"任何人见后都会厌恼"(第十三卷第400行)。看来,女神的话至少是言过其实。不过,也是她指令奥德修斯先找牧猪人(同上第404行),以便更多地了解家中的近况(同上第411行)。

其时，你，牧猪的欧迈俄斯[1]，对他答话述陈：
“我无权，我的朋友，回绝一个生人，
即便来者比你贫贱下等。所有的浪者
生客都受宙斯保护，我们的礼份虽小，
但却贵珍，我等伺服于人的仆工[2]，
心里总是填满恐惧，被那帮新主人的
权威压身。神祇阻止他[3] 的归返，
此人对我关怀至深，给我财产，
像那好心的主子，给出房屋、一块土地
和一位受人穷追的妻子，馈赠奴工[4]，
后者为他辛勤劳作，业绩受到神明催增，
一如神力对我一样，激励我的劳作勤奋。
所以，主人会重赏于我，倘若老在家中，

① 至此，诗人方才道出牧猪人的名字（参考第 3 行注），不知是否带有制造一个小悬念的动机（参考第一卷第 89 行注和第十五卷第 256 行注）。注意诗人在此用了“你”字，由此带入了个人的感情色彩，以直接介入故事的叙事进程的方式，缩短了诗人和人物之间的距离。类似的表述方式屡见于《伊利亚特》之中，主要用于对两位阿开亚战将的称呼，一位是阿伽门农的胞弟墨奈劳斯（第四卷第 127 行、第七卷第 104 行、第十三卷第 603 行、第十七卷第 679 和 702 行），另一位是阿基琉斯的爱将、悲壮地死于赫克托耳和阿波罗联手攻击的帕特罗克洛斯（第十六卷第 20、744 和 812 行等处）。“你”有时可指听众（或“人们”，参考该史诗第五卷第 85 行等处）。有时，荷马还会在叙述中（即讲故事时）插入自己的评论（如该史诗第十一卷第 603 行）。

② 比较第六卷第 207—208 行里相似的表述。参考第六卷第 147 和 208 行注。关于客谊，参考第八卷第 389 行注。比较欧迈俄斯在本卷第 402—406 行里的“反讽”。

③ 指奥德修斯。

④ 参考奥德修斯对欧迈俄斯的承诺(第二十一卷第 213—216 行)。

但他死了——但愿海伦无后[①],断子绝孙,
她已把这么多人的膝腿酥松[②]。
我的主人走了,也为阿伽门农争回光荣[③],
去往出骏马的伊利昂,与特洛伊人拼争[④]。”

　言罢,他用腰带束紧衫衣,出门,
迅速前往猪栏,猪群关在里头,
选抓两头,带入,祭宰动手,
烧去猪毛,切成小块,挑上叉口,
尽数炙烤,端来放在奥德修斯前头,
就着挑叉,滚烫,撒上雪白的大麦,
在常春藤木的缸碗里调出蜜甜的浆酒[⑤],
下坐他的对面,劝他吃用,开口:
“吃吧,陌生的客人,吃用我们仆人的食餐,
小猪的肉块,将就;滚肥的肉猪供求婚人啖宴,
他们无有怜悯,不把任何人放在心头。
幸福的神祇不喜冷酷的行为,

---

① 欧迈俄斯无疑赞同当时流行的观点,即认为海伦是引发特洛伊战争的“祸水”(参考《伊利亚特》第三卷第156—160行等处)。海伦生一女,名赫耳弥娥奈(本书第四卷第13—14行,另见《伊利亚特》第三卷第174—175行),但神明已不再让她孕育(本书第四卷第12行)。

② 即使许多人战死疆场(比较《伊利亚特》第一卷第3行)。勇士倒地时会“双膝着地”,随之“被死的迷雾掩罩”(该史诗第五卷第68行)。另见本卷第236行。

③ 相似的表述另见《伊利亚特》第一卷第159—160行。

④ 第71行同《伊利亚特》第十六卷第576行。特洛伊地区地形开阔,适于跑马,亦不乏肥沃的草场,出产良驹(参考本书第二卷第18行注)。

⑤ 第78行同第十六卷第52行。关于“常春藤木的缸碗”,参考第九卷第345行及该行注。

但却褒奖正义和人间公正合理的举动[1]。
即便是可恨的入侵者,登岸异邦的滩头,
宙斯给予掳获,使其拥有,
装满海船,驱船返家行走[2] ——即便在
他们心里,强烈的恐惧填塞,担心遭到复仇。
这帮求婚者,你瞧,已悉神赐的传闻,
已知我主可悲的死亡,不愿体面地
追求,且不回返自己家里,而是随心所欲,
强行吃空别人的财产,啥也不留。
在宙斯致送的白天黑夜,他们

---

① 《奥德赛》的作者已具抽象的、概念化了的"公正"(dike)意识。dike 要求人们以合宜和被社会或社团认可(即认为公道可行)的方式行事(参考第 90—92 行)。任何不合理和不体面地冒犯他人利益的行为(参考 hubris)都与 dike 精神背道而驰(细析第二卷第 282 行)。荷马的神学观在继续朝着美化和完善神明的方向发展,有意无意地为初朴的史诗神学编排和铺设着伦理(即道德)的终端。人应该或必须行善,这不仅符合别人的利益,而且,从神学—伦理学的角度来考虑,也符合行为善好者自身的利益(比如,至少可以避开神的惩击)。参考并比较第二卷第 64 行注、第八卷第 332 行注和第十三卷第 214 行注等处。

② 这是对海盗行为的公开认可(虽然不无保留,参考第 88 行)。让人啼笑皆非的是,诗人在此引入了宙斯对海盗行为的支持(第 86 行)。宙斯由第 83 行(虽然没有提及大神的名字)里的公正的监护者转瞬间变成了海盗行为的保护人。诗人在处理"道德"问题时持用双重标准的做法在此毕显无遗。这里固然有传统遗留下来的对掳掠行为的放纵,但也不可回避地暴露了诗人分辨能力的略显欠缺以及对于公正(dike)的尚需进一步澄清的模糊认识。海盗生抢别人的家产,这和求婚人白吃别人的所有在问题的性质上并没有什么不同。即使海盗抢完东西走人而求婚者则赖在别人的家室,"不回返自己家里"(第 91 行),海盗抢劫的事实依然存在。抢完走人不是可以武力掠夺别人财物的口实。当然,用英雄时代的"标准"来看,海盗行为尽管强蛮,却不失豪壮,而求婚人(虽说也是史诗人物并因此不失粗野,参考第 17 行注)"软绵绵的"追求行为则以赖在别人家里白吃白喝、终日胡闹的方式进行,少一点男子汉的刚强,无有驱船踏平海浪、烧杀掠抢的豪迈。作为(英雄)史诗诗人的荷马和作为道德学家的荷马在此显露了难以调和的一面。参考并比较第九卷第 42 行注、第十卷第 113 行注和第十三卷第 260 行注。

每日杀屠，不是一只，亦非两头，
肆意取用糜费，暴饮浆酒。
主人的财产丰足，难以计筹[①]，
豪杰中无人可以比攀，无论在黑色的陆架，
还是在伊萨卡——即便汇聚二十[②] 个人的财富，
也不会多于他的所有。你呀，且听我细说事由。
陆架上[③]，他有十二群牛，绵羊的数目与此等同，
还有同样数量的猪群和同等数量的羊群，
散放，由外乡人和本地的牧人看守。
此地，在岛屿的端沿，可以信靠的帮手
看护他的山羊，总共十一个畜群牧走。
日复一日，每个牧人进奉其中最
肥腴的一只，给求婚的人们享受，
而我则看养这些猪群，监守，
仔细挑选，给他们送去最好的一头[④]。”

　牧猪人如此道说，对方则尽情饮酒吃肉，
大口吞咽，默不作声，谋划求婚人的灾愁。
当他吃用完毕，满足了餐食的念头，

---

① 史诗里常见的夸张。参考《伊利亚特》第一卷第 13 行等处。

② 和“十二”(第 100 行，参考第二卷第 353 行注)一样，“二十”也是诗人常用的数字(参考该卷第 355 行注)。

③ 指希腊西北地区，许指厄利斯(参考第四卷第 634—637 行)。比较《伊利亚特》第十一卷第 676—680 行。伊萨卡山石嶙峋，无有大片的草场，因此不宜放牧马群，却“适于饲喂山羊”(本书第四卷第 606 行)，“适放山羊牛群”(详见第十三卷第 242—247 行)。岛上牧民将畜群放养陆架的习俗至今不绝。

④ 比较第 94 行。如果第 94 行里的“一只”和“两头”指的仅为猪(而非牛羊)的话，欧迈俄斯的叙述将会前后矛盾。参考并比较第二十卷第 162—163、173—174 和 185—186 行。

牧猪人满注自己饮用的杯盏，递出，
斟满浆酒[1]，后者接杯，喜在心胸，
对他说话，送吐长了翅膀的话语出口：
"你说的是谁，亲爱的朋友，耗资买你，
强健，如你所说，极其富有？
你说他死了，为了阿伽门农的缘由[2]。
告诉我他是谁，也许我知晓其人。
宙斯知道，其他永生的神明亦同，
我或许见过他，能对你讲诵——我四处浪迹，漫游。"

其时，牧猪人，民众的首领[3]，对他答诉：
"任何漫游到此报讯的来人，老先生，
都不能使他的妻子和亲爱的儿子信服。
落脚此地的浪人只为骗取招待，
通常胡造谎言，无意把真情讲述。
浪人来后，在伊萨卡地方驻足，
每每寻见女主，信口谎编的虚无，
后者盛情接收款待，询问每一件事出，
悲伤，双眼滴落泪珠，像那通常

① 史诗人物习惯于饱餐后继续饮酒。参阅本卷第 167 行和第九卷第 347—348 行。另参考第七卷第 184 行注。

② 即 time(参见第 70 行)。参考第十一卷第 491 行注。

③ 参考第 22 行注释。

之举[1],妻子哭悼死在远方的丈夫。
你也一样,老人家,也想巧编故事糊弄,
倘若有人给你一件披篷或衫衣遮护。
至于他,野狗和疾飞的兀鸟此刻已撕食
他连骨的皮肉,心魂已飘离躯骨;
要不就是在那汪洋大海,鱼群已把他吞啄,
尸骨横躺陆架的滩岸,已被泥沙深深埋住[2]。
就这样,他死在那边,给亲朋留下
终身的悲苦,尤其是给我,再也找不到
一位像他那样善好的人主,无论行往
何处,即便能回到爹娘家里,

---

① 古希腊人尊重习俗(themis),尊重由沿用习俗(或规矩、习惯)而带来的结果[即合宜、公正(dike),参考第 84 行注]。祖传的"法规"体现民族的智慧,反映民族文化的深远背景,因而(可以说)体现宙斯的定导(参考《伊利亚特》第一卷第 238 行和本书第十六卷第 403 行),具有传统赋予的无形然而却是强劲的约束和规范力(参考本卷第 56 行:我无权……)。参看诗人在第二卷第 69 行里(结合第 68 行理解)对 themis 所作的拟人化处理,使权威拥有了神性,变成了神明(参考并比较《伊利亚特》第二十卷第 4—5 行)。在赫西俄德的《神谱》里,塞弥斯是宙斯的第二位妻子(第 901 行)。莎士比亚对习惯的理解有所不同,他摆脱了单一和更具保守色彩的取向,使其拥有了"天使"和"魔鬼"的两重性(参阅《哈姆雷特》第三幕第四场)。

② 类似的猜测见第一卷第 161—162 行。此乃史诗人物对亡命他乡者的合乎情理的想象:不是死于陆地,便是丧命海上。注意人物在表述这两层意思时用了文学化的"规范"语言。亡命海外者的悲惨不仅在于死了,而且还在于死后尸躯遭毁,不能接受亲朋的哭祭和合乎礼规的埋葬。奥德修斯命里注定将死于陆上(参考第十一卷第 134 行及该行注)。

我在那里出生，他们把我育抚[1]。
可我不为此事过于悲痛，尽管盼望
见到他们，亲眼瞧见在家乡故土——
我思念奥德修斯，极想，他已离出。
但即便如此，我的朋友，我亦敬畏提及
他的名称，因他爱我，关爱在心底深处。
所以，我称他敬爱的主人，虽然他已不在门户。”

其时，卓著和历经磨难的奥德修斯对他答诉：
“既然你矢口否认，亲爱的朋友，
以为他不会回返，心里总难信服，
所以我不打算随便说述，而要对你起誓，
奥德修斯已在归途。答应给我报喜的偿付[2]，
一待他回到家里，进入宫府，
给我一件衫衣，一领披篷，精美的衣服。
我不会接受，在此之前，尽管亟需衣物。

① 在这里，奥德修斯的父亲(或尊者)形象得到了进一步的强化。他已不仅仅只是“像一位父亲”(参考第二卷第 234 行及该行注)——欧迈俄斯对他的盼想已经超过了对自己的生身父母(本卷第 142—144 行)。从牧猪人的用词遣句(重点参考第 138—139 行)推断，他似乎应该熟知奥德修斯(另参考第 148—149 行)，否则我们将很难解释他对奥德修斯的感激之情怎么会深厚至此。然而，下文中的个别行次和第十五卷里的某些诗行似乎又在“鼓励”我们对此做出相反的判断。细读第 358、440 行注和第十五卷第 381 行注。诗人很可能在这一问题上陷入了叙事的混乱。诗人借欧迈俄斯之口，继续对奥德修斯的赞颂(在此之前，宙斯、雅典娜、奈斯托耳、墨奈劳斯、海伦、裴奈罗佩和忒勒马科斯等均已对他有所称颂)，以便使听众更多地了解奥德修斯其人。

② 请注意奥德修斯此时没有强调生客的权益，而是理直气壮地索要“报喜的偿付”(另参考第 153—155 行)。这里反映的有可能是当时通行的一种做法，即来自他乡的生客(或浪人)有权向接受信息服务的一方索要报偿，而这种人等或许构成了一个非正式的“职业”群体，以满足主家咨询要求的方式换取后者对他们的招待(参考第 122—132 和 166 行)，以此解决周游“列国”及从事浪走生涯所需的食宿和穿衣问题。

有如痛恨死神的家门，我厌恨有人[1]
屈服于贫困，诌说虚假的故事贻误[2]。
请宙斯做证，他乃至高的神主，还有这待客的桌子，
连同我对之祈求的豪勇的奥德修斯的火炉[3]，
所有的一切都将实现，一如我的说诉。
奥德修斯将会归返，在年内的某时回抵此处，
当着旧月昏蚀，或是新月显露[4]，
他将回家仇报，那些人对
他的妻子和光荣的儿子羞辱。”

其时，牧猪的欧迈俄斯，你[5] 对他答话说诉：
“老先生啊，我不会为你的报喜支付，

① 比较《伊利亚特》第九卷第 312 行。

② 在荷马和史诗人物看来，故事(包括荷马史诗本身)讲述的应是发生在过去的真事，诗具备“史”的作用(参考第一卷第 327 行注)。具有强烈讽刺意义的是，厌恨虚假故事的奥德修斯不仅讲过(第十三卷第 254—286 行)，而且马上还将讲述另一个虚假的故事(本卷第 199 行以下)。当然，在奥德修斯自编的谎言背后有一个确凿的事实，那就是奥德修斯必定回来(事实上他已经回抵家乡)。比较诗人对讲空话的态度[参考第四卷第 837 行(同第十一卷第 464 行)]。

③ 第 158—159 行同第十七卷第 155—156 行。宙斯乃客谊的监护之神(本卷第 389 行)，自然有资格做证。此外，“桌子”是待客的必用之物，“代表”主人对客家的热情和符合客谊的尊重(因此“羞辱”不得，参考第二十一卷第 29 行)。“火炉”(或“火盆”“炉塘”)置于厅堂之中，通常被理解为家庭(及其尊严)的象征，作为“证物”，显示誓词的庄重。参考并比较第二卷第 378 行注。比较本卷第 391—392 行。

④ 在第十九卷里，裴奈罗佩从奥德修斯嘴里得到了内容相同的“保证”(参见该卷第 306—307 行)。学界对原文中 lukabantos 一词(这里且作“新月显露”解)的解释尚有争议。

⑤ 参考第 55 行注。

而奥德修斯也不会回返家府①。喝酒吧，
心平气和，我们该想想别的什么。别再对我
提及此事，老是对我讲述，只要有人对我谈说
宽宏的主子，我胸中的心灵悲苦。
忘掉你的誓言，别再关注，但我希愿
奥德修斯归返，热切盼顾，与裴奈罗佩、
莱耳忒斯老人和神样的忒勒马科斯想在一路。
眼下，我为忒勒马科斯忧伤，不能停住，
奥德修斯的儿子，神祇使他成长，像棵小树②，
我想他会出类拔萃在凡人之中，不逊于他所
亲爱的父亲，貌美，体形让人赞慕。
可惜某位神灵搅乱他的心智，要不就是
某个凡人，使他打听父亲的消息，
去往神圣的普洛斯寻问，而高傲的求婚人已经
设伏，等他回府，使神样的阿耳开西俄斯
的家族断孙绝子③，名声从伊萨卡消除。
现在，我们只好让他自处，是被他们逮住，
还是逃脱，受惠于克罗诺斯之子的庇护。

---

① 或许是为了避免日后因失望带来的更大的痛苦，热切盼望主人回归(第171—173行)的欧迈俄斯宁愿假设奥德修斯已经死了，"不会回返家府"(另见第133—138行)。

② 把史诗人物的成长比作树苗(的生长)，取其茁壮和生机盎然之意。阿基琉斯乃女神的儿子，自然能像树苗一样茁壮成长(《伊利亚特》第十八卷第56行，同该卷第437行)，而忒勒马科斯受雅典娜的特别关爱(本书第十三卷第421—423行)，今天的树苗一定会成为明天的参天大树(参考本卷第176行)。关于此类比喻，另参考第六卷第157行注。

③ 比较保姆欧鲁克蕾娅的评估(第四卷第754—757行)。求婚人已派员设伏等待，试图杀忒勒马科斯于归途之中(同上第842—847行)。阿耳开西俄斯是莱耳忒斯的父亲(参看同上第755行及该行注)。

好了，年迈的先生，告诉我你自己的凄苦，
讲说此事，如实相告，让我知晓清楚。
你是谁，从何而来？居城在哪，双亲何在？
你来了，乘坐何样的海船？水手们如何把你
送上伊萨卡，而他们又声称来自何边？
我想你不可能徒步行走，登临这方地界①。”

其时，足智多谋的奥德修斯对他答话，说接：
“好吧，听着，我会把你问的一切答回。
但愿你我有足够的食物甜酒，
在你的棚屋里消磨时间，
使我俩得以静静享用，其他人劳作在外面，
如此我能轻而易举地继续，说讲一个整年②，
依然道不尽心里的悲伤，我所经受的
艰险，全部，秉承神的意愿。
我声称祖籍克里特③，地域广宽，
我乃一个富人的儿子，此人另有许多儿男，
为他生养，全都长在宫殿。那些是
妻生的儿子，合法，而我的生母却是一个买来的
奴妾。但是，我却和嫡生的儿子一样受到宠爱，
被卡斯托耳，呼拉科斯的男孩，我声称他是我的亲爹，

① 第187—190行同第一卷第170—173行。相似的表述另见第十六卷第57—59和222—224行。

② 没有夸张就没有史诗。参考忒勒马科斯对墨奈劳斯叙事才华的恭维（第四卷第595—598行）。参看本卷第96行及该行注。

③ 参考第十三卷第256行注。

克里特人敬他如同敬神[1],在那片地界,
因为他的财富、权势和光荣的儿男[2]。
其后,咳,死的精灵将他逮住,带往
哀地斯的房院,骄横的儿子们分掌
他的财产,摇动阄石,给我
极小的份子,些许财物、房宅。
但我婚娶一房妻子,娘家富有资财,
凭仗我的勇力[3],既非卑懦的小人,又非
那等劣兵,从战场溃败。眼下,这一切都已不在,
但我想,如果你察看庄稼的秆茬,便可知
它先前的风采;咳,足量的困苦已把我压弯。
阿瑞斯和雅典娜给我勇敢,给我战力,
战斗中把军阵冲散。每当我筛选最好的
斗士伏击[4],谋划敌人的灾难,

① 诸如此类的表述在史诗里并不罕见(以《伊利亚特》第九卷为例:参考该卷之第155、297和302—303行)。人可以是“神一样的”,可以受到如同神的敬待(尽管这只是一种说法,而非“实际”),但人毕竟不是神。我们注意到,荷马史诗里还没有哪位在伊利昂城下殊死拼搏、浴血奋战过的英雄敢于放胆到声称自己已是一位神祇。“像神”正说明(或旨在提醒大家)人成不了神[极少数例外(参考本书第十一卷第602行注等处)并不足以抵消此论的普遍适用性]。认识人的豪贵和认识人的局限同样重要。参考第二卷第5行注、第八卷第343行注和第十一卷第582行注。

② 除了财富、权势和名望,一个豪门大族要有显赫的子孙,有“光荣的儿男”(参考《伊利亚特》第二十四卷第543—546行)。裴琉斯没有生养“一整代强健的王子”,在阿基琉斯看来,这多少有点(或许还不止“一点”)令人遗憾(参阅同卷第538—541行)。比较本书第十六卷第117—120行。

③ 或“素质”。arete(复数aretai)暗示一个英雄或贵族子弟应有或与生俱来的精湛,包括相貌的俊美(参考第214—215行)、战力的强劲(如此处该词的直接所示)、气度的高豪和能言善辩等。aretai显示贵族的优越感。参考第二卷第206行注、第四卷第202行注和第十七卷第323行。比较本卷第402行。

④ 关于伏击,参考第十一卷第529行注和《伊利亚特》第十三卷第274行以下。

高傲的心灵从来不惧会有死的到来，
总是第一个冲出，用枪矛击倒
敌人，只要他的腿脚比我的缓慢[①]。
这便是我，善战，但却不喜农事，
不喜掌管房宅，虽说那里养育光荣的儿男。
我爱桨条驱动的海船，向来喜欢，
喜爱打仗，掷射杆身滑亮的枪矛和矢箭，
昏晦的东西，别人见后害怕，于我
却是那样可爱[②]。一定是神明把这些注入我的心怀，
不同的人喜做不同的活计，操办[③]。
先于阿开亚人的儿子们脚踏特洛伊地面，
我九次率众乘坐疾驰的快船，

① 史诗人物拼搏沙场以步战为主，所以腿脚的迅捷与否至关重要。阿基琉斯的常用饰词之一是"捷足的"。对于逃跑中的军勇，腿脚的快捷与否可以决定他们的生死存亡（参考《伊利亚特》第二十一卷第608—611行）。参考本书第四卷第202行注。

② 奥德修斯虽在编讲故事，却难能掩饰自己作为一位史诗人物对战事的偏爱。奥德修斯想让欧迈俄斯知道，自己是一名天生的斗士（细品第212行注）。奥德修斯肯定不是阿开亚军中最好的枪手。关于他出类拔萃的弓艺，参考第八卷第215—222行。比较特洛伊主将赫克托耳对（自己）"嗜战"及战技的炫耀（《伊利亚特》第七卷第237—241行）。奥德修斯还是一名相当优秀的全能型运动员（参见本书第八卷第214行；古代战技和体育密切相关，所以战斗中的勇士必然也是竞技场上的强者）。关于奥德修斯干粗细杂活的高超本领，参看第十五卷第319—324行。

③ 此外，不同的人各有不同的强项。奥德修斯多才多艺（甚至会造船），能做的活计比一般人多些，但同样不能无所不会，精通一切（就连宙斯也无法有效排除被骗的可能）。参考普鲁达马斯对赫克托耳的劝诫（《伊利亚特》第十三卷第727—734行；另参考本书第八卷第167—168行及相关注释）。

荡击异邦的生民，抢获大量财产[①]，
从中挑获许多所得，又在日后的分配里
受益匪浅[②]；我的家产迅速积聚，从此
在克里特人里受到敬畏爱戴。

“当沉雷远播的宙斯谋设那次可恨的
征战，松软了众多将士的膝盖[③]，
他们催我偕同著名的伊多墨纽斯[④] 出行，
进兵伊利昂，统船。此事无法补救，
回拒不得，公众的言论苛厉，逼迫我们向前。
我们阿开亚人的儿子们战斗在那儿，九年，
在第十年里攻陷普里阿摩斯的居城，
驱船返航，神明把阿开亚人驱散[⑤]。
然而，精擅谋略的宙斯给不幸的我谋划恶难[⑥]，
我在家仅待一月，享领孩子、财富
和婚娶的妻子给我的欢爱，其后

① 注意奥德修斯是以一种颇感自豪的口吻“光明正大”地谈论“抢获”(很可能指和平时期里的海盗行为)的。参见第262—264行。细读第87行注对诗人的海盗观的分析和阐释。“荡劫城堡的”是奥德修斯在《奥德赛》里的饰词之一(参考第九卷第504、530行)，足显他的强豪。参考第三卷第106行注和第九卷第42行注。在这里，奥德修斯以虚构的当事人身份讲述，自然可以随心所欲，甚至信口开河(但他的叙述中也掺杂一些“真事”，参考本卷第240—243行)。

② 首领有权(一种特权)在分配前先挑想要的战礼，此后还可在参战(或参劫)人员的均分中再得一次实惠。

③ 参见第69行注。

④ 参考第十三卷第259行及相关注释。

⑤ 比较第三卷第131行。可见奥德修斯的叙述不假。

⑥ 参考第三卷第132行。奥德修斯真真假假，充分展示了讲故事的才华。故事是虚构的，但符合听者的接收经验，极易挑发对方的收听欲望(参考欧迈俄斯的评价，本卷第361行)。

心魂驱使我远航埃及,备妥
船上的用物,带领神一样的伙伴。
我备妥九[①] 条海船,人员迅速集聚起来,
忠实的伙伴们持续宴饮,一连
六天,由我提供大量牲畜,
让他们敬祭神明,整备自食的美餐。
我们在第七天上登船,从宽广的克里特扬帆,
背靠畅达、顺疾的北风,走得
轻快,仿佛顺流而下一般。如此,海船
无一失损,我们大家无病安然,
坐着,任凭海风和舵手控导航船[②]。

“船队驶入埃古普托斯浩荡的水域,第五天[③],
我停驻埃古普托斯河上,停泊翘耸的海船。
其后,我命嘱忠实的伙伴们原地等待,
近离船队,守卫舟船,派遣
哨兵,前往监望的地点。然而,
他们屈从于自己的犟悍,凭恃蛮力

① 和“六”(第 250 行)与“七”(第 252 行,另见第七卷第 259 行)一样,“九”乃诗人喜用的数字(另见本卷第 230、240 和 314 行)。参考第三卷第 8 行注。

② 第 256 行同第九卷第 78 行等处。

③ 奥德修斯对旅程轻松愉快的描述与奈斯托耳所示的艰难(或旷日持久)严重不符(参见第三卷第 321—322 行)。是奥德修斯有意缩减?是奈斯托耳夸大?还是因为叙事的“目的”不同?埃古普托斯(即埃及,参见第四卷第 355 行)水域指尼罗河(Neilos 首见于赫西俄德的《神谱》第 338 行)。

突然袭击[①],掳掠埃及人秀美的
田园,暴抢女人和无助的孩子,
把男人杀害,喊声很快传至城垣。
城里的兵民听闻,在拂晓时分发起
冲击,平原上塞满车马步兵,
铜光闪现,喜好炸雷的宙斯对着
我的伴群,掷甩凶邪的慌乱,使无人敢于
站着应战,穷祸封围在我们四面。
他们杀戮众多,用锋快的青铜[②] 屠宰,
活掳我们中另一些人等,充作强逼的劳役。
但宙斯亲自把这个念头送入我的心里[③],
我将告知于你——我宁愿那时遭遇命运,
死在埃及,少受那许多悲苦,等我在即。
我即刻摘下头上精制的帽盔,撸下
肩上硕大的盾牌,丢落手中的枪矛,
急步行至王者的车马旁边,

① 奥德修斯曾率领伙伴破袭基科尼亚人的城堡(详阅第九卷第 39 行以下)。另参考本卷第 230—231 行。掠劫的目标除了妇女儿童和财物外,肯定也包括畜群(参阅《伊利亚特》第十一卷第 670 行以下)。史诗人物鄙视巧取(参考本卷第 288—289 行),却崇尚豪夺。与之相比,现代人(依据法律)谴责豪夺,但对巧取的限制却常常显得不很到位。

② 指青铜制铸的兵器。第 258—272 行同第十七卷第 427—441 行。

③ 或许,此乃“急中生智”的另一种,即符合史诗规范的表述。由于奥德修斯亦想活命,因此人意和神旨在此不谋而合,成为行动的导因。诗人常把神的点拨放在紧要关头(细察《伊利亚特》第一卷第 55 行),以便使神意吻合人的心愿,与人的心理活动和意识流程融为一体,形成“合力”。“心里”原文作 eni phresin。参考本书第一卷第 89 行和第二十卷第 41 行及相关注释。参考并比较第四卷第 117 行注和第九卷第 301 行注。

亲吻并将他的膝盖抱怀[①]；他救我，悯怜，
要我入坐车内，载着恸哭的我归家回返。
许多人，确凿，挺举梣木杆的枪矛
蜂拥而来，急于杀我，怒不可遏，
但国王挡开他们，替我，敬畏宙斯、生客护佑者
的怒焰，他比谁都痛恨歪逆的行为[②]。
我在那儿居留七年，积聚大批财产，
埃及人给我，所有的人都致送礼件[③]。
然而，当第八个转走的年份到来[④]，
有一腓尼基人来到，擅长行骗，
一个贪婪的财迷，给许多人造成伤害。
此人对我花言巧语，诱我和他一道
去往腓尼基，那里有他的房居财产。
我和他一起，在该地待了一年。
然而，当天日和月份终止尽殆，

① “将他的膝盖怀抱”乃史诗中规范的祈求姿势(参考《伊利亚特》第一卷第 501 行注和本书第六卷第 147 行注)。出于对场境及合宜与否的考虑，人物可以不做具体的抱膝动作，但似应在话语中提到(第六卷第 149 行)，以示诚挚的祈求之意。参考第七卷第 142 行注和第十三卷第 231 行注。

② 作为掠劫者，奥德修斯一行理应受到保家卫国的埃及人的严惩。然而，奥德修斯一经跪抱王者的膝盖，身份便从掠劫者转变成了祈求者，因此可以名正言顺地得到宙斯的保护(参考第十三卷第 260 行注)。然而，从上下文来看，奥德修斯本人似乎没有直接参与掠劫，此外诗人还用了三个行次巧妙地为奥德修斯开脱责任(参考本卷第 259—261 行)，为他事后的获赦埋下了易于被埃及人接受的伏笔。

③ 掠劫和客访都是致富的手段，然而前者野蛮，后者文明，用我们今天的眼光来看互不相容的二者，在荷马史诗里达成了水乳交融式的和谐。野蛮存在于文明之中，文明带有野蛮的痕迹(参考第十卷第 113 行注)。奥德修斯(或他的故事人物)还是达到了敛财的目的——不是通过充满敌意的抢夺，而是得益于表示友好的客访。不知诗人的此番描述是否带有什么“弦外之音”。

④ 第 287 行同第七卷第 261 行。

新的一年转随季节临来，
他带我踏上远洋的海船，前往利比亚，
对我欺骗，谎称要我帮忙运货，
实则打算把我变卖，暴发一笔横财。
我随他登船上路，被迫，满腹疑团，
凭借强劲、顺达的北风推送，于海中遥对
克里特的滩岸[①]；其时，宙斯正谋划他们的毁败[②]。
当我们驶离克里特，眼前无有可见的
陆岸，只有天空，连同汪洋一片，
克罗诺斯之子扯来灰暗的云层，笼罩在
深旷的海船上面，云下的大海变得乌黑森严[③]。
宙斯甩出霹雳闪电，击打我们的海船，
遭受大神的雷劈，整条船体颠颤，
硫黄的烟味弥漫。他们全都掉落海里，
似一群白骨顶，被浪水冲卷，沉浮在
乌黑的船边；神明夺走了他们回家的企愿[④]。
然而，宙斯亲自关怀，虽说我心里痛烦，
将乌头船上粗长的桅杆放入我的手心，
让我逃离恶难，我抱紧桅木，
颠随凶邪的风浪起伏腾翻。

---

① 原文第 299—300 行用词简练，意思模糊，船的具体位置难以准确判断。

② 无论奥德修斯还是故事里的人物都不可能知晓宙斯的谋划(或谋划些什么)。但他认定宙斯掌控天空和气象的变化，是雷电之神(第 305 行)，因此从事变的结果(即船毁人亡)推断，认为此事必定由宙斯的刻意谋划所致。史诗人物相信，任何偶然事件的背后都有神灵(主要是宙斯)谋划所致的必然。参考第 310—311 行。

③ 第 302—304 行同第十二卷第 404—406 行。

④ 第 305—309 行几乎是对第十二卷第 415—419 行的重复。奥德修斯在虚构中糅合了自己的亲身经历(和伙伴们的遭遇)。参考本卷第 243 行注。

我漂流九天，在第十天晚上，乌黑，
汹涌的激浪把我推上塞斯普罗提亚[①] 的海岸。
塞斯普罗提亚人的王者、英雄菲冬
留我，不问酬还——他亲爱的儿子
见我身疲体乏，忍受风寒，
将我扶起，领我来到他父亲的宫殿，
给我衣裳，穿上一领披篷，一件衣衫[②]。

“我在那儿听闻有关奥德修斯的消息，国王说他
曾交友此人，其时返乡路过，并予以款待，
向我展示奥德修斯收聚的全部财产[③]，
有青铜、黄金和艰工冶铸的灰铁，
足以飨养传宗的后人，十代，
如此众多的财富，存藏在国王的家院。
他说奥德修斯去了多多那，从那棵神圣、
枝叶高耸的橡树聆听宙斯的意愿[④]：
他将如何返回富庶的国度伊萨卡，
是秘密潜入，还是公开登临久别的乡园。
他当着我的脸面发誓，泼洒奠酒，在他的厅殿，
声称航船已被拖下海里，水手已就绪等待，

① 泛指希腊西部沿海地区，含宙斯神谕的发示地多多那（在厄培罗斯境内，见第327行）。塞斯普罗提亚人是该地最早的居民（或许为裴拉斯吉亚人的一支）。

② 比较阿尔基努斯的女儿娜乌茜卡对落难的奥德修斯的帮助（详见第六卷第206行以下，参考该卷第311行注）。

③ 第323行同第十九卷第293行。

④ 第325—328行同第十九卷第294—297行。多多那为希腊最古老的宙斯神谕发示地，得名于宙斯和欧罗帕之子多冬（一说得之于女仙多多娜）。关于多多那，另见第十九卷第296行、《伊利亚特》第二卷第750行和第十六卷第233行。

准备载送奥德修斯回返亲爱的故园。
但他送我出来，在此之前，因为其时碰巧有一艘
塞斯普罗提亚海船前往杜利基昂①，盛产小麦。
所以，他命嘱船员送我谒见国王阿卡斯托斯，
要他们关照礼待，但这帮人心怀对
我的邪念，如此，我还有要受的苦难。
当破浪远洋的海船远离陆岸，
他们当即谋划把我卖作奴隶，盘算。
他们剥去我的衣裳，我的披篷衣衫，
代之以一身破旧，另一套篷衫，
褴褛，你已亲眼看见。他们抵达
明媚的伊萨卡地界，傍晚，
将我捆绑在凳板坚固的海船，
用一根编绞的绳索扎紧，自己则离船登岸，
在沙滩上急急忙忙食罢晚餐。
然而，神祇亲自为我解开绳结，
轻而易举，我用破篷遮裹头颅，
滑下溜光的条板，用于装卸，胸肩
伏向海面，双臂划开，游泳，
很快出水上岸②，避离了那帮船员。
于是，我举步向前，行至一蓬密匝的灌木，
匍伏，身体佝蜷。那伙人四处寻找，

① 所指(究为何地)尚有争议。参考第九卷第 24 行注。诗人很可能并没有到过那些岛屿(包括伊萨卡)，故而在他的史诗地理学里很自然，并且似乎是堂而皇之地沿用了前人留下的模糊(当然，如果这些不是他的“创新”的话)。参考并比较第四卷第 355 行注和第五卷第 282 行注等处。

② 奥德修斯不仅是一位全能型的田径运动员，而且还是一位游泳健将(参考第五卷第 438 行以下)。

高声叫喊，及至觉得再寻无益、
无法找见后，回转，登返
深旷的海船。是神明轻而易举，亲自把我
藏匿[①]，亦是他们把我带到一个明达
事理者的家院。我还有存活的机遇，如此看来。”

其时，牧猪的欧迈俄斯，你对他答话说讲：
“唉，不幸的陌生人，你的话深深打动了我的心房，
告诉我这一件件往事，你所遭受的痛苦和流浪。
不过，我想，有的叙述许已走样[②]，你说服不了我，
关于奥德修斯的情况。为何肆意说谎——

---

① 参考第243行注。在此番叙述里(第192—359行)，奥德修斯频繁提及神的干预(或帮助，参见第198、216、227、235、242、243、268、273、300、305、310、348和357行；关于神的提及，另见第205、208、247、251和283行)，神或神意的出现频率之高确确实实让人感悟到了荷马史诗“通神”的一面。此番话也集中体现了诗人的带有浓烈神学色彩的宇宙论和生存观。在一个人神杂处、神的干预和影响几乎无处不在的世界里，人的生存必然受制于“常规”以外的因素，必须依靠自己的智力、体力和勇力以外的帮援。奥德修斯历经磨难，终于回到故乡，如果说需要对神感恩的话，那么这也是合适的时机(我们说过，奥德修斯是荷马神学伦理学的忠实实践者，其认知水平，就“质量”而言，并不高于其他史诗人物，参考第九卷第142行注)。此外，奥德修斯在此以高密度的对神的提及来“轰炸”欧迈俄斯，不知是否带有“警示”的作用。不知奥德修斯在出征前是否已认识欧迈俄斯(参考本卷第440行注)。如果不是故弄玄虚，那么第十五卷第381—382行的所示似乎表明奥德修斯从前并不认识猪倌，现时也不了解他的身世(然而，参考本卷第141行注)。所以，对这位给他初步留下良好印象的牧猪人，他还要做进一步的试探。参读第437—438、459—461和524—527行。

② “当事人”的叙述缺少诗人秉承神意叙事的权威性，因此“走样”的可能性始终存在。在当事人的讲述里，叙述者拥有了更大的叙事自由。当事人可用故事“欺诓”(第379行)，而诗人则不行。至少，在荷马看来，诗人讲述的都是真事(参考第十九卷第203行注)；如果说其中也含带不可实证的成分，那也是为了愉悦听众，而非旨在欺骗。比较本卷第379行注。关于当事人的叙述，另参考第十六卷第61和247行注等处。

你的处境已凄惨这样？告诉你，我知晓全部真相，
有关主人的还家。所有的神明恨他，绝对，
以至于不让他在特洛伊人的土地上倒下，
亦不让他死在朋友的怀里，了结了那场冲杀。
如此，阿开亚全军，所有的兵壮，会给他堆坟入葬，
使他替自己和儿子争获传世的英名，巨大的荣光。
但现在，风暴把他卷走，不光不彩地收场[①]。
而今我避居此地，和猪群陪伴，不去
城里，除非谨慎的裴奈罗佩传我前往，
每当有人捎来信息，从海外的什么地方。
其时，人们过细询问，围坐他的身旁，
有的为主子的久别伤心，还有的则
欢欣于食糜别人的财物，不付报偿。
但我不喜此类诘询问话，自从那回

① 第368—371行同第一卷第238—241行。

有个埃托利亚人骗我,用故事欺诓[①]。
那家伙杀死一人,出离[②],浪迹许多地方,
临抵我的居所,受到我的接待周详。
他说在克里特[③] 见过主人,共事在伊多墨纽斯身旁,
其时忙于修船,遭受风暴损伤,
还说他会归返,或在夏日,或当秋凉,
带回许多财物,偕领他的伙伴们神样。
悲怆凄苦的老人啊,你也一样,既然神灵把你送来,

---

① exepaphe muthoi (muthoi 的单数主格形式为 muthos,“故事”“话语”)。参读第十一卷第 368 行注和第十七卷第 57、514 行注。诗人或许没有意识到他的叙述和“当事人”的讲述在“真”“假”程度上的区别(参考本卷第 363 行注)。人们不会责怪诗人(或歌手)讲说旨在欺骗的假话,却可以放心地对当事人进行诸如此类的指责。此外,在荷马史诗里,muthos(复数 muthoi)既可指真实的叙述,也可指虚假的谎言,二者均可并入“故事”的范畴。荷马没有严格区分故事与有(或可有)实证支持的叙述(或论述,logos)。在古代希腊,清醒的思辨意识系统地诞生于公元前六至前五世纪。从那时开始,学人们开始全面怀疑以荷马史诗为代表的古代诗歌在知识论领域的权威,挑战它在文化上得之于传统的主导地位。故事不同于可以经受证伪考验的科学论述;秘索思不同于擅长辨析的逻各斯(细读第十卷第 507 行注和第十二卷第 188 行注)。后起之秀 logos 开始逐渐“淘汰”并部分取代老资格的 muthos,随着时间的推移,不断发展和壮大自己,终于取得了与秘索思比肩抗衡并足以动摇它“一统天下”的强势地位,成为支撑希腊乃至以后整个西方文化大厦的另一块基石。贬“秘”褒“逻”的文字见诸希罗多德、修昔底德、阿里斯托芬和柏拉图的论述。秘索思和逻各斯构成了西方文化的底蕴,是它的两个“中心”,并且就发展轨迹和以后互补存在、各司其职的“平衡”运作而言,构成了西方文化的特色之一。有趣的是,被包括柏拉图在内的古希腊学术精英们指责为“虚假叙事”的,往往不是我们在这里所说的当事人讲述中的谎骗,而是那些在史诗中被认为是不容置疑的真话(包括诗人以自己的身份所作的讲述)。参考第十五卷第 432 行注。关于秘索思(和逻各斯),另参考第十一卷第 13 行注、第十二卷第 188 行注和第二十一卷第 214 行注。

② 史诗里不乏血性汉子杀人后亡命他乡的见例(参看第十三卷第 260 行注)。

③ 参考第十三卷第 256 行注和第十九卷第 174 行注。关于伊多墨纽斯(本行下半节),参考第十三卷第 260 行注。不仅奥德修斯喜欢谎称自己乃克里特人,这个埃托利亚男子也一样。

就不要用谎话取悦，魅迷使我上当[1]。
我不会因此招待，把你当作朋帮，而是
因为敬畏宙斯，佑客的神主[2]，出于怜人的心肠。”

其时，足智多谋的奥德修斯对他答话，说讲：
“你胸中的心灵确实多疑，不假，
就连我的誓咒亦无法使你信服，不再徬徨。
这样吧，咱俩订下协约，让拥居
奥林波斯的神明日后证督双方。
倘若你的主人回返此地的宫房，
你给我一件衫衣一领披篷，给我衣裳，
送我前去杜利基昂，我的心灵对之向往。
假如你的主子不归，不按我的所讲，
如此，差遣你的奴仆[3]，把我扔下高耸的悬崖，
以此警告后来的乞者，不要对你欺罔。”

其时，光荣的牧猪人对他答话，说讲：
“那将成为我的美德[4]，陌生人，争得佳好的
名声在人间传扬，现时，日后一样，

① 关于语言的魅力，参考第四卷第 598 行注和第十三卷第 2 行注等处。“谎话”在此可作“故事”解。“他的故事动听，会勾迷你亲爱的心窍”（第十七卷第 514 行）。参考本卷第 379 行注。

② 参考第八卷第 389 和 569 行注等处。

③ 或“工仆”。欧迈俄斯是奥德修斯家里的奴仆（猪倌），但也凭靠自己的财力购得奴仆（即墨萨乌利俄斯），因此同时身兼奴隶和主子的身份（细读第 449—452 行）。从第 432—437 行判断，他的属下应有四人（比较第 24—27 行）。参考第 450 行注。

④ 关于美德，参考第二卷第 206 行注等处。公众的认可是美德得以“成立”的重要参照项（参考本行下半节和第 403 行）。当然，欧迈俄斯并非实话实说——注意他的讽刺口吻。

假如我先把你引入棚居，热情招待，
然后抢夺你珍爱的生命，把你害杀——
我会心满意足地祈祷，对宙斯，克罗诺斯的儿郎。
不过，眼下是吃饭的时光，愿伙伴们即时
回家，以便整备可口的食物，在棚屋里品尝。”

　他俩如此交谈，你来我往，
猪群和牧猪人已行至近旁。
他们把猪群关起过夜，在后者熟悉的地方，
拥挤着进入栏圈，发出呼呼噜噜的声响。
光荣的牧猪人对伙伴们叫喊，说讲：
“准备一头最好的肉猪，宰杀，招待来自远方的
生客，我们自己也可沾光，我等忍受
苦活的艰辛，长期，放养着猪群白牙闪亮，
让别人吞食我们劳作的成果，不付报偿。”

　他用无情的青铜劈开木段，言罢，
伙伴们抓来一头五年的肉猪[1]，极其肥壮，
让其站在火灶边旁。牧猪人不曾
忘记长生者，他的心智通达[2]，
从白牙猪猡的头颅上割下鬃毛，丢入柴火[3]，
作为祭奉，对所有的神明祈祷，

① 一头猪养了五年方遭屠宰，周期是否长了点？在《伊利亚特》里，阿伽门农给宙斯祭过一头五年的肥牛(见该史诗第二卷第 402—403 行)。

② 心智通达，故而行为得体。参考第三卷第 20 行及该行注。

③ 欧迈俄斯以棚屋之主的身份掌祭(参看第三卷第 430—446 行里奈斯托耳主祭时的排场)。割下猪的鬃毛，以示对它的“侵犯”有了祭仪认可的保障(参考第三卷第 446 行及相关注释；另见《伊利亚特》第三卷第 273 行和第十九卷第 254 行)。

让精多谋略的奥德修斯还家。
他挺直腰板，抓起身边劈开的橡木，精魂
飘离猪身，遭受击打。众人杀猪，将猪毛燎光，
剖解大身，牧猪人割下肢体上的碎肉，
作为祭物，放置厚厚的肥膘之上[①]，
洒之以大麦，然后扔进火堆祭飨。
他们把剩余部分切成小块，挑上
叉头，仔细烧烤后，脱叉备用[②]，
在盆盘上堆放。牧猪人起身
分放食物，心知何谓公平，
将所有烤肉分作七份妥当。
他留出一份，给女仙和赫耳墨斯[③]，
迈娅的儿郎，将其余的分发众人，
但给奥德修斯一长条脊肉，以示尊敬[④]，
割自白牙的肥猪，使主人心里欢畅。
其时，足智多谋的奥德修斯对他说话，开讲：

---

① 比较第三卷第 442—444 行、第十二卷第 359—361 行、《伊利亚特》第一卷第 459—461 行和第二卷第 422—424 行。“精魂”原文作 psuche。参考本书第十一卷第 220 行注。

② 程式化用语，同《伊利亚特》第一卷第 465—466 行。

③ 女仙为郊野之神（参考第十三卷第 102—112、356—360 行），而赫耳墨斯司管从事交换和各种“流动”的群体（包括旅行者和牧人），所以自然成了欧迈俄斯敬祭的对象。赫耳墨斯亦司诡术（包括偷盗）和誓咒之术（参考第十九卷第 395—398 行）。参考第五卷第 47 行注和第十五卷第 319 行注。

④ 参看第四卷第 65—66 行、第八卷第 474—483 行和《伊利亚特》第七卷第 321—322 行。在公元前五世纪，脊肉仍是斯巴达人盛宴时留给王者们享用的佳肴（参考希罗多德《历史》第六卷 56）。

"愿父亲宙斯喜欢你，欧迈俄斯[①]，像我
一样；你给我美食，值我贫穷潦倒的时光。"

其时，牧猪的欧迈俄斯，你对他答话，说讲：
"吃吧，遭难的客家[②]，享用这里的食物，
已为你排放。神明既可给出，亦可不给，
全凭他的心想；无有哪件事情，他所不能做下[③]。"

言罢，他把头刀割下的熟肉祭给长生不老的神祇，
给荡劫城堡的奥德修斯斟倒闪亮的浆酒，
置杯他的手里，坐下，临对自己的份子就绪。
墨萨乌利俄斯分送面包，牧猪人自己

① 在此之前，谁也没有对奥德修斯提及欧迈俄斯的名字。奥德修斯有可能在出征特洛伊之前即已知晓年幼的欧迈俄斯（参考第141行注和第十五卷第366行，尽管不知的可能性似乎同样存在，参考本注释下半部分的解释），但即便如此，他也肯定不会知道此君现在哪里（参看第十五卷第368—370行），遑论他此时的身份是一位来自远方的浪者，对伊萨卡的人事状况理应一无所知。此外，第十五卷里奥德修斯特意问及欧迈俄斯的身世，而欧迈俄斯则原原本本，做了长达九十四行的回答。这也从一个侧面表明奥德修斯并不知晓牧猪人的来历，除非他想对此人做过细的考察，听听后者的叙述是否吻合他头脑中既有的信息贮存（但这种可能性极小）。看来，此乃诗人的又一个疏忽，忽略了在细节的安排上堵住这一漏洞。参考并比较第十卷第439、486行注和第十三卷第357行注等处。

② daimonie xeinon，比较第361行。daimonios派生自daimon（神灵、精灵，参见第十五卷第261行；比较英语词demon），体现神对人的旨在使其超乎寻常（或正常）的制配作用，意为"受神灵影响（或制配）的人"（另见第十九卷第71行和第十卷第472行），不宜直译。在这里，daimonie似亦可作"奇怪的"解，以示欧迈俄斯已看出来客不同寻常（亦即有点儿"怪"）的蛛丝马迹。

③ 和奥德修斯一样（参看第358行注），欧迈俄斯亦在对话中反复提及神对凡人生活的影响，态度虔诚，足显对神的敬仰。

搞来的仆役[①],在主人离家的时段,
不经女主人和年迈的莱耳忒斯资助,
从塔菲亚人[②] 那里买来,凭靠自己的财力。
备毕,他们伸出双手,将面前的佳肴抓起。
当满足了吃与喝的欲望,
墨萨乌利俄斯收走食物,他们当即
走向床第,已用肉块面食填饱肚皮。

恶劣的夜晚来临,月光消隐[③],宙斯泼降
整宿的落雨[④],西风挟卷水珠,狠吹不停。
奥德修斯对他们说话,心想考验牧猪的人丁,
是否会脱下自己的披篷给他,或要他的

---

① 欧迈俄斯以奴仆的身份拥有奴仆;自己已被主人买断(第十五卷第483行),失去了自由人的身份,但日后却用私己的积攒买断(或换得)别人,在不改变奴隶身份的同时成为拥有奴隶的主人。在荷马史诗里,主仆间的关系通常并不紧张,奴隶虽然作为弱者(参考第十一卷第73行注),却没有(或无须)宙斯的刻意保护(这一点与生客或浪者不同)。

② 历史上确曾有过塔菲亚族民,又名塔福伊人、忒勒波伊德斯人和忒勒堡人,阿波罗道罗斯称之为忒勒堡安人(参阅《文库》第二卷4.5),居家在伊俄尼亚海北部的一些位于琉卡斯和阿卡耳那尼亚之间的小岛上,以商贸和海盗营生。雅典娜曾变取塔菲亚首领门忒斯的形象(参见本书第一卷第105行)。另参考第十五卷第427行和第十六卷第426行。在荷马生活的年代,塔菲亚人及其活动已带上了某些或许可以上溯到慕凯奈时代的传奇色彩,后世文人对他们亦时有猜测,名称的众多也从一个侧面表明了世人对塔菲亚人所知的不确定性。

③ 月光的晦暗可能因云层的遮掩所致(注意下文的配合),但亦可表示日子的移逝已接近月底,后一种解释似同样贴切(参考第161—162行)。此语亦可含带双关之义,既对天气做了适宜于讲故事的渲染,也"证实"了奥德修斯点明过的归期。

④ 宙斯乃天空之神,掌控气候的变化。连绵的阴雨表明此时已是深秋季节(参看第五卷第483行注)。

某个伙计献衣，既然他关心客人，如此热情[①]：
“听我说，欧迈俄斯和你的朋伴们聆听，
我想说几句大话，聊以顺从使人糊涂的酒力。
醇酒能使即便是生性明智的人歌唱，
驱使他咯咯笑嘻，翩翩起舞，
讲说本来不该启齿的话语。
现在，既然我已开言，便不想瞒隐[②]。
但愿我依旧年轻，浑身都是力气[③]，
一如当年，我们引军在特洛伊城下伏击。
奥德修斯统兵，另有阿特柔斯之子墨奈劳斯，
而我，应他们的要求是排位第三的首领。
当我们来到城下，高耸的墙基，
大家伙置身围城的泽地之中，繁密的杂草
和灌木丛生，还有芦苇，伏倒，荷着
甲衣。酷劣的夜晚伴随北风降临，
天寒地冻，雪片从头上落飞，如下霜

---

① 秋夜漫长，另有不辍的雨声点缀，正是讲故事(参见第463行的呼应；参考第十五卷第392—393行)的绝佳时间，而雨夜阴冷，需要厚实的披篷御寒，也正是奥德修斯借以考验牧猪人忠诚与否的天赐良机。氛围配合情节，情节贴熨氛围，二者水乳交融，浑然一体，把诗文的创作水平推向了一个极富艺术性的境界。

② 所谓酒后吐真言。奥德修斯的讲述(见第469—502行)或许基本真实，但他肯定“掉包”了其中的个别人物(比如故事中的“我”指谁？显然不可能是奥德修斯本人)，或许真假参半(《伊利亚特》里从未出现阿开亚将士冒着严寒伏兵围城的情景)，亦不排除奥德修斯根据战时积累的“总体”经验，此时即兴发挥的可能。酒能醉人[“偶然称兴便醺醺”(元稹诗)]，还能使人致命[比较“但愿长醉不复醒”(李白诗)]，如可怜的厄尔裴诺耳便因纵酒过度，从房顶摔下致死(详见本书第十卷第552—560行)。

③ 表示希望能老当益壮的“规范”用语，同《伊利亚特》第七卷第157行、第十一卷第669行和第二十三卷第629行。

一般寒冷,盾牌的周边圈起坚冰[①]。
其他人全都裹着披篷,穿着衫衣,
睡得安安稳稳,用盾牌盖住双臂,
只有我,粗心大意,偕同伙伴们前来,
忘了携带篷披,根本不曾想到会如此寒冷,
随军来到,只带着盾牌,一条闪亮的腰系。
当黑夜进入第三部分[②],星宿转移,
我对奥德修斯说话,他在我身边躺息,
摆动手肘触挪,当即引起他的注意:
'莱耳忒斯之子,多谋善断的奥德修斯,宙斯的后裔,
我行将离去,不和活人一起,天气太冷,
使我难以抗拒,因我没有篷披。神力蒙我,
使我只穿一件单衣。眼下,我已无法逃避。'

"我言罢,他当即在心里想出主意,
能思谋,擅战斗[③],如此人杰。
他对我开口说话,压低声音:
'别说话,安静,别让其他阿开亚人听清。'

---

① 伏击者不仅需要过人的勇气(参考《伊利亚特》第十三卷第276—286行),而且要有坚韧不拔的意志和忍受各种艰难困苦的耐力。这里描述的围城情景(如果确有其事,参考第467行注)可能出现在阿基琉斯战杀赫克托耳以后,虽然也可能出现在那时之前,因为《伊利亚特》只讲述十年战争中最后一年里的部分战事(尽管也穿插一些回顾),不可能对所有的战例一一提及。荷马史诗对"西方悲剧之父"埃斯库罗斯的影响极大。比较他在《阿伽门农》里对"贴着墙垣睡躺"的阿开亚将士的困苦景状的描述(《阿伽门农》第559—568行)。

② 即最后的、前点连接黎明的部分(参考第十二卷第312行注)。

③ 荷马心目中的古代英雄必须"文"能思考,擅谋略,"武"会打仗,行动果敢(参考《伊利亚特》第九卷第443行)。此语既是奥德修斯对自己的评价,也符合公众(包括一定听过不少相关传闻的欧迈俄斯)对他的总体印象。

“然后,他用臂肘撑起脑袋,说及:
‘听着,朋友们,神赐的梦境在我熟睡时来临。
我们去船甚远,远离。能否去个人,
告诉阿特柔斯之子,阿伽门农牧领士兵,
他或许会从船边派人过来,为我们增力①。’

“他言罢,索阿斯② 随即跃起,安德莱蒙
之子,甩下紫红的披篷,出发,
朝着海船跑去。我卧躺他的篷衣,
高兴,直到享用金座的黎明登临。
但愿我依旧年轻,浑身都是力气③,
如此,屋里的牧猪人中便会有谁给我披篷,
出于善待,敬重一位骁勇的杰英。
眼下他们小看我,只因我穿着破衣④。”

其时,你对他答话说及,牧猪的欧迈俄斯:
“老先生,你讲了个绝妙的故事,

---

① 奥德修斯果然机警,但却苦了索阿斯(当然,如果确有其事的话):他必须在寒冷的夜晚离开“被窝”,外出执行一趟虚构的使命。此外,这件事还会惊扰兵士的牧者阿伽门农,使他派出人员,执行一次本该不必执行的任务。总之,奥德修斯的小聪明虽然暂时解决了一个人的御寒问题,却给许多人增添了不必要的麻烦。只顾眼前的机警会带来因小失大、得不偿失的严重后果。这或许便是小聪明和智慧的不同。不过,奥德修斯只想用这段故事(ainos,第 508 行)考验牧猪人的忠诚;从下文来看,他显然达到了自己的目的。

② 索阿斯乃埃托利亚军伍的镇管,统四十条乌黑的海船赴特洛伊参战(详见《伊利亚特》第二卷第 638—644 行)。

③ 参考第 468 行注。

④ 奥德修斯使的是激将法。工仆们并没有小看他。比较第十三卷第 400 行。

既没有离题,也不会白说,没有收益。
你不会缺少衣服,或是别的什么,
落难的祈援人来了,理应得到的东西①。
我说的是今晚,明天你还要将就破衣。
这里没有多余的替换,没有多余的衣衫
或是篷披,我们每人只有一套而已。
不过,待等奥德修斯钟爱的儿子返回,
他会给你衣裳,一领披篷和一件衫衣,
送你去往任何想去的地方,听服于魂魄心灵②。”

言罢,他一跃而起,在炉火边铺好
睡床,覆之以绵羊和山羊的毛皮。
奥德修斯躺下,牧猪人给其盖上篷披,
硕大、厚实,作为备用替换存留,
以便在冬日的极冷之时,用它遮裹身体。

就这样,奥德修斯睡下,年轻的
人们在他身边将息。然而,牧猪人
不愿丢下猪群,睡在床上屋里,
而是准备停当出去,使奥德修斯欣喜,眼见
他的财产得到如此认真的呵护,在他出离之际。

① 欧迈俄斯深知待客的规矩。比较第六卷第 192—193 行。

② 日后,欧迈俄斯重复了第 515—517 行表述的意思(见第十五卷第 337—339 行)。参考第二十一卷第 342 行注。比较该卷第 154 行注。

首先，牧猪人将利剑挎上粗壮的肩膀[1]，
披上一领特厚的衣篷，抵御风吹，
拿起一张硕大的皮毛，取自一只山羊丰肥，
抓握一枝锋快的投枪，防备狗和人的攻击，
走去，和白牙闪亮的肉猪睡在一起，
在一面内凹的岩壁下，遮御北风的吹袭[2]。

① 牧猪人以特洛伊战场上英雄们武装赴战(或出行)的方式自我“装备”起来(参考《伊利亚特》第三卷第330—339行及第330行相关注释、第二卷第42—46行和第十卷第21—24行等处)。比较本书第二卷里忒勒马科斯的出行(第2—5行)，只是这位少主带着“两条腿步轻快的犬狗”(同上第11行)，而欧迈俄斯则需“防备狗和人的攻击”(本卷第531行)。

② 欧迈俄斯的忠诚，他的敬业精神确实让人感动。他有属于自己的奴隶(或仆工)，却没有指派他们去干，而是自己身体力行，“身先士卒”，承揽这份苦活。拥有这样的奴仆(或者说朋友)，奥德修斯确实可以感到欣慰(参见第526—527行)。至此，诗人暂时中止了“奥德修斯的故事”(第五至十四卷)，即将转入对忒勒马科斯回归伊萨卡的叙述。

第十五卷

其时，帕拉斯·雅典娜前往宽广的
拉凯代蒙[①]，提醒心胸豪壮的奥德修斯
光荣的儿子回家，急速归返启程。
他眼见忒勒马科斯和奈斯托耳豪贵的儿子
寝睡前厅，在光荣的墨奈劳斯的房宫[②]，
奈斯托耳之子已沉浸于酣睡的松软，
但夜眠的香甜却没有临驻忒勒马科斯的躯身[③]，
醒着，担心父亲的安危，整整一个晚上神圣[④]。
灰眼睛女神雅典娜站临他的头边，说话出声[⑤]：

① 按照分工，奥德修斯已在伊萨卡牧猪人家里留宿，而雅典娜则来到拉凯代蒙（参考第十三卷第412—413和439—440行），执行并完成她的任务。故事继续呈现双线发展的势态（但亚里士多德认为此乃“第二等”的情节，参阅《诗学》第十三章1453a30—33），构思精妙，衔接紧凑、合理，充分展示了一位成熟和有造诣的诗艺家组合情节并老到控制它的展开的高超技巧。

② 诗人把我们带回到拉凯代蒙墨奈劳斯的宫殿（相关的描述止于第四卷第624行）。

③ 比较第一卷第443—444行和《伊利亚特》第二卷第2行等处。

④ 关于神圣的夜晚，参考第七卷第283行注；同样的表述亦出现在第九卷第404行里。关于对黑夜的描述，另见本卷第50行和第九卷第143、168行。比较：神圣的日光（即白天，第九卷第56行）。

⑤ 注意，此时雅典娜没有变取凡人的模样（参考《伊利亚特》第一卷第194—200行）。比较本书第一卷第105行、第七卷第19—20行、第十三卷第222行和第十六卷第157—158行等处。除非雅典娜用了隐身术，忒勒马科斯此时应已认出她来。参考第十卷第574行注等处。

“别再逗留，忒勒马科斯，远离家门，
撇下你的财物，让狂傲的人们待在
家中，以免他们吞分你的财产，
吃光，让你的远行白费落空①。
所以，赶快催请啸吼战场的墨奈劳斯送你
登程，如此你可见到雍贵的母亲仍在房宫，
须知她的父亲和兄弟们正在敦促，
要她与欧鲁马科斯成婚，后者广送厚礼，
增加财物追求，胜似所有别的求婚人。
除非经你同意，别让她把财物带出家门；
你知道女人的心境，在她的胸腔之中，
总想增聚新婚夫家的财产，
忘却前夫的孩子和已经死去
的他，对过去相爱的伴侣不再过问②。
至于你，回家以后，要把一切
托付给你最信赖的女仆③，
直到神祇点明谁将是你尊贵的妻从。

---

① 第11—13行大致同第三卷第314—316行。忒勒马科斯还是打听到了一些有关父亲的消息，也算不虚此行（参考第二卷第214—217行）。更大的收获或许还在于丰富了人生的阅历，增长了才干，结交了一批朋友，在海外扩大了自己的名声。关于求婚人的恶行，参考本卷第376行注。

② 忠贞的裴奈罗佩自然不会这样，但第21—23行带有格言的性质（参考第十一卷第441行注），或许是那个时代人们的经验之谈。自以为长大成人、可以作为“门户的当家”的忒勒马科斯（但以他的阅历和能力，显然还不足以保护自己的家产，参看第十六卷第71—72行）其时对被人穷追的母亲或许不会没有一点戒备之心（参阅第一卷第345—362行和第十六卷第73—77行）。

③ 这一嘱告让人读后不解。忒勒马科斯本人即在宫中（指他回去以后），何须将财物托付给比他更弱、因此更加无力看护它们的女仆？事实上，忒勒马科斯并没有按女神的嘱咐行事，避免了使情节出现没有必要的曲折。或许，诗人有意在此插入他所熟悉的某种经验之谈（参考上注），故而让雅典娜即兴说了几句离题的话语。

我还有一事相告，你要记在心中[①]。
出于敌意，求婚者中最强健的人们已经设伏，
在伊萨卡和山石嶙峋的萨摩斯之间的海峡等候，
急于杀你，先于你回返故乡的时候。
但我想此事不会发生，泥土会覆埋
许多求婚者，眼下正食夺你的所有[②]。
你必须避离那些海岛，摸黑驱驶
你的船舟，长生者暗中保护和助佑
你的那位[③] 会送来刮自船尾的顺风。
当临抵伊萨卡，它的第一处滩头[④]，
你要尽快遣送海船伙伴，去往城里一同，
但你本人要先去牧猪人的住地，
他看养你的猪群，对你心存善好始终。
你可在那里过夜，但要命他进城[⑤]，
对谨慎的裴奈罗佩传报信息，就说

① 程式化用语，出现在两部史诗里。thumos 是《奥德赛》里可作“心”解的词汇中（参考第二十卷第 41 行注）最常见的一个。另见第四卷第 638 行、第七卷第 42 行、第九卷第 213 行、第十四卷第 361 行、本卷第 379 行、第十六卷第 141 行、第十七卷第 469 行、第十八卷第 161 行、第十九卷第 198 行、第二十卷第 38 行、第二十一卷第 276 行和第二十三卷第 97 行等处。细读第四卷第 293 行注。

② 参考雅典娜对奥德修斯所做的同样内容的通报（第十三卷第 426—428 行）。求婚者已派人设伏，专等忒勒马科斯回返时动手（参考第四卷第 842—847 行）。

③ 指雅典娜自己。

④ 有学者（包括 F. H. Stubbings 教授）认为，“第一处滩头”应指伊萨卡南端的 Andri（或 Cape Hagios Andreas），但对此学界尚有争议。

⑤ 参看第十六卷第 132—134 行。

你已安然回返，从普洛斯[①] 归返家门。”

言罢，女神离去，返回奥林波斯高耸，
忒勒马科斯弄醒奈斯托耳之子，从酣睡的朦胧，
用脚跟触动他的身体，对他说话出声[②]：
“醒醒，裴西斯特拉托斯，奈斯托耳之子，牵出坚蹄的
驭马，套入轭架，让我们即速回程。”

裴西斯特拉托斯，奈斯托耳之子，对他答话说称：
“虽然你我企望回归，忒勒马科斯，但我们无疑
不能行车乌黑的夜晚；别急，马上即是拂晓时分。
不妨等等，等到阿特柔斯之子墨奈劳斯，
这位以枪矛闻名的英雄给你送来礼物，放入车身[③]，
与我们话别，用友善的言语送我们登程。
客友会终身不忘接待他的主人，
铭记他待客的情谊，友好真诚。”

他言罢，享用金座的黎明随即登升，
啸吼战场的墨奈劳斯起床，从长发
秀美的海伦身边，走向他们。

---

① 忒勒马科斯现在斯巴达墨奈劳斯的宫中，但他出访的第一站是普洛斯(参考第三卷第 4 行以下)，所用的船艘亦在该地停驻(同上第 10—11 行)。所以，忒勒马科斯(由奈斯托耳之子裴西斯特拉托斯陪同)要先回普洛斯(见本卷第 193 行)，然后从那儿乘船返航伊萨卡。陪同忒勒马科斯出访的二十名伙伴，此时也应该在普洛斯等候(参考第 217—219 行)。诗人会把不用的人物“撂”在一边，直到需要的时候再把他们“调”出来加以使用(参考第 217—221 行)。

② 比较《伊利亚特》第十卷第 158 行里相似的表述。

③ 和裴西斯特拉托斯一样，忒勒马科斯年轻，但也熟知待客的礼数(参见第一卷第 311—313 行)。

奥德修斯亲爱的儿子见他，
当即套上闪亮的衫衣遮身，
搭上粗壮的肩膀，用一领硕大的披篷。
英雄走向门边，站立主人身旁，他，
忒勒马科斯，神祥的奥德修斯的爱子，说话出声：
“宙斯哺育的墨奈劳斯，阿特柔斯之子统领民生，
送我回返亲爱的故乡，现在，送我登程，
此刻，我的心灵急切盼望归返家门[①]。”

其时，啸吼战场的墨奈劳斯对他说称：
“我不会长时间留你，忒勒马科斯，
当你亟想回程。我不赞成
待客的主人过于热情，或
冷漠过分。凡事都宜掌握分寸[②]。
二者同样不好，催促不愿动身的
客家离去，或劝阻急于上路的动身。
应宜友待居留的客家，速送愿去的登程[③]。
别急，不过，待我取来并装车送你的礼物，

① 忒勒马科斯直截了当，开门见山，话语简洁明了，没有客套，但多少显得有点唐突。在口才方面，这位年轻人或许还需更多的历练（参考第三卷第22—24行）。比较墨奈劳斯的由沉稳转向热情的条理分明的答言（本卷第68—85行）。

② 换言之，做事要不偏不倚，不走极端，恰到好处。对于容易激动的希腊人，“凡事不可过分”（在公元前五世纪，它和“认识你自己”一样，同为具有警示作用的诫条）显得尤为重要。然而，墨奈劳斯由第68—74行里的沉稳很快转入了第80—82行里的或许略嫌过分并因此显得不够诚挚的热情（另参考他在第四卷第174—180行里所做的好客得有点“过头”的承诺）。墨奈劳斯毕竟不是奈斯托耳。老人与奥德修斯的交情深厚（参阅第三卷第126—129行），却从未为表示情谊的深长而刻意显示不切实际的友好。

③ 参考并比较第七卷第315—316行。

精美,你可亲眼目睹,我将命嘱女人们
准备食餐,从家中丰足的食品存储。
此举荣誉和显耀双得,除了美食的益获,
饱餐之余,出行在无垠的大地宽阔。
如果你想遍访赫拉斯和阿耳戈斯的腹地[①],
让我随你同走,我将备套驭马,
陪你穿行凡人的城镇导游[②]。无人会让
我们离去,空着双手,人人都会馈赠礼物,
让我们拥有,一只精制的三脚鼎或大锅一口,
抑或是一对骡子,或一只金杯带走[③]。"

其时,聪颖的忒勒马科斯对他答诉:
"宙斯哺育的墨奈劳斯,雹特柔斯之子牧领民众,
我想即刻回家,因为出门桩时
不曾托付谁个,看守我的财富。
我不能为了寻找神样的父亲,把自己断送,
或让某些贵重的家产失离宫府[④]。"

啸吼战场的墨奈劳斯听罢,
当即吩咐妻子和所有的侍女们
准备食餐,从家中丰足的顺品存储。

---

① 参考第一卷第 344 行及相关注释。

② 墨奈劳斯或许知道,此时的忒勒马科斯归家心切,大概不会对遍访赫拉斯和阿耳戈斯有太大的兴趣。参考第 71 行注。

③ 鼎、锅、骡马和精美的酒杯等均为送客的佳品。也许是因为记住了忒勒马科斯的"解释"(见第四卷第 601—607 行),墨奈劳斯没有提及马匹。

④ 忒勒马科斯没有告诉墨奈劳斯,是雅典娜催他赶快回程(参见第 9—13 行)。

其时，波厄苏斯之子厄忒俄纽斯[①] 从距此
不远的住所走来，刚刚离开床铺，
啸吼战场的墨奈劳斯要他生火
烤肉，后者听后不违，谨遵。
墨奈劳斯自己走下芬芳的藏室[②]，
并非独行，由海伦和墨伽彭塞斯陪同。
他们来到家存珍宝的地方，
阿特柔斯之子拿起一只酒杯，双把，
吩咐墨伽彭塞斯拿来银质的
兑缸，海伦行至存物的箱子，
里面贮存由她自织的精致袍衫[③]。
海伦，女人中的姣娘，提起其中的一件，
纹饰最为瑰美，体积最大，
像明星一样闪光，在裙袍的最底层收藏。
他们迈步走去，随后，穿走宫邸，行至忒勒马科斯
身边，金发的墨奈劳斯对他发话，说起：
"忒勒马科斯，愿宙斯、赫拉炸响雷的夫婿
实现你的心愿，满足你返家的希冀。
我将从家藏的礼物中挑选一件最好的[④]，
选那最精美和最受珍视的给你。

---

① 厄忒俄纽斯乃墨奈劳斯的伴从(therapon，第四卷第 22—23 行；参读本卷第 140 行)，其地位大致和帕特罗克洛斯在阿基琉斯营中的相似。

② 相似的描述参见《伊利亚特》第二十四卷第 191 行和第六卷第 288 行。芳香来自制箱的木料。

③ 海伦贵为王后，但仍需操做"女人的工作"，自织衣衫。参考第四卷第121—125行和第七卷第234—235行。比较本卷第105—108行和《伊利亚特》第六卷第289、293—295行。此袍"最"美、"最"大、在箱子的"最"底层收藏(含最受珍视之意，本卷第106—108行)。比较墨奈劳斯的"极致"描述(第113—114行)。参考第十一卷第522行注。

④ 第 113—119 行同第四卷第 613—619 行。某些抄本删去了这七个行次。

我将给你一只瑰美的兑缸，通体
纯银，边圈镶裹黄金，赫法伊斯托斯的
手工，得之于西冬王者、英雄
法伊底摩斯的赠礼①，他的家居庇我，值我
归途返家之际。作为礼物，我要把它给你。”

言罢，英雄，阿特柔斯之子，将双把的
杯子放入他的手里，强健的墨伽彭塞斯
拿出银光闪烁的兑缸，在他面前
放停，脸颊秀美的海伦站着，手捧
织袍称呼，发话，对他说起：
“我亦有一份送礼，亲爱的孩子，使你
记住海伦的手艺②，给你的妻子穿着，
在那久盼的婚期——此前让你钟爱的母亲保管③，
妥存宫邸。我愿你回返营造坚固的
房居，欢欢喜喜，回到祖居的故地。”

言罢，海伦把礼物交到他的手里，后者高兴，
予以收起。英雄裴西斯特拉托斯接过，将其

① 西冬人以工艺精巧闻名(参考《伊利亚特》第六卷第289—290行和第二十三卷第741—743行)，但此兑缸却由匠神赫法伊斯托斯制造，加之提及了王者法伊底摩斯的大名，三者相加，足显礼物的珍贵。西冬为腓尼基人的主要城市(参考本卷第425行)，位于西冬尼亚(就像斯巴达位于拉凯代蒙一样)。

② 友好的接待，加之礼物，能使客友铭记主人的盛情，终生不忘(参考第54—55行)。礼物一经送出，受礼者自然也希望能“完全”拥有所受之物，并愿送者“今后不会念想”赠人的佳物(参考并比较第八卷第413—415行)。

③ 海伦的建议似比雅典娜的更合情理(比较第24—25行及第25行注)。此外，海伦现时对婚姻的重视，亦与以前的她对婚姻的背弃形成了鲜明的对比。人是会变的，海伦也一样。

放入车筐，心里诧慕每一件赠礼。
金发的墨奈劳斯引着他们走回宫殿，
两位年轻人就座靠椅和便椅上面。
一位女仆提来净水倒出，从一只绚美的
金罐，就着银盆，为他们洗手，
搬过一张滑亮的食桌，置放他们面前。
一位端庄的家仆送来面包，供他们进餐，
摆出许多佳肴，足量排放，慷慨，
波厄苏斯之子切割肉馔，发放餐份，
光荣的墨奈劳斯的儿子为他们斟酒杯盏；
食者伸出双手，抓起面前佳美的肴餐。
当他们满足了吃喝的欲望①，
忒勒马科斯和奈斯托耳光荣的儿子
套起驭马，登上铜光闪烁的车里，驱动，
穿过大门和回音缭绕的柱廊出行②。
阿特柔斯之子、金发的墨奈劳斯跟进，
右手握拿一只金杯，满斟浆酒，
蜜甜，让他们在离别之前奠祭③。
他讲诵祝词，在车马前面站立：
“再见了，年轻人；代我向民众的牧者奈斯托耳

① 读者或许不难看出，第135—150行基本上由程式化语句组成（参考并比较第一卷第136—143行）。为了体现墨奈劳斯和波厄苏斯之子厄忒俄纽斯的作用，诗人对程式做了必要的调整（第140—141行，比较第一卷第141—143行）。

② 第146行同第191行和第三卷第493行。

③ 关于洒酒祭神，参考第二卷第432行及相关注释。

致意。他一向善待于我，似一位父亲[1]，
当我等阿开亚人的儿子们战斗在特洛伊大地。”

其时，聪颖的忒勒马科斯对他答接：
“放心吧，神明的后裔，及达后我们会对
他说话，按你的叮咛。我还想回到
伊萨卡，发现奥德修斯已回府邸，
告诉他我从你这儿归来，方方面面受到你的
招待盛情，带回许多佳美的珍宝，赠礼。”

他言罢，一只飞鸟在右边上空翔翱[2]，
一只雄鹰，爪掐一只硕大的白鹅，
刚从饲养它的农院抓到，男人女子
追随，喊叫，鹰鸟临近他们，

---

① 奈斯托耳年长，特洛伊战场上通常不在一线战斗。但他资格老，阅历丰富，在军中享有崇高的威望，常能就战事出谋划策(参考第三卷第126—129行)，提出中肯的意见。此外，当军中的首领们反目争吵，他能出面调解，对年轻人(如骁将狄俄墨得斯)亦时有教诲。在《伊利亚特》里，奈斯托耳与墨奈劳斯的接触不多，但他敢于批评后者，而在澄清误解后又能及时改变观点，尊重他的地位，维护他的“领导”(参阅该史诗第十卷第114—130行)。对于年长的英雄，荷马的赞词较多，包括“像一位神明”和“像一位父亲”。在本书第二卷第234行里，奥德修斯同时得到了这两个称谓。另参考第十四卷第141行注。

② 飞鸟在右边出现，此乃吉兆(参阅第二卷第146—154行和《伊利亚特》第二十四卷第290—294行；比较鹰鸟在左边出现的情况，参考该史诗第十二卷第201和219行)。本卷第160行同第525行和《伊利亚特》第十三卷第821行。虔诚的赫克托耳和渎神的欧鲁马科斯都曾对(以“鸟迹”为依据的)卜术的权威性提出过挑战(分别参见《伊利亚特》第十二卷第237—240行和本书第二卷第180—182行)，尽管事态的发展并没有为他俩的怀疑主义提供可资佐证的凭靠。虔诚的荷马可以容忍人们对卜术的质疑，却不打算就他们的言论进行持肯定取向的引导。参考并比较第二卷第182行注和《伊利亚特》第十二卷第219、240行注。

折向车马的右边前方，大家伙见后
无不振奋，欢喜在胸腔里的心窍。
奈斯托耳之子裴西斯特拉托斯首先说道：
“宙斯哺育的墨奈劳斯，民众的率导，讲说
神赐的迹象为谁——为你，还是为我俩显兆。”

　他言罢，嗜战的墨奈劳斯听后思考，
如何正确阐释兆迹，对他们说告。
其时，裙袍长垂的海伦先行开口[①]，说道：
“听我的，我来为你们卜兆，长生者们
将其放置我的心里，我想它会实现见效。
如同雄鹰从山上下来，那是它的祖地，
有生养它的窝巢，逮住白鹅，在家院抓牢，
奥德修斯历经艰辛，长期游漂，
将会返家仇报。抑或，他已经
回家，谋设恶难，让所有的求婚人惨遭。”

　其时，聪颖的忒勒马科斯对她答说：
“愿宙斯、赫拉炸响雷的夫婿，兑现兆诺。

① 应该说，生活在那个时代的人们对卜术都不会一窍不通。墨奈劳斯暂不作答，因为需要认真琢磨思考（另见第162—165行里男子和女人对兆示的反应）。作为一个女人[尽管史诗里的职业卜者均为男人，如卡尔卡斯（《伊利亚特》第一卷第69行）和塞俄克鲁墨诺斯（见本卷第225行），但普里阿摩斯的女儿卡桑德拉却是个女的，通卜术（参看《伊利亚特》第二十四卷第699—706行等处）]，海伦对卜兆和巫术的心仪程度当超过墨奈劳斯（参考本书第四卷第220—234行），故此时毛遂自荐，抢先开口解释，当在情理之中。由此开始，一连串有关奥德修斯回归的卜释将接踵而来（如本卷第525—534行、第十七卷第151—161行和第十九卷第535—558行。比较第二卷第163—166行、第十四卷第158—164行和第二十卷第350—357行等处）。

我将对你祈诉，如此，像对神明[1]，即便回抵家国。”

　　言罢，他扬鞭驭马，后者迅速启动，
穿走城市，扑向平原，急切冲跑；
整整一天，它们肩系轭架，架圈撼摇[2]。

　　太阳落沉，所有的通道全都裹入漆黑之中。
他们抵达菲莱，落脚狄俄克勒斯的家院，
阿尔菲俄斯之子俄耳提洛科斯的儿种。
他们在那里过夜，受到主人的礼待意浓[3]。

　　当早起的黎明重现天际，手指玫瑰嫣红，
他们套起马车，登临，车身闪烁青铜，
穿过大门和回音缭绕的柱廊起程，
驭者扬鞭催马，后者心甘情愿，飞速跑动，
很快抵达普洛斯，陡峭的城堡高耸。
其时，忒勒马科斯对奈斯托耳之子说告：
“你是否赞同我的见解，奈斯托耳之子，愿意
兑现我的称道？你我原本就是朋友，因为

---

① 奥德修斯亦对娜乌茜卡说过类似的话语（参见第八卷第 467 行）。按照史诗人物办事的惯例，忒勒马科斯的告别词简洁明快，注重“实效”。

② 第 184—192 行同第三卷第 486—494 行。

③ 参考第三卷第 487—490 行及相关注释。狄俄克勒斯有两个儿子，名俄耳西洛科斯和克瑞松，被达耳达尼亚兵勇的首领、骁将埃内阿斯击杀（详见《伊利亚特》第五卷第 541—560 行）。

咱俩的父亲已是旧交[①],加之你我同龄,
这次旅程又增进了我们的情谊更牢。
所以,神的后裔,不要把我带过我的船舶,
让我下车该地,免得老人热情挽留,违背我的意愿,
在宫中对我关照。我必须赶快回去才好。”

他言罢,奈斯托耳之子静心思考[②],
如何得体安排,把事情做成办好。
经过一番斟酌比较,他觉得此举佳妙。
他掉过马头,朝着快船和海滩奔跑,
取下绚美的礼物,放置船尾堆靠,
衣服、黄金,墨奈劳斯的赠犒,
说话,催他上路,用长了翅膀的话语说道:
“赶快登船,命嘱所有的伙伴们同样做到,
先于我抵家之时,对老人家禀报。
我的心灵清楚,我的心魂知晓,
他脾气大,性格倔傲,不会让你离去,
定将亲自赶来唤召——我想他不会

① 相信奈斯托耳和奥德修斯在特洛伊战争之前即已相识(参考并比较第一卷第209—210行和第十九卷第239—240行)。参考本卷第71行注。一种重视“父亲”的文化(参考第388、152行注和第十六卷第19行注)必然也会重视“传代”的意义。家族(或父辈)之间结下的友谊就像家中的财产一样,将由长成起来的后代承继。这种友谊(xenie)根深蒂固,甚至可使战场上兵戎相见的对手罢息仇杀,叙旧,交换礼物,“紧紧握手”(详见《伊利亚特》第六卷第212—233行)。

② 比较第169行。注意诗人对“思考”的强调(参考并比较第十二卷第38行及第58行注;另参考第五卷第298和365行及相关注释)。思考背靠知识(或所知),指对选择,是一个试图把知识运用于“实践”的过程。它有助于促使年轻人克服浮躁(参考第七卷第294行注),变得沉稳,逐步走向成熟。

放你，白跑。针对此事，他会非常愤恼[①]。”

言罢，他驱赶长鬃飘洒的驭马归返
普洛斯人的城郭，抵达房宫，很快回到。
忒勒马科斯激励他的伙伴，敦促：
“备整所有的索具，朋友们，在黑船上妥调，
让我们上船，启航驶向海道。”

他言罢，众人服从，认真听过，
迅速登船，在桨位上端坐。
当他开口祈诵，祭祀雅典娜，
在船尾边忙碌，一位来自远方的浪者走近，
在阿耳戈斯杀死一人后逃出，眼下流离失所。
他曾是一位卜者[②]，墨朗普斯的后代，按血统追溯，
墨朗普斯曾居家普洛斯，羊群的亲母，
普洛斯人中的富者，拥有高大的房宅院落。
但后来，他浪走他乡，逃离自己的故国，

① 和墨奈劳斯一样，奈斯托耳好客。但两位英雄的性格不同，由此导致他们对客谊的态度不尽相似。墨奈劳斯亦想留客，但似更愿倾向于认同客家自己的选择（参考他就此所作的颇合情理的论述，见第68—73行）。老人睿智，经验丰富，但也可能趋于固执，较难通融。裴西斯特拉托斯的寥寥数语重要，它和其他相关行句一起，“帮助”诗人得以成功塑造了两位性格各异的客主。墨奈劳斯不赞成待客的主人过于热情（第69—70行），尽管他自己的某些言行似乎有过热之嫌（参考第四卷第176—180行）。不过，他会尊重对方的意愿（本卷第72—74行），这是他比奈斯托耳老人开明的地方。参考第212—214行。

② 即塞俄克鲁墨诺斯（见第256行），卜者墨朗普斯（第十一卷第291行）的后代。

因为心胸豪壮的奈琉斯[①],凡人中他最豪阔,
强霸他的财产,许多,整整一年[②]
侵夺。墨朗普斯被囚夫拉科斯的居所,
被沉重的镣铐折磨,遭受剧烈的痛苦,
为了奈琉斯的女儿,而厄里努斯,
摧捣家居的女神[③] 使他的心智极度迷糊[④]。
然而,他躲过死亡,赶出牛群哞哞吼叫,
从夫拉凯到普洛斯,回惩了神样的
奈琉斯的苦役[⑤] 残暴,带走姑娘,

---

① 奈琉斯和墨朗普斯乃图罗的后代。图罗和波塞冬生子奈琉斯(第十一卷第254行),和克瑞修斯(同上第237行)生子阿慕萨昂(同上第259行),阿慕萨昂有子墨朗普斯(同上第291行)。本卷第226—238行讲述了发生在墨朗普斯和奈琉斯之间的一场纠纷,与第十一卷第281—297行里的叙述相关。故事讲得零碎,一些细节不甚明了。墨朗普斯有个兄弟(本卷第238行),名比阿斯(名字在荷马史诗中没有出现),后者爱上了奈琉斯的女儿裴罗(第十一卷第287行),意欲婚娶。奈琉斯开出苛刻的条件,索要伊菲克勒斯(同上第290行)之父夫拉科斯的牛群作为聘礼。墨朗普斯为兄弟劫牛(本卷第233行),被夫拉科斯抓获(第231—232行)。囚屋里的虫子告诉墨朗普斯房顶将塌,墨朗普斯将此事转告(以预言的方式)夫拉科斯,后者深受触动,将其释放。墨朗普斯赶走牛群,交付奈琉斯,带出姑娘(即奈琉斯的女儿),送到兄弟的府上(第235—238行)。

② 原因不甚明了。可能因墨朗普斯被夫拉科斯囚禁,奈琉斯趁机抄收了墨朗普斯的家产。墨朗普斯被囚一年(参考第十一卷第294—295行)。

③ 单数,指复仇女神中的一位。厄里努斯姐妹专惩家族里的"恶虐"和成员之间(尤其是小辈对长辈)的冒犯,包括杀害(参考第二卷第130—136行、第十一卷第279—280行、《伊利亚特》第九卷第454和571行等处)。

④ 复仇女神为何窘迫墨朗普斯,我们的所知显然不如荷马的听众。在荷马史诗里,复仇女神除了负责处惩家族里的错恶外,还兼司对誓咒的监督(参考《伊利亚特》第十九卷第258—260行)。假如墨朗普斯曾发誓赶来牛群但以后却未能实现自己的誓言,夫拉科斯或许便可祈请复仇女神奋起捍卫誓咒的尊严,对食言(亦即亵渎神灵)者进行惩罚。然而,厄里努斯的干预似乎没有伤着墨朗普斯的"筋骨"。何故?墨朗普斯还是抢出了牛群,完成了(虽说旷日持久)"任务"。

⑤ 可能指奈琉斯要他(当然也是他自己"愿意"的)抢赶夫拉科斯的牛群一事。

送入兄弟的居所，自己则前往异乡，
抵达马草丰肥的阿耳戈斯落脚，命定必去的
地方，入户，成为众多阿耳吉维人的王导。
他在该地娶妻，将顶面高耸的房居建造，
生子门提俄斯和安提法忒斯，一对强豪。
安提法忒斯生一子，俄伊克勒斯，心胸豪壮，
后者得子安菲阿劳斯①，攻打军阵的杰佼，
带埃吉斯的宙斯和阿波罗心里爱他，
尽得他们的宠褒，但却未能及达老年的门槛，
只因妻子接受贿赂，使他在忒拜折夭②。
他有子阿尔克迈翁和安菲洛科斯兄胞。
门提俄斯得子，波鲁菲得斯和克雷托斯，

① 古代名卜(参考第十一卷第 327 行)。荷马史诗里的卜者大都并非文弱书生(这一点不同于中国古籍里的许多军师和巫师)。墨朗普斯家族多卜者，但也不乏有血性和粗莽的汉子。墨朗普斯本人勇武、刚烈，只身从夫拉凯赶回牛群；安菲阿劳斯偕同另外六名英雄攻打忒拜，是破毁"军阵的杰佼"(本卷第 244 行)；塞俄克鲁墨诺斯亦在阿耳戈斯杀人，然后(像许多英雄豪杰一样)亡命出逃(第 272—276 行)。卜者和壮士在这些人身上合二为一。

② 关于厄里芙勒接受贿赂并致使丈夫送命一事，参见第十一卷第 326—327 行及相关注释。

但享用金座的黎明带走后者，视其美貌①，
让他和长生者们同住，一道。
阿波罗使心志高昂的波鲁菲得斯成为卜者②，
在安菲阿劳斯死后，让他在凡人中卓显英豪。
他移居呼裴瑞西亚③，出于对父亲的怒恼④，
长住，为那里所有的生民卜兆。

---

① 黎明（女神）似有带走人间美男的“嗜好”（参考第五卷第121—122行）。不知克雷托斯是否因此换到了长生的荣耀，但本卷第251行的描述似乎暗示他有可能已得这一殊荣。在《伊利亚特》里，特罗斯之子伽努墨得斯亦因貌美，被神明带到奥林波斯，当了宙斯的侍斟，“生活在长生者之中”（该史诗第二十卷第231—235行）。在荷马史诗里，“长生者”[athanatoi，与brotoi（凡人）、thnetoi（凡生）和andres（人）形成对比]是“神”（theoi）的同义词。然而，荷马似乎并不认为只要是长生者就自然会像史诗里提及的神通广大的神祇（尤其是奥林波斯山上的神明）那样，拥有了随意变幻和经常、有时甚至是肆无忌惮地介入和干扰人间事务的权利和能力[即便有一点神术，如伊诺曾用头巾搭救奥德修斯（详阅本书第五卷第333行以下），其作用也显得含糊不清和极为有限]。荷马似乎小心翼翼地把（由人变“神”的）他们的神性仅限于不死的范围——而不死者还不是普遍受到人们祭奠的典型意义上的神祇（虽然能够“享领神的荣誉”）。“不死”是使人超越“凡”性的关键因素，但还不是“神”性的全部含义。此外，能和神祇同住并不意味着必然就能不死。奥德修斯就曾和两位女仙（即卡鲁普索和基耳刻）同居，但这段经历并没有使他得以超凡（即获得永生）。参考并比较第五卷第333—335行、第十一卷第302—303和602—603行及相关注释。或许，我们应该重视本行里的“带走”一语。女神把克雷托斯带向何方？大概是带到天上（参看《伊利亚特》第二十卷第234行）。奥德修斯之所以未能成仙，会不会是因为没有被“带到天上”——换言之，没有被带离凡人居住的“常规”地方？参考本书第五卷第118—130和208—209行。然而，依据第五卷第208—209行判断，卡鲁普索自称有能力使奥德修斯不死，并计划使他留居原地，“享做洞府的宰主”。是女仙言过其实，夸大了自己的能耐？是我们的上述推测不具普遍意义，须做更多的补充？看来都有可能。但我们并没有把话说“绝”——把人带到仙界或许是使人成仙的条件之一。

② 阿波罗司管卜术，乃算卜之神。参考《伊利亚特》第一卷第9—14行。

③ 即埃吉拉（Aigeira），位于伯罗奔尼撒北部的阿开亚。参考《伊利亚特》第二卷第573行。

④ 波鲁菲得斯为何怨恨门提俄斯，原因不明。

正是此人的儿子，塞俄克鲁墨诺斯是他的名叫[1]，
眼下站临忒勒马科斯身边，来到，
见他正泼洒祭奠，在快捷的黑船边祈祷。
此人开口说话，用长了翅膀的话语对他说道：
"亲爱的朋友，既然我已见你在此祭犒，
我恳求你，以此番祭仪和神灵的名义[2]，
以你的头颅和随你同行的伙伴们的名义说告，
回答我的问话，不要有所留保：
你是谁，从何而来？双亲在哪，还有城堡[3]？"

其时，聪颖的忒勒马科斯对他答道：
"好吧，朋友，我会把你问的一切准确答告。
我的故乡在伊萨卡，父亲是奥德修斯，
倘若他曾活过——现在必定已经死去，死得悲酷。
所以，带上乌黑的海船，还有同伙，
我来此探询父亲的消息，他已长期失落。"

其时，神样的塞俄克鲁墨诺斯对他答道：

---

① 诗人引而不发（参考第223行），在较为详细地介绍了浪者的生世[即宗谱，参考《伊利亚特》第六卷第150—151行（同该史诗第二十卷第213—214行）]后，终于道出了他的名字（古希腊人有名无姓）。参考本书第十四卷第55行注。浪者通常会自报家门，但此处却由诗人"代劳"，并且由他抢先询问对方"你是谁？……"（本卷第264行）。不过，忒勒马科斯此时置身普洛斯，自己亦是一位出访它乡的生客。

② 比较《伊利亚特》第二十二卷第338行等处。"神灵"原文作daimon（"分配者""配给者"，参考本书第十四卷第443行注），所指比theos（神）"含糊"些。

③ 史诗人物询问生客的习惯用语（参考第十卷第325行等处；比较《伊利亚特》第二十四卷第387—388行）。另见本卷第423行。

“我也一样，出离故国，因为杀死一人[①]，
与我同族，他有许多亲戚弟兄，居家
马草丰肥的阿耳戈斯，在阿开亚人中权势显灼。
为了躲避死亡和乌黑的命运，不被他们手击[②]，
我从家乡逃出，接受我的命运，在凡人中漂泊。
让我上船吧，作为祈援者我在向你求说[③]，
使我免被他们击杀——此刻，我想，他们正在追逐。”

其时，聪颖的忒勒马科斯对他答说：
“如此，我不会把你赶下匀称的船舶。来吧，
随我。到那儿后你会受到招待，从我们拥有的什么。”

言罢，忒勒马科斯接过他的铜枪[④]，
将其横放在翘耸海船的甲板之上，
自己亦随后登乘破浪远洋的船舫。
他下坐船尾，让塞俄克鲁墨诺斯
坐在身旁，伙伴们解开船尾的缆绑。

---

① 两部史诗里均有壮士杀人后逃离故乡的见例。参考第十三卷第 260 行注和《伊利亚特》第二十三卷第 88 行注。

② 发生杀人事件后，被杀者的亲戚朋友们会追拿（参见第 278 行）当事的凶手，或使其以血还血，或使其足付杀人的血酬（参考《伊利亚特》第九卷第 632—636 行）。参考并比较本书第十三卷第 260 行注和第十四卷第 87、284 行注等处。

③ 塞俄克鲁墨诺斯既没有抱住对方的膝盖，也没有讲说“我在你的膝下”一类的恭维话（比较第十三卷第 231 行注），而只是表明了自己此刻的祈援者身份。看来，祈求的“形式”并非必然与祈求的动机和效果如何相关（忒勒马科斯答应予以接待，并没有因为塞俄克鲁墨诺斯在“形式”上从简而拒绝提供帮援）。不过，倘若请求的是事关祈求者身家性命的大事，则抱膝（和相关的提及）似乎是必须之举（参考第二十二卷第 310—312 行），除非人物被吓蒙了，或是出于别的足以阻止他抱膝请求的原因（如多隆那样，参见《伊利亚特》第十卷第 372—381 行）。

④ 即铜头的枪矛。

忒勒马科斯激励伙伴,催促他们
抓紧起帆的绳缆,后者听从,
竖起杉木的桅杆,随即插入
深空的杆座,用前支索定固,
手握牛皮编制的条绳,升起雪白的篷帆。
灰眼睛女神雅典娜送来顺疾的长风[①],
呼啸着从晴亮的气空冲扑下来,推送海船
全速前进,跑完航程,穿越咸涩的洋面。
他们驶过克鲁诺伊,船过卡尔基斯的清泉[②]。

　太阳落沉,所有的通道全都裹入漆黑[③]。
乘着宙斯送来的疾风,海船迅猛向前,掠过菲埃[④],

---

① 比较第285—292行和第二卷第417—426行。

② 所有《奥德赛》抄本中均无此行,现有内容乃古代学者据地理学家斯特拉堡的叙述增补。参考《地理》第八卷3.26。

③ 程式化用语(参见第185行和第三卷第497行)。但此时忒勒马科斯一行行船海上,因此不存在跑马或赶路陆岸的人们所关心的通道(亦即道路)问题。程式化用语一旦形成,便可部分地超越语境的限制,要求人们把对语义的理解,让位于对史诗中固定程式的必要和"展示性"(即显示自身特色的)使用的容忍。程式语言不同于语义语言(我们已区分过情节语言和明喻语言),它可以超越或摆脱语义(或词义)的直接所指,进入程式制约的范围,在固定的词语搭配中体现自己的存在价值,在展示史诗的文化氛围和作品的文体特征中发挥自己的作用。参考第二卷第72、402行注等处。

④ 或菲阿斯,取斯特拉堡的见解(《地理》第八卷3.26)。各抄本作菲拉斯(Pheras)。参考并比较《阿波罗颂》第425—427行。诗人刚刚说过"雅典娜送来顺疾的长风"(本卷第292行),此处却改口成了"乘着宙斯送来的疾风"。这显然不是"记错"的问题。宙斯乃天空之神(参见第十二卷第384行注;另参考第十六卷第211行注),而有关宙斯送风的说法有可能是一个既有的程式化用语(另见本卷第475行和第五卷第176行)。狂风会掀起海浪,把宙斯的豪力延伸至波塞冬掌控的海洋(参考《伊利亚特》第十四卷第16—19行)。

闪过亮丽的厄利斯，厄培亚人镇统的地界[①]。
然后，忒勒马科斯驱船直奔“速行的群岛”[②]，
思虑着能够躲避死亡，还是被其获逮。

其时，奥德修斯和高贵的牧猪人正在
棚屋内食用晚餐，其他人陪同，吃在一边[③]。
当他们满足了吃喝的欲望，
奥德修斯话对他们，心想对牧猪人考验[④]，
看看他是打算继续留他住在农庄，
盛情款待，还是催他出走，去往城垣：
“听我说，欧迈俄斯和你等各位伙伴，
我亟想离开此地，于黎明时分前往城里讨饭，
以免耗糜你们，增加你和同伴们的负担。
只须给我一些指点，派一位热心的向导，
带我向前。进城后，我将被迫漫走
行乞，指望有人给我些许面食，清水一杯[⑤]。
我将行往神样的奥德修斯的府居，
给谨慎的裴奈罗佩带去讯言，
将和蛮横的求婚人厮混，看他们
能否从成堆的好东西里给我弄一顿食餐。

① 第 298 行大致同第十三卷第 275 行。

② 忒勒马科斯一行正沿着伯罗奔尼撒西海岸向北驱船，直奔伊萨卡。“速行的群岛”(船速快了，船员们会觉得岛屿仿佛在快速移动)或许指南厄基那德斯(即厄基奈群岛，见《伊利亚特》第二卷第 625—626 行)，但学界对此尚未达成共识。

③ 诗人的叙事“镜头”又转回到了伊萨卡欧迈俄斯的棚屋。

④ 奥德修斯确实生性狡谲、多疑。牧猪人的盛情款待和精诚表现(参考第十四卷里的相关描述)并没有彻底去除他的疑心。参考第十三卷第 298 行注。

⑤ 奥德修斯能上能下(参考第七卷第 142 行注)，在破毁特洛伊城之前即已扮过乞丐(参阅第四卷第 244—250 行)。细读第十八卷第 375 行注。

我会以优质的侍奉回报，当即，按他们的意愿。
告诉你，听好了，听我说白。
承蒙神导赫耳墨斯的恩典①，他给所有
凡人的劳作添饰光荣风采，我干活的
手艺高超，别人谁也无法比攀，
无论是生发红蓬的柴火，劈砍树段，
还是切肉烤炙，将酒杯添满，
所有下人侍候高贵者的活计，我全都拿得起来②。”

　带着极大的愤烦，你，牧猪人欧迈俄斯对他说道：
“唉，我的客人，是什么念头钻进了
你的心窍？你这是自寻死亡，自找，
假如打算混入求婚的人群，

① 赫耳墨斯不仅司掌引导和送信，而且还兼司魔幻（参考第十卷第 302—306 行及相关注释）和对劳务（包括生产过程）的督导。关于赫耳墨斯，另参考第一卷第 38 行注和第十四卷第 435 行注。

② 赫耳墨斯为劳作增添风采，但奥德修斯本人的聪明才智和苦干精神也是使他得以在劳务中“全都拿得起来”的重要条件。这里似乎也有神、人合力的双重动因（参考第三卷第 27 和 270 行注）。奥德修斯的自我评价或许并无过誉之词。对于一个会自制筏船的能工巧匠来说，劈柴、生火（参考第十六卷第 1—2 行和第十八卷第 317—319 行）和斟酒等杂事不外乎小菜一碟。关于奥德修斯的多才多艺，另参考第十四卷第 227 和 352 行注等处。关于奥德修斯干农活的本领，参看第十八卷第 366—375 行。奥德修斯肯定是荷马史诗里最能干的凡人。

他们的骄横冲指铁色的天空[①]，连同强暴。
他们的侍从可不是像你这样，
那是一群年轻的小伙，穿着华丽的衣衫篷袍，
头上总是油光滑亮，脸蛋闪烁俊俏。
他们是求婚人的仆从，铮亮的桌面上
满堆酒肉面包。别去，还是留在
此地为好。我们中谁也没有对你厌恼，
无论是我本人，还是和我一起的同道。
等着，等待奥德修斯钟爱的儿子返回，
他会给你衣裳，一领披篷，一件衫衣，
送你去往任何想去的地方，受心灵魂魄催导。”

其时，卓著和历经磨难的奥德修斯对他答讲：
“但愿父亲宙斯爱你，欧迈俄斯，
像我一样，你息止了我剧烈的痛苦，我的流浪[②]。
对于凡人，最惨莫过于飘零游荡。

① 比较“铜色的天空”（《伊利亚特》第十七卷第425行，参考本书第三卷第2行）。有理由相信，“铁色的天空”（直译作“铁的天空”）衍生自“铜色的天空”［直译作“（青）铜的天空”］。生活在铁器时代（参考第一卷第184行注等处）的诗人们自然会在作品中反映时代的特色（参考第四卷第293行注），自然会在已有表述方式的基础上推陈出新，增添新的内容。这么做或许会有损于史诗的历史真实性，却能浓添作品的文学氛围，丰富它的表现形式。铁比铜坚硬，更具“无情”的弦外之音，在此可喻指求婚人的骄横强暴，无疑比“铜”更能说明问题（另参考第十七卷第564—565行）。比较：奥德修斯的名声冲指天上（第九卷第20行；另参考第八卷第74行）。关于阿伽门农的名声，参考第九卷第264行。关于隐喻，参考第二卷第269行注、第三卷第2行注和第十九卷第207行注。参考并比较：“驷驖铁孔阜，六辔在手。”（《诗经·秦风·驷驖》）朱熹《诗集传》释：“驷驖，四马皆黑色如铁也。孔，甚也。阜，肥大也……”据侯外庐等当代学者所述，中国先民用铁的实例当出现在西周初年以后（参考《中国思想通史》，人民出版社，第一卷第28页）。

② 比较第十四卷第53—54行。

然而，为了充填该死的肠胃[①]，人们忍受
凄楚哀伤，浪走，当痛苦悲愁落降。
眼下，既然你有意留我，等待主人回家，
那就说说，告诉我，神样的奥德修斯的母亲怎样，
还有他的父亲，出征时被他留在老年的门槛边旁[②]。
他们是否仍然活着，得享阳光，
抑或已经死了，去了哀地斯的住房？”

　其时，牧猪人，民众的首领，对他答道：
“好吧，我的朋友和客人，我将如实对你说告。
莱耳忒斯仍然活着，但总在对宙斯祈祷，
让他的心魂离开肢体，在自己的居所，
为了失离的儿子悲苦，沉痛哭悼，
为他婚娶的妻子，贤慧，她的死亡是他

① “民以食为天。”对于乞丐和离乡背井的流浪者，吃饱肚子始终是首要和必须全力以赴地予以重点关照的问题。在《奥德赛》里，诗人站在浪者和乞丐（此外，或许还有某些缺衣少食的吟诵诗人）的立场上，多次表述了对饥饿的“痛恨”和对胃的“诅咒”（细品第七卷第 215—221 行、第十七卷第 286—289 和 473—474 行、第十八卷第 53—54 行）。另参考第十二卷第 341—342 行。

② 奥德修斯已大致知晓父母的情况（参考第十一卷第 187—203 行），并且肯定已知母亲死了，她的魂影已经缥缈在哀地斯的宫房（即冥府）。所以，奥德修斯在此询问欧迈俄斯有关他父母尤其是母亲的情况，多少有点“古怪”。难道他还想进一步考验牧猪人？抑或，他想知道更多有关父亲和死去的娘亲生前的境况，故而在此假装一点不知，有意挑发猪倌的叙事欲望（史诗人物似乎都是讲“故事”的好手）？原因何在，荷马没有明说。不过，长夜漫漫（本卷第 392—394 行），总要找点事情做做，何况欧迈俄斯的叙述确实从另一个侧面（或以他的亲身感受）讲述了老夫人的慈善（第 361—370 行）。此举并非可有可无：它固系了欧迈俄斯与奥德修斯家族的亲情，为日后他对主家及其全体成员的忠诚铺设了感情基础。

最大的伤恼，使他早衰，过早苍老[①]。
她死于悲念光荣的儿子[②]，
死得凄惨，但愿和我同住此地的朋友，
连同那些善意助我的人，不要这样死掉。
当她在世之时，尽管悲恼，
我总爱对她盘问，问些个什么，
因她把我养大，和她雍贵的女儿一道，
孩子中最小的一个，克提墨奈[③]，身穿长垂的裙袍。
我俩一起长大，夫人待我几乎像对她的女娇[④]。
当我俩成人，风华正茂，他们嫁走
姑娘，去了萨墨[⑤]，得了难以数计的财宝[⑥]。
夫人给我一领披篷，一件衫衣，精美的
衣服让我穿着，给我护脚的条鞋，送我
操持田庄来到。她喜欢我，爱在心窝。
现在，所有的这些我都缺少，但幸福的

① 然而，奥德修斯离家时，莱耳忒斯已踏上老年的门槛(第 348 行)。欧迈俄斯的意思大概是，儿子的失离，尤其是妻子的死亡使莱耳忒斯陷入极度的悲伤，而忧伤中的凡人更易苍老，更能显示命运的残酷(参考第十一卷第 196 行)。

② 欧迈俄斯的讲说符合老夫人的自述(见第十一卷第 203 行)。

③ 奥德修斯有一妹妹(从原文细究，甚至可作“几个孩子”判断；换言之，奥德修斯可能不止一个姐妹。但史诗中的用语经常趋于模糊，需要读者“谅解”和“宽容”的地方甚多)。克提墨奈的名字仅在此处出现。奥德修斯为莱耳忒斯唯一的男孩(参阅第十六卷第 119 行)。

④ 参考第 375 行注。

⑤ 即萨摩斯。参考第四卷第 671 和 845 行及《伊利亚特》第二卷第 634 行。

⑥ “难以数计的”自然是一种夸张的说法，意为“多”或“大量”。参考亚里士多德对奥德修斯做过“一万件”好事(《伊利亚特》第二卷第 272 行)这一夸张说法的解释(《诗学》第二十一章)。

神明使我尽心的劳动见显成效①，
我有吃有喝，得以招待来客受我尊褒。
如今，从女主人那儿我已得不到甜美的关照，
无论是话语还是行动②，灾祸降临家门，
这些个人等狂傲③。仆工们热切盼望
在女主人面前问这问那，说道，
吃点喝点，然后带些什么回到
乡下——此事总能温暖仆人的心巢④。”

其时，足智多谋的奥德修斯对他答话，说道：
“哦，牧猪人欧迈俄斯，那时你一定很小⑤，
浪迹远方，离开故土和双亲出逃。
来吧，告诉我此事，要准确地说告。
是因为路面开阔的城市遭受袭捣，

---

① 比较第十四卷第65—66行。牛倌菲洛伊提俄斯也一样，尽心尽职，使牧牛的数量增长，“多得计算不下”（第二十卷第211行）。

② 关于话语（epos）和行动（ergon），参考并比较第二卷第272行及该行注、第四卷第163行及该行注和第十一卷第346行及该行注。诗人鼓励奴仆忠于主人，但也不止一次地强调主人应善待奴仆（参考本卷第376—379行、第十四卷第62—64和138—141行）。

③ 对求婚人恶行的控诉充斥在整部史诗里。奥德修斯回抵家乡后，诗人继续通过人物的讲话反复提及求婚人及其狂傲和侵犯别人利益的举措（参考第十三卷第376—378、394—396和425—426行，第十四卷第40—41、60—61、89—92和180—182行，第十五卷第11—13、315和326—329行等处），点题求婚人的存在（虽然他们并未露面），历数他们的邪恶，为奥德修斯的惩击制造舆论（即做好舆论上的准备；参考第十四卷第110行）。

④ “心”原文作thumon（另见第27行）。比较第370行里的kerothi（为压韵，译作“心窝”）。参考并比较第七卷第42行注和第十卷第492行注。

⑤ 据第380—381（以及第384—388）行判断，奥德修斯似乎不知欧迈俄斯的身世（但他也可以明知故问，参考第十四卷第141、358和440行注）。

那是你父亲和尊贵的母亲以及族人长住的居所，
还是出事在你牧放牛羊的时候，独自，
被敌人抓走带跑，塞进海船，把你卖掉，
为奴此人[①] 的家居，付出高价后买到？”

其时，牧猪人，民众的首领对他答道：
“既然你问我这些，陌生的朋友，确想知晓，
那就静听，享受，喝酒，坐好。
现时长夜无边，有时间睡觉，
也有时间聆听故事的美妙[②] ——你无须
入睡，过早。睡眠过多会使人烦恼。
至于其他人，如果他的心灵魂魄催他睡觉，
可以出去躺倒[③]；届时，明天拂晓，
先吃早餐，然后出去牧放我们主人的猪猡。
但我俩将进食喝酒，留在棚屋，
互相欣享，回忆痛苦辛酸的往事，

① 指莱耳忒斯。在此之前，欧迈俄斯只在两处“附带”提到莱耳忒斯的名字（见第353行和第十四卷第173行），故奥德修斯在此以“此人”代之，以示外邦人对本地情况的孤陋寡闻。然而，奥德修斯（以冒充的克里特人的身份）曾问及“他的父亲”，并称“出征时被他留在老年的门槛边旁”（本卷第348行），因此（这个“克里特人”）有可能已知莱耳忒斯的大名，只是在此不作提及而已。

② 参考第十六卷第481行注。

③ 同伴们应该已听过欧迈俄斯对自己经历的讲述，因此可以先去睡觉（虽然睡眠过多会使人烦恼——他们的生活显然远优于周扒皮门下严重缺睡的长工们）。注意欧迈俄斯的细致。

讲说[1]。一个人会在日后悦领乐趣，
从他经历过的许多苦难和浪走飘零中得获。
我这就答话，针对你的问话对我。

“远方有一座海岛，名苏里亚[2]，你或曾听说，

---

① 比较第七卷第212—214行。荷马知道生活中有令人喜、怒、哀、乐之事，而人亦有感受喜怒哀乐的需要。暴怒能使最明智的人撒野，犹如苦味的胆汁一样浸染心魂，却“比垂滴的蜂蜜还要香甜”（《伊利亚特》第十八卷第108—110行）。悲怆的事情自然会让人伤感，但在日后的回忆和讲述中，当事者却可以在体验悲苦的同时享受愉悦（参考本卷第400—401行）。“悲”不仅是一种哀伤，也是一种需要满足的情感。恸哭的激情一经引发，便成为一种需要（或有必要）得到满足（注意，不是抑制）的情愫，需要得到包含快感的发泄（参考《伊利亚特》第二十四卷第513—514行和《奥德赛》第一卷第336—347行等处；当然恸哭并非必然导致或带来快感）。荷马看到了“苦”与“甜”和“悲”与“喜”的转换关系。像亚里士多德盛赞悲剧一样，荷马赞美包含伤感情节的故事，称赞歌手的唱诵能勾销人的心魂（参看第一卷第338行等处）。虽然他没有像亚里士多德那样，把悲剧的运作看作是一种“有意”引发听众的情感（如怜悯和恐惧），然后“主动”予以疏泄，从而使人们在这一过程中得获快感（参阅《诗学》第六、十四和二十六章等处）的艺术举措或审美行为，我们不要忘记，是荷马（或古代史诗诗人）开创性地提到了故事的悦娱效果，提到了人们乐于听闻情节悲惋的故事的接收心理（故事是美妙的，参见本卷第393行），指出了悲与喜的转换条件和时机，在充分肯定语言魅力的基础上，突出强调了它的改变和调节人的心绪的作用。参考并比较第四卷第629行注和第十二卷第39行注等处。柏拉图认为，悲剧引发的快感具有“混合”感觉的特点。人们在欣赏悲剧时能从对痛苦的体验中获取包含喜悦的感受（参考《国家篇》第十卷605C—606D及《斐莱布篇》里的有关论述）。生活在文艺复兴时期的意大利文艺理论家卡斯特尔维特罗批判地继承了亚里士多德的诗艺思想和关于悲剧的学说，认为悲剧的目的不是付诸“实用”，而是提供应该由它提供的快感。像一剂苦味的良药，悲剧有益于人的身心健康［参阅《古典文艺理论译丛》(6)第22—23页］。当然，悲剧并不简单地等于悲苦的故事，尽管从词源上来看 tragoidia（悲剧）仍然是一种 oide（歌），并且不与赞颂喜庆的事件相关。按照英国文论家本·约翰逊的理解，悲剧和喜剧有着相通的一面，因为二者都服务于愉悦（delight）和教诲（teach）的目的（详见 B. H. Clark 编纂的 *European Theories of the Drama*，第77页）。

② 所指不明。爱琴海名岛德洛斯（第六卷第162行）以西有一小屿，名苏罗斯，其位置显然与诗人的“设点”（即东方某地）不符。

卧躺俄耳图吉亚[①] 上方，太阳在那里转过，
好地方呀，虽然居民不多，养得
肥牛，羊儿壮硕，丰收小麦，盛产葡萄。
那里的人民从不忍饥挨饿，不染
可恨的痛疾，它们对悲苦的凡人降落[②]。
当年长的一代在城里衰老，
操使银弓的阿波罗会携同阿耳忒弥斯来到，
射发无痛的箭矢，把他们杀倒[③]。
岛上有两座城市，均分它的所有，
由我父亲克忒西俄斯王统二城，
俄耳墨诺斯的儿子，有着神一样的相貌。

"日后来了一些腓尼基人[④]，以航海著称，
贪财的东西，黑船里装着无数小玩艺儿花哨。
父亲的家里有一个腓尼基女子，
貌美，身材高挑，手工美丽精妙，
被那伙腓尼基人蒙骗，用语言的机巧[⑤]。

---

① 据说指德洛斯或苏拉库塞的岛屿部分，但都缺少史诗的文本支持。俄耳图吉亚乃阿耳忒弥斯射杀黎明女神厄娥斯的情郎俄里昂的去处（第五卷第 121—124 行）。参考该卷第 282 行注。

② 对神秘的东方，荷马的"认识"显然和生活在那个时代的同胞们一样模糊。比较第十一卷第 121—123 行等处及相关注释。

③ 关于"无痛的箭矢"，参考第五卷第 124 行注和第十一卷第 173 行注等处。于无痛中死去是一种幸福，和受疾病的长期困扰致死（此乃人生悲苦的一种体现）形成对比（参见本卷第 408 行）。在通常情况下，阿波罗和阿耳忒弥斯分别"负责"对男子和妇女的"射倒"。

④ 有时可与"西冬人"（第 425 行）换用。关于腓尼基（人），参考第十三卷第 272 行注。

⑤ 参考第十四卷第 157 行及该行注。

起先，当她外出浣洗衣袄，他们中的一个
和她在深旷的海船里欢爱睡觉，爱情能
迷糊女人的心魂，哪怕她的手工佳好。
其后，水手问她是谁，从何处来到[①]。
她当即遥指我父亲顶面高耸的房居，答道：
'告诉你，我乃西冬人氏，那里盛产青铜，
阿鲁巴斯的女儿，他的财产多似水滔，
但来自塔福斯的人们[②] 将我抓捕，一群海盗，
当我从田野返家，将我带来卖掉，
为奴此人的宫居，付出高价后买到。'

"其时，与其偷情欢爱的船员对她说道：
'如此，你想不想随我们一起回家，
重见双亲顶面高耸的房居[③] 和他们本人，
见瞧？他俩仍然活着，被称作富豪。'

---

① 这种反客为主的问法或许显示了腓尼基水手的老练。参考第259—264行。

② 即塔菲亚人。女子乃西冬人氏（第425行），被塔菲亚海盗捕抓，作为商品卖（或"换"）掉。女子人品不佳（参阅第448—453行），不知是否与她当时的女奴身份有关（参考第十七卷第323行）。

③ 注意"顶面高耸的"和"房居"的固定搭配（见第424行、第七卷第77行、《伊利亚特》第五卷第213行和第十九卷第333行等处）。此类固定搭配的反复出现形成表义和显示史诗用语特点的程式，成为（创编）英雄史诗的不可忽缺的组成部分。谁也没有对尚是孩童的欧迈俄斯讲述过女仆与腓尼基水手交往的经过，因此，欧迈俄斯不可能知晓事情的来龙去脉。显然，他是在替诗人说话，而诗人则躲在幕后，利用或通过当事人的喉舌，启动了另一条叙事的渠道（参考本书第十卷第307行注和第十三卷第256行注）。柏拉图和亚里士多德区分了诗人的叙述和扮演（即用行动模仿，参考第十七卷第366行注），但似乎忽略了我们在此指出的诗人替人物说话的问题，没有从直接引语中区分出人物的话语和诗人的话语，从而错过了一个认真分辨并进而过细研析叙事主体的机会。

“其时，那女子对他们答话，说道：
‘此事可行，倘若你等水手愿意以
誓咒作保，保证送我回家，安全可靠。’

“她言罢，他们全都起誓，按她的说告。
然而，当这帮人信誓旦旦，完成咒祷①，
女人再次对他们说话，开口讲道：
‘现在，保持沉默。你们谁也不要讲话，
与我，倘若邂遇街头，或在
泉边碰着，以防有人进宫报信，
对老人说告，引起他的怀疑，
用痛苦的绳条将我绑牢，对你们谋划灾祸。
记住我的话，用心记住，快去购换货物②。
待船体满载物品，不过，你们要赶快
派个人来，去往宫居之中告我，
我会给你们带出黄金，一切可以到手的器物。
我还愿致送一样东西，作为搭船的回报。
我是宫中的保姆，照看主人的男儿，
一个极为机灵的孩子，出门总是跟我。我若
能把此儿弄上你们的海船，他的卖价一定很高，

① 对于史诗人物，誓言具有不可轻易破毁的约束力和制约作用(参考第二卷第378行注等处)。但有时，人物也可不那么顾及报应地说一声“我要对你起誓”(第十四卷第151行)，而对方似乎也不必对此太过认真(参考同上第171和391—392行)。

② 史诗中没有提及货币。买卖以以物易物的方式进行。商人船载货物出行，在外邦码头停泊，将换得的商品和财物运回家乡，由此完成一次商贸活动。从上下文来看，塔菲亚商人(及船员)兼司海盗和拐卖人口的活动，以此类无本经营的方式在交换中牟取暴利(参考第428—429和452—453行)。

无论在哪里出手，在讲说外邦话语的地方卖掉[①]。'

“言罢，她折回堂皇的宫府，
而那帮人在岛上待了整整一年，
背靠深旷的海船贸易，聚敛丰足的财富。
当深旷的船舟填满货物，待等归途，
他们派出信使，通知那个女人，告诉。
有人来到父亲的居所，一个狡猾的家伙，
带着一条金项链，嵌镶着颗颗琥珀[②]。
厅堂里，女仆们和我尊贵的母亲
手抚项链，注视，讲说愿给的
价目，那人则对女子点头，默默，
示毕离开，走向深旷的船舶；
女人带我出行，把我的手儿抓握。
行至宫居的前厅，她眼见酒杯食桌，
有人刚才食毕，都是家父的伴属，
已去参加会议，民众辩论的去处[③]。
她抓过三只酒杯，藏进贴胸的裙兜，

① 此女工于心计，计划缜密，说话井井有条，不仅打算顺手牵羊，偷盗黄金，而且还有意骗拐孩子(即家居的幼主)，让人带到远方卖掉。此女的心狠手辣和办事的魄力由此可见一斑。史诗里的女子远比古典时期(指公元前五至前四世纪)的雅典和绝大部分希腊城邦的女人们“自由”。此女已和船员偷情鬼混(第430行)，而奥德修斯家居里一批年轻的女仆们也在求婚人里觅得了各自同床欢爱的相好[参考第十八卷第324—325行和第二十卷第6—8行；比较克鲁泰奈斯特拉与埃吉索斯的通奸。此外，女神们(如卡鲁普索、基耳刻和厄娥斯等)的行为也从一个侧面反映了史诗里女人在性爱方面所享有的自由程度]。

② 从出土的制成于慕凯奈时代的项链和其他装饰品的精美程度判断，当时的金、银、玉器加工及项链制作工艺已达相当高的水平。比较第十八卷第295—298行。

③ 比较第二卷第26行。参考该卷第9行注和第三卷第127行注等处。

带着离去，我年幼无知，随她走出。
太阳落沉，所有的通道全都裹入漆黑之中①。
我们快步疾行，来到光荣的港口，
那里躺着腓尼基人迅捷的船舟。
他们登临，待等把我们带上之后，
乘着宙斯送来的顺风②，驱船驶向水流。
我们行船六天，不分黑夜白昼，
当克罗诺斯之子宙斯送来第七个天日，
泼洒箭矢的阿耳忒弥斯射杀那个女流③，
后者撞响船舱，像一只扑水的燕鸥。
水手们把她扔出，充作海豹游鱼的
食物，留下我伶仃一个，心中满是忧愁。
风力吹送他们，海浪将其卷到伊萨卡岸口，
莱耳忒斯把我买下，用他自己的财物付酬。
我就是这样来的，眼见这片岛洲。”

其时，宙斯的后裔的奥德修斯对他答话开口：
“你的话，欧迈俄斯，深深打动了我胸中的心头，
告诉我这一件件往事，心灵遭受的悲愁。

① 同第 296 行。参考该行注。

② 参考第 297 行注。比较第 477 行。

③ 此乃程式化的说法（参考第七卷第 64 行注等处），此女的实际死因不明。参考并比较本卷第 411 行注。

不过,除了苦难宙斯也给你带来福佑[①],
来到一个好心人的家里,在历经苦楚
之后,他对你关怀,给你吃的喝的,
你的生活过得还算舒悠。与你相比,
我飘零许多凡人的城市到此,浪走。”

　就这样,他俩你来我往,一番说讲后
躺下睡觉,但时间不长,短暂,
因为光荣的黎明很快来到。其时,忒勒马科斯
的伙伴们收拢风帆[②],轻松地放下桅杆,
荡桨划船,驶向滩边落锚。
他们抛出锚石,把船尾的缆绳系牢,
跨出,迈步行走,足抵滩头[③],
备妥食餐,匀拌闪亮的浆酒,兑调。
当大家满足了吃喝的欲望,
聪颖的忒勒马科斯开始,对他们说讲:
“你等可划动乌黑的海船去往城邦,
而我将晤访牧人,行往田庄。
察视完毕,看过农庄,我将回城,晚上。

① 相似的提法参见第六卷第188—190行和《伊利亚特》第二十四卷第527—533行。注意二人在对话里对宙斯的频频提及。凡人的生计,无论好坏,都在宙期的掌控之中。参考本书第十六卷第129行注。“心头”(本卷第486行)和“心灵”(第487行)原文均以 thumos(的变格形式)表示之。参考第27行注。thumos 的表义面较宽,不可(事实上也不可能)用一个汉字或词组一以贯之地予以对译。参考第四卷第830行注、第七卷第42行和第八卷第178行及相关注释。

② 忒勒马科斯一行此时已临近伊萨卡滩头。诗人轻车熟路,使用程式化语言描述了他们收帆、落锚、靠岸和登陆的情景。

③ 第499行大致同第九卷第150行。

我将于明晨设宴①,丰盛,有肉和
甜美的浆酒,答谢诸位随我出访远航。”

其时,神样的塞俄克鲁墨诺斯对他答话:
“我呢,亲爱的孩子,将去何方?这里的
王贵中,在这山石嶙峋的伊萨卡,我该去谁家?
抑或,我可径直去往贵府,面见你的亲娘?”

其时,聪颖的忒勒马科斯对他答讲:
“我会催你去往我家,假如情况不是这样②,
我们啥都不缺,用以招待客访,只是眼下于你
不利,更坏,因我不在,娘亲也不会见你接洽。
她并不经常露面,须知求婚人赖在我家,
而是避离他们,在楼上的房间里机织消磨时光。
但我可举荐一人,你可见访于他,

① 第十七卷并没有提及忒勒马科斯承诺的设宴一事。事实上,忒勒马科斯当晚没有回城(参考本卷第40行和第十六卷第476—481行)。荷马史诗在细节的连接上有时显得不够缜密(另见第八卷第218和270行注、第十卷第540行注、第十三卷第323行注和第十四卷第440行注等处)。不过,相信忒勒马科斯以后会兑现诺言,答谢随他远行的伙伴。诗人没有“义务”使人物说过的每一句话都得到“字面”意义上的兑现。文学不仅允许,而且需要必要与合乎情理的省略。

② 忒勒马科斯的考虑很对,回答实事求是,并无虚饰的词藻。在没有弄清奥德修斯的真实身份之前,他驳回了欧迈俄斯的建议,也拒绝在家中接待谎称克里特人身份的奥德修斯的客访(参见第十六卷第70—77和85—89行)。

欧鲁马科斯[1],聪慧的波鲁波斯的儿郎,
伊萨卡人看他,如今,就像看视神明一样[2],
因为他是那帮人中远为杰出的一员,最想
婚娶我的娘亲,获抢奥德修斯的荣光。
然而,奥林波斯的宙斯知道,他在高空居家,
此人能否婚合,在一个险厄的日子里自取灭亡。”

　他言罢,一只飞鸟在右边上空翔翱[3],
一只鹞鹰,阿波罗迅捷的使者[4],爪上掐着
一只鸽子,揪下飞撒的羽毛,
飘落,在海船和忒勒马科斯之间的地表。
塞俄克鲁墨诺斯召他离开伴群,
握住他的手,叫着他的名字说道:
“此迹不会不带神意,忒勒马科斯,羽鸟
在你右边飞过,我眼见心知,此乃示兆。
伊萨卡无有哪个家族比你的豪贵,

① 忒勒马科斯的推荐明显带有讽刺意味,尽管若按常理判断,也并非显得全然没有道理。年轻人当然知道欧鲁马科斯在求婚人中的首领地位,而雅典娜的通报(参见第16—18行)无疑增进了他对欧鲁马科斯“权倾一时”的理解(参考第521行)。除了他自己的家室,欧鲁马科斯家族或许是当时伊萨卡最显赫的门第。所以,荷马的听众们或许可以理解,忒勒马科斯的做法符合在特殊情况下安排生客住宿的礼规。参考第543行注。

② 参考第七卷第71行、第十四卷第205行等处。比较第十一卷第304行。

③ 飞鸟在右边上空盘旋,吉兆(参考第532行和第160行注)。

④ 正如雄鹰(或鹰)是宙斯的使者(《伊利亚特》第八卷第247—250行和第二十四卷第314—320行),鹞鹰是阿波罗致送兆示的信使。此神使卡尔卡斯成为辨识鸟迹的行家(该史诗第一卷第69—72行;参考本卷第245和252行)。参看第十三卷第86—87行。比较本卷第160—164行。

你们将是此地永久的王导[①]。”

其时，聪颖的忒勒马科斯对他答告：
“但愿你的话，陌生的客人，会得到应报。
如此，你会即时知晓我的友善，给你许多
礼物，让遇见的人们夸你幸运，称道[②]。”

言罢，他对忠诚的伙伴裴莱俄斯说讲：
“裴莱俄斯，克鲁提俄斯的儿郎，别的事上你亦
最听我的，在所有伙伴中，随我前往普洛斯寻访。
所以，现在，请把这位客人带回你家，
热情收留招待，直至我去找你的时光[③]。”

他言罢，善使枪矛的裴莱俄斯对他答话：
“忒勒马科斯，即便你在那里逗留久长，
我会关照此人，我们不缺待客的家常。”

言罢，他登上海船，同时告嘱
伙伴们上来，解开船尾的绳缆，
后者迅速进入桨位，上船[④]。

① 塞俄克鲁墨诺斯的卜释是对忒勒马科斯的安抚，告诉他求婚人不会成功。伊萨卡有众多的豪门贵族，他们的子弟均有觊觎王位的资格（参考第一卷第 394—396 行；比较忒勒马科斯在竞争中的强势地位，参见同上第 386—387 行）。

② 第 536—538 行同第十七卷第 163—165 行和第十九卷第 309—311 行。

③ 塞俄克鲁墨诺斯的卜释正中忒勒马科斯的“下怀”，后者高兴之余将他改托给最忠实的伙伴裴莱俄斯——如此解释大概可算合乎情理。此外，塞俄克鲁墨诺斯的释言表明了他的“政治”倾向，对忒勒马科斯家族的好感决定了他不会成为与欧鲁马科斯及其家人和睦相处的客友。出于这一层考虑，忒勒马科斯也会改变对他去向的安排。

④ 第 548—549 行同第九卷第 178—179 行。

忒勒马科斯绑好精美的条鞋,在自己脚上①,
伸手舱板,抓起一枝粗长、铜尖
锋快的矛枪②,其他人解开船尾的绳缆,
力推,驱船驶向城邦,遵照忒勒马科斯的
吩咐,神一样的奥德修斯钟爱的儿郎。
忒勒马科斯迅速迈步,行至农庄,
那里有他大片的猪群,高贵的牧猪人
心怀对主人的忠诚,总是睡守在它们边旁③。

① 比较第二卷第 4 行。

② 像《伊利亚特》里的勇士一样,忒勒马科斯“抓起……矛枪”。经过出访的历练,这位年轻人似乎已变得更加气宇轩昂。

③ 参考第十四卷第 524—533 行。主对仆友善,仆对主忠诚,此乃荷马的带有一定理想化成分的主仆观。

第十六卷

奥德修斯和牧猪人生起炉火①，
正当黎明，在棚屋里准备早餐②，
遣出牧人，随同猪群。其时，
喧闹的犬狗围着忒勒马科斯摇头摆尾③，
不叫，当他来临；卓著的奥德修斯眼见
狗群献媚，注意，耳闻脚步之声传抵。
他对欧迈俄斯吐送长了翅膀的话语，当即：
“欧迈俄斯，有人来临，必是你的伴友，
或是熟人，因为狗群不叫，
媚态接迎；我已听闻脚步踏响的声音。”

话音未落，他亲爱的儿子已在
门边站立。牧猪人倏起，惊异，
忙于调制闪亮浆酒的兑缸滑落，
掉出手心。他迎见主人，
亲吻他的头颅、双手连同

---

① 奥德修斯足智多谋，能征惯战，但也能做家务杂活，样样拿得起来(详见第十五卷第319—324行)。

② 比较《伊利亚特》第二十四卷第124行。

③ 显然，群狗认识忒勒马科斯(参考第8—10行)。比较它们对远道而来的奥德修斯不友好的“态度”(参见第十四卷第29—30行)。参考第十卷第212—217行。

俊美的眼睛[1],热泪涌注,淌滴。
犹如一位父亲,怀揣爱心,欢迎
珍爱的独子,为了他为父的已饱尝艰辛,
其时从远方归来,在第十年里[2];
就像这样,高贵的牧猪人把神样的
忒勒马科斯抱紧,亲吻,仿佛他从死亡逃离,
泪水涌出,哭着对他吐送长了翅膀的话语:
“你回来了,忒勒马科斯,甜美的光明!当你出走,
船行普洛斯,我以为再也见不到你[3]。
进屋吧,亲爱的孩子,好让我仔细
看看新近归来的人儿,愉悦我的心灵。
你一向不常来此,看察牧人田庄,
而是待在城里,好像你喜欢那样,
看视那些求婚人,一帮败毁的东西。”

---

① 奥德修斯亦有一双俊美(亦即明亮)的眼睛(第十三卷第433行,参考该行注)。阿芙罗底忒貌美,除了有一条修长、滑润的脖子和一对坚挺的乳房外,还有一双闪闪发光的眼睛(《伊利亚特》第三卷第396—397行;参考该史诗第一卷第200行)。比较《诗经·郑风·野有蔓草》:“野有蔓草,零露瀼瀼。有美一人,婉如清扬。”在本书第十七卷里,忒勒马科斯受到了欧鲁克蕾娅和母亲裴奈罗佩感情同样炽烈的欢迎(详见第33—39行)。

② 在史诗里,荷马对父爱的渲染超过了对母爱的提及(参考《伊利亚特》第九卷第481—482行、第十六卷第191—192行、本书第十一卷第538—540行、第十四卷第176—177行、第十五卷第152行和本卷第213—221行等处)。虽说史诗里的女人享有较多的自由(参考第十五卷第453行注),但男人毕竟是英雄社会里的主角。荷马史诗崇尚父权(细读同卷第197行注),也对男权的由传统形成的名正言顺予以了毫不怀疑的肯定(参考第一卷第359行等处)。宙斯是神和人的父亲(参考第一卷第81行注),而奥德修斯,以一位温和宽容的王者身份治理国家,善待民众,“像一位父亲”(详见第二卷第230—234行,另参考第一卷第308行和第十四卷第141行注)。

③ 第23—24行同第十七卷第41—42行。

其时，聪颖的忒勒马科斯对他答接：
“就算这样吧，父亲[①]。但此次我为你而来，
以便倾听你的说告，亲眼见你：
我的母亲是否还在家中，或已被
别人娶亲[②]，致使奥德修斯的睡床
空荡，挂满脏乱的蜘蛛网线连积。”

其时，牧猪人对他说话，民众的首领[③]：
“女主人还在你的宫居等他，以十分坚忍的
心灵，在悲苦中耗去一个个
白天黑夜，总在哭哭啼啼[④]。”

言罢，牧猪人接过他的铜枪[⑤]，忒勒马科斯
跨过石凿的门槛，走进屋里，奥德修斯，

① 或“阿爸”（参考第十七卷第6行等处）、“老爹”、“老叔”。参考《伊利亚特》第九卷第607—608行和第十七卷第561行。原文作 ǎtta，比较拉丁语词 atta（爷爷）、哥特语词 atta、赫梯语词 attaš 和古斯拉夫语词 otĭcĭ。由此可见，欧迈俄斯的年龄应比忒勒马科斯长出一辈（参考本卷第17、25、61行）。据此推算，欧迈俄斯被卖到伊萨卡的时间很可能在奥德修斯出战伊利昂之前。参考第十五卷第450—451和363—365行及第十四卷第358、440行注。比较第二十一卷第215—216行。不过，诗人似乎并没有把欧迈俄斯的年龄当作一个必须严格予以确定的问题。如果说在他的描述中有什么疏忽的话，他也不会把这些看作是编诵史诗者所必须予以克服的“大”问题。

② 比较雅典娜对忒勒马科斯的叮嘱（第十五卷第38—42行）。忒勒马科斯显然已默认了欧迈俄斯的批评（本卷第27—29行）。参考并比较第二卷第305行。

③ 参考第十四卷第3、22行注。

④ 第37—39行同第十一卷第181—183行。参考第十三卷第221行注。

⑤ 比较第十五卷第282行。

他的父亲，起身，让座[①]，当他临近，
但忒勒马科斯在对面劝阻，对他说起：
“坐着吧，朋友，我们会再找一方座位，
置身自己的棚屋，此人会替我们准备。”

他言罢，奥德修斯坐下，走回，牧猪人
铺下青绿的枝条，覆上羊皮[②]，
奥德修斯的爱子下坐，牧猪人
端来盘子，在他们身边放定，
盛装烤肉，昨晚盈余的东西，
迅速拿出面包，满堆在篮里[③]，
用常春藤木的缸碗匀调浆酒，甜如蜂蜜[④]，
下坐奥德修斯对面，后者像似神祇[⑤]。
他们伸出双手，将面前佳美的肴餐抓起。

---

① 客人来了，主人要让其入座，此乃礼数(参考第一卷第 130 行、第三卷第 35 行、第四卷第 51 行和第十四卷第 49 行等处)。但奥德修斯此时亦是欧迈俄斯营棚里的生客，只是比忒勒马科期早来一步而已。欧迈俄斯的棚屋仿佛是个“接头”地点，奥德修斯与儿子在此相遇，既有巧合的戏剧性，又有情节发展所要求的保密性，看似顺其自然的设计中包含了诗人的匠心。应该说，这是一种很巧妙而又不留斧凿之痕的合情合理的安排。

② 参考第十四卷第 49—51 行及相关注释。

③ 相似的程式化表述见第一卷第 147 行等处。

④ 第 52 行同第十四卷第 78 行。古希腊人饮酒须兑清水(参看第九卷第 209 行注)，故有专用的匀调器具。

⑤ “像似神祇”应为对常态下的奥德修斯的修饰。此刻的他衣衫破旧，两眼昏花(参考第十三卷第 430—435 行)，显然不是神的样子(或不是神应有的模样，因此谈不上“像神”)。对常态(以及“应该怎样”)的重视有时会把诗人引向对具体或特定场境的忽视(参考第二卷第 72、402 行注和第十四卷第 3 行注等处)，引向对程式和程式化词语的乍看显得不甚贴切却别有一番“滋味”的泛用。

当他们满足了吃喝的欲望①,
忒勒马科斯对高贵的牧猪人说话,问及:
"陌生人来自何方,父亲?水手们如何把他
送上伊萨卡,而他们又声称来自哪里?
我想他不可能登临这方地界,徒步走行②。"

其时,牧猪人欧迈俄斯,你对他答话,说及:
"好吧,我的孩子,我会告诉你全部真情③。
他自称出生在宽广的克里特,

---

① 第54—55行为描写开始食餐和吃喝完毕的程式化用语,同第十五卷第142—143行等处。程式化用语具备可反复使用的特性,因此会造成某些词句在文本中重复出现,并因此容易给人留下"繁复"的感觉。然而,程式化用语的繁复中带有简洁和"经济"的一面,可以仅用三言两语便完成对冗长的实际过程的描述,避免琐碎。第54行讲吃,第55行讲吃饱,短短的两行词语解决了对食餐过程的描述,略去了许多细节,用两句话的重复把一大堆繁琐之事一笔带过。此外,由于诗行套用了表述的程式,而听众或读者亦都熟悉这一语言现象的表述特点,所以又可使简洁的描述避免遭到文不尽意或唐突的指责。繁复和简洁、稳定和"突然"在程式化用语里实现了对立面的统一。关于程式化诗行的特点和作用,另参考第二卷第72行注、第六卷第121行注、第十卷第456行注、第十四卷第3行注和第十五卷第432行注等处。

② 从某种意义上来说,史诗人物生活在程式(参考第55行注)构组的网络世界里。如果说语言是存在的居所(海德格尔名言),那么这一点在荷马史诗里体现得尤为典型、真切。史诗人物的感觉、思考和言行无不受到无处不在的程式的制约,他们的一举一动都受到语言的"规范",在借助语言的力量得以固系和"传播"的习惯和习俗的氛围里展示生存的价值。比较欧迈俄斯对奥德修斯大同小异的问话(第十四卷第188—190行)。

③ 然而奥德修斯对他讲述的却是一个虚构的故事(其中许有某些经验之谈,也附带某些可作自我评价理解的言论,详阅第十四卷第199—359行)。欧迈俄斯显然已基本接受了假称克里特人的奥德修斯的叙述(此处已把他的"谎言"当作"真情",另参考第十四卷第361—364行),把奥德修斯当成了"当事人"(参考第八卷第490行及该行注)。当事人的说讲很可能是早期史诗诗人采撷故事素材的实际来源。与之相比,缪斯(或阿波罗)的点拨和传授(参考第一卷第1行等处)如果说不是子虚乌有,也要显得远为渺茫。

穿走许多凡人的城市，飘零[1]，
实践神的织纺[2]，他的命运，
此次逃难于塞斯普罗提亚人的海船，
来到我的住地。现在，我把他转手，托付给你。
按你的意愿招待，他声称求你帮助，恳祈。”

其时，聪颖的忒勒马科斯对他答接：
“欧迈俄斯，你的话深深痛伤我的心灵。
我怎能接纳这位生客，眼下，在我家里[3]？
我自己年轻，对双手的力量无有信心，
不能保护客人，对付无端肇事者的挑激，
而我母亲斟酌徬徨，一心两意[4]，
是和我一起，照看我们的房居，
忠于丈夫的床第，尊重国民的声音[5]，
还是最终出走，嫁随最好的阿开亚人，
追求在她的房宫，给她最多的赠礼[6]。
至于这位生客，来到你的家里，
我会给他精美的衣裳，一领披篷，一件衫衣，

① 比较第一卷第 3 行。

② 换言之，凡人的活动是实践神的安排（参考第十一卷第 297 行及该行注释）。相似的比喻参见第七卷第 197 行等处。凡人的命运由神祇纺织，含“不可挣脱”的喻意。

③ 忒勒马科斯此时拒绝在家里接待生客，自然有情可原。参考第 71—77 行和第十五卷第 512—517 行及相关注释。

④ 参考第一卷第 249—251 行和本卷第 126—127 行。另参考第十五卷第 20—22 行。

⑤ 公众的舆论会形成无形的压力，故而小视不得（细读第 95—96、380—382 行和第 375、377 行注）。参考第十四卷第 239 行和第十五卷第 468 行。

⑥ 此人已经出现，那就是欧鲁马科斯（参考第十五卷第 17—18 行）。

给他足蹬的条鞋，双锋的劈剑一柄①，
送他去往任何想去的地方，服从魂魄心灵。
抑或，如果你愿意招待，把他留在住地，
我会送来衣服，所有吃的东西，
免得他难为你和你的伙伴，负担不起②。
但我不会让他前去，介入求婚人里，
这伙人狂蛮③，极其，担心他们会
对他羞辱，而这将使我悲痛至极。
一个人，即便强劲，也难以对付
如此众多的对手④，他们远为有力。"

　　其时，卓著和历经磨难的奥德修斯对他答接：
"能够对你回话，朋友啊，确实是我的荣幸。
你的话撕咬我的心灵，当我聆听你的讲述，
那帮求婚人，他们违背你的意愿，
肆虐在你的宫邸，而你是这样一位人杰。
告诉我，是你甘愿屈服，还是因为整片
地域的民众恨你，听从神的话音⑤？

---

① 关于双锋(或双刃)的利剑，另见第二十一卷第341行和《伊利亚特》第二十一卷第117—118行。第80—81行大致同第二十一卷第341—342行。比较本卷第474行。

② 比较第十五卷第309行。

③ 参考第十五卷第376行及该行注。

④ 忒勒马科斯只知以少胜多困难，却没有把奥德修斯(和他自己)有雅典娜关爱助佑的因素估计在内(参考第243—255行)。神的介入会改变人们对力量对比的正常估计，使受益的一方在力量对比悬殊的情况下取得(反"常识"的)胜利。参考第四卷第261行注和第七卷第20行注等处。参阅第八卷第384行注和第十二卷第188行注。

⑤ 第95—96行同第三卷第214—215行。参考并比较第二卷第66行注、第二十一卷第255和329行注。

抑或，你有理由抱怨兄弟[①]？打斗时人们
信靠兄弟的帮助，在激烈的争斗中凭依。
但愿我现时年轻，配称我的豪情，
抑或我是雍贵的奥德修斯之子或他本人，
浪游回归：希望犹在，未灭。
让某个陌生人从肩头砍下我的脑袋，当即[②]，
倘若不给所有的他们带去邪难，
当我迈入莱耳忒斯之子奥德修斯的宫邸。
假如我孤身作战，负于他们的人多势众，不敌，
我宁可死去，在自己的宫居被杀倒在地，
也不愿眼见这些无耻的作为，了无止尽，
目睹客人备受错待，由他们拖拽
女仆，粗蛮，在精美的宫邸[③]，
滥取浆酒，暴啖食物，如此胡作

① 奥德修斯肯定知道自己只有一个儿子，在此明知故问(参考第 100—101 行)，或许意在“迷惑”。不排除 97—98 行为既有固定说法(参考第 53 行注)的可能(另见第 115—116 行；参考第 99 行里“但愿我现时年轻”的程式化表述)。一种重视父权的文化(参考第 19 行注；比较第三卷第 88 行注)自然也会重视兄弟。荷马和史诗人物“看好”用血缘结成的亲情。参考本卷第 277 行注。与此同时，史诗人物也知道如何以他们的方式欣赏“泛”兄弟的感觉(细析第八卷第 546—547 行)。阿尔基努斯说过，知心的好伙伴“半点也不亚于弟兄”(同上第 586 行)。比较墨奈劳斯对奥德修斯的情谊(第四卷第 104—105 行)。

② 第 102 行同《伊利亚特》第五卷第 214 行。奥德修斯借此机会，首次公开表述了杀灭求婚人的决心。

③ 到目前为止，谁也没有告诉奥德修斯第 108—109 行所表述的情况。诗人把自己知晓的一些细节过早地“透露”给了奥德修斯(参考第二十卷第 317—319 行)，从而造成了叙事内容在程序编排上的漏洞，造成了衔接上的不合情理。当然，奥德修斯有权想象，有权依据对错恶行为的既有接收经验具体地设想求婚人的恶行——而恶人势必虐待生客，也肯定会错待别人家中的男女仆役[参考第十七卷第 388—389 行、第十八卷第 416—417 行(同第二十卷第 324—325 行)和第二十二卷第 37 行等处]。

非为,持续、旷日,没有尽头,了无终期。”

其时,聪颖的忒勒马科斯对他说接:
“好吧,朋友,我会对你明告,讲述一切。
并非所有的民众恨我,怀有怨气,
我亦不能指责兄弟,人们信靠他们的
帮助,打斗时,在激烈的争斗中凭依。
事实上,克罗诺斯之子使我的家族单传,
阿耳开西俄斯① 只有莱耳忒斯一个男丁,
而莱耳忒斯亦仅得一子②,奥德修斯,后者生我,
仍是独苗,被撇在他的房宫,不曾给他带去欢欣。
眼下,敌人麇集家居,多得难以数计③。
来自杜利基昂、萨墨和林木繁茂的扎昆索斯④,
所有镇领海岛的他们,那些权贵⑤,
连同所有统掌伊萨卡的望族,来自山石嶙峋的本地,
都在追婚家母,把我的家产荡糜。
母亲既不拒绝可恨的婚姻,也无力了结
事情。这伙人吃空我的所有,耗糜
家底,用不了多久,还会把我败裂!

① 名字许与“熊”有关,似乎可略带牵强地作“熊的”解。相传阿耳开西俄斯的父亲为开法洛斯,后者曾婚娶一头母熊为妻[亚里士多德 片断 611、70(Rose)]。某些亚历山大作者称阿耳开西俄斯的父亲为宙斯,后世文人中多有沿用此说者。第 117 行并不暗示阿耳开西俄斯乃克罗诺斯之子宙斯的儿子,但如此“接近”的表述,或许会促使人们产生这方面的联想。

② 莱耳忒斯还有一个女儿,名克提墨奈(见第十五卷第 364 行)。

③ 求婚人一共 108 位(参见第 247—251 行),并非真的“多得难以数计”(参考第十五卷第 367 行及该行注)。

④ 第 122—128 行同第一卷第 245—251 行。比较第十九卷第 130—135 行。

⑤ 关于这些岛屿的具体位置,参考第九卷第 23—24 及相关注释。

然而事情卧躺神的膝头[①],所有这些。
快去,父亲欧迈俄斯,告诉谨慎的
裴奈罗佩,说我安全,已从普洛斯回归。
我将留在此地,你要快去快回,
只给她一人捎去口信,不让别的阿开亚人
听悉,须知许多人聚在那儿,图谋我的苦凄。”

其时,你,牧猪人欧迈俄斯对他说话,答诉:
“知道了,清楚,听你说话的人并不糊涂[②]。
来吧,告诉我此事,要准确地说出。
我是否可借此机会,前往信报悲苦的
莱耳忒斯,先前虽为奥德修斯伤心,极度,
但仍照看农庄,随同家里的
工仆吃喝,接受心魂的驱促。
可现在,自从你驾船去往普洛斯寻父,
听说他已不像往日那样饮食,
也不再料理农务,总在叹息伤怀,
坐着悲哭,皮肉萎缩,贴着躯骨[③]。”

---

① 程式化用语,参考第一卷第267、400行及《伊利亚特》第十七卷第514行和第二十卷第435行等处。比较另一种意思相近的形象化说法(参考本卷第64行及该行注)。凡人的事务要听凭宙斯和命运的安排,虽然人(或个人)的作用同样不可低估。事实上,忒勒马科斯立即着手执行雅典娜的指令(参考第十五卷第40—42行),派遣欧迈俄斯进城,告知母亲他已回返家园。

② 比较第十七卷第193和281行。

③ 莱耳忒斯应该已知求婚人派员设伏,意欲杀除忒勒马科斯一事(参考第四卷第737—741行)。若按忒勒马科斯的安排行事,老人即将知晓孙子已归故里的消息(参考本卷第152—153行)。关于悲苦老头(的形象),参考第二卷第23行注、第十一卷第187行注和第十三卷第433行注等处。

其时，聪颖的忒勒马科斯对他答诉：
“此事更悲——但我们只能由它，尽管凄楚。
倘若凡人能在所有的事情中择选一件，
我们将首选父亲的归日，回归门户。
所以，当送罢讯息，你要踏上归途，
别去农庄见他，但可报知我的亲母，
让她派遣管家的仆人，速往，
密传口信，使其对老人转述。”

他的话催励牧猪人行动，后者
手抓条鞋，系于脚面，前往居城。
雅典娜知悉牧猪的欧迈俄斯
离开农庄，临近，变作一个女人，
高挑、漂亮[1]，精熟光荣的手工，
站立棚屋的门前，让奥德修斯见着，
但忒勒马科斯不得眼见，察睹她的躯身，
因为神祇不会对所有的凡人露形，这样显真[2]。
然而，奥德修斯见她，狗群亦同，不吠，
退闪，避至棚院的另一边呜呜低声。
女神点动眉毛[3]，豪贵的奥德修斯领会，

① 关于史诗人物的审美标准，参考第十卷第 396 行、第十三卷第 289 行及该行注和本卷第 174 行注。另参考本卷第 16 行及该行注和第四卷第 629 行注等处。

② 神有这样的本领，只对他（或她）想让看见的凡人显身（参考《伊利亚特》第一卷第 197—200 行、第三卷第 418—420 行和本书第十卷第 573—574 行）。参阅第十三卷第 312 行注。比较《伊利亚特》第三卷第 396—397 行和第十七卷第 333—334 行。狗能认出神（或不同凡俗的形象，参见本卷第 162—163 行），许是因为狗的感觉比人敏锐（参考第十七卷第 290—302 行），许是因为神无意阻止狗的辨识。

③ 比较第二十一卷第 431 行和《伊利亚特》第一卷第 528 行。比较本书第十五卷第 463 行。参考第二十一卷第 129 行。

步出屋棚,踏着高墙封围的庭院走去,
在她面前站稳。雅典娜对他发话,出声:
“莱耳忒斯之子,宙斯的后裔,多谋善断的奥德修斯,
现在你可道说真情,别再对儿子隐蒙,
以便谋划求婚人的死亡,命定将会发生。
你俩可前往光荣的居城,我自己
求战心切,不会久离你们。”

言罢,雅典娜用金杖拍打他的躯身[①]。
首先,女神变洁他遮胸的衫衣,
连同披篷,硕大他的体形[②],使他力气添增。
他的皮肤恢复深色[③],双颊丰满,
颌边的胡须变得黑沉。做毕,
雅典娜离去,奥德修斯返回
屋棚。他的爱子惊讶,眼光
避向别处,惧怕此乃一位天神,
对他说话,吐送长了翅膀的话语述陈:
“你突然变了,我的朋友,变幻刚才的形身;
你的衣服变了模样,皮肤的颜色不同。

① 此举有变形的功能(参考第 456 行和第十三卷第 429 行以下)。比较基耳刻的魔杖(第十卷第 238—240 和 388—396 行)。参考第十卷第 238 行注。

② 硕大体现雄壮,显得俊美(参考第六卷第 230 行和本卷第 158 行注)。奥德修斯的胸肩宽厚,但个子却比阿特柔斯之子阿伽门农矮了一头(《伊利亚特》第三卷第 192—194 行)。参考该史诗第二十一卷第 108 行和第二十四卷第 630 行等处。关于雅典娜的变形之术,参读本书第十三卷第 430—433 行及相关注释。

③ 诗人特意提到了皮肤颜色的变深,可使人产生关于审美取向的引申。忒勒马科斯注意到了这一变化(第 182 行)。

你必是一位神明，他们拥掌辽阔的天空①。
不，求你开恩，我们会给你佳好的祭奠，
用精制的黄金礼品贡奉，求你宽容。”

其时，卓著和历经磨难的奥德修斯对他答称：
“不，我非仙神。为何把我当作神种②？
我是你的父亲，为了他你总是忧心忡忡，
忍受别人的暴行，忍受许多苦痛。”

言罢，奥德修斯亲吻儿子，泪水注涌③，
流洗面颊，掉落泥层，至此他一直都在自控。

---

① 很明显，年轻的忒勒马科斯已陷入了认知上的迷惘。他把对面的凡人误以为是一位神明，由此引出了第 184—185 行的“以讹传讹”。如果连近在眼前的事物（或人）都难以准确辨识，凡人将怎样对置于远方、接收远为困难的“现象”进行有效的观察，稳妥地予以把握？参考并比较第二十三卷第 93—95 行。参考第九卷第 142 行注等处。

② 面对儿子的困惑（或误解），奥德修斯不得不像对法伊阿基亚人的国王阿尔基努斯做过的那样（第七卷第 208—209 行），对儿子做出“我非仙神”的解释。

③ 奥德修斯爱哭（参考第五卷第 84 行注和第十三卷第 221 行注），牧猪人和忒勒马科斯也在本卷里流着眼泪哭诉（分别参见第 22 行和 214—215 行）。荷马显然不认为恸哭会有损英雄的豪壮。《伊利亚特》里亦颇多英雄哭泣的见例［参考第一卷第 348—349 行、第九卷第 14—15 行（同第十六卷第 3—4 行）、第十七卷第 648 行和第二十四卷第 9 及 509—512 行等处］。荷马史诗不是一般意义上的叙事诗，它在本质上包孕悲剧的“内核”——因此，从这个意义上来分析——它对史诗人物“气概”的定位，与其说是把侧重点放在了表现雄壮，倒不如说是更为精湛地展示了悲壮的一面。恸哭表现史诗情节上悲的一面，与人物的硬汉行为互为补充，交相辉映，绽显作品悲壮的特色。然而，即便如此，人物的嚎哭（和嘤嘤哭泣等）似乎还是多了些。此外，表现悲怆并非一定要让人物经常性地痛哭流涕（或满地打滚、撕绞头发等）不可。在表义的含蓄性方面，荷马并非没有令人叫绝的神来之笔（比如，参考本书第八卷第 457—462 行），但总的说来，与他的强项（如对情节发展的宏观控制能力和出神入化的明喻功夫等）相比，他对含蓄的艺术潜力的发掘似乎要显得略微欠缺一些。

但忒勒马科斯不信此人
就是亲父，对他答话，说诉：
"不，你不是奥德修斯，我的亲父[①]，是某位
神灵欺哄，加重我的哀叹，我的悲苦。
会死的凡人不能如此变谋，
仅凭自己的心衷，除非有神明亲自襄助，
降临，变幻受者的老迈青壮，轻松。
刚才你还衣衫破旧，是一个老人，
但眼下却貌似神仙[②]，他们拥掌辽阔的天空。"

其时，足智多谋的奥德修斯对他说话，答称：
"此事不宜，忒勒马科斯，过分惶诧
回抵的父亲，怀疑他的身份。
除了我，没有别的奥德修斯归返家门。
我就是他，如你所见，我忍受磨难，许多苦痛[③]，
如今回来，在第二十年里，归返故园国中[④]。
此乃雅典娜的作为，知道吗，她把战礼致送，
随她的意愿变我，这样那样，她能做成。
有时，她让我看来像似乞丐，有时又像
一个年轻人，穿着华丽的衣衫遮身。

① 奥德修斯离家出征时，忒勒马科斯还是个婴儿，对于父亲的长相肯定不会有什么印象。参考第 183 行注。

② 比较娜乌西卡的惊诧(参考第六卷第 237—243 行)。神不仅变幻自己，而且有能力变动凡人的形貌。

③ 再次点题奥德修斯的苦难人生(参考第一卷第 4 行)。比较奥德修斯的常规饰词:历经磨难的。

④ 第 206 行同第十九卷第 484 行等处。

此事轻而易举，对拥掌辽阔天空的仙神[①]，
增彩，或是卑俗一个会死的凡人[②]。”

他言毕下坐，但忒勒马科斯展臂
将高贵的父亲抱住[③]，痛哭，悲恸的
欲望腾升在父子的心中，泪水涌注。
他俩尖声哭叫，比那飞鸟的鸣啸更凶，
比那胡鹫或屈爪的兀鹫，悲愤于被农人

① 同样的表述见第200行。神居家奥林波斯山上（参考第六卷第240行、第八卷第331行、第十卷第307行、第二十卷第55行和第二十四卷第351行等处），而奥林波斯高耸，在那云层之上（第二十卷第104行；参考《伊利亚特》第八卷第18—27行，比较本书第四卷第565—569行），连接大地天空（或者说顶峰在天空之中）。奥林波斯和天空（或云层）有时可以互换使用（参考本卷第264行）。这或许便是荷马常说的神明（复数）拥掌天空的理由。“严格”说来，天空（ouranos）是宙斯主管的区域（参考第十二卷第384行注），这也与他奥林波斯之主的身份颇为相符。奥林波斯大山之主也就是天空之主。宙斯“汇集云层”（他的常用饰词，见《伊利亚特》第一卷第511、560行等处），从奥林波斯山上掷甩响雷（本书第二十卷第103行）。在荷马的宇宙观里，天空的重要性超过大地和海洋。天空是控制世界的制高点，宙斯可以从天上俯视人和神的活动，了解地面和海洋上的风云变幻。如果有必要，他可以调动与天空密切相关的气候变化，呼风唤雨，实现对人间事变的掌控，轻而易举地把自己的力量（包括影响力）扩展至大地（包括哀地斯司掌的冥府）和波塞冬主管的海洋（参考第十五卷第297行注）。

② 比较“悲苦的凡生”（第十五卷第408行）。参考本卷第190行注。

③ 忒勒马科斯毕竟年轻，经不住奥德修斯可证性不算太强的话语攻势，认下了父亲（一位陌生的客人；好在他“侥幸”没有认错）。这是《奥德赛》里人物（在伊萨卡）对主人公奥德修斯的第一次“发现”。由此开始，不同形式的“发现”将纷至沓来[参考第十七卷第301行、第十九卷第467—468行、第二十一卷第207—224行、第二十二卷第497—498行（另见该卷第45行）、第二十三卷第205—208行和第二十四卷第345及391行]。

抓抢的孩子，在羽翼尚未丰满的时候[①]。
就像这样，他俩悲哭哀恸，泪水从眉下滴铺。
其时，太阳的光芒会斜照他们的悲哭[②]，
若非忒勒马科斯倏然说话，对他的亲父：
“水手们用何样的海船，亲爱的父亲，把你
送到伊萨卡登陆？他们声称来自何处？
你不可能临抵此地，我想，凭借徒步[③]。”

其时，卓著和历经磨难的奥德修斯对他答诉：
“好吧，我的儿子，我会告诉你真情全部。
以航海闻名的法伊阿基亚人将我带到此处，
他们也运送别人，只要落脚那片国土。
他们载着熟睡的我渡海，用快船迅速，
落放伊萨卡，给我光荣的礼物，
有大量的青铜、黄金和织纺的穿着[④]，
所有这些都已卧躺在山洞，感谢神的恩护。
现在，雅典娜要我来临此地，对我嘱咐，

① 参考第 190 行注。父子俩相抱痛哭，尖声嚎啸，释放强烈的悲情。明喻推波助澜，剧增场景的悲惋。阿基琉斯曾把悲哭中的帕特罗克洛斯比作睁着泪眼仰视母亲、盼望后者将其怀抱的小姑娘(《伊利亚特》第十六卷第 7—10 行)。在荷马史诗里，人物的众多情感均可通过哭来表达(参考本书第十卷第 415 和 499 行注等处)。

② 第 220 行同第二十一卷第 226 行和《伊利亚特》第二十三卷第 154 行。

③ 照例，奥德修斯和儿子不用繁复、细腻的语言表达父子间的骨肉情感(参考第十二卷第 152 行注)。抱着痛哭一阵后，事情就算过去了，没有太多的儿女情长。忒勒马科斯急不可待地转入了对父亲如何回返的询问。比较第十四卷第 188—190 行。第 224 行同第一卷第 173 行和第十四卷第 190 行。注意诗人在第 221—222 里两次提到了“父亲”。关于奥德修斯身份的多样性，参考第二卷第 234 行注。

④ 第 229—231 行大致同第十三卷第 134—136 行。

让我俩制定计划，把敌人杀屠[①]。
来吧，告诉我求婚者的情况，他们的人数，
使我知晓对方的数目，一伙何样的人物，
以便在我高傲的心里谋划，
决定是否可以仅凭你我二人对阵[②]，
无需外援，还是必须寻求他者帮助。”

　其时，聪颖的忒勒马科斯对他答诉：
“哦，父亲，我常常听闻你隆烈的名声，
称你是一位臂力强劲的斗士，还有精巧的计谋，
但你刚才说话过于夸张，使我惊闻。你我
二人无法斗打强健和人多势众的他们。
求婚人并非只有十个，亦非二十，而是
远为出头。你呀，很快就会知晓

① 参考第十三卷第 404—415 行。

② 奥德修斯将寻求欧迈俄斯和牛倌菲洛伊提俄斯的帮助。参考他俩足显忠诚的答复(第二十一卷第 199—204 行)。但此时奥德修斯心目中的“他者”，当首推雅典娜(本卷第 260 行)。

他们的数目人等[①]。从杜利基昂过来
五十二名青壮，带着六个仆人，
来自萨墨的人选二十有四，连同
阿开亚人的儿子，来自扎昆索斯，二十完整。
来自伊萨卡本地的一十有二，最出色的男人，
信使墨冬随同他们，还有那位通神的歌者，
加之两名切肉的高手，均为伴从[②]。
如果我们战斗，对打宫中所有的他们，
我担心你的仇报，凶蛮，将会止于凄惨和苦痛。
所以，倘若你能想出某位帮衬，告诉我，
他能匡助咱俩，以坚定的心衷。”

---

① 求婚人的数目是可数的，并非“难以数计”(第121行)。当然，“难以数计”是一种夸张的说法，但诗人让忒勒马科斯在下文中列出了108位(求婚人)的总数，在表述上虽然显得比“难以数计”具体，却似乎仍然没有沿用“写实”的手法[在史诗里，适度、甚至大幅度的夸张是一种“真实”(参考第十二卷第332行注)；夸张是英雄史诗必须坚持的创编原则]。值得注意的是，忒勒马科斯并没有在此祈求神明帮助，使他得以一一讲述来自不同地点的求婚人(和其他人员)的数目[比较《伊利亚特》第二卷第484—493行(当然，那里的情况远为复杂)，另参考该史诗之第十一卷第218—220行、第十四卷第508—510行和第十六卷第112—113行]。同样，当史诗人物以当事人的身份(参考本书第八卷第490行注和第十三卷第256行注等处)讲故事时，他们也无须像诗人(或歌手)那样，祈请神的点拨或“告诉我”(第一卷第1行，另参考《伊利亚特》第一卷第1—7行)。由此可见，当诗人“摆脱”了自己的职业身份，进入了当事人(和史诗人物)的叙事范畴，他(们)就可以摆脱行业的规范，不再向知晓一切的缪斯或其他神明祈求帮助。这一事实(至少从一个侧面)表明，史诗中诗人的“吁请神明”(如本书第一卷第1—10行)是一种古已有之的职业现象，至迟在荷马生活的年代已部分地带有程式或(仍须认真对待的)“套话”的色彩。不过，指出这一点并不意在否定诗人的虔诚，并不意在支持或鼓励人们对史诗中的吁请现象做出片面强调它的程式性而不恰当地忽略它的表义性和文化蕴含的判断。

② 求婚者总数108，加上6名仆人，2名切肉者，一共116人。墨冬曾给裴奈罗佩报信(第四卷第675行以下)，歌者(即菲弥俄斯)被迫为求婚人唱诵，二者日后均得奥德修斯赦免(详见第二十二卷第330—380行)。

　　其时，卓著和历经磨难的奥德修斯对他答述：
“好吧，我会告诉。听着，聆听清楚，
想想雅典娜是否足够，背靠父亲宙斯的帮助——
有了他们，我是否还要设想什么别的佑护。”

　　其时，聪颖的忒勒马科斯对他答称：
“你所提及的二位帮手确实卓能，
虽说高坐云天，他们用强力统治
所有的凡胎和永生的仙神[1]。”

　　其时，卓著和历经磨难的奥德修斯对他答诉：
“他俩不会长期久离惨烈的
战斗炭涂，当战神的豪力得以践付，
将我们和求婚人卷入打斗，在我的宫府。
不过，时下，你必须出动，在黎明时分
返回门户，厮混高傲的求婚群伙，他们粗鲁。
其后，牧猪人会带我前往城府，
似同乞丐的模样，像个老人酸楚[2]。
倘若他们错待于我，你要让胸中

① 在《伊利亚特》里，雅典娜智勇双全，战力亦远在粗蛮的战神阿瑞斯之上(参阅第二十一卷第400—411行)。雅典娜的作用在《奥德赛》里得到了进一步的加强，这里固然有故事情节的不可避违的制导，但或许亦有诗人个人倾向的显露。作为神的“代表”，雅典娜与人的“代表”奥德修斯(《奥德赛》的第一词即为“人”)频繁接触，始终参与并掌控着事态的发展。她的威望亦在逐步提高。在本卷第264—265行里，如果忒勒马科斯不是蓄意讽刺(奥德修斯)的话，她的地位几乎已和宙斯持平，一起高坐云天，统辖所有的凡人和神祇。

② 第273行同第十七卷第202行和第二十四卷第157行。

亲爱的心灵[①] 忍受,虽然我遭受屈辱,
哪怕他们抓住腿脚拖拉,把我扔出宫邸门户,
抑或出手投掷,击我,你必须看着,忍住[②]。
当然,你可以劝阻,讲说温和的言词,
求他们中止愚蠢的行动,但他们决不会
听你,只因命定的末日已站等近处。
我还有一事相告,你要用心记住[③]。
当擅能谋略的雅典娜点拨我的心路,
我会对你点动头颅,你在接受示意后

① ker(参考第一卷第 344 行注)。比较本卷第 141 行里的 thumos(另参见第 257 行)。在第 281 行里,诗人用了 eni phresi 一语(另见第 299 和 459 行;参考第一卷第 89 行注);在本卷第 428 行里,他用 etor(参考第一卷第 48 行注)表示可能被"破碎"的心灵;而在第 374 行里,当需要精确表示"心计"或"心思"、"心智"的意思时,他又到位地使用了 nooi(细品第十卷第 240、493 行及相关注释)。参考并比较第四卷第 117 和 261 行注。

② 奥德修斯以坚忍著称。在第十八卷里,他甚至忍受了女仆们的讥辱(参考该卷第 320—345 行)。现在,他劝导年轻的儿子也要学会坚忍,学会后发制人(阿基琉斯式的莽撞显然给他,也一定给诗人留下了深刻的印象)。对于儿子,父亲的教导别人不可替代。参考第一卷第 308 行及该行注。

③ 亚历山大学者泽诺多托斯和阿里斯塔耳科斯力主第 281—298 行为后人的伪作。本段诗行与第十九卷第 1—52 行的描述有几处变动或不符,特别是 295—298 行的内容根本没有得到"贯彻"(此外,第二十二卷第 101—112 行的描述亦似与此处的提及难以衔接,仿佛奥德修斯根本没有做过要在厅堂里留下两枝枪矛和一对盾牌的指示)。后人(特别是公元前三世纪以前)肯定对荷马史诗做过增删和一定程度上的修缮改动,这一点没有疑问。但本卷第 281—298 行是不是因此一定就是后人的续貂,我们似乎不宜过于武断。荷马史诗里这样那样的漏洞和不一致之处颇多(参考第十五卷第 506 行注和第八卷第 218 行注等处),其中的许多问题应该属于口诵诗人的"通病"范畴,并非因为后人的增删修改所致。或许,荷马在此即兴发挥,讲诵了一通后,在第十九和二十二卷的相关场境里却淡忘了已经说过的一些细节,不能一一予以照顾。此外,他或许也不会想到他的作品会在后世成为一门显学,得到众多专家学者的关注,斟酌推敲他的每一个用词,对每一点细节都予以十二分的关注,对哪怕是一个最细小的疏忽都不予放过。

即可收取全部兵械,平时在厅堂里藏储[①],
搬走,放入高大库房的角落,
存贮。当求婚人想起它们,对你询问
存处,你要用温和的话语蒙骗,应付:
‘我已搬走兵器,移出烟雾,它们已
不像奥德修斯赴战特洛伊时留下的械物,
灰头土脸,沾满烟火熏燎的黑污。
此外,克罗诺斯之子在我心里注入一个
更周全的念头[②],担心你们会乘着酒兴,
站起来打斗,互致伤残,败毁宴饮
婚求。硬铁本身即有吸力,对人引诱[③]。’
但是,仅供你我使用,你要留出两柄劈剑、
两枝枪矛和一对牛皮的战盾,以便握在手中,
杀屠他们,击冲,帕拉斯·雅典娜
和精擅谋略的宙斯会迷糊他们的心胸[④]。
我还有一事嘱告,你要记在心中,
倘若你真是我的儿子,出自我们的血统,
那就别让任何人知晓奥德修斯置身房宫,
别让莱耳忒斯知道,也别让牧猪人听闻,
别让家中的任何一个,包括裴奈罗佩本人;

① 参考第一卷第126—129行。

② 比较第282行。雅典娜乃奥德修斯父子的助佑之神,奥德修斯完全可以想当然地把任何好的或合用的想法归之于她的点拨。但对求婚人,却不宜把这些“透露”得过于仔细(参考第301行),因此用相对“宽泛”一些的“克罗诺斯之子”(即宙斯)代之,或许更显得体(和说话者的机警)。

③ 细读第十九卷第13行注。

④ 参考第260行和忒勒马科斯的答复(第263行)。“迷糊”原文作 thelgei(参考第十三卷第2行注)。

我俩，你和我，将判察妇女的忠诚。
此外，我们将探察那些帮仆的男工[①]，
看看谁个尊重，敬畏我们，
谁个胆敢蔑视，轻藐你的杰能。”

其时，光荣的儿子对他答话，出声：
“我想你会知晓我的豪情，父亲，在那个
时分，凭借我的心志，不会懈松。
我只是认为你的主张不会给咱俩
带来益处，所以劝你三思，认真[②]。
你打算巡走农庄，逐一察访
每一个男人，而他们则逍遥宫中，
耗糜我们的食物，空扫，放任。
不过，我确想劝你察视女人，
查明哪些清白，哪些对你不加敬尊[③]。
但我不赞成你走访农庄，探察
男工，此事可待日后操作，
倘若你已确得来自宙斯的征兆，带埃吉斯的仙神。”

---

① 奥德修斯是个乐此不疲的探察者（另参考第十三卷第 333—336 行、第十四卷第 459—461 行、第十五卷第 304—306 行、本卷第 313—315 行和第二十四卷第 238—240 行）。

② 后生忒勒马科斯说话有时稍嫌孟浪（参考第 241—243 行）。年轻人好胜心强，迫切希望给人留下自己已经成熟的感觉。诗人或许正是抓住了他们的这种心态，把它融入了对忒勒马科斯个性的塑造。与安提洛科斯和裴西斯特拉托斯（均为奈斯托耳之子）不同，忒勒马科斯敢于怀疑甚至批评父亲的主张（第 243—244 行），适时提出劝告，大胆表述自己的见解（第 316—320 行）。

③ 忒勒马科斯当然应该知道女人的不轨行为。奥德修斯本人也即将“领略”女仆们的放荡（参见第二十卷第 6—8 行）。比较第十九卷第 496—498 行。

当父子俩你来我往，互相谈议，
那条制作精固的海船，曾把忒勒马科斯及其
伙伴们从普洛斯送回，其时在伊萨卡临抵。
他们驶入幽深的港湾，将
乌黑的海船拖上滩岸隆起，
心志高昂的伴从们① 拿着他们的械具②，

① 在此之前，诗人并没有提到忒勒马科斯及其伙伴们带有伴从(therapones)。在第二卷里，是他们自己动手，把所需的给养搬到船内(第414—415行)。或许，诗人在此沿用了固定的程式(参考本卷第360行和第四卷第784行)；抑或，此时的他把同行的伙伴们当作了跟随忒勒马科斯出访的伴从；要么，又是(像一些西方评论家指出的那样)因为出于诗人的疏忽。不过，伴从并不等于奴隶。在《伊利亚特》里，有身份的人士亦可做一些侍候主将的工作，如帕特罗克洛斯就曾“专司”为阿基琉斯准备食餐(该史诗第十九卷第315—318行)，而帕特罗克洛斯死后，另两位壮士(即奥托墨冬和阿尔基摩斯)接过了侍餐的工作(该史诗第二十四卷第474—476行)。应该说，上述三位战将既是阿基琉斯的伙伴或副手，又是他的伴从。当阿基琉斯接受帕特罗克洛斯的请求，把甲械借与他使用后，慕耳弥冬兵勇像饿狼一样集群拥聚，围拢在“捷足的阿基琉斯骁勇的助手(agathon theraponta)周围(该史诗第十六卷第165行)。therapon并不是个使人跌份的词汇。在《伊利亚特》里，所有的达奈战勇都是“阿瑞斯的随员”(比如该史诗第二卷第110行；后世的一些抒情诗人，包括品达和巴库里德斯，也都称自己为缪斯的使者或therapon)。在《伊利亚特》第一卷第320—321行里，塔尔苏比俄斯和欧鲁巴忒斯是阿伽门农的使者，两位勤勉的助手；在第十一卷第322行里，莫利昂是王者的助手，“神一样”的人物。作为副手，他们常为主将驾车(参考该史诗第四卷第227—228行、第六卷第18—19行和第十三卷第385行等处)，是后者可以信靠的人物。在《伊利亚特》第二十四卷里，神使赫耳墨斯变取了阿基琉斯随从(therapon)的形象(第396、406行)，长相身段“美得出奇”(第376行)。therapon(复数therapontes)有时似乎可与hetairos(复数hetairoi，“伙伴”“伴友”，参读该史诗第十七卷第150行和本书第十卷第189行)互换使用，二者具备同义的一面。忒勒马科斯乃奥德修斯之子，伊萨卡王位名正言顺的继掌者(参看本书第一卷第386—387行)，此时历练归来，正与父亲重逢，一起规划求婚人的死难。从身份和地位来看，忒勒马科斯无疑高于随同前往的伙伴们，因此诗人在本行里称其为他的伴从，似乎可以理解。诗人也许有意在此(从侧面)稍稍抬高(实为认可)忒勒马科斯的地位，从而使听众产生忒勒马科斯正在行动上向《伊利亚特》里的英雄们靠拢的感觉。

② 许指船桨和索具等。原文作teuchea，“武器”、“器械”(参看第360行)，因此亦

将绚美的礼物送到克鲁提俄斯家里①。
他们派遣一位信使,前往奥德修斯的宫邸,
禀报谨慎的裴奈罗佩,告诉她
忒勒马科斯已经置身农庄,命嘱他们
行船回城,怕让尊贵的王后
心里焦急,抛洒轻软的泪珠淌滴。
二者在路上相遇,信使和高贵的牧猪人,
前往面告夫人,传送同样的信息。
当他俩进入神圣国王的府居,
信使站临女仆之中,讲述讯言说及:
“此刻,女王,你的爱子已回返乡里。”
牧猪人走向裴奈罗佩,近离,禀报了
她钟爱的儿子要他传送的全部信息。
随后,当他把所有的一切述毕,
回返他的猪群,离开庭院宫邸。

　　然而,求婚者们沮丧,败坏心情,
走出宫居,在庭院的高墙边站立,
于房宅的门前聚首商议。
波鲁波斯之子欧鲁马科斯首先说起:

可作伴从们携带的防海盗用的武器解(但参考第二卷第409—419行——诗人并没有提及出行的他们携带武器)。

① 克鲁提俄斯是裴莱俄斯的父亲(第十五卷第540行)。“礼物”指墨奈劳斯(和海伦)给忒勒马科斯的赠礼(同上第101—129行)。

“朋友们,这可是件伟烈的事情,忒勒马科斯居然
做成,横蛮地出海航行!他不会成功,我们先前以为[①]。
动手吧,让我们把一条最好的黑船拖下海里,
召聚水手,划船前进,以最快的速度
信报设伏的伙伴,要他们马上返家回抵[②]。”

话音未落,安菲诺摩斯转身就地,
眼见海船,在那幽深的港区,
船员手握桨杆,正把风帆收起。
此人放声大笑,甜蜜,对伙伴们说及:
“我们无须派人,送信。他们已在此地。
不是某位神灵通知他们,便是他们
目睹那条海船过去,追赶不及[③]。”

他言罢,众人站立,走向岸边的沙地。
归来者将乌黑的海船拖上岸基,
心志高昂的伙伴们拿着他们的械具。
众人前往聚会,一起,禁止别人
参加,无论是年轻还是年长的居民。
安提努斯对他们发话,欧培塞斯的男丁:

① 第346—347行大致同第四卷第663—664行。

② 参考第四卷第842—847行。

③ 参考第四卷第713行注。神明确曾将求婚人设伏一事通知忒勒马科斯(见第十五卷第28—30行)。另参考本卷第364和370行。关于求婚人的“大笑”(第354行),参考第十八卷第350行注和第二十一卷第376行注。

“唉,不幸,神明使此人免遭毁灭[1]。
白天,我们坐守多风的岩岬,
轮班监视,当太阳落沉,夜晚来临,
我们从不上岸睡觉,而是驾乘快船,
巡航茫茫的海上,等待神圣的黎明,
意欲伏截忒勒马科斯,杀他夺命。
但尽管如此,神灵还是把他送回门庭。
所以,让我们在此图谋忒勒马科斯的
卒亡悲凄,使他无法逃避——我不能设想
只要他活着,我们可以实现自己的目的。
此人善能思考,是的,富有心计[2],

① 安提努斯的判断基于第365—369行提供的事实,无疑十分“正确”。另见第370行。然而,可悲的是,他并没有因为确信忒勒马科斯有神明助佑而中止求婚和谋杀忒勒马科斯的行径。相反,他还变本加厉,号召求婚人孤注一掷,更加疯狂地继续他们的恶行。命运的注定是一回事,人对命运注定的结局的积极配合则是另一回事。人的作用,他们的主动精神也正体现在自己对命运的积极配合上。这样,如果结局是不幸和悲惨的,那么这种悲惨也正是人的积极参与和主动配合所致。悲剧的产生并非完全在于命运的安排——它的无情和残酷,它的具有强烈讽刺意义的内涵和对人生局限的深刻揭示,还在于人对不符合自己根本利益的事态及其逆行发展的全身心的配合,在于他们的这种很难予以彻底克服的参与热情。参考第十二卷第290行注等处。然而,从某种意义上来说,生命的意义部分地取决于对人生走向的积极参与,在于上文所提及的那种积极性。这种积极既是对命运的配合,也是对它的反抗。反抗不仅像配合那样显示人的作用,而且也在命运的不可逆转的“霸”道面前体现人力(包括智力和体力)的强劲(亦即它的存在价值)。求婚人在“配合”中凸显骄狂,在“反抗”中昭示人的不屈精神(在这里,让我们暂且把“道德”搁置一边),使人生的悲壮在合作与反抗的悖论中折射出好坏参半的光彩。安提努斯是一位伊萨卡权贵,结合了求婚人的酷戾和史诗人物的刚烈。参考第十四卷第87行注。参考并比较第二卷第5行、第七卷第316行、第八卷第569行、第十二卷第58行、第十三卷第260行、第十四卷第17行等处注释。参阅《伊利亚特》第六卷第147行注、第十六卷第849行注和第二十四卷第199行注。

② 这一点也可以从忒勒马科斯对父亲的劝说中看出来(参考第309—320行)。比较第312行注。关于“心计”,参考并比较第275行注。

而这里的民众已不再对我们亲近①。
干起来吧,先于他汇聚阿开亚人
集会②。我想他不会罢休松劲:
他会宣泄愤怒,在人群前面站立,控诉我等
怎样图谋他的暴死,只是不曾把他逮住执行。
民众不会赞颂我们,当他们得知我等邪恶的行径。
我担心他们会加害,把我们
赶离家园,在异地他乡安身立命。
不,让我们率先下手,在郊野杀他,远离城区,
或在路上,夺抢他的财产东西,
由我们均分,公平,把家居交由
此人的娘亲看管,偕同她新婚的郎君。
如果我的话不能使你们欢欣,而你们
决定让他存活下去,继承父亲的家业,
如此,我们便不能继续拥集此地,大量
食糜上好的食品——让我们各回家门,
用礼物争娶婚聘;她将嫁随

① 《奥德赛》里没有以直接引语的方式提及普通百姓对求婚人的态度,尽管公众的舆论重要(参考第95—96行)。在整部史诗里我们读到的唯一的一次由忒勒马科斯"提议"召开的公民集会上,老壮士哈利塞耳塞斯和曾是奥德修斯的伙伴(hetairos,参考第326行注)的门托耳都对求婚人的恶行提出了批评(详阅第二卷第157—176和224—238行)。尤其值得注意的是门托耳对公众的麻木不仁以及他们对求婚人的倒行逆施采取沉默不语的不负责任的态度(公民,或者说民众有权,如果说不是有义务在集会上对公众事务发表意见)提出了批评(细读同上第239—241行及相关注释)。由此看来,民众对求婚人的行径是知情的,他们对事态的倾向性大概也是明显的(参考本卷第75行)——安提努斯已从民众对他们的"敬而远之"中看到了某种潜在的威胁(第375、381—382行)。

② 忒勒马科斯可以通过集会(boule)的形式控拆求婚人试图杀他的行径,而公众亦可在集会上表述自己的见解(参考第二卷第239—241行),决定对求婚人的惩处(本卷第381—382行)。参考第375行注。"阿开亚人"(第376行)指伊萨卡人。

命定的男人，送来最丰厚的礼物结亲。”

他言罢，众人无言悚然，全场默静[①]。
其后，安菲诺摩斯对他们讲话，说议，
王者阿瑞提阿德斯之子尼索斯英武的男丁，
带领来自杜利基昂的求婚者，那里有
辽阔的草场和盛产小麦的农地，善能谈吐，
说话最讨裴奈罗佩的欢喜，心智聪颖。
他在人群中说话，怀着对各位的善意：
“就我而言，朋友们，我不赞同谋害
忒勒马科斯；杀死王家的后代是一件可怕的
事情[②]。不，让我们先行问讨神的用心[③]。
倘若得获大神宙斯同意，
我会亲手杀他，同时敦促各位进击，
但如果神明不许，我说，我们必须放弃。”

安菲诺摩斯言罢，众人赞同他的论议。
他们当即站起，迈步奥德修斯的宫邸，

① 程式化用语，同第十三卷第1行和《伊利亚特》第七卷第92行等处。

② 从“理论”上来说，王家的后代也是宙斯（或神）的后裔，他们的世俗权威得到宙斯司掌的神权的支持（参考《伊利亚特》第一卷第100—108行）。发生在王家之中的杀戮事件“巨莽”，震撼人心。阿特柔斯家族成员间的凶杀事件在当时已广为流传。后世悲剧作家亦倾向于从诸如此类的故事中炼取题材。

③ 求婚者中第一次有人正式提及要问讨神的旨意。不过，比起铁血政治家安提努斯的杀人不眨眼来（参考第371—372和383行），安菲诺摩斯多少要显得“有条件”一点，还知道要问明神的用心。在荷马看来，邪恶和不敬神（即渎神）有着必然的通连。

进入,就坐屋里滑亮的靠椅①。

　　其时,谨慎的裴奈罗佩又有主意,
打算出现在求婚人面前,骄蛮狂暴的一群——
她已得知他们的恶谋,要把她的儿子杀死在厅里,
信使墨冬悉闻他们的计划,报与她听②。
由侍女们陪伴,于是,她行至宫厅。
她走近求婚者,女人中的姣杰,
在撑举屋顶的立柱旁站停,
遮前挡住脸庞,拢着闪亮的头巾③,
说话,责备安提努斯,叫着他的唤名:
"安提努斯,凶暴的人啊,谋划恶行。
人们说,在伊萨卡,你在同龄人中最擅
谋略和辞令——然而,你却没有这个本领。
哦,你这个疯子,为何谋划忒勒马科斯的
死亡毁灭,无视祈援者的恳求,宙斯见证他们的

① 求婚人到底有没有卜问神的旨意以及卜事的结果,诗人没有说明;他的做法是明智地予以回避。评论家们或许也可以把这归之于诗人的"疏忽"(参考第 326 行注),但那只能表明他们对"潜台词"的作用缺少理解。优秀的叙事诗人应该有效激发作品接受对象的想象力(参考第十卷第 439、486 行注),在构组情节时充分考虑到他们的主观能动性,合理引导他们的意识滚动,尽可能地改变接受者的"被动"状况。"最杰出的艺术本领就是想象"——不知黑格尔在这里说的是否包括作品接受者的想象。荷马大概会赞同法国人约瑟夫·鲁关于有两种作家,一种是自己思索,另一种是引导别人去思索的见解,尽管他的思考或许会带有更多"初朴"(即不成系统)的特色。

② 比较第 252 行和第四卷第 675—677 行。墨冬曾直接向裴奈罗佩面告求婚人意欲将忒勒马科斯诛杀于归途之中的谋划(同上第 697—702 行)。

③ 第 414—416 行描述了裴奈罗佩面见求婚人时的"常规"形态(另见第一卷第 332—334 行、第十八卷第 208—210 行和第二十一卷第 63—65 行)。

权益[1]？图谋互害，这可是件渎神的事情。
忘了吗，乃父曾逃临此地，一个避难者，
惧怕国民？他们痛恨此人，
因为他与塔菲亚海盗[2] 联手，
侵扰塞斯普罗提亚人[3]，我们的盟友朋宾。
他们决意毁人，破碎他亲爱的心灵，
食糜他的财产，尽耗他丰广的家基。
其时，奥德修斯阻止，压住了他们的怒气。
现在，你吞食他的家产，不予偿回，追媚

① 客谊和祈求者得到宙斯的保护(参考第六卷第208行注、第八卷第569行注和第九卷第270行注等处)。现在的问题是，本卷第422行里的祈愿者(原文为复数)到底指谁？显然不指忒勒马科斯，也肯定不指新近到来的塞俄克鲁墨诺斯或他们二人。第423行似乎暗示受援者和施援者不应互相设谋伤害，第424—430行则说明了奥德修斯曾有恩于安提努斯的父亲，因此作为曾经受患的一方的后代，安提努斯绝对不应食糜奥德修斯的财产，对他的儿子加害(参考第431—433行)。在古希腊文里，xeinos(细读第八卷第389行注)既可指客人，亦可指主人(二者间的友谊构成xenie；参考第九卷第270行注)。古代学者据此推测(尽管缺少强劲的文本支持)，认为hiketes(见本卷第422行，"祈援者""恳求者")似乎也应具备同样的可作"双向"解释的潜质(比较医生既可治病，亦可致病)。如果这一解析还勉强可资参考的话，那么裴奈罗佩此番话的弦外之音，或许是旨在提醒安提努斯不要忘记奥德修斯和欧培塞斯缔结的两家间的客谊[当然，欧培塞斯(及其子弟)作为接受恩惠的一方更应珍视这份友情]，不要恩将仇报，把事情做绝。对人的伤害或许莫过于恩将仇报，而人的义愤之情也莫过于由此引发的仇怨(参考第432行注)。紧急的情况和极度的气愤，使悲苦交加的裴奈罗佩多少显得有点语无伦次。不过，如果说她的"省略"给后人的理解增添了麻烦，相信作为在场者的安提努斯一定不会误解她的用意之所在。

② 关于塔菲亚人，参考第十四卷第452行注。

③ 关于塞斯普罗提亚人，参考第十四卷第315—316行及相关注释。

他的妻室,试图谋杀他的儿子,使我愤怒至极[1]!
我要你休止,同时劝说其他人罢息。”

其时,波鲁波斯之子欧鲁马科斯对她答接:
“伊卡里俄斯的女儿,谨慎的裴奈罗佩,
别着急,别让这些事情纷烦你的心灵。
此人并不存在,将来也不会出生,永远不会来临,
胆敢对你儿子动手,对忒勒马科斯,
只要我还活在世上,得见白天的光明[2]。
此事将会实现,让我告诉于你[3]:
此人的黑血会立马从我的枪尖浇淋[4]。
我呀,难忘奥德修斯,他把城堡劫洗,
经常让我坐在膝上,将小块烤肉
放入我的手里,给我殷红的浆酒,喝饮[5]。

---

① 既然 xenie 由主客双方的友好相待结成,宙斯对它的护佑自然也应涉及对有关双方的利益的兼顾。主人应该(或必须)善待客人,违者将受到宙斯的追究。同样,客家也应感激主人,尽可能体面地予以足够的回报(包括口头致谢),否则也将有违客谊,引起主人的不满。如果恩将仇报,像安提努斯那样不但不领奥德修斯当年救父的情谊,反而肆无忌惮地食糜他的家产,追婚他的妻子,恶谋杀害他的儿子,那么他将引发对方极度的愤慨,使其有了采取任何断然措施予以惩报的理由。裴奈罗佩或许忘了,她应该祈请宙斯助佑(像墨奈劳斯所做的那样,参考《伊利亚特》第三卷第 349—354 行),狠狠惩罚安提努斯破毁 xenie(因此在荷马看来是不公正)的渎神行为。

② 第 437—444 行明显沿用了《伊利亚特》里的(或相对定型的史诗)用语。关于第 437—439 行,参考《伊利亚特》第一卷第 88—89 行。

③ 第 440 行同《伊利亚特》第二十三卷第 410 行。

④ 看来虚伪的欧鲁马科斯亦不乏英雄的豪气。第 441 行大致同《伊利亚特》第一卷第 303 行。

⑤ 比较《伊利亚特》第九卷第 455 和 488—489 行。诗人选用了表示上辈对下辈疼爱的“套语”诗行并匠心独到地让欧鲁马科斯自己说出,由此强调了他的忘恩负义。

所以，所有的人中忒勒马科斯于我最亲[1]，
我告嘱他别怕，求婚人难以给他致送
毁灭。不过，此事难避，倘若来自神明[2]。"

　　他出言慰励，但自己却在谋划杀屠。
王后折回楼上闪亮的房间，
悲哭奥德修斯，亲爱的丈夫，直到
灰眼睛雅典娜合拢她的眼睑，把香熟的睡眠送出[3]。

　　晚间，高贵的牧猪人回到奥德修斯
和他儿子的住处。他们着手准备晚餐，
杀祭了一头一年的肉猪[4]。雅典娜前来，
在莱耳忒斯之子奥德修斯身边站住，
举杖轻拍，将他再次变作老人[5]，
穿着脏乱的衣服，以防牧猪人
眼见后认出他来，信报谨慎的
裴奈罗佩，不把机密严守在心户。

　　其时，忒勒马科斯首先发话，对他说诉：
"回来啦，高贵的欧迈俄斯——城里有何消息传述？

---

① 安提努斯和欧鲁马科斯均为求婚人中的佼佼者，但安提努斯凶相毕露，不加掩饰，而欧鲁马科斯则是个典型的两面派，圆滑，心口不一，绵里藏针（参考第 448 行）。诗人善于从群体中区分个性，从身份和地位相似的角色中刻画出栩栩如生和性格鲜明的人物（参考第十五卷第 71、214 行注）。

② 欧鲁马科斯显然倾向于赞同安菲诺摩斯的建议（参见第 402—405 行；另参考第一卷第 400 行）。参考本卷第 408 行注。

③ 相似的描述见第一卷第 362—364 行。另参考第四卷第 793—794 行。

④ 比较第十四卷第 419 行及该行注。另参考该卷第 73—74 行。

⑤ 参考第 172 行注。

高傲的求婚人可已撤回,不再设伏;抑或,
还等在那里,值我回家之际抓捕?”

其时,牧猪人欧迈俄斯,你对他答话,说接:
我不想穿走城区,问话,无意
四处打听,心意催我尽快
送出讯息,然后回返此地。
但我遇见你的一位伙伴,赶路送信,
一位快腿的信使,率先报讯你的娘亲。
我还亲眼目睹,知晓另一件事情,
其时置身城区高处,那里有赫耳墨斯的岗地[①],
独自行走,眼见一艘快船驶入
港区,靠岸,船上许多人丁,
载装盾牌,和双刃[②] 的枪矛一起。
猜想这些便是归来的他们,但我无法确定。”

他言罢,忒勒马科斯微笑,灵杰强健的王子,
避开牧猪人的目光,对父亲瞥视。

其时,餐食排开,一切完毕整治,

---

① 许指敬祭赫耳墨斯(参考第十四卷第435行注等处)的山岗,但对此学界尚有争议。古代评论家将其解作“石堆”,即由石块堆积而成的小石岗。据称古希腊人有在路边堆石的习惯,而过往的行人可在已有的堆垒上添加石块,使之渐显高大[赫耳墨斯的名称得之于herma,(或许)意为“石头”]。此论不太可信。W. B. Stanford教授认为,“赫耳墨斯的岗地”可能位于伊萨卡的内昂山上,但此说也只是一种猜测,不可视为定论。

② amphiguoisi,亦可作“曲边的”(指枪尖两边成拱曲状)或“两头尖挺的”(即一头是枪尖,而尾端亦呈尖状,可以插地)解,但后一种解法的可取性似乎稍微差些。

他们开始进餐，人人都吃到足够的份子。
当满足了吃与喝的欲望[1]，
他们想起卧床的时分，接受睡眠的赏赐[2]。

① 第478—480行同《伊利亚特》第一卷第467—469行等处。另参考本书第十四卷第453—454行。

② 参考《伊利亚特》第七卷第482行下半节相同的描述。吃饱喝足后，晚上的时间如果没有闲聊或故事充填（参考本书第十一卷第373—376行、第十四卷第455—466行和第十五卷第493—494行及相关注释），史诗人物可以倒头便睡，接受睡眠的赐赏（第十九卷第425—427行，比较《伊利亚特》第九卷第710—713行等处）。夜晚是神圣的（参考本书第七卷第283行及该行注释），也可以说是神赐的。对于忙碌了一天的凡人，睡眠是一种“礼赏”（即“礼物”）。睡眠（和梦幻一样）可以是一位所向披靡的神明（《伊利亚特》第十四卷第230—233行），也可以是一种受神祇支配的合拢眼睑的“手段”（本卷第451行）。此外，睡眠也和吃喝一样满足人的生理需要，就连神也同样需要（在吃喝玩乐之后）睡躺（《伊利亚特》第一卷第610—611行）。从艺术的角度来分析，睡眠所具有的上述三层含义打通了形而上和形而下的隔阂，开拓了表义的空间，既使凡俗的欲望（即人必须睡眠）蒙上了一层“神圣”的油彩，也使神圣和神赐的玄妙（亦即它的非科学性）具备了可以理解和与每个人的需要（即生活的必然）通连的“脚踏实地”（亦即可以接受观察和分析）的一面。

第十七卷

当早起的黎明垂着玫瑰红的手指显现①，
忒勒马科斯，神祥的奥德修斯钟爱的男孩，
系上精美的条鞋，在自己的脚面，
操起一杆粗莽的枪矛，恰合他的手间②，
赶路城里，对牧猪人说话，于临行之前：
"我要去往城里，阿爸③，以便让母亲
看见，我知道，她不会停止悲苦的
哭泣，唏嘘，泪水涟涟，直到见我
本人出现。不过，我有一事要你操办。
带着这位不幸的外邦人④，去往城垣，
使他能够乞讨食餐，要是有人愿给，
给他一点面食，一杯清水⑤。眼下，我无法

① 程式化诗行，在《奥德赛》里出现达二十次之多。参考第二卷第1行及该行注。比较该卷第1—5行和本卷第1—5行。另参考并比较第十四卷牧猪人外出前的自我"武装"(第528—531行)。参看《伊利亚特》第二卷第42—47行。

② 第4行同《伊利亚特》第三卷第338行。参考本书第十六卷第40行。

③ 参考第十六卷第31行注。奥德修斯已作过三人分为两批进城的安排(见第十六卷第270—273行)。

④ 欧迈俄斯尚不知陌生人的真实身份。忒勒马科斯已知来客的真实身份。此外，父子俩已商量好对付求婚人的办法。这一切促使忒勒马科斯改变了原先的想法(参考第十六卷第85—87行)。

⑤ 参考第十五卷第312行。

招待每一位生客，只因心里充满悲哀[①]。
倘若客家为此生气，怒怨，那么后果
只能更坏。我喜欢讲说真话，最爱。”

其时，足智多谋的奥德修斯对他答话，开言：
“我也不愿滞留此地，亲爱的朋友，不愿。
作为乞者，求食城里胜似行讨
乡间。谁个愿意，施舍我一点，
我已这把年纪，不宜在农庄停留，
听从监工吩咐，操做农活件件。
上路吧，你指派的人儿会带我向前，
一俟我烤暖身子，就着火边，太阳闪出光线[②]。
我衣衫破旧，担心受不了
清晨的霜寒。你说此地去城遥远[③]。”

他言罢，忒勒马科斯步出农院，
疾行，谋划求婚人的恶难。
当临抵堂皇的家居，他把
手握的枪矛靠依高耸的立柱[④]，
自行入内，跨过石凿的门槛。

---

① 参考第十五卷第 513—517 行里忒勒马科斯对塞俄克鲁墨诺斯就为何现时不能在家中接待生客一事所作的解释。

② 此时的天气早晚已相当寒冷（参考第 25、191 和第十四卷第 529—530 行等处）。参读第五卷第 483 行注和第十四卷第 458 行注。

③ 作为本地人，奥德修斯当然知道此行的路程（即到底有多远）。但此时他还不想在欧迈俄斯面前暴露自己的身份，故用了“你说”一语（另见第 196 行）。倘若仅就文本所涉内容而论，欧迈俄斯并没有对奥德修斯讲过此类话语。诗人的叙事视野或许超出了文本（或词句）涵盖的范围。参考亚里士多德《诗学》第十八章 1455b24—26。

④ 比较第一卷第 127—129 行。

保姆欧鲁克蕾娅见他，最先，
其时铺展羊皮，在那精制的椅面。
她泪水涌注，径直向他走来，心志刚忍的
奥德修斯的其他女仆簇拥，同行她的身边，
热烈欢迎，亲吻少主的头颅双肩①。

其时，谨慎的裴奈罗佩从卧房下来，
像似阿耳忒弥斯或金色的阿芙罗底忒一般②，
泪水涌注，展臂拥抱亲爱的儿男，
亲吻他的头颅和那双俊美的眼睛③，
哭诉，对他吐送长了翅膀的语言④：
“你回来了，忒勒马科斯，我的光明美甜！当你出走，
船行普洛斯，我以为再也难以见面⑤，
你悄然出行，违背我的意愿，探寻父亲，你的钟爱。
来吧，告诉我，你可曾把他找见⑥。”

---

① 欧迈俄斯曾以同样的方式欢迎忒勒马科斯的归来(见第十六卷第 12—16 行及第 16 行注)。参考第二十二卷第 497—500 行里女仆们对奥德修斯以同一模式表述的欢迎。

② 阿耳忒弥斯象征处女的纯洁(或贞洁，参考第六卷第 102 和 149—152 行)，而阿芙罗底忒则是美和性感(或性欲)的具体展示(参阅《伊利亚特》第十四卷第 187—221 行)。裴奈罗佩在奥德修斯出离的二十年内守身如玉，显示了为人妻子者的忠贞，同时又以她的美貌吸引了众多求婚人，以性的力量唤起了他们对肉体美的追求。所以，诗人在此同时以阿耳忒弥斯和阿芙罗底忒作比，“神化”裴奈罗佩的忠贞和美貌，无疑显得十分贴切。另见第十九卷第 54 行。

③ 相似的表述见第十六卷第 15—16 行。

④ 关于“长了翅膀的语言”，参考第二卷第 269 行注。

⑤ 比较第十六卷第 22—24 行。

⑥ 比较第 104—106 行。

其时，聪颖的忒勒马科斯对她答言：
“母亲，不要引发我的悲哀，不要纷扰
我胸中的心灵[①]，别再，我刚刚逃离暴死，脱险。
去吧，净洗身子，穿上干净的衣衫，
带着侍女，去往楼上的房间，
许愿所有的神明，答应敬奉隆重的
祭宴，倘若宙斯会让对恶行的仇报实现。
我将前往聚会的地点，以便迎接
一位客人[②]，归航时随我同来。
我让他先行，随同我神样的伙伴，
嘱咐裴莱俄斯带他回家，盛情，
予以款待，直至我随后回返。”

他言罢，母亲采纳了话语此番[③]；

① 忒勒马科斯与母亲的关系似乎不甚和谐，对她讲话的口气中多少会带有一些埋怨和不予完全信任的弦外之音（参考第一卷第345—359行；比较裴奈罗佩的反应，同上第360—361行，另参考第十八卷第220行注）。雅典娜的告诫（见第十五卷第20—26行）无疑会增强他对母亲的戒备，促使他形成了对形势的基本判断（细读第十六卷第73—77行）。此外，忒勒马科斯说话口气生硬或许亦与他的性格有关（比较他对父亲说话的态度，参见该卷第243—244和310—312行等处，参考第312行注）。忒勒马科斯没有就母亲的问话回言。参考本卷第104行以下。

② 指塞俄克鲁墨诺斯。参考第十五卷第540—546行。

③ 学界对本行的释读颇有争议，焦点集中在(1)“话语”(muthos)的“说者”是谁（是忒勒马科斯还是裴奈罗佩），(2)apteros可作“无翅膀的”释解（比较第40行；参考相关注释），但也可作“迅捷的”（即“非常有翅膀的”）诠译。一般认为，将muthos的讲话主体设想为忒勒马科斯较为合理，在史诗中（此解）似有间接的文本支持（参考《伊利亚特》第五卷第493行）。此外，从语义和上下文的角度来分析，裴奈罗佩接受了儿子的劝告，因此将apteros解作“不飞的”或“受阻的”，似乎不合情理。上述分析也同样适用于对《奥德赛》第十九卷第29行、第二十一卷第386行和第二十二卷第398行的释译。从语法上来看，将muthos的属者解为裴奈罗佩也同样可行。如此，这句话便可作“他言罢，母亲说不出长了翅膀的话语”译解。

她洗净身子，穿上干净的衣衫，
许愿所有的神明，答应敬奉隆重的
祭宴，倘若宙斯会让对恶行的仇报实现。

　忒勒马科斯大步行走，离开厅殿，
手持枪矛，由两条腿步轻快的犬狗随伴。
雅典娜给他抹上迷人的风采，
所有的人们观望，惊诧，当他走来①。
高傲的求婚人围聚，在他身边，
口中说得好听，心底里却图谋祸害②。
忒勒马科斯避开求婚的人群成堆，
行至门托耳、安提福斯和哈利塞耳塞斯
下坐的地方，都是他父亲旧时的朋伴③，
坐下，他们开口问话，全都问遍。
其时，著名的枪手裴莱俄斯走来，带着客人④

① 第 61—64 行大致同第二卷第 10—13 行。在《伊利亚特》里，帕特罗克洛斯养狗(第二十三卷第 173—174 行)，普里阿摩斯的食桌边也有享食的狗群(第二十二卷第 69—71 行；另参考本书第十卷第 215—217 行)，但没有出现壮士出行带狗的事例。忒勒马科斯外出接客并非一定要带上枪矛(本卷第 62 行)，但作为史诗人物，或许也为显示英雄气概，诗人还是让他“手握枪矛”(比较第二卷第 3 行)，离开厅殿。

② 求婚人中不乏口是心非的两面派(另见第十六卷第 448 行)。此事从一个侧面“肯定”了忒勒马科斯在伊萨卡享有的一定程度的声望，同时也间接反映了求婚人晦暗和不踏实的心态。诗人显然不喜欢求婚人为了邪恶的目的撒谎(比较第十一卷第 363—366 行)，毕竟“我喜欢讲说真话，最爱”(本卷第 15 行)。

③ 关于门托耳和哈利塞耳塞斯对奥德修斯的“了解”，分别参见第二卷第 224—234 行和该卷第 157—176 行。至于安提福斯及其与奥德修斯家族的关系，我们的所知仅限于此。估计他也像哈利塞耳塞斯与门托耳一样(该卷第 224—226 和 157—158 行)，是位上了年纪的老人。在该卷第 15—20 行里，我们读到一位年轻的安提福斯，埃古普提俄斯之子，被库克洛普斯食屠。

④ 指塞俄克鲁墨诺斯(详阅第十五卷第 223 行以下)。

穿过城区，行至聚会的地点，忒勒马科斯
不曾犹豫，走上前去，站迎他的身边。
裴莱俄斯首先说话，开言：
“让你的女仆去往我家，忒勒马科斯，尽快，
提取墨奈劳斯给你的礼物，我对你交还[①]。”

其时，聪颖的忒勒马科斯对他答言：
“我们不知，裴莱俄斯，事情将如何了结。
如果高傲的求婚人在厅里杀我，
密谋残害，尽分我父亲的财产，我宁愿
让你拥有，享用它们，而不让他们中的谁个沾边。
不过，倘若我能谋划他们的死亡毁败，
你会乐于送回东西，而我也将高兴地予以收还。”

言罢，他带着历经磨难的生客回返
房殿。他们行至堂皇的宫居，
放下披篷，在使椅和靠椅[②] 上面，
跨入光滑的澡盆，净洗一遍[③]。
女仆们替他俩沐浴，涂抹橄榄油滴，
搭上厚实的羊毛披篷，穿好衣衫，

---

① 在斯巴达，墨奈劳斯和海伦均赠礼忒勒马科斯（参阅第十五卷第 99 行以下）。回抵后，忒勒马科斯的伙伴们将礼物暂存克鲁提俄斯（裴莱俄斯的父亲）家里（第十六卷第 327 行）。

② 关于便椅和靠椅，分别参考第一卷第 132 和 131 行注。第 85—99 行描述了洗澡及澡后食餐的“规范”情景（参考并比较第十卷第 348—372 行）。

③ 第 87 行同第四卷第 48 行和《伊利亚特》第十卷第 576 行。沐浴乃出访回来的主人必做之事，也是待客的礼数之一。当然，洗澡（在这深秋季节肯定是热水澡）要有条件，在牧猪人的棚屋里大概不能体面地进行。所以，当奥德修斯和墨奈劳斯抵达那里时，诗人都没有提及洗澡一事。

他们走离澡盆,在便椅上坐息。
一位女仆提来净水倒出,从一只绚美的
金罐,就着银盆,为他们洗手,
搬过一张滑亮的食桌,置放他们面前。
一位端庄的家仆送来面包,供他们进餐,
摆出许多佳肴,足量排放,慷慨[1]。
母亲坐在对面,厅堂的梁柱旁边,
背靠座椅,转动杆条,绕缠精良的毛线[2]。
他们伸出双手,抓起面前佳美的肴餐。
当他们满足了吃喝的欲望,
谨慎的裴奈罗佩说话,率先:
“忒勒马科斯,我要回返楼上的房间,
卧躺床上,那是我恸哭的地方,
总是洒满泪水悲哀,自从奥德修斯出征
伊利昂,偕同阿开亚人的儿男。你不屑
告我,在高傲的求婚人回抵宫居之前,
细说你听知的消息,有关乃父的回还[3]。”

　其时,聪颖的忒勒马科斯答讲,对她:
“如此,母亲,我将对你讲述全部真话。
我们去了普洛斯,见到奈斯托耳,他把民众牧养,

① 第91—95行为备餐的程式化用语,另见第一卷第136—140行、第四卷第52—56行和第十卷第368—372行等处。

② 裴奈罗佩贵为王后,但仍需从事织纺一类的女工活计(参考第一卷第356—357行)。荷马史诗里,男女(女神除外,参考第五卷第194—201行)同桌(或同堂)进餐的场面罕见。裴奈罗佩此时绕线或许并非为了抓紧时间,而是借以消磨时光,待等男人们食餐完毕后开言。

③ 不难看出,裴奈罗佩的话中带有责备之意。比较第46—47行及相关注释。

在那高耸的房居，他热情接待，关爱
有加，宛如父亲款待自己的儿男[①]，
久别，刚从远方回家。他盛情
招待，对我，连同他光荣的儿郎。
但是，关于坚忍的奥德修斯，是死是活，
他说未闻世间的任何人说讲。
他送我去找阿特柔斯之子墨奈劳斯，善使长枪，
给我提供马匹和制合坚固的车辆。
我在那儿见着阿耳戈斯的海伦[②]，为了她，阿耳吉维人
和特洛伊人历经苦难，按照神的意志承当[③]。
啸吼战场的墨奈劳斯当时问我，说讲，
问我为何临抵神圣的拉凯代蒙，
而我则和盘托出所有的真情实况。
其后，他开口答话，对我开言：
'可耻，咳！一群懦夫竟然妄想[④]
躺在他的床上，此人勇敢、强健。
犹如一头母鹿，将初生、尚未断奶的

---

① 父亲也是儿子的主要教育者。参考奈斯托耳对安提洛科斯的教诲(详见《伊利亚特》第二十三卷第306—348行)和奥德修斯对忒勒马科斯的劝导(详见本书第十六卷第270—307行等处)。在荷马史诗里，父亲的形象远比母亲高大(参考第十五卷第152行及相关注释)。

② 详见第四卷第120行以下。参考本卷第119行注。

③ 参考《伊利亚特》第一卷第5行和本书第十一卷第297行注等处。诗人在此沿用了《伊利亚特》第三卷第156—160行所表述的观点，即为了夺回海伦，阿开亚人进兵特洛伊，与特洛伊联军打了一场艰苦和惨烈的战争。海伦居家斯巴达(参考本卷第121行)；第118行里的"阿耳戈斯"指伯罗奔尼撒(参考并比较第一卷第344行及该行注等处)。关于阿耳吉维人，另见第一卷第61—62行、第二卷第172—173行和第三卷第129行。参考相关注释。

④ 第124—141行同第四卷第333—350行。忒勒马科斯复述了墨奈劳斯的大段讲话(换言之，诗人精确重复了已经诵说过的大段诗行。)。

幼崽带到狮子的窝巢，让它们睡眠，
然后出走，漫游在山坡和谷地之间，
采食草鲜，不料兽狮回返巢穴，
给两只小鹿带去残暴，毁败；
同此，奥德修斯将实施凶暴，给他们致送毁难。
哦，父亲宙斯，阿波罗，雅典娜！愿他
像过去一样，在城垣坚固的莱斯波斯
挺身打斗，与菲洛墨雷得斯角力，
把他狠狠地摔在地上，使所有的阿开亚人欢畅。
但愿奥德修斯，如此豪强，出现在求婚者中央，
如此，他们全都将找见死的暴捷，婚姻的悲伤！
至于你的问话，对我的求央，我既不会
回避，含糊作答，也不会骗你欺诓——
我会转述从不出错的海洋长者① 的说告，
和盘倒出，毫无保留，绝不隐藏。
他说曾经见他在一座岛上②，忍受剧烈的痛苦，
在女仙卡鲁普索的宫房，后者
强行留他，使他不能回抵家乡，
手头既无海船，又无随行的伙伴，
偕他跨越大海的脊背宽广。’
如此，阿特柔斯之子、善使枪矛的墨奈劳斯言毕，
我登船上路，一切就绪做完，长生者送来
顺风，速度快捷，将我带回亲爱的故乡③。”

① 或海洋老人。

② 参考第四卷第 555—560 行。

③ 第 148—149 行同第四卷第 585—586 行。

他的话纷绞裴奈罗佩的心灵。
其时,神样的塞俄克鲁墨诺斯对他俩讲话,说及:
“哦,莱耳忒斯之子奥德修斯尊贵的妻子,
听听我的话语,因他并不知晓实情。
我会对你预言真实,绝不瞒隐。
请至高的神主宙斯做证,还有这张桌子的客谊,
连同豪勇的奥德修斯的火炉,我对之求祈①,
奥德修斯已经回返,回到乡园故地,
坐待或是走动,察访每一件
错恶,谋划所有求婚人的毁灭。
这便是我的卜释,对飞鸟的踪迹,
给忒勒马科斯,当我在凳板坚固的船上坐定。”

其时,谨慎的裴奈罗佩对他答接:
“但愿你的话,陌生的客人,会得到验应,
如此,你会即时知晓我的友善,给你许多
赠礼,让遇见的人们称道,夸你走运②。”

就这样,他们你来我往,一番谈议③,
而求婚者们则在奥德修斯的宫邸前

① 第155—156行同第十四卷第158—159行。

② 第163—165行同第十五卷第536—538行。塞俄克鲁墨诺斯在奥德修斯采取灭杀行动前离开宫房,前往裴莱俄斯家里(参见第二十卷第371—372行),此后便不再见诸提及。

③ “总结”性的程式化用语,同第四卷第620行和《伊利亚特》第五卷第274行等处。

嬉耍自娱，或掷镖枪，或投盘饼[①]，
在一块平坦的场地，如前一样放肆无忌。
及至餐食时分，羊群从四面归来，
从牧放的草地，由固定的牧人赶回，
墨冬[②] 对求婚人说及，所有的信使中
他们最喜此人，餐饮时总是由他侍陪：
“年轻人，既然你们已从竞技中尽享欢欣，
进屋吧，让我们整备宴饮，
适时进餐不坏，决非不好的事情。”

他言罢，众人站起，迈步，按他的提议。
他们走入堂皇的宫居，
将披篷放置便椅和高背的靠椅，
动手杀祭硕大的绵羊和肥壮的山羊，
连同滚肥的肉猪和一头来自畜群的小母牛，
整治宴席。其时，奥德修斯和高贵的[③]
牧猪人正准备离开农庄，去往城里。

① 第167—169行同第四卷第625—627行。掷镖枪、扔饼盘（用石头或金属制成）既是当时盛行的娱乐活动（参考《伊利亚特》第二卷第774行），亦是竞技场上的比赛项目（参考该史诗第二十三卷和本书第八卷里的相关描述）。战场上，投枪是壮士们打击对方的主要杀伤手段。此外，石头亦是近战中的有效“武器”。勇士们用石块砸捣对手的例子在《伊利亚特》里并不罕见（参考该史诗第十二卷第378—386行等处）。凭借强劲的臂力，赫克托耳曾用巨石砸开阿开亚护墙的门面（同上第445—462行）。史诗人物的玩耍似与战场上的实用有着密切的关联。

② 墨冬是奥德修斯，而非求婚人的信使，曾向裴奈罗佩禀报重要的口信（详见第四卷第675—702行）。奥德修斯杀灭求婚人后，忒勒马科斯曾为他求情（第二十二卷第354—360行）。作为信使，墨冬应有出众的口才，擅能与求婚人周旋，故能左右逢源，亦得他们的喜爱。

③ 诗人于一行诗的中间（或之中）改变了叙事地点，这种反常规的做法，或许会有助于情节的更密切或一气呵成式的衔接。参考并比较第260行和第十五卷第495行。

牧猪人首先说话,民众的首领:
“陌生的客人,既然你急于今天
进城,按照主人的叮咛,虽然我
更愿你留守,看护庄院此地——
但即便如此,我怕他,敬畏,
怕他责备——主子们的呵斥严厉。
让我们上路,所以,白天的大部已经
逝去。你会感觉寒冷,夜晚即将来临[①]。”

其时,足智多谋的奥德修斯对他答话,说接:
“知道了,明白,听你说话的人可以理解。
上路吧,我们,全程由你带领。
只需给我一根撑依的枝棍,现成
砍就的东西——你说过路滑,难行[②]。”

言罢,他把破旧的兜袋挎上背肩,
满是窟窿,用一根编织的绳条悬连,
欧迈俄斯给他枝棍[③],称合他的意愿,
两人于是上路,留下狗和牧人
看守庄院。他领着主人进城,
看似一个穷酸的老头,要饭的乞丐,
拄着枝棍,穿着褴褛的衣衫。

他们沿着崎岖的山路行走,

① 参考第 23 行注。
② 参考第 25 行注。
③ 比较第十三卷第 436—437 行。

临近城垣，来到一处水流清澈的泉眼，
凿工精致，市民们汲水的地方，
由伊萨科斯、奈里托斯和波鲁克托耳修建①。
泉旁杨树成林，它们近水生长，
围成一圈，凉水顺淌，从上面的
岩壁涌来，崖顶建竖一座山林
女仙的祭坛②，路经的行人无不在此礼奠。
多利俄斯之子墨朗西俄斯③ 遇到他们，就在
那边，当他赶着畜群里最肥的山羊，
供求婚人食餐，带着两个牧人，跟走随伴。
眼见他俩，此人指名呼唤，咒骂，
激恼奥德修斯的心灵，使用粗蛮、歹毒的语言：
“哈，看呢，一个无赖带着另一个无赖前来，
因为神明，是的，总让同类结伴④。

① 据传伊萨科斯乃伊萨卡的创建者(后者以此得名)，而奈里托斯的名字则在伊萨卡的一座名山的称谓上得到了体现(参见第十三卷第 351 行)。波鲁克托耳(意为“富有”，参考《伊利亚特》第二十四卷第 397—398 行)亦是一位古时居民点的创建者，据传伊萨卡曾有过一个波鲁克托里昂的地名，以后渐被淡忘，所指趋于不明。古希腊同名的人很多。他显然不会是求婚人裴桑德罗斯的父亲(参考本书第十八卷第 299 行和第二十二卷第 243 行)，大概也不会是《伊利亚特》里变作年轻人的赫耳墨斯提及的那一位(见该史诗第二十四卷第 397—398 行)。

② 参考第十三卷第 104 行注。

③ 此处作墨朗修斯，除此以外均作墨朗西俄斯。墨朗西俄斯为奥德修斯家牧放山羊，他的不忠与欧迈俄斯对主人的忠诚形成了鲜明的对比。不幸的是，他的姐妹墨兰索(详见第十八卷第 321 行以下和第十九卷第 65 行以下)也和他一样，以自己的不忠衬托出老保姆欧鲁克蕾娅的忠诚。荷马史诗不是讨论奴仆对主子反抗的地方。或许是因为受到历史和文化传统的局限，荷马大概不会欣赏阶级斗争的理论——他所强调的是主人对奴仆的慈爱和奴仆对主人的忠诚，关心的是以此为标准分辨好人与坏人的“实践”。

④ 此行读来有格言的感觉。参考第七卷第 310 行及该行注和第十一卷第 441 行及该行注等处。

你呀,可悲的牧猪人,打算把这个穷酸
带到哪边?——一个叫花子,他能臭毁盛宴。
这种人通常站贴,肩膀磨蹭门柱表面,
乞讨一点一滴,不是大锅劈剑[①]。
假如你把他给我,看守庄田,
给小羊添喂青叶嫩草,清扫栏圈,
如此许能喝饮奶液,粗长坚实的腿腱。
然而,事实上此人只知作恶,啥也不会,不愿
辛勤劳作田间,代之以乞讨,在整片地域,
求人施舍,把他无底的肠胃饱填。
不过,我要直言相告,此事将会实现[②]。
如果胆敢走近神一样的奥德修斯的房院,
他将承受脚凳击打[③],头颅和肋骨会被捣烂,
甩自壮士们的双手,追砸在宫居里面!"

言罢,此人走过奥德修斯身边,放肆,

① 剑和锅是通行的赠送客人(以缔结 xenie,"客谊")的佳物(参看第八卷第 401—411 行和第十三卷第 13—15 行)。客访还是敛财的有效手段(参考第十一卷第 361 行注)。墨奈劳斯曾建议为忒勒马科斯导游,遍访阿耳戈斯的腹地,"无人会让我们离去,空着双手"(详见第十五卷第 80—85 行)。如果说墨奈劳斯究竟有多少诚意是个值得探讨的问题,有身份的人士可以通过客访结交朋友、增长阅历并附带着敛财,则是不争的事实。客人甚至可以向主人索讨礼物(参考第九卷第 267—268 行)。乞丐的情况不同。他们受生活的窘迫,没有奢望,也不敢有非分之想,但求能讨得果腹的食物(参考本卷第 12 行),以填饱辘辘的饥肠(第 228 行)。

② 程式化用语,两部史诗里均有见例。

③ 参见第 462 行和第十八卷第 394 行。即便在叛逆者墨朗西俄斯看来,奥德修斯仍然是"神一样的"(本卷第 230 行)。

抬腿踢向他的臀沿①,但却不能把他蹬离路面,
后者不动,稳稳站立,思考着
是奋起扑击,举杖敲打,结果他的性命,
还是拦腰抱住,举起,摔碎他的脑袋在地②。
然而,他还是站着不动,将怒气强忍心里。
牧猪人盯视,咒骂,高举双手祷祈:
“水泉边的仙女③,宙斯的女儿,倘若奥德修斯

---

① 此后,在自己的宫居(亦即家)里,奥德修斯又多次遭受诸如此类的击打,但他刚毅、坚强,一次次地经受住了求婚人的打击(和羞辱),显示了体魄的强健和心灵的坚忍(所谓“忍字头上一把刀”)。通过一次次的行凶冒犯(问题的严重性还在于奥德修斯实际上是家居的主人,尽管求婚者此时尚不知晓,他们的行为已构成了对乞者的权益和主人的权益的双重冒犯),求婚人的肆虐和猖狂正在为自己的彻底灭亡积极地(参考第十六卷第 364 行注)创造条件。人的愚蠢或许就在于他们对命运(参考第五卷第 436 行注和第七卷第 197 行注等处)的违反(他们)自身根本利益的全力以赴的配合。命运注定了求婚人的毁灭(参见第十一卷第 118—120 行等处)——这是诗人的观点;但求婚人和恶奴墨朗西俄斯对命运的积极配合则填补了命运中“人为”(即人的作为)的空缺——这应该是诗人会赞同的我们得之于文本分析的见解(参考第二十二卷第 413 行;另见该卷第 474—477 行)。诗人需要人的愚蠢来“论证”命运的公正性。

② 史诗人物习惯于就面临的事态进行“是……还是……”式的思考,并且通常会择取第二种(即“还是”后面的)做法(参考第六卷第 141—146 行和第十八卷第 90—94 行;比较《伊利亚特》第一卷第 188—192 行等处)。然而,在这里,奥德修斯却没有在二者之中做出选择,而是采取了第三种做法,即“站着不动,将怒气强忍心里”(本卷第 238 行)。不过,他的举动尽管在形式上突破了“是……还是……”的模式(参考并比较第二十三卷第 85 行以下),却没有在实质上变动当事人一般的选择取舍,即摈弃相对鲁莽的举动(亦即抑制冲动),择用相对“冷静”、稳妥或对自己更为有利(参考第二十二卷第 333—339 行里歌手菲弥俄斯的抉择)的做法。“拦腰抱住”,若按原文释析,似亦可作“抓起双耳”解,但此种带有喜剧色彩的描述似与奥德修斯此刻的严肃态度和沉重的心情不相吻合。关于摔跤时合抱对手并予摔掷的做法,参看《伊利亚特》第二十三卷第 725—730 行。

③ 欧迈俄斯长年累月在户外劳作,贴近于活跃在山野草泽之中的仙女,此时向她们祈祷,合乎一个农牧之人盼求助佑的心情。此外,墨朗西俄斯亦是一位牧者,倘若仙女们有意惩罚,她们完全可能做到,绝非鞭长莫及。至于女仙们是否有“权”让奥德修斯回返,虔诚的牧猪人大概不会太多顾及此类问题。

曾给诸位焚烧小绵羊或山羊羔崽的腿件，
用厚厚的肥膘包紧，那就答应我，兑现此番求请：
让那个男子，让他回来，依循神的指引，
如此，墨朗西俄斯，他会粉碎你每一分外露的
骄奢，眼下横蛮的行径①，每日里在城区
东游西荡，任凭无用的牧人糟毁羊群。”

其时，牧放山羊的墨朗西俄斯对他答回：
“哈，这条恶狗，胡言乱语，心思污秽！
等着吧，我会把你弄上凳板坚固的海船，漆黑，
载出伊萨卡，远离，给我换回财富成堆②。
但愿阿波罗，银弓之神③，能放倒忒勒马科斯，
在这宫邸，就在今天——要不，让他死于求婚人，
确凿，就像远方的奥德修斯失去回家之日，不归。”

言罢，他撇下二者缓慢行走，
自己则迈步，迅速进入主人的宫内。
他当即步入府邸，入坐求婚人身边，

① hubrizon。关于 hubris(横蛮、骄横)，参考《伊利亚特》第一卷第 203 行注等处。横蛮导致当事人伤害(或侵害)别人的正当利益，树敌，招致报复，最终也将殃及自己。就伤人害己这一点而言，hubris 与 ate(参考该史诗第九卷第 502—503 行及相关注释)有着相似的一面，差别或许只在于 ate 与招致惩击和毁灭的关系更为直接。关于求婚人的 hubris，另见本书第四卷第 627 行和第二十三卷第 64 行等处。参考并比较第十八卷第 407 行注。

② 比较第 448—449 行和第十八卷第 115—116 行。

③ 参看《伊利亚特》第一卷第 11—21 行。在奥德修斯杀灭求婚人的战斗中，弓箭发挥了重要作用。此时提及阿波罗，或许还有“应景”的用意(参考本卷第 606 行注)。

对着欧鲁马科斯,后者爱他为最[①]。
侍餐的仆人们端过一份肉肴,放置他的面前。
一位端庄的家仆送来面包,放下,供他
食餐。奥德修斯和高贵的牧猪人其时前来,
站着,近离门前,身边回荡空腹竖琴的
声音——菲弥俄斯[②] 已弹响乐器,唱开。
奥德修斯握住牧猪人的手,对他开言:
“这里,欧迈俄斯,必是奥德修斯佳美的宫殿[③],
容易辨识,从周围的房居连片。
此宅房室相接,壁墙封围院落,
带着墩盖,门面做得精固,双扇,
这座家居,无人可以小看。
我眼见许多就宴的食客,此外,
嗅到馔肴喷香,耳闻竖琴的

① 从原文分析,“最爱”的主语亦可为墨朗西俄斯,即解作:“对着欧鲁马科斯,他最崇爱的一位。”然而,作为有权有势的一方,欧鲁马科斯无疑更具对作为牧羊人的墨朗西俄斯实施关爱(philia)的“实力”。促成他们格外亲密的原因之一,大概还因为墨朗西俄斯的姐妹墨兰索是欧鲁马科斯的情妇(参看第十八卷第 321—325 行)。

② 和德摩道科斯一样(参阅第八卷里的相关描述和第十三卷第 28 行),菲弥俄斯或许也是一位宫廷诗人(参考第一卷第 153—154 行),其父名忒耳皮阿斯(第二十二卷第 330 行)。

③ 阔别二十年后,奥德修斯终于回到了自己的家院。当然,此时的他还不能暴露自己的真实身份,只能以外邦人加乞丐的口气沿用客方对主方的家居予以关注(或表示惊诧、赞美)的惯常做法(参考第四卷第 43—46 行),对自己的宫居小加评论。奥德修斯的房居尽管“无人可以小看”(本卷第 268 行),大概比不上墨奈劳斯的宫殿(参考第四卷第 71—75 行),更无法与阿尔基努斯的王宫比攀(参阅第七卷第 82—97 行)。

声响，神祇使它成为盛宴的侣伴[①]。”

　其时，牧猪人欧迈俄斯，你对他答话，说开：
“你的辨识轻而易举，足见你在别的事上也会明白。
来吧，让我们思考事情的走向，盘算[②]。
你可先入堂皇的宫居，汇入
求婚的人群，由我置留在外；要不，
如果愿意，你留待此地，让我先进邸宅[③]。
只是别慢，不宜久呆，以免让宫外的谁人见着，
投掷，或把你打开。记住了，我要你忖想明白。”

　其时，卓著和历经磨难的奥德修斯对他答言：
“知道了，明白，听你说话的人可以理解[④]。
你先进去，我将暂留此地，在外。
我已习惯于拳打，飞投的物件。

---

① 享用佳美的食肴，聆听著名歌手的唱诵，“人间无有什么比这欢悦”（第九卷第5行），使人高兴逍遥。就连神的生活，最佳的“境界”也莫过于一边享用宴餐，一边聆听阿波罗的弹奏和缪斯姑娘们甜美的歌唱（参阅《伊利亚特》第一卷第601—604行）。除了歌唱（或诗乐），舞蹈也是盛宴的佳伴（参考本书第一卷第152行）。然而，此时的美食和诗乐传送的却不是让人心醉的歌舞升平的信息。宫居的主人已经回来，此地即将变成“战场”，一场血战已在所难免。

② 比较《伊利亚特》第十四卷第61行。关于诗人直呼牧猪人“你……”，参考第十四卷第55行注。

③ 比较《伊利亚特》第十卷里奥德修斯对狄俄墨得斯的建议（第477—481行）。两处人物说话的模式相似，但内容不同。

④ 第281行同第193行。

我有一颗坚忍的心灵[1]，已经遭受许多困苦，经受
海浪和战斗的磨炼[2] ——如今，不妨再以此事增添。
但是，即便如此，总该填饱肚皮的贪婪，
该死的东西给凡人招致众多的苦灾[3]，
为了它人们驾乘制作坚固的海船，
给敌人致送悲愁，渡过荒漠的大海[4]。”

---

① 如果说阿基琉斯以豪莽和骁勇傲视群雄，奥德修斯则以多谋和坚忍著称。关于他的坚忍，参考第五卷第221—224行、第七卷第213—214行、第十卷第50—55行以及本卷第233—238和292行等处。参考本卷第234行注和第七卷第142行注等处。另参考他对忒勒马科斯的教诲(第十六卷第274—277行)。奥德修斯似乎已对遭受击打习以为常，多有被人羞辱的经历(本卷第283行)。细读第十八卷第375行关于“恶作剧者”奥德修斯的解释。

② 奥德修斯已是一位成熟的斗士，经历过惊涛骇浪和战火的考验。比较《伊利亚特》第一卷第156—157行和第二十四卷第5—8行。

③ 《奥德赛》中颇多指责肚皮的见例，语言幽默、诙谐(参考第十五卷第344行及该行注；比较第十八卷第53—54行)。像阿基琉斯的愤怒一样，该死的肚皮“给凡人招致众多的苦灾”。即便是“心胸豪壮的”英雄，也不得不受制于肚皮的贪婪(换言之，屈从于生存的必然)——从诗人的诙谐里，我们或许可以领略到几分无可奈何与苦涩的内涵。

④ 为了果腹，推而广之，为了获取物质利益，人们不得不(或者说积极地)投身于战争和掠夺，既给敌人致送悲愁，也使自己在磨炼中遭受苦难(参考第285行)。不知诗人在此指的是不是阿开亚人远征特洛伊的战争(从第284—285行的“所指”判断，奥德修斯此刻凭经验谈论的可能性很大；另参考第293行)；此外，也不应排除字里行间包含明显见之于第286—287行的对肚皮的戏谑成分。但是，倘若我们相信此时的诗人并没有完全摈弃严肃，相信他对人的“需求”有充分和实事求是的认识，那么我们或许便可从他的调侃和“无意”中捕捉到一条重要的信息，即战争的爆发(或械斗的发生)可以(如果说还不是必然的话)受到欲望和本能的驱动；也就是说，人对物(包括粮食)和物质利益的追求是引发战争的导因之一。史诗人物受“需要”的驱动食鱼(参考第十二卷第329—332行及相关注释)，也在它的“迫逼”下烧杀掠抢，发动战争。荷马不怀疑争夺海伦是特洛伊战争的起因(参考本卷第118—119行，另见第十四卷第68—69行及相关注释)，但他的思考显然没有停留在这一“局限”上。人们为了荣誉而战，也为了“需要”兵戎相见，只是英雄史诗的传奇色彩和它所承袭的带有严重模式化倾向的文学传统，限制了诗人对上述第二种导因的正常和合乎情理的发挥。

　　就这样，他俩你来我往议谈，
一条卧躺的犬狗竖起耳朵脑袋，
阿耳戈斯①，心志坚忍的奥德修斯的家犬，
亲自喂养，但因出战神圣的伊利昂，
未及享受欣欢。从前，年轻人带着它
追猎野地里的山羊、奔鹿和兔子，
如今主人不归，它被撇在一边，
卧躺牛和骡子的泻物，深积的粪堆，
大量，叠垒在院门外面，等待
奥德修斯的仆人将其运往丰广的农庄，作为粪肥。
犬狗阿耳戈斯躺在那里，满身都是扁虱② 爬随。
其时，它已觉察奥德修斯临来③，
摇动尾巴④，将竖起的耳朵垂回，
只是眼下已无有力气，贴近主人
身边。奥德修斯从一旁观望，瞒过
欧迈俄斯，悄悄抹去眼泪⑤，对他称谓：
"欧迈俄斯，这事奇异，此狗卧躺粪堆。
它的体形佳妙，但我不敢确信

---

① Argos，为一应景表义名称。参考第 309 和 443 行注。

② 直译作"灭狗者"。

③ 狗的感觉比人敏锐。参见第十六卷第 162—163 行。关于"发现"，参考该卷第 214 行注。

④ 比较第十四卷第 29—34 行。狗能"媚人"（参考第十卷第 214—217 行），也能和兀鹫一样食人（参考《伊利亚特》第二十二卷第 66—67 和 74—76 行；不过，置身于那样的场境之中，普里阿摩斯的描述很难避免带有情绪化的因素）。

⑤ 相似的描述见第八卷第 87—93 行和第四卷第 113—116 行（抹泪者为忒勒马科斯）。我们说过，在《奥德赛》里，流泪（或哭）可以表述多种情感。奥德修斯显然知道阿耳戈斯已认出自己。

它的腿力速度①,是否媲比外表的佳美。
抑或,它属于那种桌边的犬狗②,主人
喂养它们,只是作为观赏的点缀。”

其时,牧猪人欧迈俄斯,你对他说话,答回:
“此狗确是那人的属物,他死在远方不归。
假如它的体格和行动像似当年,
那时奥德修斯离它而去,前往伊利昂,
你便可即时目睹它的速度体力,你会。
从未有过野兽逃离,在那密林深处,
躲过它的穷追。它呀机敏,擅于跟踪追随。
现在,它处境惨悲,主人死了,远离家乡
不回,女人们漫不经心,不加照管饲喂,
男仆们趁着主人出走,不再督催,
不愿操做分内的活儿,按照定规。
沉雷远播的宙斯夺走人一半的美德,

① 诗人重视速度。无论是对勇士,还是马、犬、鸟和船等,快捷均是评判优劣的标准。参考第四卷第202行注。作为奥德修斯喜爱的好狗(猎犬),阿耳戈斯的速度自然非同一般(详见本卷第313—317行)。

② 参考《伊利亚特》第二十二卷第69行。这种狗只能作为家居里的点缀,却不能穷追野兽,猎捕山林。荷马对它们的评价显然不高(参考本卷第302行注)。不知跟随忒勒马科斯出行(亦可起“点缀”作用)的两条犬狗(第62行)的种类归属。据它们的饰词argos(快、快捷的)判断,那两条狗的品位当属“硬朗”的那种。参考第308行注。

在他变成奴隶的那天，沦为[①]。”

　　言罢，他步入堂皇的宫殿，
径直走向大厅和求婚的人们傲贵。
其时命运逼临阿耳戈斯，死亡的幽黑，
在历经十九年之后，见过奥德修斯回归[②]。

　　神样的忒勒马科斯最先眼见
牧猪人，当他进入宫殿，当即点头
召他去往身边。牧猪人环顾，巡视周围，
就近搬过切肉者下坐的凳子，此人为飨食
厅中的求婚者切割烤肉，大量的肉块。
他搬来凳子，放在忒勒马科斯的餐桌
对面，坐下，信使端过一份

---

① 柏拉图曾摘引此段话的最后两行（参见《法律篇》第六卷 777A，而柏拉图的引文又被阿塞那伊俄斯转述，参见《学问之餐》第六卷 18.264E）。这两行文字读来颇似格言，像是对第 318—321 行内容的“提炼”。欧迈俄斯的意思是：人一旦沦为奴隶，就失去了作为人（或人应该有的）一半的精湛（arete）。倘若没有主人的严加管束，奴仆们便会趋于懒散，不会自觉地把分内（亦即该做）的事情做好。但欧迈俄斯的概括或许并非普遍真理——他自己便是一个明显的例外（且不说欧鲁克蕾娅和牛倌菲洛伊提俄斯的忠诚）。有的西方学者（如 Joseph Russo）怀疑第 322—323 行不是荷马“真迹”，但提出的理由似乎难以让人信服。荷马（或《奥德赛》的作者）具备很强的概括能力（细读第一卷第 81 行、第二卷第 72 行、第十四卷第 3 行、第十五卷第 23 行和第十六卷第 53 行等行次的注释），对此我们不能、也不宜予以低估。参考本卷第 347 行注。

② 诗人用比较长的篇幅（第 290—327 行）围绕一条犬狗进行描述，不知是否有意以此回报（或褒奖）阿耳戈斯对主人的忠诚。或许，在他看来，阿耳戈斯虽为犬狗，却远比背叛主人的墨朗西俄斯通晓人情。当墨朗西俄斯出场时（第 212 行），诗人除了称其为多利俄斯之子外，没有用更多的言词介绍他的“背景”。比较第 291—295 和 312—317 行。第 326—327 行用词简练，看似一“笔”带过，实则蕴含了诗人对此狗的赞扬，极富使人听（或读）后细品不忘的艺术感染力。

肉肴，给他，从篮里取出面炊。

　奥德修斯继他进入殿堂，
看似一个穷酸的老头，要饭的乞丐[①]，
拄着枝棍，穿着褴褛的衣衫。
他坐上梣木的门槛[②]，在门厅里面，
靠着柏木的门柱，由手艺高超的木工
精制，平刨，紧扣画出的粉线[③]。
忒勒马科斯发话牧猪人，召他过来，
从精美的篮里拿出一整条面包，
连同肉块，放入他合抱的手中，塞满：
“拿着这些，给陌生人送去，告嘱他
走向求婚人，要他们各自施舍一点。
对于贫困之人，羞怯不是佳好的伙伴[④]。”

---

① 第337—338行同第202—203行。注意奥德修斯耐人寻味的双重身份(比较第475行注)：一个悲苦的老头(参考第二卷第23行注和第十四卷第443行注)，一个身强力壮、膀阔腰圆的中年汉子(第十八卷第66—71行)。参考并比较本卷第508行注。苦难史诗的性质以及它的情节的展开，需要一个悲苦老头的形象予以恰到好处的点缀(也为麻痹求婚人)，而解决问题，杀灭众多的求婚人，则需要一个文武双全的汉子，一员体力充沛、能征惯战的骁将。狡黠的奥德修斯既是一个弱者，又是一位得到雅典娜护佑支持的强者——弱与强的合理搭配决定了他的不可战胜。

② 在第二十卷里，忒勒马科斯让扮作乞丐的奥德修斯下坐在一条石凿的门槛上面(第257—258行)，不知是否与本卷第339行的所指同一。专家们对此多有解释，意见纷纭。“门槛”是奥德修斯多次提及的方位标志，尽管学界人士对它的数目(是一条还是两条等)以及由此产生的具体位置问题尚有争议。

③ 参考第五卷第245行。

④ 这显然是一句经过提炼的格言(参考第323行注)，用于讲话的结尾部分，提纲挈领，画龙点睛，精要而有深度地表述了忒勒马科斯(或诗人)对羞怯(亦即羞涩、不好意思)的可分辨性(即感觉与体验范畴或场境之关系)的理解。比较赫西俄德《农作与日子》第317—319行。

他言罢，牧猪人得令离去，
行至奥德修斯身旁，讲说长了翅膀的语言：
“陌生人，忒勒马科斯给我这些，告嘱你
走向求婚人，要他们各自施舍一点。
他说对于贫困之人，羞怯不是佳好的伙伴。”

其时，足智多谋的奥德修斯对他说道，答话：
“王者宙斯，求你让忒勒马科斯在凡人中昌华，
让他心想事成，一切如愿以偿。”

言罢，他双手接过食物，放在
身边脚前，破烂的袋兜上，
张嘴吞食，歌手在厅堂里唱响。
当他吃食完毕，神圣的歌手辍止吟唱，
求婚者们喧闹，在整座厅房①；雅典娜
过来，站临莱耳忒斯之子奥德修斯身旁②，
催他向求婚人乞讨小块的面食，

① 比较第一卷第325—326和365—371行。

② 雅典娜此时大概以自己的形貌出现，只对奥德修斯一人显形（参考第十六卷第161行注，比较第十卷第574行注等处）。

以便察知哪些人规矩[1]，哪些人枉法——
但即便如此，她不会让任何人逃避灾亡。
奥德修斯走去，从左至右挨个索讨，
伸手这里那边，仿佛是个长期乞讨的行家[2]。

---

① 奥德修斯是一位乐此不疲的探察者(参考第十四卷至十九卷里的相关描述)。奥德修斯回抵伊萨卡后，有关人员的一项重要“任务”便是对他的“发现”(参考第十六卷第214行注)，即发现他的真实身份。应该指出的是，探察(或考验)只是手段，目的是为了查明真相，以便采取相应的行动。换言之，探察的目的也是为了发现，即发现被考察对象的真实“状况”。所以，奥德修斯“发现”，也被“发现”；“发现”贯穿于他回抵后在伊萨卡活动的始终。“发现”是通过表象，抓住实质，是揭开伪装的朦胧，触及实质的清晰(比较雪莱《为诗辩护》：诗掀开了帐幔，显露出世间隐藏着的美，详见《古典文艺译丛》第一册第85页)，是摈弃假象的误导，揭示并进而知晓被虚幻掩盖的真情。我们指出这一切，并不是为了证明诗人对“发现”的实质有过精湛的哲学分析，并不是意在要让读者相信作为一位吟诵诗人，荷马有着多么深厚的哲学功底。然而，有一点可以、也应该予以肯定，那就是荷马史诗带有向哲思的深沉敞开大门的倾向，包孕厚实和闪光的哲学潜质，蕴含丰富的可思辨内容和宽广的研讨纵深。参考并比较、分析第三卷第20行，第九卷第229、536行，第十一卷第13、239行，第十二卷第188、254行，第十三卷第104行，第十五卷第297行，第十六卷第59、214、364和481行等行次的注释。在古代，地理学家斯特拉堡视荷马史诗为哲学论著(philosophema)，哲学家波耳弗里俄斯则尊荷马为神学家(theologos)。不过，在一个人神杂处的世界里，“发现”的难度有时不言而喻(参考第十三卷第312—313行、第二十三卷第166—180行及相关注释)。唯其认识的艰难(细品第四卷第261行注和第七卷第20、210行注等处)，才能显示人对求知的执著，才能展示他们决心不仅能够文学地，而且还能够哲学地解释世界的自主精神。文学哺育了最初的哲学“意识”，至于它的阻碍(参考第八卷第384行注)则是人类思想发展、演化过程中的一个不可避免的必然。

② 奥德修斯的模仿(亦即扮演)能力甚强。诗人显然已知戏剧化的表演[尽管戏剧史家一般不会把荷马(或奥德修斯)定格为西方历史上最早的(戏剧)演员]。柏拉图和亚里士多德都曾区分过艺术展示的不同表现形式，都认为荷马会区别对待自己和人物的身份，在叙述中分别以诗人和角色的身份讲话(参阅《国家篇》第三卷392D—394C和《诗学》第三章1448a19—24)。在这里，诗人仍以自己的身份出现，换言之，并没有以直接引语的方式讲述。在这种情况下，他是否会采用扮演式的叙述(即一边说一边模仿乞讨的举动)，我们不得而知。参考并比较本书第八卷第490行注和第十卷第307行注等处。

食客们怜悯，给他，感觉惊讶，
互相询问，此人是谁，来自何方。
其时，牧放山羊的墨朗西俄斯对他们说话：
“听着，你们，光荣的王后的求婚者，听我
针对陌生人说讲。我见过此人，
知道是牧猪的把他带到宫房，
但我尚不确知此人是谁，声称来自哪个族邦。”

　他言罢，安提努斯发话牧猪人，斥骂：
“哦，牧猪人，你可真棒！为何把这家伙
带到城邦？难道我们还缺浪人，
无有其他讨人嫌的乞丐糟毁餐享[①]？
抑或，你还嫌汇聚此地的人少，吃不尽你
主人的家当，故而招来此人，请他帮忙？”

　其时，牧猪人欧迈俄斯，你对他答话，说讲：
“虽然出身高贵，安提努斯，你却说话不当[②]。
谁会外出寻找，觅来一位生人造访，
除非他能为民众工作，是一位
先知或治病的医者，一位木工或

① 乞丐既有外来的，也有本地的(或常在的，如伊罗斯，参考第十八卷第 1—7 行)。

② 在《奥德赛》里，身份微寒和地位低下的人物无须唯唯诺诺，而是可以挺直腰板，平等地和高贵者说话。同样是奴隶社会，同样是封建社会或市场经济时代，东西方也都有各自的“地域”特色，似乎不宜(完全)一概而论。

神圣的歌手，使人欢快，用他的诗唱[①]？
这些人到处受到召请，在无垠的大地上。
但谁也不会邀请乞丐，自行增加担当。
所有求婚者中，你对奥德修斯的
仆人最苛，尤其是对我，但我并不
在乎这样，只要谨慎的裴奈罗佩
和神样的忒勒马科斯一道，活在宫房。”

其时，聪颖的忒勒马科斯对他答讲：
“别说了，无须对此人洋洋洒洒。
安提努斯总爱激怒别个，出言
中伤，挑动他们，和他一起谩骂。”

言罢，他转而对安提努斯吐送话语长了翅膀：
“安提努斯，你关心我，像父亲对待儿子一样，
要我用词苛刻，把陌生的客人赶出

① “使人欢快”是荷马对诗的作用的定性。即便故事内容悲苦，催人泪下，但诗歌悦人和使人听后享受快感的性质不变。参考第十五卷第400行注。比较罗马文人贺拉斯提倡的寓教于乐的观点。先知（或预言者、卜者）、医生、木匠和歌手都是社区里有能力为民众（或人民，包括王公贵族）提供专门服务的人（demioergoi）。在这里，诗人以不无自豪的口吻赞美了自己的行当，且在“诗人”前有意添加了“神圣的”（thespin）一词，使其又比已经高于平头百姓的先知、医者和木工超胜一筹，显领人杰的风光。人们会出资（包括提供食宿衣服）雇用上述“技术”人员（参考本卷第382—386行），使他们接受召请，用自己的专业知识服务于雇主的利益（或需要达到的目的）。参考第八卷第43—45和472行及相关注释。在第十九卷里，诗人把信使也（不无道理地）纳入了demioergoi的行列（见该卷第135行）。顺便提一下，在古印度语里，kārú（比较希腊语词kerux，“信使”）意为“歌手”。

宫房。愿神明别让此事成为现状①。
拿点什么，给他；我不会吝啬，反要催你这样。
做吧，不必介意我的亲娘，不用顾及哪个
仆帮，住在神样的奥德修斯的宫房②。
事实上，你并无此般心想；
你更热衷于自个啖耗，不愿给予人家。”

　其时，安提努斯对他答话，说讲：
“鲁莽的忒勒马科斯，大言不惭，你说了些
什么瞎话！如果所有的求婚人都这样给他③，
宫居里便会三个月无有此人到场。”

　言罢，他拿起食桌边的脚凳，出示亮相④，
餐食时他会搁置白亮的双脚，架在凳上。
不过其他人全都给他，用面包和肉肴将
他的袋包塞填满当。奥德修斯本欲走回门槛，
既已探察过阿开亚人，无须付偿，
但却站停安提努斯身边，对他说话开讲：
“给点吧，朋友，我看你不像是最坏的
阿开亚人，而是最出色的——你呀像似国王。

① 注意忒勒马科斯语气强硬的讽刺。“像父亲对待儿子”——安提努斯反其道而行之；而“把陌生的客人赶出宫房”是地道的渎神行为——安提努斯已站到神的对立面上。比较第十四卷第401—406行。

② 忒勒马科斯意犹未尽，继续用言词鞭挞，以辛辣的讽刺回击安提努斯对欧迈俄斯的讥嘲。

③ 凶狠的安提努斯玩起了语言游戏。“这样给他”并非接指忒勒马科斯的建议(见第400行)，而是与他本人在第409—410行里的行动直接“相关”。

④ 安提努斯已做好用凳子击打奥德修斯的准备。比较第406行和第二卷第85行。

所以，你应该给我更多的面食，比别人宏量，
我会说颂你的美名，在无垠的大地上传扬[①]。
我也曾在族民中拥有自己的住房[②]，
富有、昌达，经常施助过往的浪人，
无论来者是谁，有何困难需要帮忙。
我有成千的奴仆，拥有各种好东西大量，
人们凭仗它们享受生活，被誉为富昌。
然而宙斯、克罗诺斯之子毁败一切[③]，他喜欢这样，
指使我随同漫游的海盗
出走，远航埃及，以此使我败亡。
我停驻埃古普托斯河上，停泊翘耸的海船[④]。
其后，我命嘱忠实的伙伴们原地等待，
近离船队，守卫舟船，派遣
哨兵，前往监望的地点。然而，

① 舌战的双方（人员）都竭尽讽谑揶揄之能事，话里带刺，绵里藏针，展开了唇枪舌剑的对攻战。奥德修斯有意激挑安提努斯，引导他犯错误（参考雅典娜的意图，第362—363行），而安提努斯果然中计（详见第445行以下），以他的方式配合命运的展开，导致自己日后的死亡。

② 奥德修斯开始再次施展自己讲故事的才华。比较他对欧迈俄斯的侃侃而谈（详见第十四卷第192行以下）。

③ 比较第十四卷第243行。在当时，把自己的过错（包括受错误的动机或想法催动做下错事）归咎于神的驱使，不算渎神（参考柏拉图就此提出的批评，见《国家篇》第二卷364B）。或许，在当事人看来，此举还可从一个侧面表明长生不老者的神通广大。参考本书第四卷第261行及该行注和第七卷第64行注等处。至于宙斯"挪甩凶邪的慌乱"（本卷第438行），或许含带（说话者）想当然的成分。当然，在史诗人物看来，宙斯有这个能力，因此这么说至少不会使人感到奇怪。如果愿意的话，史诗人物可以把任何事变归结为神的"作用"使然。参考并比较第九卷第142行注。本卷第446行里的"神灵致送"或许带有更多"泛指"的色彩。

④ 第427—441行同第十四卷第258—272行。比较第九卷第39—61行。参阅相关注释。

他们屈从于自己的犟悍,凭恃蛮力
突然袭击,掳掠埃及人秀美的
田园,暴抢女人和无助的孩子,
把男人杀害,喊声很快传至城垣。
城里的兵民听闻,在拂晓时分发起
冲击,平原上塞满车马步兵,
铜光闪现,喜好炸雷的宙斯对着
我的伴群,掷甩凶邪的慌乱,使无人敢于
站着应战,穷祸封围在我们四面。
他们杀戮众多,用锋快的青铜屠宰,
活掳我们中另一些人等,充作强逼的劳役。
然而,他们把我交给一位生人,来自塞浦路斯外乡,
德墨托耳[①],亚索斯之子,塞浦路斯强有力的国王。
我备受磨难,从那里临抵这块地方。”

　其时,安提努斯对他答话,说讲:
“是哪位神灵致送苦痛,糟践我们的宴享?
走开点,站到中央,离开我的桌旁,
免得去那悲苦的埃及或塞浦路斯遭殃[②],
你这大胆的家伙,无耻的乞丐狂妄。
你挨个儿乞讨,站立每个人身旁,
他们胡乱施舍,无须吝惜或节俭

① Demtor,意为“征服者”“驯服者”,派生自动词 damnemi。比较与之相对应的 dmoes(奴仆、仆人),即“被驯服者”。荷马喜用能够直接表义(即表明或标示名词所指者之特性)的专有名词,如 Demodokos(受民众欢迎的人)和 Argos(迅捷的)等。

② 即被卖作奴隶,接受奴仆的生活。奴隶买卖在史诗人物活动的年代甚是风行(另见第 249—250 行)。欧迈俄斯便是一位被人从外地拐卖到伊萨卡的前自由人(而且还是一位王家子弟),此时亦在厅中。

别人的家当——每个人的身边都有食物大量。”

　　其时，足智多谋的奥德修斯回退，对他说道：
“如此酷暴，你的心智显然不配你的美貌①。
你不会拿出一粒盐末，对家中的工仆犒劳，
既然现在，闲坐别人的宫房，你不愿给我，
略给一点面包，尽管身前堆满食肴。”

　　他言罢，安提努斯的心里怒气更高，
眉下射出凶狠的目光②，用长了翅膀的话语
对他说道：“现在，我想，你已不能
退出厅堂逍遥，既然你出言不逊，骂叫！”

　　言罢，此人丢甩凳子，砸在奥德修斯右臂
连接背部的肩座，但他稳站，岩石

① 心智的优劣决定行为的好坏(参考第三卷第 20 行注)，却与相貌的美丑没有必然的关系[虽然在诗人看来，史诗英雄应该才(包括智慧)貌双全]。猎狗阿耳戈斯不仅有美的相貌，而且跑速极快(本卷第 307—308 行)，具备了一条(好)狗的基本(或者说首要的)素质[亦即“佳好”“德”(arete)]。出猎时，狗的跑速显然比相貌重要。然而，安提努斯却不是这样。他有相貌，却没有增彩人品的心智(phrenes)，像一条好看却跑不快的狗一样(比较第 309—310 行)，徒有其表。诗人显然有意在此突出心智的分量，暗示 phrenes 的重要性甚于相貌。在第八卷里，奥德修斯称欧鲁阿洛斯“相貌堂堂”，连神祇“也无法加以修理”，但“心智(noos)愚笨”，成不了大器(第 175—177 行，另见该卷第 169—173 行)。诗人再三使用老到的文学语言，对他的听众(和后世的读者们)发出了透过表象、抓住实质的哲理告诫。参考本卷第 363 行注。几百年后，柏拉图有意无意地沿用了遭受他严厉批评的荷马的思路，提醒人们不要计较苏格拉底丑陋的相貌[在这一点上，他无疑要比荷马显得“平民”化一些，因为后者显然不会认为像塞耳西忒斯或多隆那样的丑人会拥有聪达的心智(或高超的智慧)]，而应重视他美好的心灵。

② 比较盛怒中的阿伽门农的眼神(参考《伊利亚特》第一卷第 102—105 行，其中第 104 行同本书第四卷第 662 行)。

一样牢靠，安提努斯的掷物撼他不动[1]，
后者在心底里谋划凶灾，默默把头晃摇[2]。
他走回门槛下坐，摊开填满
食物的袋包，对求婚者们说道：
“求婚人，你等追求光荣的王后，听好，
我的话出自真情，受胸腔里的心灵催导[3]。
此事不会让人心痛，不会愁扰，
当他在战斗中被对手击中，为了自己的
财产，为了把雪白的绵羊或牛群护保，
但安提努斯砸我，只因我悲苦的肚皮，
该死的东西，给人们致送许多哀恼[4]。
唉，倘若乞者也有神和复仇女神佑保[5]，
我愿安提努斯死去，先于他的婚讨[6]。”

　其时，欧培塞斯之子安提努斯对他答道：
“静静地坐着，陌生人，要不走开拉倒。
否则，凭你说的胡话，年轻人会抓住你的

---

① 比较第 233—235 行及第 234 行注。

② 同第 491 行。比较第 66 行。

③ 第 469 行同《伊利亚特》第七卷第 68、349 行。“心灵”原文作 thumos（另见第 531 行）。参考第十五卷第 27 行注。比较本卷第 548 行里的“记在心上”（eni phresi）。

④ 参考第 286—289 行及相关注释。

⑤ 奥德修斯的取向大概是肯定的，即认为乞者（ptochos）也受到神的护保。表示乞丐的另一个词汇是 dustes，亦可作“浪者”解（见第 483 行）。在第 485—487 行里，年轻人知道神会变作生客（xeinoi）的模样，探察凡人的作为是否正当。裴奈罗佩显然知道奥德修斯的乞丐身份，但仍称其为 xeinos（见第 508 行）。在史诗里，任何人都有“权”乞求神明保佑，包括奴仆（参看第 239—246 行和第二十卷第 111—119 行）。参考并比较本卷第 337 行注。

⑥ 比较第十四卷第 68 行、本卷第 494 行和第二十卷第 111—119 行。

双手或是腿脚，拖出门外，把你的人皮扒掉。”

　他言罢，其他人莫不怒火中烧，
高傲的年轻人中有人这样说道：
“安提努斯，你击打可怜的流浪者①，莽躁。
你真该死，倘若他是天上的神保。
神会幻变各种形貌，变作
生客从远方来到，巡走城市②，
探察哪些人守法，哪些人残暴。”

　求婚人如此说道，但他并不介意他们的言告。
忒勒马科斯承受剧烈的悲痛，为那记重敲，
但却强憋泪水，不使它从眼眶滴落地表，
心底里谋划凶灾，默默把头晃摇。
当谨慎的裴奈罗佩听闻来人在厅里
遭受打击，发话，对女仆们说道：
“同此，但愿著名的弓手阿波罗把击者自身放倒！”

　其时，女管家欧鲁诺墨对她说告：
“但愿我们的祈言得到现报。
如此，他们中谁也见不到黎明登临绚美的宝座。”

---

① 参考第475行注。求婚者中也有相对温和或不那么凶狂的，并非铁板一块。只是日后奥德修斯没有区别对待，一概杀戮，予以全部扫灭。安提努斯击打乞者的骄狂举动，甚至激怒了求婚的同伙（第481行）。

② 参考柏拉图针对第485—486行所提出的严厉批评（《国家篇》第二卷381D）。柏拉图的观点是神不应变形，所以略去了对第487行所表述的惩恶扬善取向的注意。此外，柏拉图没有从认识论的角度出发讨论神祇变形的问题（参考本书第十三卷第312行注等处），没有看到，在神的变形面前，凡人在“认识”上陷入了迷惘。

　　其时，谨慎的裴奈罗佩对她答道：
“这帮人可恨，妈妈，全都谋划灾恼，
尤其是安提努斯，比谁都坏，像乌黑的死亡[①] 来到。
宫里来了个苦命的人儿，一位流浪者，
遍走，请求施舍，贫困逼他乞讨。
其他人都给，填满他的袋包，
但此人用凳子击砸，打在他右臂连接背部的肩座[②]。”

　　就这样，裴奈罗佩在房内端坐，
和女仆们谈讨，卓著的奥德修斯餐食，咀嚼。
其时，她召来高贵的牧猪人，对他说道：
“去吧，高贵的欧迈俄斯，请那位生客[③]
过来聊聊，我想和他打个招呼，问他
是否听闻心志坚忍的奥德修斯的讯息，
抑或亲眼见过。看样子，此人曾浪走地界远遥。”

　　其时，牧猪人欧迈俄斯，你[④] 对她答话，说道：

---

① 或作“乌黑的命运”。荷马曾形容怒气冲冲的阿波罗（对阿开亚人）的临来“宛如黑夜降落”（《伊利亚特》第一卷第 47 行）。黑夜使人视力受限，难以辨察物景，容易使人产生惧怕的心理；而死亡则夺杀人的性命，使鲜活的骨肉之躯变成虚影（参考本书第十一卷第 26、74 行注等处），因此让人厌恨，唯恐不能与之避离（细品同卷第 489—491 行）。

② 裴奈罗佩不仅耳闻安提努斯等人刚才的对话（参见第 492 行），而且知道奥德修斯被击的用物和部位——难道她还目睹了击砸的过程？诗人急于想让听众知道裴奈罗佩此时已知宫中发生的事情，以便利用她的知情尽快促成事态的展开，但匆忙中忽略了交待她如何知情（如第 503—504 行所指景况）的问题。

③ 奥德修斯既是乞丐，又是浪者；此外，倘若主人愿以友好的态度相待，他还是一位陌生人，即生客（或客友）。参考第 475 行注。关于身份的“复合”性，另参考第十三卷第 260 行注。

④ 参看第十四卷第 55 行及该行注。

“但愿这帮阿开亚人,我的王后,能够静悄。
他的故事动听,会勾迷你亲爱的心窍①。
我和他共度三个晚上,三个白天,在我的
棚屋一道,因他最先临抵我处,从船上奔逃,
然而还未讲完故事,他的经历苦熬。
恰似有人凝视歌手②,神明教会
他歌唱③,愉悦凡人的本领,
他们酷爱,总听不够,每当他唱起,

---

① 语言的作用奇妙,能够迷人(thelgein)。故事(muthos、mythos)通过声音传送(参考第520行),像魔咒一样,给人触及心魂的美的享受。这里,诗人指的当然是口头文学的魅力。诗人知道,语言可以像药物(pharmaka)一样使人沉迷(参考第十二卷第39行注),忘乎所以。同样的文化背景也使赫西俄德产生了同样的“感觉”,激励他用更加明晰的语文表达了诗歌的“治疗”,亦即平慰心态的功用(参考《神谱》第98—103行)。对语言不可抗拒的魅力,柏拉图有着一脉相承的理解,只是他的评价常常是“反面”的,即在承认并犀利地指出(和深刻地感受到)语言“魔力”的同时,指责它带有很难避免的背离真理的负面性。在柏拉图看来,智术(包括讲演之术)与模仿(尤指绘画的模拟)具有“巫”(goeteia)的共性,可以迷人,误导人的心智,使他们在迷幻的五光十色中忘却对真善美的追求。我们说过,诗人重视“发现”,强调“审察”,但这一切并没有把他引向对故事和诗歌的批评,没有使他挣脱秘索思(muthos)的缠迷,走向对逻各斯(logos)的信奉。或许,作为职业歌手,加上客观条件和年代的局限,他做不到这一点;而柏拉图,作为一位天才的诗人哲学家,则可以放手大干,站在哲学的立场上,对绚美却不擅理性思辨的诗歌猛烈抨击,批评它的“虚假”。然而,如果从发展(即哲学和思辨意识的“进化”)的角度来看,柏拉图在本质上还是以他的方式沿袭了荷马的思路,即逐步从对表象美的追求转入到对“实质”美的赞扬(参读本卷第363行注)。他的贡献在于推而广之,扩大了探察的范围,把“考证”的触角伸到了语言艺术的“腹地”,开创了对诗歌与真理之关系问题的研讨。

② 阿尔基努斯亦曾赞扬奥德修斯用词典雅,叙事的本领高超,“似一位歌手”(第十一卷第367—368行)。另参考第十四卷第372—387行、第十九卷第203行(比较《神谱》第27—28行)和第二十一卷第406—408行。

③ 神教给(或给予)诗人歌唱的本领,包括使其掌握诗唱的内容。在荷马看来,神给诗人的恩惠远远超过只是点拨灵感的程度。参考第八卷第64行注。

就像这样，此人下坐我家，把我魅迷[1]。
他乃奥德修斯家族世交的朋宾，他说，
居家克里特，米诺斯的后代栖衍该岛，
他从那儿过来，备受苦凄，奔波，
四处零飘。他声称听闻奥德修斯
临近，置身塞斯普罗提亚人肥沃的国土，
存活，运回家园，带着许多财宝。”

其时，谨慎的裴奈罗佩对他道说：
“去吧，召他来过，以便直接讲述，对我，
让那些人坐在门边，玩耍快活，
亦可在家里操办，但能欢娱他们的心窝。
他们有自己的财物，未经糜费，贮存家中，
面包、甜酒，仅供奴仆们享用。
然而，他们日复一日临来，骚乱我们的房宫，
宰杀牛羊，对我们肥美的山羊行凶，
摆开丰肴的宴席，暴饮闪亮的醇酒骄横。
我们的财物已被大部耗空，家中无有一位像
奥德修斯那样的汉子，把此番恶虐挡离宫中[2]。
倘若奥德修斯得以回来，归抵乡垄，

① ethelge(参考第 514 行注和第十二卷第 39 行及该行注)。奥德修斯曾对欧迈俄斯谎称他乃克里特一个富人的儿子(关于“故事”的内容，详阅第十四卷第 200—359 行和第 462 行以下)。奥德修斯擅讲故事(参考本卷第 518 行注)，法伊阿基亚权贵们(和牧猪人欧迈俄斯一样)对此已有真切的感受(细察第十三卷第 1—2 行)。关于故事(亦即语言)的魅力，另参考第四卷第 595—598 行及相关注释。细析第十九卷第 203 行。

② 第 534—538 行同第二卷第 55—59 行。

他会带领儿子,马上,惩罚这伙人的狠凶[①]。”

他言罢,忒勒马科斯打出喷嚏响亮[②],回传
整座宫居,暴莽的声音荡漾。裴奈罗佩欢笑,
当即说对欧迈俄斯,吐送的话语长了翅膀:
“去吧,求你了,将那生客传至我的身旁。
没看见我儿嚏报我的话语,每一句说讲?
但愿此事意味死亡,彻底,对全体
求婚人临降,不使一个逃离命运,全都死光。
我还有一事相告,你要记在心上[③]。
倘若确认他的话句句当真,不假,
我将给他一件衣衫、一领披篷,精美的衣裳。”

她言罢,牧猪人听后走去传话,
行至奥德修斯身边,讲说的语言长了翅膀:
“朋友,阿爸[④],谨慎的裴奈罗佩、忒勒马科斯的
母亲召你前往,她受心灵催促,

① 忒勒马科斯曾幻想父亲能够回来,清算求婚人的恶虐(第一卷第115—117行)。如今奥德修斯已在宫中,忒勒马科斯亦已经受事件的历练,趋于成熟。裴奈罗佩的愿望表述的正是时候,在内容和结构方面均与上下文巧妙衔接,浑然一体。

② 对于史诗人物,突发和不依自己的愿望发生的生理现象,势必或至少是可以与外力或外在因素的控掌或驱动有关。此类现象与神意的玄妙连接,升华人的体验,使之超然于经验和常规的理性解释之上。对兆意或兆示的感觉于是从中产生。它显示人的灵性,定导人的思维;它挑战人的局限,弥补自控力不足的缺憾,最终堂而皇之地把人的无奈转化成了一种莫名其妙的自豪感。人是愚蠢的,但又是极度聪明的。喷嚏显示兆意的观念在后世的文史作品里亦多有见例。

③ 换言之,要用心记往(eni phresi),别忘(参考第十八卷第331行注)。第548行同第十九卷第236行。

④ pater,“父亲”。奥德修斯已变作老者(一位老乞丐)的模样,故欧迈俄斯称其为阿爸(或老爹),以示尊敬,与求婚人的恣肆形成对比。

向你打听丈夫的情况，尽管自己遭受苦殃。
倘若确认你的话句句当真，不假，
她将给你衣衫披篷，你最需要的
东西，眼下。然后，你可穿走城区乞讨，
碰上愿给之人，填饱你的胃肠。”

其时，卓著和历经磨难的奥德修斯对他作答：
“欧迈俄斯，我将叙说全部真情，
对伊卡里俄斯的女儿、谨慎的裴奈罗佩说讲。
我熟知其人，我们遭受过苦难同样[①]。
可我惧怕成帮的求婚人，他们
横蛮，狂莽的气焰冲指铁色的天上[②]。
刚才，当我穿走厅堂，不曾
害伤，这家伙砸我，使我遭受苦殃，
忒勒马科斯不能救我，谁也无法阻挡。
所以，告诉裴奈罗佩不要着急，
在宫中等我，待等太阳沉下。
届时，她可问我，有关她丈夫的还家，
让我在炉火边下坐，因我穿着破旧的
衣裳[③]。你知道这个，我曾最先向你求央。”

他言罢，牧猪人听过离去传话。

---

① “其人”指裴奈罗佩的丈夫（即奥德修斯自己）。

② 关于“铁的天空”（直译），另见第十五卷第 329 行。参考该行注。英雄的名声隆烈，亦可冲指宽广的天上（参考第八卷第 74 行、第九卷第 20 行；比较第十九卷第 108 行、《伊利亚特》第八卷第 192 行）。

③ 比较第 23 行。奥德修斯建议晚上见她的主要目的，或许是为了避开求婚人（参考第 580—581 和 586—588 行）。

裴奈罗佩见他跨过门槛，对他说讲：
“你没把他带来，欧迈俄斯？浪人有什么想法？
是害怕有人造次，还是羞于
踏进宫房？羞怯有害，对于乞者流浪①。”

其时，牧猪人欧迈俄斯，你对她答话，说讲：
“他说话合乎情理，换个人也会这样设想，
避开骄横的人们，他们的粗莽。

---

① 意思相近的表述，见第347行。谦谨不是一个饥肠辘辘的乞丐的美德。参考第347行注。由此可见，诗人也有怀疑感情表露及与之相关的观念的“一以贯之”性的时候。不知他是否想过“勇敢”、“忠诚”和“公正”等也有相对的、可商榷的一面，也存在着需要适当限制和适度调整的问题？诗人一而再、再而三地谴责求婚人的粗莽和骄横（如第565、581和588行），此举是否意在暗示他们对“勇敢”的理解出错，使用不当？如果说这种暗示的主观可能性不大，它的客观“存在”（即它的理论可塑性）却是不争的事实。奥德修斯坚忍（参考第284行及该行注），在蒙受羞辱的情况下咬紧牙关，以大局为重（参考第233—238和445—465行），避免了小不忍则乱大谋的莽撞。如果他也不合时宜地“勇敢”起来，势必会造成寡不敌众的局面（此时他还没有兵器），结果可以想象。对“勇敢”的不正当运用便是莽撞（或鲁莽），而对莽撞的克制显示坚忍，是“勇敢”的“不”勇敢的表现方式。诗人不可能（像亚里士多德那样）系统地考虑这些问题，也不会把道德观念的相对适用性从量的层面提高到质的层面加以细致的“辩驳”抽象。诗人不是一位职业哲学家。然而，他无疑相当敏锐地意识到了一些具有哲学潜义的命题，无疑相当内行和文学化地表述了自己的见解。深刻的洞察力和出类拔萃的诗歌才华，使他在一个文、史、哲尚未出现分家端倪的“大文学”氛围里无所顾忌地驰骋想象，以他的方式极其精妙地糅合了故事的扣人心弦和时而闪现的哲理的火花，把历史的真实性、文学出神入化的表义性和哲学精妙的辨析意识以诗的形式“编织”起来，撇开思、史、诗潜在的对立，发掘和精炼它们互相包容的潜质，在一个前所未有的高度上构建起一个文学王国的辉煌[无怪乎但丁称其为“诗王”或“诗歌之王”（poeta sovrano）]。荷马犀利的哲学眼光和过人的诗文才华，使后世许多出类拔萃的人才在惊慕之余感到了一种由难以超越带来的威胁。柏拉图把他当作最仰慕的“敌人”加以反对，而事实上，也只有“卓著的荷马”（贺拉斯语）才能就对诗与哲学超常的感悟力、个人的影响力和历史功绩方面，比肩柏拉图的继往开来[至于在历史造成的原创性方面，相信柏拉图不会真正心存赶超荷马的奢望；毕竟，维吉尔只是“荷马的月亮”（维克多·雨果语）]。

他请你等待，待至太阳沉下。
对于你，我的王后，如此也远为好佳：
单独与生客交谈，听闻他的叙讲。”

其时，谨慎的裴奈罗佩答话，对他：
“陌生人不笨，知晓会发生什么——也罢。
会死的凡人[1] 中从未有过这样的
无赖，恶谋凶残，如此横霸。”

听过训示，高贵的牧猪人走回
求婚的人群，既已诵毕每一句传话。
他对忒勒马科斯讲说长了翅膀的话语，立马，
贴近他的头边，使别人听闻无法[2]，
“朋友，我要回去看护猪群和财物其他[3]，
你的，我的——这里的一切皆留给你顾察。
首要的是当心自己，警惕，可别遭受暗算；
这里的阿开亚人[4] 众多，正把恶事谋划。
愿宙斯暴毁他们，先于他们把我们害杀。”

其时，聪颖的忒勒马科斯答讲，对他：
“但愿这样，阿爸。吃过晚饭，你就走吧，

---

① 人生有限，人是“会死的”，与“不死的”神明（即长生者，见第 601 行）形成对比。凡人“悲苦”（第十五卷第 408 行），不得不经历痛苦的晚年（第二十四卷第 233 行），从一生下来便受到命运的逼挤，死的迫胁。另见第十八卷第 130—131 行及相关注释。

② 同第一卷第 157 行和第四卷第 70 行。

③ 欧迈俄斯仍视猪群为奥德修斯（和忒勒马科斯）的财产，尽管求婚人每天屠食，肥猪实际上已是供他们挥霍享受的美味佳肴。参考第十四卷第 524—533 行。

④ 指求婚人。

不过明晨再来,带着肥美的牲品以供宰杀①。
我会照应这里的一切,有长生者们保驾。”

牧猪人复又下坐滑亮的椅子,听他
言罢。当吃饱喝足,他动身
返回猪群,离开庭院宫殿,
挤满食家,他们唱歌跳舞,寻欢
作乐,伴随黄昏的落临降下②。

① 参考第二十卷第 162—163 行。

② 午饭(准确地说应为下午饭或早晚餐)后,求婚人开始用歌舞消磨时光(另参考第一卷第 106—107 行),寻欢作乐,直到食罢晚上丰盛的正餐(dorpon)后方才散伙回家。翌日将是庆祭阿波罗的宴日(参考第十九卷第 306—307 行及相关注释),也是求婚人恶有恶报、命归黄泉(或用他们可以理解的话来说,坠入地府)的时光。

第十八卷

门边来了个本地的[①] 乞丐，其时，经常
在伊萨卡城里乞讨，闻名，以贪婪的肚子[②]，
胃口特大，擅能暴饮暴食。此人没什么力量，
亦无勇气，但身材的确高大，凭借目视可知。
他叫阿耳奈俄斯[③]，尊贵的娘亲打他出生之时
叫他，就用这个名字，但年轻人都唤他伊罗斯[④]，
因他能跑着送信，只要有人指使。
这小子走来，想把奥德修斯逐离自己的家居，
对他张嘴说话，用长了翅膀的话语羞耻：
"走开点，离开门边，老头子，免得被人攥住
腿脚[⑤]，拖出院子。没看见他们要我拖拽，
全都给我暗示[⑥]？我讨厌动手，尽管如此。
起来吧，还是，免得咱俩动手，打斗争执。"

---

① pandemios，"公众的"、(属于)"整个社区的"。

② 比较第十七卷第 286—287 行。

③ Arnaios，"得到者"，颇合此人乞者的身份。古代注疏家认为此名派生自 arna，"羊""绵羊"，故可解作"羊一样的"、"愚蠢的"或"带有羊味的"。一说此名的根词乃波伊俄提亚城镇 Arne(参见《伊利亚特》第二卷第 507 行；阿耳卡底亚亦有一同名溪泉)。

④ 《伊利亚特》里有一女神，名伊里斯(Iris)，乃神界的信使(见第二卷第 786 行等处)。Iros 应为 Iris 的阳性单数形式。Iros 亦可能得之于 hiris(比较 hieros，"强健的""快捷的")。

⑤ 比较安提努斯对奥德修斯"抓住你的双手或是腿脚"的威胁(第十七卷第 479—480 行)。宙斯曾抓住赫法伊斯托斯的腿脚，将其从天上扔到莱姆诺斯岛上(参阅《伊利亚特》第一卷第 591—593 行)。参考本卷第 101 行注。

⑥ 许指用眨眼或斜视的目光示意。

足智多谋的奥德修斯答话,对他恶狠狠地盯视:
“伙计,这可是怪事,我既没用言论或行动伤刺,
也不曾妒忌,倘若有人对你慷慨舍施。
这条门槛宽长,足以容下你我,你大可不必
妒忌别人的收食。我想你也是个游荡的乞者,
和我相似。昌达得之于神的恩赐。
不要摆弄拳头,逼我太甚生事,免得把我
惹急了,虽说老迈,我会打烂你的
胸脯嘴齿①。明天我将享受更多的平和,
如此——我想你回不了这里,重返
奥德修斯的宫居,他乃莱耳忒斯的儿子。”

浪子伊罗斯暴怒,对他说话,其时:
“哦,可耻!瞧这个脏东西骂骂咧咧,
像似弄厨的老妪婆子,对他,我会设法整治:
左右开弓,捣出他的全副牙齿,
脱出颚骨,落地为止,把他当作糟蹋
庄稼的悍猪收拾②。来吧,束衣,斗打,让所有的
人看视。难呢,你怎能对打一位年轻的汉子?”

---

① 奥德修斯是一位全能型“运动员”(参阅第八卷第214—222行;在这一点上,他也和奈斯托耳一样,参考《伊利亚特》第二十三卷第632—645行),拳击自然也可以拿得起来(参见本书第八卷第206行)。竞技既是体育(项目),亦有实战的功用。奥德修斯即将显示他的拳击功夫,狠揍伊罗斯(见本卷第90—97行)。

② 古代评论家称荷马在此“沿用”了一条通行于塞浦路斯的法律,即农人有权将闯入庄稼地里(别人的)猪猡逮获,拔出牙齿。诸如此类的相互嘲骂(比较《伊利亚特》里勇士临战前的“嚷嚷”)用词生动、鲜活,有羞辱,有讽刺,是诗人足显自己语言天赋的地方。此类吹擂既见之于战场,也出现在拳击场上,而拳场上的用语又有自己的特色,有自己独特的“风格”(参考《伊利亚特》第二十三卷第667—675行)。

就这样，高耸的宫门前，溜光的
门槛上[①]，他俩互掷粗粝的话语，对骂。
灵杰豪健的安提努斯挑唆他们，使其斗打，
开怀大笑，对其他求婚人说讲：
“朋友们，此前可没有类似这样的
娱乐，神明把它送入宫房[②]；
陌生人和伊罗斯正准备打斗，
拳击对方。来吧，让我们催怂他俩开场。”

他言罢，众人大笑，跃起，
聚拢，围定两位乞丐，穿着破衣。
安提努斯，欧培塞斯之子，对他们说及：
“听我说，你等高傲的求婚人，听清。
火上烤着一些膜条[③]，灌满羊血
油脂，我们将其备妥，好在晚餐时细品。
他俩中谁个获胜，就算强者证明，
让他前往取用一个，最合他的心意，
从此可与我们一起用餐，我们将
不再允许别的乞丐索讨，进入厅里[④]。”

① 参考第十七卷第 339 行注。

② 此类“娱乐”（指观赏两位乞丐拳击）罕见，自然会使心灵空虚的求婚人激动，感到刺激。对于史诗人物，神的驱动或致送是解释一切意外现象（无论好坏）的“捷径”。参考第四卷第 713 行和相关注释及第五卷第 124 行注和第十卷第 64 行注等处；比较第十二卷第 338 行注和第十四卷第 273 行。

③ gasteres，字面意思为“胃”（复数），在此指可制作香肠等食品的“衣”或“膜衣”，内填血和油脂，不失为一道美味佳肴。参考第二十卷第 25—27 行。

④ 对一位乞丐，此乃求之不得的事情。比较奈斯托耳提议对成功探明特洛伊军情者的奖励（《伊利亚特》第十卷第 211—217 行）。

　　安提努斯言罢，话语使人们欢欣[①]。
足智多谋的奥德修斯话对他们，带着诡谲的心计：
"朋友们，此事不宜，一个悲苦潦倒的
老人怎能斗打后生年轻。然而我这邪恶的
肚皮催我去做[②]，迎对他的拳击。
来吧，对我庄严起誓，你们全体，
谁也不得站助伊罗斯一边，使坏，
重拳击我，使我败北这场拼比。"

　　他言罢，求婚人按他的要求起誓。
当他们发过誓咒，全都信誓旦旦完毕，
灵杰强健的忒勒马科斯在人群中说起：
"陌生的客人，倘若心灵魂魄催你
斗打此人，保卫自己，那么，你就别对其他
阿开亚人怕悸。谁人打你，就将战对群体。
我是你的客主，且有两位王贵附议[③]，
安提努斯和欧鲁马科斯，他俩慎明。"

　　他言罢，众人欣表同意。奥德修斯
束衣腹上，扎紧破衣，显露硕壮、
健美的大腿，两边宽阔的肩膀，

① 求婚人"大笑"（第 40 行），"欢欣"（第 50 行），而他们的头儿安提努斯还"开怀大笑"（第 35 行）——看来，他们是打算尽情享受一番了。参考第 350 行注。

② 参考第十七卷第 286—287 行及相关注释。

③ 伊萨卡王者众多，对奥德修斯家族的统治构成了潜在的威胁（参考第一卷第 394—396 行及相关注释）。"王者"原文作 basilees。比较本卷第 299 行注。

显出胸脯,粗壮的手臂①。雅典娜
在兵士牧者的身边站临②,硕壮他的肢腿,
使傲蛮的求婚人见后无不震惊,
有人这样说话,望着身边的近邻:
“很快,伊罗斯将面目全非,他祸咎自取,
只怪自己。瞧这老人破衣下的粗腿。”

　此人言罢,碎乱伊罗斯的心灵。
尽管如此,仆人们强行替他束衣,
拽往那里,后者害怕,浑身颤抖不已。
安提努斯出言辱骂,对他指称说起:
“你不该活着,恶牛③,不该出生有你,
如果害怕此人,在他面前抖悸,
一个老头,已被困苦折磨得筋疲力尽。
我要直言相告,对你,此事将会变成实际。
倘若此人打赢获胜,证明比你强劲,

---

① 雅典娜已将奥德修斯变作老人的模样,肢腿身上被显示老迈的皱皮裹包(详见第十三卷第 429—433 行)。虽说雅典娜为了使忒勒马科斯相信奥德修斯的“真身”(即他的真实身份),曾使他恢复原样并为之增美身材相貌(第十六卷第 172—176 行),但事毕后又“举杖轻拍,将他再次变作老人”(同上第 456 行)。没有理由假设雅典娜会在那时保留一手,不改变奥德修斯身体的硕壮(否则他将不是一位“完整”的老头)。由此看来,奥德修斯此时的健美应与下文中女神对他的“硕壮”有关。比较第二十二卷第 1 行。有趣的是,求婚人没有从此事中看出什么蹊跷,而是照旧懵里懵懂,沉湎于准备目睹一场闹剧的欢乐。参考第二十卷第 358 行及第 362 行注。另见第二十二卷第 11 行。奥德修斯与阿耳奈俄斯显然将以“光拳”击打(比较《伊利亚特》第二十三卷第 683—684 行及相关注释),开始一场力量对比极为悬殊的拳赛。

② 当然是隐身站立,不为求婚人所见。参考第十卷第 574 行注。比较第十三卷第 312 行注。

③ 比较《伊利亚特》第十三卷第 824 行里赫克托耳对埃阿斯嘲骂的回敬。参考本卷第 30 行注。

我会把你丢上黑船[①],送往大陆,
交给国王厄开托斯[②],此君杀生,残害人命,
会用无情的青铜割下你的鼻子耳朵,
撕下你的阳具,扔给犬狗生食殆尽[③]!”

他言罢,伊罗斯的腿脚抖得更烈,
他们拉他上场,两人交手准备。
其时,卓著和历经磨难的奥德修斯思考用心,
是出手重拳,放倒,抢夺他的性命,
还是只用轻击,将其打翻在地。
他斟酌比较,觉得此举最为妥帖[④]:
动用轻拳,使阿开亚人不生窦疑。
他俩举起拳头,伊罗斯击中他右边的肩臂,
奥德修斯挥捣他耳下的颈脖,碎烂
骨头,殷红的血浆喷出嘴唇,当即。
乞丐哀叫一声,扑倒尘土,痛得咬牙切齿,
蹬腿踢打泥地;高傲的求婚人
举起双手,笑得差点死去。奥德修斯

---

① 即乌黑的海船。参考第二卷第 430 行注。

② Echtos,“拥有者”(派生自动词 echo,“有”“拥有”;赫克托耳的名字亦由此派生而来)。历史上是否有过此人,学界至今仍有不同说法。关于厄开托斯,另见第 116 行和第二十一卷第 308 行。关于“大陆”的所指,古代评注家们称应为西西里(比较第二十卷第 383 行),但也可能暗示希腊本土,即伊萨卡对面的陆地。

③ 安提努斯的威胁并非危言耸听,可悲的墨朗西俄斯日后切切实实地受到了此般“礼遇”(参考第二十二卷第 474—477 行)。关于犬狗悦媚但也生食人的两重性,参考第十七卷第 302 行注。

④ 程式化用语,同第六卷第 145 行和第十卷第 153 行。关于选择的模式,参考第十七卷第 235—238 行及相关注释。

抓住双脚，将其拖出门厅[1]，拽至
庭院柱廊的门边息止[2]，让他靠着院墙
坐倚，给出枝棍，塞入他的手里，
对他说话，吐送长了翅膀的话语：
“坐着吧，吓走犬狗猪群，
别再充当生人和乞丐的首领[3]，
你这穷酸，免得遭受更大的不幸。”

　言罢，他把破旧的兜袋挎上肩臂，
满是窟窿，用一根编织的绳条悬接[4]。
他走回门槛坐下，求婚人复入
宫里，欢笑，高兴，对他贺喜：
“愿宙斯和其他永生的神祇，陌生人，
给你最想要的东西，最能愉悦你的心灵，
因你中止了这个贪婪的家伙，乞游在
我们的邻里。我们会立即把他送往大陆，
交给国王厄开托斯，此君杀生，残害人命。”

---

① 奥德修斯雄风犹在。像在《伊利亚特》里抓住被杀的斯拉凯军士的腿脚，将其拖离（见该史诗第十卷第 490 行）那样，奥德修斯重操旧艺，此时抓住伊罗斯的双脚，将其拖出门厅。参考本卷第 11 行注。

② 伊罗斯遭受重创（而奥德修斯还只是“动用轻拳”），人事不省（参考第 239—242 行）。

③ 伊罗斯长期以乞讨为生，或许熟悉本地的情况，属于地痞之类的人物，但手下是否真有归他统领的乞丐群体，不得而知。生人和流浪者的身份可以互换或合二为一（参考第十七卷第 508 行注。）

④ 第 108—109 行同第十七卷第 197—198 行。第 109 行同第十三卷第 438 行。雅典娜开打前“硕壮他的肢腿”（本卷第 70 行），不知此时有否收回“法术”，使奥德修斯的全身再次被皱皮裹包。奥德修斯显然有心隐瞒身份（参考第 94 行），只是求婚人被骄奢冲昏了头脑，没有从此事中（应该说其中不无可以引发警觉的疑点）看出破绽。

他们言罢，卓著的奥德修斯欣喜于话中的兆意。
其时，安提努斯把那份硕大的美食在他身前放停，
填满羊血油脂内里。安菲诺摩斯[①]
从篮里取出两条面包，置放他的面前，
手举金杯祝愿，对他说起：
"陌生人，老爹，祝福你！愿昌达的生活
日后临落，虽然眼下你受制于众多的不幸。"

其时，足智多谋的奥德修斯对他答话，说及：
"安菲诺摩斯，看来你处事恭谨，
不愧是那位父亲的儿子，我早闻他的杰卓大名，
杜利基昂的尼索斯，富有、强劲。
人们说你是他的儿子，看来你说话中听。
如此，我将对你讲述，你可聆听，关注。
所有行走地上的生灵，喘呼，凡人

① 安菲诺摩斯乃杜利基昂求婚人的首领，"说话最讨裴奈罗佩的欢喜"（详见第十六卷第394—398行）。他不同意谋杀忒勒马科斯的做法，除非"大神宙斯同意"（参考同上第403行；但神意如何，似乎没有明确的下文）。比之欧鲁马科斯和安提努斯的凶暴，安菲诺摩斯无疑远为通情达理（参考本卷第119—123行）。可惜，神明已注定求婚人必死的命运，而奥德修斯虽曾劝他离开（细读第146—147行），也只能顺应形势的发展（参考第155行）和仇杀行动的全面展开，在不是你死便是我活的拼搏中最终还是任由忒勒马科斯夺杀了他的性命（参考第156行和第二十二卷第89—94行）。奥德修斯对他的赞扬（本卷第125—128行），字里行间似乎并不带有讽刺的意味。

最为羸弱，比之大地哺养的其他类族①。
他以为来日永远不会遭受厄难，
只要神明给他勇气，双膝尚能灵活摆动。
然而，当幸福的神明送来苦痛，不顾
他的意愿，他便只能逆来顺受，凭借心灵的坚韧。
活命地上的凡生，他们的思绪伴随时日的
变动，受制于神和人的父亲，他的致送。
我也一样，曾经可望在凡人中享领富荣，
然而屈就强健豪蛮，我做下许多

① 奥德修斯以一位饱经风霜的浪人和乞丐的身份，开始了对人生的谈论。比较宙斯发出的内容大致相似的感叹（《伊利亚特》第十七卷第446—447行）。凡人的生命短暂（参考该史诗第六卷第146—149行和第二十一卷第464—466行），非常脆弱（帕斯卡尔曾把人比作一根芦苇）。凡人不得不接受好坏掺杂的命运，最后以不可避免的"乌黑的死亡"终结。人的渺小和痛苦还不只在于此。与生俱来的无知和愚蠢使他们难以真正理解生活的好坏参半的性质和由此决定及配置的内在"节奏"，在顺境中难以或不愿看到更为本质的悲情的滚动。然而，神导的生活无情，当巨大的悲痛伴随不幸降临时，他们就只能逆来顺受，被动接受人生的摆布（参考本卷第132—135行）。人的心绪（noos）和思考受制于现实的定导，时常摇摆不定，在神意的控掌下难以超脱"变动"的范畴（参考第136—137行）。需要指出的是，如果以为因为难以超越而认为诗人在此有意鼓励人们勉为其难，那么我们将在一个重要的问题上误解他的观点。在诗人看来，人必须真正和切实认识自己的局限，认识生活中潜伏着的实实在在的危险，顺应生活的要求，尊重别人的权益，不因需要证明自己的豪强而放纵人的弱点，对别人的生存及其条件造成伤害。生活在昌达和富有之中的人们要特别重视抑制自己不正当的豪蛮，否则就将在过度表现自己的同时伤损别人，破毁法规和礼仪所竭力予以维护的和谐，最终将给自己招致不利，引来神和人的报复，把富有和昌达转变为灾难。奥德修斯设身处地，以"自己"的经历"劝诫"，尽管他也知道，对于人神共愤的求婚人，事态的发展中已无有和解可言（参考第138—150行）。求婚人滥用自己的权势，错误地理解原本昌达的生活。所以，他们势必将因为对人生的浅薄理解（即以为只要顺达便可肆无忌惮）而受到应得的惩罚，为自己的错恶和对生存原则的破毁付出惨重的代价（所谓乐极生悲；参考第143—146行）。

蠢事，倚仗自己的父亲弟兄[①]。
所以，谁也不能全然无视规俗——
让他默默领受神赐的礼物，不管什么。
然而，眼下，我目睹求婚人肆无忌惮筹谋，
如何不敬他的妻子，耗毁他的所有，
此人，我想，不会长期久离他的故园
朋友。他已临近，近迫。愿神灵
带你出离，回家；愿你不会和他见着[②]，
当他回返，抵达亲爱的故乡回国。
我相信，当他步入厅中，此人不会与
求婚人和解，不放浆血散伙。”

他言罢祭洒，喝饮蜜甜的浆酒，
交还酒杯，放入民众统领的手中，
安菲诺摩斯穿走房居，心情沉重，
摇头，心里已知险凶[③]，但仍然
难逃命运，雅典娜已将他缚绑，

① 参考并比较奥德修斯对安提努斯的“自述”(第十七卷第419—444行)，但其中无有倚仗父亲和兄弟的提及。参考并比较第十七卷第245行注和第二十二卷第57行注等处。关于兄弟的相助，参考第十六卷第97—98和115—116行。“神和人的父亲”(本卷第137行)照例指宙斯。富有并非总是好事。如果为人酷戾，放纵强蛮(第139行)，那么权势和财富将“促”使人走向幸福的反面(参考并比较第四卷第95—96行)，遭致神导的灾难。孔子曰：“善不可不传于子孙，是以富贵无常；不如是，则王公其何以戒慎，民萌何以劝勉?”(《汉书·刘向传》)比较本卷第131行注。

② 从奥德修斯的此番规劝中我们看不出有什么不诚挚的地方。但命运无情，而雅典娜的安排(参考第155—156行)也绝非他一时的“仁慈”所能左右。

③ 参考第119行注。

让他死于忒勒马科斯的双手,被投枪刺捅[①]。
此人折回,下坐刚才走离的椅中。

其时,灰眼睛女神雅典娜把意念注入
伊卡里俄斯的女儿、谨慎的裴奈罗佩的心胸,
要他绰显在求婚人面前,激挑他们的
心衷,由此引发丈夫和儿子[②],
赢得他们胜似以往的敬重。
她叫着保姆的名字说话,强带笑容:
“我的内心企盼,欧鲁诺墨,与以前不同,
想对求婚人展现自己,尽管憎恨他们。
此外,我想对儿子说话[③],对他会有效用,
劝他不要老和蛮横的求婚人厮混一起[④],
他们当面说得好听,却在谋划将至的邪凶[⑤]。”

---

① 安菲诺摩斯持剑冲向奥德修斯,试图迫使他退离门边,被忒勒马科斯投枪“穿透胸背”(详见第二十二卷第89—94行)。

② 此行乍看似有问题,因为(从上文判断)裴奈罗佩其时应该还不知道奥德修斯的真实身份,所以不该出现“丈夫”一词。或许,此乃诗人的“口误”。此外,也不便排除诗人在引用“其他说法”(参考第七卷第59行注等处)时未及做出相应调整的可能(假设在“那个”段子里,奥德修斯夫妻已在较早的时候相认)。事实上,有的荷马专家(如U. von Wilamowitz-Moellendorff)把本卷第158—303行统归为后人的续补。然而,我们似乎并非不能把此时的裴奈罗佩仅仅看作是意念的不知情和“机械”的接收者——换言之,这一切都是雅典娜的想法,而此时的诗人则是站在雅典娜的立场上,将这一计划公之于众。关于此举(直接和间接)的接收效应,分别参阅第212—213行、第215—242行和第281—283行。“心衷”原文作thumon(另见第154行;第153行里的“心情”,原文为etor)。另参考第159行里的“心胸”(epi phresi;比较裴奈罗佩的常规饰词periphron(谨慎的、聪慧的;参考第249行注)。

③ 参考第215行以下。

④ 安提努斯曾邀请忒勒马科斯和他一起吃喝,“像往日一样”(第二卷第305行)。比较欧迈俄斯的抱怨(第十六卷第27—29行)。另参考本卷第215—216行。

⑤ 参考第十六卷第445—448行及相关注释。

其时，女管家欧鲁诺墨对她答话，讲说：
“是的，孩子，你的话在理，一点没错①。
去吧，对你儿子开言，不要隐瞒不说。
但要先洗身子，把脸颊涂抹，
可别像现在这样，带着满面的泪痕
下楼，如此做法不好，无有休止的悲恸。
如今儿子已经长大，而这正是你对
神明最恳切的求祈，让他长成有胡子的男人。”

其时，谨慎的裴奈罗佩对她答说：
“虽然爱我，欧鲁诺墨，但你不要劝我去做，
劝我净洗身子，用油膏涂抹。
拥掌奥林波斯的神明② 损毁我的
颜容，自他离去，乘坐海船腹空。
你可去传唤奥托诺娥和希波达墨娅，
不过，让她俩站随我的身边，在厅堂之中。
我不会做出有失名分之举，独自在男人中走动③。”

她言罢，老妇离去，穿走房宫，
传话二位女子，催促她们快去侍从。
其时，雅典娜开始实施下一步计划，灰眼睛的女神④。
她撒出舒甜的睡眠，对伊卡里俄斯的女儿，

① 第 170 行同《伊利亚特》第二十三卷第 626 行。

② 参考第十六卷第 211 行注。“神明”原文用了复数，即 theoi。

③ 比较娜乌西卡的顾忌（详阅第六卷第 273—288 行）。参考并比较第六卷第 84、275 及 222 行注和第十五卷第 453 行注。

④ 同样的表述见第二卷第 382、393 和第六卷第 112 行。

松软她所有的关节，使其倚躺在长椅上
睡着。与此同时，雅典娜，姣美的女神，
赐予神圣的礼物，使阿开亚人惊慕她的韵丰。
首先，女神涂抹仙液，为她秀丽的脸庞美容——
那是安伯罗西亚，头戴花环的库塞瑞娅[①]
用它，每当参加典雅女仙多彩的舞会——
女神使她看来更显高大、硕丰[②]，
洁白她的皮肤，比新锯的象牙超胜。
做毕，她，女神中的姣杰离去，
白臂膀的侍女们走出厅堂，进屋，
说话，甜美的睡眠离开她的躯身。
裴奈罗佩用手搓揉脸颊，开口议论：
“在我极度悲伤之际，舒软的睡眠把我罩蒙。
但愿圣洁的阿耳忒弥斯让我死去[③]，此刻，
如此舒软，辍止心里的痛苦，耗糜我的
人生，思念亲爱的丈夫，阿开亚人
中的雄杰，在一切方面卓显才能。”

---

① 即阿芙罗底忒，参考第八卷第288行及该行注。关于安伯罗西亚，参考《伊利亚特》第十四卷第170—172行及相关注释和本书第五卷第93行注等处。

② 第195行同第八卷第20行。参考第十三卷第289行及该行注。美的事物要有一定的体积并因此给人相应的感受。在亚里士多德看来，正如高傲显示人的气魄，体积显示人的伟岸。矮小的人可能俏丽、比例匀称，却谈不上俊美（参考《尼各马可斯伦理学》第四卷3.1123b5—7）。另见本卷第70行。

③ 相似的请求见第二十卷第61—63行，阿耳忒弥斯通常对女人致送“温柔”（即“无痛的”）死亡（参考第十一卷第172—173行和第十五卷第478行），但也有例外（参看第五卷第121—124行；比较第十五卷第410—411行）。男人“温柔的”死亡通常由阿波罗致送（参考第七卷第64行及相关注释和《伊利亚特》第二十四卷第758—759行）。关于阿耳忒弥斯，另参考本书第六卷第102行注。死亡和睡眠都能使人失去知觉，在这一点上具备相通的共性。参考第二十卷第52行注。

言罢，她从闪亮的房间走下，
并非独自踽行，有两位侍女随她。
当走近求婚者，她，女人中的姣娘，
站停撑举屋顶的立柱旁，
拢着闪亮的头巾，遮前，挡住脸庞，
两边各站一名忠实的随伴①。
求婚人腿脚酥软，激情使他们的心魂迷荡，
争相祷告，祈望在她身边睡躺②。
然而，裴奈罗佩说话，对亲爱的儿子忒勒马科斯出声：
"忒勒马科斯，你的心智和思绪已不再沉稳。
儿提时代的我儿，思绪比现在捷能。
如今你已长大，已经及达成人，
倘若有个外邦人见你，目睹你的个头和健美，
会说你是他的儿男，在富人家里出生。

---

① 第207—211行同第一卷第331—335行。另见第十六卷第414—416行和第二十一卷第63—66行。

② 有理由相信，奥德修斯此刻亦在厅中。诗人避而不谈奥德修斯的反应，直到第281至283行才用了短短的三个行次"务实"地表述了奥德修斯的"喜欢"。须知奥德修斯已有二十年未见妻子的脸面，此时心情的激动程度当不言自明。史诗篇制宏大，情节的发展相对粗放，对细节的关注远不如(或许也没有必要)我们所熟悉的叙事小说"无微不至"。荷马可以无所顾忌地把不用的人物(哪怕是主角)长时间地"晾"在一边，直到需要的时候再让他"动"起来，出现在听众面前(当然是以"形象"的方式)。亚里士多德看到了史诗与悲剧在这方面的不同，认为前者比后者更能容纳不合情理的事情(参阅《诗学》第二十四章)。参考本书第十卷第439、522、540行注，第十三卷第323行注和第十四卷第440行注等处。比较第七卷第59行注和第八卷第270行注等处。

你的心智和思绪不再如前平稳[①]。
瞧你做了什么，在我们的房宫，
竟让陌生的来客受到错待，如此蛮横[②]。
事情将会如何，倘若生客坐临你我的家门，
遭致伤害，经受如此这般的粗暴残忍？
这将是你的耻辱，在国人面前跌份。”

其时，聪颖的忒勒马科斯对她答称：
“母亲，妈妈，我不想抱怨你的怒嗔。
我自己亦已心知这些，知晓辨分，好的、
坏的——在此之前，我只是一介童身[③]。
但我仍然无法事事考虑周全，不能，
这帮人从这里那边过来，怀揣凶险，坐临
我的躯身，挫阻我的意志，无有相助之人。
然而，那场打斗的结局却不合求婚人的心衷，

---

① 裴奈罗佩与儿子的关系从一开始便呈现出某种程度的紧张（参考第十七卷第47行注）。她对忒勒马科斯的指责或许带有偏颇，却颇为吻合荷马对“美”的思考。裴奈罗佩的意思是，忒勒马科斯已长大成人，有了年轻小伙的体魄，使陌生人一眼看去便知是富贵人家的子弟（奈斯托耳称赞他“健壮，身材高大”，见第三卷第199行）。然而，他的心智（phrenes）却反不如从前好使，对问题的思考（noema）亦不如以前稳健，不能匹配或彰显相貌和身材的俊美。细读第十七卷第578行注。美好的心智决定美好的行为，而思绪的“紊乱”则会导致行为的“失常”，疏于或有违礼规（参考本卷第221—225行）。比较奥德修斯对安提努斯的斥责（见第十七卷第454行）。

② 不知裴奈罗佩是否知晓奥德修斯与伊罗斯开打一事，但她肯定知道欧鲁马科斯曾向奥德修斯投掷凳子的粗蛮举动（参考第十七卷第492—504行）。比较忒勒马科斯对母亲此番批评的理解（参考本卷第233—234和239—242行）。比较墨奈劳斯对厄忒俄纽斯的批评（第四卷第31—34行）。

③ 面对母亲情绪化的指责，忒勒马科斯的回答低调、收敛，一改以前的顶撞和锋芒毕露（参考第一卷第346—359行）。比较他对奥德修斯的“实话实说”（第十六卷第243、311—312和318—319行）。

外邦人和伊罗斯开打，他比后者强胜。
哦，父亲宙斯，雅典娜，阿波罗！
我但愿以同样的方式，眼下在我们家中，
求婚人将遭受毁败，低下头颅，有的在庭院里，
有的在厅堂内，全都肢腿酥松，
像伊罗斯那样，眼下坐倚院门，
耷拉着脑袋，似一个醉人，
无法直立，站稳脚跟，回家，
或是找个什么地方——他的肢腿已不能支撑！”

就这样，他俩你来我往，一番谈论。
其时，欧鲁马科斯话对裴奈罗佩，出声：
“伊卡里俄斯的女儿，裴奈罗佩谨慎，如果
阿开亚人都能见你，居家亚西安的阿耳戈斯[①] 的
人等，那么会有更多的求婚人赶来，餐宴
在你的房居，明天早晨，因你超胜所有的女子，

① 指伯罗奔尼撒。古代评论家称 Iason(英译常作 Iasian,“亚西安”)派生自传说中的阿耳戈斯先王伊阿索斯(据传他乃伊娥的儿子或父亲；参考《注疏》(the scholia)以及阿波罗道罗斯《文库》第二卷 1.30 和包桑尼阿斯《描述希腊》第二卷 16.1 等处)。Iason 在词源上许和 Ias(比较英语词 Ionic)有关，尽管专家们对此仍有争议。但阿耳戈斯(可泛指伯罗奔尼撒，参考本书第一卷第 344 行、第四卷第 726 行、第十五卷第 80 行和《伊利亚特》第六卷第 224 行等处)的伊俄尼亚背景不容忽视；Iason Argos 在此似可作“伊俄尼亚人(Iaones)的阿耳戈斯”解。伊俄尼亚人是希腊地区较早的“外来者”之一，在公元前两千年左右开始在包括伯罗奔尼撒在内的多处地点定居，以后受多里亚人(或多里斯人，希腊人的另一支)逼迫，于公元前一千年左右向小亚细亚沿海地区大量移民。荷马曾提及伊俄尼亚人(《伊利亚特》第十三卷第 685 行)。

论相貌，比体形，连同你的心智聪慧平衡[1]。”

其时，谨慎的裴奈罗佩对他答诉：
“长生者毁了我的全部丰韵，欧鲁马科斯，
毁了我的美貌和体形，当着阿耳吉维人前往
伊利昂，登船离去，偕同奥德修斯，我的夫婿[2]。
假如他能回来，主导我的生计，
我便会有更好的名声，更高的荣誉。
现在，神明给我这许多悲苦，使我忧郁。
临行前，出走时，离开他祖辈的乡土，
他握住我的右腕[3]，对我叮嘱：
‘亲爱的夫人，我以为胫甲坚固的阿开亚人
不可能全都从特洛伊安返，不受伤辱，
人说特洛伊军勇能征惯战，
出手投得枪矛，开弓发射箭镞，
驾驭捷蹄的快马，突破势均力敌的战阵，

---

① 参考第 220 行注和第十七卷第 578 行注。值得注意的是，裴奈罗佩在下文中声称神明毁了她的容貌体形(第 251—252 行，其直接“导因”是长年累月的悲哭和忧郁的心情，参见第 256 行；另参考第 176、180—181 行)，却没有说心智(phrenes)受到伤损。在第十卷里，基耳刻把奥德修斯的伙伴变作猪猡，却没有(或无法)变动他们的心智(细品第 237—240 行)，使其虽然丑袭猪的相貌，但仍然拥有为人的根本，保留了思考和辨察的能力。

② 比较第 180—181 行和第十九卷第 124—126 行。

③ 奥德修斯握住夫人的右腕，体现亲密，或许亦示信任。在《伊利亚特》第二十四卷里，阿基琉斯握住普里阿摩斯的右腕，为他压惊(第 671—672 行)。关于握手的例子，另见该史诗第六卷第 232—233 行和第二十四卷第 360—361 行(比较本书第十卷第 280—281 行)。从人物的回顾中，我们可以了解到奥德修斯赴战(即征战伊利昂)之前的生活景况和待人接物的片断(参考本书第十七卷第 311—317 行和第十九卷第 392—466 行等处)。

决胜大规模的拼战，以最快的速度[①]。
我不知神明是否会让我生还，也可能死在
特洛伊，抑或；所以，我要把一切对你托付[②]。
你要关心家中我的父母，照顾，
一如现在，亦可更好些，因我将置身远处。
不过，当眼见儿子长大，长出胡须，
你可婚配愿嫁的谁个，离开门户[③]。'
这便是他的言论，所有的一切如今都在成真[④]。
将来会有一个夜晚，可恨的婚姻落临
我的命苦，宙斯已夺走我的幸福。
此事使我的心灵魂魄痛凄，极度[⑤]，
求婚人的举动与以往的常规不符，
那时求婚者穷追高贵的女子
和富人的小姐，竞比相互。
他们自带牛和肥羊，欢宴
未来新娘的朋友，赠送光荣的礼物。

---

① 比较特洛伊主将赫克托耳的"自我介绍"（《伊利亚特》第七卷第237—241行）。"驾驭……快马"（本卷第263行）指驾驭马拉的战车（比较《伊利亚特》第八卷第129行）。荷马史诗里没有出现骑马战斗的场面。马通常用于拉车，将勇士载至战场。在此类情况下，"马"指马和战车，即马车。

② 比较第二卷第226—227行，但门托耳的"代管"在《奥德赛》里不见有任何描述。

③ 随着情节发展的需要，裴奈罗佩开始谨慎地为自己准备再嫁制造舆论。此时奥德修斯亦在现场，但诗人却让他对此类言论无动于衷。不过，奥德修斯是个通情达理之人，且出征前讲过那番话语（第269—270行），所以此刻会以宽松的心情倾听妻子的表述。参考第283行注。

④ 第271行同《伊利亚特》第二卷第330行和第十四卷第48行。

⑤ 第274行同《伊利亚特》第十五卷第208行和第十六卷第52行等处。关于"心灵魂魄"，参考本书第二十一卷第342行注。比较第四卷第117行（参考该行注）。

他们不会吞糜别人的家产，不予偿付①。”

　　她言罢，卓著和历经磨难的奥德修斯暗喜，
因为她巧索财礼，用酥软的话语把
他们的心灵迷糊，而内心里则另有所图②。

　　其时，欧培塞斯之子安提努斯对她答诉：
“伊卡里俄斯的女儿，裴奈罗佩谨慎，
收下，不管哪个阿开亚人愿意送来
礼物。拒收赠礼不好，对不。
我们不会返回田庄或别的去处，
直到你婚配最好的阿开亚男子，不管是谁嫁出③。”

　　安提努斯言罢，话语惊喜听众，
他们各自遣出信使，提取礼物④。
安提努斯的信使送来一件织袍，硕大、
图纹绚美，精工制作，缀着十二枚

① 换言之，登门求婚并非不可，也不违背习俗，但求婚者须自带供食用的牛羊，并给求婚对象的家庭致送礼物。在史诗社会里，人们办事要依循祖传的习规，遵守约定俗成的章法，否则便会制造麻烦，闹出乱子。参考第141行。

② 奥德修斯欣喜于妻子旨在为家居增添财物的“抱怨”，或许也为她的巧妙配合而高兴。但裴奈罗佩此时并不知丈夫已在宫中（参考第161行注），所以要说“配合”，至多也只能是一种下意识的举动。此外，以奥德修斯的多疑（参考第十五卷第304行注），这时却对妻子的试图再嫁掉以轻心（参考本卷第270行注），不生一点疑窦（或想法），此举难免会使人多少产生足智多谋的英雄亦会流于粗疏的感觉。

③ 比较第二卷第127—128行。

④ “他们各自”或许是一种大概的说法。别忘了求婚人总共108位，而来自伊萨卡本地的只有十二个（第十六卷第251行）。绝大多数来自外地的求婚人怎么办？他们有没有派出信使？这些人又怎么来回？这些问题诗人都一概予以略而不谈。参阅本卷第301行和428行及该行注。

黄金的针条，连带弯曲的搭扣一同。
欧鲁马科斯的差遣带回一条精致的项链，
金质，嵌镶粒粒琥珀，似阳光一样闪烁①。
欧鲁达马斯的仆人取回一对耳环，
垂着三挂沉悬的熟桑，绚丽的光芒射出②。
从王者裴桑德罗斯③ 家里，波鲁克托耳之子，
侍仆取来项链，一件瑰美的珍品佳物。
如此，阿开亚人全都致送取来的赠品交付，
而她，女人中的姣杰，走回楼上的
房室，由侍女们为她携捧佳美的礼物。

其时，求婚人转向舞蹈，陶醉于歌声的
美妙，欣享愉悦，等待夜色降落；
乌黑的夜晚来临，伴随他们的嬉娱逍遥④。
于是，他们放置三个火托⑤，照明，在宫中
闪耀，周围堆垒树段木薪，
早已晾晒干燥，新近用铜斧劈开，
点火燃烧，心志刚忍的奥德修斯的
女仆们轮班守候，添柴不灭的火苗。
杰著和足智多谋的奥德修斯对她们说道：

---

① 太阳光芒万丈，闪亮。比较《伊利亚特》第六卷第 513 行和第十九卷第 398 行。

② 颇似赫拉的耳环(《伊利亚特》第十四卷第 183 行)。

③ 裴桑德罗斯翌日被菲洛伊提俄斯击杀(第二十二卷第 268 行)。“王者”原文作 anax，亦可作“贵族”、“领主”或“主子”解。参考并比较本卷第 64 行注。参看《伊利亚特》第三卷第 351 行：王者宙斯。另见本书第十二卷第 290 行和本卷第 413 行。

④ 第 304—306 行同第一卷第 421—423 行。

⑤ 似为一种铁制的篮状器物，可挂于墙边或垂自屋梁的钩上，内装木块，点燃后可用于照明和取暖(另见第十九卷第 64 行)。

“奥德修斯的女仆们，你们的主人已久离家小，
即可回返尊贵王后的房间，
转动线杆，在厅房里她的身边
干活，使她高兴，亦可动手梳理羊毛[1]，
我会负责看火[2]，给所有的他们致送光照。
即使打算待等宝座绚美的黎明，挨到，
他们也不能把我拖垮，我呀极能忍受疲劳[3]。”

他言罢，女仆们互相看视，哄堂大笑，
美颊的墨兰索厚着脸皮，对他讥嘲，
多利俄斯的闺女，由裴奈罗佩抚养照料，
给她称心的玩具，像对亲生的女姣[4]。
但她的心灵，即便如此，却不为裴奈罗佩哀恼，
倒和欧鲁马科斯爱慕，经常和他睡觉[5]。
眼下她呵斥奥德修斯，骂道：
“该死的陌生人，你的心智必已昏错，

① 女人不分贵贱，均需操做此类活计（参考第一卷第 356—357 行和第四卷第 121—122 行）。

② 奥德修斯精熟诸般杂事，包括“生发红蓬的柴火”（详见第十五卷第 320—324 行；参考第十六卷第 1—2 行）。奥德修斯在此继续着对仆人的探察工作。关于探察者奥德修斯，细读第十六卷第 305 行和第十七卷第 363 行及相关注释。

③ 坚忍（包括能够忍辱负重）是“卓著和历经磨难的”（奥德修斯的常见饰词）奥德修斯最突出的性格特点。参考第七卷第 142 行注和第十七卷第 284 行及该行注。

④ 和兄弟墨朗西俄斯一样，墨兰索已背叛了奥德修斯家族。与欧迈俄斯一样（参看第十五卷第 365 行），此女自幼受到女主人关怀照料，但长大后却不仅没有欧迈俄斯的忠诚，反而恩将仇报，伤损主家的利益，对奥德修斯大骂出口（尽管此时尚不知老人的真实身份）。参考第十六卷第 423、432 行注。

⑤ 欧鲁马科斯爱屋及乌，对墨朗西俄斯也特别垂青（参考第十七卷第 257 行注）。

不去工匠的作坊睡躺[1]，在那里睡觉，
不去找个客栈小铺，而是呆在这里
喋喋不休，在男人群里胡说八道——你的心灵
不知惧臊。一定是酒浆迷乱了你的心窍[2]，
要不便是天生这样，爱说废话唠叨[3]。
你如此忘乎所以，只因已把要饭的伊罗斯击倒？
小心，免得一个比伊罗斯强健的汉子起来打你，
用硕壮的拳头敲砸你的头脑，
放出污血，把你赶出宫居追跑！”

其时，足智多谋的奥德修斯恶狠狠地盯着他，答道[4]：
“我要告诉忒勒马科斯，你这条母狗[5]，即刻去找，
传告你的话语，让他把你切割，碎捣！”

他如此一番责斥，把女人轰跑，

---

① 工匠的作坊白天生火，晚上应该亦有些许余热，对于乞丐或许是个去处。比较第二十卷第178—180行。

② 酒能使最明智的人“歌唱”，“咯咯嘻笑”（第十四卷第464—465行）。奥德修斯此时肯定没有迷糊；不知荡妇墨兰索自己是否有醉过酒的经历。史诗里不见女人饮酒的直接提及。“心窍”即“心智”（phrenas），参见本卷第327行。phrenes显示心灵（thumos，参考第330行）的智巧，但似乎不与“心气”通连，不带“魂息”或“命息”的含义。参考第四卷第293行注。

③ 第330—333行同第390—393行。奥德修斯已备受墨朗西俄斯、求婚人和伊罗斯的辱骂（第十七卷第217—232、375—379行和第十八卷第10—13、26—31行等处），此时又遭受女仆的奚落，可谓饱受屈辱，到处“挨批”。当然，他也常常予以回敬，讥骂别人。奥德修斯似乎生来就要遭受辱骂，忍受痛凄（参考第十九卷第406—409行；一说他的名字意为“痛苦的孩子”）。

④ 比较《伊利亚特》第一卷第148行等处。

⑤ 比较第十七卷第248行。海伦曾把自己比作母狗，“让人恨恼”（《伊利亚特》第六卷第344行）。

撒腿穿过厅堂，吓得酥软了膝盖
腿脚，以为他讲说实话，真要。
奥德修斯在火托边站好，使其腾升火苗，
看察所有求婚人的行动，心里
另有思考——这些都将发生，做到。

　然而，雅典娜决不想让高傲的
求婚人收敛极度的蛮横，以便在
莱耳忒斯之子奥德修斯心里增添烦愤[①]。
欧鲁马科斯，波鲁波斯之子，开始话对他们，
讥责奥德修斯，在群伴中引发笑声[②]：
"听着，所有的求婚人和光荣的王后你等，
我的话出自真情，受胸腔里的心魂催生[③]。
许是神意遣送，这家伙来到奥德修斯的房宫磨蹭。
不管怎样，我以为照明的亮光发自

① 第346—348行同第二十卷第284—286行。"悲愤"亦可作"痛苦"解。雅典娜不想让求婚人收敛，以便使奥德修斯承受更多的痛苦，备增复仇的激情和决心（此外，亦似为求婚人的死亡准备更充足的"理由"）。参考第十七卷第360—364行及第418行注。比较本卷第161—162行。

② 本卷里充斥着求婚人的笑声[参考第35、40、100、111和350行；比较女仆们的哄堂大笑（第320行）]。他们的欢笑多以别人的痛苦为前提，故而在伤人的同时也常常表现出对自我的放纵。本卷明显地带有一些闹剧的成分，在严肃中掺入了诙谐，在正经中加入了讥刺，通过刻意的设计和配制，在贯穿整部史诗的"悲哀"里添拌了几分逗乐的情调。比较第八卷里以神祇为角色的"喜剧"插段（第266—366行）。然而，诗人知道，听众也清楚，求婚人笑不到最后。比较他们在第二十卷里古怪、歇斯底里和大难临头前的笑声（第346、347、349和390行等处）。

③ 程式化用语，见诸两部史诗之中。

他的头颅，全无毛发，秃光，一点不剩[①]。”

言罢，他转而话对奥德修斯，荡劫堡城[②]：
“倘若我愿意要你，陌生人，你可愿劳作
在边远的农场，做我的雇工[③]，帮我垒石筑墙，
种植高大的树木，领取我给的工酬足份？
我会给你食物，长年提供，
给你脚穿的鞋子，身披的衫篷。
然而，事实上你却啥也不会，只知作恶，不愿
在田间辛勤劳动，代之以乞讨，在整片地域，
填饱你无底的肠胃，求人施舍[④]。”

其时，足智多谋的奥德修斯对他说话，答斥：
“我希望，欧鲁马科斯，你我能赛比干活，
看谁了得，在那春暖季节，变长的天日，
身临草地，手握弯卷的镰刀，你的类同我的，

---

① 关于照明的亮光，参考第 317 行。荷马真不愧是一位讽刺专家。每当讲诵人物吹擂和讥揄的段子，他的语言才华总能得到最高水平的发挥，给人留下深刻的印象。参考第 30 行注。

② 参考第九卷第 40 行。在《伊利亚特》里，“荡劫城堡的”主要是阿基琉斯的饰词。饰词的“机械”运用和表义的需要在此达到了完美的统一。此时，诗人或许觉得有必要提醒听众，乞丐奥德修斯曾是荡劫城堡的英雄（参考第九卷第 504、530 行和第八卷第 3 行及该行注；此外，奥德修斯亦为阿开亚人最终攻克特洛伊立下过汗马功劳，详阅第四卷第 244—289 行和第八卷第 499—520 行）。而眼下英雄落难，反被一帮求婚的“花花公子”欺侮（所谓“虎落平川被犬欺”），读来似颇带讽刺的味道。

③ thes，受雇的短工，临时工（但不是奴隶），地位低下的以体力换取报酬的劳作者。阿基琉斯声称，他宁愿做一名人间的 thes，也不愿在冥府做鬼魂的大王（参考第十一卷第 489—491 行）。

④ 墨朗西俄斯曾用同样的话语辱骂奥德修斯（第十七卷第 226—228 行）。比较裴奈罗佩对奥德修斯截然相反的评价（本卷第 204—205 行）。

一式,验察谁能吃苦耐劳,谁个,
空着肚皮,从黎明干到黄昏,有大片青草
要割。亦可比赛赶牛,那种最好的,
个头硕大、黄褐,喂饱牧草,
同龄,拉力均等,不疲的劲儿非同小可,
破耕一天工量的田地,犁头可以切开泥土进得,
那时你会看见,我能否自始至终,把垄沟犁得笔直①。
抑或,倘若克罗诺斯之子挑发一场战斗,
今天此刻,给我一面巨盾,两枝枪矛,
连带一顶铜盔,适护我的鬓穴两侧,
你会见我站立前排壮勇之中,

① 对于农事,奥德修斯曾以一个老乞丐的身份低调表达(第十七卷第 20—21 行;另参考第十四卷第 222—223 行)。现在,面对欧鲁马科斯的羞辱,他已不再需要谦谨,以多面手(且身强力壮)奥德修斯的身份,予以有力的回击。英雄应该是战场上的斗士,竞技场上的健儿;此外,他还可以不失体面地胜任农田里的粗活重活,样样拿得起来。奥德修斯似乎更像是一位平民王者,精通农事劳作,贴近普通人的生活。关于奥德修斯的多才多艺,参考第五卷第 257 行注,第十四卷第 228、352 行注,第十五卷第 324 行注和本卷第 22 行注等处。在《伊利亚特》里,王者的贵族习气无疑远为浓烈。匠神赫法伊斯托斯曾在为阿基琉斯制铸的盾上勾勒出劳动的场景。农人和孩子们在麦地里忙忙碌碌,而国王则站在遮荫的树下,手握权杖静观,“其乐融融”(详见该史诗第十八卷第 550—557 行)。不过,我们不宜忽略故事情节的导向对人物个性的展示和“行动”的制约。奥德修斯是一位国王,但同时也是一位饱经风霜的回归者,一个落魄的乞丐和浪人。严酷的浪子生活和热切的复仇愿望迫使他不能总是气宇轩昂,对琐杂之事不屑一顾。生存的必然迫使他必须机警,甘受屈辱,有时多少表现出一点狡诈和轻度的玩世不恭(他的性格中或许带有古已有之且广为人知的既羞辱别人,也糟贱自己的“欺骗者”或“恶作剧者”的影子)。此外,我们似亦不宜完全认定他的自我表白中一点不带吹擂或夸大的成分,须知擅用语言,适度运用吹擂(即炫耀自己)及合理把握“攻击”的时机,以便争取在声势和心理上压倒对手,也是史诗中的英雄们必须在青少年时代习得并在以后的实践中不断予以精炼提高的技巧之一。

不再讥辱我的肚皮,不再嘲责①。
你为人极其骄狂,心地残苛,
我想你自以为身材高大,力气了得,
只因你对付过一些弱小的人,那么几个。
要是奥德修斯回返家乡故地,倘若,
宫居的大门,尽管宽敞,会即时
变得挤仄,当你们仓皇奔命,沿着门道逃撤②。"

他言罢,怒气在欧鲁马科斯的心里升高,
恶狠狠地盯着他,用长了翅膀的话语斥道:
"看我揍你,恶棍,惩罚你的叫嚣,
喋喋不休,在男人群里胡说八道——你的心灵
不知惧臊!一定是酒浆迷乱了你的心窍,
要不便是天生这样,爱说废话唠叨。
你如此忘乎所以,只因已把要饭的伊罗斯击倒?"

言罢,他抓起一张脚凳,奥德修斯
下蹲杜利基昂的安菲诺摩斯膝前,

① 战场上,投枪是攻击敌人的第一手段。作为壮士,奥德修斯杀敌甚众,枪技应该精湛。然而,他承认与阿基琉斯相比,自己的臂力远为逊色(参考《伊利亚特》第十九卷第216—218行;至于腿力,恐怕差距要更大一些,参考本书第八卷第230—231行)。他的枪技也应该不如阿伽门农——阿基琉斯不无恭维地称后者为"最好的枪手",军中无人可以比及(《伊利亚特》第二十三卷第891行)。在本书第八卷里,奥德修斯自称的强项是弓箭(参考第214—222行,比较第十四卷第224—227行),尽管在《伊利亚特》里他既没有用弓箭杀敌,也没有参加过射箭比赛。

② 奥德修斯的描述形象、生动,绝对不比墨朗西俄斯的逊色(参考第十七卷第230—232行)。只是墨朗西俄斯的叫喊并没有兑现(该卷第229行无疑是对墨朗西俄斯自己的讽刺),而奥德修斯的预言却在日后得到了圆满的实现(他没有让一个求婚人逃出门外;参考第二十二卷第75—78、89—93和116—118行等处)。

惧怕欧鲁马科斯的气盛，后者投掷，击中
侍酒人的右手，酒罐嘎响，掉落泥尘，
端者仰面倒地，发出吟呻。
求婚人噪声四起，在幽暗的厅堂里腾升，
有人望着自己的近邻，说话出声[①]：
“但愿这陌生的家伙暴死，先于来此[②]，
在别地丧生，不至引发如此喧闹，阵阵。
眼下，我们在为要饭的吵争，盛宴将不再
使人欢悦，坏毒的事情会压倒畅顺[③]。”

其时，灵杰强健的忒勒马科斯对他们说话出声：
“怎么了，蠢货，你们已经发疯，无法

① 比较《伊利亚特》第二卷第271行等处。

② 比较第十四卷第68行和本卷第202行。

③ 第404行同《伊利亚特》第一卷第576行。

控制酒食的威力，不能！必是神明把你们弄昏[①]。
你们已吃饱喝足，回去吧，去家里睡躺息身，
谁个想回，在任何时分——并非我要硬赶谁人。”

他言罢，求婚人无不惊诧，把嘴唇狠咬，
有感于忒勒马科斯的放胆，说话的方式路套[②]。
其时，安菲诺摩斯对他们讲话，说道，
王者阿瑞提阿德斯之子尼索斯的儿子，英豪[③]：
“哦，朋友们，不要恨恼，不要用
粗暴的话语回复合乎情理的言告。
别再虐待生客，如前所做，别再

① 关于酒的“威力”，另见第 331 行。比较第四卷第 622 行。神掌控人的心理（当然，此乃史诗人物的理解），致送迷乱（ate），使人激情勃发，头脑发昏，做下有违理智的错事（参考第四卷第 261—264 行）。阿伽门农指责宙斯、命运和复仇女神用粗蛮的 ate 干扰他的心绪，使他做出抢夺阿基琉斯床伴的决断（参考《伊利亚特》第十九卷第 87—89 行），从而导致了阿开亚联军的第一号战将罢战［在该史诗第九卷里，阿伽门农承认自己头脑发昏（即受了 ate 驱怂），但没有抱怨宙斯或其他神明（包括神力）干预，参阅该卷第 115—116 行］。ate 使人的头脑处于迷沌状态，失去正常和良好的思考及判断能力，导致行动的鲁莽，由此（可以）与害人的 hubris 相连（参考本书第十七卷第 245 行注等处），伤害别人的利益，也导致自己的受损或毁灭（详见《伊利亚特》第九卷第 502—512 行）。ate 强调当事者的迷盲（blindness），以及由于“盲”（一种形式的无知）而导致的被骗（详见该史诗第十九卷第 91 行以下）。在这里，忒勒马科斯有感于求婚人的胡作非为，怒斥他们已经发疯（mainesthe），无法掌控自己的激情。诗人由此引入了神灵致送 mania（迷狂、疯迷），使人发疯失态的观点。古典时代的作家们对神致的 mania 颇为重视，柏拉图在《斐德罗篇》里对此专门展开了讨论，认为“最好的祝福来自神赐的疯迷”（244A）。在亚里士多德看来，“诗是天资聪颖者或疯迷者的艺术，因为前者适应性强，后者能忘却自我”（《诗学》第十七章 1455a 32—34）。参考并比较本书第十七卷第 385、514 行注。

② 第 410—411 行同第一卷第 381—382 行和第二十卷第 268—269 行。

③ 第 412—413 行同第十六卷第 394—395 行。参考第十六卷第 59 行注。

欺凌仆人，在神一样的奥德修斯的宫巢[1]。
来吧，让侍酒人斟满我们的盏杯，
待我们祭过神明[2]，各回自家的房所，
让忒勒马科斯留居奥德修斯的宫里，
对生客照料，后者置身他的府上，来到。"

　此人言罢，话语悦喜所有的他们。
慕利俄斯，来自杜利基昂的使者，英雄，
在兑缸里匀调酒浆，作为安菲诺摩斯的伴从。
他斟酒各位，依次，众人喝饮
蜜甜的浆酒，先行祭奠，洒对仙神。
洒过祭奠，全都喝得心满意足，
他们回家睡觉，各回自己的家门[3]。

---

① 第 414—417 行同第二十卷第 322—325 行。

② 参考第二卷第 431—433 行及相关注释和第七卷第 136—138 行。比较第十三卷第 53—55 行、第十五卷第 147—149 和 258 行及第七卷第 179—180 行。

③ 祭过神明，喝够浆酒，求婚人各回自己的家里睡觉(参看第三卷第 303 行注)。这对于伊萨卡本地的求婚人好办，但对来自外地的那批人，他们显然不能当晚离去，翌晨复又赶来。上文刚刚提及的安菲诺摩斯和慕利俄斯就都来自外岛杜利基昂，他们的夜宿问题如何解决？诗人显然应该，但事实上却没有对此做出明确的交待。求婚人中的绝大多数来自外地(参考本卷第 291 行注)，他们总不能都住在奥德修斯的家里(即便假设第 428 行里的"他们"指的是本地的求婚人)。倘若这些人在伊萨卡的馆驿留宿并在里面"包房"，倒也可以勉强算作"家门"，也算讲得过去，但诗人似应在上下文里对此做一简短的说明。我们称史诗是一种较能包容和"消化"疏漏的艺术，但这不等于说诗人可以任意"省略"，过多和分量过大地忽略必要的细节编排。

第十九卷

其时，卓著的奥德修斯留在厅堂，思考着
如何杀灭求婚人，凭借雅典娜的佑助[①]。
他当即讲说长了翅膀的话语，对忒勒马科斯送吐：
“我们必须收取武器，忒勒马科斯，在一个地方
存贮。当求婚人想起它们，对你询问
存处，你要用温和的语言蒙骗，应付：
‘我已搬走兵器，移出烟雾，它们已
不像奥德修斯赴战特洛伊时留下的械物，
灰头土脸，沾满烟火熏燎的黑污。
此外，某位神明在我心里注入一个
更周全的念头，担心你们会趁着酒兴，
站起来打斗，互致伤残，败毁宴饮

① 比较第十八卷第 344—345 行。关于雅典娜对奥德修斯的助佑，参阅第十三卷第 314 和 223 行注。另参考本卷第 33—34 行等处。

婚求。硬铁本身即有吸力,对人引诱[①]。'"

他言罢,忒勒马科斯听从亲爱的父亲,
召唤保姆欧鲁克蕾娅,对她说话开口:
"过来,保姆,把女人弄到屋里[②],待留,
我将搬走父亲精美的器械,搬进藏室
里头,眼下胡乱置放在宫里,被青烟熏得黑不溜秋,
父亲不在,而我那时还是孩童。
如今,我要将其搬走,搬至烟火熏不到的地方置留。"

其时,亲爱的保姆欧鲁克蕾娅对他说话,开口:
"我多么希望,亲爱的孩子,你能
学会懂事顾家,看护它的全部所有[③]。

---

① 第5—13行大致同第十六卷第286—294行。"硬铁……引诱"似像谚语,在此用以"总结"人物的讲话(相似的用法参考第十七卷第323和347行)。在科学落后的古代,人们对铁所具备的磁性茫然莫解,以为它带有某种魔力。在这里,"铁"亦可喻铁制的器械(或兵器);诗人巧用了铁的引力和兵器对壮士的引诱,带有双关的含义。有学者怀疑此言乃后人的增补,理由是荷马惯用"青铜"喻(青铜)兵器(参见第二十卷第315行和第二十二卷第219行等处),而不是sideros(铁)。然而,此论并不足以证明这句话一定就是伪作。在本卷第586行(原文第587行)里,诗人再次用了sideros一词,指铁斧。在《伊利亚特》里,sideros被用于指对铁制器械(如刀和箭簇)的例子更多(参考第十八卷第34行、第二十三卷第30行以及第四卷第123行;另参考该史诗第四卷第485行和第二十三卷第850—851行)。荷马生活在铁器得到普遍应用的时代(细读本书第四卷第293行注和第九卷第393行注等处)。史诗里出现过"铜的天空",也出现过"铁的天空"(参考第十五卷第329行注)。所以,评论家们显然不能因为出现了sideros(铁制器械),就对这句话的真迹地位予以断然否认。此外,鉴于它的格言性质,诗人似乎不宜将句中的"铁"换成"铜"——而如果调换的话,这句话(在这一特定的上下文里)所可能具备的双关含义也将荡然无存。

② 或作"里屋"解。

③ 比较雅典娜对忒勒马科斯的叮嘱(第十五卷第24—26行,但忒勒马科斯显然没有照此办理)。

告诉我，谁将替你携带灯火，陪你同走？
女仆们会司掌照明，但你不让她们参与事由。”

其时，聪颖的忒勒马科斯对她答话，开口：
“这位生客可以帮衬；我不会让人白吃
不干，悠闲[①]，即便对来自远方的户头。”

他言罢，保姆听从了此番话语送吐，
动手紧拴，将坚固厅堂的大门关堵。
父子二人，奥德修斯和他的儿子光荣，
起身搬运头盔、锋快的矛枪和战盾的
中心突鼓[②] ——帕拉斯·雅典娜先行引路，
擎举金灯[③]，照出一片绚美的光弧。
当即，忒勒马科斯对父亲说诉：
“父亲，这里有一个惊人的奇迹，我已目睹。
瞧这些屋墙，精美的基座，
还有杉木的横梁，撑顶它们的长柱，

① 职业乞丐通常以行乞为业，一般不为别人干活。参看第十七卷第223—228行和第十八卷第357—364行。注意忒勒马科斯在此称奥德修斯为xeinos(生客)，而非乞丐(参考第十七卷第508行注)，因此名正言顺地拥有了可以(指望)得到回报的期待。

② 或“有浮凸装饰的”。参考《伊利亚特》第十一卷第32—35行。

③ 关于神与黄金，参考第五卷第62行注。

全都在我眼前闪光，像燃烧的火焰漫铺[①]。
必有一位神明在此，他们拥掌辽阔的天空[②]。”

其时，足智多谋的奥德修斯对他答话，说诉：
“别说话，心知即可，不要询问[③]。
此乃神的方式，他们在奥林波斯居住。
你可前去睡觉，由我留在此地看护，
以便继续探察女仆，连同你的亲母[④]，

---

① 雅典娜显然没有对忒勒马科斯显现(参考第36行)，他之以为有神明照显，只是出于推断(第40行)。亮光来自女神擎举的金灯(或灯炬)，也来自女神本身，显示场面的宏伟、魂丽，或许也带有昭示或象征胜利之意。比较《伊利亚特》里阿基琉斯武装赴战时的那种绚丽夺目、流光溢彩的场面(第十九卷第369行以下；雅典娜已先行出现，给阿基琉斯滴入仙液，使“饥饿不致临附膝盖”，见该卷第349—354行)。显然，由于阿基琉斯的出战，阿开亚人的反败为胜已指日可待。当他逼近赫克托耳决战，神铸的铠甲放射出奇异的光芒，使赫克托耳见后浑身颤抖[连阿基琉斯的慕耳弥冬军士们见了也吓得惶然不知所措(该卷第14—15行)]，掉头逃跑(该史诗第二十二卷第131—137行)。灿烂的光辉预示着阿基琉斯将战杀赫克托耳，决胜战场。应该说明的是，“光”的出现在史诗(尤其是《伊利亚特》)里很是频繁，并非与胜利有必然的对应关系。在本书第二十二卷里，当奥德修斯及其助手们决胜求婚人时，厅堂里并没有出现有象征意义的“光”景。由此可见，对于“光”，尤其是一般的“光”，我们不应夸大(甚至不宜认为它拥有这种“能力”)它的象征意义。

② 参考第十六卷第211行及该行注。比较本卷第43行。

③ 奥德修斯毕竟经验丰富，知道必有神明显现，尽管此时他自己可能也没有眼见(参考第十三卷第312行及该行注)。他的意思是，这是神灵表达“意愿”的方式，凡人只可领会，不可言传。不过，荷马照例没有在“神秘”的路上走得太远。

④ 参考雅典娜对奥德修斯的评价(第十三卷第335—336行)。奥德修斯生性多疑，不会流于轻信(参考该卷第328行注和第十五卷第304行注)，这与他作为一个探察者的身份颇为相符。探察不仅限于冷静的观察——奥德修斯还会采取主动和“进攻”的姿态，主动激恼对方，然后观察分析对方的反应，以此“发现”他(或她)的真实想法(或对自己的真实态度)。参考第十五卷第304—339行(比较第十四卷第459行以下和第二十四卷第239—240和309—317行)。比较本卷第203—209和249—250行里裴奈罗佩在听过奥德修斯的叙述后所做出的反应。

她会强忍悲痛，问我，把诸事细问清楚。”

他言罢，忒勒马科斯从厅里走出，
回到自己的房间入睡，凭借火把引至床铺，
他在那里睡觉，每当甜蜜的睡眠临驻[①]。
这回他也在那儿入睡，等待神圣的黎明显露。
卓著的奥德修斯留置厅堂，思考着
如何灭杀求婚人，凭靠雅典娜的襄助。

其时，谨慎的裴奈罗佩从卧房下来，
像似阿耳忒弥斯或金色的阿芙罗底忒走出[②]，
他们放下椅子，傍依她常坐的火炉。
靠椅嵌饰白银象牙，巧匠
伊克马利俄斯的手工，接连息脚的
凳子，凳椅一体，椅上一张宽厚的
羊皮展铺[③]。谨慎的裴奈罗佩坐下，
白臂膀的侍女们从房间里走出。
她们收走大量食品，连同餐桌
酒杯，心志高豪的求婚人曾用它们饮喝，
摇动火篮，清除灰烬，落地，复添
成堆的薪木，续火照明，使暖气升拂。

① 比较《伊利亚特》第一卷第610行。

② 第53—54行同第十七卷第36—37行。参考该处相关注释。

③ 比较欧迈俄斯迎接奥德修斯和忒勒马科斯时的“张罗”（第十四卷第49—51行和第十六卷第46—47行）。“伊克马利俄斯”在史诗中出现仅此一例，或许也是个表义名称（参考第十八卷第5行注），许与“击打”“击砸”有关。

其时，墨兰索再次嘲骂奥德修斯，责辱[①]：
“陌生人，你是否打算整夜在此，纷扰
我们，在宫里溜溜达达，窥视女人？
出去吧，恶棍，满足于你的食份，
否则你会尝受掷出的火把，被逼赶出门。”

足智多谋的奥德修斯恶狠狠地盯着她，说讲：
“你这荡妇，为何此般怨恨，对我辱骂？
是因为嫌我脏秽，穿着破旧的衣裳，
要饭，行乞在这片地方？生存的需求逼我，
乞丐和流浪者的命运只能这样[②]。
我也曾在族民中拥有自己的住房，
富有、昌达，经常施助过往的浪人，
无论来者是谁，有何困难需要帮忙。
我有成千的奴仆，拥有各种好东西大量，
人们凭仗它们享受生活，被誉为富昌。

① 奥德修斯已用话语试探过女仆们，引出墨兰索的一顿辱骂（详见第十八卷第312—336行）。这一回，当着裴奈罗佩的面，他的反驳较前（见同上第338—339行）更显有力，带有说理的成分，涉及面亦远为宽广。

② “乞丐”和“浪者”此时均可代表奥德修斯的身份。如果主家愿意以友好的态度对待，奥德修斯还可以是一位生客（见第27行）。“浪者”似乎比“乞丐”在含义上更容易贴近“客人”（参考第十三卷第260行注）。参看第十七卷第508行注。本卷第71行里的“荡妇”原文作daimonie（参考第十四卷第443行注）。

然而宙斯、克罗诺斯之子败毁一切,他喜欢这样①。
所以,女人,小心尽失你俏丽的
容貌,据此你在女仆中享领风光;
当心女主人的恨怨,会对你怒火满腔②。
或许,奥德修斯还会回来,此事仍有希望③。
即便他死了,不可能返家,宫中
还有忒勒马科斯,他的儿郎,凭借阿波罗的
恩典④,和他一样强壮,女人中谁个
放肆,躲不过他的惩罚——此人已不是娃娃。”

---

① 第75—80行同第十七卷第419—424行。奥德修斯重复说过的话语,表述时大概不会绝无对“自我”的联想。当然,史诗中的客人大都按照既定的模式生活,任何“理想”的绅士大概都会按这里提及的方式“过日子”和待人接物。关于奥德修斯对朋友的慷慨,见第一卷第175—177行;关于他的慈善,见第二卷第234行和第四卷第687—693行;关于他的财富,参考第十四卷第95—99行。至于“成千的奴仆”(本卷第78行),大概是一种夸张。比较第十四卷第96行。然而,凡人的舒适和称心如意会招来神的妒怨。极度的富足和昌盛并非好事,超乎寻常的美满往往是灾祸的先导。参考第四卷第181行注。人生的悲惨(细品第十八卷第130—131行)还在于很难长期和不受惩罚地享过极其美满的生活。奥德修斯固然在编讲故事,却并非纯粹为了骗谎(或掩盖自己的身份)而进行虚构。故事是虚的,但它所讲出的道理却是“实”的,在古希腊人中有着广阔的“接收”市场。为了避免神的妒忌和由此而来的惩罚,凡人中的幸运者[如此时此地的墨兰索(她漂亮,并且还是求婚人的头儿、王者欧鲁马科斯的情妇)]应该知道收敛,比常人更加小心谨慎,力戒骄躁、蛮横,杜绝狂莽。

② 奥德修斯当然想听听裴奈罗佩对此事的反应,故以这句话“激挑”(参考第45行注)。

③ 参考第十七卷第525—527行和第十八卷第145—146行。奥德修斯以老乞丐的身份出现,尽可频频提及自己的回归,以便警示背叛他的女仆和求婚人。与此同时,他也知道,只要自己不以原形露面(或被知情者有根有据地发现),求婚人和女仆们便不会确信他已真的回返家院。参考第二十卷第194行注等处。

④ 在古代,人们供祭阿波罗的“理由”之一,便是以为他兼司培养年轻人的神职。关于阿波罗,另参考第一卷第24行注、第七卷第64行注和《伊利亚特》第一卷第38行注等处。

他言罢，谨慎的裴奈罗佩听闻说讲，
点名斥训女仆，对她发话：
“不要脸的东西，母狗[①]，你放胆的恶行我已
看察。你将丢掉脑袋，擦抹劣迹的肮脏[②]！
你知道此事，很清楚，因为你已听我
说讲，知我打算在厅堂里询问生客，
关于丈夫的情况——为了他我悲苦，非常。”

言罢，她嘱咐欧鲁诺墨，她的管家：
“搬过椅子，欧鲁诺墨，垫上羊皮一张，
以便让生客下坐，对我叙述，
听我说讲。我要问他，我想。”

她言罢，女仆当即搬来溜光的
座椅，放下，铺上羊皮一张。
卓著和历经磨难的奥德修斯坐息椅面，
谨慎的裴奈罗佩开言，率先说讲：
“陌生的客人，容我先说，亲自对你问话。
你是谁，来自何方？双亲在哪，还有城邦[③]？”

其时，足智多谋的奥德修斯对她答话，述陈：

---

① 参考第十八卷第 338 行注。

② 据说古人相信，杀祭后将刀上的牲血在牲品头上抹净，可以把割杀（祭畜）的罪过移栽到祭畜自己身上。参考希罗多德《历史》第一卷 155。裴奈罗佩的意思或许是：墨兰索不能推诿“责任”，将为自己的错恶负责。比较索福克勒斯《厄勒克特拉》第 445—446 行。

③ 裴奈罗佩按照史诗里通行的程式问话（参考第十五卷第 264 行；比较第三卷第 71—72 行、第七卷第 238 行和第八卷第 572—573 行）。

"生活在无垠大地上的凡胎，夫人，谁也不能
对你指责，你的声名朝向辽阔的天穹攀升①。
像似某位国王，一个豪贵之人畏神，
统治掌理许多强健的族民，
执法公正，乌黑的泥土献给他
小麦和大麦，树上累累的硕果低沉，
羊群持续产羔，鱼儿丰产海中，得益于
他的领导，英明，人民的生活昌盛②。
别的事儿你随便发问，在你的房宫，
只是不要问我是谁，故土的名称，
以免引发凄楚的回忆，使我
心头的苦痛加深。我是个饱受患难之人，
不该坐在别人家里哭悼，悲嚎

① 奥德修斯曾以同样的词语赞褒自己的名声(第九卷第20行)。在此，他以有求于人的乞丐身份赞美(或恭维)裴奈罗佩，读来虽稍显过分，倒也合乎时宜。比较他对娜乌茜卡的礼赞(第六卷第149—169行)。在回答阿尔基努斯的问话时，他亦以主人乐于听闻的赞词开篇(第九卷第2行以下)。比较他对阿瑞忒的答言(第七卷第241行以下；和在这里一样，他机警地避开了对"你是谁"的回答)。

② 在当时，这或许已是一种常识性的见解，一位理想(或好)的国王应该敬畏神灵，治国有方，英明，由此带来物产的丰足，人民的生活昌盛(比较柏拉图《国家篇》第二卷363B—C)。荷马对王者(或统治者)的公正寄予了莫大的期望。王者的素质如何十分重要，因为他是代表国家权威和统治的"常务"司政者。从伊萨卡的国情可以看出，国王的"缺席"将严重影响议事会(boule)和公民大会(agore)的正常召开，他在国事活动中的作用别人不可替代。注意诗人在一个明喻里表述了他对国王和治国的见解，用了五个半行次对"像似某位国王"进行了发挥，使明喻拥有了自己的情节，既配合了叙述的展开，又开拓了明喻的表述空间，丰富了表义的方式，增添了文本结构的活力。关于明喻和明喻情节，参考本书第五卷第53、398行注和第六卷第130行注；关于明喻与现实生活的"关系"，重点参考第五卷第490行注和第十三卷第34行注。

出声。此事不好，停止恸泣不能[①]。
你的女仆，或你本人，会指责我的不慎，
怪我泡泳在泪水里，心灵被浆酒昏沉[②]。”

其时，谨慎的裴奈罗佩对他答诉：
“陌生的客人，长生者毁了我的丰韵全部，
毁了我的美貌和体形，当着阿耳吉维人前往
伊利昂，登船离去，偕同奥德修斯，我的丈夫。
假如他能回来，主导我的生计，
我便会有更好的名声，更高的荣誉[③]。
现在，神明给我这许多悲苦，使我忧郁。
所有镇领海岛的他们，那些权贵，
来自杜利基昂、萨墨和林木繁茂的扎昆索斯，
连同众多伊萨卡的望族，来自阳光明媚的本地，
都在追我，违背我的意愿，把我的家产荡除[④]。
所以，我疏于接待生客和求助的来人，
无暇顾及信使，他们服务于民生[⑤]，

① 凡事都要有个限度，包括恸哭。阿基琉斯获得新甲后，奥德修斯亦曾劝他别让军士们过多沉湎于哭悼，而应吃饱喝足，投入战斗(详见《伊利亚特》第十九卷第228—232行)。比较本卷第122行注。

② 奥德修斯爱哭，连他自己或许也无意否认。参考第八卷第88行及该行注等处。在第十六卷里，还是忒勒马科斯率先辍止父子相认后的嚎哭，开始询问(参考第220—221行)。参考并比较第二十卷第18行注。

③ 第123—129行大致同第十八卷第250—256行。

④ 裴奈罗佩在此大致重复了忒勒马科斯对奥德修斯说过的话(参见第十六卷第122—125行)。另见第一卷第245—248行。参考并比较第二十卷第211—213行及相关注释。

⑤ 除了在第十七卷第383—385行里提及的四类专业人员外，诗人在此把信使也纳入了demioergoi的行列。参考第十七卷第385行注。关于“信使”，参考第八卷第62行注。

总在耗糜我的心灵，想念奥德修斯盼等。
这些人逼我成婚，而我则编设计谋混蒙。
初始，神明在我心里注入织纺的念头，
要我安置一架偌大的织机，就在房宫，
开始编制一件宽长精美的织物，我话对他们：
'年轻人，追求我的人们，既然卓越的奥德修斯
已经死去，你们何不等等，尽管急于娶我，
待我做完此事，使织工不致半途而废不成。
我为莱耳忒斯制作披裹，为一位英雄，以便
当死亡，当那份注定的悲苦将他逮住之时，
邻里的阿开亚女子不致怪罪于我①，
让一位拥攒丰广家产的人士，死后无有织布裹身②。'
我言罢，说动了他们高傲的心魂。
我白天忙碌在偌大的织机前，从那以后，
夜晚则就着火把，将织物拆散从头。
如此三年，我瞒过他们，使阿开亚人信以为真。
随着第四年的来临，季节的转动，
月份消逝，日子一天天移走，
他们通过我的女仆，那些个放胆、无耻的女人，
得知实情，过来，当场揭穿，骂我出声。

---

① 裴奈罗佩知道舆论与人的名声相关。参考第十六卷第 75 行及该行注释。比较第二卷第 64—66 行。别忘了话语是"长了翅膀的"信息载体，既可使人名扬千古，也可使人遗臭万年。

② 比较《伊利亚特》第二十二卷第 508—514 行。奥托墨冬和阿尔基摩斯从普里阿摩斯的赎礼中留下两件披篷和一件衫衣，以便使老人在运送儿子的遗体回城时，能用它们作为裹尸的用物（该史诗第二十四卷第 580—581 行）。除必要的人称变动外，本卷第 139—152 行同第二卷第 94—107 行。

所以，我违心背意，只好完成①。
现在我已难逃这场逼婚，想不出
别的计筹，父母催我再嫁②，儿子
眼见这帮人吃耗家产，已心生烦愤③。
他察知一切，已经长大成人，足以
照看家居，宙斯给了他这份光荣。
尽管如此，告诉我你是谁，来自何方——
你不会出自传说里的橡树，或从石头里诞生④。”

其时，足智多谋的奥德修斯对他答话，说道：
“哦，莱耳忒斯之子奥德修斯尊贵的妻子，
看来你是不打算停止，究问我的身世？
我将告诉你，虽然你会使我更加伤心，
如此，但这是出门之常，当有人
离开故乡，像我一样长久，
吃苦受难，浪迹许多凡人的城市⑤。
我将答话，回答你的诘询盘问，尽管如此。

---

① 比较第二卷第 110 行。参考该行注。

② 参考第十五卷第 16—17 行。裴奈罗佩的父亲是伊卡里俄斯(见第一卷第 328 行)，母亲的名字没有出现在《奥德赛》里，据传为女仙裴里波娅。

③ 参考第一卷第 249—251 行。忒勒马科斯与母亲的关系不甚和谐(参考第十七卷第 46—47 行及相关注释)。

④ 在荷马生活的年代，诸如人的祖先出自树或石头的提法大概已是古训。参考《伊利亚特》第二十二卷第 126—127 行以及《神谱》第 35 行的“不谋而合”；另参考《伊利亚特》第十六卷第 34—35 行和第 35 行注。注意裴奈罗佩的幽默。史诗里有宙斯是神和人的父亲的提法(连波塞冬都称宙斯为父亲，参考本书第一卷第 81 行及该行注；另参考《伊利亚特》第三卷第 320 行等处)，不知裴奈罗佩在认同之余，对此是否还会产生点什么别的想法。

⑤ 参考第一卷第 3 行。

酒蓝色的大海中央有一座海岛，人称克里特①，
土地肥沃，景色秀美，海浪怀抱城池，
人多，多得难以数清，拥有九十座城市②。
那里语言繁杂，住着阿开亚人③ 和
心志豪莽的厄特俄克里特人④，还有库多尼亚人⑤、
分成三个部族的多里斯人⑥ 和高贵的裴拉斯吉亚
　人氏⑦。

---

① 奥德修斯一以贯之地谎称自己为克里特人（参考第十三卷第256行注）。

② 在《伊利亚特》里，荷马称克里特有一百座城镇（第二卷第649行，可能为泛指，在此则相对趋于“精确”）。本卷第172—179行和《伊利亚特》第二卷第645—652行为现存有关克里特岛最早的历史资料，颇受西方史学家及相关学科的专家们的重视。

③ 指定居克里特中部的慕凯奈人（即希腊人）。据《伊利亚特》介绍，伊多墨纽斯曾统领该地的希腊军兵参加特洛伊战争（参考该史诗第二卷第645—652行）。希腊人的另两个使用率低于阿开亚人的名称为达奈人和阿耳吉维人（其狭义所指为“阿耳戈斯人”）。

④ 即“真正的克里特人”，指岛上的土著居民，有自己的语言，沿用至公元前四至前三世纪，主要居城为普莱索斯，位于岛屿的东端。

⑤ 诗人称库多尼亚人居住在亚耳达诺斯河畔（参考第三卷第292行），位于克里特北海岸的西端。据古代旅行家包桑尼阿斯的并不一定十分可信的考证，库多尼亚人的祖先来自阿耳卡底亚的忒格亚（即来自伯罗奔尼撒）。

⑥ “多里斯人”的出现加重了某些西方学者对第175—177行可能系后人续貂的疑心。“多里斯人”仅在此一处出现；此外，或许是为了保持史诗的“古貌”，诗人对较晚进入希腊本土和伯罗奔尼撒并逐渐向外扩展的多里斯（或多里亚）人的入侵一事缄口不谈。参考第十八卷第246行注。然而，《伊利亚特》里的相关描述或许从一个侧面肯定了多里斯人在罗德斯的定居，并称他们的首领特勒波勒摩斯为赫拉克勒斯的儿子（赫拉克勒斯乃传说中多里斯人的祖先），“居家岛上，民众一分为三”（第二卷第653—655行）。由此看来，荷马似乎知道多里斯人三分族民的传统提法，只是在对居地的描述上出现了变异或有意识地巧用了史诗艺术所能容忍并可借以增添魅力的“模糊”（当然，多里斯人的三部分族民可以一分为三的形式分居在不同的地方）。在这一问题上，包括对关键词 trichaikes 的释解，学界的争论仍在继续。

⑦ 如何正确或令人信服地解释裴拉斯吉亚人的来龙去脉，始终是一个困惑古今

岛上有一座伟城，名克诺索斯①，米诺斯②
在那里为王九年，能够通话大神宙斯，
是为我的祖父，心胸豪壮的丢卡利昂的老子。
丢卡利昂生养两个子嗣，我和王者伊多墨纽斯，
伊多墨纽斯乘坐弯翘的海船去往伊利昂③，
随同阿特柔斯的儿子。埃松是我光荣的名字，
兄弟中我出生较晚，他比我年长，比我勇敢强似。
我在那儿结识，招待过奥德修斯④，
在进军伊利昂的途中，劲风将他刮离，
带到克里特，掠过马勒亚其时⑤。

学者的老问题。荷马接过了古代史诗繁复的内容，也接过了它的地理和人种学的朦胧。在《伊利亚特》里，裴拉斯吉亚人是特洛伊人的盟友(参见第二卷第 840 行和第十卷第 429 行)，居家小亚细亚。形容词 Pelasgikos 被用于修饰多多那的宙斯和阿耳戈斯(分别参考该史诗第十六卷第 233 行和第二卷第 681 行)。几百年后，历史学家希罗多德在这一问题上似乎亦没有走出扑朔迷离的怪圈。在《历史》第　卷第 56—58 节里，他认为裴拉斯吉亚人为一非希腊民族，而在该书第二卷第 52—56 节里，他又转而倾向于接受裴拉斯吉亚早先为赫拉斯(即希腊)之统称的观点。

① 克里特古代名城，二十世纪初经英国人 Arthur Evans 发掘，出土了一批珍贵的文物。

② 传说为宙斯之子，克里特先王，有兄弟拉达门苏斯(第四卷第 564 行)。参考第十一卷第 568—571 行及相关注释。

③ 参考《伊利亚特》第二卷第 645—652 行和第十三卷第 448—453 行。比较本书第十四卷第 235—242 行(奥德修斯对欧迈俄斯的叙述)。该卷第 199—206 行的描述和这里颇有出入。奥德修斯即兴发挥，随意编造“履历”。幸好欧迈俄斯此时不在场，并且在对裴奈罗佩通报时没有涉及更多的细节(参考第十七卷第 513—527 行)。

④ 参考第十七卷第 525 行。

⑤ 关于马勒亚，参考第九卷第 80 行及该行注。

他在安尼索斯停船,那里有埃蕾苏娅的深洞①,
在一处难以泊驻的港湾,从风暴里死里逃生。
他当即出发进城,询问伊多墨纽斯的住处,
声称是后者尊敬和爱慕的宾朋。
然而,那已是伊多墨纽斯离家的第十或十一个
早晨,率领弯翘的海船,向伊利昂出征。
是我把他带到家里,热情招待,
聊表地主的友谊,用家里的贮存丰盛。
至于同来的伙伴,跟随他远征,
我从公库调取食物,给他们大麦和闪亮的浆酒,
连同祭用的牛鲜②,愉悦他们的心衷。
高贵的阿开亚人在岛上住了十二天,
碍于滞阻的北风横生,强劲,刮得人难以
在地上站稳脚跟——必是某位愤怒的神明起风。
第十三天风暴停吹,他们出海登程。"

① 埃蕾苏娅司掌人间婴儿的生育,为一古老的女神,名字的出现当早于印欧语系的产生,其司职日后渐由阿耳忒弥斯接替。Joseph Russo 教授认为,埃蕾苏娅有可能是新石器时期"大母亲"或"大女神"原型在后世的体现或"延续"。

② 史诗人物的食谱中通常没有蔬菜。大麦为制作面包或面饼的原料。参考第二卷第 354—355 行及相关注释。注意埃松(即奥德修斯)对从公库调用食物待客的提及。参考并比较第十三卷第 14—15 行。

他讲说许多谎话，如同真事一样①。
裴奈罗佩听着落泪，淌流，身体酥软，
像那积雪在高山之巅融解，
西风堆聚雪片，南风将其融化，
雪水注入河里，河水因此猛涨②。
就像这样，泪水滚涌她美丽的脸颊，裴奈罗佩
哭念丈夫，其时正坐在她的身旁。奥德修斯
心里怜悯妻子，念其为他悲伤，
但他的眼睛目视沉稳，似用铁或硬角做成，

---

① 当事人(参考第十一卷第369行注、第八卷第490行及该行注和第十三卷第256行注等处)的讲述既可以逼真，也可以真真假假(参考并比较赫西俄德《神谱》第27行)。关于奥德修斯的叙事功夫，法伊阿基亚权贵们早已有过领教(细品本书第十三卷第1—2行)，欧迈俄斯亦曾给予高度的评价(第十七卷第514—521行)。参考第十一卷第368行注、第十四卷第363和379行注。参考并比较第十二卷第254行注等处。关于语言的魅力，参考第四卷第598行注和第十二卷第39行注等处。应该指出的是，荷马在"原则"上并不认为诗人(或歌手)可以或"会"讲说假话。这或许便是他与赫西俄德的不同。如果说当事人可以在叙述中掺杂谎话，用以欺诓，骗取主人的招待，诗人则讲说真实的故事，用诚实的劳动(诗人是为民众服务的人)获取应得的报酬，依靠公平的交换谋生。故事的来源决定了诗人讲述的真实性。首先，缪斯的教授应该不会错，使诗人的讲诵听来"逼真"；其次，倘若诗人曾身临其境，或亲耳听过当事人(真实)的说讲，他的叙述也会反映"事实"，如实展示"实况"(即事态发生与变化的真实景状；细读第八卷488—492行)。不少西方学者把本卷第203行和《神谱》第27行进行过等义的比较，却忽略了一个不应忽略的事实，即荷马在此推出的是当事人(他自己则掩隐其后，参考第十卷第307行注)，而赫西俄德则自己走上"前台"，以诗人的身份讲述。

② 当一般的情节语言难以表达喜怒哀乐的"炽烈"时，荷马会借用多行次的明喻语言的容量，使其承载高强度的情感迸发，通过充满诗意的文学化和形象化表述，使人物的感觉在比喻构设的情景中得到聚炼和升华。参考第十卷第410—415行和第二十三卷第233—238行及相关注释。另参考第十六卷第216—219行。荷马善于用明喻升华悲情，也会用隐喻(参考第二卷第269行注等处)凝炼地表示人物的悲痛(参看《伊利亚特》第十七卷第591行和第十八卷第22行里"悲痛的乌云")。

在睑盖里不动坚强，狡狯，忍住泪水掩藏[1]。
当裴奈罗佩哭够，泪水尽情滴淌，
于是复又对他答话，开口说讲：
“现在，陌生的客人，我打算对你验察[2]，
看看你是否真的招待过我的丈夫，连同他的
伙伴神祥，如你所说，款待在你的宫房。
告诉我他当时身穿什么衣服，相貌
怎样，另可说说他的伙伴，随他前往。”

其时，足智多谋的奥德修斯对她答话，说讲：
“此事难呢，夫人，追述久远的既往，
那是二十年前的事情，自从
他临抵，复又离开我的国邦。
不过，我仍将对你描述，凭借心里记住的印象。
卓著的奥德修斯身穿紫色的羊毛披篷，
双层，别着黄金制作的饰针衣搭，
连带两条针扣，正面用精美的图纹装潢。
一条猎狗逮住带斑点的小鹿，抹在前爪，
撕咬，窒息它的挣扎——观者无不惊叹，
尽管图像本为黄金，却能鲜活这样：猎狗扑扭小鹿，

① 爱哭和会哭的奥德修斯此时显得十分坚强。诗人在此适时用了“铁”和“硬角”，凸显（或外在化）奥德修斯性格和意志的刚强。比较第 212 行注。关于 sideros（铁），参见第 13 行注；另参考第四卷第 293 行注、第九卷第 393 行注和第十五卷第 329 行注。眼神乃内在情感和意志的表露（参考第十八卷第 337 行）。

② 奥德修斯在考验（或探察）妻子，裴奈罗佩也在对眼前的这位陌生人（亦即她的丈夫）“验察”。

咬住喉管，后者蹬动肢腿，挣扎，试图逃亡[①]。
我还注意到他晶亮的衫衣，
穿在身上，宛如风干的蒜皮，
轻软、剔透，像阳光一样闪亮，
招引许多女人凝视，赞赏。
我还有一事相告，你要记在心上。
我不知奥德修斯的这身穿着是取自家里，
是登临快船时得之于朋伴的赠送，
还是体现外邦人的礼数获享——奥德修斯的
朋友众多，阿开亚人中很少有人比攀。
我本人赠他一柄铜剑，一领紫色的双层
披篷漂亮，连同一件衫衣、缝着边镶[②]，
送他出海，满载光荣，乘坐凳板坚固的船舫。
我还记得一位信使，随他，年龄
比他略大，我愿对你讲述，描绘他的形象。
此人双肩躬曲，肤色黝黑，密长一头鬈发，

① 诗人赞美金匠绝佳的造型艺术，使观赏者能从静态的景观上体验到鲜活的动感。诗人的出色描述一点也不逊色于金匠的艺术造诣，用语言的彩笔勾勒出一幅栩栩如生的图画。诗人刚刚展现过他擅长描述大场面的才华（参考第205—207行；另参考第十二卷第235—239行），此时仿佛感到有必要在描写细小的景观上小试锋芒，使听众领悟以静示动、诗中有画的美感——果然出手不凡。此外，让奥德修斯讲述此番话语，在"人选"上也显得颇为恰当，一则可以显示奥德修斯的文化涵养和艺术鉴赏力，二则也可表现他对猎事的熟悉（参看第十七卷第312—317行），至少在客观上可与下文中即将出现的他曾在帕耳那索斯山上猎杀野猪一事（本卷第392行以下）有所连搭。史诗人物对美的体验敏感、投入（参考第229行；另参考第八卷第366行和第六卷第169行注等处；比较第八卷第384行注）。

② 剑和衫衣、披篷等既有实用价值，又是送人的礼品佳物（参考第十六卷第79—80行）。另参考第十五卷第85行注。

名叫欧鲁巴忒斯[①],深得奥德修斯赞赏,
尊他,甚对其他伙伴,只因两人心计投合,相仿[②]。"

他言罢,勾发了女主人悲哭的激情更强,
听知确凿的言证,从奥德修斯的说讲。
当裴奈罗佩哭够,泪水尽情滴淌[③],
于是复又对他说话,答讲:
"我只是同情你,陌生的客人,在此之前,
但现时你已是我尊敬的朋友,在这座宫房。
是我亲手给他那身衣服,如你描述的那样,
在房间里叠好,给他别上闪亮的衣针,
作为装潢。然而,我却再也不能
迎他归来,返回他亲爱的故乡。
那是个糟透的日子,奥德修斯登上深旷的海船,
去往邪恶和不堪言喻的伊利昂[④]。"

其时,足智多谋的奥德修斯对她答话,说讲:
"哦,莱耳忒斯之子奥德修斯尊贵的妻子,

① 在《伊利亚特》里,奥德修斯有一位名叫欧鲁巴忒斯的信使(第二卷第 184 行),但诗人没有提及他的长相。双肩躬曲自然不美(比较该史诗里塞耳西忒斯的丑陋长相,见第二卷第 217—219 行),但"肤色黝黑"却不带贬义(比较本书第十六卷第 175 行)。肤色与密长的头发相配(比较塞耳西忒斯头发的稀疏,见《伊利亚特》第二卷第 219 行),使某些西方学者产生了欧鲁巴忒斯乃非洲黑人(如埃塞俄比亚人)的设想。

② 比较奥德修斯与奈斯托耳的齐心协力(第三卷第 127—129 行)。参考第十八卷第 281—283 行。关于奥德修斯和雅典娜的"相仿",参见第十三卷第 296—299 行。

③ 裴奈罗佩刚刚哭够(见第 213 行),现在复又泪流满面。痛哭可使人发泄(亦即释放)积郁的感情(包括悲情),在体验悲楚的同时欣享随之而来的快感。参考第十五卷第 400 行注和第十六卷第 214—219 行。

④ 相同的表述见第 597 行和第二十三卷第 19 行。

别再损毁你秀美的肌肤，别再哭念丈夫，
碎糜你的心房。我不怪你，不——
女人失去婚配的夫婿都会悲伤[1]，
那是她欢爱的伴侣，一起把孩子生养，即便
此人不及奥德修斯，人说他像神明一样。
别哭了，现在，认真听我说讲，
我不会骗你，不打算隐藏，告诉你
听知的消息，奥德修斯即将返航，
已在附近，在塞斯普罗提亚人富足的国邦[2]，
活着，带着许多积攒客乡的财富
回家。但他失去了可以信靠的伙伴，
连同深旷的海船，在那酒蓝色的大洋，
其时离开斯里那基亚海岛，因为宙斯与
赫利俄斯恨他，发现他的伙伴把太阳神的牧牛宰杀[3]。
为此，他们全都死在波涛汹涌的海洋，
只有奥德修斯一人跨坐船的龙骨，被激浪
冲上法伊阿基亚人的滩岸，他们乃神的后裔，
打心眼里敬他，仿佛他乃神明，就像，
给他许多东西，愿意送他出海回家，
不受损伤[4]。所以，奥德修斯早就可以

① 比较第八卷第 521—525 行。

② 参考第 287—299 行及相关注释。

③ 关于奥德修斯一行在斯里那基亚岛上的活动及以后的遭遇，参阅第十二卷第 260—446 行。

④ 参考第五卷第 451—493 行和第十三卷第 10—15 行。注意第 277—279 行的巧妙“衔接”。奥德修斯将一行人乘船离开斯里那基亚岛后海船被毁，和七年后他独自一人乘坐筏船驶离俄古吉亚岛后航具遭毁二事精巧糅合，“混为一谈”，从而使他得以直接在斯开里亚登陆，避开了与卡鲁普索的“纠缠”。

返家，但他心想获得更多的收益，
聚敛财富，在宽广的大地上巡访。
奥德修斯精晓聚财的门道，会死的
凡人中无人可以攀比，比他胜强①。
这些是菲冬对我的言告，塞斯普罗提亚人的国王。
他对我当面发誓，祭洒在他的宫房：
航船已被拖下大海，船员已准备停当，
载送奥德修斯回去，归返亲爱的国邦。
但他送我出航，在此之前，因为碰巧有一条
塞斯普罗提亚海船行往盛产小麦的杜利基昂。
他让我看视奥德修斯收聚的全部财富，
足以给十代子孙提供食飨，
如此众多的财物，存藏在国王的宫房。
他说奥德修斯去了多多那，从那棵神圣、
枝叶高耸的橡树聆听宙斯的意向：
他将如何返回神圣的国度，
是秘密潜入，还是公开登临久别的故乡②。
所以，放心吧，他呀安然无恙，正在返家③，
近临此地，不会长期久别他的亲朋

① 在奥德修斯几乎是无所不具的优点上（参考第十四卷第 228 行注和第十五卷第 324 行注等处），荷马又加上了“会敛财”一条。客访乃和平时期史诗人物增聚财富的途径之一。但奥德修斯带回的财富全部得之于法伊阿基亚权贵的赠送；此外，他从斯开里亚直抵伊萨卡，途中未作停留，因此谈不上（或不可能）“在宽广的大地上巡访”（本卷第 284 行）。

② 比较第十一卷第 120 行。在本卷第 287—299 行里，奥德修斯基本上复述了对欧迈俄斯讲过的“往事”（参考第十四卷第 316—335 行及相关注释）。

③ 比较第 270 行。奥德修斯重申自己正在返家（事实上已在家中），或许意在探察裴奈罗佩的“看法”。参考裴奈罗佩对此的反应（见第 312—313 行）。参考并比较第 84 行注。

国邦。我可对你起誓,庄重说讲。
请至高的神主宙斯做证,还有这张桌子的客谊,
连同豪勇的奥德修斯的火炉,我对之求祈①,
所有的一切都将实现,一如我的说及。
奥德修斯将会归返,在年内的某时回抵,
当着旧月昏蚀,或新月显迹②。”

其时,谨慎的裴奈罗佩对他答话,说告:
“但愿你的话,陌生的客人,会得到应报。
如此,你会即时知晓我的友善,给你许多
礼物,让遇见的人们夸你幸运,称道③。
然而我的心灵预感④,事情将会这样发生。
奥德修斯绝不会回返,你也难以踏上
归程,家中无人发号施令,像奥德修斯
那样——倘若他曾活在世上⑤ ——统领众人,
招待尊敬的客访,礼送他们登程。

---

① 第303—304行同第十七卷第155—156行。比较《伊利亚特》第十九卷第258行。本卷第303—307行大致同第十四卷第158—162行。参考第二卷第378行注。

② 第306—307行同第十四卷第161—162行。有学者将第306行里的lukabantos与阿波罗(即Apollo Lukeios,参考《伊利亚特》第四卷第101行注)联系起来,认为lukeios(或lukios)可能派生自leug-(比较拉丁词lux和luna),含“光”或“光闪”之意。由此推断,奥德修斯将在新月伊始的当天(也就是庆祭阿波罗的时日)杀灭求婚人。但此解仍有值得商榷之处,尚未得到学界的普遍认同。

③ 裴奈罗佩已把眼前的浪人当作奥德修斯家族的好朋友(参考第253—254行)。第309—311行同第十五卷第536—538行。

④ 心灵的感觉(包括预感)并非全部来自神明(参考第十四卷第273行及该行注)。事实上,在史诗里,一般和常规的感觉通常是属于人的。

⑤ 相似的表述见《伊利亚特》第三卷第180行和第二十四卷第426行。

来吧，侍女们，净洗他的双脚[①]，把床椅备整，
搁置铺垫、披盖和闪亮的毛毯，
让他睡得舒暖，迎来享用金座的黎明，待等。
你们要给他沐浴抹油，明天清晨[②]，
使他能下坐忒勒马科斯身边，
在厅堂里享用餐份。事情将会更糟，
倘若有谁对此人施加糟毁心灵的愤烦，
他将不可能得逞，在此，不管他多么激恼怨恨。
你怎能知道，陌生的客人，知晓我的
睿智和精明[③] 超胜所有的女流她们，
倘若你脏身不洗，衣着破烂，食宴在
我的房宫？凡人的一生短暂，
倘若为人苛刻，心地酷狠，
世人便会祈盼活着的他遭受
痛苦，对死后的他进行嘲讽。
然而，倘若为人耿直，心思纯正，
受过他礼待的宾客会在人间广传
他的美名，众人会对他交口颂称。”

---

① 出于情节发展的需要，诗人在此特意安排了史诗里绝无仅有的让侍女替客人洗脚一幕，而把常见的沐浴推迟到“明天清晨”（第320行）。参看第320行注。

② 事实上，这里提及的沐浴并没有如期（在史诗里）“发生”，尽管裴奈罗佩在下文里强调了客人必须洗澡洁身的理由（见第321—328行）。诗人关心的是“洗脚”，但似乎又要顾及礼仪和常规，故而在此仅用“沐浴抹油”一笔（确切地说应为“一言”）带过。奥德修斯的沐浴在史诗里迟至第二十三卷第154里方始出现。参考本卷第317行注。

③ 即noos（同nous，为后世古希腊哲学家们常用的核心词汇之一）和metis，二者均为奥德修斯的智能“属性”。参考并比较第十三卷第332行和本卷第136—138行等处。metis拆成两个字即为me tis（无人），意思同outis，但后者不能触发前者所包含的与metis“有关”的联想。在第九卷里，诗人巧妙利用二者的这一区别，成功地做了一次文字游戏（参考该卷第405—414行及相关注释）。

其时，足智多谋的奥德修斯对她答话，出声：
“哦，莱耳忒斯之子奥德修斯尊贵的夫人，
我讨厌床褥和闪亮的毛毯[①]，
自从离开克里特积雪的山峰，
出海，在带长桨的船舟坐乘。
我将像往日一样挨熬不眠的长夜，
已有多少个夜晚蜷缩在脏陋的床椅，
等盼享用金座的黎明用璀璨司晨。
此外，洗脚亦不会给我的心灵带来欢乐，
我不要任何女人触摸我的腿脚，
不要宫中帮仆干活的女佣[②]，
除非有一位上了年纪、心地善良的女人，
她的心灵承受痛苦，和我的一样多深。
如果由她动手洗脚，我将无有怨恨。”

---

① 奥德修斯的公开身份是乞丐，此时显然不宜享受奢华，而多年的征战和漂泊亦使他养成了“将就”的习惯。一边是侵权者（即求婚人）的挥霍，一边是主人（指奥德修斯）的清苦，诗人在此造成了强烈的反客为主的对比，以提供“实例”的形式充实了上文里裴奈罗佩所作的相对抽象的表述（见第 329—334 行）。比较出征时他的风光派头（参见第 225—235 行）。奥德修斯享得荣华，也守得清贫，能上能下（参考第七卷第 142 行注）。

② 从第 346 行开出的“条件”可以看出，奥德修斯不愿让年轻的女仆为他洗脚。奥德修斯受过墨兰索的辱骂（见第十八卷第 321—336 行和本卷第 65—69 行），此时自然记忆犹新。欧鲁克蕾娅善解人意，或许道出了奥德修斯的心衷（参考本卷第 371—374 行）。不过，奥德修斯应该清楚，听了他的解释后，裴奈罗佩很可能会指派欧鲁克蕾娅担当此任——他是否有意见见这位阔别多年的老保姆并借机对她进行一番（他所乐此不疲的）考察？事实上，诗人需要老保姆的出场，以便适时发现奥德修斯，由此推动情节的发展，有步骤地继续展开人物的发现和被发现的进程。从这个意义上来说，奥德修斯的言论既符合人物此刻的心态，也在客观上协助了诗人的工作，顺应构思的需要。

其时，谨慎的裴奈罗佩对他述陈：
“来者中从未有过如此慎思的凡人，亲爱的
朋友，从远方临抵，作客我的房宫。
你的话说得如此周全，句句适合体统[①]。
我确有一位女仆老人，她的心智明慎，
曾经抚养我不幸的丈夫，照料认真，
将他抱在怀里，在娘亲生他的时分。
她将盥洗你的双脚，虽然力亏，已是老迈之身。
来吧，谨慎的欧鲁克蕾娅，起来，净洗
他的腿脚，年龄相仿你的主人[②]。奥德修斯
眼下也会有这样的双手腿脚，和他的同等[③]，
不幸的逆境里，凡人的老态速增。”

她言罢，老妇双手捂面，掩起，
抛洒热泪，对他说话，饱含怜悯：

① 不知当时的乞丐们是否都有在宫里溜达并趁机窥视女人的喜好（参考第66—67行）。裴奈罗佩称赞奥德修斯慎思，大概亦与他选择老妇为自己洗脚，因而显得稳重和老成有关。

② 如果雅典娜没有把他变回原样，奥德修斯此时还应是一个老乞丐的模样（参考第十八卷第69行注）——裴奈罗佩凭什么看出他的年龄“相仿你的主人”？然而，在本卷第360行里，她又似乎“暗示”奥德修斯是个老人（至少显得老相），显然不应是他此时（在正常情况下）应有（或本人）的形貌。不知是诗人忽略了对此做出必要的交代，还是放手利用了史诗较能容纳疏漏的特点（参考第十八卷第213行注），故意略而不谈？

③ 在史诗里，人物可以凭手和脚的样子（或综合眼神、头型、发绺、体形和声音等因素）辨别生人（参考第四卷第148—150行和本卷第379—381行）。在这一点上（连同在其他许多方面一样），埃斯库罗斯与荷马的“见解”和表述一脉相承（参看《奠酒人》第167—178、205—210及226—230行）。特洛伊战争期间（或破城之前），海伦曾识破（即认出）扮作乞丐入城刺探军情的奥德修斯（本书第四卷第249—250行）。

"唉,苦哇,我的孩子[①],我帮你无力。必是宙斯
恨你,甚于对别的凡人,尽管你敬畏神明。
人间谁也不曾像你那样[②],焚祭过这么多
腿件,给喜好炸雷的宙斯,奉献过这么多
肥美的佳品和隆重的牲祭,祈请让你
活到老年,舒怡,让光荣的儿子长成男丁。
现在,他夺走你还家的日子,唯独不让你归抵。
是啊,此刻他一定置身远方的某地,
在一位客主光荣的府邸,女人们嘲弄他,
像这些贱货对陌生的你嘲讥[③]。
为了免受奚落和无耻的辱骂,
你不愿让她们动手盥洗。但谨慎的裴奈罗佩、
伊卡里俄斯的女儿要我来做,我也愿意。
我将替你洗脚,所以,既为裴奈罗佩,
也是为你,我的心里纷烦,被痛苦蹂躏。
来吧,注意我的话语,聆听。
此间来过许多饱经风霜的生人,
但我说,告诉你,我从未见过有谁如此酷似

① 指奥德修斯,不是眼前的这位浪人(或乞丐)。参考第358行。

② 可能,但更像是泛指的"套语"或信手拈来的夸张,不可完全按字面"精确"理解。

③ 此时的欧鲁克蕾娅并不知道,她的这两句诗行正是对奥德修斯目前景况的准确描述。诗人巧用了叙事的情节,让欧鲁克蕾娅于无意中点明了真情。这种听众知情而人物反被蒙在鼓里的编排,大概会增大前者与后者的"距离"感,拓宽审视和欣赏的维度,使前者能以一种超然局外的心情静观事态的发展。

奥德修斯,若就你的腿脚,连同声音体形[1]。”

其时,足智多谋的奥德修斯对她答话,说接:
“所有见过我和他的人,老妈妈,
全都这样评议。他们说我俩极其
相像,如你亲口所说,已经注意。”

他言罢,老妇取过闪亮的宽盆,
用于洗脚干净,注入大量清水,先是
凉的,复用热的调剂。奥德修斯坐着,
与火炉贴近,突然朝向幽暗的一边,转去——
顿生一个念头,掠过心里:担心动脚之时,
她会发现疤痕,致使自己的身份暴露无遗[2]。
老妇盥洗主人,临近,认出疤痕当即[3],
那是野猪用白牙撕开的口子,其时他去往

---

① 诗人正步步为营,为欧鲁克蕾娅发现奥德修斯创造条件,读来颇有人为的痕迹,但情节的发展还算自然。诗人大概忘了,雅典娜曾有言在先,即“我要让凡人认不出你来”(第十三卷第 397 行)。诗人编制情节,但有时也受情节发展的控制;他显然不愿意过多扼制编制者(即他自己)的需要,不愿使其在一切方面都附属于上下文的制约。

② 海伦曾替奥德修斯洗澡,使奥德修斯在无所遮掩的事实(即裸露的身体)“旁证”下承认了自己的真实身份(参考第四卷第 249—256 行)。

③ 诗人从疤痕切入,接之以对它的“解释”;然后提到奥德修斯的外公奥托鲁科斯并继而讲起了这位老人的故事(详见第 395 行以下),最后又以奥德修斯的“伤口”结束这段长达 68 行的“回忆”(准确地说,应为诗人的回顾性叙述)。我们知道,诗人惯用一个以上的行次“修饰”作比的成分(如狮子),以此扩充明喻的篇幅,使之拥有自己的情节(参考第四卷第 339 行注)。同样,在情节语言里,诗人也会采用这种方式(参考第九卷第 323 行注),以便在平铺直叙的故事展开中添加“枝节”,开辟新的叙事角度,造成时间和空间的错位,丰富叙事的层次,增彩它的接收效应。

帕耳那索斯山上[①],看望奥托鲁科斯父子一起。
奥托鲁科斯[②] 是他娘亲高贵的父亲,长于偷盗和
誓咒之术,凡人中无人竞比[③],神明赫耳墨斯
给他,亲自赐送[④],因他曾烹焚绵羊羔和小山羊的
腿件,使受者高兴,故而大方,赐他这些本领。
奥托鲁科斯来过富足的岛地伊萨卡,
适遇女儿生产,产下一个男婴。
用过晚餐,欧鲁克蕾娅把孩子放上
他的膝盖,对他说话,直呼其名:
“给他取下名字吧,奥托鲁科斯,给你孩子
钟爱的男丁——你可是经常祈祷,盼望他的来临。”

其时,奥托鲁科斯对她说讲,答话:
“好吧,我的女婿和女儿,让他接取我给的称唤。
既然我身临此地,受到许多人厌烦,男人、
妇女,在这片肥沃的地面,不妨给他取名

① 该山主峰距阿波罗的圣地德尔菲不远。广义上的帕耳那索斯山脉贯穿希腊中部的福基斯全境,至科林斯(或科林索斯)海峡止,两座最高的峰峦分别名提索瑞娅和鲁科瑞娅。

② Autolukos,由 auto 和 lukos 组成,意为“狼自己”(含“的确是条狼”之意)。奥托鲁科斯以“狼”为名,大概勇猛(参考《伊利亚特》第十六卷第 156—158 行),加之狡黠,不愧为奥德修斯的外祖父。使外孙望尘莫及的是,他还精通卜术(本卷第 396 行,比较第 555—558 行),擅偷盗(参考《伊利亚特》第十卷第 266—268 行;另参考阿波罗道罗斯《文库》第二卷 6.2)。参考本卷第 297 行。

③ 诸如此类的“极致”表述,参考第 365 行注。

④ 关于赫耳墨斯的“魔术”,参看第十卷第 302—306 和 325—332 行。此神兼通偷盗,在《伊利亚特》里已有见例(参考第五卷第 390 行)。另参考本书第一卷第 38 行及该行注和第十四卷第 435 行注等处。

奥德修斯[1],意为受人烦厌。待他长大以后,
可来娘家的故地,帕耳那索斯山边,
那里有我的财富,我会慷慨
出手,使他欢快,送他回返。”

　奥德修斯为此前去,得取
光荣的礼件。奥托鲁科斯父子
握住他的手,话语亲切,欢迎他的到来,
安菲塞娅,他母亲的娘亲,拥抱奥德修斯,
亲吻他的额头和俊美、闪亮的双眼[2]。
奥托鲁科斯命嘱儿子们
整备餐食,后者听从他的令言。
他们当即牵过一头五年的公牛,杀毕,
剥去祭畜的皮张,收拾停当,肢解
大身,动作精巧,把牛肉切成小块,
挑上叉头仔细炙烤后,充作餐份安排[3]。
就这样,他们快活了整整一天,直到太阳下山,
欢宴,人人都吃到足够的份餐,

---

① Odusseus,比较第407行里的odussamenos(受人厌烦,受人厌恨),后者或许派生自odu(s)omai[作“恨”或“气”,即“愤怒于”(什么)解;比较拉丁同义词odium]。第一卷第62行里的odusao(严厉、愤恨)许有双关之妙,暗示奥德修斯的名称所指。Odusseus的词尾-eus含主动(者)之意;L. Ph. Rank教授将奥德修斯的名字解作“The Hater and The Hated”(包容了奥托鲁科斯的遭人厌恨与奥德修斯的被人和对人“捉弄”,参考第十八卷第332行注)。关于Odusseus的词源问题,学界尚有争议。Odusseus在某些方言里作Olusseus,拉丁词Ulixes(比较英语词Ulysses)系由此而来。

② 比较牧猪人欧迈俄斯迎接忒勒马科斯回归时的情景(第十六卷第14—16行;参考该卷第213—215行和第十七卷第36—39行)。

③ 关于整备食餐的程式,另见《伊利亚特》第一卷第458—466行和第七卷第316—318行等处。关于牲祭和备餐的整套程序,参阅本书第三卷第430—463行。

及至夕阳落沉，昏黑的夜晚临来，
他们卧床躺倒，享受睡眠的祝愿[1]。

　当早起的黎明垂着玫瑰红的手指显现，
他们外出狩猎，奥托鲁科斯的儿子们
带着狗群上山，高贵的奥德修斯同往，
向前。他们来到陡峭的帕耳那索斯山脉，
森林覆盖，很快抵达多风的山谷地带。
其时，清晨的太阳晖洒农人的田野，
从微波荡漾、水流深渺的俄刻阿诺斯升攀[2]。
猎手们临抵林木繁茂的山谷，狗群跑在
前面，追觅野兽的迹踪，后面是
奥托鲁科斯的儿男，高贵的奥德修斯同行，
紧随狗群，挥舞投影森长的枪杆。
丛林深处趴着一头巨莽的野猪，卧在密掩的巢穴，
强劲、湿润的海风吹不透它们，
闪亮的太阳，它的光线难以射穿，
雨水浇泼不进，枝干虬杂浓密，[3]
缠叠，地上铺满厚厚的落叶。
人和狗的脚步声隆隆传去，它已听见，
当着猎杀者们逼近，它从枝巢里出来，
鬃毛竖指，眼中喷射光闪，

① 程式化表述，参考第九卷第 556—559 行等处。第 427 行大致同第十六卷第 481 行。史诗人物的活动极大地受到语言程式的“规范”和制约（参考第十六卷第 59 行注）。

② 第 433—434 行同《伊利亚特》第七卷第 421—422 行。俄刻阿诺斯乃环地长河亦可作“浩海”理解。参考本书第十一卷第 13 行注。另见《伊利亚特》第一卷第 423 行。

③ 第 440—442 行几乎等同第五卷第 478—480 行。

临近对手，停站。奥德修斯猛扑上去，
率先，高举粗壮的臂膀，手握修长的枪械，
急于刺捅[①]，狂烈，但野猪抢先撞来，
擦过他的膝盖，猪牙扎出一大条口子，
撕开，幸好不曾伤损他的骨件。
奥德修斯刺捅，击捣它的右肩，
闪亮的枪尖深扎进去，透穿，
野猪嚎叫着扑倒泥尘，魂息飘离躯干[②]。
奥托鲁科斯亲爱的儿子们扑向野猪，收拾，
替雍贵、神样的奥德修斯包扎伤口，
动作熟练，唱诵驱邪的咒语，止住

① 像特洛伊战场上的勇士一样（参考《伊利亚特》第二十一卷第67—68行），奥德修斯"接战"凶悍的野猪。猎杀（或围猎）野猪的情景多次出现在《伊利亚特》的明喻里（参看该史诗第十一卷第414—418行、第十二卷第146—150行和第十三卷第471—475行等处）。野猪的凶蛮甚至超过狮子。在《伊利亚特》里，荷马常把斗士比作野猪（如第十三卷第470—471行）。野猪既是猎杀的对象，又是战场上（尤其是处于守势的）勇士的骁莽和粗野的"动物化身"。战场上，壮士们追杀敌人；狩猎时（即在和平环境里），他们围猎野猪（参考该史诗第九卷第538—546行），以此显示英雄本色。和英雄墨勒阿格罗斯（图丢斯的兄弟）一样，奥德修斯是史诗里少见的既在战场上杀敌，又在"猎场"上杀过野猪的英豪。

② 既然奥德修斯以《伊利亚特》里的勇士姿态临战，野猪便顺理成章地以战场上勇士负伤（参考该史诗第五卷第98行和第十一卷第252行）倒地般的壮烈死去（参考该史诗第二十卷第403和406行）。比较《伊利亚特》第十六卷第468—469行、本书第十卷第163行。关于魂息（thumos），参读第十二卷第414行及该行注。参考并比较第十一卷第26行注。

黑红的血流[①],很快回抵亲爱父亲的家院。
其时,奥托鲁科斯和奥托鲁科斯的儿男,
彻底治愈他的伤口,给他闪光的礼件,
迅速送他回府,高高兴兴,回抵亲爱的
伊萨卡故园。父亲和尊贵的母亲
欢喜,迎他归返,询问所有的事情,
如何带伤回来。奥德修斯循序回答,讲述
野猪如何用白牙撕开口子,伤害,当他
去往帕耳那索斯山上,偕同奥托鲁科斯的儿男。

老妇抓住他的腿脚,握在掌间,
触摸伤疤,认出它来,松手,脚跟
跌落盆里[②],青铜的响声回旋。
铜盆倾斜,歪向一边,水珠洒地,
飞溅。老妇悲喜集于心灵,交加,

---

① 在荷马生活的年代,此种用巫咒治病去痛的做法大概远没有绝迹于民间。不过,荷马提到了“包扎伤口”,而第 460 行里的“彻底治愈”也不包含任何求助于巫魔的意思。对于巫咒的治病(包括轻缓伤痛的)功用,诗人显然没有表现出太大的兴趣。在《伊利亚特》里,帕特罗克洛斯没有依靠巫咒,而是用一种根茎止住了欧鲁普洛斯伤口上的血流(参考该史诗第十一卷第 845—847 行)。当然,荷马不是现代意义上的药理学家——对于他,高明的医术和精良的药物不会完全脱离这种或那种形式的玄妙。帕特罗克洛斯的医术得之于阿基琉斯,而阿基琉斯又是从马人卡戎那里学得治伤的绝招(详见同上第 827—831 行)。古希腊人相信音乐(或诗乐)可以治病,具备明显的调理身心的作用。管箫的声音尖利、穿透力强,虽说不太适用于对儿童的教育(参考亚里士多德《政治学》第八卷 6.1341a 17 以下),却可以产生某些特殊的效果,比如协助治疗疯癫、昏迷以及轻缓病人的痛苦等。亚里士多德的学生阿里斯托克塞诺斯在分析毕达戈拉及其学派的“净涤”理论时指出,该学派的成员们用药物医治身体上的疾病,用音乐(mousike)洗涤不纯洁的心灵。在公元前五至前四世纪,mousike 包括音乐(或音调)和故事(参考柏拉图《国家篇》第二卷 376E)。

② 比较第十六卷第 12—14 行。

跳动的嗓音哽塞，两眼泪水盈眶①。
她手托奥德修斯的下颌②，对他说话：
“你是奥德修斯，亲爱的孩子，确实是他。我不知
是你，主子，直到仔细触摸在你的身旁③。”

言罢，她转眼裴奈罗佩，心想
示意女主人，亲爱的丈夫已经回家，
但裴奈罗佩却无意掉头这边，认他——
雅典娜已拨转她思绪的方向。奥德修斯
触摸，右手掐住老妇的喉管，
左手将她挪近，对她说讲：
“你想毁了我，妈妈？你曾哺育我长大，
挨着你的乳房，眼下，我历经艰辛，
终于还家，在第二十年里，回抵故乡。

① 第467—472行行文紧凑，描述生动，节奏感强烈，加之原文中刻意设计的（利用字母的读音产生的）音响效果，读来跌宕起伏，朗朗上口。“心灵”（第471行）即phrena。另参见第485行里的“心房”（thumoi）。在第517行（原文第516行）里，诗人用单音节词ker表示了同样的意思。

② 手托对方的下颌说话，以示尊敬，亦是祈求或祈请者所取的常规姿势（通常用另一手抓抱对方的膝盖）。参见《伊利亚特》第一卷第500—501行、第十卷第454—455行和第二十四卷第477—479行等处。

③ 欧鲁克蕾娅通过触摸伤疤认出了奥德修斯，这一较少斧凿之痕的安排顺应情节的发展，体现它的合乎情理的结果，颇得亚里士多德的赞赏（参阅《诗学》第十六章1454b24—26）。在已经佚失的《荷马问题》里，亚里士多德对此似乎仍有商榷之词，认为奥德修斯腿上的伤疤，显然还不足以证明腿上有伤疤的人都是奥德修斯。

既然你已认出我来，神明把信息注入你的心房[①]，
可要保持沉默，别对宫里的别人声张。
我要直言相告，否则，此事会成为现状：
倘若通过我的双手，神明将狂傲的求婚人击杀[②]，
尽管你是我的保姆，我不会饶你，当我
对付别的女仆，杀戮在我的宫房[③]。”

其时，谨慎的欧鲁克蕾娅对他说接：
“这是什么话，我的孩子，崩出了你的齿隙？
你知道我的心志，坚毅，不屈
不挠，我会像石头或灰铁一样强硬。
我还有一事相告，你要记取在心。
倘若通过你的双手，神明把狂傲的求婚人杀击，
我将告诉你宫中那帮女子的人名，
哪些个使你受辱，哪些个无辜白清。”

其时，足智多谋的奥德修斯对她答话，说接：
“保姆，为何告诉我这些？大可不必。

---

① 类似的提法见第十四卷第273行。尽管欧鲁克蕾娅“发现”奥德修斯时诗人并没有提到神的点拨（或介入），奥德修斯仍然想当然地认为“神明把信息注入你的心房”（参考并比较第十二卷第38和57—58行），从而肯定认知的双重（或双合）动因（参考第三卷第27和270行注等处），把人的活动纳入受神意掌控的故事背景，于“渺小”凡人的同时升华人的卑俗，扩大人生和生存意义的受释范围。参考本卷第488行和第二十二卷第346—348行。

② 参考第485行注。

③ 奥德修斯说到做到，日后由忒勒马科斯安排执行，灭杀了所有行为不轨的女仆（详见第二十二卷第440—473行）。

我会亲自察访,留心,逐一查明[①]。
让神来决断吧,你要保持默静。”

他言罢,老妇穿走厅堂折回,取来
另一盆洗脚的净水,原先的已被蹬洒殆尽。
老妇替他盥洗,完毕,给他涂抹油清[②],
奥德修斯贴近火炉,挪动座椅,
取暖,但用破衣摭掩疤迹。
谨慎的裴奈罗佩开言,率先说讲:
“我还想留你一会儿,陌生人,另叙事情一桩,
很快,是的,即是欣享甜美睡息的时光,
舒甜的睡眠把人逮住,尽管忧伤。
神灵给我忧愁,难以计量。
白天我沉湎于恸哭,哀怆,
操持我的活计,督促家中的女仆工忙[③]。
当夜晚来临,睡眠将别人捕抓,
我卧躺床上,焦人的烦躁浓密,
箍围我跳动的心房,搅揉我的悲伤。
像潘达柔斯的女儿,绿林中的夜莺,
停栖虬密的枝叶之中,用甜美的
声音歌唱,当春天伊始,音韵
忧婉、奔放,顿挫抑扬,哀悼
伊图洛斯,王者泽索斯之子,也是

① 参考第十六卷第304—305和316行及第二十卷第1—21行。然而,在第二十二卷(第417—418行)里,奥德修斯要欧鲁克蕾娅讲说女仆们的情况,所用的词语几乎和她的提议(本卷第497—498行)如出一辙。

② 即用橄榄油遍抹全身。

③ 比较忒勒马科斯对母亲的告诫(第一卷第356行)。

她钟爱的儿郎,被她用铜剑,在疯迷中错杀[1]。
我也一样,心绪纷争,或这或那:
是和儿子一起,看守家里的一切,
我的财产、仆人和宽敞、顶面高耸的宫房[2],
忠于丈夫的床铺,倾听民众的声音愿望,
还是离家出走,嫁随阿开亚人中最好的候选,
给我无数迎娶的财礼,追媚在这里的厅堂[3]。

---

① 明喻的诗情、故事的悲惋和语言的绚美在此达到了高度的统一。潘达柔斯乃克里特国王,有女埃冬(即夜莺,第 518 行),婚嫁泽索斯(第 522 行)。埃冬妒忌嫂子尼娥北子女众多(参考《伊利亚特》第二十四卷第 602—617 行),企图谋杀她的长子,但夜色中辨视不清,将自己的儿子伊图洛斯错杀(本卷第 523 行)。宙斯怜悯埃冬的不幸,将其变作夜莺,得以终身哭悼儿子的死难(参考第 518—522 行)。后世通行的关于"夜莺"的故事与上述基于古代评论家的解释有所不同。根据阿提卡作家的"讲述",雅典国王潘迪昂有两个女儿(比较第二十卷第 66—67 行),名普罗克奈和菲洛墨拉。普罗克奈嫁配道利斯(参看《伊利亚特》第二卷第 520 行)国王忒柔斯,生子伊图斯。忒柔斯勾引菲洛墨拉并将其奸淫。为了不使道出真情,他将菲洛墨拉的舌头割断,但后者通过编织讲叙此事,使普罗克奈知情。出于报复,普罗克奈将她和忒柔斯亲生的儿子杀死[比较美狄娅的杀子复仇(或报复)]。其后,宙斯将三人变作飞鸟,普罗克奈变为夜莺,菲洛墨拉变成燕子,而忒柔斯则变取了戴胜科鸟的形貌。参考阿波罗道罗斯《文库》第三卷 14.8。诗人采用的素材无疑更为古老,但不宜排除在他生活的年代已有别的"说法"(参考本书第七卷第 59 行注)流传的可能。人名的出入[如伊图洛斯和伊图斯,厄丕卡斯忒(第十一卷第 271 行)和伊娥卡斯忒]在同一主题故事的不同"版本"里堪属常见。在本卷第 523 行里,荷马提到了"她"的疯迷[aphradias,即(神经)"错乱"或(不通情理的)"愚笨"],这一描述似乎更适用于对普罗克奈杀子时的心智状态的释解。它的所指与其说针对一位于昏暗中出于不知情(这也是一种形式的"无知")而错杀儿子的母亲,倒不如说是针对一位因受到丈夫不忠的刺激而带着极度痛苦和错乱的心情杀死儿子的复仇者的失常举动更为贴切一些。夜莺哭子的故事在后世广为人知,屡见于经典文学作品之中(参看埃斯库罗斯《阿伽门农》第 1144 行和索福克勒斯《厄勒克特拉》第 148 行)。

② 第 526 行同第七卷第 225 行和《伊利亚特》第十九卷第 333 行。

③ 人物又面临了"是……还是"的选择(细读第十七卷第 237 行注)。诗人会有意借用人物的抉择顺势推动情节的发展(参考本卷第 535 行注)。

当孩子童稚幼小，不能思量，
他不让我嫁人，离开丈夫的宫房。
我儿已经长大，现在，有了成年人的豪强，
眼下甚至祈祷，愿我离宫回返娘家，
忧愤于他的财产，被阿开亚人白白吃光①。
来吧，聆听我说的梦景，对我释讲②。
我有二十③ 只家鹅，在宫院里饲养，吃食
水槽里的麦粒，此乃我爱看的景状。
然而，一只尖嘴弯卷的鹰鸟从山上俯冲，硕大，
拧断它们的脖子，把鹅群全杀，堆死
在殿堂，大鹰腾升，飞向透亮的天上。
我开始抽泣，其时还在梦乡，高声哭叫，
发辫秀美的阿开亚女子围聚我的身旁，

① 比较第十六卷第126—128行(同第一卷第249—251行)。“阿开亚人”在此自然指求婚人。关于对求婚人的谴责，参考第十五卷第376行注。

② 评论家们对此多有质疑，认为裴奈罗佩不应或不该(甚至不会)对一个陌生的浪人透露自己的梦景。然而，如果重视第253—254行的表述，再辅之以第350—352行的“说明”，我们就会明白裴奈罗佩此时的敞开心扉并非突然(更不是冒失)。此外，不应忘记奥德修斯假冒(而裴奈罗佩则可能信以为真)的身份。他乃伊多墨纽斯的兄弟，亦即米诺斯(参见第十一卷第568—571行)的孙子。裴奈罗佩有理由重视奥德修斯的克里特背景。参考本卷第523行注。此外，评论家们或许忽略了一个重要的因素(亦即原因)，那就是诗人作为情节编制者的主观愿望(参考第381行注)。当需要让情节的发展进入某一阶段时，诗人会有意识地为之创造条件，有时甚至不惜造成上下文的矛盾，留下人为推动的斧迹。参考第529行注等处。

③ 参考第二卷第355行注和第十二卷第78行注等处。

当我恸哭声声，悲楚，鹰鸟已把鹅群杀伤[1]。
这时，雄鹰回转，停驻突出的顶梁，
袭用人的声音，对我说讲：
‘声名遐迩的伊卡里俄斯的女儿，别怕。
这不是梦，而是美好的景兆，你会见其成为现状。
鹅群是那求婚的人们，而雄鹰是我，
刚才的显兆，此刻是你的丈夫回家。
我将致送凶残的毁灭，把求婚人杀光[2]。’
他言罢，甜蜜的睡眠将我释放，
我巡视左右，眼见鹅群仍在宫房，
就着水塘，吃食麦粒，一如往常。”

---

① 梦景里的鹅代表求婚人，这一点没有疑问(参考第 548 行)。既如此，裴奈罗佩为何“爱看”它们吃食的景状？为何当鹰鸟(代表奥德修斯)将其杀伤后哀哭，感觉悲伤？莫非在潜意识里裴奈罗佩对求婚人抱有好感，故而哀悼他们的被杀？学者们对此有过种种猜测，众说纷纭。裴奈罗佩的困惑体现了人的心理活动的复杂，反映了诗人对心理问题的深切关注和潜伏在头脑深处的迷惘。应该指出的是，西方学者在解析梦景时大都倾向于过细的实证；他们的出发点是，梦里的情景必须一一与现实或即将发生的事情对号。殊不知这恰恰不是诗人的本意，而他们也正是在“起点”上偏离了对史诗里的象征语言的把握。在荷马史诗里，象征是最能包容和需要朦胧的地方。在第四卷第 335—339 行里，墨奈劳斯把求婚人比作小鹿，把奥德修斯比作返回巢穴吞食他们的狮子。然而，他还提到一头母鹿——读者会问：母鹿指谁？同样，在象征语言的另一表述领域——兆示——里，我们也会遇到这种无法一一对号的情况。在《伊利亚特》第二卷里，奥德修斯提到了阿开亚人在奥利斯所目睹的一个兆示(参阅第 305—329 行)。其中，蛇代表阿开亚联军，九只麻雀代表阿开亚人征战的年限(他们将在第十年里破城)。然而，长蛇在吞食麻雀后被变成了石头，此事如何释解？答案同样难以准确“寻找”。对于描述梦幻的象征语言，我们除了应该保留这一诠释维度外，是否还应给予更大程度的“容忍”？诗人追求的是能指和所指之间的部分(或局部)的对应，而非所有一切的准确挂钩对号。如果一切都清清楚楚，那么哪里还需要什么释梦者，还需要什么释梦的必要？参考本卷第 560 行。

② 参考第 558 行注，但裴奈罗佩的见解似乎更显深刻(详见第 560—567 行)。奥德修斯是裴奈罗佩的丈夫，也是她梦中的雄鹰。参考并比较第二卷第 234 行注。

其时，足智多谋的奥德修斯对她答话，说讲：
“此梦曲解不得，夫人，不可用别的
释讲，既然奥德修斯本人已道出它的含义，
将会如何收场。求婚人的败亡无疑，
都将送命，一个也逃不脱毁灭和死亡[①]。”

其时，谨慎的裴奈罗佩对他答称：
“梦幻捉摸不定，陌生的客人，玄奥莫测，
人们看知的梦景不会全都应验，发生[②]。
缥缈的梦幻穿走两座大门，
一对取料硬角，另一对用象牙做成[③]。
穿走象牙磨锯的门面，如此的梦幻
只能欺哄，传送的信息绝难成真。
然而，那些梦景不同，穿过磨光的角门，
都能成为现状，对见过的人们。
至于我的睡梦，我不认为它穿走的是这座
大门，否则儿子和我都会高兴，倘若它能。

---

① 奥德修斯是知道怎样释梦的，这不仅体现在诗人出于需要（参考第535行注）暂时将他变成了释梦者，而且还在于他谙晓如何理解和释读梦景的精要（参考第543行注）。他并没有指责裴奈罗佩同情求婚人（如果需要的话，他可以这样理解），也没有就此改变对她的态度，较起真来。比较海伦对鹰抓白鹅一事的卜兆（第十五卷第172—178行）。史诗人物相信梦的启示，也对“证据”或标记（sema，如奥德修斯腿上的伤疤）的说服力颇感兴趣（细读第二十三卷第189行注）。

② 参考第543行注。至少，裴奈罗佩知道并非所有的梦景都会应验。参考并比较第二十三卷第189、226行注等处。比较忒勒马科斯自称对卜释的冷漠（第一卷第414—415行；不过，此举似含麻痹欧鲁马科斯的意思）。

③ 罗马诗人维吉尔引用了荷马关于（梦幻的）“两座大门”的提法（参看《埃涅阿斯纪》第六卷第893—895行）。另参考柏拉图《卡尔米德篇》173A和贺拉斯《诗颂》第三卷27.41。

我还有一事奉告，你要记在心中。
邪恶将至，伴随清晨，把我带出奥德修斯
的宫府走人——我将举办竞赛，比争，
借用宫里的那些斧子，他曾依次排列，
十二①把总共，站成一行，像那排木，
把海船顶撑，然后站在远处射箭，透穿它们②。
眼下，我将以此法让求婚人赛争，
谁个抓弓在手，上弦最为轻松，
发箭孔穿全部十二把斧斤，
将可带我走人，离弃奥德修斯的房居，我曾
在此新婚，一处华丽、精美的居所，富藏佳珍。
我不会把它忘怀，我想，即便在睡梦之中。”

其时，足智多谋的奥德修斯对她答话，出声：
“哦，莱耳忒斯之子奥德修斯尊贵的妻从，
不要迟延竞比，在你的房宫。
不等这帮人操掌那把坚固的硬弓，

① 参考第二卷第353行注。诗人刚刚有过对“二十”只家鹅的提及(本卷第536行)。

② 西方学者们争论的一个问题是，当事者何以能站在远处，一箭射穿十二把斧头(或斧头的洞孔)？与之相关的其他问题包括：(1)斧子的形状，(2)如何排列。奥德修斯声称箭枝将穿过硬铁(siderou，第586行)，而在日后的实际发射中，他的箭矢却穿过了铁斧的把柄(参见第二十一卷第422行，但学界对steileies是否确指斧柄仍有争论)。有学者据此推论，裴奈罗佩所用的斧斤并非平时用于劈砍的寻常之物，而是一种votive axes，带柄，柄端有孔，用以挂在钉钩之上。对这一说法持赞同、怀疑甚至反对态度的学者都有。据裴奈罗佩介绍，奥德修斯曾箭穿十二把斧斤的洞孔(本卷第573—575行)，而事实上最后也只有奥德修斯一人按既定的要求做到(第二十一卷第419—423行)。不管裴奈罗佩有没有“最”朦胧地意识到眼前的这位客人有可能就是奥德修斯，在荷马的精心安排下，夫妻俩心照不宣，一起准备着仇报求婚人的行动。第十九卷可谓是整部史诗里最耐人寻味的一篇，其中的一些问题扑朔迷离，给后世学者文人留下了进行多导向解释的机缘。

弯挤，调上弦绳，发箭洞穿铁斧，
足智多谋的奥德修斯便会回抵宫中。”

其时，谨慎的裴奈罗佩对他答话，开言：
“但愿，陌生的朋友，你能坐在我的宫里身边，
让我高兴，使睡意不致罩临我的眼睑。
但人们不可能永久醒着，无须
睡眠，因为长生者给万物限定命运，
给凡人，衍生在丰产谷物的地面[①]。
所以，此刻我要回返楼上的房间，
卧躺床上，那是我恸哭的地方，
总是洒满泪水悲哀，自从奥德修斯出发[②]，
去往邪恶和不堪言喻的伊利昂征战[③]。
我将前往床上躺息，你可寝睡屋里这边，
可在地上搭铺，或由女仆们为你准备。”

言罢，她举步前往闪亮的房间，
并非独自踽行，侍女们跟随一边。
她折回楼上的居室，由侍女们陪伴，
悲哭奥德修斯，亲爱的夫君，直到
灰眼睛雅典娜合拢她的眼睑，送出香熟的睡眠[④]。

① 关于长生者和(会死的)凡人，参考第十五卷第 250 行注。凡人必须睡觉(参考本卷第 604 行)，连永生的神祇也挣不脱睡眠的缠绵(《伊利亚特》第一卷第 605—611 行)。神也受到命运[比如说，他(她)们必须吃喝，也需要睡觉]的制约，也必须依循凡人必须遵从的某些生存规则，亦即所谓的“必然”。

② 第 594—596 行大致同第十七卷第 101—103 行。

③ 第 597 行同第 260 行。

④ 第 602—604 行同第一卷第 362—364 行。第 603—604 行同第十六卷第 450—451 行。

第二十卷

其时，高贵的奥德修斯准备在前厅睡躺，
动手铺出一张生牛皮，然后层层压覆，
用阿开亚人宰杀羊畜后剥下的皮张①，
躺下，欧鲁诺墨替他盖上篷毯。
奥德修斯静卧不睡，心中谋划
求婚人的祸殃②。这时那些女子走出
厅堂，往日里曾与求婚人同床，
相互间欢声笑语，嘻嘻哈哈③。
奥德修斯的心灵烦愤，在他的胸腔，
思考斟酌，在心里魂里再三思量④，
是冲扑上前，把她们全都杀光，
还是让她们和狂傲的求婚人再睡一回，作为
最近、最后一次合欢——他的心灵在胸中吼响。
像一条母狗，守护弱小的犬崽站防，

① 求婚人每天宰杀奥德修斯的牲畜，宫里宫外的牛羊皮张当不在少数(参考第一卷第 108 行)。比较第十九卷第 337 行。

② 比较忒勒马科斯的潜心思考，彻夜不眠(第一卷第 443—444 行)。

③ 女仆们高高兴兴地外出，准备去往求婚人的居处(参考第一卷第 424 行和第十八卷第 428 行；参考相关注释)。

④ 程式化用语。参考并比较第五卷第 365、298 行及相关注释。另参看本卷第 17 行。在荷马看来，心灵是从事思考的载体或主体(参考第 38 行)。比较：心之官则思。参考并比较第 41 和 366 行。

面对不识的生人，咆哮着准备斗打[1]，
奥德修斯的心灵咆哮，暴怒于坏毒的事项。
他挥手拍打胸脯，责备自己的心灵说讲[2]：
“忍着点[3]，我的心灵，你曾忍受更坏的景况，
当肆无忌惮的库克洛普斯吞食
我骠健的伙伴[4]，但你强忍，直到智算[5]
把你带出洞穴，虽然你已料想死亡[6]。”

　他如此言述，对胸中亲爱的心灵说讲[7]，
后者服从，坚忍冲动，进行顽强的
抵抗，但他的躯体却翻来覆去，辗转。

---

① 奥德修斯心绪鼎沸，怒火万丈。明喻的“移位”表述，既避免了“确切”（即到底有多么愤怒），又很“到位”地展示了他此时的激愤心情。关于史诗里的明喻及其作用（和意义），参考第四卷第339行、第五卷第490行、第八卷第530行、第九卷第393行、第十卷第414行、第十三卷第34行和第十九卷第207行注等处。母狗喻奥德修斯（比较第十七卷第124—130行），犬崽喻女仆们，生人指求婚者。但女仆们似乎并没有把与求婚人睡觉看作是一种痛苦（参考本卷第6—8行），她们所需要不是奥德修斯的防护，而是他的“宽容”（即别管闲事）。狗是忠诚的“象征”（参考第十七卷第291行以下），但也可用来骂人（见第十八卷第338行和第十七卷第248行等处，含“可恨”“可耻”“不要脸”之意）。比较第十九卷第228—229行。

② 参考第五卷第298行及该行注。参考并比较第四卷第809行注。

③ 奥德修斯以坚忍著称（参考第十八卷第319行注和第十六卷第277行注等处），但也有失之疏莽的时候（参考第九卷第228行注和第十卷第437行注）。

④ 参见第九卷第287—293和344行。

⑤ metis（参看第九卷第414行和第十九卷第326行）。关于智算（或智慧、智力）战胜野蛮和蛮力，参考第九卷第408、479行注。关于文明与野蛮的长期共存，参考第十卷第113行注。关于知识的积累和分辨，参考第十二卷第188行注。

⑥ 详阅第九卷第424行以下。

⑦ 参考第五卷第298行注等处。“心灵”原文作etor，但本卷第13、17、18和23行里的“心灵”（第23行里译作“后者”）原文均为kradie（及其变格形式）。参考并比较第四卷第261行注等处。比较本卷第41行注。

像有人转动填满牲血和油脂的膜条[①]，
就着熊熊燃烧的柴火盛旺，
急于将其炙烤熟黄；同此，
奥德修斯辗转反侧，思考着
如何孤身对付群敌，手击无耻的
求婚人成帮。其时，雅典娜从天
而降，贴近他的身边，变取一个女人的模样，
悬临他的头顶站立，对他开言说讲：
"为何还不入睡，世间最悲苦的人啊[②]，
这是你的房居，家里有你的妻子儿郎，
拥有这样的儿子，是每一个人的盼望。"

其时，足智多谋的奥德修斯对她答话，说讲：
"你的话在理，女神，一点不差。
只是我胸中的心灵[③] 仍在思考，
如何以孤身对付群敌，手击无耻的
求婚人，他们总在此地成帮。

① 参考第十八卷第44—45行及相关注释。诗人在短暂的十几行文字里连用两个明喻，强调了奥德修斯此时躁动和不安的心情。压力巨大(参看本卷第28—29行)，自不待言，好在雅典娜雪里送炭，抚慰，送他进入梦乡。相比之下，阿伽门农就没有这个"福分"，没有哪位神明在他失眠之时送来睡眠的"甜香"(参考《伊利亚特》第十卷第1—4行)。比较裴奈罗佩的纷烦(见本书第十九卷第515—524行)。

② 参考第十九卷第409行注等处。但奥德修斯至少还活在世上。比起阿基琉斯和阿伽门农等已经凄惨死去的英雄，他的命运似乎要相对好些。此外，有雅典娜的帮助，他将"很快从困苦中脱身"(本卷第53行)。

③ "心灵"原文作 thumos(比较第10行，参考该行注)。思考的从事者不是头脑，而是心灵。关于 thumos，另参考第四卷第830行注和第十一卷第26、220及491行注。比较本卷第41行和第二十一卷第247行及相关注释。

此外，我的心里[①] 还有一件更重要的事情思量：
即使凭借宙斯和你的帮助杀死他们，
我将如何逃脱无恙[②]？此事我要你认真忖想。”

其时，灰眼睛女神雅典娜对他讲说：
“倔顽的家伙！人们甚至相信伙伴，远不如我，
他们只是凡人，没有这许多机谋。
而我，我是天神，关注你的安危，你的
每一次苦劳始终[③]。告诉你，听我直说，
即使有五十队会死的凡人，围站
我们对阵，狂烈，意欲在战斗中[④] 杀屠我们，
即便如此，你仍可把他们的牛群肥羊赶走。

---

① eni phresi，“心里”“思绪里”。phren（复数 phrenes，“横膈膜”，参见第二十一卷第 247 行注）可作“心”、“心智”或“心思”解，本行内所指几乎与 thumos 等义（参考本卷第 38 行注）。比较第 10 行：kata phrena kai kata thumon（译作：在心里魂里）。史诗里可作“心”（或“心魂”“心智”）解的词不一而足。除了这里提及的 thumos 和 phren（es）外，另有 psuche，ker，etor，noos 和 noema（第 82 行）等。词汇的多样化一方面说明了诗人对人体生理认识的模糊，另一方面也说明了他对“心”、“心魂”和“心智”的重视。众多的同义或近义词为诗人的创作提供了方便（包括有效满足格律的需要），丰富了作品的表现力（比如，参考第十卷第 77—78 行和第二十一卷第 301—302 行），提高了它在用词上的灵活性和表义上的细腻程度。

② 奥德修斯知道，杀除求婚人后，后者的亲戚朋友们会群起攻之，为死去的亲友复仇。奥德修斯显然不想为了逃避他们的追杀而不得已浪走他乡。参考第十五卷第 275 行注。参考第二十三卷第 362 行以下。

③ 关于雅典娜对奥德修斯的帮助，参考第十三卷第 314 和 223 行注。参考该卷第 300 行以下雅典娜的表述和奥德修斯的抱怨（第 316—319 行）。

④ 原文作 Arei。阿瑞斯乃战神，但在史诗里也常喻指战争或战斗精神（参考《伊利亚特》第十七卷第 209—212 行）。另见本卷第 65 行注。

所以，让睡眠[①] 把你逮住；彻夜警戒，
醒着睡躺烦人。你将很快从困苦中脱身。”

言罢，女神撒出睡眠，把他的眼睑合拢，
她，女神中的姣杰，返回奥林波斯山峰。
其时，睡眠将他逮住，它轻舒人的肢腿，
消除他心中的烦闷，而他忠贞的妻子
苏醒，哭泣，坐起在睡床的松软中。
当满足了悲恸的欲望，她，
女人中的姣杰，首先祈告阿耳忒弥斯说称：
“阿耳忒弥斯，宙斯的女儿，强健的女神，
我愿你射发矢箭，此刻，夺命
我的心胸[②]；要不，就让风暴袭来，
裹住我走人，卷至昏黑的路途，

① 参考第十六卷第 481 行注对“睡眠”的解释。和死亡一样（参看第十八卷第 202—203 行），睡眠能使人忘却痛苦和烦恼（参考本卷第 53 行和第十八卷第 201 行）。睡和死有着许多相似的地方。在《伊利亚特》里，二者是兄弟（第十四卷第 231 行）或孪生兄弟（第十六卷第 681—682 行）。另参考赫西俄德《农作与日子》第 116 行和《神谱》第 212 及 756—766 行。“睡眠，死神的兄弟，生命的朋友。”（巴特勒《猫与兔子的辩论》）但睡眠是舒适和香甜的（参看本书第十九卷第 511 行、第十八卷第 199 和 201 行及《伊利亚特》第二十四卷第 636 行），而死亡则是可恨和乌黑的［参考《伊利亚特》第十六卷第 687 行（及第十五卷第 494—499 行、第十六卷第 350、441—443 行等处）；比较本书第十七卷第 500 行和第二十二卷第 363 行。另参考《伊利亚特》第四卷第 503、526 行及相关注释和本书第二十二卷第 88 行］。“睡眠”轻舒人的肢腿，消除他心中的烦愤（本卷第 56—57 行）。

② 史诗人物相信，阿耳忒弥斯主司女人的死亡（参考第十八卷第 202 行及该行注）。

抛落，俄刻阿诺斯在那里泼倒水流①，
一如从前，狂飙卷扫潘达柔斯的女儿②。
众神杀戮她们的双亲③，使其孤苦伶仃，
被遗弃在宫中。闪光的阿芙罗底忒
照料她们，喂之以奶酪、香甜的蜂蜜和
醇郁的浆酒，赫拉致送美貌，使她们聪灵，
超比所有的女人，纯贞的阿耳忒弥斯赋予身材，
雅典娜传授，给予精美的手工④。
然而，当闪光的阿芙罗底忒前往奥林波斯高耸，
请问姑娘的婚事，幸福的完婚，
求问喜好炸雷的宙斯，后者知晓一切，
凡人的幸运与不幸尽在料掌之中⑤ ——
其时怒吹的风暴卷走姑娘，

① 比较海伦对自己的“诅咒”（见《伊利亚特》第六卷第344—348行和第二十四卷第764行）。关于“昏黑的路途”（本卷第64行），参考第十一卷第57和155行。俄刻阿诺斯既是一位神明，也是一条环地的巨河（参考该卷第13行注）。比较本卷第52行注。

② 第66—78行涉及的内容在后世文史作品中不见提及，与第十九卷第518—523行所描述的情景亦没有“必然”的联系。参考该卷第543行注。

③ 原因不明。

④ 女神们均以自己的所长“致送”和“传授”。赫拉貌美、聪明（在《伊利亚特》里，她曾不止一次地使多谋善断的宙斯上当受骗；参考本书第三卷第459行注），阿耳忒弥斯身材高挑、颀长（第六卷第107行），雅典娜精擅织纺，手艺高超（第二卷第116—117行、第六卷第234行和第七卷第110—111行）。阿芙罗底忒司掌凡女的婚嫁（参考本卷第73—76行），在此代尽母亲或保姆的职责（第68—70行）虽说勉强一点，倒也没有太多远离她的司掌。然而，四位奥林波斯女神的精心照料和垂青，并没有足以改变姑娘们的凡女属性，没有使作为无辜者的她们避离悲惨的结局（参考第77—78行）。参考并比较第六卷第235行注。

⑤ 参考《伊利亚特》第二十四卷第525—533行。

交给可恨的复仇女神掌控[1]。
同此，但愿居家奥林波斯的他们把我弄得无影无踪，
抑或让发辫秀美的阿耳忒弥斯击打，使我重逢
心中的奥德修斯，即便在可恨的地层深处，
无须嫁随，愉悦一位低劣丈夫的心衷。
这样的邪难尚可忍受，当一个人
白天哭泣，心灵常受烦扰，但
夜晚仍可听服于睡眠，只因酣睡使人忘却一切[2]，
好的、坏的，当它合拢眼睑，罩蒙。
然而，现在，神明却给我送来邪恶的梦景种种。
今夜，此人又睡傍我的躯身，酷似，
像他，当他随军出征，使我在梦中

① 诗人讲的故事跨度很大(参考第十五卷第228—240行及相关注释)。于当时的听众，这或许可算是精练的表述(口诵诗人亦可随时添插细节)，但于生活在两千八百年后的我们，这却意味着剧增理解的难度。姑娘们到底做了什么不对的事情，以至于要受到复仇女神(参考第十五卷第233—234行及相关注释)的惩罚？难道是因为双亲的恶错(参考本卷第67行)，使她们必须接受传代的恶孽(埃斯库罗斯会赞同这一观点)？难道是计划中的婚事有什么不对(参考并比较第82行)，引起纠纷，致使事情发展到了必须由复仇女神裁夺的地步？荷马留给我们的是无穷的想象和一个个难以释解的谜团。有人怀疑第67—83行乃后人的伪作，但论据不够充分。

② 尽管只是暂时的(参考第52行注)。在荷马(或第十一卷的原始作者)看来，即便是死人(即人的虚影、阴魂)，只要喝过牲血，便可恢复记忆，与进入或贴近冥府的活人谈吐交流(参考第十一卷第146—154行等处)。“心灵”(本卷第84行)原文用了etor，和ker一样在“物性”上似乎更具实在的含义，比thumos，或许也比psuche具体。比较第82行里的noema(心衷)，其“实在”程度大概不如etor和ker等，但或许比noos具体。

心喜，以为那不是幻景，而是实事当真[1]。”

　她言罢，享用金座的黎明临身。
卓著的奥德修斯听见她哭诉出声，
斟酌思考，心里觉得妻子正站立
他的头边，已经认出他是谁人[2]。
他收起夜间睡用的羊皮和毯篷，
搁置宫里的椅上，抓起牛皮出门，
放下，扬举双手[3]，对宙斯祈祷有声：
“父亲宙斯，倘若众神乐于领我，让我穿走陆地大海，
回返乡园，业已让我吃够苦头，
那就让宫内某个醒着的人儿给我传送预示，

① 梦幻与现实再次交织，互为衬托，与奇妙和大跨度的故事（参考第 78 行注）一起勾勒出一幅场面宏大、内容繁复、含意深邃玄奥的叙事图景。在第十九第 535—550 行里，裴奈罗佩梦见了丈夫的归家；在这里，她又向前“梦”了一步，想象自己已经与他同床（事实上，此时的奥德修斯虽然未及与她“共枕”，却已经睡在宫中）。两次睡梦，一次已经成真，另一次即将成为现实（参考第二十三卷第 300 行）。梦与现实的交织在大势上达成了一致。但尽管如此，诗人还是小心翼翼地区分了梦与现实的不尽相同（参考本卷第 90 行），拉开了二者在（表现）真实性方面的距离。毕竟，此时的裴奈罗佩还不能确信奥德修斯已真的回来，否则我们将很难解释日后她对奥德修斯的“敬而远之”（详见第二十三卷第 4 行以下）。

② 奥德修斯已经醒来（全醒），听闻裴奈罗佩的哭声（第 92 行）由此联想到妻子的形貌，仿佛觉得她此刻正站在自己身边。似乎亦可把第 91—97 行理解为一个过程，即奥德修斯由半醒或半有意识（hypnopompic）进入全醒（即彻底清醒）状态的由朦胧意识进入清醒意识的过程。奥德修斯带着意识的浑沌“思考”，感悟到妻子的出现，然后彻底醒来，起身，“抓起牛皮出门”（第 96 行）。后一种假设可资参考，但前一种解释似更为简洁明了，易于接受。对人的潜意识行为，诗人有着初朴然而却不失精到的感悟。参考并比较第四卷第 809 行注。

③ 参考第十三卷第 355 行和《伊利亚特》第二十四卷第 301 行。

而宙斯你则在屋外显示兆朕①。”

他作罢祈祷,精擅谋略的宙斯听见话声,
当即掷甩响雷,从闪亮的奥林波斯山峰,
在那云层之上②,高贵的奥德修斯欣喜听闻。
其时,屋里有一个磨面的女奴说话虔诚,
置身附近,民众的牧者③ 在那里安放
手磨,共计十二名女仆在里面埋头干活,
碾磨小麦大麦,凡人的命根④。
其他女子均已磨完麦粒,眼下已经睡沉,
但她还不曾忙完,拖着最弱的女身。
她停住推磨,说话,将示言致送主人:
“父亲宙斯,你主宰凡人仙神,
刚才掷甩震响的炸雷,虽然没有云彩,

① 在《伊利亚特》里,当普里阿摩斯准备动身前往阿基琉斯的营棚赎回儿子赫克托耳的遗体时,妻子赫卡贝提议老王先对宙斯祈求,请他遣送兆示(详见第二十四卷第283—298行,参考该卷第294行注;另见本书第二十一卷第413行)。比较第十七卷第541行和第十八卷第117行。

② 或“从云层里”,“云”或“云层”在此泛指天空(参考第113行和第十六卷第211行注)。另参见第二十一卷第413—415行;比较第二十四卷第539行。

③ 此处指奥德修斯。

④ 比较第七卷第104行。奥德修斯的宫里共有五十名女仆,其中十二名在磨房劳作,十二名已成求婚人的相好(第二十二卷第424行)。十二乃诗人喜用的数字。史诗人物的标志性食物是猪、羊尤其是牛肉,但麦粮却是“常规”和居家过日子的东西,是支撑(人的)生命的主要“物质基础”。别忘了,人是吃食面粮的凡胎(诗人不用诸如“吃食面粮的”一类的词语修饰神祇)。参考第六卷第8行及该行注和第九卷第89、191行及相关注释。求婚人不仅每餐荤腥,而且也消费大量的面食(参考本卷第118—119行)。

从多星的苍穹[①]。你显示朕兆，给某个凡人。
现在也请兑现我的祈愿，一个苦命女子的诉申。
让求婚人今天最后，是的，最后
一次如意，宴享在奥德修斯的房宫。
他们累断了我的双腿，操做苦活重沉，
磨面，为了他们。但愿这是他们最后的一顿[②]！”

她言罢，卓著的奥德修斯欣喜于女仆的兆言，
连同宙斯的雷轰；恶人将被惩罚——他想他能。

别的女仆聚集，在奥德修斯绚美的房宫
点亮不知疲倦的柴火，就着炉盆，
忒勒马科斯起身离床，神一样的凡人，
穿好衣服，将锋快的劈剑斜挎肩身，
足登精美的条鞋，在闪亮的脚面缚稳，
抓起一柄粗重的投枪，顶着尖利的铜锋[③]。
他行至门槛边站定，对欧鲁克蕾娅说话出声：

① 黎明已经登临(第91行)，此时肯定已是透亮的白昼。然而说及天空，诗人还是习惯性或程式性地使用(或套用)了“多星的”一语(这一程式化搭配在《伊利亚特》和《奥德赛》里分别出现六次和四次)，尽管此时他或许可以(甚至应该)选用其他词汇取而代之。然而，诗人受情节的制约(参考第十九卷第381行注)，也受程式(包括用语的固定搭配)的制约(参考第二卷第72行注和第十六卷第59行注等处)，此外还受到传统和行业或职业“要求”的无形然而却是强有力的规范。在史诗里，人物不分身份高低，都可以向神明(包括宙斯)祈求。

② 决战的时刻即将来临，诗人逐渐浓添着复仇前的紧张气氛。求婚人享受了最后一晚的欢爱(参考第12—13行)，不久又将面临“最后的晚餐”。参考并比较第390—394行及相关注释。

③ 忒勒马科斯在程式化语言中完成了出行前的规范动作(比较第二卷第2—5行)。

“你等女子,亲爱的保姆,是否已招待家中的客人,
给他食物,备妥床铺——抑或让他躺着,不予照顾
随任? 此乃我母亲的方式,虽然慧能,
她会突如其来,厚待次劣的来人,
疏淡佳好的宾客,让其出门[①]。”

其时,谨慎的欧鲁克蕾娅对她道说:
“此事不能怪她,孩子,她没有做错。
那人坐着喝酒,按他自己的意愿饮啜,
但他不饿,无须进食,他说。女主人对他问过。
其后,当客人想要休息睡觉,
她又吩咐女仆们行动,把床铺备妥[②],
但他是那种永久的倒霉之人,破落,
不愿睡在床上,用毛毯掖裹,
而是垫着一张生牛皮和一些个羊皮且过,
睡在前厅里,是我们给他篷盖罩覆[③]。”

---

① 参考欧迈俄斯对临抵伊萨卡的浪人生客的评价(第十四卷第 122—131 行)。受长年累月的思念折磨,裴奈罗佩已疏于管理家中的事务(参考第十五卷第 374—375、515—517 行和第十七卷第 318—321 行)。关于她与儿子间的隔阂,参考第十七卷第 47 行注等处。

② 参考第十九卷第 317—319 行。

③ 参见第 1—4 行。另参考第十九卷第 337 行注。忒勒马科斯和欧鲁克蕾娅已先后“发现”奥德修斯,但二人似乎没有就此互相通气,所以有可能都以为对方尚不知客人的真实身份。欧鲁克蕾娅已看出了陌生人的“苦酸相”。参考第四卷第 244—245 行、第十七卷第 283 行和第十九卷第 337—342 行;另参考第十八卷第 375 行注。老妇感觉细腻、敏锐(参考她在第二卷第 367—368 行里的预见)。奥德修斯命里注定要吃苦受难(细读第十九卷第 409 行注)。他捉弄人,也被人捉弄(参阅第十八卷第 332 行注)。另参考第四卷第 244 行及该行注。

她言罢,忒勒马科斯走出厅屋,
手持枪矛,两条腿步轻快的犬狗跟着,
前往胫甲坚固的阿开亚人集会的场所①。
欧鲁克蕾娅,女人中的杰卓,裴塞诺耳之子
俄普斯的女儿,吩咐女仆们干活:
“干起来吧,动手,你们清扫宫居,快做,
洒水地面,将紫红的垫毯覆上
精制的椅座。另一些人负责净洗,用海绵
净洗所有的餐桌,洗涤缸碗,
连同双把的酒杯,精工制作。余下的
可去泉边汲水,快去快回利落。
求婚人不会久离宫居不着,
而会早早回来,因为今天有公众的庆典宴酢②。”

她言罢,女仆们服从,认真听过,
二十人前往幽黑的泉水③,
其余的留在宫内,操做活计娴熟。

---

① 与第144—145行相似的描述,参看第二卷第10—11行和第十七卷第61—62行。即使在和平时期的伊萨卡,阿开亚人也可以是“胫甲坚固的”(参考第二卷第72行及该行注),尽管此时的他们显然没有也无须佩带胫甲。饰词与被饰成分之间的搭配关系一经形成并趋于稳定,便具备了某种超越语境和“常识”支配的特性。另参考本卷第114行注。

② 指庆祭阿波罗的食餐。参考第276—278行和第二十一卷第258行。另参考第十九卷第306—307行(同第十四卷第161—162行)及相关注释。

③ 应为诗人已在第十七卷第204—211行里描述过的那处水源。由于蓄水幽深,所以看来显得黑沉,故有“幽黑”的一说(另参考《伊利亚特》第九卷第14行和第十六卷第3行)。“乌黑的”(或“幽暗的”)乃史诗里常见的饰词,接受其修饰的“对象”众多,包括泥土、铁、血、酒、水、葡萄、船(参考本书第二卷第430行注)、云、夜晚和死亡(参考本卷第52行注)等。

其时，高傲的男仆们进屋，当即
劈破烧柴，动作熟练自如，女人们
从泉边汲水归来，然后是牧猪人，接着，
驱赶三头肥猪，栏群中最壮的猪猡[①]。
他让肥猪觅食在佳美的院落，
自己则话对奥德修斯，用温和的语句讲说：
“朋友，阿开亚人可曾给你稍多的照顾，
或许还和先前一样，在宫居里对你菲薄？”

其时，足智多谋的奥德修斯对他答话，说道：
“但愿神明惩报，欧迈俄斯，严惩
这伙人的横蛮，在别人家里谋划恶行，
肆意胡闹。他们不顾廉耻，全然不晓[②]。”

就这样，当他俩一番说告，你来我往，
墨朗西俄斯临近他们，此人牧放山羊，
赶着畜群里最肥的羊儿，
供求婚人食餐，带着两个牧人，随他。
他把山羊系于回音缭绕的门廊之下，
对奥德修斯开言，说话辱骂：

---

① 按照忒勒马科斯的吩咐（虽然他没有规定头数），欧迈俄斯赶着“肥美的牲品”走来（参考第十七卷第599—600行）。当天是餐祭阿波罗的日子，所以“最壮的”或许名副其实（另参考本卷第174行），与史诗里常见的极致表述（参看第十九卷第365行及该行注）有所不同。此外，欧迈俄斯赶来三头肥猪，在数量上也比往日更多（参考并比较第十四卷第107—108和94行）。

② 奥德修斯已由开卷时心中无声的谋划（第5—6行）转入了对求婚人有声的谴责。参考第十五卷第376行注。正面走向的史诗人物应该争获（甚至争抢）荣誉，避免遭人耻辱或讥笑。因此“不顾廉耻”（或不要脸面）是分量很重的责词。

“怎么,陌生人,你还在这里要饭,
烦扰屋里的人士——你就不能出去,
去往别的地方[1]? 你我已不能分手,我想,
直到试过拳头,开打。你这也算乞讨,胡来,
不顾规章。别地也有阿开亚人,均在宴享。”

他言罢,足智多谋的奥德修斯不予答讲,
但在心底里谋划凶灾,默默把头摇晃[2]。

民众的首领菲洛伊提俄斯第三个走来[3],
驱赶一头未生育的母牛和肥美的山羊。
船工把牧人和牲畜载过海面[4],他们也载送
别人,无论谁个,只要落脚那块地方。
他将牲畜仔细系拴,于回音缭绕的门廊之下,
然后走去站临牧猪人身边,对他问话:
“生人是谁,牧猪人,可是新近抵达,造访
我们的宫房? 此人声称来自哪个部族?

① 比较墨兰索(墨朗西俄斯的姐妹)对奥德修斯的辱骂驱赶(第十九卷第66—69行,参考第十七卷第257行注)。然而奥德修斯已得求婚人的“奖励”,即允许获胜的拳手(指奥德修斯与伊罗斯二者中的胜者)在厅堂里用餐(参考第十八卷第46—49行)。墨朗西俄斯大概还没有听闻奥德修斯拳击伊罗斯一事,否则他或许不会有本卷第180—181行里的狂妄。墨朗西俄斯的结局远比要饭的伊罗斯凄惨(详见第二十二卷第474—477行)。

② 程式化表述,另见第十七卷第465、491行。

③ 在当日惩击求婚人的行动中,菲洛伊提俄斯发挥了重要的辅助作用。奥德修斯的助手们此时均已汇集宫院。称菲洛伊提俄斯为“民众的首领”自然勉为其难,但既然猪倌欧迈俄斯可以“消受”(参考第十四卷第22行及该行注),作为牛倌的他大概也可以勉强受领。细察该卷第3行;参读该行注。

④ 奥德修斯在伊萨卡对面的大陆(参考第210行)亦拥有畜群(参考第十四卷第100—102行)。

祖居何地，哪里是他的故乡？
不幸的人儿，模样像似权贵国王[①]。
然而，神祇使远游的浪人遭难，
当他们纺织苦楚，哪怕对王者也是这样[②]。"

　言罢，他站临奥德修斯近旁，伸出右手，
对他开言，送吐长了翅膀的话语说讲：
"问候你，陌生人，阿爸[③]。愿昌达的生活
日后附临，虽然你受制于众多的不幸，眼下。
父亲宙斯，神祇中谁都难与你的残忍比攀[④]，
是你亲自生养凡人，却不予怜悯有加，

① 菲洛伊提俄斯根据什么做出这一判断？若说根据"模样"，当然可以，但似与第十三卷第397—400行里雅典娜的"规划"不符；而若说依据气质，诗人又未予明确提及，在该卷的相关行次里也未做任何保留他王者风度或气概的暗示。应该指出的是，雅典娜变老了奥德修斯，却没有改变他固有的相貌(参考该卷第430—433行)；换言之，此时的奥德修斯仍以自己的"长相"，即老化了的或老年奥德修斯的形貌(参考第十九卷第380—381行)出现在人们的面前。既如此，菲洛伊提俄斯便可能"认出"奥德修斯，而非只是简单地称他"像似(一位)权贵国王"。不能说诗人没有明晰的逻辑意识，但"应景"和尽可能简练地顺导情节的发展，常常是他的首选和排位第一的"需要"(参阅第十九卷第381和535行注等处)。参考并比较第十八卷第66—69行及相关注释。

② 此行可作一种以上的解释；译者参考并基本沿用了D.B.Monro教授的诠释。

③ pater，"父亲"。菲洛伊提俄斯以此相称，表示对长者的尊敬。第199—200行同第十八卷第122—123行。

④ 同《伊利亚特》第三卷第365行。参考阿伽门农对宙斯类似的指责(《伊利亚特》第二卷第111—112行；比较该史诗第十九卷第87—89行)。参考宙斯的辩解："凡人太会怪罪神明……"(本书第一卷第32—34行)

使他们遭受不幸，承受深重的苦殃①。
眼见你的境遇，令我汗水流淌，泪盈眼眶，
念及奥德修斯，我想他也穿着
同样破旧的衣裳在人间游荡②，
倘若他还在哪里活着，得见太阳的明光。
如果他已死了，去往哀地斯的宫房，
我悲悼豪勇的奥德修斯，念他在我幼小之时
让我看管牛群，在开法勒尼亚人的农庄。
如今牛群繁衍，多得计算不下，谁也不能
增殖额面开阔的牧牛，以超赶它们的速度增长③。
现在，有人要我赶送牲畜，供他们食享，
全然无视宫居里还有他的儿子，
亦不敬畏神的恼怒意向，一心只想

① 宙斯是“人和神的父亲”(参考第一卷第 81 行注等处)。凡人的一生中祸福掺杂(细品《伊利亚特》第二十四卷第 525—533 行)，但“乐”是相对的(对于求婚人，也是短暂的)，而“悲”则是绝对的(人注定必死)。人在掺和少许欢乐的苦难中(于奥德修斯更是如此)走向衰老，走向死亡[但奥德修斯将在“丰裕的晚年生活中倒躺”(本书第十一卷第 135—136 行)，可算是不幸中的“万幸”]。巴比伦人曾请求圣主恩利尔(Enlil)“不要摧毁你的创造(指人)”，《圣经》的撰写者也多次重复了类似的请求。荷马史诗不是无中生有地“创造”出深邃的悲剧思想。它部分地继承了(至少是受到影响)古代巴比伦人的神学和神学宇宙论，在对人生评价的悲观态度里掺入了希腊英雄的豪壮(或悲壮；参考《伊利亚特》第十七卷第 645—647 行)。在荷马生活的年代，故事(和神话)依然是“知识分子”和普通百姓汲取知识的主要源泉。参考本书第十二卷第 188 行关于秘索思知识的阐述。关于人生的悲苦，另参看第十七卷第 587 行注。

② 比较欧鲁克蕾娅的“歪说”正着(参考第十九卷第 370—372 行)。另参考裴奈罗佩的评论(同上第 358—360 行)。

③ 看来，至少就牧牛而言，奥德修斯的财产在遭受求婚人耗糜的同时(参考第二卷第 58 行等处)，仍然有所增长，尽管本卷第 211 行的表述无疑带有夸张的成分(参考第十五卷第 367 行及该行注)。

瓜分主人的财产，他已长久离家[①]。
我胸中的心灵一直在把这件事情
反复忖想[②]，只要他的公子还在，我就
不能造次，把牛群赶往异族
他乡。然而留下的处境更坏，含辛
茹苦，放养牧牛，交在他人手下。
我早该逃离此地，投奔某位
强健的国王，因为这里的情势已难以忍让，
但我仍然念想那个不幸的人儿，寄望他能回还，
杀散求婚的人群，使其在宫居里奔窜逃亡[③]。”

其时，足智多谋的奥德修斯对他答话，说及：
“你不像是个坏人，牛倌，亦非无有心计[④]，
我知道，是的，已经看出你有聪达的心灵。
我将以此相告，对你，盟发庄重的誓咒一并。
请至高的神主宙斯做证，还有这张桌子的客谊，
连同豪勇的奥德修斯的火炉，我对之求祈[⑤]，
奥德修斯即将返家，当你尚在屋里，
让你亲眼见着，如果愿意，

---

① 在大是大非(即对求婚人的态度)问题上，牛倌菲洛伊提俄斯表明了自己的立场。参考第十五卷第 376 行注。

② 参考第 10 和 38 行注。关于“心灵”(thumos)，另见第 304 行等处。

③ 忒勒马科斯的“幻觉”(细察第一卷第 115—116 行)和牛倌的“寄望”将在当日变成现实。

④ out' aphroni(比较第二十一卷第 102 行)，与本卷第 228 行中的 phrenas(另见第二十三卷第 14 行)形成(实为同义的)对比。关于 phrenes，参考第十八卷第 215、220 行及相关注释。参考并比较本卷第 41 和 85 行注。

⑤ 第 230—231 行同第十九卷第 303—304 行、第十七卷第 155—156 行和第十四卷第 158—159 行。参考第十四卷第 159 行注。

目睹他痛杀求婚者，这帮人横霸宫邸[①]。”

其时，牧牛人对他答话，说接：
“但愿克罗诺斯之子，我说朋友，兑现你的话语。
届时你会知晓我的豪强，知晓我的手劲臂力[②]。”

欧迈俄斯亦祈求所有的神明，
求他们让精多谋略的奥德修斯回返府邸。

当他们你来我往，一番说议，
求婚人却在恶谋忒勒马科斯的死亡
毁灭。这时一只飞鸟在他们左边出现[③]，临抵，
一只高飞的山鹰，爪掐胆小的鸽子翱行。
其时，安菲诺摩斯在人群中发话，说起：
“哦，朋友们，除杀忒勒马科斯的计划，
我们的，将会报废。让我们心想餐食，所以[④]。”

安菲诺摩斯言罢，众人接受他的建议。
他们步入神样的奥德修斯的宫邸，

① 比较第十四卷第160—164行和第十九卷第300—301、306—307行。

② 比较欧迈俄斯和裴奈罗佩的“怀疑”[分别参看第十四卷第166—167行(另见第131—136行)和第十九卷第312—313行]。时间紧迫，惩击即将开始。诗人不允许菲洛伊提俄斯像欧迈俄斯和裴奈罗佩那样表示怀疑。菲洛伊提俄斯痛快地接受了“乞丐”的说法，表示了自己跟随奥德修斯(虽然此时尚不知乞丐的真实身份)击杀求婚人的决心。比较忒勒马科斯的“表态”(第十六卷第309—310)。

③ 鹰鸟在左边上空出现，凶兆。比较第二卷第146—154行。参考第十五卷第160行注。

④ 求婚人当然不缺识辨鸟踪的常识。安菲诺摩斯乃杜利基昂求婚人的头目，“说话最讨裴奈罗佩的欢喜”(参阅第十六卷第394—405行及相关注释)。

将披篷放置便椅和高背的靠椅，
动手杀祭硕大的绵羊和肥壮的山羊，
连同滚肥的肉猪和一头来自畜群的小母牛一起[1]。
接着，他们烤熟内脏，均分完毕，调匀
浆酒，在兑用的缸碗，牧猪人分放酒杯，
菲洛伊提俄斯，民众的首领，分送面包，
取自精美的篮提，墨朗西俄斯为他们斟酒，侍饮。
众人伸出双手，抓起面前佳美的食品。

　怀藏谲巧的心计，忒勒马科斯让奥德修斯
下坐石凿的门槛边旁，在精固的厅里，
放置一张小餐桌，一把破椅[2]，
给他一份食用的内脏，斟酒
黄金的盏杯，对他开讲，说起：
“坐下吧，啜酒，和权贵们一起喝饮，
我会亲自出面，护你，挡开所有求婚人的
辱骂、拳击。此宅并非公产，而是
奥德修斯的宫邸，由他挣得，让我承继。
所以，你等求婚人，收起你们的辱骂
拳击，免得引发争吵，殴斗随即[3]。”

---

[1] 第 249—251 行同第十七卷第 179—181 行。

[2] 就餐者坐在各自的桌子前（参考第十七卷第 447 行和第二十二卷第 19—20 及 74 行），食用均等的餐份（参看本卷第 252、281 和 293 行）。

[3] 忒勒马科斯的口气已较前强硬（比较第十八卷第 406—409 行）。当然，他具体说些什么要听诗人的安排，诗人的意图决定他说话的内容（以及口才的好坏）。如果说在第一卷里求婚人还可以悬崖勒马，以求保全性命（参考该卷第 374—380 行），在这里，或事态发展到这一步，诗人和忒勒马科斯都已不再愿意给他们以这样的选择。比较奥德修斯对安菲诺摩斯的“劝告”以及他本人不愿（或不会）与求婚人和解的决心（第十八卷第 146—150 行）。

他言罢,求婚人无不惊诧,把嘴唇狠咬,
有感于忒勒马科斯的放胆,说话的方式路套①。
其时,欧培塞斯之子安提努斯对他们说道:
"我等阿开亚人必须接受忒勒马科斯的劝告,
尽管他威胁我们,用严厉的词藻。
若非克罗诺斯之子宙斯不允②,我们已在
厅里中止此人的喧嚣,尽管他雄辩滔滔。"

安提努斯言罢,忒勒马科斯不予理会。
信使们穿走城区,赶动祭神的牲品神圣③
前来,长发的阿开亚人④ 聚集在远射手
阿波罗的林地,在枝叶的投影下聚汇⑤。

他们烤熟外层的畜肉⑥,从叉杆上取回,

① 对忒勒马科斯的讲话(或抨击),求婚人的反应照例是程式化(即模式化)的。参考第一卷第 381—382 行和第十八卷第 410—411 行。

② 指飞鸟的示兆,参见第 242—243 行。

③ "牲品"原文作 hekatomben[主格形式为 hekatombe,"一百头牛"(参考《伊利亚特》第六卷第 236 行)、"百牛祭"]。古代或许有过名副其实的以一百头牛敬祭神明的餐宴,但在一般场合里或实际情况下,牛的数目应该少于百头。在荷马史诗里,hekatombe 表示祭品的丰盛(参考《伊利亚特》第一卷第 65 行和第二卷第 321 行等处),自然也间接展示场面的宏大和祭事的隆重。参考本书第三卷第 144 行注。关于信使,参考第八卷第 62 行注和第十九卷第 135 行注等处。此处或许指伊萨卡的公务信使,而非受个人指派的帮手。

④ "长发的"为阿开亚人的饰词之一,在《伊利亚特》里见例颇多。"阿开亚人"在此指伊萨卡市民。

⑤ 当日为宴祭阿波罗的公众节日。参考第十九卷第 306—307 行及相关注释。诗人的描述从奥德修斯的宫中"闪出",但很快又会"闪回"。

⑥ 与"内脏"(第 252 行)形成对比(参考第三卷第 65 行注)。

匀开份子,开始丰盛的食脍。
侍宴者给奥德修斯放下均等的餐份,
和他们自己的等对,听从忒勒马科斯、
神样的奥德修斯钟爱的儿子的命催。

　然而,雅典娜决不想让高傲的
求婚人收敛极度的横蛮,以便在
莱耳忒斯之子奥德修斯心里增添愤烦①。
求婚者中有一惯常作恶的无赖,
名叫克忒西波斯,在萨墨拥有房宅,
凭仗极其丰广的财富,他的家产,
追求奥德修斯的妻子,丈夫已久别不在,
此人在骄蛮的求婚人中说话,开言:
"听着,你等高傲的求婚人,倾听我的见解。
陌生人早已得到均等的份子,按照常规
操办,须知此事不好,有违公断,怠慢
忒勒马科斯的客人,谁个光临他的宫殿。
这样吧,让我也给他一份待客的礼件②,
以便他能转赠替他洗澡的女人或别的
帮仆,劳作在神样的奥德修斯的家院。"

---

① 相同的表述见第十八卷第 346—348 行。雅典娜似乎一直关注着事态的发展,尽管荷马没有也无须交待她此刻置身何处。另参考第十七卷第 360—363 行。古希腊人相信,神祇若要毁掉某个凡人,总会先让他疯狂,忘乎所以。

② 克忒西波斯的"赠礼"是一只砸人的牛蹄(见第 299 行)。比较波鲁菲摩斯给奥德修斯的"礼物"(参见第九卷第 369—370 行)。恶人必定违反或"嘲弄"客谊(或客人的权益),此乃荷马史诗里的常规。参考第十七卷第 462—465 行、第十八卷第 394—398 行以及第十七卷第 233—235 行及相关注释。

言罢，他用粗壮的大手抓起一只牛蹄，
从篮筐里面，投掷，但奥德修斯躲过，
把头轻松撇向一边，激怒中挤出深表
轻蔑的狞笑，牛蹄砸向建造精固的墙壁。
其时忒勒马科斯发话，斥责克忒西波斯说及：
“克忒西波斯，此事于你的心灵有利，
你不曾击中生客，他躲过了你的牛蹄。
否则我会扎透你的中腹，用我的枪矛尖利，
让你父亲在此忙于葬送儿子，
而不是婚礼[1]。谁也不许胡来，
在我的家里。我已关注一切，知悉，
好的坏的，在此之前我还只是孩子一名[2]。
尽管如此，我们也只能眼睁睁地看着，忍受
这些事情：羊群被宰，酒和面包被人

① 诸如此类的语言也出现在《伊利亚特》里。战争夺杀年轻人的生命，让他们“死得太早”。参考俄斯罗纽斯的“遭遇”（《伊利亚特》第十三卷第363—373行）。与求婚人的投掷一次不如一次“有效”（参考本书第十七卷第462行以下、第十八卷第394行以下）形成对比的是，忒勒马科斯的反应一次比一次更显强烈（比较第十七卷第489—491行、第十八卷第405—409行和本卷第303—309行）。

② 在第十八卷里，忒勒马科斯做过同样的评估（第229行）。裴奈罗佩会同意他的观点。参考她对儿子的评价：“如今你已长大，已经及达成人。”（同上第217行）事实上，早在第二卷里，年轻气盛的忒勒马科斯已对求婚人宣布“如今我已长大成人”（详见第314—317行）。已经长大成人并不意味着年轻小伙已是成熟和可以独当一面、处理重大事件的英雄。荷马或许会同意我们的观点，认同即便是盛年和久经沙场的英雄（如阿伽门农和阿基琉斯等）也不会是没有缺点的完人。奥德修斯或许是荷马史诗里最接近于“完人”的一位，但即便是他也有不够谨慎的时候（参考第九卷第228行注等处）。忒勒马科斯毕竟年轻，对言谈的微妙仍须加深理解（参考第三卷第23行），在战力方面也存在有待提高的问题（参看第十六卷第71行）。尽管如此，忒勒马科斯正在逐步走向成熟，已经具备了成年人的分辨能力（本卷第309—310行，比较第二卷第314—315行），开始表现出《伊利亚特》里的勇士们不惜为荣誉献身的战斗豪情（参考本卷第315—319行）。

食饮，因为孤身一人难以对抗群敌。
收敛些，别再害我，怀揣恶意。
倘若你们决意用锋快的青铜杀我，
如此也是我的心意，须知这样远为佳好，
比之眼见这些无耻的作为了无止尽，
目睹客人备受错待，由你们拖拽
女仆，粗蛮，在精美的宫邸[①]。"

他言罢，众人悚然无言，全场静默。
许久，阿格劳斯，达马斯托耳之子，在人群中说道：
"哦，朋友们，不要恨恼，不要用
粗暴的话语回复合乎情理的言告。
别再虐待生客，如前所做，别再
欺凌仆人，在神一样的奥德修斯的宫巢[②]。
然而对忒勒马科斯和他的娘亲，我要
好言劝诫，倘若这能愉悦他俩的心窍。
只要你俩的心中仍然怀抱希望，
以为精多谋略的奥德修斯还会返家事了，
那么谁也不能责备你们等待，把求婚人
滞留宫所，因为如此于你们有利，
假如奥德修斯真的归返家居，回到。
然而，现在他已归返无望，事情已明白不过。

① 第 317—319 行同第十六卷第 107—109 行。

② 第 322—325 行同第十八卷第 414—417 行。诗人首次提及阿格劳斯。此君将在第二十二卷里发挥重要作用，"替补"被杀的安提努斯和欧鲁马科斯，充当求婚人的首领。每当推出"新人"，诗人一般都会（对其人）略做介绍（参考第二卷第 16 行注），比如提及他是谁的儿子。荷马史诗尊重父权（参考第十六卷第 19 行注），并由此顺推至男权（比较忒勒马科斯对母亲的态度，见本卷第 341—344 行）。

去吧，坐到你母亲身边，对她劝告，
婚配我们中最好的一个，他致送最多的礼犒[1]。
如此，你亦会高兴，继掌父亲的遗产，
吃吃喝喝，由她去把别人的家居照料[2]。"

其时，聪颖的忒勒马科斯对他答道：
"请宙斯做证，阿格劳斯，并以家父所受的苦熬，
其人不是死了，便是远离伊萨卡零飘，
我不曾拖缓母亲的婚事，相反我还敦促她
嫁随中意的人选，赠送礼物难以计较。
但我羞于赶她出宫，违背她的心意，

① 阿格劳斯还停留在对事情既有的认识上（参考第十六卷第390—392行和第十八卷第285—303行），即裴奈罗佩将嫁随求婚人中最好，亦即送礼最多的一个。殊不知裴奈罗佩已有新的计划（参考第十九卷第570—580行），要用举办弓赛的办法解决"争端"（于奥德修斯，则是开启杀灭求婚人的行动）。

② 如果阿格劳斯此论并非意在欺骗，那么他实际上已代表求婚者改变了人财两得的计划（参考第十六卷第383—386行），退回到原先的立场（参考第一卷第402—404行），以迎合忒勒马科斯的愿望（同上第397—398行）。谋杀（忒勒马科斯的）计划的落空，是促使求婚人（至少在口头上，参看第十八卷第168行）改变计划的主要原因。他们的目标是抢夺王位，而能够婚娶王后并占有王家的资产无疑会确保这一目的的实现。既然忒勒马科斯死里逃生，活了下来（他们或许会猜测此乃神意使然），而且通过外出历练，人亦变得更加成熟起来，此时的求婚人已不得不更多地"尊重"他的权益（细析本卷第308—309行），以便明确主攻方向，首先婚娶裴奈罗佩，再图发展。阿格劳斯的讲话还带有明显的离间他们母子的意图，使忒勒马科斯满足于继掌父亲遗产的实惠，鼓动并支持母亲出嫁，从"客观"上帮助求婚人实现他们的目的。事实上，忒勒马科斯的口气随之松缓，由对求婚人的怒斥转成了"推心置腹"式的交谈（参考第341—344行）。然而，此时的忒勒马科斯知道父亲已在宫中，因此如果不是诗人记错（即还是把他当作第十六卷以前的忒勒马科斯），便是忒勒马科斯有意将计就计，迎合求婚人的意图，旨在迷惑。

用言语的苛暴。愿神明别让此事做到①。”

　　忒勒马科斯如此讲说，帕拉斯·雅典娜
搅乱求婚人的心智，催发难以抑制的狂笑，
不止，笑喊，歪张着已不属于他们的颌角，
吞噬血染的肉块，双眼泪水
注浇，怪笑之声像似哭嚎②。
神样的塞俄克鲁墨诺斯对他们开口③，说道：
“可怜的东西，竟与何样邪灾碰遭？你们的
头脸和身下的膝盖已被黑夜和昏暗蒙罩④，
突发恸哭，双颊糊满泪水，

① 忒勒马科斯的表述符合（受到雅典娜支持的）他对母亲的一贯态度（参考第十七卷第 47 行注等处）。如果旨在欺骗（可惜诗人未予明说），他的话当会得到求婚人的“认同”。比较本卷第 337 行注。

② 雅典娜强化了对局势的控制，致使求婚人由蛮横变得疯狂，由骄奢变得怪诞，由常规意义上的坏毒变成了非常规的苦涩。心智的极度迷乱是大难临头的“前奏”，也是长期从事歪虐行为的恶人，在某些特定的时刻所能体验到的极不正常的感受。求婚人的怪诞表现中既有神力的拨导，也有他们自己因长期蔑视道德原则和生存规律的制约而引来的对自作自受者的无情惩报。是神导的命运和求婚人自己的积极“配合”，伤损了他们的心灵，扭曲了他们的心理，使他们展现出精神崩溃的病兆。

③ 参考第十五卷第 222—281 行。忒勒马科斯将其带入宫居（第十七卷第 71—85 行），稍后塞俄克鲁墨诺斯曾为裴奈罗佩卜兆（同上第 151—161 行）。第十八、十九卷中无有塞俄克鲁墨诺斯的“出场”，此时他以一位职业卜者的身份被诗人“解冻”或“调出”（参考第十三卷第 323 行注），卜释宫里怪诞的景兆，于“应景”上无可挑剔，但就出现的唐突程度而言，虽说还没有超出可以接受的底线，但似乎已对听众和史诗艺术所能提供的宽容（参考第十六卷第 326 行注和第二十三卷第 95 行注等处）构成了过于强劲的挑战。

④ 在第 351—357 行里，诗人用结合写实和象征的语言，预示了即将在宫居里发生的求婚人被杀的惨状。迷雾和黑夜“可以”罩蒙人的眼睛和躯身，喻指死亡（参考《伊利亚特》第四卷第 503 行和第十三卷第 425 行；比较该史诗第十二卷第 116 行）。参考并比较本卷第 52 行注。

壁墙滴血，精美的柱梁上殷红道道。
前厅里到处都是鬼影，充斥院落[①]，
拥挤着跑下昏冥的厄瑞波斯[②]，太阳
从天空消失，霉邪的雾气罩绕。”

　他言罢，求婚人全都哈哈大笑，
欧鲁马科斯，波鲁波斯之子，在人群中说道：
“此人疯了，新近从外邦来到。
来吧，年轻人，把他送出宫所，
去往聚会之地，既然他以为此地已被黑暗裹包[③]。”

　其时，神样的塞俄克鲁墨诺斯对他答道：
“不用，欧鲁马科斯，无须你派人送我。
我有耳朵眼睛，有自己的双脚，

---

① 参考第二十二卷第448行以下。参考本卷第352行注。

② 即进入哀地斯控掌的冥府。参阅第二十四卷第1行以下。关于厄瑞波斯，另见第十卷第528行。

③ 求婚人依然哈哈大笑，把塞俄克鲁墨诺斯当作疯子(第360行)。是他们对他描述的情景(第351—357行；参考第十七卷第157—161行)视而不见，还是因为心智的极度错乱，此时根本就看不见弥漫在厅居里的“奇幻”景状？聪明的诗人对此避而不做明确的解释，把这一片朦胧和昏浊的景致留给了听众的感觉。求婚人的无知显然已经达到了极点。像柏拉图笔下洞穴里的囚徒(参阅《国家篇》第七卷里的相关描述)，他们置身危险的黑暗之中，却对自己的生存景况无所知觉(参考本书第十八卷第69行注)，反倒讥笑看知真情的塞俄克鲁墨诺斯“疯了”，扬言要把他赶出宫居。爱哭的奥德修斯最终杀死了求婚人，取得了争夺“新娘”(参考序言中的相关论述)的胜利，而爱“笑”的求婚人连同他们那些爱笑的情妇(参看本卷第6—8行)则全都死于非命，没有笑到最后。在这里，我们是否可以读到诗人包含苦涩的幽默，体会到他在诙谐中注入的冷酷？

还有我胸中的心智，相当不错[①]。
它们会引我出去，我已察知凶祸，
逼近，你等求婚者中无人可以旁避
逃脱。你们肆虐，在神样的奥德修斯
家里欺人，谋设莽暴的举措。”

言罢，他步出堂皇的宫邸，
前往裴莱俄斯家里，受到接待热情[②]。
其时，求婚人互相视望，试图
嘲弄忒勒马科斯，通过取笑他的客宾。
高傲的年轻人中，有人这样说议：
“就客主而言，忒勒马科斯，没有人比你倒运。
你收留此人[③]，一个浪人襤褛衫衣，
索要食物浆酒，既无力气，又无
干活的本领，只是一堆重负压地[④]。
刚才，另一个家伙又作预卜，站起。
倘若你能听我，你将广受进益：

① 凭借目察的准确和心智的明晰，塞俄克鲁墨诺斯“已察知凶祸”（第 367 行）。与之相比，求婚人有眼无珠，心智迷沌——他们的暴死当在情理之中。“心智”原文作 noos（亦可作“想法”、“主意”和“理解”解，参考《伊利亚特》第九卷第 104 行）。参考并比较本卷第 10、38 和 41 行注。关于 noos，另参考第十卷第 240、493 行及相关注释和本卷第 85 行注。

② 参考第十五卷第 539—546 行和第十七卷第 71—85 行。卜者塞俄克鲁墨诺斯此后不再见诸提及。

③ 指奥德修斯。

④ 比较欧鲁马科斯对奥德修斯的讥辱（第十八卷第 360—364 行）。然而，求婚人或许忘了，奥德修斯曾拳击伊罗斯，展示过他的硬汉本色（同上第 90—107 行）。奥德修斯曾颇为自得地介绍过自己干农活的本领（同上第 366—375 行）。参考第十五卷第 324 行注。

让我们把陌生的他们送上桨位众多的海船，
载往西西里人那里，卖得可观的收入[①]，为你。”

他言罢，忒勒马科斯不予搭理[②]，
默默地望着对面的父亲，总在等盼，
待等手击无耻求婚人的时机。

裴奈罗佩，伊卡里俄斯的女儿，
已搬过精美的靠椅，坐在门边聆听，
耳闻厅里的人们，每一句话语声音。
求婚人嘻嘻哈哈，整备宴食妥帖[③]，
美味，可口，宰杀了众多牲品。
至于晚餐，世间不会有比之更少欢悦的事情，
女神和一位强健的凡人即将为他们

① Sikeloi(直译作“西开洛伊人”)，为西方古文献中关于西西里人的首次提及(比较公元前十四世纪古埃及文献中的 Shekelesh，一说即为 Sikeloi)。第二十四卷第 307 行中的西卡尼亚应该即为西西里。据希罗多德考证，Sikanie 是西西里的古称(参见《历史》第七卷 170)。考古发现表明，慕凯奈时代的希腊人与西西里和意大利本土的族民们有着频繁的商贸往来。比较本书第十七卷第 249—250 行。据古代疏注文献(the scholia)“考证”(无疑带有猜测的成分)，王者厄开托斯是一位西西里执政(或暴君)。参考第十八卷第 85 行及该行注。关于奴隶买卖，参考第十四卷第 452 行注和第十七卷第 448 行注等处。

② 参见第 275 行里相似的描述。

③ 此乃求婚人吃入肚皮的最后一顿食餐(或正餐)，与第 392 行中的晚餐形成对比，后者已被用作象征求婚人死亡的隐喻。参考第十七卷第 606 行注。他们照旧嘻嘻哈哈，尽管全然不知还有多少真正值得他们一笑的事情(细读本卷第 392 行)。参考第 362 行注。注意诗人在本卷中对求婚人“笑”的多次提及。

摆开晚间的宴请。是他们首先作恶，逆行[①]。

① 由此回过头来重读诗人在第284—286行（同第十八卷第346—348行）里的描述，或许会增进我们对雅典娜用意的理解。她要让求婚人多行不义，把他们的狂蛮行径推向极限，以此把他们逼向祸咎自取的不利地位，在道义上为奥德修斯的灭杀行动创造“条件”。求婚人以自己的错恶有力地配合着命运的展开，以一种非常专注和积极的态度干着有违自己根本利益的蠢事（参考第十六卷第364行注），以最大的热情败毁着自己的一切。

第二十一卷

其时，灰眼睛女神雅典娜把意念注入
伊卡里俄斯的女儿、谨慎的裴奈罗佩的心间①，
要她把射弓和灰铁② 置放求婚人面前，
在奥德修斯家里举行赛比，开始屠宰。
她走上高耸的楼梯，去往自己的房间，
坚实的③ 手中握着铜制的钥匙，
弯曲、精美，安着象牙的柄把连带。
领着侍女们，她走向最顶头的
藏室④，堆放着主人的珍财，

① 第1—2行同第十八卷第158—159行。比较第十四卷第273行及该行注等处。然而，诗人或许忘了，裴奈罗佩自己已先行做出决定，意欲举办弓赛(第十九卷第572—580行)。或许，他让雅典娜此时“介入”，意在借助神的参与，推动事态的进展，促使裴奈罗佩把计划付诸实施。在诗人看来，充分“调动”人和神两方面的积极性，使事态朝着顺应情节需要(或故事规定)的方向发展，是最顺理成章并合乎情理的事情。关于“注入……心间”(periphroni)，参考第二十卷第41行及该行注。

② 指(或喻指)铁斧。参考第十九卷第578、586行和第575行注。关于sideros，另参考第十九卷第13行注和第一卷第184行注等处。

③ 比较第二十卷第299行和第二十二卷第326行。在史诗里，女人的身材以高大(即丰腴)和匀称为美(参考第十三卷第289行及该行注)。人大了，手自然不宜太小，因此称其为“坚实的”(或“壮实的”)大概无伤裴奈罗佩作为美女的大雅，倒可以与她高大的身材“配套”。参考《伊利亚特》第二十一卷第403和424行。

④ 奥德修斯家里的藏室大概不止一个。参考第十九卷第31—33行(忒勒马科斯将从该处提取铜盔和枪矛盾牌，参看第二十二卷第109—111行)。此处大概也非保姆欧鲁克蕾娅主管的藏室(参考第二卷第337—347行)，虽然仅凭本卷第48—50行的描述似乎还不足以证明这一点。

有青铜、黄金和艰工冶铸的灰铁[①]，
放着那把回弹的弯弓，连同装箭的
长筒，插着许多招致悲伤的矢箭，
得之于朋友的馈赠，当他在拉凯代蒙遇见
伊菲托斯，欧鲁托斯的儿男[②]，长相有如
神祇一般。他俩在墨塞奈[③] 相遇，
在聪颖的俄耳提洛科斯[④] 的家院——奥德修斯
带着使命去那，索取该地全民的欠债。
墨塞奈人曾驱坐凳板众多的海船，载走
三百只绵羊连带牧人，从伊萨卡地面，
为此奥德修斯远道出使，仍是一个

① 炼铁和制作铁器的难度要大于“处理”相对熟软的青铜。参考第九卷第 393 行及该行注释；比较第四卷第 293 行注。铁块是破城后勇士们掠夺的财富，也是赛场上用以犒赏的贵重奖品（详见《伊利亚特》第二十三卷第 826—835 行）。

② 欧鲁托斯乃俄伊卡利亚国王，箭术高强，因挑战阿波罗被后者射杀（参见第八卷第 223—228 行）。比较萨慕里斯的遭遇（有趣的是，此君最后叙别的不是别人，正是俄伊卡利亚国王欧鲁托斯，参阅《伊利亚特》第二卷第 594—600 行）。

③ 研究表明，在荷马生活的年代，拉凯代蒙尚无任何以墨塞奈为名的城市。有人据此怀疑有关行次乃后人的伪作。拉凯代蒙位于伯罗奔尼撒东南部，主要城市为斯巴达（参考第四卷第 1—2 行和第十一卷第 460 行）。诗人很可能没有到过（至少是没有仔细游历过）伯罗奔尼撒半岛，关于该地的地理情况，他的认识相当模糊。细读第五卷第 282 行注、第十一卷第 123 行注和第十五卷第 36 行注等处。墨塞奈城于公元前 369 年由厄帕弥农达斯（Epaminondas）创建，乃墨塞尼亚（位于伯罗奔尼撒南部，东连拉凯代蒙）的主要城市。诗人是否以此泛指墨塞尼亚，不得而知。

④ 忒勒马科斯曾于前往拉凯代蒙的途中在菲莱息脚，借宿俄耳提洛科斯的儿子狄俄克勒斯（参考并比较《伊利亚特》第五卷第 547 行）的家院（本书第三卷第 488—489 行）。不知诗人在此指的可是同一位俄耳提洛科斯。

男孩，受他父亲，还有其他长老的指派[①]。
伊菲托斯去那儿寻找丢失的十二匹
母马，哺喂吃苦耐劳的骡崽，
谁料母马带来的竟是他的死亡、祸灾。
其时，他找到宙斯心志刚烈的儿男，
此人名赫拉克勒斯[②]，善创艰伟的事业，
残杀伊菲托斯，后者正作客他的房宅，
狠毒的汉子，不惧神的怒惩，

① 奥德修斯小小年纪便已堪当重任（比较少年奈斯托耳的英烈，详阅《伊利亚特》第十一卷第670—683行），出使墨塞奈人的居地，索要他们对伊萨卡人的“欠债”。参考本书第三卷第365—368行和《伊利亚特》第十一卷第684—688行。关于作为敛财手段之一的掠夺，参阅并比较本书第十五卷第425—429行和第十六卷第424—427行等处。使者要有口才，而能言善辩是奥德修斯的强项。奥德修斯（和墨奈劳斯一起）曾出使特洛伊，索要海伦（《伊利亚特》第三卷第205—224行），亦曾随“团”行往阿基琉斯的营棚，劝他回心转意（该史诗第九卷第168行以下）。当联军攻城受阻，需要杰出的弓手菲洛克忒忒斯（参考该史诗第二卷第718—725行及相关注释；另参考本书第八卷第219—220行）帮援时，又是奥德修斯当仁不让，前往莱姆诺斯，召回了被弃留该地的菲洛克忒忒斯。

② 赫拉克勒斯远比宙斯的另一个凡人儿子萨耳裴冬强健（参考《伊利亚特》第五卷第633—639行），曾先于阿开亚联军的攻伐，破毁劳墨冬的城垣（即伊利昂，同上第640—642行）。关于赫拉克勒斯的经历，另参考该史诗第五卷第392—397行及第397行注。奥德修斯曾在地府里见过赫拉克勒斯的魂影（详见本书第十一卷第601—626行）。

不敬招待宾朋的桌面，杀戮客人[①]，
将蹄腿坚实的马匹占有在自己的宫院。
为寻母马，伊菲托斯与奥德修斯相见，
赠他这把射弓，了不起的欧鲁托斯生前用带，
死后留传儿子，在高耸的宫殿[②]。
奥德修斯回赠他一枝粗重的枪矛和一柄利剑，
始建诚挚的友谊[③]，但却不及互访
招待，宙斯之子杀死欧鲁托斯
之子，伊菲托斯神祇一般，此前致送
奥德修斯，给他这把弓杆。但卓著的
奥德修斯从不带它征战，登临乌黑的
海船，一直存放在宫里，作为对好友的
纪念，只在家乡使用，携带此份礼件。

当女人中的姣杰行至库房，

---

① 赫拉克勒斯为何残杀伊菲托斯，诗人没有说明。据传奥托鲁科斯(奥德修斯的外祖父)从欧鲁托斯的居所盗马，转交赫拉克勒斯，后者遂将“赠物”占为己有，拒绝交还。赫拉克勒斯杀戮客人，行凶自己的家里，严重冒犯了受到神祇保护的客谊(参考第十四卷第 57—58 行和第十六卷第 423 行注)，其放胆妄为的程度完全可以匹比波鲁菲摩斯以人为餐的肆虐。和求婚人一样(参考第二十卷第 215—216 行)，赫拉克勒斯“不惧神的怒惩”(本卷第 28 行)。然而，和他们不一样的是，赫拉克勒斯是宙斯的儿子，因此尽管严重践毁客谊，却能和波塞冬之子波鲁菲摩斯一样，无须顾忌(或不必过分害怕)神的惩罚。看来，神明也有遇事使用双重标准的毛病，对自己的子嗣放宽“要求”，另眼相待。参考并比较第四卷第 563—569 行及相关注释。

② 参考第 14 行注。据传阿波罗曾赠弓欧鲁托斯并对其教授箭术，使欧鲁托斯的弓艺出类拔萃，日后甚至还当过赫拉克勒斯的弓箭师傅。不知诗人是否熟悉这段传闻。

③ 史诗人物通过互赠礼物建立客谊，交结朋友，在获得对方招待自己的权利的同时，也承诺下在主地招待和帮助对方的义务。客谊一经确立，便像个人拥有的财富一样，可以传代(参考第十五卷第 197 行注等处)。

站临橡木的门槛旁边，由木匠精工
制作，刨平，紧扣划打的粉线[①]，
贴紧边框，安上闪光的门面，
她当即松开门环上的绳条，
然后插入钥匙，对准孔眼，
拨回木栓，房门发出噪响，如同牧食的
公牛哞喊。同此，绚美的门面訇然，
带着钥匙的拨力，迅速敞开[②]。
她随即踏上搁板，那里放着
一些箱笼，里面收藏芬芳的衣衫。
她从那儿伸手，摘下挂钉上的弓杆，
连同护弓的套盒，放出光彩，
于是在该处坐下，将物体置于亲爱的膝盖[③]，
从中取出夫君的弓弩，放声
哭喊。流够眼泪，尽情哭完[④]，
她起身走回厅堂，与高贵的求婚人会见，

① 比较第十七卷第340—341行。关于门槛，比较第十七卷第30行、第二十卷第258行和第二十三卷第88行。

② 注意诗人对“开门”的细致描写。当忒勒马科斯走向由欧鲁克蕾娅看守的“父亲顶面高耸的藏室”时，诗人并没有对开门的繁琐进行渲染（比较《伊利亚特》第六卷第288—289行和第二十四卷第191—192行），尽管“那个”藏室里不仅有衣服醇酒，而且还贮存着贵重的黄金（参考本书第二卷第337—347行）。在这里，诗人想要强调的或许是女主人对奥德修斯的强弓的妥善保管和此物的经久不用，故而在“开门”上进行了必要的“铺垫”，乃至使用了像“公牛哞喊”的明喻（比较《伊利亚特》第五卷第749行和第十二卷第460行）。

③ 比较《伊利亚特》第六卷第273、303行。参考本书第十六卷第129行注。

④ 从某种意义上来说，哭与吃、喝和睡眠一样，是生活中的“必然”（关于诗人对“必然”的理解，参考第十七卷第287行注）。裴奈罗佩哭够以后开始“办事”（详见本卷第58行以下）——痛哭无疑有助于平和并调节她的心态（另参考第十九卷第213和251行）。细读第十五卷第400行注。

手握回弹的弯弓，连同装箭的
长筒，插着许多遭致悲伤的矢箭。
女仆们抬着箱子，为她，里面装着
许多青铜铁器①，主人举行竞比的物件。
当她走近求婚者，女人中的姣娘，
站停撑举屋顶的立柱旁，
拢着闪亮的头巾，遮前，挡住脸庞，
两边各站一名忠实的随伴②。
她当即发话，对求婚人说讲：
“听我说，你等高傲的求婚人，吃喝
不停，赖在这座殿堂，趁着主人
长期不在，经久离家。你们
说不出别的理由蹭留此地，
只凭娶我的心念，要我作为妻房。
这样吧，求婚人，既然赏礼有了③，
我就把神祥的奥德修斯的大弓在此置放。
谁个抓弓在手，弦线上得最为轻松，
发箭孔穿全部十二把斧斤，
将可带我走人，离弃奥德修斯的宫房，我曾
在此新婚，一处华丽、精美的居所，佳珍富藏。

---

① 或“青铜和铁”；“铁”指铁斧(另见 81 和 97 行；参考第 3 行注)。“青铜”许指铜斧或铜刀(参考《伊利亚特》第一卷第 236 行)，亦可指铜头的箭枝(或铜簇，可用于实战，参见本卷第 422 行)。从上下文的用词来看，指铜箭(簇)的可能性大些。下文中的“物件”亦可作“奖品”，即主人在竞赛中争获的“奖品”解。

② 第 63—66 行同第一卷第 332—335 行和第十八卷第 208—211 行。史诗人物按一定的“规矩”办事，反映在语言里，便是众多程式化用语和诗行的堆砌。参考第十六卷第 413—416 行。

③ “赏礼”指裴奈罗佩自己(第 75—77 行)。

我不会把它忘怀，我想，即便睡入梦乡①。”

言罢，她命嘱高贵的牧猪人欧迈俄斯
将射弓和灰铁在求婚人面前置放，
欧迈俄斯接过东西，含着泪水操办，
牧牛人哭哭啼啼，眼见主人的弓杆②。
安提努斯呼叫二位，其时，斥责辱骂：
“蠢货，乡巴佬，只知今日眼下，
可怜的东西，为何泪水滴淌，纷烦
夫人胸中的心灵，它已承受
这许多悲愁，为痛失丈夫哀伤？
去吧，静静地坐着，吃享，要不
就去外面哭喊，把弓弩留在厅堂，
求婚人将用它进行一场关键性的比赛，

---

① 第75—79行同第十九卷第577—581行。参考第2行注。

② 所谓见物生情。欧迈俄斯和牧牛人（即菲洛伊提俄斯）此时还不知奥德修斯已经回返（参考第二十卷第192—196行及相关注释）。奥德修斯及其亲属和帮手们似乎个个爱哭，倒是求婚人显得比较“坚强”（参考本卷第86行），不仅死到临头却不流泪，反而常常开怀大笑，看似活得十分潇洒（细读第二十卷第362行注）。面对生活的严酷，直面人生的英雄们悲哭、愤怒，少有嘻笑的时候（至少在史诗里是这样）。在整部《伊利亚特》里，帕特罗克洛斯没有笑过，阿基琉斯也只笑过一次（第二十三卷第555行）。在《奥德赛》里，奥德修斯绝少咧嘴欢笑，而裴奈罗佩则根本没有笑过。当父子团聚时，奥德修斯和忒勒马科斯相拥嚎哭，以哭代笑。在第二十二卷里，当欧鲁克蕾娅得知求婚人已被杀灭而纵情时，奥德修斯制止了她的欢呼（第408—412行）。在史诗里，除了求婚人以外，笑口常开的还有“幸福的神明”（参看《伊利亚特》第一卷第595—600行和本书第八卷第326—343行等处），因为他（她）们不死，没有凡人无法摆脱的那种“终极的烦恼”。当然，这不等于说除了神和求婚人外，其他人物一概不笑。《伊利亚特》里有众人欢笑的场面，其所指通常也像神的嬉笑那样，针对某位不幸者或“倒霉者”的言行（参看第二卷第270行和第二十三卷第784行）。《奥德赛》是一部苦难史诗（参考第十卷第466和567行注）。

我不认为这把滑亮的弯弓能被轻易调上。
我们中无人,是的,可以像
奥德修斯那样。我曾见过此人,
尽管那时还小,但记得他的长相①。”

他言罢,胸中的心灵仍然希望,
能够挂上弓弦,把铁块穿荡。
然而,他将第一个尝受箭镞②,
发自豪勇的奥德修斯的臂膀,后者坐在自家
的厅里,遭受他的侮辱,煽动所有的同伴相帮。

其时,灵杰强健的忒勒马科斯对他们说道③:
“唉,一定是克罗诺斯之子宙斯浑迷了我的心窍。
我亲爱的母亲,尽管聪颖,告诉我
他将撇离家居,嫁随另一个主儿,
而我竟愚笨至此,在高兴中欢笑④。
好吧,求婚人,既然奖品已经备好,
一个女人,阿开亚大地上无人赶超,

---

① 比较欧鲁马科斯的描述(第十六卷第 442—444 行)。然而,无论是欧鲁马科斯还是安提努斯都没有认出乞丐就是奥德修斯(比较第十九卷第 358—359 和 380—381 行),尽管安提努斯声称“见过此人”,并记得他(的长相)。为了凸显求婚人的狂蛮,也为了照顾情节发展的需要,诗人不会让求婚人看出乞丐与奥德修斯的相像,尽管从“逻辑”上来判断,既然裴奈罗佩和欧鲁克蕾娅可以看出,欧鲁马科斯和安提努斯似乎也应有同样的敏锐,觉察到乞丐和奥德修斯的相像(参考该卷第 358 行注)。

② 详见第二十二卷第 8—16 行。

③ 第 101 行同第二卷第 409 和第十八卷第 405 行。参考第十六卷第 476 行、第二十二卷第 354 行和本卷第 130 行等处。

④ 上文并没有提及忒勒马科斯的“欢笑”。注意他对此时此刻(就有关事宜)“欢笑”的理解,即认为这是一种“愚笨”(或不聪明)的举动。参考并比较第 83 行注。

无论在神圣的普洛斯[①]、阿耳戈斯或慕凯奈，
还是在伊萨卡本地或黝黑的陆架寻找。这一点
你们全都知晓[②]，如此，我为何还要把娘亲赞褒？
来吧，不要磨蹭，借故拖延，别再
躲闪，不把弦线上调；动手吧，让我们瞧瞧。
我自己亦想开弓，一试身手低高。
倘若能把弦线挂上，箭穿铁上的洞孔，
我就不会伤心，当着尊贵的母亲离家，
嫁随别个事了，因我已能在此
撑顶，能把父亲光荣的器械用好[③]。”

言罢，他一跃而起，甩下背后紫红色的
披篷，从肩头取下锋快的劈剑[④] 放好。
首先，他把斧斤竖牢，排置挖出的
一道长沟，依循笔直的画线，
然后踩紧两边的泥土，埋好。旁观者无不惊讶，
他能把竖铁排得如此齐整，尽管之前对此从未见瞧。

---

① 普洛斯有祀奉波塞冬的祭仪(参考第三卷第4—6行)。

② 裴奈罗佩貌美，经雅典娜修饰后(第十八卷第192—196行)更显丰满、娇艳、亮丽动人，使求婚者们见后腿脚酥软，魂不守舍(同上第212—213行)。在第二卷里，安提努斯承认裴奈罗佩聪慧，认为她的心智不仅超胜同时代的女流，连古时的名女也难以比及(第118—121行)。关于外貌和心智的“美”，参考第十八卷第220和249行注等处。

③ “器械”亦可作“奖品”解。忒勒马科斯的意思或许是：能够争得(或得到)父亲精美的奖品(即比赛所得，指铁斧)。参考第62行注。忒勒马科斯知道父亲就在宫中，此外，应该也知道此弓乃父亲的属物，只有他能(轻松)上弦开得，此时急于一试身手，不知是出于既定的安排(从第129行奥德修斯的举动来看，这一假设的可能性不大)，还是出于年轻人的冲动和急于表现自己的欲望。

④ 参考第二十卷第125行。处理细节上的前后呼应，此乃成功的一例。

他走去站临门槛，试着把弓弦安调。
一连三次，他急于上弦，把弓杆弯摇，
但一连三次不得成功，心里仍把希望怀抱①，
寄望于挂上弦线，箭穿斧孔做到。
当他第四次拉动弓杆，即将挂弦安妥，
奥德修斯示意中止急于想做的他，把头晃摇②。
灵杰强健的忒勒马科斯对众人说道：
“算了，我必将是个懦夫弱者，胆小，
要不就是尚且年轻，对我的手力无法信靠，
不能保护自己，对付无端肇事者的激挑③。
来吧，你们的力气比我强豪，
试手此弓，让我们把这场赛事结了。”

言罢，他放下弓杆，贴着地表，
斜依制合坚固、溜光滑亮的门扇凭靠，

---

① 阿斯忒罗派俄斯曾试图拔出河岸上阿基琉斯的枪矛，但一连三次不得如愿（《伊利亚特》第二十一卷第 176—177 行）。类似的描述（即“一连三次……”）在《伊利亚特》里多有见例。两部史诗在遣词用句（以及由此形成的表述方式和风格）上的相同或相似比比皆是。参考相关注释。忒勒马科斯毕竟年轻，臂力远非父亲的强豪（参考本卷第 131—132 行）。

② aneneue。表示不同意或反对，希腊人习惯于耸扬眉毛，头颅微微向上摆动（参考第九卷第 468—469 行）。表示赞同或“首肯”时，他们则会朝下点头（kataneuo，第一人称单数现在时形式）。参考第九卷第 468 行、第二十四卷第 335 行、《伊利亚特》第一卷第 527 行和第二卷第 112 行等处。

③ 参考第二卷第 60—62 行里相似的描述。第 132—133 行大致同第十六卷第 71—72 行。不过，此时忒勒马科斯的心态肯定已与先前不同，因他已知父亲就在宫里，且有雅典娜的助佑——灭杀求婚人的行动已经由此拉开了序幕。

依着精美的弓端放置捷飞的箭矢①,
走回,在刚才起身的靠椅上坐好。
其时,欧培塞斯之子安提努斯对他们说告:
"依次起身吧,全体伙伴们,从左至右,
按照斟酒的顺序开始②,逐一比较。"

　安提努斯言罢,众人赞同他的说道。
琉得斯首先起身,俄伊诺普斯之子③,
他们中的卜者,总是坐傍精美的
兑缸,在大厅的隅角。唯有他讨厌
求婚人的举止肆虐,憎恨他们胡闹④。
他第一个操起弓杆和迅捷的箭矢,

---

① 即便静躺,箭枝仍是"捷飞的"(或"迅捷的",另见第148、165行)。诗人重视的是箭矢的功用以及在实践功用时的"常态"(即飞行或疾飞),抓住了它作为一种利器的最本质的特点,以此作为饰词。参考第二卷第402行注、第六卷第26行注、第十四卷第3行注、第十五卷第432行注和第十六卷第53行注等处。比较第五卷第124行注和第十五卷第143行注。

② 奥德修斯曾"从左至右",向求婚人"挨个索讨"(参考第十七卷第365行),按照斟酒的顺序,亦即顺向(用我们今天的话来说,即为顺时针的方向)乞食。然而在这里,求婚人却有可能在实际操作中沿循一个反时针,即反向运行的次序。据说古希腊人认为反向走动背运,但有学者对此事的解释持不同的看法。

③ 琉得斯和俄伊诺普斯可能均系应景表义名字,前者可能意为"滑溜""松软"(参考第150行),后者可能意为"酒脸"或"酒样的"(参考第145—146行;笔者在此沿用了P. V. Jones的解释)。

④ 像安菲诺摩斯一样(参考第十六卷第394—405行及相关注释),琉得斯是求婚人中较为温和与相对通情达理的一员(参考第二十二卷第313—318行)。作为卜者(比较哈利塞耳塞斯对鸟踪的准确卜释,详见第二卷第157—176行),琉得斯对求婚人的骄横及事态的发展自然会有另一番感受。事实上,他似乎已明显地预感到了某种不祥的征兆(细品本卷第153—156行)。安菲诺摩斯的明智也与他的"所知"和教养有关。他"心智聪颖"(第十六卷第398行),"善能谈吐"(同卷第397行),虽说不是职业卜师,却具备一定的巫卜意识(参考第二十卷第245—246行)。

走去站临门槛，试着把弓弦安调[①]，
不成，无法做到，累酸了松软的双手，
无茧，拉动弦线苦劳。其时，他对求婚人说道：
"我无力挂弦，朋友们，可让别人来做。
这把弓弩会碎断众多王贵，他们的
心灵魂魄[②]。事实上死去远为佳好，
比之像现在这样活着，期望，
一天天地白等，但却得获不到。
现在还有人怀抱希望，心想
婚娶裴奈罗佩，奥德修斯的妻娇。
然而，当试过这把弓杆，他会知晓，
转而追求别的裙衫秀美的阿开亚女子，
致送争娶的礼报，让她嫁随
命定的男人，送来最丰厚的礼物婚讨[③]。"

言罢，他放下弓杆，使其
斜依制合坚固、溜光滑亮的门扇凭靠，
依着精美的弓端放置捷飞的箭矢，
走回，在刚才起身的靠椅上坐好。

---

① 第 149 行同第 124 行。参考第十七卷第 339 行注。

② 琉得斯实际上已在此预测了求婚人的结局。他自己尽管曾抱膝恳求，却未能说动奥德修斯的心肠，被后者用阿格劳斯的快剑劈杀（详见第二十二卷第 310—329 行）。"心灵魂魄"原文作 thumou kai psuches（另见本卷第 171 行）。thumos 常表"心灵"，在《奥德赛》里极多见例（参考第十五卷第 27 行注）。另参阅本卷第 276—302 行。

③ 琉得斯似乎有意暗示在场的求婚人，他们也都难以上弦开弓（参考第 157—159 行）——既如此，他们就不可能娶到作为"奖酬"的裴奈罗佩。当然，他或许也会知道，此时已不存在"亡羊补牢"的问题；一切都为时已晚。

其时，安提努斯骂他，点名斥道[1]：
“这是什么话，琉得斯，从你的齿缝崩爆？
你发表悲观骇人的言论，让我听了气恼！
我不信此弓会碎断王贵，他们的
心灵魂魄，只因你无力上弦做到。
你那尊贵的娘亲[2]，我说，没有把你生成
开弓放箭的汉子，有那分力豪。
不过，其他高贵的求婚人会即刻把弦线挂牢。”

言罢，他对牧放山羊的墨朗西俄斯说道：
“来吧，墨朗西俄斯，在宫里点起柴火，
旁边放一张大椅[3]，垫铺羊的皮毛，
再拿一大盘油脂，从屋里取过，
让我等年轻人烘暖此弓，涂抹
油膘，弯动弓杆，结束这场赛闹。”

他言罢，墨朗西俄斯随即点发不倦的柴火，
搬过椅子，垫铺羊的皮毛，
拿来一大盘油脂，从屋里取过，

---

① 安提努斯的辱骂比欧鲁马科斯对哈利塞耳塞斯的“回敬”更损(参考第二卷第177行以下)。二人都对卜者的预言嗤之以鼻，听来虽有些许初朴唯物主义者的“豪迈”，但这却不是诗人愿意赞同的取向。在他看来，这是一种出于无知的骄狂，是那种必将与厄运交会的狂妄分子所必定会表现出来的临死前的徒劳挣扎。

② 在第十八卷第5行里，诗人可能沿用了一种既有或现成的说法(或搭配)，称乞丐伊罗斯(即阿耳奈俄斯)的妈妈为(伊罗斯)“尊贵的娘亲”。

③ diphron，或“宽凳”，大概应比 thronos(靠椅、宽椅，参考第一卷第131行注)轻便，容易搬动。参考本卷第243和420行。

年轻人烘暖弓杆[①],尝试,但上挂
不得,他们的力气太小。其间
安提努斯和神样的欧鲁马科斯未试,
作为求婚人的主导,力大,在伴群中远超[②]。

其时,牧牛人和牧猪人走出房宫,
他俩乃神样的奥德修斯的仆工,结伴,
卓著的奥德修斯自己亦步出门外,汇同他们。
当他们走离庭院和宫门,
奥德修斯对他俩说话,言语温和,
"牧牛人,还有你,牧猪的朋友,我该把话说出,
还是隐埋,留给自我[③]? 心魂催我讲说。
保卫奥德修斯,你们将作何表示,
倘若他突然归返,神明引他回头?
是帮助求婚人,还是为奥德修斯打斗?

---

① 尽管有理由认为奥德修斯的弓杆取料硬角(参考第395行),但本卷里的有关描述却似更易使人产生木质弓杆的联想(参考第125、179和184行)。油脂于角质的弓杆用处不大,却可以"滋润"经久不用的木弓,坚韧它的质地,增强它的"弹性"。此外,长期搁置不用的弓弦大概也需要油脂的软化,使其恢复到正常的使用状态。

② 安提努斯和欧鲁马科斯乃求婚人中最强健者,与之相"适应"的是,他俩(或许还有家族的原因)被推为求婚人的头儿。《奥德赛》的立意在某些方面呈现出重"智"的倾向,但"力"仍然是决定事态发展走向的一个绝对忽视不得的因素。开弓需要超常的力能,在紧接着的开打中,力量的大小更关系到决战双方的生死存亡。安提努斯与欧鲁马科斯并非求婚人中最聪慧者(琉得斯的见解就远比他们高明,详阅第153—162行),但心智的愚盲和行为的恣睢暴戾却一点也没有影响他们"出类拔萃",成为众多求婚人的首领。

③ 关于"是……还是……"的选择模式,参考第十七卷第236—237行和第237行注。

告诉我你们的想法，受心灵魂魄驱动[①]。”

其时，牧牛人对他答话，出声：
“父亲宙斯，倘若你能兑现我的祈告，
让他依循神的指引回来，让那个男人，
届时你会知晓我的臂力，我的手劲力能[②]。”

欧迈俄斯亦祈求所有的仙神，
求他们让精多谋略的奥德修斯回返家门[③]。

当得知他俩的可靠忠诚，
奥德修斯对他们答话，说称：
“我就是他，回抵宫房。历经艰辛，
我已还家，在第二十年里回到故乡[④]。
所有的仆人中，我探明盼我回家
的只有你俩，不曾听闻别人
祈祷，盼我归返，回抵我的宫房。
所以，我将对你们实说，事情将会这样。
倘若通过我的双手，神明制服求婚人的豪强，

① 时间紧迫，奥德修斯已不愿再绕圈子，干脆单刀直入，以明晰的话语探察牧牛人和牧猪人的忠诚与否（虽然关于牧猪人的态度和立场他已探察清楚）。参考第202行注。关于探察者奥德修斯，参考第十五卷第304行注和第十七卷第363行注等处。

② 牧牛人（菲洛伊提俄斯）已在第二十卷里表示过愿意跟随奥德修斯（当然，倘若他能回来）搏战求婚人的决心（第236—237行）。

③ 第203—204行同第二十卷第238—239行。

④ 在第二十四卷里，奥德修斯亦通过自报家门的方式向父亲莱耳忒斯“公布”了自己的身份（该卷第321—322行）。

我将给你俩娶妻，给你们财产[①]，
挨着我的宫邸住房，把你们当作
忒勒马科斯的兄弟，永久的朋帮。
过来，容我出示明晰的标记，
使你们确知我的身份，心知我就是他，
眼见这道旧疤，被野猪用白牙撕伤，
当我去往帕耳那索斯，偕同奥托鲁科斯的儿郎[②]。”

言罢，他撩起破衣，显露偌大的伤疤。
两人仔细察看，认定一切不假，
顿时痛哭，展臂抱住聪颖的奥德修斯，
欢迎他回家，亲吻他的头颅、肩膀，

① 参考第十四卷第62—64行。除了给予财产房屋，使他们娶妻成亲，奥德修斯还承诺要把他们当作忒勒马科斯的兄弟看待（本卷第216行），大大提高他俩的社会地位。由此我们似乎可以顺理成章地推断，奥德修斯会改变他俩的奴仆地位，使其恢复或拥有自由人的身份。自由人被卖作奴隶后，亲友可用财富将其买回，使其恢复自由（参考《伊利亚特》第二十一卷第80行）。此外，主人亦有权利，对表现特别优秀的奴仆开恩，正式或实际上取消他们的奴隶身份。关于古希腊社会里的主仆关系，参考本书第十四卷第450行注等处。奥德修斯以长辈的身份说话，因此有可能在出征特洛伊以前即已认识（或知道）欧迈俄斯（参考并比较第十四卷第440行注）。文学不是，至少不等于逻辑。对于荷马，逻辑或许重要，却显然不能对等，更不能涵盖诗（亦即我们所说的秘索思，参考第十四卷第379行注、第十二卷第188和332行注）的“真理”（包括“真实”）。尽管如此，本卷第216行还是与第十六卷第25和31行等处构成了难以调和的矛盾，为我们了解史诗诗人的粗疏提供了一个新的例证。

② 参阅第十九卷第428—454行。

奥德修斯回吻，就着他们的双手头上①。
其时，太阳的光芒会斜照他们的恸哭②，
若非奥德修斯对他俩说话，止阻：
“停止抽泣，别哭，以免有人走出
宫房看见，回去告诉。所以，
让我们分头进去，不要走作一拨，
由我先进，你俩随后，并且以此作为信号莫误：
当所有傲贵的求婚人，当他们
不允许让我得手箭筒射弓。
其时，高贵的欧迈俄斯，你要拿着弓杆，穿走
厅堂，送交我的手中，然后告嘱女人们
闩紧厅堂密合的门扇③，告诉她们，
倘若有人听闻里面传出男子撞击和

---

① 牧猪人和牧牛人（以及奥德修斯）均以程式化的举动作为反应（参考第十六卷第14—16及213—215行、第二十二卷第497—500行和第二十三卷第206—208行等处）。看来，诗人假设欧迈俄斯和菲洛伊提俄斯都知晓奥德修斯的腿上有一道被野猪撕开的伤疤，所以一经认识，便知对方就是主人。主仆相见，理应高兴，但诗人却让他们“照例”失声痛哭，用哭声来发泄内心悲喜交加的激情（参考并比较本卷第83行注）。诗人显然已把《奥德赛》定格为一部以悲为基调的作品，以频繁出现的恸哭来衬托并“表面化”故事用悲苦铺设的底蕴。奥德修斯主动出示伤疤，以此引出求婚人的发现，做法上直截了当，进展简洁明快，乍看似乎“比较缺乏艺术性”（详见《诗学》第十六章1454b20—31），但在“实质上”却较好地表现了奥德修斯复仇心切的紧迫感。《奥德赛》的作者并非不会设置亚里士多德赞赏的那种发现（参考本书第十九卷第475行注），但他首先是诗人，是情节的编制者，所以选择发现的“类型”，他会从情节发展的快慢和节奏需要出发，使发现服务于配合和有效促进故事展开的目的。亚里士多德或许没有想到，此时的诗人已明显加快了向复仇（行动）靠拢的进程；所以，在使用“发现”时，他会考虑并随时顾及“场景”的需要。亚里士多德似乎忽略了评价发现之优劣的场境因素。

② 第226行同第十六卷第220行和《伊利亚特》第二十三卷第154行。

③ 换言之，堵住求婚人往宫居深处女人们的住所奔逃的退路，搏杀行动将在大厅（参考第六卷第304行注）里进行。学者们倾向于认为，女人的套房里亦配有专供她们活动的面积较小的厅堂。本卷第236—239行同第382—385行。

呻喊之声，谁也不许冲跑出来
探视，而要继续干活，静静地坐在里头。
高贵的菲洛伊提俄斯，你的任务是
栓拢院门[1]，然后，要快，勒紧绳条便成。"

言罢，他步入堂皇的宫所[2]，
走回刚才起身的位子下坐，
神样的奥德修斯的两位工仆进去，接着。

其时，欧鲁马科斯已手握弓杆，摆弄，
把它翻来覆去，就着柴火，但尽管如此
他却仍然无法上弦，高傲的心灵遭受折磨[3]。
带着极大的愤烦，他对自己豪莽的心魂道说：
"哦，我恨！我为自己悲哀，也为所有的你们。
尽管伤心，我不全为这场婚姻悲愤，
另有许多阿开亚女子，有的在
海浪冲围的伊萨卡，有的在各地的居城。
我的悲愤为这，倘若当真：我们的力气

---

① 如此便实现了"封闭"求婚人的意图。参考第 236 行注。关于"高贵的……"，参考第十四卷第 3 行注。

② 第 242 行同第十七卷第 324 行。

③ "心灵"(ker)能感觉，会思考，因此能控制人的行为。帕特罗克洛斯投枪击中萨耳裴冬(宙斯之子)，扎捣横膈膜(phrenes)，危及心脏(ker，参考《伊利亚特》第十六卷第 479—481 行)。和 noos、thumos 和 phrenes 等词汇一样，ker 的含义也比较宽泛，不可抱住某一种"固定"的解释(换言之，不能用一个汉字或汉字组合对译该词的全部见例)。ker 有时可作"生命"解(《伊利亚特》第十八卷第115行)，与 moira(参考本书第七卷第197行注)意思相近(参考《伊利亚特》第十八卷第115—121行)，有时甚至和"命运"等义(《伊利亚特》第二十三卷第78行、《奥德赛》第十八卷第155行)，可与 moira 互换使用。参考赫西俄德《神谱》第211和217—219行(赫西俄德并列使用了 ker 和 moira)。

远不及神样的奥德修斯，既然上不了此弓的
弦绳。这是我们的耻辱，遗留给将来的后人[①]！”

欧培塞斯之子安提努斯答话，其时，
“事情不会这样发生，欧鲁马科斯，你也晓知。
今日有敬奉弓神神圣的祭宴[②]，公众的
祭祀。谁会弯弓上弦，这时？
放下吧，另找日子；至于斧斤，何不任其
悉数站立于此。我想不会有人进来盗窃，
在莱耳忒斯之子奥德修斯的厅址。
来吧，让侍酒人满斟我们的杯子[③]，
让我们祭奠，把弯翘的弓弩收起了事。
明天拂晓，命嘱牧放山羊的墨朗西俄斯，
要他赶来山羊，羊群中最好的美食[④]，
让我们敬奉光荣的弓神阿波罗，用羊腿祭祀，

① 史诗人物重视身后的名声，连飞扬跋扈、作恶多端的求婚人里的骨干分子也不例外。赫克托耳希望他的名声能与世长存(详见《伊利亚特》第七卷第87—91行)，海伦则担心她和帕里斯(即亚历克山德罗斯)的不光彩行径会成为后人诗唱谴责的内容(该史诗第六卷第357—358行)。此外，求婚人尽管我行我素，却不能，事实上也不会完全不顾公众的舆论(换言之，他们也知道要维护自己在世时的名声)。参考本卷第323—329行(比较第二卷第64—66行)。

② 参考第二十卷第149—156和276—278行。“弓神”指阿波罗(本卷第267行)。

③ 第263行同第十八卷第418行。

④ 比较第十七卷第213行和第二十卷第173—174行里相似的描述。

然后抓起射弓,结束这场箭赛,比试[1]。"

安提努斯言罢,众人赞同他的论议。
信使盥洗他们的双手,倒水净洗,
年轻人将酒注满兑缸,供他们喝饮,
先在众人的酒具里略倒祭神,然后给各位添平。
泼过祭奠,喝够,全都开怀痛饮[2],
足智多谋的奥德修斯说话,含藏诡谲的心计:
"听着,你等追求光荣王后的求婚人,听清,
我的话受胸腔里的心灵驱怂,出自真情。
我要特别恳劝欧鲁马科斯和神样的
安提努斯,因为他的话很对,说得条理分明。
你等确应罢息弓杆,此事将由神明处理,
明天,神会让他愿赐的谁个获取胜利。
这样吧,给我滑亮的弓杆,让我
在人群中一试手臂力气,看察我
柔润的[3] 肢腿是否还像以往那样有劲,
抑或,浪游和饥饿已蚀毁我的肌体[4]。"

---

① 阿波罗乃弓箭之神,弓赛前对他祀祭,大概包含祈求神明助佑射事成功之意。然而,可怜的求婚人已活不到翌日。在《伊利亚特》第二十三卷里,丢克罗斯尽管弓艺精湛,却因为忽略了对弓神阿波罗许愿而射箭落空(参考第 862—866 行)。聪明的墨里俄奈斯则不同,趁着丢克罗斯举弓瞄准的时候便对阿波罗"许下心愿",结果"发箭正中鸟翅下的要害",在比赛中胜出(详见第 870—883 行)。

② 诗人在此展示了熟练拼组既有诗行的技巧。第 269 行同 143 行;第 270—271 行同第三卷第 339—340 行;第 273 行大致同第三卷第 342 行。熟悉荷马史诗的读者,或许还能从下文中(比如第 276 行等处)找出一些带有程式化性质的语句。

③ 似亦可作"弯曲的"解(参考《伊利亚特》第十一卷第 668 行;比较本书第十一卷第 394 行)。

④ 比较第八卷第 231—233 行。

他言罢，求婚人无不暴怒至极，
担心他会提起弓杆，把弦线挂起①。
其时，安提努斯骂他，称指说及：
“你缺少心智，可悲的陌生人，彻底！
难道你还不知满足，和高豪的我们一起吃喝，
享受宁静，该吃的都有，倾听
我们的阔谈，论议？其他乞丐和
新来的生人绝无聆听的荣幸②。
一定是蜜甜的酒液伤你，它能使人
迷离，倘若不予节制，滥喝狂饮③。
醇酒曾使马人，使著名的欧鲁提昂
醉迷在心胸豪壮的裴里苏斯的宫邸，
当他会访拉庇赛人，心智被浆酒糊稀，

① 求婚人的担心当然不无道理；至少，他们已目睹过奥德修斯轻而易举地击败伊罗斯的情景。

② 奥德修斯击败伊罗斯后，获得了和求婚人同堂用餐的“特权”。看来，求婚人也有守信用的时候，至少在这一点上是这样(参考第十八卷第46—49行)。

③ 酒能醉人。奥德修斯对“酒力”的描述无疑更为生动(参考第十四卷第463—466行及相关注释；比较第十九卷第122行)。有的人天生爱说胡话，还有的人则爱在酒后唠唠叨叨[参看第十八卷第331—332行(同第391—392行)；墨兰索和欧鲁马科斯以此对奥德修斯横加指责固然纯属无稽之谈，却从一个侧面反映了诗人对“酒力”的认识]。当然，酒能给人增力(参考第四卷第622行及该行注)，亦能使人饮后去除疲劳(《伊利亚特》第六卷第260—262行)。

狂迷中做下恶事，闯祸在裴里苏斯家里[1]。
英雄们悲愤交加，跃起，攥着他穿走前厅，
拖到院里，操起无情的青铜[2]，
割下耳朵鼻子；马人的心智恍恍惚惚，
逃逸，错恶带来的苦痛煎熬愚蠢的心灵。
自那以后，人和马人深结怨仇，
而他是第一个因为酗酒尝吃恶果的实例[3]。
我宣称你也会大难临头，所以，倘若
你敢弦挂此弓愿意。你不会受人礼待，
在我们的地皮；我们将把你弄上黑船，
交给剁剐凡人的厄开托斯处理[4]，你呀
休想活着逃脱，从他那里。坐着吧，
呷酒肃静，不要和比你年轻的人们竞比。”

---

① 拉庇赛人（居住在塞萨利亚）的王者裴里苏斯（雅典国王塞修斯的好友）曾邀请栖居在裴利昂山上的马人们（参考《伊利亚特》第二卷第743行）参加他的婚礼。席间欧鲁提昂酗酒致醉，试图暴抢（一说强奸）裴里苏斯的新娘希波达墨娅（参考本卷第298行），遭到主方的严惩，（参考第299—302行）。在《伊利亚特》里，荷马称他们为一群人兽（换言之，并非一定就像后人所理解的半马半人），住在山里[第一卷第268行，详阅该卷第260—268行；关于裴里苏斯等人与马人（the Centaurs）的战事，另见该史诗第二卷第742—744行]。卡戎，马人中的最公正者，曾对阿基琉斯教授治疗伤疾的良方（参考《伊利亚特》第十一卷第830—831行）。雅典卫城上的巴台农神庙和奥林匹亚的宙斯神庙上都刻有拉庇赛人战胜马人的浮雕，用以象征文明与野蛮的冲撞。参考并比较本书第十卷第113行注和第九卷第408、479行及相关注释。

② 指铜剑。参考第62行注。“英雄们”指拉庇赛人。安提努斯把求婚人“比作”击惩马人的拉庇赛人，自然很不贴切。诗人的幽默在于成功地造成了安提努斯作比的“错位”（参考第313行注）。比较第301行和第二十二卷第474—477行（即墨朗西俄斯的下场）。

③ 奥德修斯的伙伴厄尔裴诺耳亦因豪饮致醉，从房顶失足掉下送命（参考第十卷第551—560行）。从时间上来看，欧鲁提昂的痛苦经历无疑要早于厄尔裴诺耳坠落哀地斯的冥府。

④ 关于厄开托斯，参考第十八卷第85—87行。另参考第二十卷第383行注。

其时,谨慎的裴奈罗佩对他答接:
“如此不好,安提努斯,亦不公平,酷待
忒勒马科斯的客人,谁个光临他的宫邸①。
你以为这位生人,自信他的双手
力气,一旦挂弦奥德修斯的巨弓,
便会把我带回家去,作为妻子成亲?
不,他可没有这样的想法,在他心里②。
你们不要为此担忧,伤心,
吃吧,享用,那是绝无可能的事情。”

其时,波鲁波斯之子欧鲁马科斯对她答接:

① 注意,裴奈罗佩并没有批评安提努斯说话及用词不当,也没有批评他预言不准,缺少稳笃的判断能力,而是指责他虐待忒勒马科斯(也是主人)的客人(参考第二十卷第294—295行),因此(她的潜台词是)有违宙斯护导的客谊(参考第九卷第270行注等处)。错待客人,大概(在荷马看来)是所有“恶人”的共性,因此以这一罪名指责某个人物,应该说是分量很重的抨击。安提努斯提及拉庇赛人对马人的惩罚,虽然没有直接点到客谊,但字里行间却包含了对马人作恶主人的家居,破毁客谊的指责。然而,具有强烈讽刺意义的是,安提努斯在上文中讲述的故事,矛头所指实际上(指客观上的实际所指)并非奥德修斯(奥德修斯甚至根本就没有醉意),而恰恰是他们自己。和马人一样,他们破毁客谊,严重蔑视主人的尊严,疯狂地试图获取本来就不该属于自己的“利益”。

② 裴奈罗佩在此或许以求婚人对奥德修斯的印象[即以为他只是一个乞丐(第327行);关于裴奈罗佩自己对客人的看法,参考第334—335行]说话,带有要求婚人放心之意(第318行)——作为一位高贵的王后,她不可能嫁随一个乞丐(第319行)。然而听众知道,乞丐不是别人,正是奥德修斯,后者早已把妻子娶下,因此不存在再娶一回的问题,更不会(因为没有必要)把她“带回家去”(他俩共有的家居就在当时置身其中的“此地”)。不管诗人是否有意,他让裴奈罗佩讲出的此番话语包含“双关”的精微。再者,裴奈罗佩此时应该尚不确知客人就是她的丈夫,因此(诗人)又在双关之上增添了几分玄妙和激发遐想的扑朔迷离。

“伊卡里俄斯的女儿，谨慎的裴奈罗佩[1]，
我们不认为他会把你带走，这不可能，不会。
但我们羞于听闻男人女子的流言，
担心某个比我们低劣的阿开亚人会如此说谓：
‘一群低劣者追求一位雍贵者的妻子，
他们呀甚至无法把那人滑亮弓杆的弦线挂上到位。
其后，有一个乞丐临来，打别处流浪颠沛，
轻松挂弦上弓，一箭穿过铁斧的洞孔排队。’
他们会这样道说，于我们此乃讥辱责备[2]。”

其时，谨慎的裴奈罗佩对他说话，答对：
“欧鲁马科斯，当事者绝不会有佳好的名声，
在我们的地界，他们吃耗和羞辱一位人杰的
家居积累。如此，又何必在乎羞辱责备？
这位生人身材高大，魁梧骠健，
宣称生养他的父亲高贵[3]。
来吧，给他滑亮的射弓，让我们看随。

---

① 第 320—321 行同第十六卷第 434—435 行。

② 参考第 255 行注。求婚人“邪恶”，但毕竟还是史诗人物。他们希望能婚娶裴奈罗佩，但也要兼顾自己的名声（在这里，名声似乎已是欧鲁马科斯考虑的首要问题；比较裴奈罗佩对此事的评价，见第 333 行）。他们不愿以弱者（即乏力者）的身份出现在公众面前，因为这将有损于他们作为体面人物的荣誉（time），在社区里难以争获佳好的声名（kleos 或 eukleia，参考第 331 行）。公众的评价（即舆论）是反映和体现史诗人物 kleos 的一个多点位的“场所”[不同于战场和会场（参考第八卷第 148 行注等处），它们是史诗人物（或许亦为诗人所熟悉的现实生活中的人物）争得 kleos 的去处]。参读第一卷第 95 行、第六卷第 273—285 行和《伊利亚特》第二十二卷第 108 行等处。

③ 参考以陌生人（或乞丐）身份出现的奥德修斯的自述（第十九卷第 179—183 行）。

我要直言相告，此事将会实现[1]，它会。
假如他能弦挂此弓，阿波罗给他光荣赠馈，
我将送他一领披篷一件衣衫——给他衣服精美，
赠他一枝锋快的投枪，抵御人和狗的袭毁[2]，
给他足蹬的条鞋，一柄双锋的劈剑，
送他去往任何想去的地方，服从心灵魂魄导催[3]。”

其时，聪颖的忒勒马科斯对她说话，答对：
“阿开亚人中，我的母亲，谁也难有我的权威，
处置这把射弓，但凭我的意愿决定给与不给，
无论是在山石嶙峋的伊萨卡，本地的权贵，
还是临对马草丰肥的厄利斯，各岛的人谁，
无人可以逼我，与意愿背违。如果愿意，
我可即刻赠弓陌生的客人，让他带随[4]。
去吧，朝向你的房居返回，操持自个的活计，
你的纱杆织机，还要催督侍女们干活，
做好工作分内。摆弄弓杆是男人的事为，

① 相同或相似的描述，参看《伊利亚特》第一卷第 212 行、本书第十六卷第 440 行和第十九卷第 487 行。

② 参考第十四卷第 531 行里相似的描述。

③ 第 341—342 行大致同第十六卷第 80—81 行。诗人并列使用“心灵魂魄”(kradie thumos; kradie 词义同 ker，参考本卷第 247 行注)，或许意在强调，亦可能受“习惯”用法的支配使然。

④ 忒勒马科斯再次对母亲发威，不知何故。裴奈罗佩支持乞丐(即奥德修斯)的动议，主张由他开弓，此举有助于奥德修斯实现灭杀求婚人的计划，应该无可厚非。或许，忒勒马科斯以为此番话应该由他来说(参考第 369 行以下)，而母亲的做法“越位”，有损他的权威(参考第 344—345 和 353 行)。裴奈罗佩和奥德修斯之间已达成某种默契，而与儿子她却很难做到这一点。

所有的男子,首先是我,我是镇家的权威[1]。"

　　裴奈罗佩走回居室,好生惊讶,
把儿子明智的话语深记在心房,
举步折回楼上的房间,由侍女们随伴,
悲哭奥德修斯,亲爱的婿郎,直到
灰眼睛雅典娜送出香熟的睡眠,把她的眼睑合上[2]。

　　其时,高贵的牧猪人拿起弯翘的强弓走动,
所有的求婚人阻止,呼叫在房宫,
高傲的年轻人中有人这样说话,出声:
"你往哪里行走,携带此弓,你这可悲、疯游的
牧猪人?你所喂养的捷跑的犬狗会把你食吞[3],
傍临猪群,在人迹不到的荒野,倘若阿波罗
和其他永生的神明对我们开恩。[4]"

　　他们言罢,牧猪人害怕,将射弓放回

---

① 第350—353行大致同第一卷第356—359行。参考《伊利亚特》第六卷第490—493行。在本书第一卷第358行里,忒勒马科斯提到了男人(首先是他本人应该实施)对话语(muthos)的掌控;而在这里,在需要突出战力的时候,诗人适时地用toxon(弓,本卷第352行)取代了muthos。话语和行动是史诗人物展示自身价值和英雄气概的重要而有效的"手段"(参考第二卷第270—280行和《伊利亚特》第九卷第442—443行),也是忒勒马科斯自以为可以并应该借以镇领家门的文武双全。关于epos和ergon,细读本书第四卷第163行注和第十一卷第346行注。关于古希腊人对父权(和男权)的重视,参考第十六卷第19行注和第十七卷第111行注。比较第十五卷第453行注。

② 第354—358行同第一卷第360—364行。

③ 比较普里阿摩斯的担心(参考《伊利亚特》第二十二卷第66—71行)。

④ 换言之,如果神(尤其是弓神阿波罗,参考第268行注)让求婚人中的某一个箭穿斧孔,争得新娘(即裴奈罗佩),他们将把牧猪人杀死,暴尸荒野,被(他自己豢养的)犬狗撕食。

原处，只因许多人对他喧喊，就在房宫，
但忒勒马科斯在对面说话，对他威胁出声：
“携弓行走，老伙计，不可对每个人听从。
否则，虽说比你年轻，我会把你赶到郊外，
抛甩纷飞的石头[①]。我比你强盛。
但愿我远为强健，双手更能
战斗，比之宫里所有的求婚人。
如此我便能使这伙人遭殃，
逐出家门；他们谋划凶险，恶对我等。”

　他言罢，求婚人全都哈哈大笑出声[②]，
减缓了他们对忒勒马科斯强烈的愤恨。
牧猪人拿起弓杆，穿走厅中，
站临睿智的奥德修斯身边，递交硬弓。
其时，他唤过保姆欧鲁克蕾娅，叮嘱其人：
“谨慎的欧鲁克蕾娅，忒勒马科斯
要你闩紧厅堂密合的门扇，告诉她们，

---

① 赫克托耳指责特洛伊人胆小，不曾用横飞的石块击打给特洛伊带来深重灾难的帕里斯(参看《伊利亚特》第三卷第56—57行)，把他赶跑。石块也是战场上壮士们用以打击敌人的“武器”。比较奥德修斯对欧鲁克蕾娅的威胁(本书第十九卷第488—490行)。参考并比较阿基琉斯对福伊尼克斯的劝斥(《伊利亚特》第九卷第611—614行)。

② 求婚人再次(也是最后一次)大笑出声。在《奥德赛》里，诗人很可能是有意识地把求婚人的笑(声)与正面人物(如奥德修斯和裴奈罗佩等)的哭(声)形成对比，以便造成笑与哭的表义错位，浓添故事的悲情。笑的一方最终尽数遭到杀灭，而哭的一方(指参与击杀行动的人员)不仅获得了预期的胜利，而且安然无恙。笑的一方结局悲惨，哭的一方却灭杀了敌人，战胜了笑的肤浅。然而，悲的一方最后并没有因为胜利而开怀大笑，浓郁的悲情依然存在；它蚀糜和化解了短暂的笑声，融合了奥德修斯的痛苦和求婚人的悲哀，使《奥德赛》成为一部兼具强烈的文学性和深邃思想性的传世佳作，一曲久唱不厌的悲歌。

倘若有人听闻里面传出男子撞击和
呻喊之声，谁也不许冲跑出来
探视，而要继续干活，静静地坐在里头。[①]”

他言罢，保姆听从了此番话语送吐，
动手紧拴，将坚固厅堂的大门关堵[②]。

菲洛伊提俄斯赶紧步出房屋，默默行走，
关紧围墙坚固的庭院的门口。
柱廊下放着莎草编绞的缆绳，
用于翘耸的船舟，他用此扎牢门扇，
回返，在刚才起身的椅子上下坐照旧，
望着奥德修斯，正在摆弄射弓，
翻来覆去，试查各处左右，
察看骨件是否被蛀[③]，在主人离家的时候。
求婚者中有人这样说话，望着他的近邻开口：
“这家伙机灵，是个玩弓的里手。
若非他有类似的东西收藏家里，
便是也想制作一把拥有，瞧他颠来
倒去的模样，这个浪游的无赖会摆噱头。”

另一个高傲的年轻人则会这样讲说：
“我愿他日后的好运同此，一如，

---

① 第 382—385 行同第 236—239 行。

② 第 386—387 行同第十九卷第 29—30 行。比较第二十二卷第 393—394 行。

③ 特洛伊的盟军中有一名叫潘达罗斯的著名弓手，他的射弓用一头野山羊的角叉做成（《伊利亚特》第四卷第 105—111 行）。

像似他挂上弓弦的能耐，能有几多[1]。”

　求婚人如此谈说，但足智多谋的奥德修斯，
当他拿起硕大的射弓，仔细看过，
恰似一位精通竖琴和歌唱的高手[2]，
轻巧拉起密编的羊肠弦线，
绷紧两头，挂上一个新的弦轴——
就像这样，奥德修斯轻松安上大弓的弦绳。
他动用右手，试着开拨弦线然后，
线条送回妙响，有如燕子的叫声[3]。
巨大的悲痛落降求婚的人等，脸色

---

① 这两个年轻人显然不认为奥德修斯有能力上弦开弓。比较欧鲁马科斯的担心(第 324—329 行)。参考第九卷第 523—525 行、第二十卷第 236—237 行、《伊利亚特》第四卷第 178—181 行、第二十一卷第 428—431 行和第二十二卷第 41—43 行。

② 弓是兵器，竖琴是乐器，前者是战场和赛场上的用物，杀人害命，后者则是盛宴和聚会中的消遣，伴随歌舞的瑰美。弓箭和竖琴分别在各自的使用场境享领风骚(虽然在《伊利亚特》里擅长枪战的勇士们看来，弓手暗箭伤人，弓战是一种不那么光明正大的行为)。阿波罗既是弓神(参考《伊利亚特》第一卷第 21 和 41—42 行)，又是竖琴(即诗乐)之神(同上第 603 行)，同样风光在战场和喜庆的场面之中。同样，奥德修斯弓艺精熟(本书第八卷第 215—222 行)，讲故事的本领高超(第十七卷第 514—517 行)，“似一位歌手”(第十一卷第 368 行；另参考第十七卷第 518 行)。竖琴是诗人自弹的伴诵乐器，亦可为舞蹈和杂耍伴奏。和沙场上浴血奋战的勇士一样，诗人(或歌手)是和平时期里颂扬民族文化的“英雄”(第八卷第 483 行)。参考并比较《伊利亚特》第十五卷第 508 行注和第三卷第 394 行注。

③ 像琴弦一样(参考第一卷第 155 行、第八卷第 261 和 266 行等处)，弓弦发出脆亮的响声。参读本卷第 406 行注。像燕子归返旧巢，奥德修斯已回抵家中，开始复仇。人的努力，禽鸟的叫声，加之求婚(人)一族的惊怕，宙斯送来的沉雷滚滚(第 413 行)，诗人用词不多，但表现和感染力极强。“画面”的设计有声有色，纷繁而不紊乱，综合度高而又不失统一编排的和谐与精巧。

骤变——宙斯显送朕兆，滚动雷响深沉[①]。
卓越和历经磨难的奥德修斯高兴，听闻，
心知工于心计的克罗诺斯的儿子送来兆示显能。
他拈起一枚捷飞的箭矢，露躺在身边的
桌子上头，其余的仍在幽深的箭筒，
阿开亚人会知晓它们的厉害，用不了多久。
他搭箭弓桥，拉动弦线槽口，
从他下坐的椅面，松放紧绷的弦绳，
箭枝疾飞，精准，穿过排列的斧头，
从第一个把孔进去，铜镞的箭矢奋进，
抢出最后一个穿透[②]。他话对忒勒马科斯，开口：
“坐在你宫中的来客，忒勒马科斯，没有给你
丢人。我未曾错失目标，无须使出浑身的
力气上挂弦绳；我还照样有劲，
不像求婚人讥辱的那样，把我贬讽[③]。
趁着天明，现在是给阿开亚人备奉
晚餐的时候[④]，接着还有别的娱乐，

① 在第二十卷里，奥德修斯曾请求宙斯致送吉兆，后者听罢，“当即掷甩响雷”，使奥德修斯“欣喜听闻”（第102—104行）。现在，宙斯又送来滚滚的沉雷，表示对奥德修斯开始灭杀行动的支持。奥德修斯心领神会（本卷第415行），但求婚人却依旧木知木觉，直到奥德修斯射杀安提努斯后，还以为对方不是有意击杀，真是一群“蠢货”（参考第二十二卷第31—33行）。

② 参考第十九卷第572—580行及相关注释。

③ 参见第二十卷第375—379行。不知奥德修斯可曾听见求婚人刚才的议论（本卷第396—403行）。

④ 奥德修斯自然是一语双关。诗人在此成功地使用了矛盾修饰法（oxymoron），以便突显晚餐的不同寻常：求婚人将在昼光里（而非在夜晚）“享用”他们（最后的）晚餐，亦即死亡。参考第二十卷第392—394行及相关注释。

舞蹈、竖琴，它们是盛宴的荣酬[1]。”

言罢，他微蹙眉毛点动[2]，忒勒马科斯
见状，神样的奥德修斯之子，背上锋快的
佩剑[3]，把枪矛握在手中，站随奥德修斯
身边，傍着座椅，周身熠显闪光的青铜[4]。

---

① 比较第一卷第152行并参考该行注。“晚餐”后，宫居里将举办舞会，响起琴声，用以迷惑伊萨卡市民，使其不致过早获得求婚人已被杀屠的消息（详阅第二十三卷第133—140行）。

② 参考第129行及相关注释。

③ 竖排铁斧前，忒勒马科斯曾从肩头取下利剑（第119行）。

④ 为了显示忒勒马科斯临战时的豪迈，诗人沿用了多次出现在《伊利亚特》里的程式化用语，尽管事实上年轻人此时只是持枪背剑，并没有穿戴铜盔铜甲，持用护身的盾牌。本书在第二十二卷里，忒勒马科斯声称要为父亲提取铜盔，并说“自己亦将披挂上阵”（第102—103行）。随后，他行往藏室，抱回甲械，和两位奴仆一起披挂起来（第109—114行）。对本卷第433—434行的释译，如同对史诗里相当一批词句的诠释一样，学者们持有不同的见解。

第二十二卷

其时，足智多谋的奥德修斯脱去破旧的衫衣[1]，
跃上硕大的门槛[2]，手握射弓箭筒在即，
满装箭枝，倒出迅捷的飞矢[3]，
散落脚边在地，对求婚人开口，说议：
“这场决定性的比赛总算有了终际。
现在我要箭发另一个目标，还不曾有人
射击[4]，倘若阿波罗赐我光荣，我能中的[5]。”

言罢，他送发凶狠的箭矢，瞄准安提努斯，
后者正手举精美的双把
金杯，其时，端起浆酒欲饮[6]，

---

① 奥德修斯有可能没有脱去身上的“全部”破衣(参考本卷第 488—489 行和第二十三卷第 115 行)，也可能脱去了，以后复又穿上(参考本卷第 489 行注)。在处理类似的问题上，评论家们不应动辄指责诗人，称其为他的疏忽。比较第十八卷第 67—68 行。参阅第十卷第 439 和 486 行注等处。

② 忒勒马科斯曾让奥德修斯下坐“石凿的门槛边旁”(第二十卷第 258 行)。奥德修斯曾从门槛边的椅面上发箭穿透斧孔(参看第二十一卷第 419—422 行)。关于“门槛”，参考第十七卷第 339 行注。

③ 关于迅捷的箭枝，参考第二十一卷第 138 行注。比较第二十卷第 114 行注等处。

④ 比较求婚人克忒西波斯的“幽默”(第二十卷第 296—298 行)。

⑤ 阿波罗乃弓神，当天又是庆祭他的节日，所以尽管雅典娜与奥德修斯的关系远为密切，后者还是得体地设想“倘若阿波罗赐我光荣”。注意奥德修斯并没有对弓神许愿(参考并比较第二十一卷第 268 和 406 行注)。细读该卷第 265—268 行。

⑥ 洒过奠酒后(参考第二十一卷第 263—264 行)，求婚人开始啜饮。

他呀，心里全然没有想到会死。
谁会设想，当着众多的人们宴食，
有人孤身一个，尽管强健甚是，
会给他致送乌黑的命运，暴死[①]？
但奥德修斯瞄准此人，箭中他的脖子，
透穿柔软的颈肉，往里深扎箭枝[②]，
被击者猝倒一边，酒杯掉出手心
导致，浓稠的人血立即喷出
鼻孔，飞射，此君一脚蹬翻面前
的桌子，食品尽撒，面包和
炙烤的肉肴落得满地皆是[③]。求婚者
全都高声喧叫，眼见那人倒地，
从座椅上起跳，惊跑在宫里，
双眼四处张望，扫视精固的墙壁，

① 是啊，谁会想到，有人会把餐厅变成战场，而且敢于以孤身对打众人？然而，恶有恶报，多行不义必自毙——求婚人死到临头还木知木觉，确实天真得可以。关于乌黑的命运(或死亡)，参考第二十卷第52行注。另参考该卷第158行注。奥德修斯说过，他“愿安提努斯死去，先于他的婚讨”(第十七卷第476行)。安提努斯是作恶奥德修斯宫中的“元凶”(本卷第48行)。

② 比较《伊利亚特》第十七卷第49行里大致相似的描述(但《伊利亚特》里的英雄多用投枪杀敌)。在描写战斗场面(包括人死人亡的场景)时，诗人会很自觉地沿用《伊利亚特》的“风格”(即表述方式)和众多现成的词语。脖子干系人的命脉，“生命的毁灭在此最为迅捷”(该史诗第二十二卷第325行)。阿基琉斯便曾枪击赫克托耳的脖颈，“将松软的颈肉破开”(同上第326—327行)。

③ 安提努斯端着酒杯中箭，倒在满地食品肉肴之中(烤肉是史诗人物喜爱的最佳美食)，死了，倒也落得个饱死鬼的下场(饥饿是很让人讨厌的事情，参考第十五卷第343—345行及相关注释)。

但那里既无盾牌，亦无粗长的枪矛可提[①]。
他们怒不可遏，责骂奥德修斯说及：
“此事邪恶，陌生人，你发箭射击。
这是你最后的比赛，你将暴死无疑。
你射杀此人，伊萨卡青年中远为
出色的杰英——秃鹫会把你吞噬，食尽[②]！”

求婚人七嘴八舌，以为他不是
有意杀击——蠢货，殊不知死亡的
绳索已把他们每一个人捆紧[③]。
足智多谋的奥德修斯恶狠狠地盯视，答接[④]：
“没想到吧，恶狗，我能回来，
从特洛伊大地。所以，你们糟毁我的家产，

① 求婚人虽然想到要寻觅武器，但仍心存幻想，“以为他不是有意杀击”（第31—32行）。奥德修斯父子已按计划，先行搬走了厅堂墙壁边的兵器（参考第十九卷第1—34行）。求婚人随身携佩利剑，此外还不算太笨地想到可用餐桌遮挡，权作盾牌（本卷第74—75行）。

② 在正常情况下，人死后应该得到亲友的哭祭和礼葬。参考第十一卷第26行注等处。暴尸郊外，让野狗和兀鸟撕食遗体，是对死者的极大羞辱，也是对他的名誉的极度伤损。萨耳裴冬死后，遗体被送回家乡礼葬；同样，赫克托耳也希望阵亡后，阿基琉斯能把遗体交还他的家人。赎尸几乎占用了《伊利亚特》整整一卷的篇幅。

③ 但至少安菲诺摩斯或许（或应该）会感察到此事的真实“含义”，因为早在第十八卷里，他“已知险凶”（即事情不妙，参考第153—156行）。诗人有时也区分求婚人中的个体（参考第十六卷第402、445行注和第十七卷第476行等处），但在自认为无须这么做的时候（或上下文里），他一般倾向于把他们当作一个整体对待（参考第十八卷第291、428行及相关注释）。关于求婚人的“无知”，细读第十七卷第234行注、第二十卷第362行注和第二十一卷第83和95行注等处。

④ 程式化诗行，另见第十八卷第14和337行、第十九卷第70行、本卷第60和320行。比较第十七卷第459行和第十八卷第388行。

强迫我的女仆和你们睡在一起[①],
试图逼婚我的妻子——而我还活在人际——
既不畏拥掌辽阔天空的神明,
也不怕子孙后代的谴责非议[②]。
死亡的绳索,眼下,已把你们每一个人捆紧!”

他言罢,恐惧揪住了所有的求婚的人,吓得脸色灰青[③],
全都东张西望,寻觅逃避惨死的途径[④]。
只有欧鲁马科斯答话,对他说起:
“倘若你真是伊萨卡的奥德修斯,回抵,
你的话公允,针对阿开亚人的种种恶行,
屡屡冒犯,在你的农庄[⑤],你的府邸。

① 然而,事实上女仆们欢声笑语,主动行往求婚人的住处睡觉(参考第二十卷第6—8行及第15行注;不过,比较第十六卷第108—109行和第二十卷第318—319行)。在大多数古代抄本里,本卷第37行出现在第38行之后。或许,传抄者们认为奥德修斯应该先提及自己的妻子,然后提女仆,如此方显合理。有学者怀疑第37行为后人的增补。

② 史诗人物(包括求婚人)有两怕,一是神的惩罚,二是乡里乡亲和子孙后代的非议(参考第二卷第64—66行)。求婚人并非不敬畏神明(详见第二十一卷第263—268行),也并非对公众和子孙后代的议论不屑一顾(参考同卷第255、329行注)。然而,他们倒行逆施,为非作歹(连求婚人自己亦对此供认不讳,参看本卷第46—47行),已经构成了渎神和给后代留下骂名的事实。奥德修斯在此针对事实(而非现象)讲话,他的谴责应该属实,可以成立。除了拥掌天空(但哀地斯的居处当在地下)的奥林波斯神明外,史诗人物惧怕的还有复仇女神(参考第十七卷第475行)。“拥掌辽阔天空的神明”乃程式化用语,出现在两部史诗里(比如见诸第一卷第67行、第四卷第378行、《伊利亚特》第二十卷第299行和第二十一卷第267行等处)。关于天空和奥林波斯,参考本书第十六卷第211行注。

③ 比较第十二卷第243行。

④ 第43行同《伊利亚特》第十四卷第507行和第十六卷第283行。参考本卷第16行注。

⑤ 或许指屠食放养在农村的畜群。

但现在,此事的元凶已经倒地,
安提努斯,是他作祟推动劣迹,
并非真想结婚,着实有情,
而是另有他谋,但克罗诺斯之子不会兑现
他的用心:伏截你的儿子,把他杀击,
然后称王繁华的伊萨卡地域,由他自己①。
现在,他死了,那是命运的报应②。如此,宽恕
你的属民,我们将征收公众的财物,日后,
赔偿所有损失,被吃被喝在你的厅里③,
每人均摊一份,价值二十头牛的赔礼④。
我们会支付黄金青铜,直至舒缓你的

---

① 参阅第四卷第669—672行和第十六卷第376—386行。称安提努斯“并非真想结婚”或许缺少文本的有力支持(可诗人会利用听众的想象),但求婚人确实把婚娶裴奈罗佩当作是夺取权力的手段和迈向王位的台阶。和安提努斯一样,欧鲁马科斯也是伊萨卡的王公(参考第十八卷第64行),亦是求婚人的头领。此刻,为了保命,他把责任全部推给了安提努斯,足见此人的品质之恶劣。

② 也是求婚人自己(此处指安提努斯)的积极推动之所致(参考第十六卷第364行注)。

③ 参考第二卷第77—78行。阿尔基努斯要求法伊阿基亚人的权贵们每人给奥德修斯致送一份礼物,并称可从百姓中征收费用(参考第十三卷第13—15行)。在第十九卷里,“乞丐”声称他曾从公库征调食物,招待奥德修斯的随从(第197—198行)。然而,求婚人的肆虐应属个人行为,似乎不应把赔偿的责任转嫁给百姓。或许,在蛮不讲理的欧鲁马科斯看来,他们的求婚也带有某种因公的性质(比如,为了早日结束国内“群龙无首”的局面),因此百姓有责任为他们的活动支付费用,承担经济上的风险。

④ 莱耳忒斯曾用二十头牛的代价买下欧鲁克蕾娅(第一卷第431行;关于“换价”问题,参考该行注)。time可指“荣誉”(参考《伊利亚特》第九卷第605行注),也可具体到指“赔偿”,即通过用支付“报酬”的形式,使受损的一方得到补偿。参看《伊利亚特》第三卷第286—288行。求婚人放纵自己的骄横(hubris),给奥德修斯的家居造成了严重的损害,理应为之付出代价(奥德修斯要的是他们的性命),以此重塑奥德修斯家族的声誉(time),修复已被严重破损的公允(dike;参考本书第十四卷第84行注)。

心灵。在此之前，我们不能抱怨你有怒气。”

足智多谋的奥德修斯恶狠狠地盯着他，答接：
“即使拿出你父亲的全部财产，欧鲁马科斯，
给我你拥有的一切，加之能从别地弄到的东西，
即便如此，我也不会罢手，停止杀击，
直到仇报过求婚人的侵害，全部劣迹[①]！
此刻，做法由你们选择决定，要么和我对战，
要么窜逃，假如有谁能避过死亡及其精灵[②]。
但你们中，我想，无人可以躲过惨死逃避。”

他言罢，求婚人双膝酥软，消散心力[③]，
但欧鲁马科斯再次发话，对他们说议：
“亲爱的朋友们，此人不愿休止双手无敌，
既然现已拿到滑亮的弓杆和箭筒，
他会从溜光的门槛上开打，直到
射杀我们，全灭。来吧，让我们念想战击。
拔出劈剑，把桌子挡在身前，顶回
暴突的死亡和射箭。让我们一起冲击，
把他逼离门扇和槛条旁边，

① 为了说服阿基琉斯出战，阿伽门农答应给他极为丰厚的财礼（包括作为陪嫁的七座城堡），但阿基琉斯盛怒不息，予以断然拒绝（详见《伊利亚特》第九卷第 378—386 行）。比较该史诗第二十二卷第 348—352 行（阿基琉斯以相似的“句式”驳回了赫克托耳的建议）。

② “精灵”原文作 keras，亦可作“命运”解（参考第二十一卷第 247 行注）。

③ 作为正面人物的英雄奥德修斯也有过同样的“经历”（见第五卷第 297 和 406 行），并且很快就将重复一遍（本卷第 147 行）。另参考第四卷第 703 行、第二十三卷第 205 行、第二十四卷第 345 行和《伊利亚特》第二十一卷第 114 行。细读本卷第 147 行注。

奔走城区，顷刻间引发喧声噪响，
如此，刚才的射发将是此人最后一次放箭[①]！”

言罢，他从胯边抽出锋快的劈剑[②]，
青铜铸就，刃口开在两边，迎头扑击，
喊声粗野[③]。与此同时，高贵的奥德修斯
射发一枚矢箭，击中他的胸膛，奶头旁边，
飞驰的箭枝扎入肝脏，铜剑脱手，
掉落地面，其人撞扑食桌，
佝偻，倒翻，美食洒落，连同
双把的酒杯。他一头栽倒在地，
带着疼痛钻心，双脚蹬踢
晃摇座椅，死的迷雾蒙罩他的眼睛[④]。

安菲诺摩斯冲向光荣的奥德修斯[⑤]，
猛然扑击，拔出利剑，以为对手
会被迫后退，离开门边，但忒勒马科斯
抢先出手，投掷铜头的枪矛，从他后面，

---

① 第78行同第134行。

② 相似的描述见《伊利亚特》第二十二卷第306—307行。

③ 像《伊利亚特》里的勇士一样（比如，参考该史诗第五卷第302行），欧鲁马科斯嚎叫着向奥德修斯冲击。欧鲁马科斯毕竟是一位史诗人物，尚有血性，在生命的最后时刻表现出一名斗士的豪烈。本卷第82—88行里不乏在《伊利亚特》里有见例的短语。参考第16行注。

④ 换言之，两眼一抹黑，啥也看不见了（眼睛乃心灵的“窗口”）。诗人沿用了《伊利亚特》对勇士倒地死亡之情景的描述。参考该史诗第五卷第696行和第十六卷第344行等处。

⑤ 安菲诺摩斯乃求婚人中的温和派，相对通达情理（参考第十八卷第119行注），无奈命运无情，注定他在你死我活的拼搏中不可能侥幸得到豁免。

击中双胛之间，长驱直入，穿透胸背[①]。
此人轰然倒下，额头撞响地面。
忒勒马科斯跳往一边，撇下落影森长的
枪矛[②]，扎在安菲诺摩斯的胸间，回撤，担心
趁他拔矛之时，连同森长的投影，某个阿开亚人
会冲扑击剑，或趁他弯腰尸首，就近加害。
他拔腿奔跑，很快临近亲爱的父亲，
讲说长了翅膀的话语，站立他的身边[③]：
“父亲，我这就去给你提取两枝枪矛，一面盾牌，
连同一顶全铜的帽盔，恰合你的头穴两面。
回来后，我自己亦将披挂上阵[④]，也为牧猪和牧牛的
伙伴把甲械取来。如此更好，有了穿戴。”

其时，足智多谋的奥德修斯对他答话，开言：
“快跑，快去取来，趁我还有自保的射箭。
否则，孤身一人，他们会把我从门边逼开。”

他言罢，忒勒马科斯服从父亲心爱，
行往里面的藏室，贮存光荣的
甲械，提取八枝枪矛，四面盾牌，

---

① 第 93 行同《伊利亚特》第五卷第 41 和 57 行、第八卷第 259 行和第十一卷第 448 行。另参见本卷第 94 行里典型的《伊利亚特》式的描述。

② “投(或落)影森长的枪矛”在《伊利亚特》里见例频繁，在《奥德赛》里出现四次(另见第 97 行和第二十四卷第 519、522 行)。

③ 关于“长了翅膀的话语”，参考第二卷第 269 行注。本卷第 100 行同第四卷第 25 行。另见第十七卷第 552 行、《伊利亚特》第四卷第 203 行、第十四卷第 356 行和第十六卷第 537 行等处。

④ 参考第二十一卷第 432—434 行及相关注释。求婚人都随身带挎铜剑(参考本卷第 74、79 和 98 行)，但没有派上用场。

外加四顶铜盔,缀顶浓密的马鬃[①] 紧排,
抱归,很快回到亲爱父亲的身边。
他自己率先披挂,用青铜的甲铠,
两位奴仆同样,套上甲衣煌辉,
站随聪颖和卓智多谋的奥德修斯身边。

当奥德修斯仍有箭枝护卫,
他便不停地瞄射求婚人,在自己家里,
箭无虚发,把目标一个接一个射倒在地[②]。
然而,当王者[③] 把箭枝射发,罄尽,
他放下弓杆,使其斜依支撑精固宫居的
门柱,靠着闪亮的墙基,自己则
动手肩挎战盾,垫着四层牛皮,
戴上精工制作的帽盔,盖护硕大的头颅,
盔顶嵌缀马鬃的冠条,摇曳出镇人的威烈。

---

① 或"马毛",包括取自马鬃和马尾的长毛。另见第 145 行。"嵌缀马鬃的"乃头盔的饰词之一,多见于《伊利亚特》之中。

② 相似的表述另见第二十四卷第 181 行和《伊利亚特》第十七卷第 361 行等处。弓手一般从远处发箭杀敌,因此对自身的防护[尤其是在对手缺乏"远程武器"(如弓箭、投枪等)的情况下]可以相对松懈一些。奥德修斯仅凭弯弓射箭,一个接一个地放倒求婚人,直到箭枝罄尽方始动手披挂,全副武装自己。普里阿摩斯之子帕里斯惯常持弓作战,因此无须身披重甲(参考《伊利亚特》第三卷第 17 行)。或许是出于这一层考虑,当他准备与墨奈劳斯用枪矛决斗时,诗人特意让他"系上兄弟鲁卡昂的护甲"(同上第 332 行)。

③ 战斗已经打响,并且定将以奥德修斯一方的胜利终结。诗人适时用了"王者"(anax,参考第十八卷第 299 行)一词,用以点题奥德修斯作为伊萨卡(当然,也是他的家居的)主宰(或主政)者的真实身份,象征性地"宣布"了他的浪者和乞丐身份的终止(尽管对裴奈罗佩,奥德修斯还要再耐心等待一段时间,以期使她接受自己)。参考本卷第 283 行里饰词"荡劫城堡的"对勇士奥德修斯(也连同场境)的烘托作用。

然后，他抓起两枝粗长的枪矛，挑着锋快的铜尖[①]。

建造精固的墙上有一座边门，
隆起，出口与坚固大厅的门槛持平，
通连侧道，安着密合的门扇紧闭。
奥德修斯命嘱高贵的牧猪人把守
门边，警惕，因为只有一条道儿与之通接。
阿格劳斯[②] 放声喊叫，对全体求婚人说及：
“亲爱的朋友们，难道不能溜出一个人去，爬出
边门，报讯国民[③]？如此，喧声噪响会顷刻间突起，
刚才的发射将是此人最后一次箭击[④]！”

---

① 《奥德赛》的作者肯定熟悉《伊利亚特》里勇士赴战前的自我武装。在此，他把相关语句信手拈来，仿佛奥德修斯又回到了特洛伊城下人死人亡的战场。参考《伊利亚特》第三卷第328—338行、第十卷第21—24行、第十五卷第479—482行和第十六卷第130—139行。

② 关于阿格劳斯，参考第二十卷第321—344行及相关注释。

③ 安提努斯不愿走漏求婚人试图谋害忒勒马科斯的消息，“担心他们会加害，把我们赶离家园”（参考第十六卷第377—382行）。此刻，和欧鲁马科斯一样（参考本卷第77—78行），阿格劳斯不仅不惧怕民众，反倒认为应该让民众知晓宫中发生的事情，如此会对他们有利。求婚人对形势的判断或许大致正确。第一，民众可能讨厌求婚人的追婚方式（参考第二卷第63—66行），但不会赞同奥德修斯父子及其帮仆杀人，更不会容忍他们不分青红皂白，将对方一概扫灭。第二，求婚人中有十二名来自伊萨卡本地，假如出现危急情况，他们的家属和亲友肯定不会袖手旁观。此外，来自外岛的求婚人中大概也不乏在伊萨卡有亲朋好友者，他们也会闻讯赶来。奥德修斯的做法恰好相反。直到杀灭求婚人后，他仍想迟缓民众（或公众）知晓有关消息的时间，以便找到可行的办法，争取主动，化解他们的怒怨（参考第二十三卷第131—140行）。

④ 一些西方学者认定第134行乃后人的拙补，理由是奥德修斯尽射箭枝，已停止使用弓箭。然而，求婚人或许并不知晓此事（即不知奥德修斯已无矢箭可用），而追求每一个细节的丝丝入扣显然也不是包括荷马在内的古代诗人们创编史诗的初衷。再者，求婚人阿格劳斯的评判并没有在“事实上”出错——奥德修斯确实已用完最后一枚箭枝（只是并没有停止击杀）！

其时，牧放山羊的墨朗西俄斯对他答接[①]：
“杰著的阿格劳斯，此议难以实行。通向庭院的
门面精美，离得太近，侧道的出口很难突破，
一位斗士，倘若勇敢，便可把群队挡抵。
这样吧，让我从藏室里搬取兵器，
武装你们可以，我知道，不在别处，
奥德修斯和他光荣的儿子把甲械收藏在那里。”

牧放山羊的墨朗西俄斯言罢，登爬
大厅的出口，进入奥德修斯的藏室。
他取出十二面厚重的护盾，同样数量的
枪矛和等量嵌缀马鬃的铜盔，
折转，返回，迅速交给求婚人用试。
奥德修斯双膝酥软，心力消散[②]，其时，
眼见对方武装起来，手舞长枪，
知晓将要面临苦战的情势，于是
讲说长了翅膀的言语，发话忒勒马科斯：
“宫中的某个女子，忒勒马科斯，或是
墨朗西俄斯使坏，已对我们挑发邪恶的战事。”

聪颖的忒勒马科斯对他答话，其时：
“此乃我自己的过错，父亲，不能责备他人
有失。我没有关拢房门，原本做得

① 第135行同第十七卷第247行。

② 奥德修斯贵为王者、英雄，且身经百战，出生入死，然而这一切都不足以使他超脱人会害怕的本性（在荷马史诗里，连神都会害怕），切断他与普通人的通连。在荷马看来，人有七情六欲，会害怕，会发抖，这都是很正常的事情（参考第五卷第297行和该行注；另参考《伊利亚特》第四卷第148行：阿伽门农吓得“全身震颤”）。

密缝合实;他们的哨探比我明视。
去吧,高贵的欧迈俄斯,关紧藏室的房门,
看看是某个女人操作,还是
多利俄斯之子;我想,是墨朗西俄斯做下此事。"

当他们你来我往,一番谈议如是①,
牧放山羊的墨朗西俄斯摸回藏室,搬取
更多绚美的甲械,被高贵的牧猪人见视。
他当即说话,报告站在身边的奥德修斯:
"莱耳忒斯之子,宙斯的后裔,多谋善断的奥德修斯,
又是那个邪毒的家伙,我们的怀疑没错,
溜进了藏室。吩咐吧,讲话真实,
要我,倘若证明比他强健,把他杀死,
还是揪来给你,让他偿付自己的种种
恶错,在你家里凶谋的全部丑事。"

足智多谋的奥德修斯对他说讲答话,其时:
"忒勒马科斯和我会封住厅里高傲的
求婚人在此,无论他们有多么狂烈难治,
你俩可扭转墨朗西俄斯的腿脚双手,
把他扔进藏室,拿木板在他身后捆实,
用编绞的绳条勒紧,吊上高高的
房柱,直到贴近屋顶的梁木为止。

① 程式化诗行,出现在两部史诗里。另见第二十三卷第 288 行和第二十四卷第 98、203 及 383 行。

他会活着，但将遭受巨痛的折磨，如此[①]。”

他言罢，帮手们认真听过，执行[②]，
进入藏室；那人仍在那里，未见来者，
正在搜寻武器，在库房的角落里忙着。
他们站立等候，分别守着门柱两侧。
牧放山羊的墨朗西俄斯跨过门槛，
一手提着顶精美的盔盖，另一手
携拿一面古旧的战盾，硕大，带着霉蚀的斑疙，
英雄莱耳忒斯的用物，在他年轻时代护遮[③]。
此盾一直躺在那儿，皮条上的线脚已经开拆；
他俩猛扑上去，逮获，揪住他的头发
拉扯，扔之于地，任他心里痛涩，
用掐肉的绳条勒住他的双臂
腿脚，反拧在背后，遵照莱耳忒斯之子、
卓著和坚忍的奥德修斯的命嘱捆合，
用编绞的绳条把他勒紧，吊上高高的
房柱，直到贴近屋顶的梁木悬搁。

---

① 墨朗西俄斯曾给奥德修斯留下过深刻的“印象”。此人曾用恶毒的语言辱骂奥德修斯（第十七卷第217—232行和第二十卷第178—182行），抬腿蹬踢（第十七卷第234行），后者对他恨之入骨（参考第二十卷第184行），若非为了顾全大局，恐怕当时就已经把他的性命结果（第十七卷第235—237行）。参考本卷第474—477行。

② 第178行同第三卷第477行、第十五卷第220行和第二十三卷第141行。

③ 显然不同于《伊利亚特》里常有提及的那种边圈溜圆的、很可能是通行于荷马生活年代的体积较小的战盾。慕凯奈时代的盾牌硕大，两头圆鼓，中间相对紧收狭小，可以遮护战勇的全身，但比较笨重，使用起来多有不便。参考《伊利亚特》第七卷第219行及该行注。关于莱耳忒斯的现状，参考本书第一卷第188—193行。杀灭求婚人后，奥德修斯祖孙三代将在莱耳忒斯的农场聚首（参看第二十四卷中的相关描述），而在雅典娜的帮助下，老壮士将重振年轻时代的雄风，持枪投入战斗（同上第520—525行）。

其时，牧猪的欧迈俄斯，你对他说话讥责：
“现在，墨朗西俄斯，你可整夜窥望，
躺着，息卧松软的床上，于你合适，
醒着迎来早起的黎明，登临黄金的宝座，
升起在俄刻阿诺斯长河[①]，值你通常
驱赶山羊之时，供奉求婚的人们[②]，飨食宫阁。”

就这样，他们丢下此人，捆着要命的长绳，
动手披上铠甲，关合闪亮的房门，走去，
站随聪慧和精多谋略的奥德修斯的躯身。
双方人员站着，杀气腾腾，一方据守门槛，
四人，面对屋里的对手，大群犟勇的人们。
雅典娜临近他们，宙斯的女儿，
变取门托耳的形象，模仿他的话声[③]。
奥德修斯见后对她说话，感觉兴奋：
“帮我挡开危难，门托耳；记得吗，我经常
厚待于你[④]，是你的伙伴佳朋。此外，你我同庚。”

---

① 关于俄刻阿诺斯，参考第十一卷第 13 行注。

② 比如，参考第二十卷第 173—175 行。墨朗西俄斯是欧迈俄斯和菲洛伊提俄斯的“反衬”，而他的姐妹墨兰索(欧鲁马科斯的情妇)亦以自己的背叛及恶虐，与欧鲁克蕾娅等忠实于奥德修斯家族的女仆们形成了鲜明的对比。《奥德赛》立场鲜明地表述了一种惩恶扬善的道德取向。

③ 求婚人已获得墨朗西俄斯取自藏室的枪矛盾牌，正拉开架势，准备和奥德修斯主仆四人决斗。在这紧要关头，雅典娜复又莅临现场，帮助奥德修斯战胜求婚人[参考第 237—238、256(大致同第 273)和 297—309 行]。第 206 行同第二卷第 268、401 行及第二十四卷第 503、548 行。关于雅典娜的变形，另见第三卷第 371—372 行(变作胡鹫)、第六卷第 22—24 行(变作杜马斯的女儿)、第八卷第 8 行(变作信使，另参考《伊利亚特》第二卷第 280 行)和本卷第 239 行(变作燕子)。

④ 奥德修斯已知对方是雅典娜(参考第 210 行)，故语出双关(比较第 235 行)，可作“我对你多有祭祀”解。

他言罢，猜想此乃雅典娜[①]，统领军阵。
求婚者们喊叫，在厅堂的另一边闹纷；
阿格劳斯抢先斥责，达马斯托耳之子说称：
“门托耳，别让奥德修斯的话语把你劝争，
护他，对战我等求婚的人们。
考虑我们的建议，我想它会成真。
当我们杀死他们父子二人，
你也将被连带杀生，如果打算在
宫中助阵，你得付出头颅才成。
杀尽你们这帮人后，用我们的青铜[②]，
你的全部财产，这里和别地的，
我们将把它与奥德修斯的汇同；我们不会
让你的儿子和女儿继续住在家中，
不会让你钟爱的妻子在伊萨卡城里走动。”

他言罢，雅典娜的心里增添愤恨，
责备奥德修斯，用饱含怨怒的言词出声：
“你的勇气和豪力，奥德修斯，已不再随你
留存，不比当年，为了白臂膀和出身高贵的海伦，

---

① 奥德修斯很可能是凭“经验”猜想（或判断）此乃雅典娜（参考第十九卷第 42—43 行）。不过，他也承认凡人很难辨识神灵，“不管他多么聪明”（第十三卷第 312—313 行）。参考第十卷第 573—574 行及相关注释。与奥德修斯相比，阿格劳斯显然要“嫩”一些，对门托耳的出现没有顿起疑心。求婚人死于他们扭曲了的“乐观主义”。参考本卷第 10—14 和 31—33 行。

② 指铜剑，可作转喻解。参考第二十一卷第 62 行注。

你和特洛伊人苦战九年[1],持续坚忍,
惨烈的拼搏中你杀敌甚众,凭借
你的智谋,攻陷了普里阿摩斯路面开阔的垣城。
可现在怎样——你已回返家园,眼见自己的所有,
反倒哭嚎退缩,不敢战对求婚的人们?
来吧,朋友,站随我的身旁,看我如何战斗,
看看阿尔基摩斯之子门托耳是何样的能人,
如何打击你的敌手,回报你的厚恩[2]。"

　　言罢,她仍然不打算赐与豪力,使其大获
全胜,还想试察奥德修斯和他
光荣的儿子,他们的勇气和力能。

---

① "九"为诗人喜用的数字(参考第十二卷第 78 行注)。关于战事延续九年(比较《伊利亚特》第十八卷第 400 行)的提法,另见本书第三卷第 118 行(但请注意该卷第 119 行中"直到最后"一语)。在《伊利亚特》第二卷里,奥德修斯回顾了卡尔卡斯于开战前对战期的卜释。长蛇吞食八只小鸟,连同鸟妈,一共九只。所以,阿开亚人将苦战九年,"直到第十个年头",攻下路面开阔的特洛伊(详见第 301—329 行;参考并比较该卷第 134、295 行)。本书第五卷第 106—107 行和第十四卷第 240—241 行的描述与卡尔卡斯的卜释相符。所以,我们可以把本卷第 230 行解作:在第十年里攻陷了……。事实上,最惨烈的战斗发生在第九年以后。《伊利亚特》描述的是发生在第十年里的战事(参考该史诗第二卷第 295 行),并且直到最后的第二十四卷,战争仍然没有结束。

② 相信奥德修斯会领会这句话的双关含义。雅典娜将用实际行动实践她对奥德修斯的承诺(参考第十三卷第 393—396 行和第二十卷第 45—51 行)。在《伊利亚特》里,雅典娜曾多次亲临战场,帮助阿开亚将领(参看第四卷第 128—131 行、第五卷第 835 行以下、第十一卷第 437—438 行和第二十二卷第 214 行以下)。另参考本书第十三卷第 223、314 行注。奥德修斯曾向女神求助(本卷第 208 行)。雅典娜夸大了奥德修斯或许存在的胆怯(参考第 232 行;不知她是否见着奥德修斯害怕的景状,见第 147 行),旨在激励他勇敢战斗(所谓"劝将不如激将";参考并比较《伊利亚特》第四卷第 240—249 和 336—418 行)。

她变作一只燕子,让他们见着[①],高飞,
在青烟缭绕的大厅的横梁上栖蹲。

阿格劳斯,达马斯托耳之子,催动求婚的人们,
偕同欧鲁诺摩斯、安菲墨冬、德谟普托勒摩斯、
波鲁克托耳之子裴桑德罗斯和聪颖的波鲁波斯——
尚存并为求生战斗的求婚者中,
他们远为骠健勇猛;其他人已经倒下,
死于射弓和箭矢的飞纷。
阿格劳斯喊话,对所有活着的他们:
"此人,朋友们,必得息止他的双手不可战胜,
既然门托耳走了,在白说了一番空话之后,
撇下他们几个,孤守大门。
眼下,大家伙不要同时投掷长枪出手,
让我等六人先来,宙斯,或许,会成全

① "他们"应指奥德修斯父子及奴仆四人,不包括求婚人,后者认为"门托耳走了"(第 249 行)。神有"本事"只对相关的人员显形,而使其他在场的人无法看见(参考《伊利亚特》第三卷第 418—420 行、第一卷第 194—198 行和第二十二卷第 276—277 行等处)。另参考本卷第 209 行注。

我们[①]:枪击奥德修斯,争得光荣。
其他人不足为患,一旦我们放倒此人!”

　他言罢,六人全都按他的要求举枪,
奋力投掷,但雅典娜使所有的枪矛白飞,一无所成,
有人掷枪击中支撑建造精固的
房殿的立柱,有人射向密合的大门,
还有人投掷粗重的梣木杆枪矛,扎入边墙之中[②]。
其时,当各位避过求婚人的枪矛,
卓著和历经磨难的奥德修斯话对他们[③]:
“我说现在该由我们投射,亲爱的伴朋,
掷枪求婚的人等,他们疯烈,增添
以往的邪恶,试图击杀我们。”

---

① 史诗人物相信,胜利得之于人力和神意的结合[即人力(包括智慧)的发挥符合神意的导向],得之于宙斯的成全帮忙。人必须行动起来(束手待毙不行),尽可能地发挥自己的每一分潜力,如此才有可能实现宙斯的意愿(如果他的意愿不悖人的努力方向),取得预想的效果,实现预期的目的(参考第十二卷第213—216行和《伊利亚特》第二卷第299—300、348—352行及第六卷第526—529行;比较该史诗第一卷第128—129行)。参看本书第十一卷第297行注和《伊利亚特》第二十四卷第199行注等处。安提努斯和欧鲁马科斯死后,阿格劳斯“挺身而出”,成为领导和指挥求婚人战斗的首领。但他应该看到雅典娜(或门托耳)变作燕子(至少是突然消失,参考本卷第249行)的情景,并由此很自然地联想到对方有神的助佑,进而预感到自己的末日临头。然而,求婚人愚蛮,自欺欺人,始终不愿意设想(指他们中的绝大多数人)对方可能在神的帮助下战斗。安提努斯直到命归冥府的一刻,尚不知奥德修斯的背后“站着”雅典娜,于战前即已决定了奥德修斯一方的全胜。

② 当阿基琉斯与赫克托耳进行最后的决战时,雅典娜身临战场,为战事增添了人神合力的精彩一幕。她在枪矛上做了“手脚”(参考《伊利亚特》第二十二卷第276—277行,比较第294—295行),使阿基琉斯轻松地击杀了手无寸“铜”(至少已无投枪)的赫克托耳。在这里,雅典娜的帮助使奥德修斯一方拥有了神为的优势。应该说,在这种情势下,奥德修斯一方的胜利已成定局——双方卷入的是一场没有悬念的战斗。

③ 第261行同第二十四卷第490行。

他言罢，他们一齐瞄准，挥甩锋快的
长枪扎人。奥德修斯击杀德谟普托勒摩斯，
忒勒马科斯击中欧鲁阿德斯，牧猪人杀了厄拉托斯，
牧牛的菲洛伊提俄斯放倒了裴桑德罗斯——
这伙人中枪倒下，全都嘴啃宽广的地层[①]，
求婚者们后退，回退到厅堂的角落，
他们跃起冲上，把枪矛拔出倒死的躯身[②]。

求婚者们再次举枪瞄准，掷甩锋快的枪矛
投扔，但雅典娜使许多枪枝白飞，无所效成，
有人掷枪击中支撑建造精固的
房殿的立柱，有人射向密合的大门，
还有人投掷粗重的梣木杆枪矛，扎入边墙之中[③]。
但安菲墨冬击中忒勒马科斯的手腕，擦碰，
铜尖挑破皮肤的表层[④]；此外，
克忒西波斯掷甩长枪，掠过欧迈俄斯的

① oudas，或作“地表”“地面”解。奥德修斯等人以《伊利亚特》里勇士投枪的架势战斗，求婚人亦以壮士被击后死去的方式倒下，“嘴啃……”。欧鲁阿德斯和厄拉托斯仅出现在此处，上文不见提及。

② 以便拥有第二次打击的“手段”。在《伊利亚特》第二十二卷第276—277行里，雅典娜以“还枪”相助，动作虽不起眼，却对推动战事的进展（即阿基琉斯的获胜）起了很大的作用。

③ 第273—276行大致同第256—259行。

④ 尽管有雅典娜的保护（参考第259行注），安菲墨冬还是击中忒勒马科斯的手腕，可见求婚人并非等闲之辈。

盾沿，擦破肩膀[①]，飞去，空扑地层。
其时，睿智和心计熟巧的奥德修斯
及其伴随投枪扎入求婚的人们。
荡劫城堡的奥德修斯击倒欧鲁达马斯，牧猪人
和忒勒马科斯分别击中波鲁波斯和安菲墨冬；
稍后，牛倌菲洛伊提俄斯击中克忒西波斯，
打在胸脯上，傲临，对他炫耀出声[②]：
“哦，波鲁塞耳塞斯之子喜好嘲讽，
别再口出狂言，胡说八道，你已不能！
还是把评说留给神明，他们远比你强胜。
这是回敬你的客礼，对你的牛蹄回赠，
你用它击打神样的奥德修斯，在他乞讨厅堂的时分[③]！”

放养弯角壮牛的牧人言罢，奥德修斯捅出

① omon epegrapsen。动词 grapho 原义为“擦”“碰擦”，作业对象是任何平面的物体，包括木板和石片等，由此引申出“划”、“画”甚至“划写”的含义（参考《伊利亚特》第六卷第 169 行及该行注）。比较 gramma（复数 grammata，“文字”“图画”）和 grammatike（书写术、语法）。这里提及的盾牌，可能不是遮掩全身的那种（参考本卷第 185 行注），所以持盾者的肩膀暴露在外，有可能受到对手投枪或箭矢的攻击。关于类似的“战例”，另参考《伊利亚特》第四卷第 139 行、第十一卷第 388 行和第十三卷第 507 行。

② 在《奥德赛》里，傲临被击者躯身炫耀的做法仅此一例，但这显然是《伊利亚特》式的，是《伊利亚特》里的英雄们庆贺胜利和讥辱对方的常用方式（参考该史诗第十一卷第 432 和第十三卷第 373 行等处）。对于即将或已经咽气的被击者，史诗人物绝少表示同情，更不用说抚慰——相反，他们经常冷嘲热讽，讥辱有加，对被击者实施唇枪舌剑的第二次攻击。比较本书第十八卷里奥德修斯对已被他击倒在地的伊罗斯（即阿耳奈俄斯）的讥辱（第 105—107 行）。

③ 参考第二十卷第 287—302 行。克忒西波斯曾以牛蹄击人，眼下被牛倌投枪击中，两件事情都与“牛”相关，对他来说或许也算是一种无可奈何的巧合。菲洛伊提俄斯忠诚（参考第二十卷第 204—210 行，另见该卷第 224—225 和 236—237 行），相信神对事情会有公正的“说法”（参考本卷第 289 行）。比较奥德修斯相似的提法（第十九卷第 502 行）。

长枪，刺扎达马斯托耳之子阿格劳斯的躯身；
忒勒马科斯出枪击中欧厄诺耳之子琉克里托斯，
捅在肚腹正中，铜尖深扎进去，透穿肉层①，
后者一头倒下，额角撞砸泥尘。
其时，雅典娜举起埃吉斯②，它能灾毁凡人，
从那高耸的屋顶，吓晕了求偶的他们。
求婚人在厅堂里惊惶逃窜，似一群牧牛，
被捷飞的牛虻追咬，狂奔③，
在那春暖季节，天日变长的时分。
然而追杀的一方，像硬爪曲卷、尖嘴弯勾的兀鹫，
从山上袭扫而下，扑击较小的羽鸟杀生，
后者惊飞在平原之上，在云层底下颠腾，
秃鹫猛扑，逮住，碎咬它们，小鸟无力

---

① 参考并比较《伊利亚特》第十三卷第 388 行、第十五卷第 342 行、第十六卷第 309 行和第十七卷第 579 行等处。琉克里托斯曾大言不惭，声称即便奥德修斯回来也莫奈他何（详阅本书第二卷第 242—256 行），此刻倒死在忒勒马科斯的枪下，似乎并没有显示出有过人的战技和力量。希罗多德和埃斯库罗斯一定会赞同荷马的观点，即神明若要灭杀某人或败毁其家族，总会先使他狂妄。

② 一般认为，神奇的埃吉斯（aigis）是一种兼具攻防作用的武器（参考《伊利亚特》第四卷第 166—167 行、第十八卷第 203—204 行和第二十一卷第 400—401 行）。雅典娜在此举起埃吉斯，显然是把它用于进攻的目的（但不知已变作燕子的她怎样摆弄体积硕大的埃吉斯——或许，此时的她已暂时恢复了原形？）。W. B. Stanford 教授认为，aigis 最初有可能是一种用于进攻的“兵器”，其词源很可能与 aisso（冲击）而非 aix（山羊）有关。这一设想或许不无道理，尽管对于 aigis 的词源问题学界尚有争议（而且，认为该词与 aix 相关的观点一直占着上风）。在荷马史诗里，“带埃吉斯的”是宙斯的专用饰词。很难设想，力大无比和作为神界一霸的宙斯会把（有这个必要吗？）埃吉斯经常性地用于防御，而不是进攻。关于埃吉斯的形状或可怕的“模样”，参看《伊利亚特》第五卷第 738—742 行（参考第 738 行注）。关于埃吉斯，另参考《奥德赛》第三卷第 42 行注和第十三卷第 252 行注。

③ 不知荷马是否熟悉（或听说过）伊娥被牛蝇跟踪叮咬，狂奔，从伯罗奔尼撒经由亚细亚，最终抵达埃及的故事。

抵抗，逃脱不成①，人们目击追捕，振奋。
就像这样，他们穷追厅堂，到处
击杀求婚的人们，后者头脑破碎，
厉声的尖叫吓人，地上血水流淌，溢横。

琉得斯疾冲上前，抱住奥德修斯的双膝，
吐送长了翅膀的话语，对他求祈：
"我在你的膝前，奥德修斯，尊重我，怜悯②，

① 在第299—306行里，荷马连用了两个明喻，所指确切，选词精练，表义生动，一气呵成，有力地配合和巧妙地烘托了情节（与情节语言）的展开，为叙事的写实性平添了极富想象力的文学氛围。就形象而言，牛虻和秃鹫或许都令人难以恭维，但诗人取其凶猛和犟悍的"秉性"，成功地借用了它们持续和奏效的攻击能力。在战斗场面大篇幅出现的《伊利亚特》里，明喻的编排（包括连用，如第二卷第455—473行、第十一卷第292—298行和第十七卷第735—759行等处）远较它们在《奥德赛》里的零星配置（本卷除外）来得密集。诗人显然注意到了明喻对战斗场面的烘托作用，在情节发展达到高潮的时候，有意识地启用了明喻的推波助澜。明喻在本卷内的出现率之高堪为全诗之首（另参阅第384—388、402—405和468—470行）。关于明喻及其作用，我们在两部史诗中多有解析阐释。细读《伊利亚特》第二卷第471、第十二卷第132和第二十卷第164行注，本书第五卷第53、第十三卷第34和第十九卷第207行注等处。比较第九卷第323行注。

② 比较鲁卡昂对阿基琉斯的求祈（《伊利亚特》第二十一卷第71—74行）。然而，他的长篇祈请并没有说动阿开亚联军第一号战将的恻隐之心，倒是引出了一番颇为悲怆的回话（阿基琉斯谈到了自己的死亡，详见同上第99—113行）。同样，琉得斯的抱膝哀求没有奏效，还是死于奥德修斯的击杀（本卷第328—329行）。然而，抱膝请求乃史诗人物恳求对方宽恕或"优待"的常规姿势，在一般情况下（比如说，在和平时期里）会起到积极的作用。被恳求者会（或应该）认真考虑对方的祈求，因为从"理论"上来说，祈求者（即祈援人）受到宙斯的保护（参考第六卷第208行注等处）。当菲弥俄斯向奥德修斯祈求时，他在声称自己为凡人诵唱的同时，还有意识地提到了"也为神祇"（本卷第346行）。另参考第十卷第264—265和323—324行、第六卷第142和169行及本卷第337、339行。参读第六卷第147行注。参考并比较第十三卷第260行注。像本注释开头部分提到的鲁卡昂一样，琉得斯不仅抱膝，而且还用话语点到（参考第十三卷第231行注），足表了求意的诚挚。另见第七卷第142—147行）。

我声称从未用言语或行动错待女人，
在你的堂厅，总在试图劝阻
别的求婚人，当他们想做有意。
但他们不听规劝，不肯把双手悬离劣迹，
找见可悲的死亡，由于自己的顽劣[1]。
我乃他们的卜者，不曾犯下过错，然而
我也只能躺下，既然做过的好事不能招人感激[2]。”

足智多谋的奥德修斯恶狠狠地盯着他，说接：
“倘若你声称是这帮人的卜者，
那么，你一定在我的宫居里再三祷祈，
请求让我远离回归的甜美，无有终期，

① 作为求婚人，琉得斯自然也想追娶裴奈罗佩，但他大概会更乐于用传统的方式，用相对通情达理的手段达到目的。求婚人中“唯有他讨厌”同伙们的“举止肆虐”(第二十一卷第146—147行)。如果诗人无意予以讽刺，琉得斯的自我表白(本卷第313—318行)应该大致可信。琉得斯特别点明“从未用言语或行动错待女人”(第313行)，因为他知道勾引或诱奸别家的女仆，实际上是给主人的脸上抹黑。奥德修斯历数了求婚人的罪状(第36—40行)，其中之一便是“强迫我的女仆和你们睡在一起”(第37行)。关于言语和行动，参考第四卷第163行注等处。关于琉得斯，详阅第二十一卷第144—174行及相关注释。

② 比较鲁卡昂的无可奈何(《伊利亚特》第二十一卷第92—93行)。

让我钟爱的妻子为你生儿育女，同去随你[①]。
你将逃不脱悲惨的死亡，所以。”

言罢，他用粗壮的大手抓起劈剑一柄，
阿格劳斯被杀之时，将其丢抛
在地。奥德修斯用它切割脖子的中段，
琉得斯的嘴里还在胡言，头颅滚落尘泥[②]。

歌手菲弥俄斯，忒耳皮阿斯的男丁，仍在
试图躲避乌黑的死亡，他曾被迫为求婚人唱吟。
他站临边门，手握声音脆亮的竖琴，
心里斟酌，想着两个主意，
是溜出厅堂，行往庭院之神、强健
宙斯的祭坛坐定[③]——莱耳忒斯

① 为了夺回海伦，阿开亚人远征特洛伊，酷战十年。在《奥德赛》里，奥德修斯最不能容忍的或许便是求婚人试图婚娶他的妻子，在睡床上取代他的位置。打斗的目的是为了争夺女人，而男人间的殊死拼搏，从某种意义上来说，是为了彪炳或捍卫与女人相关的荣誉（比较《福音书》里我们应该认真予以分析和甄别的观点：红颜是男人的祸水）。我们注意到奥德修斯没有把求婚人对裴奈罗佩的追求与窃取王位联系在一起（尽管这显然是求婚人的目的），而是指责琉得斯企图让裴奈罗佩为他“生儿育女”（第324行）。琉得斯的行为（当然，在奥德修斯看来）伤损了奥德修斯蛰伏在潜意识里的渴望永久和单独占有裴奈罗佩的欲望，伤损了他作为一个男人和裴奈罗佩的由婚姻确定的合法占有者的尊严。所以，尽管诗人替他讲了一通“好话”（参考第二十一卷第146—147行），尽管琉得斯自己亦认为没有做过对不起奥德修斯的坏事[而奥德修斯似乎也找不出指责琉得斯的有根有据的“罪行”（除了他试图婚娶裴奈罗佩一事以外）]，但奥德修斯仍然毫不留情，手起剑落，把他杀死在厅里。荷马或许不会完全赞同，但却可以理解奥斯卡·王尔德的偏激：女人的历史是有史以来最残酷的暴虐史，是一种（植根于人的本性的）唯一能够持久的暴虐。

② 参考《伊利亚特》第十卷第455—457行里相似的描述。

③ 以便象征性地取得宙斯的庇护。但菲弥俄斯还是决定采用第二种做法，即直接对奥德修斯抱膝恳求（第337—339行）。参考第324行注。

和奥德修斯曾在那儿焚祭许多牛腿[①] ——
还是扑上前去，抱住奥德修斯的膝盖求祈。
斟酌比较，他感觉此举最为适宜：
抱住莱耳忒斯之子奥德修斯的双膝。
他把空腹的竖琴搁置在地，
在兑缸和嵌缀银钉的座椅之间放停，
随即扑向奥德修斯，抱住他的双膝，
吐送长了翅膀的话语，对他求祈[②]：
“我在你的膝前，奥德修斯，尊重我，怜悯。
倘若诛杀歌手，将来你会悲悔，
我为凡人诵唱，也为神祇[③]。
我自教，自己学会，但神灵点拨，将各种唱段

---

① 注意诗人没有提及求婚人——换言之，求婚人或许没有像莱耳忒斯父子那样在宙斯的祭坛边供奉“许多牛腿”。关于奥德修斯对神的慷慨（也连同表示他的虔诚），参考第一卷第 65—67 行和第十九卷第 365—367 行。另参考第十四卷第 358 行注。

② 第 343 行同第 311 和 366 行。第 344 行同第 312 行（比较《伊利亚特》第二十一卷第 74 行）。参考本卷第 412 行注。关于“长了翅膀的话语”，参考第二卷第 269 行注。

③ 诗人讲述有关人和神的故事。歌手秉承神的意志，是缪斯的代言人（细读第一卷第 1 行及该行注）。荷马不止一次地暗示诗人与英雄的“通连”（参考第十一卷第 367—369 行、第二十一卷第 406 行注），为自己所从事的行当树建丰碑。如果说战争呼唤勇士，和平生活的佳好则需要或离不开诗人的点缀。从某种意义上来说，勇士和诗人构成了撑顶史诗社会人文大厦的“两极”（参考《伊利亚特》第十八卷第 490—572 行），共同描绘了史诗画卷的灿烂辉煌。参考奥德修斯对歌手德摩道科斯的尊敬（本书第八卷第 474—481 行）和热情赞扬（该卷第 487—498 行）。

输入我的心灵①。我能对你歌唱，
像对神明。不要急切，所以，割断我的喉管夺命。
忒勒马科斯，你的爱子，亦会对你讲说证明，
并非心甘情愿，而是违心背意，我侍服
求婚者，陪唱他们的饮宴，在你的宫邸。
他们人多势众，远为强健，逼我来到这里。”

他言罢，灵杰强健的忒勒马科斯听清，
当即说话，对站临身旁的父亲：
“且慢，此人无辜，别用铜剑杀击。
亦可饶恕信使，墨冬② 总是对我

① “（输）入……心灵”原文作 en phresin。另见第十七卷第 548 行和第十九卷第 236 行。phrenes 具备通神的灵性。在诗人看来，对于诗人，神的点拨和传授（参考第八卷第 64 行注）至关重要，“歌手惠受尊重敬待，因为缪斯教会他们诗唱”（同上第 479—480 行，另见第 498 行）。但歌手自己亦需勤奋，“自教，自己学会”（本卷第 347 行），不能把一切寄望于神的恩赐。菲弥俄斯态度诚恳，说话条理分明，绵里藏针。他点到了诗人“通神”的背景（参考第 346 行注），也强调了自己的努力，言外之意或许是要奥德修斯尊重他得之于神的点拨和自己苦练成材的出众才华（像他这样能把二者结合得如此之好的歌手不可多得，细品第一卷第 346、370—371 行），避免滥杀无辜，给日后留下遗憾（参考本卷第 345 行）。纵观荷马史诗，有一点给人留下的印象至深，那就是诗人在重点突出诗歌神赋观点的同时，并没有忘记适当强调诗人（即歌手）自己的勤学与苦练（参考并比较第八卷第 490 行注等处）。用今天的眼光来看，荷马的认识无疑具有很大的局限，但在当时乃至以后相当长的一段时期内，这都是帮助人们理解灵感与学练（即学习和练习）之关系的权威并就导向而言可以各取所需的意见（比如，参考柏拉图《伊安篇》533E）。牧猪人欧迈俄斯告诉奥德修斯，勤奋产生劳绩，而劳作者的勤奋受到神的鼓励（参考本书第十四卷第 65—66 行）。牧牛人菲洛伊提俄斯的工作卓有成效（参考第二十卷第 210—212 行）。虽然他自己没有直接提及导致牛群增殖的原因，但细心的读者可以从上下文的字里行间里“读”到他的基本素质，那就是除了忠诚和勇敢外，还有虔诚和勤奋。

② 墨冬曾向裴奈罗佩密报求婚人恶谋杀害忒勒马科斯的消息（第四卷第 675—677、697—702 行）。注意奥德修斯的反应（本卷第 371 行）。

关心，当我幼小，在我们的府邸，
除非菲洛伊提俄斯或牧猪人已把他杀死，
除非他已撞在你的手下，当你横扫宫厅。”

他言罢，心智聪颖的墨冬听闻他的话音，
其时缩藏椅子底下，身上压着一张
新剥的牛皮，挡开乌黑的死亡①，躲避。
他赶紧从椅子底下出来，拿掉牛皮，
疾冲上前，抱住忒勒马科斯的双膝②，
讲说长了翅膀的话语，对他求祈：
“朋友啊，我在此地。可别动手，还要劝阻你的父亲，
如此强健，别用锋快的青铜把我杀灭，
出于对求婚人的愤怒，他们耗毁他的家产，
在他的宫邸，这帮蠢货，根本就不敬你。”

其时，足智多谋的奥德修斯微笑，对他答及③：
“别害怕，忒勒马科斯求情，救你性命，
让你心里明白，对别人说清，
从善远比作恶多端可行④。

---

① 或“乌黑的命运”(另见第 382 行；参考第二十卷第 52 行注)。

② 参考第 312 行及该行注。宫居里散放着求婚人杀牛后剥下的皮张(参考第二十卷第 96—97 行和第一卷第 108 行)。

③ 奥德修斯终于笑了。除了在第二十卷第 301—302 行里的狞笑外，此乃奥德修斯在《奥德赛》里的第一次微笑。奥德修斯仅有的另一次微笑是对裴奈罗佩(见第二十三卷第 111 行)。和恸哭相比，他的欢笑次数远为稀少。参考并比较第九卷第 413 行里的“笑在心里”。

④ 奥德修斯对墨冬的人品和行为做出了格言式的点评。善有善报，恶有恶报(或许在接受“报应”的时候，人们对此会有更加深切的感受)，这就是诗人要向公众传递的信息(参考第 373 行)。

去吧，走出宫邸，走到外面的院庭，
避离屠杀，你和唱段众多的[1] 歌手一起，
让我完成必做之事，在我的堂厅。”

他言罢，二人离去，走出宫邸，
下坐强有力的宙斯的祭坛旁边[2]，
环顾四周，仍然担心死亡来临。

奥德修斯扫视家居，察看是否
还有人活着，逃过乌黑的毁灭，
只见他们全都躺着，倒在血泊和
尘埃里，宛如渔人抓捕的海鲜，
拢在多孔的网底，被他们从灰蓝色的
大海拖上宽广的岸基，堆着，
挤在沙滩，渴望海里的波涛奔腾不息，
无奈赫利俄斯的强光，夺走了它们的性命[3]。
就像这样，求婚人躺倒，堆挤在一起。

---

① poluphemos。比较歌手的名字：Phemios［参考第 330 行(原文第 331 行)］。

② 比较第 334—335 行。日后，墨冬劝告求婚人的亲属们不要前往莱耳忒斯的农庄复仇，但此议未被采纳(参考第二十四卷第 439 行以下，参看第 439 行注)。

③ 荷马熟悉钓(或捕)鱼的景状。另参考第十二卷第 251—254 行和《伊利亚特》第十六卷第 406—408 行及相关注释。如果荷马是此类明喻的原创者，那么我们很难相信他没有亲眼见过钓鱼的情景。他把精练后的“过程”纳入明喻，把生活中的见闻变成了明喻里的情节(参考本书第五卷第 53 行注等处)。明喻语言和情节语言交织，相互辉映，构成了荷马史诗的一个特色。史诗里的壮士们蔑视以鱼为食，不到迫不得已之时不会食鱼(参考第四卷第 368—369 行和第十二卷第 330—332 行)，但这并不等于说慕凯奈(或迈锡尼)时代的城乡居民们就一定不喜欢鱼的美味。和生活“构成”现实一样，文学也“创造”(不等于无中生有式的虚构)现实。参考第十二卷第 254 和 332 行注。

足智多谋的奥德修斯说话，对忒勒马科斯叮咛：
“去吧，忒勒马科斯，把保姆欧鲁克蕾娅叫来此地，
我有话要说，对她吩咐心想的事情。”

他言罢，忒勒马科斯服从亲爱的父亲①，
推摇房门，招唤保姆欧鲁克蕾娅聆听②：
“起来吧，年迈的妇人，前行，你督管
所有女仆的工作，在我们的宫邸。
过来吧，家父传唤，有话要说，对你。”

他言罢，保姆听从了此番话语送吐③，
打开建造精固的宫居的大门，
迈入，由忒勒马科斯领着行进。
她找见奥德修斯，在被杀的死者中间，
浑身溅沾污垢血迹，像一头狮子④，

---

① 第393行同108行。

② 欧鲁克蕾娅曾遵令关闭厅门(参考第二十一卷第234—236和380—387行)。现在战事结束，老妇(和女人们)自然可以开门出来。

③ 第398行同第十九卷第29行和第二十一卷第386行。细读第十七卷第57行注③。

④ 在《伊利亚特》里，狮子是奋勇杀敌的勇士的标志形象。荷马曾多次把阿基琉斯和阿伽门农等人比作狮子(参考该史诗第十一卷第113和129行、第十六卷第752行、第二十卷第164行及相关注释)。注意本卷第304—306行对“基本”内容的发挥(由此构成明喻的情节)。但诗人构组的明喻情节并非总与被比者当时的处境或“情景”相吻合(参考第二十卷第15行注等处)，有时还有较大的出入(参考第六卷第130—136行)。史诗里的明喻语言具备诗人赋予它的独立性，既有自己的结构，也有自己的内容，它的展开并非符合确切比喻的需要，也并非必须在每一个细节上受情节语言的制约或定导(参看第十九卷第543行注)。当然，只要愿意，诗人可以使明喻语言切实贴近情节语言的描述(细察本卷第401—406行)。关于(奥德修斯)“像狮子”，另参考第六卷第130行注。

食罢野地里的牧牛走离，
身上脏染猩红，整片前胸和双颊上
斑斑血迹，嘴脸的模样着实可畏；
就像这样，奥德修斯的腿脚双手污秽。
眼见死人和横流的鲜血，如此
可观的业绩，老妇高声欢呼胜利，
但奥德修斯梗阻她的热情，止息，
送吐长了翅膀的话语，对她说及：
“把欢乐压在心底，老妈妈，别叫，冷静。
此举亵渎神圣，对着被杀的死人吹擂①。

① 然而，牛倌菲洛伊提俄斯刚对被他击倒的克忒西波斯喊过一番吹擂（第285—291行；参考第十八卷第375行注）。或许，欧鲁克蕾娅并非参战人员，因此不像牛倌那样拥有吹擂的“权利”（战斗中的勇士可以杀戮祈求者而无须担心宙斯的惩罚，参考本卷第310—329行）。或许，奥德修斯觉得求婚人已尽数被杀，而其中的某些人（参看第324行注）也许受“刑”过重[因此，他反复强调求婚人祸咎自取，罪有应得（细品第413、416行），以此为自己的“屠杀”开脱]，故而不便对死者吹擂，也算是还有恻隐之心的一点表示。或许，奥德修斯以为自己是“替天行道”，是神明用以击杀求婚人的“工具”（参阅第34—41行以下），因此他的工作具有某种神圣的性质（参考第413行），所以不宜“贪天功为己有”，给神灵留下贪功的印象。但凡有神意“显灵”之处，凡人的最佳做法或许是“心知即可”，“别说话”（详阅第十九卷第35—43行）。

他们已被摧毁，被神定的命运和自己放肆的行为[1]，
这帮人不尊重世间的来者，
找见他们，不管优劣，无论是谁。
他们招致可耻的死亡，由于自己的恣睢。
现在，我要你讲说宫中那帮女子的作为，
哪些个羞辱于我，哪些个清白无罪[2]。”

其时，亲爱的保姆欧鲁克蕾娅对他答话，说述[3]：
“如此，我的孩子，我会告诉你真情，全部[4]。

---

① 奥德修斯的评价符合荷马对“双重动因”（参考第三卷第27、270行注等处）的理解，也似乎吻合我们关于求婚人配合并积极推动命运之实现的观点（参看第十六卷第364行注和第二十卷第394行注）。在荷马看来，神导的命运一般都会实现（尽管宙斯并非事事都能如愿），但超越命运的既定仍是一种潜在的可能（比如，参考《伊利亚特》第二十卷第29—30行和本书第一卷第34行）。当然，这不等于说荷马希望求婚人能够超越命限，能够从根本上改邪归正，从而促使神明改变他们的命运，使其有一个佳好的结局。求婚人以自己的恶虐推动着命运的实现。诗人的意思是，命运规定了求婚人必死，而求婚人则以自己的行为实践了命运的安排。求婚人是神定之命运的忠实的执行者和实践者——从这个意义上来说，他们实际上参与了灭杀自己的行动，因此也应为自己的暴死承担责任。在这里，诗人没有点明，而我们却似乎可以顺着他的思路认真思考，从他的见解中得到一些启迪。首先，人为什么会以如此高昂（甚至“玩命”）的激情来推动一个不符合自己根本利益的命运（或结局）的实现？其次，究竟是“无知”还是“有知”，构成了人的生存的最一般和最根本的认知状态？再次，如果说人在无知中挣扎[像求婚人和（从某种意义上来说）奥德修斯等正面人物那样]，那么我们将如何“正确”评估行动的意义，又将如何避免由此带来的怀疑情绪，从根本上战胜失败主义？应该引起我们重视的是：奥德修斯渴望胜利，然而当胜利真的到来时，他却无有欢呼胜利的激情。求婚人的欢笑（参考第二十一卷第376行注等处）和奥德修斯一家的“大团圆”都没有使《奥德赛》成为一出喜剧。

② 比较第十九卷第499—502行及相关注释。参考第十六卷第304行。

③ 第419行同第十九卷第21行和本卷第485行。

④ 第420行同第十六卷第226行。

你的家中有五十名帮工的女仆①，
我等教导她们干活，梳理
羊毛，忍受奴隶的生活。她们中
共有十二人做下事情耻辱，
对我，甚至对裴奈罗佩不屑一顾。
忒勒马科斯甫及成年②，母亲
不让他管带女性的家奴③。
这样吧，让我去往楼上闪亮的房间，何如，
告诉你的妻子——某位神明已让她睡熟。”

其时，足智多谋的奥德修斯对她答话，说诉：
“暂且不要叫醒她，不，先把那些
谋划丑事的女子唤来，召临此处。”

他言罢，老妇穿走宫府，传话
那帮女子，要她们过去，敦促④。
奥德修斯叫过忒勒马科斯，连同牧牛和
牧猪的工奴，吐送长了翅膀的话语，说诉：
“动手吧，你们，抬出尸体，命嘱
女人们帮忙，然后涤洗精美的
座椅食桌，用清水和多孔的海绵擦抹。

① 诗人或许采用了“现成”的数字。阿尔基努斯家中亦有五十名女仆(第七卷第103行)。参考第二十卷第49行和《伊利亚特》第五卷第786行、第八卷第563行及第二十四卷第495行。

② 参考第十九卷第530—532行。

③ 忒勒马科斯声称自己乃镇家的权威(第二十一卷第353行和第一卷第359行)，但看来至少在某些事情上，他还得听从母亲的安排。

④ 比较第十八卷第185—186行。

收拾完屋子,一切齐整恢复①,
你们要把这帮女仆带出精固的家府,
押往圆形建筑和坚固的院墙之间,
挥砍长锋的利剑,把她们的性命
全都结果,使其忘却阿芙罗底忒的欢悦②:
这伙人偷偷摸摸,和求婚人分享床铺③。"

　他言罢,女人们推搡着挤出,
哭喊之声可怕,落淌大滴的眼泪悲楚。
首先,她们抬出死者的尸首,
停放在门廊下,在围合精固的院落,
一个叠着一个,成垛。奥德修斯亲自催督
她们,调度;出于逼迫,她们把尸体抬出④。
做毕,接着,女人们洗涤精美的
座椅食桌,用清水和多孔的海绵擦抹。
其后,忒勒马科斯、牛倌和牧猪人
手操平锨,刮铲地面,在建造精固的宫府,

---

① 一语双关。宫居的主人已经回来并已杀灭求婚的人们,恢复家居旧时的秩序和模样,眼下已到时候。第 438—439 行大致同第 452—453 行。

② "阿芙罗底忒"在此喻性爱。参考并比较第二十卷第 50 行注。女人们享受过性爱的欢悦,也为之付出了性命。奥德修斯并不想在肉体上占有女仆,但不能容忍她们和求婚人睡觉。参考本卷第 324 行注。求婚人并没有真的逼迫女仆和他们睡躺(如奥德修斯不无夸张地予以谴责的那样,参考第 37 行);否则,她们将成为受害的对象(并因此有可能得到豁免),而不是自愿与求婚人同床享受性爱的伙伴。

③ 奥德修斯曾亲眼目睹女仆们外出、准备和求婚人寻欢作乐的情景(详见第二十卷第 5—13 行)。但女仆们当时大大咧咧,嘻嘻哈哈,似乎并不想隐瞒与求婚人偷情的做法。

④ 尸体中当然包括她们直到昨晚仍在同床合欢的"爱人"。此举带有苦涩的讽刺意味,既对女仆,也对她们所付出的"情深"。

女人们搬抬脏秽，清出门户[1]。
当收拾完宫居，一切齐整恢复，
他们把女仆带出精固的房屋，
押往圆形建筑和坚固的墙院之间，
逼向一个无法脱身的狭窄去处。
其时，聪颖的忒勒马科斯张嘴，在人群中说诉：
“我要结果这帮恶女的性命[2]，不用干净利落的
路数[3]，因为她们出言羞辱，泼对我和
母亲的头颅[4]，贴着他们睡躺，和求婚人同宿[5]！”

言罢，他抓起缆索，乌头海船上的用物，
将其系绕粗长的廊柱，甩过，在圆屋上捆缚，
高高挂起，使女仆们的双脚悬离泥土。
像一群翅膀修长的鸫鸟或是野鸽，

---

① 女仆们参与了脏损家居的过程。这里的“脏秽”（指刮铲下的脏物）大概也可喻指女仆们往日的脏浊行为——此刻由她们自己“清出门户”。

② 奥德修斯已有言在先，即便他死了，忒勒马科斯也会惩罚女仆们的恶虐（参考第十九卷第85—88行）。

③ 忒勒马科斯没有严格执行父亲的指令（参考第443—444行），不准备用铜剑结果女仆们的性命。用剑击杀会导致流血（而这是一种污染），并不干净。忒勒马科斯的意思或许是不打算用简单（或便捷）的方式诛杀女仆，以便加重她们的“悲苦”（参考第472行），使其死出“新意”。

④ “头颅”在此指人身（以及人的尊严），用以加重求婚人对忒勒马科斯母子羞辱的“力度”。在第一卷第343行里，裴奈罗佩声称“思盼丈夫”，“念想一颗……头颅”。“头颅”的诸如此类的用法在《伊利亚特》多有见例。比如，在第十一卷里，宙斯降洒血雨，决意“要把众多强壮的头颅”抛入哀地斯的府居（第55行）。在这里，“头颅”指“人”（即壮勇）或“生命”。参考本卷第500行。《奥德赛》里没有出现女仆们出言羞辱忒勒马科斯母子的场面。但鉴于这帮女子的大胆和放荡，加之她们的“代表”墨兰索确曾不止一次地用恶毒的言语讥讽、辱骂过奥德修斯（比如，参见第十八卷第327—336行），我们完全有理由相信忒勒马科斯对她们的指责属实。

⑤ 参考第445行及该行注。另参考并比较第324行及相关注释。

扎入灌木里的网籬，本欲找一个
栖息的地方，但却卧上了可恨的床铺；
就像这样，女人们的头颅排成一行，绳索套住
每一条颈脖，她们的死亡堪属那种，最为悲苦[①]，
死前蹬扭双腿，不久，只有一会儿工夫。

　他们带出墨朗西俄斯[②]，穿走门廊院落，
操使无情的铜剑，割下他的鼻子耳朵，
剜去阳具，让犬狗生吞活剥，
砍下他的手脚，在盛发的狂怒中操作[③]。

　他们净洗自己的手脚，接着，
进入奥德修斯的宫邸；事情已经办妥。
奥德修斯吩咐欧鲁克蕾娅，亲爱的保姆："弄些个
硫黄给我，老妈妈，去邪的用物，取来火把，
让我净熏厅府[④]，通知裴奈罗佩
过来，带着侍奉她的女仆，
并要宫中的女子，全都集中此处。"

---

① 相似的表述参考第二十三卷第 79 行、第二十四卷第 34 行和《伊利亚特》第二十二卷第 76 行等处。

② 在此之前，此人已被吊在屋顶的梁木下（参考第 192—193 行）。事实上，墨朗西俄斯的死亡远比女仆们的来得痛苦（参考第 475—477 行）。

③ 安提努斯曾扬言要把乞丐伊罗斯运往外地，交由暴君厄开托斯用相似的方式凌迟处死（参见第十八卷第 84—87 行）。比之求婚人的"战死"（即死于兵器的击打），奴仆们的死亡更显凄惨，饱含羞辱。

④ 宫居已被血腥污染，洗擦之后仍需用烧炙硫黄的青烟净涤（参考第二十三卷第 50—51 行）。此类净涤既具去污避邪的仪式性质，又带有净洁和消毒的实用意义。在《伊利亚特》里，阿基琉斯曾用硫黄净涤即将用于祭酒的酒杯（细读第十六卷第 225—229 行）。

其时，亲爱的保姆欧鲁克蕾娅对他答说：
“是的，亲爱的孩子，你的话在理，一点不错[①]。
这样吧，让我给你取件披篷衫衣穿上，不过，
可别站在宫里，如此，用这些破烂
遮搭肩膀的宽阔[②]；人们会因此奚落。[③]”

其时，足智多谋的奥德修斯对她答话，讲说：
“在此之前，先让我在厅堂里有火。”

他言罢，亲爱的保姆欧鲁克蕾娅不予违驳，
取来火和硫黄，由奥德修斯
彻底净熏厅堂，房居和院落。

---

① 欧鲁克蕾娅沿用了在两部史诗里均有相似见例的程式化用语[参考《伊利亚特》第八卷第 146 行和本书第三卷第 331 行(同《伊利亚特》第一卷第 286 行)]。

② 参考第 1 行注。但对第 488—489 行读者似乎可作不同取向的引申理解。比如，我们并非完全不能设想奥德修斯在杀灭求婚人后[甚至在此之前，比如在披挂铠甲之时(参看第 101—115 行)，尽管诗人未明确提及]复又穿上了破衣，而诗人有省略，即无须对每一个细节做出交代的权利(参考第十六卷第 408 行注和第十七卷第 504 行注等处)。评论家们或许不应忽略，战斗结束后，诗人亦没有提及相关人员(包括奥德修斯)脱卸甲械的情景。不应否认，史诗里确有许多疏漏(这一基本认识也适用于对本卷第 1 和 488—489 行所构成的矛盾的评估)，但我们似乎不宜把每一件我们认为应该提及而诗人却没有提及之事或每一个前后“不符”的事例，都归之于诗人的过错，更不应把诗人有意的省略和构思的精炼，简单地误认为是他的疏忽。用一味指责诗人疏忽以外的办法解析荷马史诗，有时显得特别重要。此外，古代口诵史诗是一门“不拘小节”的艺术，它强调气势，也要求听众在众多的细节方面进行配合(参阅第十七卷第 504 行注和第十八卷第 213 行注等处)。亚里士多德知道这一点，荷马和他的听众们对此也会有足够的默契。所以，有些“疏忽”或许是诗人“有意”为之(亦即不是真正意义上的疏漏)——换言之，如果他愿意的话，完全可以堵上这些漏洞。

③ 史诗人物重视别人的议论(参考第十九卷第 146 行注等处)。

老妇穿走奥德修斯绚美的宫府，
把口信带给女仆，要她们聚拢，
后者手举火把，从厅里走出①，
围住奥德修斯，欢迎他回抵门户，
感情热烈，亲吻他的双手、肩膀
和头颅，悲恸的甜美，对它的企望
使他放声嚎哭②。他认出了每一个女仆③。

---

① 第 497 行同第四卷第 300 行、第七卷第 339 行和《伊利亚特》第二十四卷第 647 行。

② 奥德修斯与亲人奴仆的相认(亦即他的被“发现”)，大都伴随着人物的恸哭[另参考第十六卷第 190—191 和 213—219 行、第十九卷第 471—472 行、第二十一卷第 222—226 行、第二十三卷第 205—208 行、第二十四卷第 315—320 行(尽管奥德修斯可能没有哭出声来)等处；比较第十七卷第 304—305 行]。参考第二十四卷第 398 行注。亲人相见，主仆重逢，且都在久别之后，是久别之后的团聚，人物的高兴之情可以想见(诗人甚至动用了明喻，用以“升华”奥德修斯父子相认时的炽烈情感，参见第十六卷第 213—219 行；比较第二十三卷第 231—241 行)。然而，史诗人物却没有因为“浮云一别后，流水十年间”(奥德修斯离家已有二十个长年)后的重逢而“欢笑情如旧”(韦应物诗)——相反，他们放声嚎哭，泪水涟涟。或许，喜和悲的极致表现都是哭。请注意诗人提到了“悲恸的甜美”和人们对它的企望(本卷第 500 行；参考第十五卷第 400 行注)。奥德修斯与家人和奴仆相认时的另一“特点”，便是大都有亲吻的伴随(参阅本注释第二对括弧里所示的引例)。亲吻的部位包括双手、肩膀和头颅(参考本卷第 464 行注)。《奥德赛》里多亲吻，其出现次数高于《伊利亚特》里的区区三例(该史诗第六卷第 474 行、第八卷第 371 行和第二十四卷第 478 行)，这或许与《奥德赛》里多亲人及主仆间久别重逢的情景有关。

③ 女仆们似乎很自然地认出了奥德修斯(诗人在此事上没有多费“笔墨”)。估计此时的奥德修斯还没有完全恢复旧时(或原本)的形貌(参考第二十三卷第 115—116 行；比较该卷第 226 和 189 行注)。细读第十八卷第 69 行注和第二十卷第 194 行注等处。既然奥德修斯认出了每一个女仆，这就说明他在出征前即已认识她们。由此推断，女仆们的年龄大概至少都已三十出头。奥德修斯有五十名女仆(本卷第 421 行)，其中十二名在磨房干活(第二十卷第 107 行)，十二名(“十二”乃诗人喜用的数字)做了求婚人的情妇(本卷第 424 行)。

第二十三卷

老妇走向楼上的房间，大笑[①]，
禀报女主人亲爱的丈夫已经回到，
双膝迅速摆动，腿脚在急步中颤摇。
她站临裴奈罗佩的头顶，对她开言说道[②]：
“醒醒，裴奈罗佩[③]，亲爱的孩子啊，
看看你天天盼想的事儿成真，见瞧。
奥德修斯已在此地，虽说迟归，已回家所，
业已痛杀求婚者，这帮人糟践
他的宫房，欺逼他的儿子，把家产吃耗[④]。”

其时，谨慎的裴奈罗佩对他答道：
“神明，亲爱的保姆，已使你发疯乱套，
他们能把极其聪睿的人士弄笨，
让心智愚钝的傻瓜变得颖巧。

① 遵照奥德修斯的嘱令（第二十二卷第 482—483 行），欧鲁克蕾娅前往招呼裴奈罗佩，放声大笑。之前，奥德修斯曾告嘱她不要对着求婚人的尸体欢叫（同上第 411—412 行）。

② 第 4 行同第二十卷第 32 行。相同或相似的表述另见第四卷第 803 行、第六卷第 21 行和《伊利亚特》第二卷第 20 行等处。

③ 裴奈罗佩接受儿子的告诫（参见第二十一卷第 350—351 行），返回楼上的房间睡觉（同上第 356—358 行），对发生在第二十二卷里的战事全无知晓（注意诗人的刻意安排）。

④ 比较奥德修斯对求婚人的“控诉”（第二十二卷第 36—38 行）。关于对求婚人恶行的批评，另参考第十六卷第 375—379 行等处及相关注释。

是他们迷糊了你原先聪达的心窍[①]。
为何捉弄我，我的心里充满哀恼，
用你的胡言乱语把我从舒美的睡眠中
弄醒，它已合盖我的眼睑，让我睡好？
我已没有睡过这样的好觉，自从奥德修斯
去往邪恶和不堪言喻的伊利昂城堡[②]。
下去吧，好吗，回返厅堂居所[③]。
换成别的女人，走来找我，
捎来诸如此类的信息，惊动我的睡觉，
我会立即把她送回厅屋，挟卷我的

① 在荷马的认识论里，不存在“偶然”的因素。任何反常或非一般的聪明和愚笨都可化解于一条简单的理由，那就是神或神意的操纵。凡人必须自己思考（第十二卷第57—58行），但神会让人“记住”（同上第38行）。如果有人出了“一念之差”，那是因为神的蛊惑使然（参考第四卷第261行），而如果有人能急中生智（因此导致死里逃生），那也是因为神（如宙斯）雪里送炭，把“锦囊妙计”注入了他的心里（参考第十四卷第273行）。在《伊利亚特》第六卷里，格劳科斯用一副金甲交换狄俄墨得斯的铜甲（二者的差价在十倍以上），只因克罗诺斯之子宙斯已“将格劳科斯的心智取走”（第234—236行）。不知诗人和史诗人物究竟在多大的程度上相信这条“真理”，但在科学技术落后和文明发展尚处于蒙昧阶段的古代，在解决认知的疑难问题上求助于神的帮助，或许不失为一种可作权宜之计（当然，这是我们的观点）的对策。至少，诗人和史诗人物知道，除了神的掌控干扰以外，酒也可以迷糊人的心智（参考本书第二十一卷第293—294行；比较第十四卷第463—466行）。

② 第19行同第十九卷第260行。关于“没有睡过这样的好觉”，参考该卷第515—517行。然而，另参考并比较第四卷第799—809、835—841和第十八卷第198—203行等处。为了表示她的悲痛和心里长期忍受的纷烦，裴奈罗佩可以，事实上也已经把话说得过头了一点。比较特洛伊老王普里阿摩斯在阿基琉斯的营棚里对饱餐的评说（《伊利亚特》第二十四卷第639—642行）。

③ megaron，此处许指宫房里女人的居处。另见第23行。

恨恼;是你的年龄把你救保①。"

亲爱的保姆欧鲁克蕾娅对她答道:
"我没有捉弄你,亲爱的孩子,只把真情相告。
奥德修斯已回宫居此地,如我对你的禀报。
那个生客就是他呀,受到厅里众人的羞嘲②。
忒勒马科斯早知他的身份,知晓,
但他谨慎,藏隐父亲的图谋③,
以便让他击惩那帮狂傲的人们,他们的凶暴。"

他言罢,裴奈罗佩欣喜,从床上
起跃,拥抱老妇④,泪水夺眶滴浇,
送吐长了翅膀的话语,对她说道:
"快说,亲爱的保姆,讲说真情禀报,
他是否真的回来,返回宫所,如你相告,
手击无耻的求婚者,尽管孤身一人凭靠,
而他们却麇聚宫里,总是结成帮伙一道。"

---

① 史诗人物说话直率(现代希腊人亦然),有时显得突莽,较少含蓄,不留情面。这一点从忒勒马科斯对母亲的讲话(有时近似于训话)中亦可看得出来[参见第二十一卷第350—353行;参考裴奈罗佩的反应(同上第354—355行)]。另参考并比较第十六卷第241—244、311—312行及相关注释。比较阿伽门农对卡尔卡斯的怒斥(《伊利亚特》第一卷第26—28行)。

② 但奥德修斯坚忍,不仅忍受了求婚人(和墨朗西俄斯)的辱骂,而且还顶住了他们的击打。参考第十九卷第409行注。

③ 参考奥德修斯对忒勒马科斯的叮嘱(第十六卷第300—303行)。

④ 裴奈罗佩抑制不住内心的喜悦,一时冲动,但很快又恢复冷静,转入怀疑(参考第62行;比较第36—38行)。裴奈罗佩高兴得"泪水夺眶滴浇"(第33行)。参考第十卷第415行所示奥德修斯伙伴们的类似表现。

亲爱的保姆欧鲁克蕾娅对她答道：
“我不曾眼见，没有问过，但我听闻被杀的他们
凄叫。我等女子坐躲坚固的房室，在最远的角落里
吓得不知所措，紧闭的门扇把我们堵在里面，
直到你儿忒勒马科斯从大厅里把我
唤召，受他父亲派遣，要他做到①。
其时，我眼见奥德修斯站临死者，
已被他杀倒，横躺坚硬的地面，
在他周边堆垛。你会欢欣②，
见他像一头狮子，浑身污垢血迹沾裹③。
现在，尸体已全被搬到院门边横倒，
而他已点发熊熊的火焰，用硫黄净熏
绚美的宫所，差我过来，把你唤召④。
走吧，和我一道，以便让你俩亲爱的
心灵欢悦⑤，你们已经受这许多苦熬⑥。
眼下，你长期求祷的事情终于得到现报。
他已回来，活着，归抵自家的炉火，眼见你

① 参考第二十二卷第 393—397 行。

② 老妇自己确曾欢呼，但被奥德修斯制止（参考第二十二卷第 408—409 行；参看本卷第 1 行）。

③ 参考第二十二卷第 402—405 行。第 48 行同第二十二卷第 402 行。

④ 参考第二十二卷第 480—484、490—494 行。

⑤ 比较《伊利亚特》第六卷第 480—481 行。但二人相见后，并没有很快享受心灵(etor)的欢悦——裴奈罗佩的怀疑主义（比较求婚人的“乐观主义”，本书第二十二卷第 8—14 行）和“谨慎”推迟了夫妻相认的时间。裴奈罗佩“确认”了丈夫后，夫妻俩仍然没有表情上的以笑为特征的欢悦，而是泪水滴淌（本卷第 207 行），唏嘘呜咽（第 232 行）。

⑥ 但形势依然严峻。求婚人的亲友们即将摩拳擦掌，急于复仇。此外，人生的艰酷，生活的磨难远没有终止。如果说好心的欧鲁克蕾娅尚有乐观的时候（参考第 1 行），饱经风霜和出生入死的奥德修斯却无疑更多地看到并认真考虑着生活中“了无穷尽的难事”（参阅第 248—250 行）。

和儿子都在宫所，在家里仇惩
求婚的人们，清算对他的全部恶错。”

其时，谨慎的裴奈罗佩对她答道：
“不要叫喊，亲爱的保姆，不要高声欢笑[①]。
你知道大家会何等欣喜，欢迎他回归
宫所，尤其是我，还有我俩亲生的儿娇。
不，你说的并非真情实况，想必是
某位神明杀死了求婚的他们高傲，
震怒于这帮人的恶行，他们的恣肆[②] 凶暴。
这些人不尊重世间的来者，
找见他们，无论是谁，不管优孬[③]，

① 和奥德修斯一样(第二十二卷第408—409行)，裴奈罗佩制止了欧鲁克蕾娅的庆贺欢笑。裴奈罗佩无法相信(至少是怀疑)奥德修斯孤身一人，能够杀死众多求婚的壮汉小伙(参考本卷第37—38行)。于是，她猜想此乃神明所为，甚至可能把欧鲁克蕾娅所说的奥德修斯当作(某位)神祇(第63—64行；参考《伊利亚特》第十四卷第142行)。作为她丈夫的奥德修斯已经死了(本卷第67—68行)，是神明杀死了所有胡作非为、倒行逆施的求婚人。所以，凡人不能抢夺天功，把神的功绩揽为自己吹擂的资本。玄妙的人神杂处的世界有时会把人引向迷茫，难以确定行为的主体和事态的真相。这既是诗人全力以赴地“帮助”布设的文化迷阵，也是他可以充分加以利用，以浓添文学作品的魅力，增强它的感染力的“不确定因素”。

② hubris(参考《伊利亚特》第一卷第203行注等处；比较《伊利亚特》第九卷第502行注)。受纵于他们的狂傲，求婚人铸下恶错(kaka erga)，骄虐凶暴(另参看本卷第65—67行)，由此招致神的击惩，自尝苦果。在荷马和史诗人物乃至后世的悲剧作家们看来，这是顺理成章和很“正常”的事情。参考第十七卷第245行注等处。裴奈罗佩仍然不敢相信是奥德修斯杀了求婚人(本卷第67—68行)，因为神祇变幻莫测，且凡人“难能解释神的意图”(第82行)。参考第七卷第20行注等处。

③ 换言之，他们破毁客谊(xenie)，蔑视宙斯对客谊的护保。当然，奥德修斯最终也不分求婚人作恶的轻重，把他们一概杀掉(此举多少有点过分)；但求婚人的全部死亡乃命运使然，奥德修斯大概也只能“替天行道”。

所以受苦自己的顽劣，自招[①]。但奥德修斯
已痛失回家的企望，在远离阿开亚的地方命销[②]。”

亲爱的保姆欧鲁克蕾娅对她答话，说道：
“这是什么话，我的孩子，蹦出了你的齿道[③]？
尽管丈夫已在炉边[④]，你却说他永远
回不到家所。你的心啊总难笃信牢靠。
我还有一个标记，清晰，对你说告：
那道伤疤，当年被野猪的白牙破撬。
我认出它来，其时替他洗脚，本想告诉

---

① 裴奈罗佩的观点与宙斯的辩解（第一卷第 32—34 行）不谋而合，也与丈夫奥德修斯的见解大致相同（参考第二十二卷第 36—41 行）。诗人并非只对求婚人坚持自作自受的观点。除了人力无法预测和控制的命运定导以外，奥德修斯的伙伴们也因为自己的愚蠢和粗蛮，触犯神明，断送了身家性命（参考第一卷第 6—9 行）。

② 参考第 59 行注。裴奈罗佩拒不相信丈夫已经归来（另见第十九卷第 313 行），如此“固执”的态度使我们想起牧猪人对“乞丐”奥德修斯所述之事（即奥德修斯即将归返）的回绝（第十四卷第 364—389 行）。或许，裴奈罗佩也担心一旦事实与欧鲁克蕾娅的叙述不符，美事不能成真的结果将使她陷入更加深切和难以忍受的悲痛。所以，与其高兴过早，不如杜绝轻信，待等查清真相后再说。事实上，此时的裴奈罗佩在心理上对奥德修斯的回归应该大致已经有所准备（参考第十九、二十两卷中的相关描述及注释），只是她还不愿把朦胧的意识往积极的方面推导，以便给自己的心理活动和情感的承受能力留下一片狭小然而却是必要的回旋余地。和裴奈罗佩一样，求婚人也以为奥德修斯已经丧命海外（第二十卷第 333 行）。然而，这一“共识”于裴奈罗佩是悲哀的根源，于求婚人则是助长产生盲目乐观主义的动力。裴奈罗佩的悲哀流露出人物感觉的深沉（《奥德赛》是一部“悲剧”），而求婚人的乐观主义则不仅最终引来了暴死的悲哀，而且还深刻反映了他们对人生和世事理解的浅薄。

③ 第 69—70 行大致同第十九卷第 491—492 行。第 70 行同第一卷第 64 行等处。

④ 换言之，已在家里。“火炉”乃家的象征，可喻指家居。

你此事,但他用手把我的嘴巴捂牢①,
不让我说话,服从他的心智极擅思考。
走吧,随我,我愿以生命担保,
倘若骗你,你可用最凄楚的方式把我杀掉②。”

其时,谨慎的裴奈罗佩对她答道:
“尽管你非常聪明,亲爱的保姆,
你却难能解释神的意图,他们长生不老③。
但我仍要去找儿子,以便看看
被杀的求婚者和杀死他们的那人一道。”

言罢,她走下楼上的居室,心中
左思右想,是离着亲爱的丈夫,发问,
还是迎上前去,握住他的手,亲吻头颅④。

---

① 详阅第十九卷第 467—481 行。奥德修斯有极佳的心智(noos),足智多谋(参考本卷第 77 行)。欧鲁克蕾娅亦有聪达的心智(phrenas,参考第 14 行)。比之 phren(es),noos 似乎更多地暗示人物的思考和理解能力,强调心灵通过“思”而达成“知”的能动作用。参考第四卷第 293 行注和第二十卷第 41 行注。

② 比较奥德修斯(以浪者的身份出现)对“多疑”的牧猪人欧迈俄斯所作的“担保”(第十四卷第 390—400 行)。“最凄楚的方式”在此应作泛指解(比较第二十二卷第 472 行)。

③ 参考第 59 行注。

④ 关于史诗人物的“选择”方式,参考第十七卷第 237 行注。选择中的第二项(见本卷第 87 行)或许是她心理倾向性的真实反映(史诗人物通常会在选取中择用第二项,即按“还是……”的所指操办),但谨慎的裴奈罗佩最后还是采用了折中的第三种做法(参考第 89、93—95 行)。注意诗人在此用了“亲爱的丈夫”一语(第 86 行),用看似无意的方式有意识地拉近了他们夫妻之间的关系,暗示了裴奈罗佩此刻趋于相认,却仍有顾虑的矛盾心理。关于“丈夫”,另参考第十八卷第 161 行及该行注。关于“亲吻”,参考第二十二卷第 501 行注。

她跨过石凿的门槛,进入厅中迈步①,
就着炉火的亮光,在奥德修斯对面的
墙边下坐,而他则坐靠高大的房柱,
目光低垂,待等雍贵的妻子
见他以后,怎样对他说诉。
她静坐良久,心里惊诧,沉默,
时而用眼看视他的脸面,
时而又眼望褴褛的衣衫,难以把他认出②。
忒勒马科斯称呼责备,对他说诉:
"我的母亲,够狠的娘啊,你的心肠冷酷。
为何避离父亲,不去在他

① 关于"门槛",参考第十七卷第 339 行注。参考第十六卷第 41 行和第十七卷第 30 行。比较第二十卷第 258 行和第十七卷第 339 行。

② 参考第二十二卷第 487—489 行及相关注释。然而,衣衫只能遮盖躯体,并不影响裴奈罗佩对奥德修斯脸型和面貌的判断。在第二十卷里,尽管奥德修斯衣衫褴褛,牧牛人菲洛伊提俄斯却称他"模样像似权贵国王"(第 194 行)。在此之前,欧鲁克蕾娅实际上已"认"出奥德修斯(第十九卷第 380—381 行),而裴奈罗佩本人亦已看出来者与丈夫的相像(同上第 358—359 行)。在第二十二卷里,女仆们在见到奥德修斯时,很自然地认出了他(第 497—501 行),可见奥德修斯的体型容貌并无太大的变化(或许只是老了些,参考第十九卷 360 行和第 358 行注)。然而,此时的裴奈罗佩却认不出(或不愿认出)奥德修斯(莫非又是神明改变了他的相貌?),并且以衣冠取人,不愿轻易改变怀疑主义的立场。史诗强调"此情此景"的需要,重视故事在"此刻"的进展,注重在小范围内的自圆其说,因此有时会倾向于忽略相关细节在大范围内的配套。细读第十四卷第 440 行注、第十五卷第 506 行注和第十九卷第 381 及 535 行注。对于神祇,辨识人的身份极其容易(参考第四卷第 462 行和第十二卷第 184 行),而对于凡人,这却是一个棘手的问题(参考第七卷第 203、210 行注和第四卷第 261 行注等处)。另见本卷第 64 行注。尽管识辨(和确认)并非易事,诗人还是为凡人保留了探察的权利,使他们得以(在诗人认为可能的范围内)通过探察发现"真情",实现认识上的由不知到知的转变(参读第七卷第 20 行和第十七卷第 363 行注)。参考奥德修斯的求知欲望(第九卷第 224—229 行)。

身边下坐，察询，盘问他的来路[①]？
别的女人不会像你这样狠心，
坐离丈夫，后者历经千辛万苦，
在第二十年里回抵自己的国度[②]。
你的心啊总是这样，比顽石硬固。”

其时，谨慎的裴奈罗佩对他答诉：
“孩子啊，我胸中的心灵惊怵，
找不出要说的话语，无法提问，
不敢正视他的脸面察睹[③]。如果他真是
奥德修斯，回到家府，我们可用其他更好的
方式，辨认，相互，借助只有我俩
知晓的标记，别人不知，全不[④]。”

她言罢，高贵和历经磨难的奥德修斯微笑，
当即吐送长了翅膀的话语，对忒勒马科斯说道[⑤]：
“忒勒马科斯，让你娘亲在厅中
对我察考，很快她会知晓得更多更好。
眼下我身上脏浊，衣衫褴褛披罩，

① 然而，在第十九卷里，裴奈罗佩已询问过奥德修斯的“来路”并已得到后者详细然而却是谎编出来的回答（详阅第162—204行）。忒勒马科斯的意思大概是要母亲询问“客人”的真实身份，以便使后者有机会原原本本地讲述有关的情况。

② 第102行大致同第十九卷第484行。比较第十六卷第206行。

③ 比较第94行。

④ 参考第177行以下。尽管此举听来似乎比较保险，但也并非没有漏洞。谁能保证奥德修斯没有对别人讲起过此事（指睡床的特殊制作“工艺”）？而如果对方是一位神明（此时幻取乞丐或老年奥德修斯的形貌），那么他很可能早就已对床的特殊之处了如指掌。裴奈罗佩已就“标记”考察过奥德修斯（参考第十九卷第215—219行）。

⑤ 第112行同第十九卷第3行。

她讨厌这些，说我不是她的丈夫来到[①]。
还是让我们一起思量，确保取得最好的结果[②]。
有人凶杀乡里，只欠人命一条，
尽管雪仇的人数不多，较少，
他也会避离本地，撇下亲人逃跑[③]。
而我们夺杀的是城市的中梁，伊萨卡
最好的年轻人——所以我要你就此思考[④]。”

其时，聪颖的忒勒马科斯对他答道：
“我的父亲，此事还得由你自己斟酌，
人们说世上你最擅谋略，
凡人中谁也不能与你比高[⑤]。
我们将心甘情愿，跟着你上。我们不会缺少

① 参考第95行及该行注。

② 奥德修斯复又转入了对“正事”的谈论思考。诗人显然想借此提醒读者，此时的伊萨卡仍然危机四伏，奥德修斯家族很快将面临求婚者亲友们的报复。

③ 此类例子在史诗里并不罕见。塞俄克鲁墨诺斯曾在家乡杀人，为了躲避死者亲人的复仇，他逃离故乡，“在凡人中漂泊”（参见第十五卷第271—276行）。参考《伊利亚特》第二十三卷第85—88行及相关注释；另见该史诗第九卷第632—636行。关于从杀人者到祈求者的“不合理”转变。参阅本书第十三卷第260行注。另参考第十七卷第508行注。

④ 奥德修斯已对雅典娜表述过类似的担忧（参考第二十卷第41—43行）。求婚人自己也知道，若想死里逃生，唯一的办法便是冲出宫门（或外面的庭院），讯报城里的（居民和）亲人（第二十二卷第75—78和132—134行）。奥德修斯的担心并非多余。求婚人的亲友们果然闻讯赶往果园，试图让奥德修斯父子以血还血（详阅第二十四卷第413行以下）。

⑤ 忒勒马科斯应该没有少听有关父亲智勇双全的传闻（另参考第十六卷第241—242行）。如果说在第十六卷里他对奥德修斯的策划还有所顾虑（参考第243—244行），那么经过杀灭求婚人的实战检验，此刻的他对父亲已是言听计从（参见本卷第127—128行）。

勇力,我想,只要还有可用的力量凭靠①。”

足智多谋的奥德修斯对他说话,答道:
“如此,我要告诉你我以为最合宜的举措。
首先,你等都去盥洗,穿上衫套,
告诉宫中的女人,选穿她们的裙袍。
然后,让通神的歌手弹拨声音清亮的竖琴,
引领我们跳起欢快的舞蹈,
由此让屋外的邻居或行走街上的路人听闻,
知晓,以为我们正在举行婚礼热闹②。
别让消息谣传城里,让外人听知求婚者
已被我们宰掉,直到我们抵达
果树成行的农庄③,其时再想
办法,接受奥林波斯大神明示的高招④。”

---

① 第127—128行(同《伊利亚特》第十三卷第785—786行)不见于绝大多数成文年代较晚的抄本,有学者因此怀疑是后人的增补。然而,这两个行次显示了忒勒马科斯对父亲的信赖度明显增加,已经彻底消除原有的或许是隐约存在的怀疑(参考本卷第126行注)。它们的结构意义亦不可小视,对即将发生的战事起着点题的作用。此外,在极少数包容这两行诗的古代抄本中,有一份成文年代较早,在公元三世纪,这一点或许亦有助于说明它们的权威性,增强它们的可信度。

② 伊萨卡人对裴奈罗佩的再婚应该早有心理准备。奥德修斯的聪明在于利用了公众的心理,迎合了他们的想法[当然,对于求婚人亲属以外的普通民众,这应该不是他们热切盼望的事情,因为奥德修斯曾是一位善待民众的国王,“像一位父亲”(见第二卷第234行;参考本卷第148—151行)]。

③ 参考第二十四卷第244—247行;比较该卷第205行。

④ 奥德修斯的“缓兵之计”举措得当,尽管日后宙斯并没有直接对他本人有什么明确的“指示”。然而,宙斯的意向是明确的。他将嘱令雅典娜结束奥德修斯一方与求婚人亲属们的争斗,“拥享和平”(详见第二十四卷第481—486行)。为此,大神还直接发送兆示(同上第539—540行),敦促雅典娜执行他的指令。参考该卷第546行注。

他言罢，各位服从，认真听过。
他们先去盥洗，穿上衫套，
女人们打扮得漂漂亮亮，通神的
歌手手操空腹的竖琴，激挑人们
向往歌唱的甜美和舒展的舞蹈，
大厅里回荡舞步和节奏的声响，
男人连同束腰紧深的女子一道[①]。
有人于屋外听闻，开口这样说告：
“哈，一定是有谁婚娶了被他们穷追的王后
乐遥。狠心的人儿，不愿寂守原配丈夫
偌大的房宫，始终如一，等他回到。”

有人会这样说道，却不知到底发生了什么。
其时，管家欧鲁诺墨替心志豪莽的
奥德修斯沐浴[②]，在他家里，涂抹橄榄清油，
给他穿上一领精美的披篷，一件衫套[③]。
雅典娜在他头上遍洒出奇的绚美，
使他看似更壮、更高，在他头上理出
拳曲的发绺，犹如风信子的花朵垂飘。
像一位高明的工匠，将黄金在银器上镶铸，
凭着赫法伊斯托斯和帕拉斯·雅典娜教会的

---

① 奥德修斯“声东击西”，用模拟然而却是逼真的婚庆景象（比较第四卷第 15—19 行）迷惑伊萨卡公众（参考本卷第 148—151 行），自己却抓紧时间，洗澡换衣，准备完成与裴奈罗佩的相认（实为妻子对他的正式“发现”）。

② 奥德修斯回抵伊萨卡后，此乃首次见诸文字描述的沐浴。参考第十九卷第 320 行及相关注释。

③ 比较第三卷第 466—467 行。奥德修斯在自己家中沐浴，换穿新衣，由此正式标示“流浪”的结束，表明他复又承担起一家之主的职责，重享生活的文明。

绝佳技艺，使每一件成品体现典雅的精巧；
同样，雅典娜镀饰迷人的雍华，在他的头颅肩座①。
其时，一如长生者的形貌，他从浴盆迈步②，
行至刚才走离的靠椅，下坐③，
面对妻子，对她发话，说诉：
“怪人呵，家住奥林波斯的神明
使你的心灵坚狠，在女辈中胜出。
别的女人不会像你这样狠心，
坐离丈夫，后者历经千辛万苦，
在第二十年里回抵自己的国度④。
动手吧，保姆，给我准备床铺，让我
独自躺下；这个女人长着铁的心灵顽固⑤。”

其时，谨慎的裴奈罗佩对他说诉：
“你才怪呢——我既不傲慢，亦非冷漠，还不曾

---

① 第157—162行几乎同第六卷第230—235行。按理说，雅典娜早已变还奥德修斯的原貌（尽管诗人没有明确说过），此时又在原貌的基础上加以美饰，使其更显俊俏。然而，女神的美饰并没有见效。看来，裴奈罗佩的确是铁了心，不准备以表面上的形似认人（参考本卷第175行注），而非要等到有了sema（细读第189行注）支持的凭据后，才能投入丈夫的怀抱。令人不解的是，裴奈罗佩并没有就美饰表示惊讶（比较第六卷第237行），也没有对此做出任何评论。

② 第163行同第三卷第468行。

③ 第164行为出现次数较多的程式化用语。参见第五卷第195行、第十八卷第157行和第二十一卷第139行等处。

④ 奥德修斯重复了忒勒马科斯对裴奈罗佩的抱怨（第168—170行同第100—102行）。

⑤ 忒勒马科斯称母亲的心灵比石头硬固（第103行）。铁喻“坚硬”“狠酷”（冶铁的难度大于青铜，参考第二十一卷第10行及相关注释）。相似的描述也出现在第四卷第293行里（参考该行注）。另参考第十二卷第280行注和第十九卷第13行注等处。关于“铁”，还可参看第一卷第184行注和第九卷第393行注。

过分惊惶，我呀把你的形貌记得清清楚楚[1]，
当你乘坐带长桨的海船，从伊萨卡踏上征途。
来吧，欧鲁克蕾娅，给他整备一张坚实的床铺[2]，
在建造精美的寝房外面，那张由他自制的用物，
搬出坚实的睡床，备妥，
铺上羊皮、篷毯和闪亮的盖褥。”

　就这样，她试探，对丈夫，但奥德修斯
愤怒，对心地贤良的妻子说诉：
“你的话，我说夫人，让我听了痛楚。
是谁把我的睡床搬移别处[3]？此事艰难，
即便对巧匠能工，除非赖有神明，
亲自前来帮助，轻松，把它移至别处。
至于人间活着的凡人，即使年轻力足，
也不能轻松动它，搬挪床铺，因为精制的床中

---

① 参考第十九卷第218—250行。看来形貌并不存在问题，裴奈罗佩肯定也会像欧鲁克蕾娅和女仆们一样认出奥德修斯（参考本卷第71行）。问题并非出在来者不像奥德修斯，而是在于怎样确证此人就是奥德修斯（换言之，不是神的幻取之形）。裴奈罗佩的谨慎自有她的道理（参考第63—64、81—82和第215—224行）。因此，雅典娜对奥德修斯的美饰（第156—162行）不仅不会激发裴奈罗佩对他的“好感”，而且很可能还会适得其反，加重裴奈罗佩对他的防范（只因他浴毕迈出，“一如长生者的形貌”，第163行）。参考忒勒马科斯的疑虑（第十六卷第194—200行）。

② 欧鲁克蕾娅或许并不知道（参考第226—229行），女主人已开始对奥德修斯进行最后一轮的试探。

③ 裴奈罗佩的试探果然奏效。诗人的高明在于没有让裴奈罗佩点明把床铺作为探察的实物（如她在第二十卷里所用过的开宗明义般的方式：搬出斧斤弓弩，随之规定比赛的要求），然后要求奥德修斯进行解释，而是机智地顺应情节的发展，要保姆“搬出”奥德修斯自制的睡床，让他在室外睡觉——由此激恼了奥德修斯，引出他对制床过程的描述。床铺承托夫妻的情感，凝聚并升华婚姻和性爱的美好（参考《伊利亚特》第十四卷第205—210和304—306行）。

有一特殊的机关[①]，由我自己，而非别人造出。
庭院里有一棵遒劲、茁壮的橄榄树，
叶片修长，繁茂，树干宛如一根立柱，
围绕它我营造自己的睡房，直到完工，
搭连紧排的石块筑墙，仔细铺设
屋顶，安上坚实、密合的门户。
我砍去叶片修长的橄榄树上的枝节，
修整树干，始于底部，削平，用一把青铜的手斧，
动作内行、娴熟，紧扣笔直的粉线，
做好床的立柱[②]，然后动用钻器，打出孔眼全部。
从那儿开始，我忙到完工，造出那张床铺，
镶之以黄金、白银和象牙，
穿上牛皮绷紧，绳条闪烁紫色的光弧。
这些便是床的特点，我已对你描述，但我不知，

---

① sema，“记号”“符号”“标记”（参考第 110 行），在特定的上下文里亦可作“特点”（第 202 行）和“证据”（第 206、225 行）解。另参考第十九卷第 250 行。亚里士多德讨论过通过标记（如伤疤，参考本书第十九卷里的相关描述）引出的发现（详阅《诗学》第十六章）。在这里，诗人沉迷于标记的作用，甚至不惜让裴奈罗佩忽略了对奥德修斯相貌的关注（参看本卷第 175 行注）。我们或许可以从中看到古希腊人对证据（或实物凭证）的重视。这种倾向会带来两点好处。其一，它会促进社会成员法律观念的增强，加强对诉讼程序的重视；其二，它能刺激公众和社会精英对求证的兴趣，孕育科学精神，推动实证意识的系统形成与发展。荷马的秘索思中包孕着丰富的逻各斯思想。参考第二卷第 182、第四卷第 629、第九卷第 408、第十一卷第 14、第十四卷第 379、第十七卷第 363 和 578 及第二十一卷第 214 行注。在西方科学思想的形成和发展史上，若就有文本可资凭证的“范围”而论，荷马史诗所刻意强调的要求“提供证据”的观点，或许筑下了第一个可以作为系统和规范研究之对象的“里程碑”。第二个里程碑完成于公元前五世纪，其商标性特征是极为重视对“原因”或“动因”的可实证性说明，即要求人们为现象和事实“提供解释（logos）”，或 logon didonai。

② 倘若奥德修斯以树干为柱，那么他仍需制作另外三条“床腿”，然后安上床架，在架上打孔，铺设床面，用牛皮绳条穿过孔眼，紧捆。奥德修斯是一位有经验的木工（我们已知他凭借娴熟的技艺，成功制造筏船的过程，详见第五卷第 234—261 行）。

夫人，我的睡床是否还在原处；或许有人
已砍断橄榄树干，搬出，移动我的床铺[①]。”

他言罢，夫人心力消散，双膝软酥[②]，
听知确切的言证，从奥德修斯的说诉[③]，
冲跑上去，泪水涌注，展臂抱住
奥德修斯的脖子，说话，亲吻他的头颅：
“别生我的气，奥德修斯，既然在所有别的事上
凡人中你最明达事故。神明给我们悲苦，
对我们忌妒，以为我们总在一起，
共享青春，直到跨入老年的门槛入户[④]。
所以不要责备，不要对我愤怒，
因为初见你时，不曾一如现在，迎你回府。
我总是害怕，怕在心灵深处，
担心有人临来，用花言巧语

① 比较忒勒马科斯的“猜测”（第十六卷第 33—35 行）。细读本卷第 225—226 行及第 226 行注。

② 程式化诗行。另见第四卷第 703 行、第二十二卷第 68 行、第二十四卷第 345 行和《伊利亚特》第二十一卷第 114 行。

③ 第 206 行同第十九卷第 250 行。

④ 荷马史诗里的神祇远不是十全十美的。他（她）们有人的弱点，像人一样会犯错误。在道德和品行的修养方面，他们也和人一样存在着种种的缺陷，容不得凡人挑战他们的权威，不允许凡人有赶超他们的气概（换一种角度来看，即为人的骄横，参考《伊利亚特》第二卷第 594—600 行等处）。他们会妒忌凡人的幸福（本卷第 211 行，另参考第四卷第 181 行），至多也只能让凡人受领好坏参半的生活（细品《伊利亚特》第二十四卷第 525—533 行）。奥德修斯和裴奈罗佩的“谨慎”中明显带有对神的“小心眼”的畏惧（分别参考本书第二十二卷第 412—415 行和本卷第 59—64 行及相关注释）。另参考并比较第五卷第 116—120 行。

迷糊[1],须知许多人谋思,巧设计谋邪毒。
阿耳戈斯的海伦,宙斯的女儿,不会
和一个外邦男子欢爱,同睡一张床铺[2],
假如知晓阿开亚人嗜战的儿子们
将把她带回她所钟爱的故土。
是某位神明催使她做出事情羞辱[3],
从前她的心里从未产生过如此可怕的
念头,愚鲁,亦使我们从此受苦。
现在,你已准确描述,确证

① 裴奈罗佩的解释与欧迈俄斯的陈述不谋而合(参考第十四卷第 122—130 行)。欧迈俄斯起初也怀疑奥德修斯是一位用故事换取招待的浪人(同上第 131—132 行;参看该卷第 152 行注)。当然,裴奈罗佩的解释只证明了问题的一个方面。诗人的构思和情节发展的需要,亦是迟缓裴奈罗佩"发现"丈夫的原因。

② 关于"床铺",参考第 184 行注。注意裴奈罗佩的谈话中心已从对人的提防(第 215—217 行)转入了对神的戒备(第 218—224 行)。言外之意是:我既要防备浪人的欺骗,又要警惕神的捉弄(他们会变取凡人的形貌),所以不得不慎之又慎,推迟与你相认的时间。

③ 海伦"悲叹阿芙罗底忒的作为",诱使她"离开亲爱的故国"(第四卷第 261—262 行)。这一提法(或某种意义上的"推卸")也符合她在《伊利亚特》里的抱怨(参考该史诗第三卷第 399—402 行和第六卷第 349 行;另见普里阿摩斯为她所作的辩护,第三卷第 164 行)。不过,无论是就"事实"而言,还是以荷马大力提倡的双重动因来衡量,海伦都难以彻底推卸她在随帕里斯私奔一事上应负的责任。《伊利亚特》第六卷第 356—357 行及第二十四卷第 763—764 行等处表明,海伦不仅没有文过饰非之意,并且还饱含悔恨地承认了自己的过错。迫于多方的压力,裴奈罗佩自己也产生过再嫁的念头,此时强调神的干扰,或许也有助于维护自己的清白无辜。事实上,神并不强烈反对裴奈罗佩再嫁(参考本书第二十一卷第 1—2 行、第一卷第 275—278 行和第十五卷第 24—25 行),虽然他们(如雅典娜)也知道再嫁不是裴奈罗佩的命运,因此有时会把"驱动"作为一种策略,诱使求婚人以更加积极的态度配合事态的发展,"迎接"他们的彻底灭亡。

我们的床铺[①],别人不曾见识它的机巧,
只有你我,外加一名帮仆的女奴,
阿克托耳的女儿[②],家父把她给我,嫁随此处,
过去曾为我们,把住精固睡房的门户。
你说服了我的心灵,化解了它的此般倔固。”

她言罢,在奥德修斯心里激起更强的激情嚎哭,
搂住心地贤良的爱妻,悲恸咽呜。
像落海漂游的水手喜见岸陆,
被波塞冬砸碎制作坚固的船艘,
在茫茫的海途,掀起狂风和巨浪猛击,
只有寥寥数人余生灰蓝色的海洋,
游至岸边逃出,身上紧箍厚厚的盐斑,

---

① 有趣的是,裴奈罗佩还是没有提到他的长相或声音[如她在第十九卷里对欧鲁克蕾娅所提及的那样(第357—360行)],似乎只要来者准确讲述了床的机巧(亦即sema),她就可以放心地与之相认。或许,她对奥德修斯的相貌和声音等已不存疑问,只是不愿或不敢仅凭外表的相似认人。如此,奥德修斯此时以自己的形貌出现当不存疑问。裴奈罗佩对“破释”sema的重视,从一个方面反映了史诗人物(或前逻各斯时代的人们)对凭靠实证解决问题的心理趋同(参考本卷第189行注)。巫卜(包括释梦等反实证的方式)依旧盛行,裴奈罗佩自己就曾请奥德修斯为她释梦(第十九卷第535行以下)。然而,至少是在《奥德赛》里,裴奈罗佩和欧鲁克蕾娅等正面人物已重视对证据的获取以及在此基础上达成对“生客”的相认(至于作为反面人物的求婚人,则仅凭奥德修斯的一席话就认可了乞丐就是奥德修斯的事实,参考第二十二卷第34—46行),已经意识到在反实证的释梦以外,还有一条凭靠证据认知事实的通途。从这个意义上来说,裴奈罗佩的认知观不仅超前于求婚人,而且也超前于对她的迟疑不决不甚理解的丈夫。亚里士多德重视标记在发现中的作用(参阅《诗学》第十六章),却似乎没有完全抓住标记在《奥德赛》里所可能“暗示”的精微。西方学者对sema在认知史上所具备的坐标作用(细读第二十四卷第329行注)缺乏认识,从而在这方面给世人的研究留下了一片尚待开发的处女地。

② 即欧鲁诺墨(见第153、289和293行)。但原文为Aktoris,亦可作一女仆的名字解(假设此女为奥德修斯家中的旧仆,其时已经作古)。

庆幸于避离邪灾,双脚踏上岸土[①]。
就像这样,她喜迎男人回归,视注,
不肯松开雪白的臂膀,将丈夫的颈脖抱住。
其时,手指嫣红的黎明会照显他俩的恸哭,
若非灰眼睛女神雅典娜设想别的思路。
她把长夜阻留在西方的边端[②],让享用
金座的黎明停滞在俄刻阿诺斯[③] 的边途,
不使她套用捷蹄的快马,光照凡人的生活,
朗波斯和法厄松[④],载送黎明的骏足。

其时,足智多谋的奥德修斯对妻子诉说:
“我们的磨难,亲爱的妻子,还没有结束,
将来仍有了无穷尽的难事,
艰险、重大,我必须一一完成去做。
泰瑞西阿斯曾对我预言说过[⑤],
那天,我下至哀地斯的宫府,

---

① 如同在第十六卷里描写奥德修斯父子相认时的情景一样(第216—218行),诗人在此借助了(有情节)明喻对人物感情的有力烘托。但除此之外,诗人一般不对情感的表露做过多的细节(即细腻的)描述。二十年久别重逢的夫妻除了抱头痛哭外(本卷第241—245行暗示他俩哭了相当长的时间),竟没有一两句表示思念或亲昵的话语要说。参考第十六卷第224行注。与第十六卷里的那个明喻相比,这一个无疑贴近奥德修斯的经历(参看第五卷第313—326和453—457行),因此读来更显“切题”,意味深长。

② 或“最远的边端”“夜程的最顶端”。关于“黑夜”,参考赫西俄德《神谱》第748—757行和本书第十五卷第8行注。比较第二十卷第52行注。

③ 环地长河。参考第十一卷第13行及该行注。

④ 黎明(或厄娥斯)通常不乘马车昭显(即启明)。在这里,诗人或许沿用了对太阳神赫利俄斯及其乘具的描述。参考第十二卷第131—133行。

⑤ 参考第十一卷第97—137行及相关注释。奥德修斯将对妻子复述忒拜先知泰瑞西阿斯对他的“预告”(本卷第267—284行)。

寻访回家的途径,为自己,也为伙伴们问路。
去吧,夫人,让我们息卧床铺——终于,
我俩能欣享舒甜的睡眠,躺在一处。"

其时,谨慎的裴奈罗佩对他答道:
"床铺会给你备好,何时你心想
睡觉,眼下神祇已送你归来,
回返营造精固的房居,回返故乡来到[①]。
既然你已有过思考,神明把它置于你的心窍[②],
那就告诉我这件苦役,我想以后我会知晓——
既如此,现在知之不会比日后更糟。"

足智多谋的奥德修斯对她答话,说道:
"你呀真怪[③],为何要我对你讲述,
说告?好吧,我决不隐瞒,这就对你通报。
此事不会愉悦你的心房,对我亦然,一样。
他要我浪迹许多凡人的城市,
带上造型美观的船桨,离家出游[④],

---

① 第259行同第四卷第476行等处。

② 比较第十九卷第485行。参考本卷第14行注。"心窍"原文作thumoi(另见第337行),在此几乎与第14行里的phrenas等义。关于thumos与phrenes的区别,参考第十八卷第331行注。另参阅第九卷第301行注和第二十卷第41行注等处。

③ 另见第166、174行。关于daimonie,参考第十四卷第443行注。比较第十五卷第261行注。

④ 第268行大致同第十一卷第121行。

直至抵达一个地方,那里的居民不知[①]
海洋,吃用的食物里不搁咸盐,
不知头首涂成紫红的船舫,不识
造型美观的桨片,那是海船的翅膀。
他告诉我一个醒目的标记,我将不予隐藏。
当我走去,另一位路人将会和我遇上[②],
说我扛着一把簸铲,在我闪亮的肩膀,
其时我要把造型美观的船桨插进地里,
给王者波塞冬备献丰足的祭享,
一头公牛、一头爬配的公猪和一只雄羊,
然后动身回家,举办全盛的牲祭,
给永生的神明,他们拥掌辽阔的天空,
依次,一个也不能落下。我的死亡将远离海洋,
以极其温柔的方式,让我在丰裕的
晚年生活中倒躺[③]。我的人民
将会盛昌。这一切,他对我说,都将成为现状。”

---

① 第 269—284 行大致同第十一卷第 122—137 行。参考相关注释。准确复述大段的行句并非易事。比之随意的即兴发挥,每词必究式的复述(或重复)难度更大。只有平时勤学苦练,持之以恒,口诵诗人才能精确记住史诗中如此众多雷同和不同的诗行。无怪乎诗人菲弥俄斯声称他乃自教自会(第二十二卷第 347 行,参考相关注释),以此暗示他的不容易和平时的艰辛备尝。奥德修斯有着讲故事的老到功夫(参考第十七卷第 514—521 行),对此裴奈罗佩本人亦已经有过领教(参看第十九卷第 249—250 行等处)。

② 泰瑞西阿斯告诉奥德修斯,他将遇见一位生人。比较第九卷第 213—214 行。

③ 奥德修斯一生历经艰险,除了仍在地府里遭罪的西绪福斯等人外,很可能是史诗人物中受苦最深、最多的凡人(细品第七卷第 211—214 行)。但他晚年生活丰裕(另见本卷第 286—287 行),并将以“极其温柔的方式”辞世(虽然不能像墨奈劳斯那样去往厄鲁西亚享福,参看第四卷第 563—569 行)。此外,他的人民(即伊萨卡居民)将告别饱含痛苦的内讧和自相残杀,“将会盛昌”(参考本卷第 283—284 行,另见第二十四卷第 546—547 和 482—486 行)。对于他,这或许将是最大的安慰。

其时，谨慎的裴奈罗佩对他答讲：
"倘若神明确会使你拥有幸福的晚年
安详，你便可摆脱种种灾苦，可望。"

就这样，他俩你来我往，一番说讲，
保姆和欧鲁诺墨已在整备睡床，
平铺舒软的毯盖，就着火把的明光。
她们动手干活，顷刻间备妥坚实的睡床[①]，
年迈的保姆走回自己的房间就寝，
欧鲁诺墨，作为睡房的侍从，手举
火把，前行，把他俩引向卧床。
她把二位导入寝房，回返，夫妻俩
高兴，走向床铺，以往栖身的地方。
这时，忒勒马科斯和牧猪及牧牛的工仆
停辍舞步，同时也让女仆们作罢，
然后走去睡觉，在幽暗的宫房[②]。

享受过性爱的愉悦[③]，夫妻俩开始

---

① 第 291 行同第七卷第 340 行。参考该卷第 335—340 行、第四卷第 296—299 行和《伊利亚特》第二十四卷第 643—648 行等处。

② megara，"厅堂"(复数)，作"宫居""房居"解。"幽暗的"为 megaron 的饰词之一(另见第一卷第 365 行等处)。古时的房居采光不会太好，晚间幽暗，白天或许也不会太亮，加之柴火和火把的烟熏，长年累月，或许也会影响壁墙的美观。参考《伊利亚特》第二卷第 414 行及该行注。

③ 参考第十二卷第 152 行注。

领略交谈的欢畅[1],道说各自的既往。
她,女人中的姣杰,讲述在宫中忍受的全部恶事,
目睹那些求婚者,败毁的人儿成帮[2],
借口追求,宰杀许多活牛
肥羊[3],空饮一坛坛浆酒,大量。
神育的奥德修斯讲述了带给别人的
所有苦痛,回顾了自己的不幸,他所
历经的全部艰辛备尝。妻子听着,高兴[4],直到
丈夫讲完一切,睡眠方始降临,把她的眼睑合上。

他从如何击败基科尼亚人的经历开始[5],继而

---

① 古希腊人对语言和交谈的喜爱源远流长(另见《伊利亚特》第十一卷第 642 行)。柏拉图的作品绝大多数用对话体写成,应该不是出于偶然。语言可以迷人,魅惑人的心魂(参考第一卷第 370—371、第四卷第 597—598、第十二卷第 39—40 和第十七卷第 514—519 行及相关注释)。

② 第 303 行同第十六卷第 29 行。

③ 参考第二十卷第 211—213 行及相关注释。

④ 裴奈罗佩应该不是为丈夫所经历的千辛万苦而高兴。诗人似乎把裴奈罗佩放在了故事欣赏者的位置上加以描述,使其读来就像后世坐在剧场里欣赏悲剧的观众一样,尽管剧情凄婉,他们却仍然能够从中领受快感(参考第十五卷第 400 行注和第十九卷第 251 行注;另参考第十八卷第 131 行注和第十七卷第 385 行注等处)。在第一卷里,当著名的歌手菲弥俄斯“唱诵阿开亚人饱含痛苦的回返”(第 326 行)时,裴奈罗佩要求他“辍止这个段子”,因为它“让我悲伤”(第 340—341 行)。此时,大概因为丈夫已经回来,使裴奈罗佩的接受心理发生了变化,能够带着喜悦的心情聆听他的讲述,于接受过程中加入了更多审美的成分。诗人把生活中的裴奈罗佩移位到了审美的情境之中,这么做有利有弊,稳当与否仍可商榷。有一点可以肯定,那就是此时的奥德修斯或许更希望妻子能像往常一样,再哭一回。

⑤ 奥德修斯开始讲述自己的飘零,开始回顾。诗人“想当然”地对此进行了简化,予以高度的概括(第 310—341 行;参考并比较亚里士多德《修辞学》第三卷 16.1417a)。关于第 310 行所涉内容,详见第九卷第 39—61 行。

讲述船至吃食落拓枣人富足的国邦[①],
讲说库克洛普斯做下的全部恶行,而他又如何不带
怜悯,为强健的伙伴们报仇,他们被魔怪吞下肚肠[②]。
他讲述如何来到埃俄洛斯的地域,备受款待,
为他安排归程,无奈命运注定他不能就此
回抵国邦——风暴将他逮住,任其
高声吟叫,把他卷向鱼群游聚的汪洋[③]。
他来到莱斯特鲁戈奈斯人的忒勒普洛斯地方,
那帮人毁了他的舟船和全体胫甲坚固的伙伴[④],
只有奥德修斯一人逃生,驾乘乌黑的船舫[⑤]。
他描述基耳刻的诡谲和众多的本领花样[⑥],
他又如何进入阴霉的地府,哀地斯的居家,
询访了忒拜人泰瑞西阿斯的灵魂,
乘坐凳板众多的海船,见到了所有的伙伴,
连同生他养他的娘亲,关爱在他幼小的时光[⑦]。

---

① 详阅第九卷第82—104行。

② 关于奥德修斯一行与库克洛普斯(即波鲁菲摩斯)的遭遇,详见第九卷第105—542行。

③ 大海是"鱼群游聚的"(程式化用语),正如天空是"多星的"和大地是"丰产谷物的"一样。关于第316—317行,相似的描述见第四卷第515—516行和第五卷第419—420行。奥德修斯一行曾在埃俄洛斯的埃俄利亚岛上逗留,因伙伴们擅自打开风袋,致使归航失败(参阅第十卷第1—79行)。

④ 详阅第十卷第80—132行。

⑤ 大多数抄本未录此行,很可能为后人的添补。并非所有的伙伴均在那里遇难(只有奥德修斯将船停泊港外,故而免遭破毁,最终得以带出一船或部分伙伴离开,参考第十卷第131—134行)。

⑥ 详阅第十卷第133—574行和第十二卷第1—143行。

⑦ 遵照基耳刻的指令,奥德修斯造访地府,聆听先知泰瑞西阿斯面授机宜,会晤了她的娘亲及众多英雄和名女的阴魂,大开了眼界。详阅第十一卷。本卷第322行大致同第十卷第512行。第323行同第十卷第492行和第十一卷第165行。

他讲述如何听闻塞壬婉转的歌唱[①],
前往晃摇的岩石,遭遇可怕的卡鲁伯底斯
和斯库拉——从未有人躲过她们,不带损伤[②]。
他讲述伙伴们如何偷食赫利俄斯的牧牛[③],
炸雷高天的宙斯掷甩带火的霹雳,
击捣他的快船,使所有高贵的伙伴
丧生,只有他一人幸避邪恶的命运死亡[④]。
其后,他临抵埃古吉亚岛,女仙卡鲁普索
居住的地方,意欲留他,在深旷的岩洞里
招作夫郎,对他关心照料,许诺
使他长生不老,永恒、无终,
但却说不动他胸腔里的心房[⑤]。
他历经艰辛,落难法伊阿基亚人的国邦,
受到他们由衷的爱戴,仿佛他是仙家,
送他走船归返,回到亲爱的故乡,

---

① 详阅第十二卷第 144—200 行。

② 详见第十二卷第 201—261 及 426—446 行。从某种意义上来说,对于人的“存在”,卡鲁伯底斯和斯库拉具有永恒的警示意义。像古希腊悲剧一样,荷马史诗包蕴深邃的生活哲理。参考第十二卷第 73 行注。关于“晃摇的岩石”,参考第十二卷第 59—72 行。

③ 详阅第十二卷第 359—402 行。在《奥德赛》的开篇部分,荷马特别提到了奥德修斯伙伴们的这一过错(第一卷第 8 行),认为他们“遭毁于自己的愚蛮”(同卷第 7 行)。

④ 参考第十二卷第 403—446 行。奥德修斯的伙伴们一路减损,终于全部遇难。这或许是人类历史上第一次有大篇幅文字记载(或描述)的人员尽丧,只剩主帅一人幸存的回返(亦即航海)惨剧,虽然故事的内容中包含显而易见的神话成分,带有浓烈的奇谈色彩。关于宙斯掷甩霹雳,另见第五卷第 131 行和第二十四卷第 539 行。

⑤ 详见第五卷第 105—268 行和第十二卷第 447—450 行。奥德修斯与卡鲁普索同居七年(第七卷第 259 行)。另参考第一卷第 13—15 行。本卷第 336 行同第五卷第 136 行。关于“心房”,参考本卷第 260 行注。

馈赠大量的青铜、黄金，还有衣裳[①]。
此乃他叙事的结尾，讲完，甜美的睡眠临来，
松软他的肢腿，舒缓心中的愁伤。

其时，灰眼睛女神雅典娜开始实施下一步计划。
当认定奥德修斯的心灵已得到足份的欣享，
领受睡眠的甜美，卧躺在妻子身旁，
她马上催促早起和享用金座的黎明从俄刻阿诺斯
攀升，给凡人致送明光[②]，奥德修斯起身
舒软的睡床，对妻子开口，说讲：
"你和我，夫人，都已历经磨难，
你在家中，为我充满艰辛的回归哭泣
忧伤，而至于我，宙斯和其他神明[③] 梗阻，
尽管回归心切，阻挠我还乡。
如今，你我又回到心仪的睡床，
你可照看我的财物，在宫中收藏[④]，
至于我的羊群，被骄蛮的求婚人糜荡，

① 奥德修斯从法伊阿基亚人的居地直航返回故乡。诗人用了大量的篇幅描述奥德修斯与法伊阿基亚人的交往，也让奥德修斯原原本本地讲述了回航历险的情况。详阅第五卷第 382 行—第十三卷第 187 行。本卷第 339—341 行同第五卷第 36—38 行。奥德修斯按事发的顺序讲述，为自己的回归作了一个言简意赅的梳理。如此归纳式的表述，无疑会有助于听众对内容芜杂的回归故事的总体把握，加深印象。

② 参考第 241—246 行。自从奥德修斯回归后，雅典娜对事态进展的安排渐趋细致。参考奥德修斯的抱怨(第十三卷第 316—319 行)。

③ 主要指波塞冬。卡鲁普索和基耳刻都曾"拘留"奥德修斯，迟阻他的回归；可以设想奥德修斯也会把她俩归入"其他"之列。

④ 比较雅典娜对忒勒马科斯的劝导(第十五卷第 19—23 行)。

我将通过掠劫弥补大部[①]，其余的由阿开亚人
补给[②]，直到把我的羊圈填塞满当。
现在，我要去往果树成林的农庄[③]，
看望高贵的父亲，老人一直在为我悲伤。
我仍要对你叮嘱，夫人，虽说你的心智聪达。
太阳升起后，消息会很快传扬，
关于求婚的他们，被我杀死在宫房。
其时你可带着侍女，行往你的居室楼上[④]，
娴静，安坐，谁也不看，不予问话[⑤]。"

言罢，他把绚美的铠甲披上肩膀，
唤醒忒勒马科斯以及牧猪和牧牛的他俩，
命嘱他们手握拼战的武器，
听者不予抗违，穿戴青铜的铠甲，

① 奥德修斯是"荡劫城堡的"英雄(参考第十八卷第356行及相关注释)，财产的损失给了他放手掠劫的"理由"。史诗人物可以通过文明的客访(xenie)致富(参考第十一卷第361行注)，也可以通过残酷的战争和野蛮的掠劫敛财(细读第九卷第42行注和第十四卷第87行注等处)。两种手段同样受到史诗人物的广泛运用，受到英雄们的心仪和青睐。文明和野蛮在英雄壮举的幌子遮掩下，堂而皇之地找到了可以模糊界线的一面和放纵史诗人物创立辉煌业绩的契机。参考并比较第十卷第113行注和第六卷第275行注等处。

② 换言之，将由伊萨卡的老百姓分担他的损失。欧鲁马科斯曾经承诺，求婚人将赔偿奥德修斯的损失，每人支付价值二十头牛的财礼——为此，他们将向民众征收财物(参见第二十二卷第55—57行)。早在第二卷里，忒勒马科斯已提过类似的要求(第76—78行)。伊萨卡的老百姓最终将为自己的"木然"和明哲保身(参考第二卷第239—241行)付出代价。

③ 参考第137—140行。

④ 第364行同第四卷第751行、第十七卷第49行和第十九卷第602行。

⑤ 看来，奥德修斯或许并不担心求婚人的亲友们会对裴奈罗佩和宫中的女仆们下手，用粗蛮的手段报复他对求婚人的灭杀。但他料知复仇的人们会赶奔果园，所以准备与他们在那里开打(参考第366—370行)。

打开大门，迈步，奥德修斯领着他们出发[①]。
其时，明光遍洒地上，但雅典娜
把他们藏身黑夜[②]，前引，迅速走离城邦。

① 第370行同第二十四卷第501行。

② 换言之，使常人无法用肉眼看察他们的行踪。雅典娜已催促黎明升空（常规意义上的黑夜已经过去，参考第347—348行）。比较第十三卷第189—190行。在《伊利亚特》里，为了帮助各自支持的壮勇，神经常在战场上布起黑雾（或迷雾、黑夜，参看第五卷第506—507行、第十六卷第567行和第十七卷第268—269行等处）。参考忒拉蒙之子埃阿斯要求宙斯解除迷雾的呼喊（第十七卷第645—647行）。比较维吉尔《埃涅阿斯纪》第一卷第411行。

第二十四卷

库勒奈的赫耳墨斯[1] 召聚求婚者的
灵魂[2],集中,手握绚美的黄金
节杖,用以催眠凡人,弥合他想
合拢的瞳眸,亦可使睡者眼睛开睁[3]。
他持杖汇聚求婚的人等,后者跟随[4],发出含混的叫声,
像一群蝙蝠,在一个奇谲的洞穴深处飞腾,
叽叽呱呱,当其中的一只掉落岩壁,

① 赫耳墨斯乃宙斯和迈娅之子,出生在阿耳卡底亚境内的库勒奈山上。关于赫耳墨斯,另参考第一卷第38、第五卷第43、第十四卷第435和第十九卷第396行及相关注释。

② psuchai。赫耳墨斯在此担当起灵魂引导者(psuchopompos)的责任(参见第5行)。在荷马史诗(尤其是在《伊利亚特》)里,人死后魂魄自行飘落哀地斯掌管的冥府,无须赫耳墨斯或别的神祇引导(参考本书第六卷第11行和第十卷第560行)。这里的情况或许特殊一些,因为求婚人尽数死去,他们的psuchai争走同一条路线,可能需要一位导者维持秩序,带领它们顺利进入冥府。不过,在《伊利亚特》里,尽管经常出现战勇成片死去的悲惨场景,诗人却从未需要赫耳墨斯出面,"帮助"引导坠入哀地斯的精魂。诗人很可能采用了当时流行的有关灵魂如何进入地府的"另一种"说法(比较第十一卷第54行注),而地中海沿岸地区(包括小亚细亚)自古便是文化交汇的"十字路口"。参考并比较同上第26和73行注。

③ 第3—4行同《伊利亚特》第二十四卷第343—344行。赫耳墨斯的节杖具有魅迷凡人的魔力(thelgei,参考并比较本书第十二卷第39行注等处),既可催人安眠,亦可促人苏醒。比较《伊利亚特》第二十四卷第445—447和682—688行。

④ 我们知道,导者赫耳墨斯(即阿耳吉丰忒斯)亦出现在《伊利亚特》的最后一卷,即第二十四卷里。他引导特洛伊老王普里阿摩斯安全进入阿基琉斯的营棚,以后又领着他车载儿子赫克托耳的遗体回城。赫耳墨斯喜好助引凡人[参考宙斯对他的评价(《伊利亚特》第二十四卷第334—335行);比较本卷第10行]。

从互相搭攀的串链中落沉[①]；
就像这样，他们集群跟走，发出含混的叫声[②]，
由救助者[③] 赫耳墨斯引着，导下昏霉的路程。
他们途经俄刻阿诺斯的泼水，路过雪白的岩峰[④]，
经过赫利俄斯的大门[⑤] 和梦的
地界[⑥]，很快来到遍长阿斯弗德的草泽[⑦]，
此乃灵魂栖居的地方，容纳死人的影身。
他们见到裴琉斯之子阿基琉斯的魂魄，
见到了帕特罗克洛斯和雍贵的安提洛科斯的阴魂，
连同埃阿斯的魂魄，达奈人中仅次于

---

① 柏拉图认为，虽然诸如此类的行句极富诗意，却不适合于青少年和自由人欣赏聆听(因为他们必须具备这样的秉性：与其被人奴役，不如死去，详阅《国家篇》第三卷第387A—B)。在本书第十一卷里，诗人把噪叫的魂魄比作惊飞的“鸟儿”(第605—606行)。古希腊人把蝙蝠(本卷第6行)归为鸟类。

② 比较《伊利亚特》第二十三卷第100行。

③ 或“医治者”(参考《伊利亚特》第十六卷第184行)。赫耳墨斯精通药理(参考本书第十卷第302—306行及相关注释)。

④ “雪白的岩峰”在两部史诗里仅有一次见例，和“赫利俄斯的大门”(第12行)等一样，具备神话的超越(或难以被)实证的特性，其(想象中的)方位当与俄刻阿诺斯的泼水及由此通连的冥地一样，处于世界的西端。

⑤ 在诗人的想象中，太阳神驱驾马车行进，经由“赫利俄斯的大门”在西方的极地消隐(即跑下地平线)，翌日凌晨复始登临东方，展示白昼的到来(参考第三卷第1行和第十二卷第3—4行；比较第二十三卷第244行)。

⑥ 参考第十九卷第560—567行。

⑦ 参考第十一卷第539行及相关注释。求婚人未经埋葬，他们的灵魂便已安然进入冥地(比较厄尔裴诺耳的亡魂的“遭遇”，详见第十一卷第51—76行)。或许是因为有赫耳墨斯的带领，使鬼魂们拥有了直接进入冥府的特权。参考并比较《伊利亚特》第二十三卷第72—74行。细读本卷第2行注。

裴琉斯豪贵的儿子,若论相貌躯身①。

　就这样,这些个阴魂把阿基琉斯围堵,
其时阿伽门农的灵魂飘来,阿特柔斯的儿子
悲苦,连同其他人的灵魂,和他一块儿死去,
在埃吉索斯的房居遇会命运,将他围住②。
裴琉斯之子的灵魂首先开言,说诉:
"阿特柔斯之子,我们以为你的一生最得
喜好炸雷的宙斯恩宠,超比所有其他英雄,
因为你王统浩荡的军队,强健的兵勇,
在特洛伊大地,我们阿开亚人在那里遭受苦痛。
同样,对于你暴虐的死亡过早降附,

① 参考第十一卷第467—470行。本卷第16—18行同第十一卷第468—470行(参考该卷相关注释)。注意诗人对安提洛科斯的重视(参考本卷第78—79行),把他的名字与帕特罗克洛斯和埃阿斯相提并论。诗人知晓安提洛科斯被黎明之子门农击杀的故事(第四卷第187—188行),大概也知道日后阿基琉斯为他复仇,杀死门农的战斗[此事见录于已失传的后荷马史诗《埃塞俄丕斯》(共五卷)]。

② 第20—22行同第十一卷第387—389行。关于阿伽门农之死,参考第三卷第255—275行、第四卷第512—537行和第十一卷第409—426行。

死的精灵，俗生的凡人谁也不能躲过[①]。
咳，我真想，想望你能带着强权的隆烈
遇会死亡命运，倒在特洛伊人的乡垄[②]。
如此，阿开亚全军，所有的兵壮，会给你堆立坟冢，
使你在今后的日子，为自己，也替儿子争获巨大的光荣[③]。
然而，你却注定必死，死得最为凄楚[④]。”

其时，阿特柔斯之子阿伽门农的灵魂对他答称：

---

① 两位人杰的魂魄在地府里相遇，谈论起人生的悲壮。一位是号令全军的统帅（第26行），另一位是特洛伊战场上最骠烈的壮勇（第十一卷第478行），然而命运无情，使他们过早地结束了传奇的人生。在本书的最后一卷里，诗人没有忘记提醒听众，凡人的生计悲惨，即便是身居高位的阿伽门农，即便勇烈如阿基琉斯，最后也只能听凭命运的摆布，踏上死亡的“归程”。参考《伊利亚特》第二十一卷第103—113行。奥德修斯知晓战死是攻城略地者的命运（该史诗第十四卷第85—87行），尽管他自己将在舒适的晚年中死去（参考本书第十一卷第134—136行）。比较阿基琉斯对生活的向往（同上第489—491行）。参考第十五卷第408行等处。关于悲剧人生，参阅第十八卷第130—142行及第131行注释。注意，地府里的阴魂并没有喝饮血浆便可互相谈论（而阿伽门农还长篇回忆了往事，可见记性犹存，参考本卷第36行以下）。比较第十一卷第147—148和152—154行等处。本卷第27行同第三卷第220行。阿基琉斯和阿伽门农在《伊利亚特》第一卷里吵翻，在第十九卷里趋于修好。在第二十三卷里，阿基琉斯让统帅不劳而获，得奖一杆枪矛，“明显”而又得体地表示了对他的尊敬（第889—897行）。

② 既然人终有一死，阿基琉斯希望阿伽门农能（像他自己一样）战死疆场，名扬千古（参考第30—33行；比较第十一卷第488—491行），以此抵消（人）必死的卑俗，光耀英名的永存。置身逆境中的奥德修斯亦曾表述过宁肯在特洛伊城下战斗丧生的意愿（第五卷第306—312行）；比较忒勒马科斯对此愿的“附会”（第一卷第236—240行）。参考赫克托耳的豪言壮语（《伊利亚特》第七卷第87—91行）；比较萨耳裴冬的英烈（该史诗第十二卷第322—328行）。

③ 第32—33行大致同第一卷第239—240行和第十四卷第369—370行。

④ 参考阿伽门农的自述（第十一卷第409—426行、本卷第95—97行）。参考并比较第二十二卷第471—477行及相关注释。

“哦,阿基琉斯,裴琉斯幸福的儿子像似仙神①,
你死在远离阿耳戈斯的特洛伊大地,身边躺倒死去的
人们,那是特洛伊和阿开亚最好的子弟军人,
为争抢你的尸躯拼战,而你却卧躺飞旋的泥尘,
偌大,魁伟,彻底忘却车战的道门②。
我们打了整整一天,仍会战斗
不止,若非宙斯干预,卷来骤雨暴风。
我们把你抬到船边,脱离战斗,
放置尸床,用温水净洗你俊美的
躯身,涂抹油膏,达奈人围着你遍洒

① 阿基琉斯贵为女神塞提斯之子,生前英勇善战,在阿开亚军中享有很高的威望(参考第十一卷第 482—486 行)。死后,阿基琉斯充当阴间的王者,统领地府里的鬼魂(同上第 486、491 行)。从“理论”上来说,他的“属下”中也包括生前的顶头上司阿伽门农。阿基琉斯的“幸福”还见之于战死疆场后得到厚葬的礼遇,包括塞提斯及众位海中女仙的出席(本卷第 47—49 行)和缪斯姐妹们的轮唱致哀(第 60—61 行)。

② 相似的描述见《伊利亚特》第十六卷第 775—776 行(比较该史诗第十七卷第 26—27 行)。抢夺战勇的尸体是构成《伊利亚特》里勇士拼搏,即“壮举”的内容之一。奥德修斯也参加了争夺阿基琉斯遗体的战斗(参考本书第五卷第 308—310 行)。阿基琉斯的死亡在《伊利亚特》里已有明确的预示(参见该史诗第十八卷第 80—99 行和第二十二卷第 355—366 行),具体录载于已经失传的《埃塞俄丕斯》(大概成文于公元前六世纪)。荷马应该或肯定知晓阿基琉斯死于斯凯亚门下的战斗经历。

滚烫的眼泪,割下一绺绺发根[①]。
你的母亲[②] 闻迅踏出水波,带领永生的
海仙随跟,哀厉的哭声顿起,在海面上
飘拂,颤抖逮住了所有的阿开亚人[③]。
其时,他们会跃起逃跑,乘坐深旷的海船走人,
若非某位通晓古时智慧的老者力阻[④],
奈斯托耳,他的劝议向来是最好的筹陈。
怀着对大家的善意,他在人群中发话出声[⑤]:
‘站住,我说阿耳吉维人,别跑,年轻的阿开亚人。
此乃他的娘亲,踏出海水的波纹,带领永生

---

① 参祭者割下自己的发绺,抛置于死者身上,以示对他的尊敬和奠祭(参考《伊利亚特》第二十三卷第 135—136 行和本书第四卷第 197—198 行)。参考奥瑞斯忒斯对赫耳墨斯的吁请:

赫耳墨斯,你看护我祖辈的权威,你,冥府的豪强,
做我的盟友,救卫,求你帮忙。
我已返回国土,自己的,一个流放者,抵达故乡。
站对这座堆垒的坟墓,我向亲爹呼喊,
愿他聆听,耳闻我的声响[……]
献给伊那科斯,我奉上这绺头发,报答它的恩养,
用这另一绺发丝表达我的愁伤[……]

(埃斯库罗斯《奠酒人》第 1—7 行)

② 指塞提斯,海洋长者奈柔斯的女儿。参考《伊利亚特》第十八卷第 35—60 行。

③ 凡人哪里见过这样的阵势(如果真有的话),难怪会被吓得浑身发抖。当塞提斯把神制的甲械放在阿基琉斯的慕耳弥冬军汉面前时,他们谁也不敢正视,“吓得惶然”(《伊利亚特》第十九卷第 12—15 行)。

④ 奥德修斯亦曾力阻阿开亚军士的溃散(详见《伊利亚特》第二卷第 182 行以下),使他们不致“冲破命运的制约”(参考同上第 155 行)。老年人经验丰富,较多阅历,故而思考问题相对全面,处理事情远较年轻人稳健。参考本书第二卷第 188—189 行、第七卷第 155—157 行及相关注释、《伊利亚特》第十八卷第 250 行注(比较该史诗第四卷第 315 行和第七卷第 157 行注等处)。

⑤ 参考《伊利亚特》第七卷第 324—326 行。对奈斯托耳的谋略和辩才,阿伽门农在该史诗里已有极高的评价(详见第二卷第 370—374 行)。

的海仙姐妹，看视已经死去的儿身。'

"他言罢，心胸豪壮的阿开亚人息止慌恐。
海洋长者的女儿们围站你的尸躯悲哭，
哀悼，用永不败坏的衣裳[1] 为你裹身。
缪斯姐妹，九位总共[2]，引吭动听的轮唱
哀歌，其时你看不到有哪个阿耳吉维人
不流泪水，缪斯的歌唱深深地打动了他们。
一连十七天，白昼黑夜同等，
我们为你哭嚎，永生的神祇和会死的凡人。
第十八天上我们举行火葬，在你身边
杀倒众多肥羊和弯角的壮牛。

① 女仙们带来神界的衣服，遮裹阿基琉斯的躯身。神用的物品也像神祇本身一样，是"永生的"(参考第55—66行)，即"永恒的""永不败坏的"(ambrota，第59行)。同样的表述另见《伊利亚特》第十六卷第670、680行(参考第680行注)。参考并比较本书第五卷第93行注和第八卷第364行注。

② 在西方文史作品中，此乃对缪斯姐妹的具体数目(即一共九位)的首次提及。古代注疏家中有人怀疑"九位"乃后人的续补，并非荷马真迹。在《奥德赛》里，除了本例以外，缪斯均以单数形式出现(参考第一卷第1行、第八卷第63、73和480—481行)。缪斯的单、复数形式在《伊利亚特》里均有出现(分别参见第一卷第1行、第二卷第761行；第一卷第604行、第二卷第484行和第十一卷第218行等处)，以复数的见例居多。在荷马生活的年代，听众应该已不会对九位缪斯的提法感到新奇——在活动年代可能只是稍晚于荷马的赫西俄德的作品里，缪斯的数目已被确定为九位(参见《神谱》第60、75—79和916—917行)。关于缪斯，另参考《奥德赛》第一卷第1行注、第八卷第480行注和《伊利亚特》第一卷第1行注等处。诗人无疑相信，"九"是个不坏的数目(参考本书第三卷第7—8行和第十四卷第248行注等处)。

你身穿神的衣裳[1]，连同大量油膏和
甘甜的蜂蜜火焚，成群的阿开亚英雄
身披铠甲，围绕熊熊燃烧的柴堆走动，
有的徒步，有的驱车，巨莽的嚣响升腾[2]。
当赫法伊斯托斯的烈焰把你尽焚，
我们收聚你的白骨，阿基琉斯，于拂晓时分，
在不掺水的醇酒和油膏里放陈。你娘曾给你

① 神赐的衣裳是永恒的(参见第59行)，但不知是否能经得住赫法伊斯托斯的柴火。对诸如此类的细节问题，荷马的做法经常是避而不作“深究”。注意诗人在此未提阿基琉斯的甲械(足见他也常有精细的时候)，尽管当时通行的做法是，焚尸时会附带“陪烧”壮士生前使用的甲械(参考第十一卷第74行、第十二卷第13行和《伊利亚特》第六卷第418行)。诗人知晓阿基琉斯死后埃阿斯与奥德修斯为争他的甲械反目的故事(参阅本书第十一卷第543—564行)，故而在此避提甲械，代之以神赐的衣裳，从而有效剔除了一个肯定会引起前后矛盾的事例，或曰隐患。

② 比较荷马对哭祭和莫焚帕特罗克洛斯场景的细致描述(《伊利亚特》第二十三卷第12—23和161—225行)。

一只双把的金瓮[①],并说那是狄俄尼索斯[②] 的
礼物,出自著名的赫法伊斯托斯的手工。
你的白骨就放在里面,哦,闪光的阿基琉斯,
和墨诺伊提俄斯之子、已故的帕特罗克洛斯同瓮[③],
安提洛科斯的骸骨另放——帕特罗克洛斯
死后,他是军中你最珍爱的伴朋[④]。
围绕死者的遗骨,阿耳吉维灵杰的

---

① 帕特罗克洛斯提到过这只金瓮(《伊利亚特》第二十三卷第 92 行),两部史诗在细节上的吻合佳例颇多(参考本书第十二卷第 229 行注和第十五卷第 45 行及该行注等处;比较第八卷第 218、270 行注)。

② 在荷马史诗里,后世文学作品中象征诗歌精神的狄俄尼索斯,只有粗略和相对低调的几次提及(另见《伊利亚特》第六卷第 132、135 行,第十四卷第 325 行和《奥德赛》第十一卷第 325 行)。慕凯奈(即迈锡尼)时代的希腊人熟悉此神(他的名字见诸 Linear B 泥板的记载),但似乎对这位“外来者”对转世和秘仪的青睐持不敢全面苟同的保留态度。史诗崇尚拼搏的精神与狄俄尼索斯的灵魂观之间仍有差距,而早期的史诗诗人们大概也不愿意把诗的产生和狄俄尼索斯的葡萄(即酒)挂起钩来。诗歌能够魅人,使人愉悦,但它同时又是知识(参考第十二卷第 188 行注),是学问,是撑托社会文明的支柱(参考第二十二卷第 346 行注)。诗人受神的点拨,接受神的青睐,但是他们头脑冷静,思路清晰,通常远离疯迷(mania,细读第十八卷第 407 行注)。在荷马史诗里,诗人(即歌手)是缪斯的门生(缪斯不仅给他们唱诗的“感觉”,而且传授故事的内容,参考第八卷第 64 行注等处),而非狄俄尼索斯的信徒,他们的举止行为更多地展示了阿波罗的理性(参看《伊利亚特》第二十一卷第 461—469 行)和缪斯的典雅,而非狄俄尼索斯及其伴从们的嬉闹与放荡(参考该史诗第六卷第 132—137 行)。史诗里的狄俄尼索斯既非诗歌之神,也不是史诗诗人讴歌的对象。由此比较尼采的诗歌理论,我们将不难看出其中的“盲点”。

③ 此举符合帕特罗克洛斯和阿基琉斯的意愿(分别参见《伊利亚特》第二十三卷第 91—92 和 243—244 行)。

④ 安提洛科斯(奈斯托耳之子)生前颇得阿基琉斯喜爱(参考《伊利亚特》第二十三卷第 555—556 行),也正是他把帕特罗克洛斯阵亡的消息通报给阿基琉斯(该史诗第十八卷第 15—21 行)。在前《伊利亚特》的传说里,安提洛科斯于特洛伊城下的作用或许大致等同于荷马“笔下”的帕特罗克洛斯。诗人在改编故事的同时,也有意识地保留了某些古代传说的痕迹。在《伊利亚特》里,帕特罗克洛斯死后取他的位置而代之的是奥托墨冬和阿尔基摩斯——他俩成了阿基琉斯最喜爱的副手(该史诗第二十四卷第 574—575 行)。

枪手们堆垒高坟，硕大、完美，在一处
突兀的滩岬，傍临宽广的赫勒斯庞特的水深[①]，
使航海的人们能从远处眺见，
无论是现今活着的，还是将来方始出生[②]。
接着，你娘向神明索求绚美的礼物，
置于赛场之中，作为奖励，赏给最好的阿开亚人[③]。
我曾参加过许多英雄的葬礼，
在那种场合，为了死去的国王，
年轻人束紧衣衫，为获奖酬比争，
但你的心灵会赞叹那批什物，远比寻常的超胜，
银脚的塞提斯，女神，给出如此瑰美的赏礼，
为了你的光荣。神祇着实爱你，至深。
所以，尽管死了，你却没有失去名声；
你的英烈永存，阿基琉斯，传享所有的凡人[④]。

---

① 参考《伊利亚特》第二十三卷第245—248行。

② 这或许是对一位战死疆场的勇士的最高褒奖，也是对他的亡魂的最大安慰。比较赫克托耳的"吹擂"(《伊利亚特》第七卷第87—91行)。在史诗人物的心目中，坟墓确证人的荣誉，显示人的价值，安抚人(即死者)的心魂。参考本书第十一卷第71—76行。

③ 哭悼之余，礼葬之后，人的心情需要摆脱哀祭的低靡，需要鼓舞振奋。于是，他们转向拼抢、竞争，转向对赛事的渴望，开始全力以赴地展示自己的杰能(参阅《伊利亚特》第二十三卷第257行以下)。在当时，比赛的项目大都具有实战效用。赛场是和平(或休战)时期的战场；壮士既是战场上的英雄，也是赛场上的强者。赛场也是史诗人物争获 kleos 的去处(参考并比较本书第八卷第148行注)。奥德修斯不仅在赛场上战胜了求婚人(他一箭透穿斧孔)，而且也在"战场"上(即厅堂里的杀斗中)制服了他们，争得了本该属于他(或非他莫属)的奖品：他的妻子，一位才貌双全的美人。

④ 比较奥德修斯对阿基琉斯生前死后荣誉的评价(第十一卷第477—486行)。诗人没有给阿基琉斯以"全面"作答的机会；估计即便给的话，阿基琉斯的回答"调门"也不会很高。细品同上第488—503行。对人生所不可避免地带有的"悲剧"的一面，阿基琉斯的理解有着超乎许多史诗人物的深刻之处[参考《伊利亚特》第二十一卷第108—113行；比较老乞丐(即奥德修斯)对"昌达"和"败毁"的理解(本书第十九卷第75—80行)]。

至于我，咳，历经鏖战，但却得到了什么喜悦
福分[①]？值我回家之际，宙斯谋划我的凄惨丧生，
倒在埃吉索斯手下，会同我该死的妻子杀人[②]。"

就这样，他们你来我往，一番谈说[③]，
导者阿耳吉丰忒斯临近他们，其时，
引着求婚人的灵魂，被奥德修斯杀夺。
他俩见后惊奇，向来者靠拢，
阿特柔斯之子阿伽门农的灵魂认出了
墨拉纽斯钟爱的儿子、光荣的安菲墨冬[④]，
其人居家伊萨卡，曾是他的客主做东。
阿特柔斯之子的魂灵首先发话，出声：

---

① 比较阿基琉斯的悲叹(《伊利亚特》第十八卷第 80 行)。阿伽门农的态度或许过于悲观了一些。墨奈劳斯已为他堆垒坟茔，"使他的英名永存不灭"(本书第四卷第 584 行)。阿伽门农生前贵为"统治辽阔疆域"的王者，威风八面。即使在兵荒马乱的伊利昂城下，如果我们愿意相信塞耳西忒斯的慷慨陈词，他的生活也应该过得相当富庶、舒逸(参考《伊利亚特》第二卷第 225—231 行)。然而，史诗人物所特有的悲剧(或悲壮)意识，使得他不愿过高评价生活中顺心的方面，在到位地表现出深沉的同时，也使人体会到了他对人生的"感觉"中的即便在死后仍然挥之不去的悲哀。

② 参考第 20—22 行及相关注释。另参考第三卷第 193—194 行和本卷第 34 行注。注意阿伽门农的亡魂提到了宙斯的谋划(本卷第 96 行；参读第十一卷第 297 行注等处)，暗示了(在史诗里)即便是最毒的坏人也有推诿"责任"的机会，也有为自己开脱错失的理由。双重动因(参考第三卷第 27 行注)的"存在"，既使神祇难以最终摆脱干系，无法彻底超然于凡人的被各种纠纷困扰的世界(参考第一卷第 32—34 行；比较宙斯对此事的态度：几乎是毫无保留地把责任推给了埃吉索斯，参见同上第 35—43 行)，也使凡人难以准确把握行为的责任"系数"，不能精确划定和评判道德原则的是非界线。参考并比较第二十三卷第 59、219 行注。

③ 第 98 行同第四卷第 620 行等处，在两部史诗里均有见例。

④ 求婚人，被忒勒马科斯击杀(第二十二卷第 284 行)。阿伽门农与此人的客谊(参见本卷第 114—115 行)别处无有见例，真假难辨，但虚构或即兴创作的可能性大些。诗人完全可以根据既有的主干故事或通行的"说法"增添内容，横生枝节。

"何事降临你们,安菲墨冬,坠临昏黑的泥层底下,
清一色精选的青壮,年岁相同?——在一座
城里挑选,人们不会有更好的择从。
是波塞冬吹扫你们的海船,掀卷摧捣的
狂风和汹涌的海浪,将你们去诛?
抑或,是在干实的陆地,人间的械斗把你们杀屠,
当你等试图从栅栏里赶走牛群和卷毛的绵羊,
或和敌人打斗,为了掠夺他们的城市女流[①]?
回答我的问话,我呀声称是你的客友。
忘了吗,我曾造访该地,你的门户,
带着神样的墨奈劳斯,敦劝奥德修斯辅助,
和我们一起出战伊利昂,乘坐带凳板的海船坚固[②]?
此行耗时一个整月[③],把宽阔的大海穿渡,

① 阿伽门农沿用了奥德修斯在对他问话时用过的句式(第109—113行大致同第十一卷第399—403行)。

② 墨奈劳斯亦曾随奥德修斯出访特洛伊,索要妻子海伦(参考《伊利亚特》第三卷第205—206行)。关于墨奈劳斯的口才,细析同上第213—215行。关于阿伽门农亲自造访伊萨卡、劝说奥德修斯出征的故事,此乃最早、或许也是绝无仅有的见例。诗人大概在此沿用了前荷马史诗(或既有唱段)中的提法,尽管我们似乎亦不宜排除由他"首创"的假设。据《库普里亚》[意为"作于库普里斯(即塞浦路斯)的史诗",其创作年代不会早于公元前六世纪中叶]介绍,出行伊萨卡的"使团"成员有三位,即墨奈劳斯、奈斯托耳和帕拉墨德斯。

③ 不知阿伽门农兄弟俩是否于去往伊萨卡途中在别地逗留。据奈斯托耳介绍,阿开亚人的一部从特洛伊返航至阿耳戈斯,仅用了三天时间(参考第三卷第180—182行)。除了去程外,"一个整月"或许还包括阿伽门农对奥德修斯或许不会是马到成功的劝说、在伊萨卡的客访(参考本卷第102—104行)以及归航所花去的时间。和"迅捷的"一样,"带凳板的"也是史诗里海船的一个常见饰词。

好不容易说服了奥德修斯,此人荡劫城府①。”

其时,安菲墨冬的灵魂对他答话,出声:
“阿特柔斯最尊贵的儿子,民众的王者阿伽门农②,
你说的一切,神育的王爷,我全都记得逼真,
我将对你讲说,原原本本地述陈,
我们怎样遭遇凶邪的死亡,事情的过程。
我们追求奥德修斯的妻子,此人已久离家门,
而她则既不拒绝可恨的婚姻,也无力了结纠纷,
但却编排我们的死亡和乌黑的毁灭③,
构蕴此番诡计,设谋在她的心胸。
她安置一架偌大的织机,在她的房宫,
开始编制一件宽长精美的织物,话对我们:
‘年轻人,追求我的人们,既然卓越的奥德修斯
已经死去,你们何不等等,尽管急于娶我,
待我做完此事,使织工不致半途而废不成。

① 奥德修斯不仅参与破袭有“冒犯”行为的城国(如特洛伊;帕里斯带走海伦,由此伤害了墨奈劳斯的自尊,也亵渎了阿开亚人盛情待客的好意),而且也率众荡劫“无辜”的城邦(参考第九卷第39—42行及相关注释)。诗人在此用了“荡劫城府”,而非别的出现率更高的饰词,意在突出奥德修斯的豪勇(尽管阿伽门农无疑也看重并需要他的智谋)。诗人没有说明奥德修斯为何不愿出征(或许他以为听众熟悉相关的故事,所以不作赘述)。据后世作家的“发挥”,奥德修斯曾装疯卖傻,以期蒙混过关[《伊利亚特》中有被征(或被邀请)者,通过送礼或缴纳一定数量的财礼得以(或可以)释免出战的见例],但被帕拉墨德斯识破。然而,一经同意出战,奥德修斯便义无反顾,充分施展他的文韬武略,成为阿伽门农麾下的一员不可多得的将才。

② 阿伽门农的规范化全称,见诸两部史诗之中(比如第十一卷第397行和《伊利亚特》第二卷第434行)。

③ 裴奈罗佩设计蒙骗,严重挫阻了求婚人娶她的计划。为奥德修斯的回归复仇争取到了时间,从这个意义上来说,她的做法也促成了求婚人“乌黑的毁灭”(kera melainan,参考第二十一卷第247、342行注)。

我为莱耳忒斯制作披裹，为一位英雄，以便
当死亡，当那份注定的悲苦将他逮住之时，
邻里的阿开亚女子不致怪罪于我，
让一位拥攒丰广家产的人士，死后无有织布裹身。'
她言罢，说动了我们高傲的心魂。
她白天忙碌在偌大的织机前，从那以后，
夜晚则就着火把，将织物拆散从头。
如此三年，她瞒过我们，使阿开亚人信以为真。
随着第四年的来临，季节的转动，
月份消逝，日子一天天移走，
一个知晓全部内情的女子抖出隐秘，告诉我等，
我们现场揭穿，正当她拆散绚美织物的时分。
就这样，她违心背意，只好完成①。
织毕，完工，她净洗硕大的披裹，展示给
我们，织物闪光，像似太阳或月亮同等。
这时，一个凶邪的精灵从某地带回奥德修斯其人②，
落脚荒僻的田庄，他的牧猪人在那里栖身③。
此外，神样的奥德修斯钟爱的儿子从多沙的
普洛斯回返，乘坐乌黑的海船归航④，

---

① 诗人再次重复了裴奈罗佩的"诡计"（另见第二卷第 93—110 行和第十九卷第 139—156 行；参考相关注释）。如果说奥德修斯曾从地府获取信息（参阅第十一卷），安菲墨冬（的灵魂）则把发生在人间的最新"事变"反馈到了地府（另见本卷第 149 行以下）。通过这种不断的充实，地府事实上已是除了神（比如宙斯、雅典娜、阿波罗和缪斯等——荷马相信，神祇通古博今，无所不知）的头脑以外的第二个信息"资料库"。

② 安菲墨冬"紧凑"了事态发展的实际进程。"精灵"原文作 daimon（参考第十五卷第 261 行注）。

③ 详见第十三卷第 404—411 行及第十四卷第 1 行以下。

④ 详见第十五卷第 1 行以下。

父子俩商定求婚人邪毒的死难①，
前往光荣的城邦。奥德修斯后到，
事实上；忒勒马科斯先行②，由牧猪人
引入奥德修斯③，穿着破旧的衣裳，
看似一个穷酸的老头，要饭的乞丐
貌相，拄着枝棍，身上的衣衫褛褴④。
我们中谁也认不出来得如此突然的
他，即便是年长的那些也都一样⑤，
反倒抛甩物件，对他恶语相加。
然而，奥德修斯心志刚强，暂且忍受飞掷的
物件和粗暴的话语，在自己的宫房⑥。
当带埃吉斯的宙斯属意催他奋发⑦，
他便伙同忒勒马科斯的帮忙，搬走光荣的

① 详见第十六卷第 233—320 行。

② 参考第十七卷第 1—30 行。

③ 详见第十七卷第 182—325 行。安菲墨冬的叙述提纲挈领，略去了许多细节。人物的“回顾”构成了《奥德赛》的一个叙事特色，所述内容占据了作品中大篇幅的诗行。

④ 第 157—158 行同第十七卷第 202—203 行。第 157 行同第十六卷第 273 行和第十七卷第 337 行。

⑤ 求婚人已被骄奢冲昏了头脑；此外，雅典娜(或神明)也可以使他们认不出奥德修斯。参考第十三卷第 397 行。另参考并比较第十九卷第 357—360 和 379—385 行。

⑥ 详见第十七卷第 374 行以下，奥德修斯优点颇多，坚忍便是其中之一(参考第十七卷第 283—284 行及相关注释)。

⑦ 作为史诗人物，安菲墨冬有理由断定此事(参见第 165—166 行)必由神灵催发(比较《伊利亚特》第十五卷第 242 行)，只是“催励者”不是宙斯，而是一贯像亲娘一样(《伊利亚特》第二十三卷第 783 行)关怀、保护和帮助奥德修斯的雅典娜(参考本书第十六卷第 282 行、第十九卷第 2 和 33—34 行等处)。关于埃吉斯，参考第二十二卷第 297 行注等处。

甲械，收入藏室，将门面关上[①]。
其后，怀揣诡谲的心肠，他命嘱妻子
拿出射弓灰铁，在求婚人面前置放[②]，
举办开始屠杀的竞赛，为我们命运险厄的一帮。
我们中谁也不能把弦线调上强劲的
弓杆，所有的人啊全都远为力乏。
当那张大弓被交给奥德修斯试尝，
我们大家全都说话，威胁携弓人
不要送出弓杆，不管他怎样辩答，
只有忒勒马科斯一人催他，促他递上。
于是，历经磨难的奥德修斯手接弓杆，
轻松挂弦，一箭透穿铁斧的洞孔直截了当。
他走去，站临门槛边旁，倒出箭枝，在身前的地上，
目光炯炯，闪射凶光，撂倒王者安提努斯[③]，
继而发射歹毒的箭矢，对其他人发放，
直瞄他们，后者一个接着一个倒下[④]。
显然，某位神明在给他们帮忙[⑤]，
几个人穷追我们，就在宫房，挟卷豪力犟狂，
击杀我等，这里那厢，求婚人头脑破碎，

---

① 参阅第十六卷第281—298行和第十九卷第1—46行。参看相关注释。安菲墨冬当时并没有看见奥德修斯父子搬运兵器的举动(第十九卷第31—34行)，但他可以根据其后求婚人找不到兵器的事实推断(参考第二十二卷第139—141行)，也可以(我们假设此乃史诗人物的特权)讲述诗人要他讲述的他本人或许不甚知晓的细节。

② 第168行同第二十一卷第3行。关于弓赛的进行过程，参阅第二十一卷中的相关描述。

③ 详见第二十二卷第1—21行。

④ 参考第二十二卷第118行。

⑤ 参考第164行及该行注释。参考第九卷第142行及该行注；比较第四卷第713行注等处。本卷第182行和《伊利亚特》第十一卷第366行里的部分用词相似。

厉声的尖叫可怕，地上血水横流，溢淌[①]。
就这样，阿伽门农，我们被人杀光，至今
不得收殓，仍然尸横奥德修斯的殿堂[②]，
因为家中的亲朋不知此事，
否则他们会洗去我们伤口上的黑血，
抬出尸体哭丧——此乃死者的权益，应当[③]。”

其时，阿特柔斯之子阿伽门农的灵魂对他答讲：
“有福啊，多谋善断的奥德修斯，莱耳忒斯的儿郎，
你确实赢得了一位德行[④] 佳好的妻子，
伊卡里俄斯的女儿，无瑕的裴奈罗佩的
心灵何其贤良，总把奥德修斯、婚配的夫君
放在心上[⑤]。所以，美德赋予她的英名
将永不逝亡，长生者们会给世人

---

① 详阅第二十二卷第 81—309 行。第 184—185 行大致同第二十二卷第 308—309 行。比较《伊利亚特》第十卷第 483—484 行和第二十一卷第 20—21 行。

② 然而，奥德修斯已命嘱求婚人的情妇们抬出他们的尸首，在院子里堆放（第二十二卷第 448—450 行），随后又用硫黄净熏宫居厅堂（同卷第 493—494 行）。

③ 求婚人邪恶，理应受到惩罚。安菲墨冬无意替自己和其他求婚人的行为辩解（参考第 161—163 行），显然并不认为这帮人死得冤枉。然而，他还是“想”到了他的作为死者的中性身份，认为理应得到亲友的哭祭埋葬。如果说杀人者可以随着场境的移位，摇身改变为受到神祇保护的祈求者（细读第十三卷第 260 行注），安菲墨冬当然也可以伴随死亡的临头甩掉求婚人的恶虐，转而以死者的身份要求获得属于他的权益。

④ arete，“德”“美德”（另见第 196 行）。参考第四卷第 202 行注等处。

⑤ 在第十一卷里，阿伽门农已对裴奈罗佩有所赞扬（第 445—446 行）。

送来诗篇，把谨慎的裴奈罗佩颂唱[①]。
屯达柔斯的女儿可不是这样，她谋设邪恶的行为，
凶杀原配的夫郎，人间会有
怨恨的歌谣，对她，败毁所有女人的
名声，即便她的行为贤良[②]。"

就这样，他俩一番说讲，你来我往[③]，
站在黑魆魆的地表下面，哀地斯的宫房[④]。

此刻，奥德修斯一行出离城市[⑤]，很快抵达
莱耳忒斯秀美和精耕细作的田庄[⑥]，后者
亲手营造这处林园，付出艰辛的劳动工忙。
那里有他的住家，周边是搭起的棚房，
帮工的役仆们在里面食餐、息坐、睡躺，
这帮人被迫劳作，使他欢畅。
那里还有一位年迈的西西里妇女，精心照料

① 在没有史记和史书的古代，诗（尤其是史诗）具备诗史一体的性质。诗歌记载民族的既往，警示未来，既可使人名扬千古，亦可借助"长了翅膀的话语"，使人身败名裂，遗臭万年。参考本卷第 200—202 行、第三卷第 199—200 行、第十一卷第 432—434 行和《伊利亚特》第六卷第 354—358 行。本卷第 196 行里的"英名"，原文作 kleos（细读第八卷第 148 行注和第二十一卷第 329 行注）。

② 参考并比较第十一卷第 427—434 行。阿伽门农赞美裴奈罗佩的贤德，目的是突显克鲁泰奈斯特拉的不忠与戾蛮。比较奥德修斯对发生在阿特柔斯家族中的不幸事件的理解（同上第 435—439 行）。参阅第二十三卷第 59 和 219 行注。

③ 第 203 行同第二十三卷第 288 行等处。

④ 相似的表述见《伊利亚特》第二十二卷第 482 行。

⑤ 诗人把听众的注意力带回到奥德修斯一边，紧接第二十三卷的结尾部分（即第 366—372 行），续讲奥德修斯及其帮手们的行动。

⑥ 参考第二十三卷第 137—140 行。关于莱耳忒斯，参看第一卷第 189—193 行、第十一卷第 187—196 行以及第十六卷第 138—145 行等处。另参考本卷第 509 行注。

老人的起居，服侍在远离城区的农庄[①]。
其时，奥德修斯话对儿子和仆人，说讲：
“去吧，你们，走进坚固的住房，
杀祭最好的肉猪，迅速备妥食餐，
而我将亲自探察父亲[②]，看看他
能否知晓，眼见后认出我来，
还是不能辨识，因为我已长久离家。”

言罢，他把打斗的兵器交付工仆握掌，
后者当即行往住房。奥德修斯
临近丰茂的葡萄园，寻访，
既不见多利俄斯[③]，当步入偌大的果园觅察，
也不见他的儿子们和其他仆帮，均已
外出搬石，修筑合围果园的
护墙，老人领着他们[④]，带队前往。
但他找见父亲，在齐整的果园，
松铲一株果树的边土，穿着肮脏的衣衫，

---

① 参考第一卷第 191 行。老妇是下文中提到的多利俄斯(第 222 行)的妻子(第 386—390 行)。莱耳忒斯的妻子安提克蕾娅已经去世(参考第十一卷第 84—86 行)。关于西西里，参考第二十卷第 383 行注。至迟在公元前七世纪，古希腊人已开始向西西里和意大利南部沿海地区移民。

② 为求婚人复仇的追兵将至，奥德修斯却还有闲心“探察父亲”(第 216—218 行)，可见他对探察的兴趣(参考第十七卷第 363 行注和第九卷第 229 行注)。

③ 首见于第四卷第 735 行。参考相关注释。

④ 老仆多利俄斯已是园内其他工仆的头儿。比较猪倌欧迈俄斯在奥德修斯家中的地位(参考第十四卷第 24—28 和 449—452 行)。奥德修斯宫中没有专司护院的亲兵或家丁，但遇到紧急关头他可信靠工仆的帮助——他们会迅速改变职能，成为和主人并肩战斗的助手(参见本卷第 497—499 行；欧迈俄斯和菲洛伊提俄斯的表现已先行证明了这一点)。

满是补丁，破破烂烂，腿上绑着牛皮
护胫[①]，七拼八凑，抵御刮损的伤害，
指掌上戴着手套，因为劳作在枝丛之间，
头顶山羊皮帽，平添了他的辛酸[②]。
卓著和历经磨难的奥德修斯目睹他
受迫于苍暮的老年，看出他心忍巨大的悲哀，
站临一棵高耸的梨树底下，禁不住泪水涟涟，
思忖，在他的心里魂里想开[③]，
是拥抱和唇吻自己的父亲，告知
一切，讲说他已回抵亲爱的乡园，

---

① 《伊利亚特》提到过青铜胫甲(第七卷第 41 行；参考该史诗第三卷第 330 行注)。阿开亚人的饰词之一是"胫甲坚固的"(参考该史诗第一卷第 17 行和《奥德赛》第二卷第 402 行及相关注释)。莱耳忒斯贵为"国父"，应该吃穿不愁。尽管这几年家中备受求婚人折腾，境况不佳，但要穿身好衣服(参看本卷第 366—367 行)，腿上绑一副新的皮护胫(如果他需要的话)，应该不成问题。或许，老人生活和劳作在农庄，不便衣冠楚楚；或许，破衣象征晚年的悲惨和家境的衰败；或许，老人悲痛于儿子的失离，已无心享受或讲究生活的排场体面。比较老狗阿耳戈斯的凄惨(第十七卷第 291—300 行)。

② 莱耳忒斯的园圃里不缺工仆(参看第 222—225 和 209—210 行，另见第 386—387 行)。只要愿意，他完全可以不干粗活，像赫法伊斯托斯在给阿基琉斯的盾牌上描铸的那位王者一样(参考《伊利亚特》第十八卷第 556—557 行)，观赏别人的劳作，悠闲自得(另参考本卷第 254—255 行)。然而，思子带来的悲哀已使他陷入绝望，无心享受生活的甜美。莱耳忒斯并不鄙视体力劳动；相反，他精通栽培果树的技艺，"治园有方"(第 244—245 行)。奥德修斯从小受到父亲的熏陶(详见第 336—343 行)，谙熟农林之事(参考第十八卷第 366—375 行及第 375 行注；另参考该卷第 317 行注)，是荷马史诗里最典型的集武士、谋略家、运动健将和劳作者于一身的多面手。比较假冒克里特人的奥德修斯声称对农事的厌弃(第十四卷第 222—223 行)。参考并比较第十七卷第 20—21 行。

③ 程式化用语。参考第四卷第 117 行和第十卷第 151 行等处。参考第二十卷第 10 行注。

还是先问,问明一切,把他探察一遍[①]。
斟酌比较,他觉得此举最为妥帖[②]:
先行探察,对他说话,用含带嘲弄的语言。
主意已定,高贵的奥德修斯向他走去趋前。
对方正头脸朝下,挖铲在一株果树的边沿,
光荣的儿子近离站立,对他说话,开言:
"你治园有方,老人家,不缺技艺的
精湛[③],所有的植物都得到精心照料,
无有疏略,不论是无花果树还是葡萄,
不论是橄榄树、梨树还是菜畦,展示在你的果园。
不过,你可别生气,听了我说的事情,另外一件。
你自己可没有得到妥善的护理,承受老年的悲哀[④],
脏浊、污秽,穿着破旧的衣衫。
并非你懒惰,失去了主人的关怀,
亦非你的身材容貌,我眼见的这些

① 奥德修斯选择了第二种做法(参见第 239—240 行;参考第十七卷第 237 行注)。奥德修斯对探察的喜好似乎已到了"痴迷"的程度(参考本卷第 216 行注)。

② 程式化诗行,大致同第十卷第 153 行等处。

③ 对生人(此时他亦把莱耳忒斯假设为生人,比较第十四卷第 53—54 行)讲话,奥德修斯经常以赞褒(包括祝福)的语句开篇(参考第六卷第 149—169 行、第七卷第 146—150 行和第十七卷第 415—418 行)。奥德修斯能言善辩,亦颇知如何迎合对方的心理,以期加强话语的"感化"作用,取得最佳的接收效应。

④ 总的说来,古希腊人对老年的态度趋于悲观(参考第 233 行和第十一卷第 196 行等处;比较本卷第 51 行),一般不会有"莫道桑榆晚,为霞尚满天"(刘禹锡《酬乐天咏老见示》)的豪情,不会有"老夫喜作黄昏颂"的乐观。然而,莱耳忒斯即将重振雄风,披挂上阵(本卷第 498—499 行),并且在战斗中首开杀戒(第 521—525 行)。参考第 366—374 行。

不是奴隶的外观[①]。你看来像似一位王者[②]，
像那种人等，理应沐浴进餐后
睡躺松软的床铺，此乃年长者的益权。
这样吧，告诉我此事，要准确地讲开[③]。
你是谁的工奴？劳作在谁的果园？
告诉我此事，另外，讲实话，让我了解[④]。
我来临此地，可是伊萨卡确切，诚如刚才
那人讲说，在我过来的路上与他会面，
并非十分通情达理，不愿对我
细说或聆听我的话言，当我问及
一位朋友，是仍然活在此地这边，
还是死了，现在，坠入哀地斯的家院。
我这就讲说此事，你要认真关注，听来。

---

① 诗人是相信以貌取人的。人一旦沦为奴隶，便失去了作为人的一半的精湛（细品第十七卷第322—323行），自然也不会有高贵者的气宇轩昂。莱耳忒斯虽然面容憔悴，衣衫破烂，但老王的气质未变，作为一个高贵者的风骨和气度犹在。请注意莱耳忒斯是自己选择"惨"过这种生活的（当然也是诗人的安排，参考本行下半节注）。他并不缺少供他挥霍的财物（参考本卷第285—286行），完全可以享过舒适、安逸的生活（参考第365—367行）。

② 当然，奥德修斯知道老人是谁，知道他本来就是一位王者（伊萨卡"前任"国王）。但诗人的用意或许还在于强调莱耳忒斯的贵人之相；如果换一个生人来看，他也会"发现"老人破衣遮掩不住的王者风范。参考《伊利亚特》第三卷第166—231行。诗人似乎需要有一个衣衫褴褛的老者（或人物）来维持和续延作品的悲剧情调。从《奥德赛》第十四卷开始，充当这一角色的是奥德修斯。此时，奥德修斯已恢复了原来的形貌（令人不解的是，莱耳忒斯会认不出自己的儿子），所以诗人又开始在莱耳忒斯的形象上大做文章（尽管在第一卷里即已有所提及，参考第188—193行），把奥德修斯的老乞丐模样"移栽"到了他的父亲身上（当然，这句话倒过来说也可以，即乞丐奥德修斯曾经沿用了莱耳忒斯衣衫破旧的老人形象，参考第十一卷第191行）。

③ 第256行同第一卷第169行等处。

④ 奥德修斯开始再次施展编讲故事的才能。详见第十四卷第199行以下、第462行以下、第十七卷第419行以下等处。本卷第258行同第一卷第174行。

我曾款待过一位造访家中的朋友[1]，
在亲爱的故乡地面，来者中从未有过如此
受宠的客人，从远方临抵我的院宅[2]。
他声称伊萨卡是他出生的乡园，
还说父亲是莱耳忒斯，阿耳开西俄斯的儿男。
我把他带到家里，热情关怀，
聊表地主的友谊，用家里足量的贮存招待[3]，
馈赠得体，给他表示客谊的礼件。
我给他七塔兰同优炼的黄金[4]，
另赠一只兑酒的纯银缸碗，铸带花卉，
给他十二件单层的披篷，等量的床毯，
给他同样数量精美的披裹，等量的衣衫[5]，
外加四名秀丽的女子，手工娴熟[6]、
精湛，由他自己选定，用心挑选。”

① “朋友”指奥德修斯。参考并比较第十九卷第 185—202 行。奥德修斯要莱耳忒斯讲实话(本卷第 258 行)，自己却谎话连篇(详见第 259 行以下)。

② 比较第十九卷第 350—351 行。

③ 第 271—272 行同第十九卷第 194—195 行。

④ 第 274 行同第九卷第 202 行。比较《伊利亚特》第十九卷第 247 行和第二十四卷第 232 行。关于“塔兰同”，参考本书第四卷第 129 行注。客谊受宙斯的保护(参考第九卷第 270 行及该行注)，而通过客谊(参考第八卷第 389 行注)得取礼品，是史诗人物敛财的手段之一(参看第十七卷第 222 行注和第二十三卷第 357 行注)。

⑤ 第 276—277 行大致同《伊利亚特》第二十四卷第 230—231 行。

⑥ 比较《伊利亚特》第九卷第 128 行。手工娴熟(即善能织纺)亦是女子的德性(aretai)之一(此外还有美貌、聪达、忠贞和贤慧等，参看本卷第 193—198 行)。参考第二卷第 116—117 行。

其时，他的父亲泪水滴淌，对他开言[①]：
“你所临来的，陌生人，正是你要寻觅的地界，
但凶暴和野蛮的人们把它掌控[②]，
你所赠予的礼物，难以数计，就算空给，白白。
假如你能见他，活在伊萨卡地面，
他会送你出行，回赠礼物，盛情款待
你的到来，以此回报你的好意，此举应该。
说吧，告诉我此事，要准确地讲来。
自从你招待那个不幸的客人，我的儿子——
咳，悲苦的儿啊，你可曾活过，在这人间[③] ——
距今已有几年？也许，在那远离家乡亲人的大海，
鱼群已经把他吞咽，要不就在干实的陆地，
野兽和禽鸟已把他猎食入胃[④]，他的父母双亲，
此人是他们的男孩，不曾为他发丧悼哀，

① 面对莱耳忒斯，奥德修斯再次把谎话说得“如同真事一样”（第十九卷第 203 行）。比较裴奈罗佩在听了他的“谎话”后的反应（同上第 204 行）。语言（或诗歌）具备可进行正反向运作的特点，既可陈述事实（参考本卷第 198 行注），亦可虚编谎言（参考第十四卷第 379 行注和第十三卷第 256 行注等处）。奥德修斯及其亲友们爱哭（细读第五卷第 84 行注、第八卷第 88 行注、第十六卷第 190 行注和第十九卷第 251 行注等处），老人莱耳忒斯也不例外。整部史诗里贯穿着正面人物的哭泣，反复点题作品的悲怆情调（也是基调），展示人物带着悲情直面生活和忍辱负重、奋斗不息的精神风貌。参考本卷第 253 行注对悲苦老人形象的阐释。比较求婚人的欢笑（参考第十八卷第 350 行注和第二十二卷第 413 行注等处）。

② 莱耳忒斯尚不知求婚人已经被杀的消息。参考第 325—326 行。

③ 关于此类表述形式，另见第十九卷第 315 行；比较《伊利亚特》第三卷第 180 行等处。

④ 欧迈俄斯曾以相似的语言表述了他的“绝望”心情（第十四卷第 133—136 行）。参考忒勒马科斯的悲观态度（第一卷第 161—162 行）。这是一种典型的对挚爱之人的生死存亡的心理悖论：越不愿意（被确证）他的死亡，也就越不愿意在没有足够证据支持的前提下假设或轻信他能活着回来。

还有他丰足的妻子，谨慎的裴奈罗佩，
无缘做出合宜之举，嚎哭在丈夫的尸床旁边，
不能让他享受死者的权益，替他合拢双眼[①]。
告诉我此事，另外，讲实话，让我了解。
你是谁，从何而来？居城在哪，双亲何在[②]？
迅捷的海船现泊何处，把你送到这边，
载运神样的伙伴同来？抑或，你搭乘的是
别人的船舶，他们把你撂下，续航向前[③]？"

其时，足智多谋的奥德修斯对他答话，开言[④]：
"好吧，对你，我会把所问的一切准确答回[⑤]。
我乃阿路巴斯人，在那儿拥有一处光荣的邸宅，
阿菲达斯之子，家父是王者波鲁裴蒙的儿男。
我名叫厄裴里托斯[⑥]，眼下被神明赶到

① 阿伽门农指责妻子克鲁泰奈斯特拉狠心，"不愿动一动手指"，把已经死去的他的"眼睛和嘴唇合上"（第十一卷第 425—426 行）。

② 不难看出，莱耳忒斯在熟练地使用程式讲话。参考第一卷第 170 行、第十卷第 325 行、第十四卷第 187 行和第十九卷第 105 行等处。

③ 参考并比较第二卷第 318—320 行。

④ 第 302 行同第五卷第 214 行。

⑤ 第 303 行大致同第一卷第 179 和 214 行；比较《伊利亚特》第十卷第 413 行。参考本卷第 298 行注。

⑥ 诗人很可能在此使用了一系列应景的表义名词（参考第十八卷第 5 行注等处）。Alubas 或许派生自与 al－相关的词汇，意为"浪游"（或"浪游城"，古代评论家们猜测此城在意大利南部）；Apheidas 意为"不吝惜的"或"慷慨的"（可看作是对莱耳忒斯的赞扬）；Polupemon 意为"众多悲愁的"（针对莱耳忒斯此时的心情和生存状况）；Eperitos 可作"精选的"或（此释颇多争议）"斗士"、"争斗之士"解。

这边,违背我的心意,从西卡尼亚① 过来,
我的船停驻那里,在远离城区的乡间②。
关于奥德修斯,至今已是第五个整年,
自从他临抵,复又离开我的邦界③。
不幸的人儿,咳! 然而鸟迹祥和,当他离别,
飞翔在他的右边④,我亦为此欣喜,送他离开,
他走了,兴高采烈,我们心怀希望,
将来会互致光荣的礼物,以主客的身份重见。"

他言罢,悲痛的乌云把莱耳忒斯蒙盖,
双手满抓污秽的尘土,洒抹自己的
脸面和头上的灰白,连声叹哀⑤。
奥德修斯心潮澎湃,鼻孔里喷涌
强烈的酸楚,眼望他钟爱的亲爹。
他扑上前去,抱住他亲吻⑥,对他说白:

---

① 即西西里(参考第 211 行及该行注)。据希罗多德考证, Sikanie 是西西里[或西开里亚(Sikelia)]的古称(《历史》第七卷 170,另参考修昔底德《伯罗奔尼撒战争史》第六卷 2—3)。

② 第 308 行同第一卷第 185 行。

③ 第 310 行同第十九卷第 223 行。

④ 参考第十五卷第 160 行及该行注。反之,倘若飞鸟出现在左边,即为不祥的凶兆(参考第二十卷第 242 行及该行注)。

⑤ 奥德修斯以当事人(参考第八卷第 490 行注)的身份讲述,绘声绘色,听来极其逼真。叙述中虽然未提奥德修斯的死亡,而本卷第 311—314 行还以相当乐观的言词表述了厄裴里托斯的希望,但莱耳忒斯大概从第 309—310 行中感悟到了某种不测,以为儿子的命运只能是凶多吉少。参考第 290—292 行及相关注释。比较阿基琉斯在听闻帕特罗克洛斯阵亡的噩耗后的"举动"(《伊利亚特》第十八卷第 22—27 行;另参考该史诗第二十四卷第 9—11 行)。极度的悲痛可以使人丧失理智,忘却尊严。比较特洛伊老王普里阿摩斯的自我污秽(同上第 162—165 行)。

⑥ 参考第二十二卷第 498—501 行及相关注释。

"我就是他呀[1],父亲,你所询问的人儿,刚才。
我回来了,归返故乡,在第二十个长年[2]。
停止吧,别再哀怨哭泣,泪水涟涟[3],
我要直言此事,对你——时间紧迫,必须赶快[4]。
我已诛杀宫中求婚的人们,
仇报了他们碎心的骄横,他们的作为邪歪。"

其时,莱耳忒斯对他说话,答回:
"如果你真是奥德修斯,我的儿子返归,

① 比较奥德修斯对欧迈俄斯和菲洛伊提俄斯的"自我介绍"(第二十一卷第 207 行)。亚里士多德大概不会喜欢奥德修斯的自报家门,但当事者眼见父亲如此自我污秽(表示了人物绝望的心情),因此断然决定终止探察,"亮"出自我,以期舒缓老人的悲痛之情。考虑到当时的需要,奥德修斯的做法,即自己说出"我就是他呀"应该无可厚非。

② 参考第十六卷第 206、第十九卷第 484 和第二十一卷第 208 行。此行的反复出现,除了表明史诗的构组需要在很大程度上依赖于"重复"这一事实外,还有意味深长的实际意义,那就是强调奥德修斯离乡背井的漫长时间——已有二十个长年。

③ 参考第四卷第 801 行和第二十一卷第 228 行等处。做事(包括情感的表露)要掌握分寸,切忌过分(细读第十五卷第 71 行注)。

④ 终于,奥德修斯想到了"时间紧迫"(参考第 216 行注)。可能正因为这样,英雄只能采取直截了当的办法,应父亲的要求,直接出示标记,以证明自己的身份。

那就给出某个明确的标记，让我信你是谁[①]。”

其时，足智多谋的奥德修斯对他答话，说及：
“先看这道伤疤，你会知悉，
此乃野猪用白牙撕开的口子，在帕耳那索斯山上，
我去过那里。那时，你和高贵的母亲差我寻见
娘亲钟爱的老爸奥托鲁科斯，
收取他来时答应并同意赠予的财礼[②]。

---

① 难道莱耳忒斯也担心神的捉弄？参考第十六卷第178—189行和第二十三卷第215—224行。有关的上下文并没有显示这样的动机和理由。难道奥德修斯此时没有以自己的形貌出现，故而使老人无法用眼睛辨察他的“真身”？至迟在第二十三卷第156—162行里，雅典娜应该已变还奥德修斯一位壮实的中年男子的形貌[我们没有理由怀疑她会不愿意变还奥德修斯的原貌；事实上，早在第十九卷里，欧鲁克蕾娅已看出乞丐（或浪人）与奥德修斯的相像（参考该卷第380—381行及相关注释），而奥德修斯本人也对此予以了明确的认可（同上第383—385行）]。从那以后，雅典娜没有再变动奥德修斯的相貌（而读者似乎也看不出有再变动的必要），有关的上下文也没有表明或暗示奥德修斯此时不以他自己的形貌出现，意在迷惑老人（相反，当多利俄斯父子从农野回返时，他们一眼便认出了奥德修斯，参考本卷第391—392行）。事实上，莱耳忒斯根本就没有提及他的长相，并且似乎也不太介意对方的长相是像还是不像他记忆中的儿子。和裴奈罗珮一样，莱耳忒斯重视的是证据（sema），是比长相更能确证人物身份的标记。荷马（或《奥德赛》的原创者）很可能在作品里反映了他所生活的那个时代里有识之士的一个渐趋得到认同的意识，它要求人们重视证据，重视在有实证支持的前提下认识事物，做出孰是孰非的判断。我们把史诗人物对sema的重视看作是西方人在认识论领域内实现稳步前进和可标示跨越的一个重要的里程碑（参看第二十三卷第189和226行注），认为西方人将由此出发，艰难然而却是很自然地向逻各斯以及由它所代表的思辨意识靠拢，进入一个以提供理性和系统解释（logon didonai）为认知主导取向及求知风尚的认识自我和世界的新阶段。然而，诗人没有想到的是，如果神祇真的有意捉弄，那么他（或她）既然可以幻变（或变成）奥德修斯的形象，也就一定可以（或有“能力”）变出他腿上的伤疤，以此取信于辨识的一方，使其受骗上当。不过，当有人试图表述一个重要的思想时，“旁观者”大概最好不要在枝节问题上找他的麻烦。对待荷马，我们或许也应该这样。

② 关于伤疤的由来以及相关内容，详阅第十九卷第392—466行。

来吧，听我讲述这些果树①，是你把它们
给我，在这齐整的园地。我对你问这问那，
其是还是个孩子，跟着穿巡果园，随你。
我们行走在林木之间，你对我一一告知树名，
给我十三棵梨树，十棵苹果树和
四十棵无花果树一起。你还答应给我五十垄
葡萄，成熟在不同时期，各各
相继结果，每当宙斯掌控的
节令从天而降，果实把枝条压低。”

他言罢，莱耳忒斯双膝酥软，消散心力②，
听知奥德修斯的讲述，给出的证示明晰。
他抱住亲爱的儿子，伸展双臂，卓著和历经
磨难的奥德修斯将他拥入怀里，老人业已昏迷。
当他缓过气来，活力复又回聚心灵③，
于是对儿子答话，对他开言说起：
“父亲宙斯，高耸的奥林波斯山上一定仍有神明，

① 此乃另一个 sema(详见第 336—342 行)。参考第 329 行及该行注。奥德修斯通过讲述以莱耳忒斯为当事一方的往事来证明自己的身份，其说服力应该不亚于(甚至高于)出示伤疤的做法。裴奈罗佩不敢贸然从事，认下来者，直到奥德修斯准确描述过睡床的“机巧”(sema)，方始“冲跑上去……展臂抱住奥德修斯的脖子”(详阅第二十三卷第 181—208 行)。

② 比较裴奈罗佩在听过奥德修斯的“论证”后所做出的相似的反应(第二十三卷 205—206 行)。

③ 参考第五卷第 458—459 行。当看知丈夫被阿基琉斯赶着马车拖拽，安德罗玛刻昏迷，“喘出魂息飘荡”，稍后缓过气来，“命息随之回返”(详见《伊利亚特》第二十二卷第 463—476 行)。该卷原文第 367 行里的 psuche 几乎和第 475 行里的 thumos 等义。“活力”(本卷第 349 行)原文为 thumos，在此亦可作“命息”解(参考第四卷第 830 行注和第十一卷第 220 行注)。

倘若求婚人确已付出代价，为他们的暴虐粗粝[①]。
但眼下，我的心里极为怕悸，担心
伊萨卡人会即刻赶来，与我们对立[②]，
信报开法勒尼亚人的城镇[③]，去往各地。”

其时，足智多谋的奥德修斯对他答话，说接：
“别怕，别让这些事情烦扰你的心灵[④]。
让我们前往近离果园的房居，
我已先行派遣忒勒马科斯去那，带着牛倌和
牧猪人一起，用最快的速度治餐，备齐。”

言罢，他俩行往朴美的房居，
步入那座精固的住宅，眼见
忒勒马科斯以及牧牛的和牧猪的伙计，
正在切割肉肴，大量，兑调浆酒晶莹。

---

① 莱耳忒斯针对奥德修斯在第325—326行里通报的信息做出评论。他由此想到世界上仍有公道，而奥林波斯神明会主持正义，惩罚为非作歹的恶人。神明由此正式戴上了惩恶扬善的“光环”，得以用更积极和更“稳妥”的方式参与对人间事务的干涉和凡人行为的仲裁。

② 莱耳忒斯以史诗人物的经验和心理迅速对此事做出反应。杀人后，受害的一方通常会设法自行解决问题——换言之，用以牙还牙、以血还血的方式复仇，替死去的亲友们伸冤。奥德修斯已预见到了这一步（参考第二十卷第42—43行、第二十三卷第117—140行和本卷第324—326行），并已告嘱裴奈罗佩应付的办法（第二十三卷第361—365行）。

③ 此处许指伊萨卡附近的岛屿，而“开法勒尼亚人”可泛指居住在那一带（包括陆架的沿海地区）的居民（参考第二十卷第210行和本卷第377、429行）。在《伊利亚特》里，开法勒尼亚人是奥德修斯部属的统称（参考第二卷第631—635行）。求婚人中的大部分来自伊萨卡以外或周边的地区（细读本书第十六卷第247—253行）。

④ 第357行同第十三卷第362行、第十六卷第436行和《伊利亚特》第十八卷第463行。

　　与此同时，那位西西里女仆动手家里，替心志
豪莽的莱耳忒斯浴毕[①]，给他抹上橄榄清油，
搭上一领精美的篷披。雅典娜
在兵士牧者的身边站临，硕壮他的肢腿[②]，
使他看来比平时更显高大魁伟。
他步出澡盆，儿子见后惊诧不已，
仿佛目睹了一位永生的神明[③]，
对他说话，用长了翅膀的话语[④]：
"毫无疑问，父亲，某位长生不老的神明
使你看来更显魁美，为你增彩相貌、体形。"

　　其时，睿智的莱耳忒斯对他答话，说起：
"哦，父亲宙斯，雅典娜，阿波罗！但愿
我能像当年一样强劲，作为开法勒尼亚人[⑤] 的王者，

---

① 参考第六卷第 222 行注。关于那位西西里女子，参见本卷第 211 行。

② 第 368 行同第十八卷第 70 行。年轻时代的莱耳忒斯也是一位能征惯战的将领（或勇士，参考本卷第 376—382 行）。"兵士"亦可作"民众"解。莱耳忒斯曾是伊萨卡国王（或开法勒尼亚人的王者，见第 377 行），因此是名副其实的"民众的牧者"（比较第十四卷第 22 行注等处）。"民众的牧者"是一个隐喻，取之于牧羊人与羊群和首领与民众之关系的在主从含意上的对应。参看第三卷第 155 行及该行注。荷马善用隐喻（参考第二卷第 269 行注、第三卷第 2 行注和第四卷第 709 行注）。

③ 无独有偶。忒勒马科斯亦曾对被雅典娜"修饰"后的奥德修斯惊诧不已。所不同的是，忒勒马科斯或许真的把眼前的变幻看作是神的杰作（亦即把对方当作一位神明，参考第十六卷第 178—185 行）。

④ 程式化用语，同第 399 行和第一卷第 122 行等处。关于"长了翅膀的话语"，参阅第二卷第 269 行注。

⑤ 参考第 355 行注。据 D. Mülder 教授考证，"近义词"Ithakesioi（伊萨卡人）和 Kephallenes（开法勒尼亚人）于诗行中的孰出孰隐，在深层次上受到格律需要的制约。

我攻破奈里科斯[1]，陆架上精固的堡楼墙基。
但愿昨天，我能像那时一样，战斗在宫邸，
肩披铠甲，站助你的身边，打退求婚人的
进击，从而酥软许多人的膝腿[2]，
搏杀厅堂，欢悦你胸中的心灵[3]！”

　就这样，他俩你来我往，一番说议[4]。
其时，那拨人备妥食餐，做毕，
于是在便椅和靠椅上就座，依次顺序[5]。
当众人伸手用餐，年迈的多利俄斯
其时行抵，老人的儿子们随他，
息止农野里的苦活，娘亲前去把他们召回，
就是那个西西里女子，把他们养大，仔细
照料老人的生活——老迈的年纪已把他抓紧[6]。

---

① 可能位于琉卡斯。在荷马生活的年代，琉卡斯可能尚与阿卡耳那尼亚沿岸通连(因此还不是一个严格意义上的岛屿)。参考修昔底德《伯罗奔尼撒战争史》第三卷7。据传莱耳忒斯曾参加围猎卡鲁冬大熊的壮举(详见《伊利亚特》第九卷第533—546行，虽然荷马没有提到他的名字)和阿耳戈英雄们的远征(参阅阿波罗道罗斯《文库》第一卷9.16)。参考第368行和第381行注。

② 换言之，把许多人杀灭。莱耳忒斯的年龄当和奈斯托耳不相上下。此时，他不仅以《伊利亚特》里英雄吁请神助的方式开讲(第376行)，而且还以曾经效命于特洛伊战场的奈斯托耳惯用的方式表示他的意愿(参考《伊利亚特》第七卷第132—158行、第十一卷第669—683行和第二十三卷第629—643行；比较阿伽门农对奈斯托耳的希愿，见该史诗第四卷第313—316行)。

③ 比较《伊利亚特》第六卷第480—481行(可惜赫克托耳的希冀最终未得如愿以偿)。

④ 程式化诗行，在两部史诗里均有见例。

⑤ 第385行同第一卷第145行。

⑥ 参考第249行及该行注。

他们眼见奥德修斯,认出他来[①],
惊讶[②],木站厅里,但奥德修斯
出言抚慰,发话,对他们说及:
“坐下用餐吧,老人家,忘却惊异,
我们已等待多时,虽说早想伸手食品,
在此等候你们,盼等在厅里[③]。”

他言罢,多利俄斯冲跑过来,张开
双臂,抓住奥德修斯的手腕,亲吻[④],
对他答话,用长了翅膀的话语说及:
“既然你回来了,亲爱的主子,和我们一起,
我们念想,却不再对此盼冀——一定是神明亲自
送你回抵[⑤] ——我们由衷地欢迎,愿神明使你昌兴。
告诉我此事,又及,说实话,让我知情。

① 在无须拐弯抹角,无须强调“发现”的时候,诗人会开门见山,直截了当地说明问题。比较第 329 行注。奥德修斯显然是以自己原有的面貌出现,否则多利俄斯和他的儿子们就不可能认出他来。与之相关的另一个前提是,多利俄斯(及其儿子们)必定已在奥德修斯家中为奴多年(参考第四卷第 735—738 行),否则即便奥德修斯以本身的形貌出现,他们也不可能把他识辨。关于诗人偏向于对“此情此景”的重视,参考第二十三卷第 95、175 行及相关注释。

② 比较第二十三卷第 93 行。

③ 三言两语,道出了奥德修斯对仆人的敬重之情。奥德修斯与仆人的关系相当和睦(当然,对于背叛他及其家族的奴仆,他的处惩可谓毫不留情,参看第二十二卷第 465—477 行)。《奥德赛》描述的并非阶级之间的斗争,而是对与错的较量,是一部分人对另一部分人的权益的无端侵犯和肆无忌惮的伤损,以及由此引发的被伤损者对伤损一方的无情惩罚。

④ 注意多利俄斯没有哭泣(比较第 347—348 行)。无论是莱耳忒斯还是多利俄斯父子,都没有对奥德修斯的回归表示以“笑”为特征的高兴,更没有欣喜若狂,为了保持史诗“悲”的基调,诗人显然是有意识地压抑着人物因团聚而带来的喜庆感觉。

⑤ 参考第 182 行及该行注。

谨慎的裴奈罗佩是否已确切知晓，
知晓你回返故里——要不要派个人去报信？”

　其时，足智多谋的奥德修斯对他答话，说及：
“老人家，她已知情。为何多此一举，再去送信？”

　他言罢，多利俄斯复又下坐滑亮的椅子，
多利俄斯的儿子们亦即走来，围住卓越的奥德修斯，
讲说欢迎的话语，握住他的手表示，
然后走回父亲多利俄斯身边下坐，依次。

　就这样，他们忙着准备食餐，就在
厅里，但谣言迅速穿走全城①，
传告求婚人惨暴的死亡，他们的命运。
亲眷们闻讯赶来，从四面八方聚集，
吟叹，在奥德修斯的家居前呼疾②。
他们把尸体抬出门户，各埋自己的亲属③，
同时运回所有的死者，来自别的城府，
搬上迅捷的海船，交给渔人托付，
自己则群集聚会，心里悲苦。

---

① 奥德修斯对此已有所预见(参考第二十三卷第362行)。在本行中，诗人对谣言做了拟人化处理，明显沿用了《伊利亚特》里的做法(参考该史诗第二卷第93行)。谣言是宙斯的使者(angelos，参见同上第94行)。在《奥德赛》第一卷第282—283行里，谣言(ossa)仍然没有挣脱与宙斯的关系，但已在一定程度上具备了抽象名词的内涵。

② 试图复仇的人们并没有“嫁祸”裴奈罗佩及其家中的仆人。此外，奥德修斯大概也知道，他们还不至于泄怒他的房居，暴抢宫里的财物(参考第二十三卷第362—365行)。

③ 参读第186—190行及相关注释。关于“埋葬”，参考第十一卷第26和73行注。

当人群在一个地方汇总，集聚[①]，
欧培塞斯起身，说述，难以消抚的
悲痛沉积，把他的心灵压堵，为了安提努斯，
他的儿子，被高贵的奥德修斯第一个杀诛。
带着泣子的悲情，他在人群中开言涕诉[②]：
“朋友们，此人给阿开亚人谋设暴虐恶毒。
初始，他带走众多精壮的男子，在船上乘坐，
尽失所有的兵勇，失损深旷的船舶，
然后回来，把开法勒尼亚最好的男子杀除[③]。
干起来吧，趁他还没有迅速撤往普洛斯
或亮丽的厄利斯，厄培亚人镇统的疆土[④]，
让我们前往，否则便将蒙受永久的耻辱。
这将是一种羞耻，即便让子孙后代听来，

① 第421行同第二卷第9行等处。求婚人的亲友们先行聚会，分析情况，制造舆论，继而集队出发，投入战斗。加上奥德修斯一方的表现，整个场面弥漫着《伊利亚特》里两军酝酿相会，拼死抗争的决斗气氛(比如，参考该史诗第二卷第336—368行)。比较本卷第422行和《伊利亚特》第七卷第94、123行。

② 第425行同第二卷第24行。

③ 指求婚人。关于开法勒尼亚(人)，参考第355和377行及相关注释。欧培塞斯精明地点到了奥德修斯给城邦(或国家)带来的损失(第426—429行)。求婚人是本地区的贵族精壮，撇开他们在追婚一事上的恶错，也是最优秀的阿开亚人[参考阿伽门农的评价(第106—108行)]。

④ 奥德修斯在伊萨卡对面的陆地上拥有畜群(估计亦有田产，参考第十四卷第100—102行)，但他却并没有撤离本岛的计划。欧培塞斯显然错误地估计了形势(另见本卷第437行)，以为奥德修斯一行会像杀人者通常所做的那样，惧怕被杀者亲友们的报复，匆匆逃离家乡(参看第十五卷第275行注和《伊利亚特》第九卷第631—636行)。此外，他或许忘了，奥德修斯是雅典娜的“宠儿”(参考本卷第164行注)，有神的匡助。参考墨冬的提醒(第443—449行)。第431行同第十三卷第275行；比较第十五卷第298行。

倘若我们不仇报儿子和兄弟的被诛[①]。
如此,我的心里将不再享有喜悦,继续活着,
不,我宁愿死去,和死人聚首一处。
走吧,进发,别让他们抢先渡海,逃出[②]!”

他言罢,痛哭,怜悯把所有的阿开亚人逮住。
其时墨冬临来,带着神圣的歌手[③],
从奥德修斯的宫府,睡眠已从二位的身上释除。
他俩站临人群之中,与会者惊异,无不;
心智聪颖的墨冬对他们讲话,说述:
“听我说,伊萨卡民众,奥德修斯
谋划这些作为,得益于永生的神祇匡助。
我曾亲眼目睹,看见一位永生的神明站在
奥德修斯身边,全身变取门托耳的相貌装束[④]。

---

① 换言之,求婚人的亲属们必须采取行动。人生活在社会里[亚里士多德会说,人是政治(即生活在城邦里的)动物],一方面参与社区政治和生活方式的建设,另一方面也受到成型和蔚成定势的行为评判模式的强有力的制约和规导。史诗人物可以逃离社会(指家乡,参考第431行注),却绝难“逃离”社会规范的约束。他们重视自己生前死后的名誉,通常会在这种“重视”的刺激下于生死存亡的关头奋不顾身,铤而走险。参考第二十一卷第323行。本卷第433行在两部史诗中均有见例(大致同《伊利亚特》第二卷第119行;另见《奥德赛》第二十一卷第255行等处),可谓程式化用语的反复出现,与重点强调某个“意思”或观点所需要的繁复表述的圆满结合。

② 老壮士慷慨陈词,颇有《伊利亚特》里阿基琉斯宁可为好友帕特罗克洛斯复仇后死去而不愿苟活的英雄气概(参考该史诗第十八卷第90—93行)。参考本卷第434行注。史诗人物(经常会)视荣誉(time)重于(至少是等同于)生命。参阅第十一卷第495行注和第二十二卷第57行注。

③ 信使墨冬和歌手菲弥俄斯曾请求奥德修斯手下留情,得到豁免(详见第二十二卷第330—380行)。从表面上来看,二者皆为求婚人服务,所以此时能活着出现,大概出乎聚会者们的意料之外(本卷第441行)。“阿开亚人”(第438行)指在场的伊萨卡人(第443行)。

④ 参考第二十二卷第205—206行。

永生的神明有时出现在奥德修斯前面，
催督，有时又驱散求婚的人们，
在厅堂里追逐，奔逃者一个个倒下，堆垛[①]。”

　他言罢，彻骨的恐惧把所有的人揪住。
其时，马斯托耳之子哈利塞耳塞斯，一位年迈的武士，
对他们讲述，人群中唯有他能够前瞻、后顾。
眼下，怀着对各位的善意，他在人群中道出[②]：
“听着，伊萨卡人，聆听我的说述。
这些事情的发生，朋友们，实因出于你们自己的懦弱。
你们不听我和牧领民众的门托耳的讲说[③]，
要各位劝阻自己的儿子，要他们别再蠢疏，
这帮人凶邪、骄蛮，铸下巨大的恶错，
不敬他的妻子[④]，耗毁他，一位王者的
拥有，以为他再也回不了居所。

---

① 关于雅典娜的帮助(包括激励)，参考第二十二卷第 205—240 和 297—309 行。雅典娜举起埃吉斯，使求婚人产生恐慌，惶惶奔逃，但具体的追杀行为仍由奥德修斯及其助手们完成。在诗人看来，此乃人神联手取胜的一次绝佳战例。墨冬或许有意夸大了神(即雅典娜)的作用，以威慑求婚人的亲属们(此举确实产生了作用，参考本卷第 450 行)。

② 哈利塞耳塞斯既是一位(老)勇士，也是一位颇具功力的卜者(参考第二卷第 157—159 行；关于勇士与卜者的合二为一，参考第十五卷第 244 行注)，曾预言奥德修斯必定归来，但遭到求婚人欧鲁马科斯的反驳(详见第二卷第 157—207 行)。本卷第 453—454 行同第二卷第 160—161 行。关于“瞻前顾后”，比较《伊利亚特》第一卷第 343 行。参看同上第 250—253 行(奈斯托耳由此开始了对阿伽门农和阿基琉斯的劝诫)。

③ 分别参见第二卷第 161—176 和 229—241 行。所谓“不听老人言，吃亏在眼前”。然而，求婚人的亲属中也不乏老人[比如，欧培塞斯(本卷第 422 行)就是一个]，他们大概没有劝阻各自的儿子(参考第 457 行)，由他们我行我素，铸成大错(第 458 行)。

④ 换言之，试图抢夺或婚娶他的女人(另见第十八卷第 144 行)。

现在，这样吧，按我说的做。
我们不能去那儿，去的人会闹闯横祸。”

　　他言罢，半数以上的人们跳起，
大声啸呼——虽然其余的坐留原地——
哈利塞耳塞斯的话语不能愉悦他们的心窝，
而是听从欧培塞斯的怂恿，突倏冲向甲械抓握。
他们披挂完毕，全身铜光闪烁[①]，
聚成一队，在城前的地面开阔。
欧培塞斯领着他们，愚蠢的一伙，
自以为能替被屠的儿子报仇，实则
必将死在那儿，不能回返存活。

　　其时，雅典娜问话宙斯，对克罗诺斯之子讲诉[②]：
“克罗诺斯之子，王者之最，我们的亲父[③]，
告诉我你藏隐心中的目的——那是什么[④]？
是继续挑发惨烈的恶战和痛苦的搏杀，

① 第467行同第500行和《伊利亚特》第十四卷第383行。明智的劝告有时得不到大多数人的响应听从（参考《伊利亚特》第十八卷第310—313行）。在这里，诗人没有提及神祇（是否）取走与会者的心智，但史诗的听众们或许会很自然地想到这一点（参考本书第四卷第261行注和第十卷第64行注等处）。

② 诗人突然“笔锋”一转，把听众（和读者）的注意力引到了奥林波斯山上（比较《伊利亚特》第三卷第461—第四卷第1行、第十六卷第430—431行和第十八卷第355—356行等处）。形势的发展到了关键的时候。是战是和，谁胜谁负，打到什么程度——这一切需要神明（主要是宙斯）做出决断，定下基调。

③ 第473行同第一卷第45、81和《伊利亚特》第八卷第31行。

④ 了解宙斯的用意即为掌握办事的指导方针（参考并比较《伊利亚特》第二十卷第13—18行）。宙斯的心思诡秘（该史诗第一卷第540—543行），连他的妻子赫拉也不可能了解他的每一分心衷（同上第545—550行）。

还是让他们言归于好，让对立的人群两拨[①]？”

其时，汇集云层的宙斯对她答话，说述[②]：
“为何询问，我的孩子，问我这些事务？
难道这不是你的构想，你的心术，
让奥德修斯回返，对那些人惩处[③]？
做去吧，随你，但怎么做合宜，我要对你嘱咐[④]。
既然高贵的奥德修斯已惩罚了求婚的一族，
那就让双方咒发庄重的誓约，让他终身王统，
我等可使他们忘却儿子和兄弟的死亡，
互相成为朋友，像从前那样，一如，

① 比较《伊利亚特》第四卷第 14—16 和 82—84 行(事关是战争，还是和平)。在《伊利亚特》里，宙斯经常是主战的；而在《奥德赛》里，他却在是战是和的问题上(本卷第 475—476 行)选择了和(参考第 482—486 行)。

② 第 477 行同第一卷第 63 行和第五卷第 21 行。

③ 参考第一卷第 44—95 行。当然，奥德修斯得以回返故乡是命运(moira)注定的事情(参考第九卷第 532 行注)，只要不出现大的超越命限的事情，恐怕连宙斯也不愿(或不宜)予以反对。雅典娜是奥德修斯坚定不移的支持者。本卷第 479—480 行同第五卷第 23—24 行。

④ 宙斯既给了雅典娜一定的临场处置的权力，也在“大政方针”上给予了必要的指导。雅典娜之所以激励莱耳忒斯投枪(并给他吹入勇力，参考第 516—520 行)，或许正是巧妙行使了宙斯给予的授权(抑或，钻了宙斯的空子，利用了他指令中的模棱两可)。

让他们拥享和平，生活美满富足[1]。”

他的话催励早已迫不及待的雅典娜
从奥林波斯峰巅急扫而下，冲出[2]。

当人们满足了欣享美食的欲望，
卓著和历经磨难的奥德修斯对他们说诉[3]：
“派个人出去，看看他们是否已经来了上路。”

他言罢，多利俄斯的儿子走去，听从他的吩咐，
站临门槛之上，眼见他们已逼抵近处，
当即报告奥德修斯，用长了翅膀的话语说诉：
“他们来了，近迫，让我们迅速武装起来对付。”

他言罢，人们一跃而起穿戴甲胄，
奥德修斯一行四位，外加多利俄斯的六个儿子
帮手；多利俄斯和莱耳忒斯亦即披挂，
尽管已经白头，境况迫使他们成为武士战斗。

---

① 这便是宙斯的决断，或许也是奥德修斯在第二十三卷第 140 行里提及的奥林波斯大神的“高招”。荷马没有想到（或许也不愿往这方面去多想），人的幸福与否，生活的安定富足与否，远非宙斯的几句话就能彻底“解决”，一锤定音。人自身的不完善，他们对名利和财富的追求，他们不同的意识（形态）取向和宗教观，这一切将不可避免地潜蕴和引发激烈程度不等的冲突（乃至国家或国家集团之间大规模的战争）。相信神的善好意愿会使悲苦的凡人增强对生活和避恶从善的信心，但人显然不可过多地寄望于幻想，寄望于那种实际上很可能并不存在和不可能可实证地发生的“恩赐”（参考并比较本卷第 546 行及相关注释）。

② 程式化表述，同《伊利亚特》第四卷第 73—74 行和第二十二卷第 186—187 行。参考本书第一卷第 101—102 行。

③ 第 490 行同第二十二卷第 261 行。

其时，他们披挂完毕，全身铜光闪烁①，
于是打开大门，迈步，由奥德修斯带领出走。

其时，雅典娜临近他们，宙斯的女儿，
变取门托耳的形象，模仿他的话声②。
卓著和历经磨难的奥德修斯见后高兴③，
当即发话亲爱的儿子，对忒勒马科斯其人：
“现在，忒勒马科斯，你已亲临现场战斗，
置身最勇敢的猛士经受考验的场合，
你可不能羞辱祖先的血统——我们征战世上
人间，过去，表现出过人的力量和刚勇④。”

其时，聪颖的忒勒马科斯对他说话，答称⑤：
“倘若愿意，亲爱的父亲，你将会见证，凭着眼下的性情，
我不会，如你刚才所说，羞辱家族的血统⑥。”

---

① 像《伊利亚特》里决胜战场的勇士一样，他们“全身铜光闪烁”（即身披铜甲），准备投入战斗。第 500 行同第 467 行，“对等”表示双方人员的临战状态，预示双方将真刀真枪地开始拼搏。

② 第 502—503 行同第二十二卷第 205—206 行。

③ 第 504 行同第五卷第 486 行，大致同第二十二卷第 207 行。奥德修斯显然已认出来者是雅典娜（幻取门托耳的形象，参考第二十二卷第 208—210 行及相关注释）。雅典娜与奥德修斯心照不宣，已经达成默契。

④ 奥德修斯是征战特洛伊的阿开亚联军的主将之一，名声已在人间传扬。诗人肯定知晓老壮士莱耳忒斯年轻和盛年时代的英烈（参看第 377—382 行），尽管没有像对奈斯托耳那样，给他更多的机会讲述自己的战绩。参考第 378 行注。关于莱耳忒斯的父亲阿耳开西俄斯，参考第十四卷第 181—182 行及相关注释。比较希波洛科斯对格劳科斯的叮咛（《伊利亚特》第六卷第 206—210 行）。

⑤ 第 510 行同第一卷第 388 行等处。

⑥ 比较忒勒马科斯在第十六卷里对父亲所作的承诺（第 309—310 行）。

他言罢，莱耳忒斯听后高兴，话对他们：
“今天是什么日子，亲爱的仙神？我呀欢喜兴奋。
我的儿子和儿子的儿子互相竞比勇猛。”

灰眼睛雅典娜站临他的身边[1]，说话出声：
“阿耳开西俄斯之子[2]，伙伴中我最钟爱的人[3]，
祈祷吧，对灰眼睛的姑娘，对她的父亲宙斯感恩，
然后迅速平持落影森长的枪矛，投扔。”

帕拉斯·雅典娜言罢，给他吹入巨大的力量[4]
添增。他开口祈祷，对大神宙斯的女儿，
随即迅速平持落影森长的枪矛，投扔，
击中欧培塞斯，切捣盔盖上的青铜颊片[5]，
头盔抵挡不住，铜尖透扎进去[6]，
此人轰然倒下，铠甲在身上锵响出声。
奥德修斯和他光荣的儿子扑向前排的对手，
开始用剑劈砍，用双刃的枪矛刺捅[7]。

---

① 大概还是以门托耳的形象(参考第 503 和 517 行)。

② 指莱耳忒斯。史诗人物(包括神祇)常以“某某人之子”称呼对方。关于史诗人物和社会对父权及家族的尊重，参考第十六卷第 19 行注。关于莱耳忒斯的父、子、孙四代，参见该卷第 117—120 行。

③ 参考第十九卷第 365 行注。

④ 比较《伊利亚特》第十卷第 482 行(雅典娜给狄俄墨得斯增添力量)。

⑤ 比较《伊利亚特》第十二卷第 183 行等处。奥德修斯已杀死安提努斯(参考本书第二十二卷第 8—21 行)，此刻他的父亲又击杀安提努斯的父亲欧培塞斯，一对父子分别杀死了另一对父子，此类情况在史诗里堪称罕见。

⑥ 在描写战斗场面时，诗人得心应手地沿用了《伊利亚特》里多次出现的诗行。本卷第 525 行同《伊利亚特》第四卷第 504 行等处。

⑦ 比较第十六卷第 474 行和《伊利亚特》第十三卷第 147 行等处。关于“双刃的”，参考本书第十六卷第 474 行注。

现在，他们会尽杀来者，不使一个人回转家门，
若非雅典娜，带埃吉斯的宙斯的女儿
止阻所有搏杀的人等，呼喊出声：
“住手吧，伊萨卡人，停止悲苦的拼争，
以便尽快和解离去，避免流血牺牲①。”

雅典娜言罢，听者吓得脸色青灰，恐惧逮住他们②，
全都扔下手中的武器，掉落
泥尘，听闻女神的叫喊话声，
为求活命，他们转身逃往居城。
卓著和历经磨难的奥德修斯发出喊叫吓人，
收聚全身的勇力，冲扑，像一只雄鹰搏击长空③，
但克罗诺斯之子甩下一个带火的霹雳，
在强力天尊灰眼睛的女儿身前撞沉④。
雅典娜于是发话奥德修斯，灰眼睛的女神：
“莱耳忒斯之子，宙斯的后裔，多谋善断的奥德修斯

① 雅典娜曾亲自鼓动莱耳忒斯击杀（第517—519行，另参考第502—512行），此刻战斗伊始，她又赶忙制止，声称要“避免流血牺牲”（第532行）。宙斯给了她处理此事的权力（参见第481行），但也定下了让双方和好的指导方针（第482—486行）。雅典娜利用了“将在外”的灵活，既让奥德修斯一方显示了叱咤战场的豪力，又避免了事态的扩大（第528—530行）。然而，战事的进展还是激恼了宙斯（参考第539—540行），促使她赶快对奥德修斯发话（第541行）。参考第481行注。有学者怀疑第502—548行或其中的某些行次可能并非荷马原作。

② 比较第十二卷第243行和《伊利亚特》第七卷第479行。参读本卷第二十二卷第42行注。

③ 第520—544行里颇多在《伊利亚特》有见例的短语。第538行同《伊利亚特》第二十二卷第308行。另见该史诗第二十一卷第254行及相关注释。

④ 宙斯司掌天空（参考第十六卷第211行注），乃雷电之神，此时爆甩霹雳，或许是对雅典娜的警示（参考本卷第532行注和《伊利亚特》第八卷第397—406行）。雅典娜是强有力的宙斯的女儿（另见本书第一卷第101行和《伊利亚特》第五卷第747行及第八卷第391行）。

听闻，停止攻击，罢息这场恶斗纷争，
以免克罗诺斯之子、沉雷远播的宙斯对你怒恨。”

　　雅典娜言罢，奥德修斯心里高兴，服从[1]。
帕拉斯·雅典娜让双方永结和好[2]，

---

① 阿基琉斯亦以同样的方式接受过雅典娜的建议(参考《伊利亚特》第二十二卷第224行；另参考该史诗第一卷第215—218行)。

② 宙斯和雅典娜“挑发”《奥德赛》的故事(参考第一卷第28—95行)。情节发展和归结至此，又是这两位神明化解了双方的矛盾，使他们誓盟和好(在荷马看来，只要神祇愿意，他们可在顷刻之间使凡人化敌为友，铸剑为犁)，在和睦的氛围中平抚仇隙。残杀应该有中止的时候，战争和争斗并非总是解决问题的最佳办法。荷马继承并极其精湛地展示了构成希腊民族精神之核心的悲剧意识，在“悲”的哀怨中糅合了“壮”的豪迈，在“苦”的疲软中构塑了人物奋发和抗争的雄健。荷马不是个悲观主义者。他相信人的受到神力制衡的自主精神，相信人在一定范围内能够有效把握(或配合)自己的命运。他相信神的意志并不会在根本上与人的生存构成对立，相信神意的定导将逐渐趋于符合并支持人的道德意愿，增进人对世界和自身的了解，使人们在争斗和摩擦中逐步促进并学会维持生活的和谐。如果说人很难避免争斗，但争斗，说到底，并非生活(当然也非艺术表现)的目的。在《伊利亚特》里，阿伽门农和阿基琉斯日后化解了仇恨(参考本卷第29行注)。同样，在《奥德赛》里，奥德修斯以及以他为代表的一方和求婚人的亲友们最终化干戈为玉帛，成为和睦相处的邻居。指出人生中不可避免的悲哀的一面是必要的。它有助于使人深沉，杜绝轻浮，有助于一种稳妥的因悲而发奋的民族精神的培育。但是，表现悲楚不能片面，不能走向极端。优秀的“悲剧”作品不应，也不会使它的接受对象(如听众、读者)长时期地沉湎于消极和软绵绵的悲哀之中，被悲情瓦解上进的意志，夺走抗争和求胜的勇气。典型的史诗人物一般不会为不追求什么而死去。他们珍视生命，也珍视人们为之而生存奋斗的体现生命之意义的价值观念。荷马史诗相当深刻地揭示了史诗人物的精神境界。作为个体的勇士们(包括求婚人)在战斗中死去，但作为整体的人(类)仍然活着，享受和平，讲诵着传代的故事，怀带着各种各样的希望，生生不息。诗人并没有完全抹去生活中的阴影(参考第二十三卷第248—250行)，但是，毕竟在莱耳忒斯的农庄里敌对的势力达成了和解——荷马为世人保留了憧憬，保留了一片播种着希望的田野。破灭希望不是严肃的文学作品的目的。和谐与合作是宇宙中和世界上远为值得我们珍惜的东西。荷马希望看到对立的方面和力量“永结和好”(本卷第546行)的思想，深深地影响过后世希腊学界精英，包括悲剧诗人的思考。索福克勒斯写过十六出以各种形式的“和好”(而非无休止的残杀)结

立发誓盟[①],她,带埃吉斯的宙斯的女儿,
变取门托耳的形象,模仿他的话声[②]。

尾的悲剧,欧里庇得斯写过二十四部。埃斯库罗斯甚至深谋远虑地设想过宙斯、命运和复仇女神的联合(A. C. Swinburne 称他的三联剧《奥瑞斯提亚》为"人类心智所取得的最伟大的成就"),希望促成理性在对粗蛮和非理性因素(包括人的某些应该得到扼制的本能)进行限制的同时,尽可能多地表现出抚慰的诚意与宽宏。在《善好者》里,雅典娜苦口婆心,软硬兼施,艰难地说服了复仇女神(黑夜的女儿),使其归顺理性的制约,为命运与宙斯的联合开辟了通途:

接受和睦的降临,它会日久天长,和解
帕拉斯的国民与新来的客户,栖居这块地方。
无所不见的宙斯与命运联合,使结局端祥。

(埃斯库罗斯《善好者》第 1044—1046 行)

① 参考并比较《伊利亚特》第三卷第 256 和 323 行。参考本书第二卷第 378 行注。在神的直接监证下发誓,此类誓盟的威慑作用当比一般的来得更为强烈。对于法制意识薄弱并缺少完备法律体系约束和保护的史诗人物,神的直接干预或许是他们最易和最能接受的仲裁。参考并比较本卷第 486 行注。

② 第 548 行同第 503 行和第二卷第 268 行。关于埃吉斯(本卷第 547 行),参考第三卷第 42 行注、第十三卷第 252 行注和第二十二卷第 297 行注。

专名索引

A

① 指第三卷第 279 行。下同。

阿尔克迈翁（Alkmaion） 安菲阿劳斯之子，15.248。

阿尔克墨奈（Alkmene） 赫拉克勒斯（其父宙斯）之母，2.120，11.267。

阿耳奈俄斯（Arnaios） 伊罗斯的真名，18.5。

阿耳塔基厄（Artakie） 水泉，在拉摩斯，10.108。

阿耳忒弥斯（Artemis） 宙斯和莱托之女，6.102，15.410 等处。

阿菲达斯（Apheidas） 奥德修斯编造的父名，24.305。

阿芙罗底忒（Aphrodite） 宙斯之女，爱和美之神，4.14。在《奥德赛》里，她是匠神赫法伊斯托斯的妻子，8.267。

阿格劳斯（Agelaos） 求婚人，达马斯托耳之子，20.321；被奥德修斯所杀，22.293。

阿基琉斯（Achilleus）《伊利亚特》里的头号英雄，后被帕里斯箭杀，其灵魂曾同奥德修斯交谈，11.467 以下。

阿伽门农（Agamemnon） 进兵特洛伊的希腊联军统帅，被妻子克鲁泰奈斯特拉及埃吉索斯谋杀，1.30，3.143 等处。

阿卡斯托斯（Akastos） 希腊西部的一位国王，14.336。

阿开荣（Acheron） 冥界的一条河流，10.514。

阿开亚人（Achaians，Achaioi） 希腊人的总称，1.90，2.7 等处。另见“达奈人”和“阿耳吉维人”。

阿克罗纽斯（Akroneos） 法伊阿基亚人，8.111。

阿克托里斯（Aktoris） 阿克托耳的女儿，裴奈罗佩的侍女，23.228。

阿勒克托耳（Alektor） 斯巴达人，其女嫁随墨伽彭塞斯，4.10。

阿里阿德奈（Ariadne） 米诺斯之女，被阿耳忒弥斯所杀，11.321—325。

阿鲁巴斯（Arubas） 西冬贵族，欧迈俄斯保姆的父亲，15.426。

阿路巴斯（Alubas） 城名，地点不明，24.304。

阿洛欧斯（Aloeus） 伊菲墨得娅之夫，11.305。

阿慕萨昂（Amuthaon） 克瑞修斯和图罗之子，11.259。

阿那伯西纽斯（Anabesineos） 法伊阿基亚人，8.113。

阿培瑞（Apeire） 欧鲁墨杜莎的家乡，7.8。

阿瑞斯（Ares） 宙斯之子，战神，阿芙罗底忒的情郎，8.267。

阿瑞苏沙（Arethousa） 伊萨卡一水泉名，13.408。

阿瑞忒（Arete） 阿尔基努斯之妻，法伊阿基亚人的王后，7.54，招待过奥德修斯。

阿瑞托斯（Aretos） 奈斯托耳之子，3.414。

阿斯法利昂（Asphalion） 墨奈劳斯的伴从，4.216。

阿斯忒里斯（Asteris） 伊萨卡界外一小岛，4.846。

阿索波斯（Asopos） 河流，河神，安提娥培的父亲，11.261。

阿特拉斯（Atlas） 大力神，卡鲁普索的父亲，1.52，7.245。

阿特鲁托奈（Atrutone） 雅典娜的别名，4.762。

阿特柔斯（Atreus） 阿伽门农和墨奈劳斯之父，1.36。

埃阿科斯（Aiakos） 裴琉斯之父，阿基琉斯的祖父，11.471。

埃阿斯（Aias） (1)忒拉蒙之子，曾与奥德修斯争夺阿基琉斯的铠甲，11.469等处；(2)俄伊琉斯之子，死于波塞冬的风浪，4.499—511。

埃阿亚（Aiaia） 基耳刻居住的岛屿，10.135。

哀地斯（Aides，Hades） 宙斯的兄弟，冥界之主，4.834，11.47。

埃多塞娅（Eidothea） 海仙，普罗丢斯之女，4.365。

埃俄利亚（Aiolia） 埃俄洛斯（1)居住的岛屿，10.1。

埃俄洛斯（Aiolos） (1)王者，掌管海风，10.1；(2)克瑞修斯之父，11.237。

埃厄忒斯（Aietes） 基耳刻的兄弟，10.137，12.70。

埃古普提俄斯（Aiguptios） 伊萨卡长老，欧鲁诺摩斯之父，2.15。

埃古普托斯（Aiguptos） 埃及河流，即尼罗河，14.257。

埃及（Aiguptos） 地名，3.300，4.355。

埃吉索斯（Aigisthos） 克鲁泰奈斯特拉的情人，参与谋杀阿伽门农，被阿伽门农和克鲁泰奈斯特拉之子奥瑞斯忒斯所杀，1.29，3.194 等处。

埃伽伊（Aigai） 阿开亚城市，内有波塞冬的房宫，5.381。

埃蕾苏娅（Eileithuia） 女神，主管生育，19.188。

埃塞俄比亚人（Aithiopians） 一个住在遥远地带的部族，1.22，4.84，5.282。

埃松（Aithon） 奥德修斯同裴奈罗佩交谈时所用的化名，19.183。

埃宋（Aison） 图罗和克瑞修斯之子，11.259。

埃托利亚（Aitolia） 地名，位于希腊中部，14.379。

安德莱蒙（Andraimon） 索阿斯之父，14.499。

安菲阿劳斯（Amphiaraos） 俄伊克勒斯之子，攻打忒拜的七勇之一，15.244。

安菲阿洛斯（Amphialos） 法伊阿基亚人，8.114、128。

安菲昂(Amphion) (1)安提娥培之子,11.262;(2)米努埃人的首领,11.283。

安菲洛科斯(Amphilochos) 安菲阿劳斯之子,15.248。

安菲墨冬(Amphimedon) 求婚人,22.242,被忒勒马科斯所杀,22.284。

安菲诺摩斯(Amphinomos) 求婚人,16.351,尼索斯之子,被忒勒马科斯所杀,22.89—94。

安菲塞娅(Amphithea) 奥德修斯的外祖母,19.416。

安菲特里忒(Amphitrite) 海洋,3.91;或指海洋女神,12.60、97。

安菲特鲁昂(Amphitruon) 阿尔克墨奈的夫婿,11.266。

安基阿洛斯(Anchialos) (1)门忒斯之父,1.180;(2)法伊阿基亚人,8.112。

安尼索斯(Amnisos) 克里特一地名,19.188。

安提娥培(Antiope) 阿索波斯之女,安菲昂和泽索斯的母亲,11.260。

安提法忒斯(Antiphates) (1)莱斯特鲁戈奈斯人的王者,10.106;(2)俄伊克勒斯之父,15.242。

安提福斯(Antiphos) (1)奥德修斯的伙伴,被库克洛普斯所杀,2.17—20;(2)伊萨卡长者,17.68。

安提克蕾娅(Antikleia) 奥德修斯的母亲,11.85。

安提克洛斯(Antiklos) 阿开亚人,曾藏身木马,4.286。

安提洛科斯(Antilochos) 奈斯托耳之子,死于特洛伊战争 3.112,4.187。

安提努斯(Antinoos) 欧培塞斯之子,求婚人的头领之一,1.383,2.84,被奥德修斯所杀,22.8—20。

奥德修斯(Odusseus,Odysseus) 莱耳忒斯和安提克蕾娅之子,4.555,11.85,《奥德赛》的主角。

奥林波斯(Olumpos,Olympos) 山脉,神的家居,1.102。

奥瑞斯忒斯(Orestes) 或俄瑞斯忒斯,阿伽门农之子,曾替父报仇,1.30、298;3.307。

奥托鲁科斯(Autolukos) 安提克蕾娅之父,奥德修斯的外祖父,11.85,19.394。

奥托诺娥(Autonoe) 裴奈罗佩的侍女,18.182。

B

波厄苏斯（Boethoos） 厄忒俄纽斯之父，4.31。

波利忒斯（Polites） 奥德修斯的伴从，10.224。

波鲁波斯（Polubos） (1)欧鲁马科斯之父，1.399；(2)居家埃及，曾招待墨奈劳斯和海伦，4.126；(3)工匠，8.373；(4)求婚人，22.243，被欧迈俄斯所杀，22.284。

波鲁丹娜（Poludamna） 埃及女子，瑟昂的妻子，曾给海伦神秘的药剂，4.228。

波鲁丢开斯（Poludeukes） 莱达和屯达柔斯之子，宙斯使其成为"半仙"，11.300—304。

波鲁菲得斯（Polupheides） 门提俄斯之子，先知，15.249—256。

波鲁菲摩斯（Poluphemos） 库克洛佩斯中最强健者，被奥德修斯捅瞎，1.70，9.403。

波鲁卡斯忒（Polukaste） 奈斯托耳的末女，3.464。

波鲁克托耳（Poluktor） (1)工匠，曾在伊萨卡筑井，17.207；(2)裴桑德罗斯之父，18.299。

波鲁纽斯（Poluneos） 安菲阿洛斯之父，8.114。

波鲁裴蒙（Polupemon） 阿菲达斯之父，24.305。

波塞冬（Poseidon） 宙斯的兄弟，镇海之王，奥德修斯的"对头"，1.20 等处；波鲁菲摩斯之父，1.68—73。

波伊阿斯（Poias） 菲洛克忒忒斯之父，3.190。

布忒斯（Bootes） 星座名，5.272。

D

达马斯托耳（Damastor） 阿格劳斯之父，20.321。

达奈人（Danaans，Danaoi） 征战特洛伊的希腊人，1.350。

黛墨忒耳（Demeter） 女神，宙斯的姐妹，5.125。

德洛斯（Delos） 爱琴海中一小岛，阿波罗的圣地，6.162。

德摩道科斯（Demodokos） 法伊阿基亚人中的盲歌手，8.44。

德谟普托勒摩斯（Demoptolemos） 求婚人，被奥德修斯所杀，22.242、266。

德墨托耳（Dmetor） 亚索斯(2)之子，塞浦路斯国王，17.443。

德伊福波斯（Deiphobos） 普里阿摩斯之子，4.276。

狄俄克勒斯（Diokles） 菲莱王贵，3.488，15.186。

狄俄墨得斯（Diomedes） 图丢斯之子，《伊利亚特》中的英雄，3.181。

狄俄尼索斯（Dionusos） 宙斯之子，酒神，11.325，24.74。

迪亚（Dia） 爱琴海中一岛屿，11.325。

典雅女神（Charites） 6.18。

丢卡利昂（Deukalion） 克里特国王，伊多墨纽斯的父亲，19.180。

杜利基昂（Doulichion） 岛屿，受奥德修斯制辖，1.246。

杜马斯（Dumas） 法伊阿基亚人，娜乌茜卡好友的父亲，6.22。

多多那（Dodona） 地名，位于希腊西北部，宙斯通过该地的巫师传送神谕，14.327，19.296。

多里斯人（Doriees, Dorieis） 居住克里特的部分希腊族民，19.177。

多利俄斯（Dolios） (1)裴奈罗佩的父亲送给女儿的仆人，4.735—736，在莱耳忒斯的农庄工作，24.222；(2)墨朗西俄斯和墨兰索的父亲。

E

俄狄浦斯（Oidipodes, Oedipus） 忒拜(1)英雄，11.271。

俄耳科墨诺斯（Orchomenos） 米努埃人的城镇，在波伊俄提亚，11.284。

俄耳墨诺斯（Ormenos） 克忒西俄斯之父，15.414。

俄耳提洛科斯（Ortilochos） 狄俄克勒斯之父，3.489，曾接待过奥德修斯，21.16—17。

俄耳图吉亚（Ortugia） 地域，位置不明，5.123，15.404。

俄耳西洛科斯（Orsilochos） 伊多墨纽斯之子，13.260。

俄古吉亚（Ogugia） 卡鲁普索居住的岛屿，1.85。

俄刻阿诺斯（Okeanos） 环拥大地的长河，河神，4.567，10.139，11.639。

俄里昂（Orion） (1)黎明钟爱的英雄，被阿耳忒弥斯所杀，5.121，奥德修斯曾见着他的灵魂(或魂影)，11.572；(2)星座，5.274。

俄奈托耳（Onetor） 弗荣提斯之父，3.282。

俄普斯（Ops） 欧鲁克蕾娅之父，1.429。

俄萨（Ossa） 山脉，在塞萨利亚，11.315。

俄托斯（Otos） 波塞冬和伊菲墨得娅之子，被阿波罗所杀，11.305—320。

俄伊克勒斯（Oikles） 安菲阿劳斯之父，15.243。

俄伊诺普斯（Oinops） 琉得斯之父，21.144。

厄尔裴诺耳（Elpenor） 奥德修斯的伙伴，酒后从房顶摔下致死，10.552；奥德修斯曾与他的灵魂交谈，11.51。

厄菲阿尔忒斯（Ephialtes） 波塞冬之子，俄托斯的兄弟，被阿波罗所杀，11.308。

厄芙拉，即厄芙瑞（Ephure） 地域(或城镇)，可能在希腊西部，具体位置不明，1.259，2.328。

厄开夫荣（Echephron） 奈斯托耳之子，3.413。

厄开纽斯（Echeneos） 法伊阿基亚长者，7.155，11.342。

厄开托斯（Echetos） 传说中的一位暴君，18.85，21.308。

厄拉特柔斯（Elatreus） 法伊阿基亚人，8.111。

厄拉托斯（Elatos） 求婚人，被欧迈俄斯所杀，22.267。

厄里芙勒（Eriphule） 安菲阿劳斯之妻，11.326。

厄里努斯（Erinus） 复仇或责惩女神，15.233—234。

厄利斯（Elis） 城市，地域，位于伯罗奔尼撒西部，遥对伊萨卡，4.635。

厄鲁门索斯（Erumanthos） 山脉，在伯罗奔尼撒西北部，6.103。

厄鲁西亚平原 幸福之园，墨奈劳斯最终的去处，4.563。

厄仑波依人（Eremboi） 墨奈劳斯遇见过的一群族民，4.84。

厄尼裴乌斯（Enipeus） 河流，图罗钟爱的河神，11.238。

厄培俄斯（Epeios） 木马的制作者，8.493，11.524。

厄裴里托斯（Eperitos） 奥德修斯的化名，24.306。

厄丕卡斯忒（Epikaste） 即伊俄卡斯忒，俄狄浦斯的母亲和妻子，11.271。

厄瑞波斯（Erebos） 死人的去处，10.528。

厄瑞克修斯（Erechtheus） 雅典英雄，7.81。

厄瑞特缪斯（Eretmeus） 法伊阿基亚人，8.112。

厄忒俄纽斯（Eteoneus） 墨奈劳斯的伴从，4.22。

F

法厄松（Phaethon） 黎明的驭马，23.246。

法厄苏莎（Phaethousa） 女仙，赫利俄斯之女，看放父亲的牛群，12.132。

法罗斯（Pharos） 埃及岛屿，墨奈劳斯曾登陆该地，4.355。

法伊阿基亚人（Phaiakians，Phaiekes） 阿尔基努斯的属民，5.35 等处。

法伊底摩斯（Phaidimos） 西冬尼亚国王，墨奈劳斯的朋友，4.618。

法伊斯托斯（Phaistos） 克里特城市，3.296。

菲埃（Pheai） 陆架某地，朝对伊萨卡，15.297。

菲冬（Pheidon） 塞斯普罗提亚国王，14.316。

菲莱（Pherai） (1)塞萨利亚地域，欧墨洛斯的家乡，4.798；(2)地域，位于普洛斯和斯巴达之间，狄俄克勒斯的家乡，3.488。

菲洛克忒忒斯（Philoktetes） 英雄，出色的弓手，3.190，8.219。

菲洛墨雷得斯（Philomeleides） 莱斯波斯摔跤手，被奥德修斯摔倒，4.343—344。

菲洛伊提俄斯（Philoitios） 奥德修斯的牛倌，20.185。

菲弥俄斯（Phemios） 忒耳皮阿斯之子，歌手，1.154，奥德修斯对其开恩不杀，22.330—331、371—377。

菲瑞斯（Pheres） 克瑞修斯和图罗之子，11.259。

腓尼基人（Phoinikes，Phoenicians） 族民，善航海，重贸易，13.272，14.288 等处。

斐德拉（Phaidra） 名女，奥德修斯曾见着她的灵魂(或魂影)，11.321。

夫拉凯（Phulake） 伊菲克勒斯的家乡，11.290，15.236。

夫拉科斯（Phulakos） 英雄，曾关押墨朗普斯，15.231。

福耳库斯（Phorkus） 海洋老人，13.345，苏莎的父亲，1.72。

芙罗（Phulo） 海伦的侍女，4.125。

弗罗尼俄斯（Phronios） 诺厄蒙之父，2.386。

弗荣提斯（Phrontis） 俄奈托耳之子，墨奈劳斯的舵手，3.282。
弗西亚（Phthia） 阿基琉斯的家乡，11.496。
福伊波斯（Phoibos） 阿波罗的别称，饰词，3.279。

G

戈耳工（Gorgon） 魔怪，11.635。
戈耳吐斯（Gortus） 克里特地域，3.294。
格莱斯托斯（Geraistos） 欧波亚岛上的突崖，3.178。
格瑞尼亚（Gerenian） 奈斯托耳的饰词，3.68。
古莱（Gurai） 爱琴海上一岛屿，4.500。

H

哈利俄斯（Halios） 阿尔基努斯之子，8.119。
哈利塞耳塞斯（Halitherses） 伊萨卡人，善卜占，2.157，24.451。
海伦（Helen） 墨奈劳斯之妻，4.12。
赫蓓（Hebe） 宙斯和赫拉之女，赫拉克勒斯的妻子，11.603—604。
赫耳弥娥奈（Hermione） 墨奈劳斯和海伦之女，4.13。
赫耳墨斯（Hermes） 宙斯之子，信使，护导之神，又名阿耳吉丰忒斯，1.38。
赫法伊斯托斯（Hephaistos） 神界工匠，4.616；在《奥德赛》里，他是阿芙罗底忒的丈夫，其妻曾和阿瑞斯通奸，8.268。
赫拉（Hera） 宙斯之妻，神界的王后，4.513。
赫拉克勒斯（Herakles） 宙斯和阿尔克墨奈之子，11.268，杀伊菲托斯，21.26—27，成仙后与赫蓓结婚，11.601—604。
赫拉斯（Hellas） 阿基琉斯统治的地域，11.496；亦可泛指希腊，1.344。
赫勒斯庞特（Hellespont） 即达达尼尔海峡，在特洛伊附近，24.82。
赫利俄斯（Helios） 太阳神，1.8。
呼拉科斯（Hulakos） 卡斯托耳（2）之父，14.204。
呼裴瑞西亚（Huperesia） 阿开亚城市，波鲁菲得斯的家乡，15.254。

呼裴瑞亚（Hupeireia） 法伊阿基亚人移居前的故乡，6.4。

晃动的石岩（普兰克塔伊） 位于塞壬的居地附近，12.61，23.327。

J

伽娅（Gaia） 提图俄斯的母亲，7.324。

基俄斯（Chios） 岛屿，位于小亚细亚岸外，3.170。

基耳刻（Kirke） 女神，栖居埃阿亚，8.448，9.31，10.135—136。

基科尼亚人（Kikonians，Kikones） 族民，曾受奥德修斯掠杀，9.39—61。

基墨里亚人（Kimmerians，Kimmerioi） 族民，居住在冥界附近，11.14。

K

卡德摩斯（Kadmos） 忒拜人的祖先，伊诺的父亲，5.333。

卡德墨亚人（Kadmeians，Kadmeioi） 忒拜族民，11.276。

卡尔基斯（Chalkis） 地域，位于希腊西部海岸，15.295。

卡鲁伯底斯（Charubdis） 漩魔，12.104。

卡鲁普索（Kalupso） 女仙，阿特拉斯之女，1.14，曾与奥德修斯同居并助其归航，5.14—268。

卡桑德拉（Kassandra） 普里阿摩斯之女，阿伽门农的床伴，被克鲁泰奈斯特拉谋害，11.421—423。

卡斯托耳（Kastor） （1）屯达柔斯和莱达之子，宙斯使其成为“半仙”，11.300—304；（2）呼拉科斯之子；奥德修斯曾冒名卡氏之子，14.204。

开法勒尼亚人（Kephallenians） 开法勒尼亚族民，亦指群岛上的居民，20.210，24.355 等处。

开忒亚人（Keteians，Keteioi） 欧鲁普洛斯镇统的族民，11.520。

考科奈斯人（Kaukones） 族民，可能居住在普洛斯附近，3.366。

科库托斯（Kokutos） 冥界的一条河流，10.514。

克拉泰伊斯（Krataiis） 斯库拉的母亲，12.124。

克雷托斯（Kleitos） 门提俄斯之子，貌美，被黎明带走，15.249—250。

克里特（Krete） 岛屿，伊多墨纽斯王统的地方，3.191—192。
克鲁墨奈（Klumene） 名女，奥德修斯曾面见她的魂灵，11.326。
克鲁墨诺斯（Klumenos） 欧鲁迪凯之父，3.452。
克鲁诺伊（Krounoi） 地域，位于希腊西海岸，伊萨卡对面，15.295。
克鲁泰奈斯特拉（Klutaimnestra） 阿伽门农之妻，埃吉索斯的姘妇，3.265—272，合伙谋害了阿伽门农和卡桑德拉，11.421—434。
克鲁提俄斯（Klutios） 裴莱俄斯的父亲，15.540。
克鲁托纽斯（Klutoneos） 阿尔基努斯之子，8.119。
克罗米俄斯（Chromios） 奈琉斯和克洛里斯之子，奈斯托耳的兄弟，11.286。
克罗诺斯（Kronos） 宙斯之父，1.386 等处。
克洛里斯（Chloris） 奈琉斯之妻，奈斯托耳之母，11.281。
克诺索斯（Knossos） 城市，在克里特，19.178。
克瑞翁（Kreion） 墨佳拉的父亲，11.269。
克瑞修斯（Kretheus） 埃俄洛斯(2)之子，图罗的丈夫，11.258。
克忒西波斯（Ktesippos） 求婚人，曾对奥德修斯投掷牛蹄，20.288—302，被菲洛伊提俄斯击杀，22.285。
克忒西俄斯（Ktesios） 欧迈俄斯之父，15.413。
克提墨奈（Ktimene） 奥德修斯的姐妹，15.364。
库多尼亚人（Kudonians，Kudones） 克里特族民，3.292，19.176。
库克洛佩斯（Kuklopes，Cyclopes） 一个原始野蛮的部族，奥德修斯曾到过他们的地域，1.70，9.106。单数为"库克洛普斯"(Kuklops)，指波鲁菲摩斯，1.69，2.19。
库勒奈（Kullene） 山脉，在阿耳卡底亚，赫耳墨斯的"故乡"，24.1。
库塞拉（Kuthera） 岛屿，位于希腊南端海面，9.81。
库塞瑞娅（Kuthereia） 即阿芙罗底忒，"库塞拉的夫人"，8.288，18.193。

L

拉达门苏斯（Rhadamanthus） 可能是厄鲁西亚平原的王者或头领，4.564。
拉凯代蒙（Lakedaimon） 斯巴达地区，墨奈劳斯镇统的地域，3.326。

拉莫斯（Lamos） 莱斯特鲁戈奈斯人的地域，10.81。

拉庇赛人（Lapithai） 裴里苏斯的族民，21.297。

莱达（Leda） 屯达柔斯之妻，卡斯托耳和波鲁丢开斯之母，11.298—300。

莱耳开斯（Laerkes） 普洛斯工匠，3.425。

莱耳忒斯（Laertes） 阿耳开西俄斯之子，奥德修斯之父，忒勒马科斯的祖父，1.188。

莱姆诺斯（Lemnos） 爱琴海北部岛屿，受赫法伊斯托斯的护佑，8.283。

莱斯波斯（Lesbos） 岛屿，位于小亚细亚海岸外，奥德修斯曾在岛上与菲洛墨雷得斯角力，4.342。

莱斯特鲁戈奈斯（Laistrugones） 或莱斯特鲁戈尼亚人，一群吃人的生灵，奥德修斯及其随从曾与之相遇，10.80—132。

莱托（Leto） 阿波罗和阿耳忒弥斯的母亲，6.106。

兰裴提娅（Lampetia） 仙女，赫利俄斯的女儿，看管父亲的牛群，12.132、374。

郎波斯（Lampos） 黎明的驭马，23.246。

劳达马斯（Laodamas） 阿尔基努斯的爱子，7.170，8.117。

雷斯荣（Rheithron） 伊萨卡海港，1.186。

黎明（可能指 Eos） 女神，提索诺斯之妻，2.1 和 5.1 等处。

利比亚（Libya） 指非洲沿岸地区，4.85，14.295。

琉得斯（Leodes） 求婚人，俄伊诺普斯之子，21.144，被奥德修斯所杀，22.310—329。

琉科塞娅（Leukothea） 伊诺的神名，5.334。

琉克里托斯（Leokritos） 求婚人，被忒勒马科斯所杀，22.294。

M

马拉松（Marathon） 雅典娜钟爱的地方，位于雅典附近，7.80。

马荣（Maron） 阿波罗在伊斯马罗斯的祭司，9.197—198。

马勒亚（Maleia） 岩壁，位于伯罗奔尼撒东南角，3.287，9.80。

马斯托耳（Mastor） 哈利塞耳塞斯的父亲，2.157，24.451。

迈拉（Maira） 名女，奥德修斯曾面见她的灵魂，11.326。

迈娅（Maia） 赫耳墨斯之母，14.436。

门农（Memnon） 最美的凡人，11.522。

门忒斯（Mentes） 雅典娜所用的假名，1.105。

门提俄斯（Mantios） 墨朗普斯之子，塞俄克鲁墨诺斯的祖父，15.242。

门托耳（Mentor） 奥德修斯的朋友，曾以家居相托，2.224—227；雅典娜常变取门托耳的形象，2.268，22.206，24.548。

弥马斯（Mimas） 岩壁地带，和基俄斯隔海相望，3.172。

米努埃人(的)（Minuai, Minueios） 族民，居家俄耳科墨诺斯，11.284。

米诺斯（Minos） 宙斯之子，克里特国王，19.178，冥界的判官，11.568。

墨冬（Medon） 奥德修斯在伊萨卡的信使，忠于奥氏的家眷，4.677，免遭杀戮，22.361—377。

墨耳墨罗斯（Mermeros） 伊利斯之父，1.259。

墨佳拉（Megara） 克瑞翁之女，赫拉克勒斯之妻，11.269。

墨伽彭塞斯（Megapenthes） 墨奈劳斯和一名女仆的儿子，4.11—12，15.100。

墨拉纽斯（Melaneus） 安菲墨冬之父，24.103。

墨兰索（Melantho） 多利俄斯(2)之女，裴奈罗佩不忠诚的女仆，18.321，19.65。

墨朗普斯（Melampous） 一位著名的先知，11.291，15.225。

墨朗西俄斯（Melanthios） 多利俄斯之子，牧羊人，脚踢奥德修斯，17.212，被忒勒马科斯等肢解，22.474—477。

墨奈劳斯（Menelaos） 阿伽门农之弟，海伦之夫，4.2，15.5 等处。

墨诺伊提俄斯（Menoitios） 帕特罗克洛斯之父，24.77。

墨萨乌利俄斯（Mesaulios） 欧迈俄斯的仆工，14.449。

墨塞奈（Messene） 地域，位于希腊西南部，21.15。

慕耳弥冬人（Murmidons, Murmidones） 阿基琉斯和尼俄普托勒摩斯统治的属民，3.188。

慕凯奈（Mukene） (1)名女，2.121；(2)阿伽门农的城堡，3.304。

慕利俄斯（Moulios） 杜利基昂信使，18.423。

N

那乌波洛斯（Naubolos） 欧鲁阿洛斯之父,8.115。

那乌丢斯（Nauteus） 法伊阿基亚人,8.112。

娜乌茜卡（Nausikaa） 阿尔基努斯和阿瑞忒之女,曾友待奥德修斯,6.17。

那乌西苏斯（Nausithoos） 波塞冬之子,阿尔基努斯之父,7.56—63,法伊阿基亚人在斯开里亚的鼻祖,6.7—10。

奈埃拉（Neaira） 赫利俄斯之妻,12.133。

奈里科斯（Nerikos） 地名,莱耳忒斯曾攻战该地,24.378。

奈里托斯（Neritos） (1)即奈里同(Neriton),伊萨卡山脉,9.22,13.351;另见《伊利亚特》2.632;(2)工匠,曾在伊萨卡筑井,17.207。

奈琉斯（Neleus） 奈斯托耳之父,普洛斯先王,3.409,11.281。

奈斯托耳（Nestor） 奈琉斯之子,普洛斯国王,《伊利亚特》中的老英雄,1.284,3.17。

内昂（Neion） 山峦,在伊萨卡,1.186。

尼俄普托勒摩斯（Neoptolemos） 阿基琉斯之子,11.506。

尼索斯（Nisos） 杜利基昂国王,安菲诺摩斯之父,18.127。

诺厄蒙（Noemon） 忒勒马科斯的朋友,曾借船给忒氏,2.386,4.630。

O

欧安塞斯（Euanthes） 马荣之父,9.197。

欧波亚（Euboia） 岛屿,位于希腊中部海岸外,3.175。

欧厄诺耳（Euenor） 琉克里托斯之父,2.242。

欧鲁阿德斯（Euruades） 求婚人,被忒勒马科斯所杀,22.267。

欧鲁阿洛斯（Eurualos） 一位年轻的法伊阿基亚人,8.158。

欧鲁巴忒斯（Eurubates） 奥德修斯的信使,19.247。

欧鲁达马斯（Eurudamas） 求婚人,被奥德修斯所杀,22.283。

欧鲁迪凯（Eurudike） 克鲁墨诺斯之女,奈斯托耳之妻,3.452。

欧鲁克蕾娅（Eurukleia） 奥德修斯和忒勒马科斯的保姆，1.428 等处。

欧鲁洛科斯（Eurulochos） 奥德修斯的副手，10.205，他的亲戚，10.438—441。

欧鲁马科斯（Eurumachos） 波鲁波斯(1)之子，求婚人的头领，1.399，2.177，被奥德修斯所杀，22.79—88。

欧鲁摩斯（Eurumos） 忒勒摩斯之父，9.509。

欧鲁墨冬（Eurumedon） 裴里波娅之父，7.58。

欧鲁墨杜莎（Eurumedousa） 娜乌茜卡的保姆，7.8。

欧鲁诺摩斯（Eurunomos） 求婚人，埃古普提俄斯之子，2.21，22.242。

欧鲁诺墨（Eurunome） 裴奈罗佩的保姆，家仆，17.495。

欧鲁普洛斯（Eurupulos） 忒勒福斯之子，被尼俄普托勒摩斯杀死在特洛伊，11.520。

欧鲁提昂（Eurution） 一个喝醉酒的马人，21.295。

欧鲁托斯（Eurutos） 伊菲托斯之父，俄伊卡利亚国王，被阿波罗所杀，8.224—228。

欧迈俄斯（Eumaios） 奥德修斯的猪倌，14.55。参阅 15.389—484。

欧墨洛斯（Eumelos） 菲莱王贵，伊芙茜梅(裴奈罗佩的姐妹)的丈夫，4.798。

欧培塞斯（Eupeithes） 安提努斯的父亲，1.383，被莱耳忒斯所杀，24.523。

P

帕耳那索斯（Parnassos） 山脉，位于希腊中部，19.394。

帕福斯（Paphos） 地域，在塞浦路斯，有阿芙罗底忒的祭坛，8.362—363。

帕诺裴乌斯（Panopeus） 福基斯城市，11.581。

帕特罗克洛斯（Patroklos） 阿基琉斯最亲密的伴友，《伊利亚特》中的英雄(被赫克托耳等击杀)，3.110 等处。

派厄昂（Paieon） 医药之神，4.232。

潘达柔斯（Pandareos） “夜莺”的父亲，19.518，女儿被劲风卷走，20.66。

庞丢斯（Ponteus） 法伊阿基亚人，8.113。

庞托努斯（Pontonoos） 阿尔基努斯的信使，7.182。

裴耳塞（Perse） 水仙，俄刻阿诺斯之女，10.139。

裴耳塞丰奈（Persephone） 女神，哀地斯之妻，冥界的王后，10.491，11.47 等处。

裴耳修斯（Perseus） 奈斯托耳之子，3.414。

裴拉斯吉亚人（Pelasgians，Pelasgoi） 族民，《奥德赛》中出现在克里特，19.177。

裴莱俄斯（Peiraios） 伊萨卡人，忒勒马科斯的朋友和伙伴，15.540。

裴里波娅（Periboia） 欧鲁墨冬之女，那乌西苏斯之母，7.57。

裴里克鲁墨诺斯（Periklumenos） 奈琉斯和克洛里斯之子，奈斯托耳的兄弟，11.286。

裴里苏斯（Peirithoos） 英雄，塞修斯的朋友，11.631；拉庇赛人的国王，21.295—298 行。

裴里墨得斯（Perimedes） 奥德修斯的伙伴，11.23。

裴利阿斯（Pelias） 波塞冬和图罗之子，伊俄尔科斯国王，11.256。

裴利昂（Pelion） 山脉，在塞萨利亚，11.316。

裴琉斯（Peleus） 阿基琉斯之父，5.310 等处。

裴罗（Pero） 奈琉斯之女，出名的美人，11.287。

裴奈罗佩（Penelope） 伊卡里俄斯之女，奥德修斯之妻，忒勒马科斯之母，1.223 等处。

裴桑德罗斯（Peisandros） 波鲁克托耳之子，求婚人，18.299，被菲洛伊提俄斯所杀，22.268。

裴塞诺耳（Peisenor） (1)伊萨卡信使，2.37；(2)俄普斯之父，欧鲁克蕾娅的祖父，1.429。

裴西斯特拉托斯（Peisistratos） 奈琉斯之子，3.36，陪同忒勒马科斯去斯巴达，3.481—486。

皮厄里亚（Pieria） 奥林波斯附近的山地，5.50。

普拉姆内亚酒 一种醇香，亦可做药用的饮酒，出处不明，10.235。

普雷阿德斯（Pleiades） 星座，5.272。

普里阿摩斯（Priamos） 特洛伊国王，3.107。

普里弗勒格松（Puriphlegethon） 冥界的一条河流，10.513。

普仑纽斯（Prumneus） 法伊阿基亚人，8.112。

普罗丢斯（Proteus） 海洋老人（或海之长者），4.365。

普罗克里斯（Prokris） 名女，奥德修斯曾见过她的灵魂，11.321。

普罗柔斯（Proreus） 法伊阿基人，8.113。

普洛斯（Pulos） 奈斯托耳的城堡，临海，位于伯罗奔尼撒西部，1.93。

普苏里厄（Psurie） 岛屿，3.171。

普索（Putho） 位于帕耳那索斯山坡，有阿波罗的神庙，8.80，11.581。

R

瑞克塞诺耳（Rhexenor） 那乌西苏斯之子，7.63。

S

萨尔摩纽斯（Salmoneus） 图罗之父，11.236。

萨墨，萨摩斯（Same，Samos） 岛屿，位于伊萨卡附近，受奥德修斯管辖，1.246，4.845。

塞拜（Thebai） 埃及名城，4.126。

塞俄克鲁墨诺斯（Theoklumenos） 出身于占卜之家，逃离阿耳戈斯，受到忒勒马科斯的友待，15.223、256。

塞弥斯（Themis） 女神，督察凡人集会之神，2.69。

塞浦路斯（Cyprus） 地中海东部的一个大岛，4.83。

塞壬（Sirens，Seirenes） 擅歌，能以歌唱迷人致死，12.39。

塞斯普罗提亚人（Thesprotians，Thesprotoi） 族民，居家希腊北部，14.315—316。

塞提斯（Thetis） 奈柔斯之女，婚配裴琉斯，生子阿基琉斯，24.91。

塞修斯（Theseus） 雅典英雄，曾将阿里阿德奈带出克里特，11.322—323。

瑟昂（Thon） 埃及人，波鲁丹娜的丈夫，4.228—229。

斯巴达（Sparta） 墨奈劳斯的城邦，1.93。

斯开里亚（Scheria） 法伊阿基亚人的地域，5.34。

斯库拉（Skulla） 吃人的魔怪，曾抢食奥德修斯的随从，12.85、245 等处。

斯库罗斯（Skuros） 岛屿，奥德修斯曾从该地将尼俄普托勒摩斯带往特洛伊，11.509。

斯拉凯（Thrake, Thrace） 阿瑞斯钟爱的地方，位于希腊以北，8.361。

斯拉苏墨得斯（Thrasumedes） 奈斯托耳之子，3.39。

斯里那基亚（Thrinakia） 赫利俄斯的岛屿，岛上有他的牛群，11.106，12.127。

斯特拉提俄斯（Stratios） 奈斯托耳之子，3.413。

斯图克斯（Stux） 河流或瀑流，神们以此誓证，5.185，10.513。

苏厄斯忒斯（Thuestes） 阿特柔斯的兄弟，埃吉索斯之父，4.517。

苏里亚（Suria） 岛屿，位置不明，欧迈俄斯的故乡，15.403。

苏尼昂（Sounion） 阿提卡海岬，位于雅典附近，3.278。

苏莎（Thoosa） 女仙，福耳库斯之女，波鲁菲摩斯之母，1.71。

索阿斯（Thoas） 安德莱蒙之子，14.499。

索昂（Thoon） 法伊阿基亚人，8.113。

索鲁摩伊人（Solumoi） 族民，5.283。

T

塔菲亚人（Taphians, Taphioi） 族民，可能生聚在希腊西部沿海地区，1.105，14.452。

塔福斯（Taphos） 门忒斯（雅典娜冒称）的故乡，1.417。

泰瑞西阿斯（Teiresias） 忒拜先知，10.492，曾预言奥德修斯的未来，11.90—137。

坦塔洛斯（Tantalos） 英雄，在冥界吃苦受难，11.582。

陶格托斯（Taugetos） 山脉，在拉凯代蒙，6.103。

忒拜（Thebe, Thebai） 卡德墨亚人的城，在波伊俄提亚，15.247。

忒耳皮阿斯（Terpias） 菲弥俄斯之父，22.330。

忒克同（Tekton） 波鲁纽斯之父，8.114。

忒拉蒙（Telamon） 埃阿斯(1)之父，11.553。

忒勒福斯（Telephos） 欧鲁普洛斯之父，11.519。

忒勒马科斯（Telemachos） 奥德修斯和裴奈罗佩之子，1.113 等处。

忒勒摩斯（Telemos） 卜者，9.509。

忒勒普洛斯（Telepulos） 莱斯特鲁戈奈斯人的城，10.82。

特里托格内娅（Tritogeneia） 雅典娜的别名，3.378。

特洛伊（Troy, Troie） “特罗斯的城”，被阿开亚人攻陷，1.2 等处。

特洛伊人（Trojans, Troes） 普里阿摩斯的属民，1.237 等处。

忒墨塞（Temese） 雅典娜(以门忒斯的形象)提及的一个地名，1.183。

忒奈多斯（Tenedos） 小亚细亚海岸外岛屿，位于特洛伊附近，3.159。

提索诺斯（Tithonos） 黎明的丈夫，5.1。

提图俄斯（Tituos） 英雄，在冥界吃受苦难，11.576—579。

图丢斯（Tudeus） 狄俄墨得斯之父，3.167。

图罗（Turo） 奈琉斯之母，其灵魂曾与奥德修斯交谈，2.120，11.235。

屯达柔斯（Tundareus） 卡斯托耳、波鲁丢开斯和克鲁泰奈斯特拉的父亲，11.298，24.199。

X

希波达墨娅（Hippdameia） 裴奈罗佩的侍女，18.182。

希波塔斯（Hippotas） 埃俄洛斯(1)之父，10.2。

西冬（Sidon, Sidonia） 腓尼基城市，13.286。

西卡尼亚（Sikania） 奥德修斯提及的一个地名，24.307。参考 4.84。

西西里人（Sicilians） 即 Sikeloi，“西开洛伊人”；古时的西西里可能是个买卖奴隶的地方，20.383，24.211。

西绪福斯（Sisuphos） 科林斯英雄，在冥界服受苦役，11.593—600。

新提亚人（Sintians, Sinties） 莱姆诺斯居民，赫法伊斯托斯的朋友，8.294。

徐佩里昂（Huperion） 太阳神赫利俄斯的饰词或别称，1.24；另参考 12.176 等处。

Y

雅典（Athens，Athenai） 城市，位于希腊中东部，3.278。

雅典娜（Athene） 或帕拉斯·雅典娜，宙斯之女，1.44 等处，曾多次帮助奥德修斯。

亚耳达诺斯（Iardanos） 河流，在克里特，3.292。

亚索斯（Iasos） (1)安菲昂(2)之父，11.283；(2)德墨托耳之父，17.443。

亚西翁（Iasion） 黛墨忒耳钟爱的英雄，5.126。

伊阿宋（Ieson，Iason） 英雄，曾驾导阿耳戈船远征，12.72。

伊多墨纽斯（Idomeneus） 克里特王者，《伊利亚特》中的英雄，3.191，13.259。

伊俄尔科斯（Iolkos） 地域，在塞萨利亚，裴利阿斯的故乡，11.256。

伊菲克勒斯（Iphiklos） 或伊菲克洛斯，夫拉凯王者，11.290。

伊菲墨得娅（Iphimedeia） 俄托斯和厄菲阿尔忒斯的母亲，11.305。

伊菲托斯（Iphitos） 欧鲁托斯之子，奥德修斯年轻时结识的朋友，21.13—24。

伊芙茜梅（Iphthime） 欧墨洛斯之妻，裴奈罗佩的姐妹，4.797。

伊卡里俄斯（Ikalios） 裴奈罗佩的父亲，1.328。

伊克马利俄斯（Ikmalios） 工匠，能制作精美的椅子，19.57。

伊利昂（Ilion） 特洛伊城，2.18；希腊人曾在那儿苦战十年。

伊罗斯（Iros） 又名阿耳奈俄斯，乞丐，曾与奥德修斯打斗，18.1—107。

伊洛斯（Ilos） 墨耳墨罗斯之子，1.259。

伊诺（Ino） 又名琉科塞娅，卡德摩斯的女儿，曾是凡女，后成仙，5.333、461。

伊萨卡（Ithaka） 海岛，奥德修斯的故乡，位于希腊西部海岸外，1.18；另见9.21 等处。

伊萨科斯（Ithakos） 工匠，曾在伊萨卡筑井，17.207。

伊斯马罗斯（Ismaros） 基科尼亚人的家乡，9.40。

伊图洛斯（Itulos） 泽索斯 (2)之子，被亲母所杀，19.518—523。

Z

泽索斯（Zethos） （1）安提娥培之子，曾和兄弟安菲昂一起建筑忒拜，11.262；（2）伊图洛斯之父，19.522。

扎昆索斯（Zakunthos） 岛屿，归奥德修斯治辖，1.246。

宙斯（Zeus） 克罗诺斯之子，神中最强健者，主宰天空，1.10 等处。

译 后 记

广州花城出版社曾出版过我的贴近于散文风格的自由诗体译作《奥德赛》。这次本人在原译的基础上重读并新译了这部文学名著,试用了规整而又多变的韵文体形式,有意识和更多地借用了分句及词、曲的写作手法,以增强作品的节奏感,突出原作以音步而非韵脚带动诗情滚动的(希腊)口诵史诗的特点,浓添它的诗味。本译著纠正了原译中的一些错失(包括印刷上的讹误),精简了一些不必要的繁复,在行文上进行了较大程度的凝练,在用词上更趋细致、恰当,并在提高译作的精度和表义的“兼顾性”方面进行了新的尝试。翻译时本人逐行核对了原译的主要文本依据,即 A. T. Murray 校勘的《奥德赛》古希腊语原文本(*Homer: The Odyssey*, in two volumes, Cambridge, Massachusetts: Harvard University Press, first published 1919/1919, reprinted 1984/1991)。翻译过程中除参照了该套书 Murray 教授的英译外,还有比较地参考了其他几种原文(校勘)本以及一些成熟的英法文译本,包括 T. W. Allen 的 *Homeri Opera* (Oxford Classical Text, 1917/1919)、V. Bérard 的 *L'Odyssée*(Paris, 1924/1925)、D. B. Monro 的 *Homer's Odyssey*(in two volumes, Oxford, 1886/1901)、W. B. Stanford 的 *The Odyssey of Homer*(in two volumes, Macmillan, 1959)、E. V. Rieu 的 *Homer: The Odyssey*[Harmondsworth:Peguin Books, 1983 (first published 1946)]和 Richmond Lattimore 的 *The Odyssey of Homer*[New York: Harper and Row, 1975(copyright 1965)]。翻

译中还零星参考了 Samuel Butler(1900)、Ennis Rees(1960)和 Robert Fitzgerald(1961)的英译本以及杨宪益(上海译文出版社,1979)和王焕生(人民文学出版社,1997)的中译本。

阅读荷马史诗大概最好能多少结合一点注释。本译著对《奥德赛》进行了较为深入的诠解,提纲挈领,既顾及词汇,也涉及观点,并就一些难点问题展开了讨论,进行了必要和细致的梳理甄别。注释中融入了笔者长期从事荷马史诗及古希腊哲学、诗学与文论研究所感悟到的些许心得,凝聚着一个始终视勤奋高于天赋的后进学子的殚精竭虑和超时工作的心血,荟萃了几千张卡片的资料积累。由两部荷马史诗的翻译者本人兼司明显顾及研究需要的解析,对作品进行大容量、成系统和有深度的笺注,此种做法在国外亦不多见,笔者以诚惶诚恐之心努力做好它,祈望读者体察,理解其中的艰难。这样的尝试虽然工作量巨大,费力浩繁,但有一个好处,即可以较为充分地发挥集译者与评注者于一身的优势,注意对作品的细处、小处的阐释对比,沟通两部史诗的横向联系,以翻译优化(亦即促使笔者更有针对性地从事)注释,以注释和评论精化(亦即在用词遣句上更准确、自如地体现语义,在"神似"上贴近原作)翻译,尽可能充分地展示荷马史诗初朴、雄浑的诗品风貌,揭示它的跨学科性质(当然,这不是荷马"有意"为之的结果)和无可比拟的资料价值,展现它潜在的大地般丰饶广阔的学术容量,勘探它深厚的信息底蕴。在注释内容的设置(包括必要的取舍)和表述风格上,尽量照顾了国内读者的评审心理和接受习惯。作注过程中重点参考了 Alfred Heubeck、Arie Hoekstra 和 Joseph Russo 等学者撰写的 *A Commentary on Homer's Odyssey*(in three volumes, Oxford, 1988—1992)和 P. V. Jones 的 *Homer's Odyssey*(A Companion to the Translation of Richmond Lattimore, Carbonda and Edwardsville, 1988)。此外,笔者还先后阅读了几十种外文书籍,参考并引用了其中的某些论点。此类参考书主要包括 W. J.

Woodhouse 的 *The Composition of Homer's Odyssey* (Oxford, 1930)、C. H. Taylor(编纂)的 *Essays on the Odyssey* (Indiana, 1963)、D. L. Page 的 *The Homeric Odyssey* (Oxford, 1955)、G. P. Shipp 的 *Studies in the Language of Homer* (Cambridge, 1972)、Richard Janko 的 *Homer, Hesiod and the Hymns* (Cambridge, 1982)、Marcel Detienne 的 *L'Invention de la mythologie* (Paris, 1981)、Pierre Grimal 的 *The Dictionay of Classical Mythology* (Blackwell, 1986)、R. E. Bell 的 *Place - Names in Classical Mythology: Greece* (Santa Barbara, 1989)以及 Ian Morris 和 Harry Powell(编纂)的 *A New Companion to Homer* (Leiden, 1997)等。在国外同行的帮助下,笔者还参阅了少量德文资料,包括 U. Holscher 的 *Untersuchungen zur Form der Odyssee* (Leipzig, 1939)和 W. Schadewaldt 的 *Von Homers Welt und Werk* (Stuttgart, 1965)中的某些精彩论述。需要指出的是,为了开阔读者的视野,也为更好地为有志者的研究提供力所能及的借鉴,笔者在作注中有时会“抛开”文本,“超越”一般的注释,进入评论或研析的范畴,纵论自己对某一论题或观点的见解,力图有所发挥和创造性地(这与我们一贯推崇的稳健并不必然地构成矛盾)解析荷马史诗,挖掘它所包蕴的深广然而却不易被浅尝辄止和走马看花式的阅读所洞悉的思想和人文内涵。对个别论题的阐释或许会稍微“走”得远些,但细品之下仍会觉得与文本的间接所示和由人物所体现的(荷马一直“耿耿于怀”的)人的局限有关,因此大概不致显得过于生硬或牵强附会。笔者为注释的内容配备了较为详尽和明晰的导读,使读者能比较容易地从各个不同的角度研析同一个文本现象或问题,开拓思路,积累阅读经验,在多方对比和全面把握的基础上形成对荷马史诗扎实的理解,进入由诗而到史、思及事(指叙事、论事及缜密分析事理的)融会欣赏和研究的领域,涵养自己并最终只能属于自己的学观趣味。本译著按原文顺序标行,译文前有序言一篇,译文后附专名索引。专名索引的编制参考了包括 Lattimore 教授上述英译本在内的几种译本所提供的名称索引。

中国社会科学院外国文学研究所为本次译事及注释的完成提供了时间和其他方面的便利,希腊亚里士多德大学人文学院和雅典大学古典系图书馆为译者提供过宝贵的资料支持,译林出版社施梓云先生热情约稿并在译事进行和编辑过程中多方合作,校正修缮,提出过中肯的建议。作为本书的责任编辑之一,李浩瑜女士亦兢兢业业,不辞辛劳,做了大量有益的工作。本人愿借此机会,对上述各方表示由衷的谢意。我要特别感谢贤妻王雪梅女士,感谢她在工作和料理家务之余抽时间帮我整理、归类并核对资料,以其特有的细致和认真负责精神,一丝不苟地阅读译稿及注释评论并予全文抄正。

翻译荷马史诗的难度自不待言,而以笔者的功力、阅历和文学修养,翻译一部合成于公元前八世纪的长达一万两千多行的西方史诗巨篇,自然会有捉襟见肘和勉为其难的一面。译文和注释中可能会有种种谬误错讹,会有一些不尽如人意之处,还望学界同仁和广大读者不讥肤浅,坦诚相见,予以指正、批评。

"白玉一杯酒,绿杨三月时。"但愿日积月累的诚惶诚恐和如履薄冰式的感受(所谓"终日乾乾,夕惕若厉")能促使我更加兢兢业业地勤奋工作,以期弥补学识和经验上的不足,在实践中得到磨炼,不断提高自己的翻译水平和治学能力。思考没有终极,研讨不会辍息——因此,学习弥足珍贵,催人奋发,不生厌烦,无有止境。

陈中梅

2001 年 6 月于北京

2008 年 1 月修订再版

2021 年 10 月再次修订

经典译林

Yilin Classics

书名	单价	书名	单价
艾青诗集	35.00 元	爱的教育	39.00 元
癌症楼	78.00 元	安娜·卡列尼娜	49.00 元
安徒生童话选集	42.00 元	奥德赛	92.00 元
傲慢与偏见	36.00 元	八十天环游地球	32.00 元
巴黎圣母院	42.00 元	白洋淀纪事	32.00 元
百万英镑	35.00 元	包法利夫人	38.00 元
悲惨世界（上、下）	98.00 元	背影	28.00 元
被侮辱与被损害的人	39.00 元	边城	36.00 元
变色龙：契诃夫中短篇小说集	39.00 元	变形记 城堡	38.00 元
草叶集：惠特曼诗选	39.00 元	茶馆	32.00 元
茶花女	35.00 元	查拉图斯特拉如是说	38.00 元
沉思录	22.00 元	城南旧事	29.00 元
大卫·科波菲尔（上、下）	79.00 元	稻草人	29.00 元
地心游记	32.00 元	飞鸟集·新月集：泰戈尔诗选	39.00 元
飞向太空港	39.00 元	福尔摩斯探案集	58.00 元
复活	42.00 元	傅雷家书	49.00 元
富兰克林自传	36.00 元	钢铁是怎样炼成的	39.00 元
高老头	29.80 元	格列佛游记	35.00 元
格林童话全集	49.00 元	给青年的十二封信	29.00 元
古希腊悲剧喜剧集（上、下）	69.80 元	海底两万里	38.00 元

书名	单价	书名	单价
红楼梦	55.00 元	红与黑	49.00 元
呼兰河传	35.00 元	呼啸山庄	39.00 元
基督山伯爵（上、下）	108.00 元	纪伯伦散文诗经典	42.00 元
寂静的春天	35.00 元	假如给我三天光明	32.00 元
简·爱	39.00 元	金银岛	35.00 元
荆棘鸟	45.00 元	静静的顿河	128.00 元
镜花缘	39.00 元	局外人·鼠疫	38.00 元
菊与刀	35.00 元	宽容	32.00 元
昆虫记	39.00 元	老人与海	32.00 元
理想国	45.00 元	聊斋志异	55.00 元
列那狐的故事	39.00 元	猎人笔记	38.00 元
林肯传	28.00 元	鲁滨逊漂流记	39.00 元
绿山墙的安妮	36.00 元	罗马神话	16.80 元
罗生门	39.00 元	骆驼祥子	32.00 元
麦田里的守望者	38.00 元	美丽新世界	35.00 元
名人传	39.00 元	拿破仑传	38.00 元
呐喊	23.00 元	牛虻	38.00 元
欧·亨利短篇小说选	36.00 元	欧也妮·葛朗台	32.00 元
彷徨	32.00 元	培根随笔全集	28.00 元
飘（上、下）	88.00 元	普希金诗选	42.00 元
乞力马扎罗的雪	39.80 元	热爱生命·海狼	38.00 元
人类群星闪耀时	36.00 元	人性的弱点	28.00 元
儒林外史	42.00 元	三个火枪手	59.00 元
三国演义	59.00 元	沙乡年鉴	42.00 元

书名	单价	书名	单价
莎士比亚喜剧悲剧集	49.00 元	少年维特的烦恼	28.00 元
神秘岛	48.00 元	神曲（共三册）	128.00 元
圣经故事	35.00 元	十日谈	38.00 元
双城记	45.00 元	水浒传	69.00 元
四世同堂（上、下）	78.00 元	苔丝	39.00 元
谈美	26.00 元	谈美书简	28.00 元
汤姆叔叔的小屋	45.00 元	汤姆·索亚历险记	32.00 元
唐诗三百首	39.00 元	堂吉诃德	62.00 元
天方夜谭	42.00 元	童年	38.00 元
童年·在人间·我的大学	49.00 元	瓦尔登湖	28.00 元
我是猫	39.00 元	物种起源	42.00 元
雾都孤儿	44.00 元	西顿野生动物故事集	38.00 元
西游记	48.00 元	希腊古典神话	49.00 元
乡土中国	36.00 元	小妇人	45.00 元
小王子	29.00 元	星星离我们有多远	35.00 元
羊脂球	38.00 元	一九八四	36.00 元
伊索寓言全集	35.00 元	尤利西斯	58.00 元
约翰·克利斯朵夫（上、下）	98.00 元	月亮和六便士	45.00 元
战争与和平（上、下）	108.00 元	朝花夕拾	22.00 元
中国民间故事	39.00 元	中国哲学简史	48.00 元
子夜	49.00 元	最后一课	36.00 元
罪与罚	66.00 元